D0983395

Hans-Georg Gadamer

WAHRHEIT UND METHODE

WAHRHEIT
UND
METHODE

Grundzüge einer philosophischen Hermeneutik

von

HANS-GEORG GADAMER

2. Auflage

durch einen Nachtrag erweitert

1965

J.C.B.MOHR (PAUL SIEBECK) TÜBINGEN

Solang du Selbstgeworfnes fängst, ist alles
Geschicklichkeit und läßlicher Gewinn –;
erst wenn du plötzlich Fänger wirst des Balles,
den eine ewige Mitspielerin
dir zuwarf, deiner Mitte, in genau
gekonntem Schwung, in einem jener Bögen
aus Gottes großem Brückenbau:
erst dann ist Fangen-können ein Vermögen, –
nicht deines, einer Welt.

                                                  R. M. Rilke

INHALTSVERZEICHNIS

Vorwort zur 2. Auflage

Das vorliegende Buch erscheint im wesentlichen unverändert in zweiter Auflage. Es hat seine Leser und es hat seine Kritiker gefunden, und gewiß sollte die Beachtung, die es erfahren hat, den Autor verpflichten, alle beherzigenswerten Beiträge der Kritik zur Verbesserung des Ganzen zu nutzen. Indessen hat eine in langen Jahren gereifte Gedankenführung ihre eigene Festigkeit. So sehr man mit den Augen des Kritikers zu sehen versucht, die vielfältig durchgeführte eigene Perspektive will sich immer wieder durchsetzen.

Die drei Jahre, die seit dem Erscheinen der ersten Auflage verstrichen sind, reichten nicht aus, das Ganze noch einmal in Bewegung zu bringen und das inzwischen, durch Kritik[1] und durch Weiterführung der eigenen Arbeit[2], Gelernte fruchtbar zu machen.

---

[1] Ich habe dabei vor allem die folgenden Stellungnahmen im Auge, zu denen noch manche briefliche oder mündliche Äußerungen treten:
1. K.O.Apel, Hegelstudien Bd. 2, Bonn 1963, S. 314–322.
2. O.Becker, Die Fragwürdigkeit der Transzendierung der ästhetischen Dimension der Kunst (im Hinblick auf den I. Teil von W. u. M.), Phil. Rundsch. 10, 1962. S. 225–238.
3. E.Betti, Die Hermeneutik als allgemeine Methodik der Geisteswissenschaften, Tübingen 1962.
4. W.Hellebrand, Der Zeitbogen, Arch. f. Rechts- u. Sozialphil., 49, 1963, S. 57 bis 76.
5. H.Kuhn, Wahrheit und geschichtl.Verstehen, Histor. Ztschr., Heft 193/2, 1961, S. 376- 389.
6. J.Möller, Tübinger Theol. Quartalschr., 5/1961, S. 467–471.
7. W.Pannenberg, Hermeneutik und Universalgeschichte, Ztschr. f. Theol. u. Kirche 60, 1963, S. 90–121, bes. 94ff.
8. O.Pöggeler, Philos. Literaturanzeiger, 16, S. 6–16.
9. A. de Waelhens, Sur une herméneutique de l' herméneutique, Rev. philos. de Louvain, 60, 1962, S. 573–591.
10. Fr. Wieacker, Notizen zur rechtshistorischen Hermeneutik, Nachr. d. Ak. d. W., Göttingen, phil.-hist. Kl., 1963, S. 1–22.

[2] Vgl.:
1. Nachwort zu: M.Heidegger, Der Ursprung des Kunstwerks, Stuttgart 1960.
2. Hegel und die antike Dialektik, Hegel-Stud. I, 1961, S. 173–199.

So sei Absicht und Anspruch des Ganzen noch einmal kurz umrissen: Offenbar hat es zu Mißverständnissen geführt, daß ich den durch eine alte Tradition belasteten Ausdruck der Hermeneutik aufgriff[1]. Eine »Kunstlehre« des Verstehens, wie es die ältere Hermeneutik sein wollte, lag nicht in meiner Absicht. Ich wollte nicht ein System von Kunstregeln entwickeln, die das methodische Verfahren der Geisteswissenschaften zu beschreiben oder gar zu leiten vermöchten. Meine Absicht war auch nicht, die theoretischen Grundlagen der geisteswissenschaftlichen Arbeit zu erforschen, um die gewonnenen Erkenntnisse ins Praktische zu wenden. Wenn es eine praktische Folgerung aus den hier vorgelegten Untersuchungen gibt, so jedenfalls nicht eine für unwissenschaftliches ,Engagement', sondern für die ,wissenschaftliche' Redlichkeit, sich das in allem Verstehen wirksame Engagement einzugestehen. Mein eigentlicher Anspruch aber war und ist ein philosophischer: Nicht, was wir tun, nicht, was wir tun sollten, sondern was über unser Wollen und Tun hinaus mit uns geschieht, steht in Frage.

Insofern ist von den Methoden der Geisteswissenschaften hier überhaupt nicht die Rede. Ich gehe vielmehr davon aus, daß die historischen Geisteswissenschaften, wie sie aus der deutschen Romantik hervorgingen und sich mit dem Geist der modernen Wissenschaft durchdrangen, ein humanistisches Erbe verwalten, das sie gegenüber allen anderen Arten moderner Forschung auszeichnet und in die Nähe ganz andersartiger außerwissenschaftlicher Erfahrungen, insbesondere der der Kunst, bringt. Das hat gewiß auch seine wissenssoziologische Seite. In Deutschland, das immer ein vorrevolutionäres gewesen ist, war es die Tradition des ästhetischen Humanismus, die mitten in der Entfaltung des modernen Wissenschaftsgedankens lebendig fortwirkte. In anderen Ländern mag mehr politisches Bewußtsein in das eingehen, was dort die ,humanistics', die ,lettres', kurz, all das, was man ehedem die Humaniora nannte, trägt.

---

3. Zur Problematik des Selbstverständnisses, FS G. Krüger: Einsichten, Frankfurt 1962, S. 71–85.
4. Dichten und Deuten, Jb. d. Dtsch. Ak. f. Sprache u. Dichtung, 1960, S. 13–21.
5. Hermeneutik und Historismus, Phil. Rundschau. 9, 1961, jetzt Anhang S. 477 bis 512.
6. Die phänomenologische Bewegung, Phil. Rundsch. 11, 1963, 1 ff.
7. Die Natur der Sache und die Sprache der Dinge, in: Problem der Ordnung, Dt. Kongr. f. Phil. 6, München 1960, Meisenheim 1962.
8. Über die Möglichkeit einer philosophischen Ethik, Sein und Ethos, Walberberger Stud. I, 1963, S. 11–24.
9. Mensch und Sprache, FS D. Tschizewski, München 1964.
10. Martin Heidegger und die Marburger Theologie, FS R. Bultmann, Tübingen 1964.
11. Ästhetik und Hermeneutik, Vortrag auf dem Ästhetik-Kongreß Amsterdam 1964.
   [1] Vgl. E. Betti a. a. O.; F. Wieacker a. a. O.

Das schließt nicht im geringsten aus, daß die Methoden der modernen Naturwissenschaft ihre Anwendung auch auf die gesellschaftliche Welt finden. Vielleicht ist unsere Epoche sogar stärker als durch den ungeheuren Fortschritt der modernen Naturwissenschaften durch die steigende Rationalisierung der Gesellschaft und die wissenschaftliche Technik ihrer Leitung bestimmt. Der methodische Geist der Wissenschaft setzt sich überall durch. So ist es mir nicht von ferne in den Sinn gekommen, die Unerläßlichkeit methodischer Arbeit innerhalb der sogenannten Geisteswissenschaften zu leugnen. Meine Absicht war auch nicht, den alten Methodenstreit zwischen Naturwissenschaften und Geisteswissenschaften zu erneuern. Um einen Gegensatz der Methoden handelt es sich schwerlich. Insofern scheint mir die ehedem von Windelband und Rickert formulierte Frage nach den ‚Grenzen der naturwissenschaftlichen Begriffsbildung' schief. Nicht eine Differenz der Methoden, eine Differenz der Erkenntnisziele liegt vor. Die hier gestellte Frage will etwas aufdecken und bewußt machen, was durch jenen Methodenstreit verdeckt und verkannt wird, etwas, was die moderne Wissenschaft nicht so sehr begrenzt oder einschränkt, als vielmehr ihr vorausliegt und sie zu ihrem Teile möglich macht. Ihr immanentes Schrittgesetz verliert dadurch nichts von seiner eigenen Entschiedenheit. Es wäre ein ohnmächtiges Unterfangen, dem menschlichen Wissenwollen und dem menschlichen Machenkönnen ins Gewissen zu reden, damit es vielleicht etwas schonsamer mit den natürlichen und gesellschaftlichen Ordnungen unserer Welt umgehen lernte. Die Rolle des Moralpredigers im Gewande des Forschers hat etwas Absurdes. Absurd ist ebenso der Anspruch des Philosophen, der aus Prinzipien deduziert, wie die »Wissenschaft« sich ändern müsse, damit sie philosophisch legitimierbar würde.

So scheint es mir ein bloßes Mißverständnis, wenn man hier die berühmte kantische Unterscheidung von quaestio iuris und quaestio facti einmengen will. Kant hatte wahrlich nicht die Absicht, der modernen Naturwissenschaft vorzuschreiben, wie sie sich verhalten müsse, damit sie vor dem Richterstuhl der Vernunft bestünde. Er hat eine philosophische Frage gestellt, d.h. er hat gefragt, welches die Bedingungen unserer Erkenntnis sind, durch die die moderne Wissenschaft möglich ist und wie weit sie reicht. In diesem Sinne stellt auch die vorliegende Untersuchung eine philosophische Frage. Aber sie stellt sie keineswegs nur an die sogenannten Geisteswissenschaften (innerhalb derer sie dann bestimmten klassischen Disziplinen den Vorzug gäbe); sie stellt sie überhaupt nicht nur an die Wissenschaft und ihre Erfahrungsweisen – sie stellt sie an das Ganze der menschlichen Welterfahrung und Lebenspraxis. Sie fragt, um es kantisch auszudrücken: Wie ist Verstehen möglich? Das ist eine Frage, die allem verstehenden Verhalten der Subjektivität, auch dem methodischen der verstehenden Wissenschaften, ihren Normen und Regeln, schon vorausliegt. Heideggers temporale Analytik des menschlichen Daseins hat, meine ich, überzeugend gezeigt, daß Verstehen nicht eine unter den Verhaltensweisen des Subjektes, sondern die Seinsweise des Daseins selber ist. In diesem Sinne ist der Begriff »Hermeneutik« hier verwendet worden. Er bezeichnet die Grundbewegtheit des Daseins, die seine Endlichkeit und Geschichtlichkeit ausmacht, und umfaßt daher das Ganze seiner Welterfahrung. Es ist nicht Willkür oder konstruktive Überspannung eines einseitigen Aspekts, es liegt vielmehr in der Natur der Sache, daß die Bewegung des Verstehens eine umfassende und universale ist.

Ich kann es nicht für richtig halten, wenn man meint, der hermeneutische Aspekt finde an außergeschichtlichen Seinsweisen, z.B. der des Mathematischen oder des Ästhetischen, seine Grenzen[1]. Gewiß ist es richtig, daß etwa die ästhetische Qualität eines Kunstwerks auf Baugesetzen und einem Gestaltungsniveau beruht, die am Ende alle Schranken geschichtlicher Herkunft und kultureller Zugehörigkeit transzendieren. Ich lasse dahingestellt, wieweit dem Kunstwerk gegenüber der ‚Qualitätssinn‘ eine unabhängige Erkenntnismöglichkeit darstellt[2] oder ob er, wie aller Geschmack, nicht nur formal entwickelt wird, sondern gebildet und geprägt wie er. Geschmack jedenfalls wird notwendig an etwas gebildet, das seinerseits vorzeichnet, wofür er gebildet ist. Insofern schließt er vielleicht immer bestimmte inhaltliche Vorzugsrichtungen (und Versperrungen) ein. Auf jeden Fall aber gilt, daß ein jeder, der die Erfahrung des Kunstwerks macht, diese Erfahrung ganz in sich einholt und das heißt: in das Ganze seines Selbstverständnisses, in dem sie ihm etwas bedeutet. Ich meine sogar, daß der Vollzug des Verstehens, der in dieser Weise die Erfahrung des Kunstwerks mit umgreift, allen Historismus im Gebiete der ästhetischen Erfahrung überspielt. Zwar scheint es naheliegend, zwischen dem ursprünglichen Weltzusammenhang, den ein Kunstwerk stiftet, und seinem Fortleben in den veränderten Lebensumständen der Nachwelt zu unterscheiden[3]. Aber wo scheidet sich eigentlich Welt und Nachwelt? Wie geht das Ursprüngliche der Lebensbedeutsamkeit in die reflektierte Erfahrung der Bildungsbedeutsamkeit über? Mir scheint, daß der Begriff der ästhetischen Nichtunterscheidung, den ich in diesem Zusammenhang geprägt habe, recht gut festhält, daß es hier keine scharfen Grenzen gibt und daß die Bewegung des Verstehens sich nicht auf den Reflexionsgenuß einengen läßt, den die ästhetische Unterscheidung festlegt. Es sollte zugestanden werden, daß etwa ein antikes Götterbild, das nicht als Kunstwerk für einen ästhetischen Reflexionsgenuß im Tempel seine Aufstellung fand und heute in einem modernen Museum seine Aufstellung hat, die Welt

---

[1] Vgl. O. Becker a.a.O.

[2] Kurt Riezler hat ehedem in seinem ‚Traktat vom Schönen‘ eine transzendentale Deduktion des ‚Qualitätssinnes‘ versucht. Frankfurt 1935.

[3] Vgl. neuerdings zur Sache: H. Kuhn, Vom Wesen des Kunstwerkes (1961).

der religiösen Erfahrung, der es entstammt, so wie es heute vor uns steht, enthält, und das hat die bedeutende Folge, daß diese seine Welt auch noch zu unserer Welt gehört. Es ist das hermeneutische Universum, das beide umfaßt[1].

Die Universalität des hermeneutischen Aspektes läßt sich auch in anderen Zusammenhängen nicht durch Willkür beschränken oder beschneiden. Es war keine bloße kompositorische Künstlichkeit, wenn ich bei der Erfahrung der Kunst einsetzte, um dem Phänomen des Verstehens die rechte Weite zu sichern. Hier hat die Genieästhetik eine wichtige Vorarbeit geleistet, sofern aus ihr folgt, daß die Erfahrung des Kunstwerks jeden subjektiven Horizont der Auslegung, den des Künstlers wie den des Aufnehmenden, grundsätzlich immer übersteigt. Die mens auctoris ist kein möglicher Maßstab für die Bedeutung eines Kunstwerks. Ja, auch die Rede von einem Werk an sich, abgelöst von seiner immer erneuerten Wirklichkeit des Erfahrenwerdens, behält etwas Abstraktes. Ich glaube gezeigt zu haben, warum diese Rede nur eine Intention beschreibt, aber keine dogmatische Einlösung gestattet. Der Sinn meiner Untersuchungen ist jedenfalls nicht, eine allgemeine Theorie der Interpretation und eine Differenziallehre ihrer Methoden zu geben, wie das E. Betti vorzüglich getan hat, sondern das allen Verstehensweisen Gemeinsame aufzusuchen und zu zeigen, daß Verstehen niemals ein subjektives Verhalten zu einem gegebenen ‚Gegenstande‘ ist, sondern zur Wirkungsgeschichte, und das heißt: zum Sein dessen gehört, was verstanden wird.

So kann es mich nicht überzeugen, wenn mir eingewandt wird, daß die Reproduktion eines musikalischen Kunstwerks in einem anderen Sinne Interpretation sei als etwa der Verstehensvollzug im Lesen einer Dichtung oder im Betrachten eines Bildes. Alle Reproduktion ist doch zunächst Auslegung und will als solche richtig sein. In diesem Sinne ist auch sie ‚Verstehen‘[2].

Die Universalität des hermeneutischen Gesichtspunktes duldet, wie ich meine, auch dort nicht eine Einengung, wo es sich um die Vielfalt historischer Interessenahmen handelt, die sich in der Geschichtswissenschaft vereinigen. Gewiß gibt es vielerlei Arten von Geschichtsschreibung und Geschichtsforschung. Keine Rede davon, daß jede historische Interessenahme im bewußten Vollzuge einer wirkungsgeschichtlichen Reflexion ihren Grund hätte. Die Geschichte der nordamerikanischen Eskimostämme

---

[1] Die Ehrenrettung der Allegorie, die in diesem Zusammenhang steht (S. 66 ff.), hat schon vor Jahrzehnten mit dem bedeutenden Buch Walter Benjamins, ‚Der Ursprung des deutschen Trauerspiels‘ (1927) eingesetzt.

[2] Ich kann mich hier auf die — freilich anders akzentuierten — Darlegungen Hans Sedlmayrs berufen, die jetzt unter dem Titel ‚Kunst und Wahrheit‘ (rde 71) gesammelt sind. Vgl. vor allem S. 87 ff.

ist sicherlich gänzlich davon unabhängig, ob und wann diese Stämme in die »Weltgeschichte Europas« eingewirkt haben. Und doch kann man im Ernst nicht leugnen, daß die wirkungsgeschichtliche Reflexion sich auch dieser historischen Aufgabe gegenüber als machtvoll erweisen wird. Wer in 50 oder 100 Jahren die heute geschriebene Geschichte dieser Stämme wieder liest, der wird diese Geschichte nicht nur veraltet finden, weil er inzwischen mehr weiß oder die Quellen richtiger interpretiert – er wird sich auch eingestehen können, daß man im Jahre 1960 die Quellen deshalb anders las, weil man von anderen Fragen, von anderen Vorurteilen und Interessen bewegt war. Es hieße die Geschichtsschreibung und Geschichtsforschung auf das letztlich Gleichgültige reduzieren, wenn man sie der Kompetenz der wirkungsgeschichtlichen Reflexion schlechthin entziehen wollte. Gerade die Universalität des hermeneutischen Problems hinterfragt alle Arten des Interesses an der Geschichte, weil sie das betrifft, was jeweils der ‚historischen Frage‘ zugrunde liegt[1]. Und was ist Geschichtsforschung ohne die ‚historische Frage‘? In der von mir gebrauchten und durch wortgeschichtliche Untersuchungen gerechtfertigten Sprache heißt das: Applikation ist ein Moment des Verstehens selber. Wenn ich in diesem Zusammenhang den Rechtshistoriker und den praktischen Juristen auf eine Stufe stellte, so sollte damit nicht geleugnet werden, daß der erstere ausschließlich eine ‚kontemplative‘, der letztere ausschließlich eine praktische Aufgabe hat. Aber Applikation steckt in beider Tun. Wie sollte denn auch das Verstehen des *Rechts*sinnes eines Gesetzes bei dem einen ein anderes sein als beim anderen! Gewiß hat z. B. der Richter die praktische Aufgabe, das Urteil zu fällen, und da mögen mancherlei rechtspolitische Erwägungen mitspielen, die der Rechtshistoriker, der das gleiche Gesetz vor Augen hat, nicht anstellt. Aber ist deshalb ihr rechtliches *Verständnis* des Gesetzes verschieden? Die Entscheidung des Richters, die »praktisch ins Leben eingreift«, will doch eine richtige, und keineswegs willkürliche Anwendung der Gesetze sein, muß also auf »richtiger« Auslegung beruhen, und das schließt notwendig Vermittlung von Geschichte und Gegenwart im Verstehen selbst ein.

Freilich, der Rechtshistoriker wird ein in diesem Sinne richtig verstandenes Gesetz obendrein ‚historisch‘ zu würdigen haben, und das bedeutet immer, daß er seine historische Bedeutung einschätzen muß, und, da geleitet von seinen eigenen historischen Vor-Meinungen und lebendigen Vor-Urteilen, ‚falsch‘. Das heißt nichts anderes, als daß wiederum eine Vermittlung von Vergangenheit und Gegenwart vorliegt, also Applikation. Der Fortgang der Geschichte, zu der die Geschichte der Forschung gehört, pflegt das zu lehren. Offenbar heißt das aber nicht, daß der Historiker etwas getan hat, was er nicht »durfte« oder nicht hätte tun sollen und

---

[1] Vgl. H. Kuhn, a. a. O.

woran man ihn durch einen hermeneutischen Kanon hätte hindern sollen oder können. Ich rede nicht von den rechtshistorischen Irrtümern, sondern von den wahren Erkenntnissen. Die Praxis des Rechtshistorikers hat – ebenso wie die des Richters – ihre ‚Methoden‘, Irrtum zu vermeiden, darin stimme ich den Erwägungen des Rechtshistorikers[1] durchaus zu. Das hermeneutische Interesse des Philosophen hebt aber gerade dort erst an, wo es gelungen ist, Irrtum zu vermeiden. Denn gerade dann bezeugen Historiker wie Dogmatiker eine Wahrheit, die noch über das hinausliegt, was sie erkennen, sofern ihre eigene, schwindende Gegenwart in ihrem Tun und ihren Taten erkennbar ist.

Der Gegensatz von historischer und dogmatischer Methode hat unter dem Gesichtspunkt einer philosophischen Hermeneutik keine schlechthinnige Geltung. So drängt sich die Frage auf, wieweit der hermeneutische Gesichtspunkt selber von historischer oder dogmatischer Geltung ist[2]. Wenn das Prinzip der Wirkungsgeschichte als ein allgemeines Strukturmoment des Verstehens geltend gemacht wird, so schließt diese These gewiß keine historische Bedingtheit ein, sondern will schlechthin gelten – und doch gibt es ein hermeneutisches Bewußtsein nur unter bestimmten geschichtlichen Bedingungen. Die Tradition, zu deren Wesen selbstverständliche Weitergabe des Überlieferten gehört, muß fragwürdig geworden sein, damit sich ein ausdrückliches Bewußtsein der hermeneutischen Aufgabe, die Tradition anzueignen, bildet. So läßt sich bei Augustin ein solches Bewußtsein dem Alten Testament gegenüber bemerken, und in der Reformation entwickelt sich die protestantische Hermeneutik aus dem Anspruch, die Heilige Schrift aus sich selbst zu verstehen (sola scriptura), gegen das Traditionsprinzip der römischen Kirche. Vollends aber seit dem Aufgang des historischen Bewußtseins, das einen grundsätzlichen Abstand der Gegenwart gegenüber aller geschichtlichen Überlieferung einschließt, ist das Verstehen eine Aufgabe und bedarf der methodischen Leitung. Die These meines Buches ist nun, daß das wirkungsgeschichtliche Moment in allem Verstehen von Überlieferung wirksam ist und wirksam bleibt, auch wo die Methodik der modernen historischen Wissenschaften Platz gegriffen hat und das geschichtlich Gewordene, geschichtlich Überlieferte zum ‚Objekt‘ macht, das es ‚festzustellen‘ gilt wie einen experimentellen Befund – als wäre Überlieferung in dem selben Sinne fremd und, menschlich gesehen, unverständlich wie der Gegenstand der Physik.

Von da aus rechtfertigt sich eine gewisse Zweideutigkeit in dem Begriff des wirkungsgeschichtlichen Bewußtseins, wie ich ihn gebrauche. Die Zweideutigkeit desselben besteht darin, daß damit einerseits das im Gang der Geschichte erwirkte und durch die Geschichte bestimmte Bewußt-

---

[1] Betti, Wieacker, Hellebrand a. a. O.

[2] Vgl. O. Apel a. a. O.

sein, und andererseits ein Bewußtsein dieses Erwirkt- und Bestimmtseins selber gemeint ist. Offenbar ist es der Sinn der von mir gegebenen Nachweise, daß die wirkungsgeschichtliche Bestimmtheit auch noch das moderne, historische und wissenschaftliche Bewußtsein beherrscht – und das über jedes mögliche Wissen von diesem Beherrschtsein hinaus. Das wirkungsgeschichtliche Bewußtsein ist in einem so radikalen Sinne endlich, daß unser im Ganzen unsrer Geschicke gewirktes Sein sein Wissen von sich wesensmäßig überragt. Das aber ist eine grundsätzliche Einsicht, die nicht auf eine bestimmte geschichtliche Situation eingeengt werden darf, eine Einsicht freilich, die angesichts der modernen historischen Forschung und des methodischen Ideals der Objektivität der Wissenschaft einem eigenen Widerstand in der Selbstauffassung der Wissenschaft begegnet.

Gewiß läßt sich auch darüber hinaus die historische Reflexionsfrage stellen, warum gerade jetzt in diesem geschichtlichen Augenblick die grundsätzliche Einsicht in das wirkungsgeschichtliche Moment alles Verstehens möglich geworden sein soll. Meine Untersuchungen enthalten darauf indirekt eine Antwort. Denn erst im Scheitern des naiven Historismus des historischen Jahrhunderts wird sichtbar, daß der Gegensatz von unhistorisch-dogmatisch und historisch, von Tradition und historischer Wissenschaft, von antik und modern, kein schlechthinniger ist. Die berühmte querelle des anciens et des modernes hört auf, eine wirkliche Alternative zu stellen.

Was hier als die Universalität des hermeneutischen Aspekts geltend gemacht wird, und insbesondere auch, was über die Sprachlichkeit als die Vollzugsform des Verstehens ausgeführt wird, umfaßt daher das »vorhermeneutische« Bewußtsein ebensogut wie alle Weisen eines hermeneutischen Bewußtseins. Auch naive Traditionsaneignung ist ‚Weitersage‘, wenngleich sie natürlich nicht als ‚Horizontverschmelzung‘ zu beschreiben ist (vgl. S. 508).

Und nun zu der grundsätzlichen Frage: Wieweit reicht der Aspekt des Verstehens und seiner Sprachlichkeit selber? Kann er die allgemeine philosophische Konsequenz tragen, die in dem Satz liegt: »Sein, das verstanden werden kann, ist Sprache«? Führt dieser Satz nicht angesichts der Universalität der Sprache zu der unhaltbaren metaphysischen Folgerung, daß »alles« nur Sprache und Sprachgeschehen ist? Zwar, der nahe liegende Hinweis auf das Unsagbare braucht der Universalität des Sprachlichen keinen Abbruch zu tun. Die Unendlichkeit des Gesprächs, in dem sich Verstehen vollzieht, läßt die jeweilige Geltendmachung des Unsagbaren selber relativ sein. Aber ist Verstehen überhaupt der alleinige und der adäquate Zugang zu der Wirklichkeit der Geschichte? Offenbar droht von diesem Aspekt her die Gefahr, die eigentliche Wirklichkeit des Geschehens, insbesondere die Absurdität und die Kontingenz desselben, abzuschwächen und in eine Form der Sinnerfahrung zu verfälschen.

So war es zwar die Tendenz meiner eigenen Untersuchung, der Historik Droysens und Diltheys nachzuweisen, wie sie aller Opposition der historischen Schule gegen Hegels Spiritualismus zum Trotze der hermeneutische Ansatz dazu verführt hat, die Geschichte als ein Buch zu lesen, d. h. aber als ein bis zum letzten Buchstaben sinnvolles. Bei allem Protest gegen eine Philosophie der Geschichte, in der die Notwendigkeit des Begriffs den Kern alles Geschehens ausmacht, kam die historische Hermeneutik Diltheys nicht daran vorbei, Geschichte in Geistesgeschichte gipfeln zu lassen. Das war meine Kritik. Dennoch: Wiederholt sich nicht diese Gefahr auch dem gegenwärtigen Versuch gegenüber? Indes, die traditionelle Begriffsbildung, insbesondere der hermeneutische Zirkel von Ganzem und Teil, von dem mein Versuch der Grundlegung der Hermeneutik ausgeht, braucht eine solche Konsequenz nicht zu haben. Der Begriff des Ganzen ist selber nur relativ zu verstehen. Das Ganze von Sinn, das es in der Geschichte oder der Überlieferung zu verstehen gilt, meint niemals den Sinn des Ganzen der Geschichte. Die Gefahr des Doketismus scheint mir dort gebannt, wo die geschichtliche Überlieferung nicht als Gegenstand eines historischen Wissens oder philosophischen Begreifens, sondern als ein Wirkungsmoment des eigenen Seins gedacht ist. Die Endlichkeit des eigenen Verstehens ist die Weise, in der sich die Realität, der Widerstand, das Absurde und Unverständliche geltend macht. Wer diese Endlichkeit ernst nimmt, muß auch die Wirklichkeit der Geschichte ernst nehmen.

Es ist das gleiche Problem, das die Erfahrung des Du für alles Selbstverständnis so entscheidend macht. In meinen Untersuchungen nimmt das Kapitel über die Erfahrung eine systematische Schlüsselstellung ein. Dort wird von der Erfahrung des Du her auch der Begriff der wirkungsgeschichtlichen Erfahrung beleuchtet. Denn auch die Erfahrung des Du zeigt die Paradoxie, daß etwas, was mir gegenüber steht, sein eigenes Recht geltend macht und zur schlechthinnigen Anerkennung nötigt – und eben damit ‚verstanden‘ wird. Aber ich glaube richtig gezeigt zu haben, daß solches Verstehen gar nicht das Du versteht, sondern das, was es uns Wahres sagt. Ich meine damit solche Wahrheit, die einem nur durch das Du sichtbar wird, und nur dadurch, daß man sich von ihm etwas sagen läßt. Genauso ist es mit der geschichtlichen Überlieferung. Sie verdiente gar nicht das Interesse, das wir ihr erweisen, wenn sie uns nicht etwas zu lehren hätte, was wir aus Eigenem nicht zu erkennen vermögen. Der Satz »Sein, das verstanden werden kann, ist Sprache« muß in diesem Sinne gelesen werden. Er meint nicht das schlechthinnige Herrsein des Verstehenden über das Sein, sondern im Gegenteil, daß Sein nicht erfahren wird, wo etwas von uns hergestellt werden kann und insofern begriffen ist, sondern dort, wo, was geschieht, lediglich verstanden werden kann.

Von da stellt sich eine Frage der philosophischen Methodik, die ebenfalls in einer Reihe von kritischen Äußerungen zu meinem Buch aufgeworfen

worden ist. Ich möchte sie das Problem der phänomenologischen Immanenz
nennen. Das ist wahr, mein Buch steht methodisch auf phänomenologi-
schem Boden. Es mag paradox klingen, wenn anders gerade Heideggers
Kritik der transzendentalen Fragestellung und sein Denken der ‚Kehre‘
der Entfaltung des universellen hermeneutischen Problems, die ich unter-
nehme, zugrundeliegt. Ich meine aber, daß auch auf diese Wendung
Heideggers, die das hermeneutische Problem erst zu sich selbst befreit,
das Prinzip phänomenologischer Ausweisung angewendet werden darf. Ich
habe deshalb den Begriff ‚Hermeneutik‘, den der junge Heidegger gebrauchte, festgehalten, aber nicht im Sinne einer Methodenlehre, sondern
als eine Theorie der wirklichen Erfahrung, die das Denken ist. So muß ich
betonen, daß meine Analysen des Spiels oder der Sprache rein phänomenologisch gemeint sind[1]. Spiel geht nicht im Bewußtsein des Spielenden
auf und ist insofern mehr als ein subjektives Verhalten. Sprache geht nicht
im Bewußtsein des Sprechenden auf und ist insofern mehr als ein subjektives Verhalten. Eben das läßt sich als eine Erfahrung des Subjekts
beschreiben und hat nichts mit ‚Mythologie‘ oder ‚Mystifikation‘ zu tun[2].
Solche methodische Grundhaltung bleibt diesseits aller eigentlichen
metaphysischen Folgerungen. Ich habe in inzwischen erschienenen Arbeiten, insbesondere in meinen Forschungsberichten ‚Hermeneutik und
Historismus‘[3] und ‚Die phänomenologische Bewegung‘ (in der Philosophischen Rundschau) betont, daß ich in der Tat Kants Kritik der reinen
Vernunft verbindlich finde und Aussagen, die nur auf dialektische Weise
zu dem Endlichen das Unendliche, zu dem menschlich Erfahrenen das an
sich Seiende, zu dem Zeitlichen das Ewige hinzudenken, für bloße Grenz-
bestimmungen halte, aus denen sich durch die Kraft der Philosophie keine
eigene Erkenntnis entwickeln läßt. Gleichwohl behält die Tradition der
Metaphysik und insbesondere ihre letzte große Gestalt, die spekulative
Dialektik Hegels, eine beständige Nähe. Die Aufgabe, der »unendliche
Bezug«, ist geblieben. Aber die Art der Aufweisung desselben sucht sich
der Umklammerung durch die synthetische Kraft der hegelschen Dialektik,
ja sogar der aus Platos Dialektik erwachsenen ‚Logik‘, zu entziehen und
in der Bewegung des Gesprächs, in dem Wort und Begriff erst werden, was
sie sind, ihren Stand zu nehmen[4].
Damit bleibt die Forderung einer reflexiven Selbstbegründung unerfüllt,
wie sie sich von der spekulativ durchgeführten Transzendentalphilosophie

[1] Ludwig Wittgensteins Begriff der ‚Sprachspiele‘ kam mir daher, als ich ihn
kennenlernte, ganz natürlich vor. Vgl. ‚Die phänomenologische Bewegung‘ S. 37 ff.
[2] Vgl. mein Nachwort zu der Reclamausgabe von Heideggers Kunstwerk-Aufsatz
(S. 108 ff.) und neuerdings den Aufsatz in der F.A.Z. vom 26.9.1964 = Die Sammlung 1965, Heft 1.
[3] Unten S. 477–512.
[4] O. Pöggeler hat a.a.O. S. 12 f. einen interessanten Hinweis darauf gegeben,
was Hegel aus dem Munde Rosenkranz’ dazu sagen würde.

Fichtes, Hegels, Husserls aus stellen läßt. Aber ist das Gespräch mit dem Ganzen unserer philosophischen Überlieferung, in dem wir stehen und das wir als Philosophierende sind, grundlos? Bedarf es einer Begründung dessen, was uns immer schon trägt?

Damit aber wird eine letzte Frage angerührt, die weniger eine methodische als eine inhaltliche Wendung des hermeneutischen Universalismus, den ich entwickelt habe, betrifft. Bedeutet die Universalität des Verstehens nicht eine inhaltliche Einseitigkeit, sofern sie eines kritischen Prinzips gegenüber der Tradition ermangelt und gleichsam einem universalen Optimismus huldigt? Mag es immerhin zum Wesen der Tradition gehören, nur durch Aneignung zu sein, so gehört es doch gewiß auch zum Wesen des Menschen, Tradition brechen, kritisieren und auflösen zu können, und ist nicht etwas weit Ursprünglicheres in unserem Verhältnis zum Sein das, was sich in der Weise der Arbeit, des Umarbeitens des Wirklichen auf unsere Zwecke hin, vollzieht? Führt nicht insofern die ontologische Universalität des Verstehens in eine Einseitigkeit? – Verstehen meint gewiß nicht bloß die Aneignung überlieferter Meinung oder Anerkennung des durch Tradition Geheiligten. Heidegger, der den Begriff des Verstehens zuerst als universale Bestimmtheit des Daseins ausgezeichnet hat, meint damit geradezu den Entwurfscharakter des Verstehens, d. h. aber die Zukünftigkeit des Daseins. Gleichwohl will ich nicht leugnen, daß ich innerhalb des universalen Zusammenhangs der Verstehensmomente die Richtung auf die Aneignung des Vergangenen und Überlieferten meinerseits ausgezeichnet habe. Auch Heidegger dürfte hier, wie mancher meiner Kritiker, die letzte Radikalität im Ziehen von Konsequenzen vermissen. Was bedeutet das Ende der Metaphysik als Wissenschaft? Was bedeutet ihr Enden in Wissenschaft? Wenn die Wissenschaft sich zur totalen Technokratie steigert und damit die ‚Weltnacht‘ der ‚Seinsvergessenheit‘, den von Nietzsche vorausgesagten Nihilismus heraufführt, darf man dann dem letzten Nachleuchten der untergegangenen Sonne am Abendhimmel nachblicken – statt sich umzukehren und nach dem ersten Schimmer ihrer Wiederkehr auszuschauen?

Indessen, mir scheint, daß die Einseitigkeit des hermeneutischen Universalismus die Wahrheit des Korrektivs für sich hat. Sie klärt den modernen Blickpunkt des Machens, des Erzeugens, der Konstruktion über notwendige Voraussetzungen auf, unter denen er selber steht. Das begrenzt im besonderen die Stellung des Philosophen in der modernen Welt. Mag er immer die radikalen Konsequenzen aus allem zu ziehen berufen sein, die Rolle des Propheten, des Warnherrn, des Predigers oder auch nur des Besserwissers steht ihm schlecht.

Wessen es für den Menschen bedarf, ist nicht allein das unbeirrte Stellen der letzten Fragen, sondern ebenso der Sinn für das Tunliche, das Mögliche, das Richtige hier und jetzt. Erst recht muß der Philosophierende, meine ich, sich der Spannung zwischen seinem eigenen Anspruch und der Wirklichkeit, in der er steht, bewußt sein.

Das hermeneutische Bewußtsein, das es zu wecken und wachzuhalten gilt, gesteht sich daher ein, daß im Zeitalter der Wissenschaft der Herrschaftsanspruch des philosophischen Gedankens etwas Phantomhaftes und Unwirkliches hätte. Aber es möchte dem Wollen des Menschen, das mehr denn je die Kritik des Bisherigen in ein utopisches oder eschatologisches Bewußtsein steigert, aus der Wahrheit des Erinnerns etwas entgegensetzen: das immer noch und immer wieder Wirkliche.

Der nach Vollendung dieses Buches erschienene Aufsatz ,Hermeneutik und Historismus', der dazu bestimmt war, von der Auseinandersetzung mit der Literatur zu entlasten, wird jetzt mit einigen Ergänzungen als Anhang (S. 477–512) beigegeben.

Die folgenden Untersuchungen haben es mit dem hermeneutischen Problem zu tun. Das Phänomen des Verstehens und der rechten Auslegung des Verstandenen ist nicht nur ein Spezialproblem der geisteswissenschaftlichen Methodenlehre. Es hat von alters her auch eine theologische und eine juristische Hermeneutik gegeben, die nicht so sehr wissenschaftstheoretischen Charakters waren, als vielmehr dem praktischen Verhalten des durch die Wissenschaft ausgebildeten Richters oder Pfarrers entsprachen und ihm dienten. So drängt das Problem der Hermeneutik schon von seinem geschichtlichen Ursprung her über die Grenzen hinaus, die durch den Methodenbegriff der modernen Wissenschaft gesetzt sind. Verstehen und Auslegen von Texten ist nicht nur ein Anliegen der Wissenschaft, sondern gehört offenbar zur menschlichen Welterfahrung insgesamt. Das hermeneutische Phänomen ist ursprünglich überhaupt kein Methodenproblem. Es geht in ihm nicht um eine Methode des Verstehens, durch die Texte einer wissenschaftlichen Erkenntnis so unterworfen werden, wie alle sonstigen Erfahrungsgegenstände. Es geht in ihm überhaupt nicht in erster Linie um den Aufbau einer gesicherten Erkenntnis, die dem Methodenideal der Wissenschaft genügt – und doch geht es um Erkenntnis und um Wahrheit auch hier. Im Verstehen der Überlieferung werden nicht nur Texte verstanden, sondern Einsichten erworben und Wahrheiten erkannt. Was ist das für eine Erkenntnis und was für eine Wahrheit?

Angesichts der Vorherrschaft, die die neuzeitliche Wissenschaft innerhalb der philosophischen Klärung und Rechtfertigung des Begriffs der Erkenntnis und des Begriffs der Wahrheit besitzt, scheint diese Frage ohne rechte Legitimation. Und doch läßt sich derselben auch innerhalb der Wissenschaften gar nicht ausweichen. Das Phänomen des Verstehens durchzieht nicht nur alle menschlichen Weltbezüge. Es hat auch innerhalb der Wissenschaft selbständige Geltung und widersetzt sich dem Versuch, sich in eine Methode der Wissenschaft umdeuten zu lassen. Die folgenden Untersuchungen knüpfen an diesen Widerstand an, der sich innerhalb der modernen Wissenschaft gegen den universalen Anspruch wissenschaftlicher Methodik behauptet. Ihr Anliegen ist, Erfahrung von Wahrheit, die den Kontrollbereich wissenschaftlicher Methodik übersteigt, überall aufzusuchen, wo sie begegnet und auf die ihr eigene Legitimation zu befragen.

So rücken die Geisteswissenschaften mit Erfahrungsweisen zusammen, die außerhalb der Wissenschaft liegen: mit der Erfahrung der Philosophie, mit der Erfahrung der Kunst und mit der Erfahrung der Geschichte selbst. Das alles sind Erfahrungsweisen, in denen sich Wahrheit kundtut, die nicht mit den methodischen Mitteln der Wissenschaft verifiziert werden kann.

Davon hat die Philosophie unserer Tage ein sehr ausgeprägtes Bewußtsein. Aber eine ganz andere Frage ist es, wie weit sich der Wahrheitsanspruch solcher außerhalb der Wissenschaft stehenden Erkenntnisweisen philosophisch legitimieren läßt. Die Aktualität des hermeneutischen Phänomens beruht in meinen Augen darauf, daß nur die Vertiefung in das Phänomen des Verstehens eine solche Legitimation bringen kann. Diese Überzeugung ist mir nicht zuletzt durch das Gewicht bestärkt worden, das in der philosophischen Arbeit der Gegenwart die Geschichte der Philosophie besitzt. Das Verstehen begegnet uns gegenüber der geschichtlichen Überlieferung der Philosophie als eine überlegene Erfahrung, die den Schein historischer Methode, der auf der philosophiegeschichtlichen Forschung liegt, leicht durchschauen läßt. Es gehört zur elementaren Erfahrung des Philosophierens, daß die Klassiker des philosophischen Gedankens, wenn wir sie zu verstehen suchen, von sich aus einen Wahrheitsanspruch geltend machen, den das zeitgenössische Bewußtsein weder abweisen noch überbieten kann. Das naive Selbstgefühl der Gegenwart mag sich dagegen auflehnen, daß das philosophische Bewußtsein die Möglichkeit einräumt, seine eigene philosophische Einsicht sei der eines Plato und Aristoteles, eines Leibniz, Kant oder Hegel gegenüber geringeren Ranges. Man mag eine Schwäche des gegenwärtigen Philosophierens darin sehen, daß es sich der Auslegung und Verarbeitung seiner klassischen Überlieferung mit solchem Eingeständnis der eigenen Schwäche zuwendet. Sicher ist es aber eine noch viel größere Schwäche des philosophischen Gedankens, wenn einer sich einer solchen Erprobung seiner selbst nicht stellt und vorzieht, den Narren auf eigene Faust zu spielen. Daß im Verstehen der Texte dieser großen Denker Wahrheit erkannt wird, die auf anderem Wege nicht erreichbar wäre, muß man sich eingestehen, auch wenn dies dem Maßstab von Forschung und Fortschritt, mit dem die Wissenschaft sich selber mißt, widerspricht.

Ähnliches gilt von der Erfahrung der Kunst. Hier ist die wissenschaftliche Erforschung, die die sogenannte Kunstwissenschaft betreibt, sich dessen von vornherein bewußt, daß sie die Erfahrung der Kunst weder ersetzen noch überbieten kann. Daß an einem Kunstwerk Wahrheit erfahren wird, die uns auf keinem anderen Wege erreichbar ist, macht die philosophische Bedeutung der Kunst aus, die sich gegen jedes Räsonnement behauptet. So ist neben der Erfahrung der Philosophie die Erfahrung der Kunst die eindringlichste Mahnung an das wissenschaftliche Bewußtsein, sich seine Grenzen einzugestehen.

Die folgenden Untersuchungen setzen daher mit einer Kritik des ästhetischen Bewußtseins ein, um die Erfahrung von Wahrheit, die uns durch das Kunstwerk zuteil wird, gegen die ästhetische Theorie zu verteidigen, die sich vom Wahrheitsbegriff der Wissenschaft beengen läßt. Sie bleiben aber bei der Rechtfertigung der Wahrheit der Kunst nicht stehen. Sie versuchen vielmehr, von diesem Ausgangspunkte aus einen Begriff von Erkenntnis und von Wahrheit zu entfalten, der dem Ganzen unserer hermeneutischen Erfahrung entspricht. Wie wir es in der Erfahrung der Kunst mit Wahrheiten zu tun haben, die den Bereich methodischer Erkenntnis grundsätzlich übersteigen, so gilt ein Ähnliches für das Ganze der Geisteswissenschaften, in denen unsere geschichtliche Überlieferung in allen ihren Formen zwar auch zum *Gegenstand* der Erforschung gemacht wird, aber zugleich selber *in ihrer Wahrheit zum Sprechen kommt.* Die Erfahrung der geschichtlichen Überlieferung reicht grundsätzlich über das hinaus, was an ihr erforschbar ist. Sie ist nicht nur in dem Sinne wahr oder unwahr, über den die historische Kritik entscheidet – sie vermittelt stets Wahrheit, an der es *teil zu gewinnen* gilt.

So suchen diese Studien zur Hermeneutik im Ausgang von der Erfahrung der Kunst und der geschichtlichen Überlieferung das hermeneutische Phänomen in seiner vollen Tragweite sichtbar zu machen. Es gilt, in ihm eine Erfahrung von Wahrheit anzuerkennen, die nicht nur philosophisch gerechtfertigt werden muß, sondern die selber eine Weise des Philosophierens ist. Die Hermeneutik, die hier entwickelt wird, ist daher nicht etwa eine Methodenlehre der Geisteswissenschaften, sondern der Versuch einer Verständigung über das, was die Geisteswissenschaften über ihr methodisches Selbstbewußtsein hinaus in Wahrheit sind und was sie mit dem Ganzen unserer Welterfahrung verbindet. Wenn wir das Verstehen zum Gegenstand unserer Besinnung machen, so ist das Ziel nicht eine Kunstlehre des Verstehens, wie sie die herkömmliche philologische und theologische Hermeneutik sein wollte. Eine solche Kunstlehre würde verkennen, daß angesichts der Wahrheit dessen, was uns aus der Überlieferung anspricht, der Formalismus kunstvollen Könnens eine falsche Überlegenheit in Anspruch nähme. Wenn im folgenden nachgewiesen werden wird, wieviel *Geschehen* in allem *Verstehen* wirksam ist und wie wenig durch das moderne historische Bewußtsein die Traditionen, in denen wir stehen, entmächtigt sind, so werden damit nicht etwa den Wissenschaften oder der Praxis des Lebens Vorschriften gemacht, sondern es wird versucht, ein falsches Denken über das, was sie sind, zu berichtigen.

Die folgenden Untersuchungen glauben damit einer Einsicht zu dienen, die in unserer von schnellen Verwandlungen überfluteten Zeit von Verdunkelung bedroht ist. Was sich verändert, drängt sich der Aufmerksamkeit unvergleichlich viel mehr auf, als was beim alten bleibt. Das ist ein allgemeines Gesetz unseres geistigen Lebens. Die Perspektiven, die sich von der Erfahrung des geschichtlichen Wandels her ergeben, sind daher immer in der Gefahr, Verzerrungen zu sein, weil sie die Verborgenheit des Beharrenden vergessen. Wir leben, wie mir scheint, in einer beständigen Überreizung unseres historischen Bewußtseins. Es ist eine Folge dieser Überreizung und, wie ich zeigen möchte, ein arger Kurzschluß, wenn man angesichts solcher Überschätzung des historischen Wandels sich auf die ewigen Ordnungen der Natur berufen wollte und die Natürlichkeit des Menschen zur Legitimation des Gedankens des Naturrechtes aufriefe. Nicht nur daß geschichtliche Überlieferung und natürliche Lebensordnung die Einheit der Welt bilden, in der wir als Menschen leben – wie wir einander, wie wir geschichtliche Überlieferungen, wie wir die natürlichen Gegebenheiten unserer Existenz und unserer Welt erfahren, bildet ein wahrhaft hermeneutisches Universum, in das wir nicht wie in unübersteigbare Schranken eingeschlossen, sondern zu dem wir geöffnet sind.

Eine Besinnung auf das, was in den Geisteswissenschaften Wahrheit ist, darf sich nicht selber aus der Überlieferung herausreflektieren wollen, deren Verbindlichkeit ihr aufgegangen ist. Sie muß daher für ihre eigene Arbeitsweise die Forderung aufstellen, soviel geschichtliche Selbstdurchsichtigkeit zu erwerben, wie ihr nur irgend möglich ist. Bemüht, das Universum des Verstehens besser zu verstehen, als unter dem Erkenntnisbegriff der modernen Wissenschaft möglich scheint, muß sie auch ein neues Verhältnis zu den Begriffen suchen, die sie selber gebraucht. Sie wird sich dessen bewußt sein müssen, daß ihr eigenes Verstehen und Auslegen keine Konstruktion aus Prinzipien ist, sondern die Fortbildung eines von weit herkommenden Geschehens. Begriffe, die sie gebraucht, wird sie daher nicht unbefragt in Anspruch nehmen dürfen, sondern zu übernehmen haben, was ihr aus dem ursprünglichen Bedeutungsgehalt ihrer Begriffe überkommen ist.

Die philosophische Bemühung unserer Zeit unterscheidet sich dadurch von der klassischen Tradition der Philosophie, daß sie keine unmittelbare und ungebrochene Fortsetzung derselben darstellt. Bei aller Verbundenheit mit ihrer geschichtlichen Herkunft ist die Philosophie heute sich ihres geschichtlichen Abstandes zu ihren klassischen Vorbildern wohl bewußt. Das prägt sich vor allem in ihrem veränderten Verhältnis zum Begriff aus. So folgenschwer und bis auf den Grund gehend die Umformungen des abendländischen philosophischen Denkens auch gewesen sind, die mit der Latinisierung der griechischen Begriffe und der Einformung der lateinischen Begriffssprache in die neueren Sprachen vor sich gingen – die Entstehung des geschichtlichen Bewußtseins in den letzten Jahrhunderten bedeutet einen Einschnitt von noch viel tieferer Art. Seither ist die Kontinuität der abendländischen Denktradition nur noch in gebrochener Weise wirksam. Denn die naive Unschuld ist verlorengegangen, mit der man die Begriffe der Tradition den eigenen Gedanken dienstbar machte. Seither ist für die Wissenschaft ihr Verhältnis zu diesen Begriffen von seltsamer Unverbindlichkeit geworden, ob nun ihr Umgang mit diesen Begriffen von Art der gelehrten, um nicht zu sagen archaisierenden Aufnahme, oder von der Art einer technischen Handhabung sei, die sich die Begriffe wie Werkzeuge zurechtmacht. Beides kann der hermeneutischen Erfahrung in Wahrheit nicht genügen. Die Begrifflichkeit, in der sich das Philosophieren entfaltet, hat uns vielmehr immer schon in derselben Weise eingenommen, in der uns die Sprache, in der wir leben, bestimmt. So gehört es zur Gewissenhaftigkeit des Denkens, sich dieser Voreingenommenheiten bewußt zu werden. Es ist ein neues, kritisches Bewußtsein, das seither alles verantwortliche Philosophieren zu begleiten hat und das die Sprach- und Denkgewohnheiten, die sich dem einzelnen in der Kommunikation mit seiner Mitwelt bilden, vor das Forum der geschichtlichen Tradition stellt, der wir alle gemeinsam angehören.

Die nachfolgenden Untersuchungen bemühen sich, dieser Forderung dadurch nachzukommen, daß sie begriffsgeschichtliche Fragestellungen mit der sachlichen Exposition ihres Themas aufs engste verknüpfen. Die Gewissenhaftigkeit phänomenologischer Deskription, die Husserl uns zur Pflicht gemacht hat, die Weite des geschichtlichen Horizontes, in die Dilthey alles Philosophieren gestellt hat, und nicht zuletzt die Durchdringung beider Antriebe durch den von Heidegger vor Jahrzehnten empfangenen Anstoß bezeichnen das Maß, unter das sich der Verfasser gestellt hat und dessen Verbindlichkeit trotz aller Unvollkommenheit der Ausführung unverdunkelt geblieben sein möchte.

I

DIE TRANSZENDIERUNG DER ÄSTHETISCHEN DIMENSION

1. Bedeutung der humanistischen Tradition
für die Geisteswissenschaften

a) Das Methodenproblem

Die logische Selbstbesinnung der Geisteswissenschaften, die im 19. Jahrhundert ihre tatsächliche Ausbildung begleitet, ist ganz von dem Vorbild der Naturwissenschaften beherrscht. Das kann schon ein Blick auf die Geschichte des Wortes ‚Geisteswissenschaft' zeigen, sofern dieses Wort die uns vertraute Bedeutung allein in seiner Pluralform gewinnt. Die Geisteswissenschaften verstehen sich so sichtbar aus der Analogie zu den Naturwissenschaften, daß der idealistische Nachklang, der im Begriff des Geistes und der Wissenschaft des Geistes gelegen ist, darüber zurücktritt. Das Wort ‚Geisteswissenschaften' hat sich vor allem durch den Übersetzer von John Stewart Mills Logik eingebürgert. Mill sucht in seinem Werk anhangsweise die Möglichkeiten zu skizzieren, die die Anwendung der Induktionslogik auf die ‚moral sciences' besitze. Der Übersetzer sagt dafür ‚Geisteswissenschaften'[1]. Schon aus dem Zusammenhang der Millschen Logik geht hervor, daß es sich gar nicht darum handelt, eine eigene Logik der Geisteswissenschaften anzuerkennen, sondern im Gegenteil zu zeigen, daß es die aller Erfahrungswissenschaft zugrunde liegende induktive Methode sei, die auch auf diesem Gebiete allein gelte. Mill steht damit in einer englischen Tradition, deren wirksamste Formulierung Hume in seiner Einleitung zum Treatise gegeben hat[2]. Auch in der Moralwissenschaft komme es darauf an, Gleichförmigkeiten, Regelhaftigkeiten, Gesetzmäßigkeiten zu erkennen, die die einzelnen Erscheinungen und Abläufe voraussagbar machten. Dieses Ziel sei ja auch im Bereiche der Natur-

---

[1] J. St. Mill, System der deduktiven und induktiven Logik, übertragen von Schiel, 1863 ², 6. Buch »Von der Logik der Geisteswissenschaften oder moralischen Wissenschaften«.

[2] David Hume, Treatise on Human Nature, Introduction.

erscheinungen nicht überall in gleicher Weise erreichbar. Der Grund dafür liege aber ausschließlich darin, daß die Daten, aus denen sich die Gleichförmigkeiten erkennen ließen, nicht überall genügend zu beschaffen seien. So arbeite die Meteorologie methodisch genauso wie die Physik, nur daß ihre Daten lückenhafter und deshalb ihre Voraussagen unsicherer seien. Dasselbe gelte auf dem Gebiete der moralischen und gesellschaftlichen Erscheinungen. Der Gebrauch der induktiven Methode sei auch dort von allen metaphysischen Annahmen frei und bleibe gänzlich unabhängig davon, wie man sich das Zustandekommen der Erscheinungen denkt, die man beobachtet. Man ermittelt nicht etwa Ursachen zu bestimmten Wirkungen, sondern stellt einfach Regelhaftigkeiten fest. So ist es ganz gleichgültig, ob man etwa an die Willensfreiheit glaubt oder nicht – man kann im Bereich des gesellschaftlichen Lebens in jedem Falle zu Voraussagen kommen. Aus Regelhaftigkeiten Folgerungen für die zu erwartenden Erscheinungen zu ziehen, schließt keinerlei Annahme über die Art des Zusammenhangs ein, dessen Regelhaftigkeit die Voraussage ermöglicht. Das Eintreten freier Entschlüsse – wenn es solche gibt – durchbricht nicht den regelmäßigen Ablauf, sondern gehört selbst zu der Allgemeinheit und Regelmäßigkeit, die durch die Induktion gewonnen wird. Es ist das Ideal einer Naturwissenschaft der Gesellschaft, das hier programmatisch entwickelt wird, und dem auf manchen Gebieten erfolgreiche Forschung gefolgt ist. Man denke etwa an die Massenpsychologie.

Nun macht es aber das eigentliche Problem aus, das die Geisteswissenschaften dem Denken stellen, daß man das Wesen der Geisteswissenschaften nicht richtig erfaßt hat, wenn man sie an dem Maßstab fortschreitender Erkenntnis von Gesetzmäßigkeit mißt. Die Erfahrung der gesellschaftlichgeschichtlichen Welt läßt sich nicht mit dem induktiven Verfahren der Naturwissenschaften zur Wissenschaft erheben. Was auch immer hier Wissenschaft bedeuten mag und wenn auch in aller historischen Erkenntnis die Anwendung allgemeiner Erfahrung auf den jeweiligen Forschungsgegenstand eingeschlossen ist – historische Erkenntnis erstrebt dennoch nicht, die konkrete Erscheinung als Fall einer allgemeinen Regel zu erfassen. Das Einzelne dient nicht einfach zur Bestätigung einer Gesetzmäßigkeit, von der aus in praktischer Umwendung Voraussagen möglich werden. Ihr Ideal ist vielmehr, die Erscheinung selber in ihrer einmaligen und geschichtlichen Konkretion zu verstehen. Dabei mag noch so viel allgemeine Erfahrung wirksam werden: das Ziel ist nicht, diese allgemeinen Erfahrungen zu bestätigen und zu erweitern, um zur Erkenntnis eines Gesetzes zu gelangen, etwa wie Menschen, Völker, Staaten überhaupt sich entwickeln, sondern zu verstehen, wie dieser Mensch, dieses Volk, dieser Staat ist, was er geworden ist – allgemein gesagt: wie es kommen konnte, daß es so ist.

Was ist das für eine Erkenntnis, die versteht, daß etwas so ist, weil sie versteht, daß es so gekommen ist? Was heißt hier Wissenschaft? Auch wenn man anerkennt, daß das Ideal dieser Erkenntnis von der Art und Absicht der Naturwissenschaften grundsätzlich verschieden ist, wird man doch versucht sein, sie als die ‚ungenauen Wissenschaften' lediglich privativ zu charakterisieren. Selbst die ebenso bedeutende wie gerechte Abwägung, die Hermann Helmholtz in seiner berühmten Rede von 1862 zwischen den Naturwissenschaften und den Geisteswissenschaften vornahm, mochte noch so sehr die überlegene, humane Bedeutung der Geisteswissenschaften hervorheben – ihre logische Charakteristik blieb doch eine negative, die von dem Methodenideal der Naturwissenschaften ausging[1]. Helmholtz unterschied zwei Arten von Induktion: die logische und die künstlerisch-instinktive Induktion. Das bedeutet aber, daß er die beiderseitigen Verfahrensweisen im Grunde gar nicht logisch, sondern psychologisch unterschied. Beide bedienen sich des induktiven Schlusses, aber das Schlußverfahren der Geisteswissenschaften ist ein unbewußtes Schließen. Die Ausübung der geisteswissenschaftlichen Induktion ist daher an besondere psychologische Bedingungen geknüpft. Sie verlangt eine Art Taktgefühl, und es bedarf dazu andersartiger geistiger Fähigkeiten, z. B. Reichtum des Gedächtnisses und Geltenlassen von Autoritäten, wogegen das selbstbewußte Schließen des Naturwissenschaftlers ganz auf dem eigenen Verstandesgebrauch beruht. Auch wenn man anerkennt, daß der große Naturforscher der Versuchung widerstanden hat, aus seiner eigenen wissenschaftlichen Arbeitsweise eine allgemeinverbindliche Norm zu machen, verfügte er doch offenkundig über keine andere logische Möglichkeit, das Verfahren der Geisteswissenschaften zu charakterisieren, als über den ihm durch die Millsche Logik vertrauten Begriff der Induktion. Die tatsächliche Vorbildlichkeit, die die neue Mechanik und ihr Triumph in der Newtonschen Himmelsmechanik für die Wissenschaften des 18. Jahrhunderts hatte, war auch für Helmholtz noch so selbstverständlich, daß ihm die Frage völlig fern lag, welche philosophischen Voraussetzungen die Entstehung dieser neuen Wissenschaft dem 17. Jahrhundert etwa ermöglicht hätten. Heute wissen wir, welche Bedeutung die Pariser Occamisten-Schule dafür hatte[2]. Für Helmholtz war das Methodenideal der Naturwissenschaften weder einer historischen Ableitung noch einer erkenntnistheoretischen Restriktion bedürftig, und deshalb konnte er auch die Arbeitsweise der Geisteswissenschaften logisch nicht anders verstehen.

Dabei war die Aufgabe, eine in Wahrheit in voller Blüte stehende Forschung wie die der ‚historischen Schule' zum logischen Selbstbewußtsein

---

[1] H. Helmholtz, Vorträge und Reden, 4. Aufl. I. Bd., Über das Verhältnis der Naturwissenschaften zur Gesamtheit der Wissenschaften, S. 167 ff.

[2] Vor allem seit P. Duhem, dessen großes Werk »Etudes sur Léonard de Vinci«, 3 Bände (1907 ff.), inzwischen durch das auf 10 Bände gewachsene Nachlaßwerk »Le système du monde. Histoire des doctrines cosmologiques de Platon à Copernic«, 1913 ff., ergänzt worden ist.

zu erheben, dringlich genug. Schon im Jahre 1843 hatte J.G.Droysen, der Verfasser und Entdecker der Geschichte des Hellenismus, geschrieben: »Es gibt wohl kein wissenschaftliches Gebiet, das so entfernt ist, theoretisch gerechtfertigt, umgrenzt und gegliedert zu sein, als die Geschichte«. Schon Droysen hatte einen Kant gefordert, der in einem kategorischen Imperativ der Geschichte »den lebendigen Quell nachweise, dem das geschichtliche Leben der Menschheit entströmt«. Er spricht die Erwartung aus, »daß der tiefer erfaßte Begriff der Geschichte der Gravitationspunkt sein wird, in dem jetzt das wüste Schwanken der Geisteswissenschaften Stätigkeit und die Möglichkeit weiteren Fortschritts zu gewinnen hat«[1].

Das Vorbild der Naturwissenschaften, das Droysen hier aufruft, ist also nicht inhaltlich gemeint, im Sinne einer wissenschaftstheoretischen Angleichung, sondern im Gegenteil in dem Sinne, daß die Geisteswissenschaften sich als eine ebenso selbständige Wissenschaftsgruppe begründen lassen müßten. Droysens Historik ist der Versuch der Lösung dieser Aufgabe.

Auch Dilthey, in dem sich der Einfluß der naturwissenschaftlichen Methode und des Empirismus der Millschen Logik sehr viel stärker geltend macht, hält dennoch das romantisch-idealistische Erbe im Begriff des Geistes fest. Dem englischen Empirismus hat auch er sich stets überlegen gefühlt, weil er in der lebendigen Anschauung dessen lebte, was die historische Schule gegenüber allem naturwissenschaftlichen und naturrechtlichen Denken auszeichnete. »Nur aus Deutschland kann das wirkliche empirische Verfahren an Stelle des vorurteilsvollen dogmatischen Empirismus kommen. Mill ist dogmatisch aus Mangel historischer Bildung« – das ist eine Notiz, die Dilthey in sein Exemplar der Millschen Logik geschrieben hat[2]. In der Tat ist die ganze, jahrzehntelange, mühevolle Arbeit, die Dilthey der Grundlegung der Geisteswissenschaften gewidmet hat, eine beständige Auseinandersetzung mit der logischen Forderung, die Mills berühmtes Schlußkapitel für die Geisteswissenschaften aufgestellt hatte.

Gleichwohl hat sich Dilthey von dem Vorbild der Naturwissenschaften zutiefst bestimmen lassen, auch wenn er gerade die methodische Selbständigkeit der Geisteswissenschaften rechtfertigen wollte. Zwei Zeugnisse mögen das verdeutlichen, die der folgenden Betrachtung gleichsam den Weg weisen können. In seinem Nachruf auf Wilhelm Scherer hebt Dilthey hervor, daß der Geist der Naturwissenschaften das Verfahren Scherers geleitet habe, und er will begründen, warum sich Scherer so sehr unter den Einfluß des englischen Empirismus gestellt hatte: »Er war ein moderner Mensch, und die Welt unserer Vorfahren war nicht mehr die Heimat seines Geistes und seines Herzens, sondern sein geschichtliches

---

[1] J. G. Droysen, Historik (Neudruck 1925, hrsg. von E. Rothacker), S. 97.
[2] W. Dilthey, Gesammelte Schriften Bd. V, S. LXXIV.

Objekt«[1]. Man sieht an dieser Wendung: Für Dilthey gehört zur wissenschaftlichen Erkenntnis die Auflösung der Lebensbindung, die Gewinnung einer Distanz zur eigenen Geschichte, die allein ermöglicht, sie zum Objekte zu machen. Man mag anerkennen, daß die Handhabung der induktiven und vergleichenden Methoden durch Scherer wie durch Dilthey von echtem individuellem Takt geleitet war und daß solcher Takt eine seelische Kultur voraussetzt, die in Wahrheit das Fortleben der klassischen Bildungswelt und des romantischen Individualitätsglaubens in diesen Männern beweist. Gleichwohl ist es das Vorbild der Naturwissenschaften, das ihre wissenschaftliche Selbstauffassung leitet.

Das wird an einem zweiten Zeugnis besonders handgreiflich, wo sich Dilthey auf die Selbständigkeit der geisteswissenschaftlichen Methoden beruft und diese durch die Rücksicht auf ihr Objekt begründet[2]. Solche Berufung klingt zunächst gut aristotelisch und könnte eine echte Ablösung von dem naturwissenschaftlichen Vorbild bezeugen. Nun aber bezieht sich Dilthey für diese Selbständigkeit der geisteswissenschaftlichen Methoden dennoch auf das alte Baconsche ‚Natura parendo vincitur'[3] – ein Grundsatz, der dem klassisch-romantischen Erbe, das Dilthey verwalten möchte, geradezu ins Gesicht schlägt. So muß man sagen, daß selbst Dilthey, dessen historische Bildung seine Überlegenheit gegenüber dem zeitgenössischen Neukantianismus ausmacht, in seinen logischen Bemühungen im Grunde nicht weit über die schlichten Feststellungen hinausgekommen ist, die Helmholtz machte. Mag Dilthey noch so sehr die erkenntnistheoretische Selbständigkeit der Geisteswissenschaften verfochten haben – was man in der modernen Wissenschaft Methode nennt, ist überall ein und dasselbe und prägt sich in den Naturwissenschaften nur besonders vorbildlich aus. Es gibt keine eigene Methode der Geisteswissenschaften. Wohl aber kann man mit Helmholtz fragen, wieviel Methode hier bedeutet, und ob die anderen Bedingungen, unter denen die Geisteswissenschaften stehen, für ihre Arbeitsweise nicht vielleicht viel wichtiger sind als die induktive Logik. Helmholtz hatte das richtig angedeutet, wenn er, um den Geisteswissenschaften gerecht zu werden, Gedächtnis und Autorität hervorhob und vom psychologischen Takt sprach, der hier an die Stelle des bewußten Schließens trete. Worauf beruht solcher Takt? Wie wird er erworben? Liegt das Wissenschaftliche der Geisteswissenschaften am Ende mehr in ihm als in ihrer Methodik?

Weil die Geisteswissenschaften diese Frage motivieren und sich damit der Einordnung in den Wissenschaftsbegriff der Moderne widersetzen, sind sie und bleiben sie ein Problem der Philosophie selber. Die Antwort, die Helmholtz und sein Jahrhundert auf diese Frage gaben, kann nicht genügen. Sie folgen Kant, indem sie den Begriff der Wissenschaft und der

---

[1] a.a.O., Bd. XI, S. 244.   [2] a.a.O., Bd. I, S. 4.   [3] a.a.O., Bd. I, S. 20.

Erkenntnis am Vorbild der Naturwissenschaften orientieren und die auszeichnende Besonderheit der Geisteswissenschaften im künstlerischen
Moment (künstlerisches Gefühl, künstlerische Induktion) suchen. Dabei
mag das Bild, das Helmholtz von der Arbeit in den Naturwissenschaften
gibt, einseitig genug sein, wenn er dort von den »schnellen Geistesblitzen«
(also dem, was man Einfälle nennt) nichts hält und nur »die eiserne Arbeit
des selbstbewußten Schließens« in ihnen gewahrt. Er beruft sich auf das
Zeugnis John Stewart Mills, wonach »die induktiven Wissenschaften in der
neuesten Zeit mehr für die Fortschritte der logischen Methoden getan«
hätten, »als alle Philosophen von Fach« [1]. Sie sind ihm das Vorbild wissenschaftlicher Methode schlechthin.

Nun weiß Helmholtz, daß für die geschichtliche Erkenntnis eine ganz
andersartige Erfahrung bestimmend ist, als diejenige, die der Erforschung
der Gesetze der Natur dient. Er sucht daher zu begründen, warum die
induktive Methode für die geschichtliche Erkenntnis unter anderen Bedingungen steht als für die Erforschung der Natur. Er bezieht sich zu diesem Zwecke auf die Unterscheidung von Natur und Freiheit, die der Kantischen Philosophie zugrunde liegt. Geschichtliche Erkenntnis sei deshalb so
andersartig, weil es in ihrem Bereich keine Naturgesetze, sondern frei-
willige Unterstellung unter praktische Gesetze, d.h. unter Gebote gebe.
Die menschliche Freiheitswelt kenne eben nicht die Ausnahmslosigkeit
von Naturgesetzen.

Dieser Gedankengang ist indessen wenig überzeugend. Weder entspricht
es Kants Intentionen, wenn man eine induktive Erforschung der menschlichen Freiheitswelt auf seine Unterscheidung von Natur und Freiheit
gründet, noch entspricht es dem eigenen Gedanken der Logik der Induktion selbst. Da war Mill konsequenter gewesen, indem er das Freiheits-
problem methodisch ausklammerte. Obendrein trägt aber die Inkonsequenz,
mit der sich Helmholtz auf Kant beruft, um den Geisteswissenschaften gerecht zu werden, keine rechte Frucht. Denn auch nach Helmholtz wäre
der Empirismus der Geisteswissenschaften so zu beurteilen wie der der
Wetterkunde, nämlich als Verzicht und als Resignation.

In Wahrheit sind die Geisteswissenschaften aber weit davon entfernt,
sich lediglich den Naturwissenschaften unterlegen zu fühlen. In der
geistigen Nachfolge der deutschen Klassik entwickelten sie vielmehr das
stolze Selbstgefühl, die wahren Sachwalter des Humanismus zu sein. Die
Epoche der deutschen Klassik hatte nicht nur eine Erneuerung der Literatur
und der ästhetischen Kritik gebracht, durch die das überlebte Geschmacksideal des Barock und des Rationalismus der Aufklärung überwunden
wurde, sie hatte zugleich dem Begriff der Humanität, diesem Ideal der aufgeklärten Vernunft, einen von Grund auf neuen Inhalt gegeben. Herder

---

[1] Helmholtz, a.a.O., S. 178.

vor allem war es, der den Perfektionismus der Aufklärung durch das neue
Ideal einer ,Bildung zum Menschen' überbot und damit den Boden be-
reitete, auf dem sich im 19. Jahrhundert die historischen Geisteswissenschaften entfalten konnten. Der *Begriff der Bildung*, der damals zu beherrschender Geltung aufstieg, war wohl der größte Gedanke des 18. Jahrhunderts, und eben dieser Begriff bezeichnet das Element, in dem die Geisteswissenschaften des 19. Jahrhunderts leben, auch wenn sie das erkenntnistheoretisch nicht zu rechtfertigen wissen.

b) Humanistische Leitbegriffe

α) Bildung

An dem Begriff der *Bildung* wird am deutlichsten fühlbar, was
für ein tiefgreifender geistiger Wandel es ist, der uns mit dem Jahrhundert Goethes noch immer wie gleichzeitig sein, dagegen selbst schon
mit dem Zeitalter des Barock wie mit einer geschichtlichen Vorzeit rechnen läßt. Entscheidende Begriffe und Worte, mit denen wir zu arbeiten pflegen, empfingen damals ihre Prägung und wer sich nicht von der
Sprache treiben lassen will, sondern um ein begründetes geschichtliches
Selbstverständnis bemüht ist, sieht sich von einer Frage der Wort- und
Begriffsgeschichte in die andere genötigt. Nur Ansätze zu der großen Ar-
beitsaufgabe, die hier der Forschung gestellt ist, können im Dienste der
philosophischen Fragestellung, die uns bewegt, im Folgenden versucht
werden. Begriffe wie ,die Kunst', ,die Geschichte', ,das Schöpferische',
,Weltanschauung', ,Erlebnis', ,Genie', ,Außenwelt', ,Innerlichkeit', ,Aus-
druck', ,Stil', ,Symbol' die uns selbstverständlich sind, bergen in sich eine
Fülle von geschichtlichem Aufschluß.

Wenden wir uns dem Begriff der Bildung zu, dessen Bedeutung für die
Geisteswissenschaften wir hervorgehoben haben, so sind wir in einer glück-
lichen Lage. Hier läßt sich aus einer vorliegenden Untersuchung[1] die Geschichte des Wortes gut überschauen: sein Ursprung in der mittelalterlichen Mystik, sein Weiterleben in der Mystik des Barock, seine religiös
begründete Spiritualisierung durch Klopstocks ,Messias', die das ganze
Zeitalter ergreift, und schließlich Herders grundlegende Bestimmung als
,Emporbildung zur Humanität'. Die Bildungsreligion des 19. Jahrhunderts
hat die Tiefendimension dieses Wortes in sich aufbewahrt, und unser Begriff
der Bildung ist von da bestimmt.

Für den uns gewohnten Inhalt des Wortes ,Bildung' ist die erste wichtige
Feststellung, daß der ältere Begriff einer ,natürlichen Bildung', der die
äußere Erscheinung (die Bildung der Glieder, die wohlgebildete Gestalt)

---

[1] Vgl. I. Schaarschmidt, Der Bedeutungswandel der Worte Bilden und Bildung,
Diss. Königsberg 1931.

und überhaupt die von der Natur erzeugte Gestalt (z. B. ,Gebirgsbildung')
meint, damals fast völlig von dem neuen Begriffe abgelöst worden ist.
Bildung gehört jetzt aufs engste mit dem Begriff der Kultur zusammen und
bezeichnet zunächst die eigentümlich menschliche Weise, seine natürlichen
Anlagen und Vermögen auszubilden. Zwischen Kant und Hegel vollendet
sich diese durch Herder bewirkte Prägung unseres Begriffs. Kant gebraucht
das Wort Bildung in solchem Zusammenhang noch nicht. Er spricht von
der ,Kultur' des Vermögens (oder der ,Naturanlage'), die als solche ein Akt
der Freiheit des handelnden Subjektes ist. So nennt er unter den Pflichten
gegen sich selbst auch die, seine Talente nicht rosten zu lassen, ohne dabei
das Wort ,Bildung' zu gebrauchen [1]. Hegel dagegen redet schon von Sich-
bilden und Bildung, wenn er den gleichen kantischen Gedanken der
Pflichten gegen sich selbst aufnimmt [2], und Wilhelm von Humboldt vollends
empfindet mit dem feinen Ohr, das ihn auszeichnet, bereits einen Bedeu-
tungsunterschied zwischen Kultur und Bildung: »wenn wir aber in unserer
Sprache Bildung sagen, so meinen wir damit etwas zugleich Höheres und
mehr Innerliches, nämlich die Sinnesart, die sich aus der Erkenntnis und
dem Gefühle des gesamten geistigen und sittlichen Strebens harmonisch auf
die Empfindung und den Charakter ergießt«. [3] Bildung meint hier nicht
mehr Kultur, d. h. Ausbildung von Vermögen oder Talenten. Der Aufstieg
des Wortes Bildung erweckt vielmehr die alte mystische Tradition, wonach
der Mensch das Bild Gottes, nach dem er geschaffen ist, in seiner Seele
trägt und in sich aufzubauen hat. Das lateinische Äquivalent für Bildung
ist formatio und dem entspricht in anderen Sprachen, z. B. im Englischen
(bei Shaftesbury) form und formation. Auch im Deutschen liegen die entsprechenden Ableitungen des Begriffs der forma, z. B. Formierung und
Formation, mit dem Worte Bildung lange in Konkurrenz. Forma wird seit
dem Aristotelismus der Renaissance von seiner technischen Bedeutung
ganz gelöst und rein dynamisch naturhaft interpretiert. Gleichwohl erscheint der Sieg des Wortes ,Bildung' über ,Form' nicht zufällig. Denn in
,Bildung' steckt ,Bild'. Der Formbegriff bleibt hinter der geheimnisvollen
Doppelseitigkeit zurück, mit der ,Bild' Nachbild und Vorbild zugleich umfaßt.

Es entspricht nun einer häufigen Übertragung des Werdens auf das
Sein, daß ,Bildung' (wie auch das heutige ,Formation') mehr das Resultat
dieses Werdevorganges als den Vorgang selbst bezeichnet. Die Übertragung
ist hier besonders einsichtig, weil ja das Resultat der Bildung nicht in der

---

[1] I. Kant, Metaphysik der Sitten, Metaphysische Anfangsgründe der Tugendlehre, § 19.

[2] G. F. W. Hegel, Werke 1832 ff., Bd. XVIII, Philosophische Propädeutik,
Erster Cursus, § 41 ff.

[3] Wilhelm v. Humboldt, Gesammelte Schriften, Akademie-Ausgabe, Bd. VII, 1
S. 30.

Weise der technischen Abzweckung hergestellt wird, sondern dem inneren Vorgang der Formierung und Bildung entwächst und deshalb in ständiger Fort- und Weiterbildung bleibt. Nicht zufällig gleicht das Wort Bildung darin dem griechischen physis. Bildung kennt, so wenig wie die Natur, außerhalb ihrer gelegene Ziele. (Man wird gegen das Wort und die Sache ‚Bildungsziel‘ das Mißtrauen bewahren, das einer solchen sekundären Bildung gebührt. Bildung kann nicht eigentlich Ziel sein, sie kann nicht als solche gewollt sein, es sei denn in der reflektierten Thematik des Erziehers). Eben darin übersteigt der Begriff der Bildung den der bloßen Kultivierung vorgegebener Anlagen, aus dem er sich ableitet. Kultivierung einer Anlage ist Entwicklung von etwas Gegebenem, so daß die Übung und Pflege derselben ein bloßes Mittel zum Zweck ist. So ist der Unterrichtsstoff eines sprachlichen Lehrbuchs bloßes Mittel und nicht selbst Zweck. Seine Aneignung dient allein dem sprachlichen Können. In der Bildung dagegen wird das, woran und wodurch einer gebildet wird, zwar auch ganz zu eigen gemacht. Insofern geht alles, was sie aufnimmt, in ihr auf, aber in der Bildung ist das Aufgenommene nicht wie ein Mittel, das seine Funktion verloren hat. Vielmehr ist in der erworbenen Bildung nichts verschwunden, sondern alles aufbewahrt. Bildung ist ein echter geschichtlicher Begriff, und gerade um diesen geschichtlichen Charakter der ‚Aufbewahrung‘ geht es für das Verständnis der Geisteswissenschaften.

So führt einen schon der erste Blick auf die Wortgeschichte von ‚Bildung‘ in den Umkreis geschichtlicher Begriffe, wie sie Hegel zuerst im Bereich der ‚ersten Philosophie‘ heimisch gemacht hat. In der Tat hat Hegel, was Bildung ist, am schärfsten herausgearbeitet. Ihm folgen wir zunächst[1]. Er hat auch gesehen, daß die Philosophie »die Bedingung ihrer Existenz in der Bildung hat«, und wir fügen hinzu: mit ihr die Geisteswissenschaften. Denn das Sein des Geistes ist mit der Idee der Bildung wesenhaft verknüpft.

Der Mensch ist durch den Bruch mit dem Unmittelbaren und Natürlichen gekennzeichnet, der durch die geistige, vernünftige Seite seines Wesens ihm zugemutet ist. »Nach dieser Seite ist er nicht von Natur, was er sein soll« – und deshalb bedarf er der Bildung. Was Hegel das formelle Wesen der Bildung nennt, beruht auf ihrer Allgemeinheit. Von dem Begriff einer Erhebung zur Allgemeinheit aus vermag Hegel das, was seine Zeit unter Bildung verstand, einheitlich zu begreifen. Erhebung zur Allgemeinheit ist nicht etwa auf die theoretische Bildung eingeengt und meint überhaupt nicht nur ein theoretisches Verhalten im Gegensatz zu einem praktischen, sondern deckt die Wesensbestimmung der menschlichen Vernünftigkeit im Ganzen. Es ist das allgemeine Wesen der menschlichen Bildung, sich zu einem allgemeinen geistigen Wesen zu machen. Wer sich der Partikularität überläßt, ist ungebildet, z. B. wer seinem blinden Zorn

---

[1] Hegel, Philosophische Propädeutik, § 41–45.

ohne Maß und Verhältnis nachgibt. Hegel zeigt, daß es einem solchen Menschen im Grunde an Abstraktionskraft fehlt: er kann nicht von sich selbst absehen und auf ein Allgemeines hinsehen, von dem her sich sein Besonderes nach Maß und Verhältnis bestimmte.

Bildung als Erhebung zur Allgemeinheit ist also eine menschliche Aufgabe. Sie verlangt Aufopferung der Besonderheit für das Allgemeine. Aufopferung der Besonderheit heißt aber negativ: Hemmung der Begierde und damit Freiheit vom Gegenstand derselben und Freiheit für seine Gegenständlichkeit. Hier ergänzen die Deduktionen der phänomenologischen Dialektik das in der Propädeutik Ausgeführte. In der ‚Phänomenologie des Geistes‘ entwickelt Hegel die Genese eines wirklich ‚an und für sich‘ freien Selbstbewußtseins und zeigt, daß es das Wesen der Arbeit ist, das Ding zu bilden, statt es zu verzehren[1]. Das arbeitende Bewußtsein findet in dem selbständigen Bestehen, das die Arbeit dem Ding gibt, sich selber als ein selbständiges Bewußtsein wieder. Die Arbeit ist gehemmte Begierde. Indem es den Gegenstand formiert, also selbstlos tätig ist und ein Allgemeines besorgt, erhebt sich das arbeitende Bewußtsein über die Unmittelbarkeit seines Daseins zur Allgemeinheit – oder, wie Hegel sich ausdrückt, indem es das Ding bildet, bildet es sich selbst. Was er meint, ist dies: indem der Mensch ein ‚Können‘, eine Geschicklichkeit erwirbt, gewinnt er darin ein eigenes Selbstgefühl. Was ihm in der Selbstlosigkeit des Dienens versagt schien, sofern er sich ganz einem fremden Sinne unterwarf, wird ihm zuteil, sofern er arbeitendes Bewußtsein ist. Als solches findet er in sich einen eigenen Sinn, und es ist ganz richtig, von der Arbeit zu sagen: sie bildet. Das Selbstgefühl des arbeitenden Bewußtseins enthält alle Momente dessen, was praktische Bildung ausmacht: Abstandnahme vom Unmittelbaren der Begierde, des persönlichen Bedürfnisses und privaten Interesses und die Zumutung eines Allgemeinen.

In der ‚Propädeutik‘ weist Hegel dies Wesen der praktischen Bildung, sich ein Allgemeines zuzumuten, an einer Reihe von Beispielen nach. Dergleichen liegt in der Mäßigkeit vor, die das Unmaß der Befriedigung der Bedürfnisse und des Gebrauchs der Kräfte an einem Allgemeinen – der Rücksicht auf die Gesundheit – begrenzt. Es liegt in der Besonnenheit vor, die gegenüber dem einzelnen Zustande oder Geschäft für die Betrachtung von anderem, was auch noch notwendig sein kann, offen bleibt. Aber auch jede Berufswahl hat etwas davon. Denn jeder Beruf hat immer etwas von Schicksal, von äußerlicher Notwendigkeit und mutet zu, sich Aufgaben hinzugeben, die man sich nicht als privaten Zweck aussuchen würde. Praktische Bildung beweist sich dann darin, daß man den Beruf ganz, nach allen seinen Seiten ausfüllt. Das schließt aber ein, daß man das Fremde überwindet, das er für die Besonderheit darstellt, die man ist, und es voll-

---

[1] Hegel, Phänomenologie des Geistes, ed. Hoffmeister, S. 148 ff.

kommen zu dem seinigen macht. Die Hingabe an das Allgemeine des Berufs ist also zugleich »sich zu beschränken wissen, das heißt seinen Beruf ganz zu seiner Sache machen. Dann ist er keine Schranke für ihn«.

Schon an dieser Beschreibung der praktischen Bildung durch Hegel erkennt man die Grundbestimmung des geschichtlichen Geistes: sich mit sich selbst zu versöhnen, sich selbst zu erkennen im Anderssein. Sie wird vollends deutlich an der Idee der theoretischen Bildung. Denn sich theoretisch Verhalten ist als solches schon Entfremdung, nämlich die Zumutung, »sich mit einem Nicht-Unmittelbaren, einem Fremdartigen, mit etwas der Erinnerung, dem Gedächtnisse und dem Denken Angehörigen zu beschäftigen«. Theoretische Bildung führt so über das, was der Mensch unmittelbar weiß und erfährt, hinaus. Sie besteht darin, auch anderes gelten lassen zu lernen und allgemeine Gesichtspunkte zu finden, um die Sache, »das Objektive in seiner Freiheit« und ohne eigennütziges Interesse zu erfassen [1]. Eben deshalb führt aller Erwerb von Bildung über die Ausbildung theoretischer Interessen, und Hegel begründet die besondere Eignung der Welt und Sprache der Alten damit, daß diese Welt fern und fremd genug ist, um die notwendige Scheidung, die uns von uns trennt, zu bewirken. – »aber sie enthält zugleich alle Ausgangspunkte und Fäden der Rückkehr zu sich selbst, der Befreundung mit ihr und des Wiederfindens seiner selbst, aber seiner nach dem wahrhaften allgemeinen Wesen des Geistes. [2]«

Man wird in diesen Worten des Gymnasialdirektors Hegel das klassizistische Vorurteil erkennen, daß gerade an den Alten das allgemeine Wesen des Geistes besonders leicht zu finden sei. Aber der Grundgedanke bleibt richtig. Im Fremden das Eigene zu erkennen, in ihm heimisch zu werden, ist die Grundbewegung des Geistes, dessen Sein nur Rückkehr zu sich selbst aus dem Anderssein ist. Insofern ist alle theoretische Bildung, auch die Erarbeitung fremder Sprachen und Vorstellungswelten, die bloße Fortsetzung eines Bildungsvorganges, der viel früher einsetzt. Jedes einzelne Individuum, das sich aus seinem Naturwesen ins Geistige erhebt, findet in Sprache, Sitte, Einrichtungen seines Volkes eine vorgegebene Substanz, die es, wie im Sprechenlernen, zur seinigen zu machen hat. So ist das einzelne Individuum immer schon auf dem Wege der Bildung und immer schon dabei, seine Natürlichkeit aufzuheben, sofern die Welt, in die es hineinwächst, eine in Sprache und Sitte menschlich gebildete ist. Hegel betont: In dieser seiner Welt hat sich ein Volk Dasein gegeben. Es hat aus sich herausgearbeitet und so aus sich herausgesetzt, was es an sich ist.

Damit ist klar, daß nicht die Entfremdung als solche, sondern die Heimkehr zu sich, die freilich Entfremdung voraussetzt, das Wesen der Bildung

---

[1] Hegel XVIII, S. 62.
[2] Hegel, Nürnberger Schriften, ed. J. Hoffmeister, S. 312 (Rede von 1809).

ausmacht. Bildung ist dabei nicht nur als der Vorgang zu verstehen, der die geschichtliche Erhebung des Geistes ins Allgemeine vollzieht, sondern sie ist zugleich auch das Element, innerhalb dessen sich der Gebildete bewegt. Was ist das für ein Element? Hier setzen die Fragen an, die wir an Helmholtz zu stellen hatten. Hegels Antwort wird uns nicht befriedigen können. Denn für Hegel vollendet sich die Bildung als die Bewegung von Entfremdung und Aneignung in einer vollständigen Bemächtigung der Substanz, in der Auflösung alles gegenständlichen Wesens, die erst im absoluten Wissen der Philosophie erreicht wird.

Aber daß Bildung wie ein Element des Geistes ist, das zu erkennen ist nicht an Hegels Philosophie des absoluten Geistes gebunden, so wenig wie die Einsicht in die Geschichtlichkeit des Bewußtseins an seine Philosophie der Weltgeschichte gebunden ist. Es gilt gerade, sich klarzumachen, daß auch für die historischen Geisteswissenschaften, die sich von Hegel absetzen, die Idee der vollendeten Bildung ein notwendiges Ideal bleibt. Denn Bildung ist das Element, in dem sie sich bewegen. Auch was der ältere Sprachgebrauch im Bereich der körperlichen Erscheinung eine ‚vollkommene Bildung' nennt, ist ja nicht so sehr die letzte Phase einer Entwicklung, als vielmehr der Zustand der Reife, der alle Entwicklung hinter sich gelassen hat und die harmonische Bewegung aller Glieder ermöglicht. Genau in diesem Sinne setzen die Geisteswissenschaften voraus, daß das wissenschaftliche Bewußtsein ein schon gebildetes ist und eben deshalb den rechten unerlernbaren und unnachahmlichen Takt besitzt, der die Urteilsbildung und die Erkenntnisweise der Geisteswissenschaften wie ein Element trägt.

Was Helmholtz an der Arbeitsweise der Geisteswissenschaften beschreibt, insbesondere was er künstlerisches Gefühl und *Takt* nennt, setzt in der Tat dies Element der Bildung voraus, innerhalb dessen dem Geist eine besondere freie Beweglichkeit verstattet ist. So redet Helmholtz etwa von der »Bereitwilligkeit, mit der die verschiedensten Erfahrungen dem Gedächtnisse des Historikers oder Philologen zuströmen müssen«[1]. Das mag sehr äußerlich beschrieben sein, von jenem Ideal der »eisernen Arbeit des selbstbewußten Schließens« aus, unter dem der Naturforscher sich selber denkt. Der Begriff des *Gedächtnisses*, wie er ihn verwendet, reicht nicht aus, um zu erklären, was hier am Werke ist. In Wahrheit ist dieser Takt oder dieses Gefühl nicht richtig verstanden, wenn man darin eine hinzutretende seelische Fähigkeit denkt, die sich eines starken Gedächtnisses bedient und so zu Erkenntnissen kommt, die nicht streng einsehbar sind. Was solche Funktion des Taktes möglich macht, was zu seinem Erwerb und Besitz führt, ist nicht bloß eine psychologische Ausstattung, die geisteswissenschaftlicher Erkenntnis günstig ist.

[1] Helmholtz, a.a.O., S. 178.

Man faßt übrigens das Wesen des Gedächtnisses selbst nicht richtig, wenn man darin nichts als eine allgemeine Anlage oder Fähigkeit sieht. Behalten und Vergessen und Wiedererinnern gehören der geschichtlichen Verfassung des Menschen an und bilden selbst ein Stück seiner Geschichte und seiner Bildung. Wer sein Gedächtnis wie eine bloße Fähigkeit übt – und alle Technik des Gedächtnisses ist solche Übung – der hat es noch nicht als das, was sein Eigenstes ist. Das Gedächtnis muß gebildet werden. Denn Gedächtnis ist nicht Gedächtnis überhaupt und für alles. Man hat für manches ein Gedächtnis, für anderes nicht, und man will etwas im Gedächtnis bewahren, wie man anderes aus ihm verbannt. Es wäre Zeit, das Phänomen des Gedächtnisses aus seiner vermögenspsychologischen Nivellierung zu befreien und es als einen Wesenszug des endlich-geschichtlichen Seins des Menschen zu erkennen. Dem Verhältnis von Behalten und Sich-Erinnern gehört in einer lange nicht genug beachteten Weise das Vergessen zu, das nicht nur ein Ausfall und ein Mangel, sondern, wie vor allem F. Nietzsche betont hat, eine Lebensbedingung des Geistes ist[1]. Nur durch das Vergessen erhält der Geist die Möglichkeit der totalen Erneuerung, die Fähigkeit, alles mit frischen Augen zu sehen, so daß das Altvertraute mit dem Neugesehenen zu vielschichtiger Einheit verschmilzt. ‚Behalten‘ ist eben zweideutig. Es enthält als Gedächtnis *(μνήμη)* die Beziehung zur Erinnerung *(ἀνάμνησις)*[2]. Das gleiche gilt aber auch von dem Begriff ‚Takt‘, den Helmholtz gebraucht. Wir verstehen unter Takt eine bestimmte Empfindlichkeit und Empfindungsfähigkeit für Situationen und das Verhalten in ihnen, für die wir kein Wissen aus allgemeinen Prinzipien besitzen. Daher gehört Unausdrücklichkeit und Unausdrückbarkeit dem Takt wesentlich zu. Man kann etwas taktvoll sagen. Aber das wird immer heißen, daß man etwas taktvoll übergeht und ungesagt läßt, und taktlos ist, das auszusprechen, was man nur übergehen kann. Übergehen heißt aber nicht: von etwas wegsehen, sondern es so im Auge haben, daß man nicht daran stößt, sondern daran vorbei kommt. Daher verhilft Takt dazu, Abstand zu halten, er vermeidet das Anstößige, das Zunahetreten und die Verletzung der Intimsphäre der Person.

---

[1] F. Nietzsche, Unzeitgemäße Betrachtungen, Zweites Stück, Vom Nutzen und Nachteil der Historie für das Leben, 1.

[2] Die Geschichte des Gedächtnisses ist nicht die Geschichte der Übung desselben. Die Mnemotechnik bestimmt zwar einen Teil dieser Geschichte, aber die pragmatische Perspektive, in der das Phänomen der memoria dort erscheint, bedeutet eine Verkürzung desselben. Im Zentrum der Geschichte dieses Phänomens müßte vielmehr Augustinus stehen, der die pythagoreisch-platonische Tradition, die er aufnimmt, ganz und gar verwandelt. Wir kommen noch später auf die Funktion der *μνήμη* in der Problematik der Induktion zurück. (Vgl. in ‚Umanesimo e Simbolismo‘ 1958 (ed. Castelli) die Arbeiten von P. Rossi: La costruzione delli imagini nei trattati di memoria artificiale del Rinascimento, und C. Vasoli: Umanesimo e simbologia nei primi scritti lulliani e mnemotecnici del Bruno.)

Nun ist der Takt, von dem Helmholtz spricht, nicht mit diesem sittlichen und Umgangsphänomen einfach identisch. Aber es gibt hier ein wesenhaft Gemeinsames. Denn auch der in den Geisteswissenschaften wirksame Takt erschöpft sich nicht darin, ein Gefühl und unbewußt zu sein, sondern ist eine Erkenntnisweise und eine Seinsweise zugleich. Das läßt sich aus der oben durchgeführten Analyse· des Begriffs der Bildung genauer sehen. Was Helmholtz Takt nennt, schließt Bildung ein und ist eine Funktion sowohl ästhetischer wie historischer Bildung. Man muß für Ästhetisches wie für Historisches Sinn haben oder den Sinn gebildet haben, wenn man sich auf seinen Takt in der geisteswissenschaftlichen Arbeit soll verlassen können. Weil solcher Sinn nicht einfach eine natürliche Ausstattung ist, reden wir mit Recht von ästhetischem oder historischem Bewußtsein und nicht eigentlich von Sinn. Wohl aber verhält sich solches Bewußtsein mit der Unmittelbarkeit der Sinne, d.h. es weiß im einzelnen Falle sicher zu scheiden und zu werten, auch ohne seine Gründe angeben zu können. So weiß, wer ästhetischen Sinn besitzt, Schönes und Häßliches, gute oder schlechte Qualität auseinanderzuhalten, und wer historischen Sinn besitzt, weiß, was für eine Zeit möglich ist und was nicht, und hat Sinn für die Andersartigkeit der Vergangenheit gegenüber der Gegenwart.

Wenn all das Bildung voraussetzt, so heißt das: es ist nicht eine Frage des Verfahrens oder Verhaltens, sondern des gewordenen Seins. Genauer betrachten, gründlicher eine Überlieferung studieren tut es nicht allein, wenn nicht eine Empfänglichkeit für das Andere des Kunstwerks oder der Vergangenheit vorbereitet ist. Eben das hatten wir, Hegel folgend, als das allgemeine Kennzeichen der Bildung hervorgehoben, sich derart für Anderes, für andere, allgemeinere Gesichtspunkte offenzuhalten. In ihr liegt ein allgemeiner Sinn für Maß und Abstand in bezug auf sich selbst, und insofern eine Erhebung über sich selbst zur Allgemeinheit. Sich selbst und seine privaten Zwecke mit Abstand ansehen, heißt ja: sie ansehen, wie die anderen sie sehen. Diese Allgemeinheit ist gewiß nicht eine Allgemeinheit des Begriffes oder des Verstandes. Es wird nicht aus Allgemeinem ein Besonderes bestimmt, es wird nichts zwingend bewiesen. Die allgemeinen Gesichtspunkte, für die sich der Gebildete offenhält, sind ihm nicht ein fester Maßstab, der gilt, sondern sind ihm nur als die Gesichtspunkte möglicher Anderer gegenwärtig. Insofern hat das gebildete Bewußtsein in der Tat mehr den Charakter eines Sinnes. Denn ein jeder Sinn, z.B. der Gesichtssinn, ist ja insofern schon allgemein, als er seine Sphäre umfaßt und sich für ein Feld offenhält und innerhalb des ihm so Geöffneten die Unterschiede erfaßt. Das gebildete Bewußtsein übertrifft nur jeden der natürlichen Sinne, als diese je auf eine bestimmte Sphäre eingeschränkt sind. Es selbst betätigt sich in allen Richtungen. Es ist ein *allgemeiner Sinn*.

Ein allgemeiner und gemeinschaftlicher Sinn – das ist in der Tat eine Formulierung für das Wesen der Bildung, die einen weiten geschichtlichen

Zusammenhang anklingen läßt. Die Besinnung auf den Begriff der Bildung, wie er den Überlegungen Helmholtzens sachlich zugrunde liegt, führt uns weit in die Geschichte dieses Begriffes zurück. Wir müssen diesem Zusammenhang ein paar Schritte folgen, wenn wir das Problem, das die Geisteswissenschaften für die Philosophie darstellen, aus der künstlichen Enge befreien wollen, in der die Methodenlehre des 19. Jahrhunderts befangen war. Der moderne Wissenschaftsbegriff und der ihm zugeordnete Methodenbegriff können nicht ausreichen. Was die Geisteswissenschaften zu Wissenschaften macht, läßt sich eher aus der Tradition des Bildungsbegriffes verstehen als aus der Methodenidee der modernen Wissenschaft. Es ist die *humanistische Tradition*, auf die wir zurückverwiesen werden. Sie gewinnt im Widerstand gegen die Ansprüche der modernen Wissenschaft eine neue Bedeutung.

Es wäre lohnend, dem einmal gesondert nachzugehen, wie sich seit den Tagen des Humanismus die Kritik an der Wissenschaft der ‚Schule‘ Gehör verschafft und wie sich diese Kritik mit den Wandlungen ihres Gegners mitwandelt. Ursprünglich waren es antike Motive, die dabei wiederauflebten. Der Enthusiasmus, mit dem die Humanisten die griechische Sprache und den Weg der eruditio proklamierten, bedeutete mehr als eine antiquarische Passion. Die Wiedererweckung der klassischen Sprachen brachte zugleich eine neue Schätzung der Rhetorik. Sie hatte ihre Front gegen die ‚Schule‘, d. h. gegen die scholastische Wissenschaft, und diente einem Ideal menschlicher Weisheit, das in der ‚Schule‘ nicht erreicht wurde – ein Gegensatz, der in Wahrheit schon am Anfang der Philosophie steht. Platos Kritik der Sophistik, mehr noch seine eigentümlich ambivalente Haltung zu Isokrates, deutet das philosophische Problem an, das hier liegt. Dem neuen Methodenbewußtsein der Naturwissenschaft des 17. Jahrhunderts gegenüber mußte dies alte Problem an kritischer Schärfe noch gewinnen. Angesichts des Ausschließlichkeitsanspruchs dieser neuen Wissenschaft stellte sich die Frage mit verstärkter Dringlichkeit, ob nicht im humanistischen Bildungsbegriff eine eigene Quelle von Wahrheit gelegen sei. In der Tat werden wir sehen, daß es das Fortleben des humanistischen Bildungsgedankens ist, aus dem die Geisteswissenschaften des 19. Jahrhunderts ihr eigentliches Leben ziehen, ohne es sich einzugestehen.

Dabei ist es im Grunde eine Selbstverständlichkeit, daß nicht die Mathematik, sondern die humanistischen Studien hier bestimmend sind. Denn was könnte die neue Methodenlehre des 17. Jahrhunderts den Geisteswissenschaften schon bedeuten? Man braucht nur die betreffenden Kapitel der ‚Logique de Port-Royal‘ zu lesen, die die Vernunftregeln in der Anwendung auf historische Wahrheiten betreffen, um die Dürftigkeit dessen zu erkennen, was von dieser Idee der Methode aus in den Geisteswissenschaften zu leisten ist[1]. Es ist doch wahrhaft eine Trivialität, die da herauskommt,

---

[1] Logique de Port-Royal, 4e partie, chap. 13 ff.

wenn es etwa heißt, man müsse, um ein Ereignis in seiner Wahrheit zu beurteilen, die Umstände (circonstances) berücksichtigen, die es begleiten. – Die Jansenisten wollten mit dieser Beweisführung eine methodische Anleitung dafür geben, inwiefern die Wunder Glaubwürdigkeit verdienen. Sie suchten gegenüber einem unkontrollierten Wunderglauben den Geist der neuen Methode aufzubieten und meinten, auf diese Weise die wahren Wunder der biblischen Überlieferung und der kirchlichen Tradition zu legitimieren. Die neue Wissenschaft im Dienst der alten Kirche – daß dieses Verhältnis keine Dauer versprach, ist nur zu deutlich, und man kann sich vorstellen, was geschehen mußte, wenn die christlichen Voraussetzungen selber in Frage gestellt wurden. Das methodische Ideal der Naturwissenschaft mußte, wenn man es auf die Glaubwürdigkeit der historischen Zeugnisse der biblischen Überlieferung anwendete, zu ganz anderen, für das Christentum katastrophalen Ergebnissen führen. Der Weg von der Wunderkritik im Stile der Jansenisten zur historischen Bibelkritik ist nicht allzu weit. Spinoza ist dafür ein gutes Beispiel. Wir werden an späterer Stelle zeigen, daß eine konsequente Anwendung dieser Methodik als einziger Norm geisteswissenschaftlicher Wahrheit überhaupt ihrer Selbstaufhebung gleichkäme.

β) Sensus communis

Es liegt bei dieser Sachlage wirklich nahe, sich auf die humanistische Tradition zu besinnen und zu fragen, was für die Erkenntnisweise der Geisteswissenschaften aus ihr zu lernen ist. Dafür stellt *Vicos* Schrift ‚De nostri temporis studiorum ratione‘ einen wertvollen Anknüpfungspunkt dar[1]. Die Verteidigung des Humanismus, die Vico vornimmt, ist, wie der Titel schon zeigt, durch die jesuitische Pädagogik vermittelt und ebensosehr wie gegen Descartes auch gegen den Jansenismus gerichtet. Dieses pädagogische Manifest Vicos ist wie sein Entwurf einer ‚neuen Wissenschaft‘ auf alte Wahrheiten gegründet. Er beruft sich daher auf den sensus communis, den gemeinschaftlichen Sinn, und auf das humanistische Ideal der eloquentia, Momente, die schon in dem antiken Begriff des Weisen gelegen waren. Das ‚gut-Reden‘ ($\varepsilon\tilde{\upsilon}$ $\lambda\acute{\varepsilon}\gamma\varepsilon\iota\nu$) ist von jeher eine in sich doppeldeutige Formel und keineswegs nur ein rhetorisches Ideal. Es meint auch das Sagen des Richtigen, das heißt des Wahren, nicht nur: die Kunst der Rede, die Kunst, etwas gut zu sagen.

So wurde dies Ideal im Altertum bekanntlich ebensosehr von den Lehrern der Philosophie wie von denen der Rhetorik proklamiert. Die Rhetorik stand ja von jeher im Kampf mit der Philosophie und erhob den Anspruch, gegenüber den müßigen Spekulationen der ‚Sophisten‘

---

[1] J. B. Vico, De nostri temporis studiorum ratione, mit Übertragung v. W. F. Otto. 1947.

die wahre Lebensweisheit zu vermitteln. Vico, der selbst Lehrer der Rhetorik war, steht hier also in einer aus der Antike kommenden humanistischen Tradition. Offenbar ist diese Tradition auch für das Selbstverständnis der Geisteswissenschaften von Bedeutung und im besonderen die positive Doppeldeutigkeit des rhetorischen Ideals, das nicht nur unter dem Verdikt Platos, sondern ebenso unter dem Verdikt des antirhetorischen Methodologismus der Neuzeit steht. Insofern klingt bei Vico bereits Vieles von dem an, was uns beschäftigen wird. Seine Berufung auf den sensus communis bezieht aber außer dem rhetorischen noch ein anderes Moment aus der antiken Tradition in sich ein. Es ist der Gegensatz zwischen dem Schulgelehrten und dem Weisen, auf den er sich stützt, ein Gegensatz, der im kynischen Sokratesbild seine erste Gestalt gefunden hat, seine sachliche Grundlage in dem Begriffsgegensatz von Sophia und Phronesis besitzt, den Aristoteles zuerst ausgearbeitet hat und der im Peripatos zu einer Kritik des theoretischen Lebensideals weiterentwickelt wurde [1] und im hellenistischen Zeitalter das Bild des Weisen mitbestimmte, insbesondere nachdem sich das griechische Bildungsideal mit dem Selbstbewußtsein der politischen Führungsschicht Roms verschmolzen hatte. Auch die römische Rechtswissenschaft der Spätzeit z. B. erhebt sich bekanntlich auf dem Hintergrund einer Rechtskunst und Rechtspraxis, die sich mehr mit dem praktischen Ideal der Phronesis, als mit dem theoretischen Ideal der Sophia begegnet [2].

Vollends seit der Renaissance der antiken Philosophie und Rhetorik wird dann das Sokratesbild zur Gegenparole gegen die Wissenschaft, wie im besonderen die Figur des idiota, des Laien, zeigt, die eine ganz neue Rolle zwischen dem Gelehrten und dem Weisen übernimmt [3]. Ebenso weiß sich die rhetorische Tradition des Humanismus auf Sokrates und die skeptische Kritik an den Dogmatikern zu berufen. Man findet bei Vico, daß er die Stoiker kritisiert, weil sie an die Vernunft als regula veri glauben, und umgekehrt die alten Akademiker rühmt, die nur das Wissen des Nichtwissens behaupten, und erst recht die neuen Akademiker, weil sie in der Argumentationskunst (die zur Redekunst gehört) groß seien.

Vicos Berufung auf den sensus communis zeigt freilich innerhalb dieser humanistischen Tradition eine besondere Färbung. Es gibt eben auch auf dem Gebiete der Wissenschaften die querelle des anciens et des modernes. Nicht mehr der Gegensatz zur ‚Schule‘, sondern der besondere Gegensatz zur modernen Wissenschaft ist es, den Vico meint. Die kritische Wissen-

---

[1] W. Jaeger, Über Ursprung und Kreislauf des philosophischen Lebensideals, Sitzungsberichte der Preuß. Akademie d. Wiss., Berlin 1928.

[2] F. Wieacker, Vom römischen Recht, 1945.

[3] Vgl. Nicolaus Cusanus, der vier Gespräche: De sapientia I, II, de mente, de staticis experimentis, als Schriften eines idiota einführt (Heidelberger Akademie-Ausgabe V, 1937).

schaft der Neuzeit wird von Vico in ihren Vorzügen nicht bestritten, sondern in ihre Grenzen gewiesen. Die Weisheit der Alten, ihre Pflege der pruden-tia und eloquentia sei auch jetzt, angesichts dieser neuen Wissenschaft und ihrer mathematischen Methodik, nicht zu entbehren. Auch jetzt noch sei das, worauf es für die Erziehung ankomme, etwas anderes: die Bildung des sensus communis, der sich nicht aus dem Wahren, sondern aus dem Wahr-scheinlichen nährt. Nun liegt das für uns Wichtige in Folgendem: Sensus communis meint hier offenkundig nicht nur jene allgemeine Fähigkeit, die in allen Menschen ist, sondern er ist zugleich der Sinn, der Gemeinsamkeit stiftet. Was dem menschlichen Willen seine Richtung gebe, meint Vico, sei nicht die abstrakte Allgemeinheit der Vernunft, sondern die konkrete All-gemeinheit, die die Gemeinsamkeit einer Gruppe, eines Volkes, einer Nation oder des gesamten Menschengeschlechtes darstelle. Die Ausbildung dieses gemeinsamen Sinnes sei daher für das Leben von entscheidender Bedeutung.

Auf diesen gemeinsamen Sinn für das Wahre und das Rechte, der kein Wissen aus Gründen ist, aber das Einleuchtende (verisimile) zu finden ge-stattet, begründet Vico die Bedeutung und das selbständige Recht der Be-redsamkeit. Die Erziehung könne nicht den Weg der kritischen Forschung gehen. Die Jugend verlange Bilder für die Phantasie und für die Ausbil-dung ihres Gedächtnisses. Das aber leiste das Studium der Wissenschaften im Geiste der neuen Kritik nicht. So setzt Vico der Critica des Cartesianis-mus die alte Topica als Ergänzung zur Seite. Sie ist die Kunst, Argumente zu finden und dient der Ausbildung eines Sinns für das Überzeugende, der instinktiv und ex tempore arbeitet und eben deshalb durch die Wissenschaft nicht ersetzbar ist.

Diese Bestimmungen Vicos geben sich apologetisch. Sie erkennen in-direkt den neuen Wahrheitsbegriff der Wissenschaft an, indem sie lediglich das Recht des Wahrscheinlichen verteidigen. Vico folgt, wie wir sahen, damit alter rhetorischer Tradition, die schon auf Plato zurückgeht. Was Vico meint, geht aber weit über die Verteidigung der rhetorischen Peitho hinaus. Der Sache nach wird hier, wie wir schon sagten, der alte aristotelische Gegensatz des praktischen und des theoretischen Wissens wirksam, ein Gegensatz, der nicht auf den von wahr und wahrscheinlich zu reduzieren ist. Das praktische Wissen, die Phronesis, ist eine andere Art Wissen[1]. Das bedeutet zunächst: es ist auf die konkrete Situation gerichtet. Es muß also die ‚Umstände' in ihrer unendlichen Varietät erfassen. Das ist es auch, was Vico daran ausdrücklich hervorhebt. Freilich sieht er nur darauf, daß sich dieses Wissen dem rationalen Wissensbegriff entzieht. Es ist aber in Wahrheit kein bloßes Resignationsideal. Der aristotelische Gegensatz meint noch etwas anderes als nur den Gegen-

---

[1] Aristoteles, Eth. Nic. Z. 9, 1141 b 33: Εἶδος μὲν οὖν τι ἂν εἴη γνώσεως τὸ αὑτῷ εἰδέναι.

satz zwischen dem Wissen aus allgemeinen Prinzipien und dem Wissen
des Konkreten. Er meint auch nicht nur das Vermögen der Subsumtion
des Einzelnen unter das Allgemeine, das wir ,Urteilskraft' nennen.
Es ist vielmehr ein positives, ethisches Motiv darin wirksam, das in die
römisch-stoische Lehre vom sensus communis eingeht. Erfassung und sittliche Bewältigung der konkreten Situation erfordert eine solche Subsumtion des Gegebenen unter das Allgemeine, d.h. den Zweck, den man verfolgt, daß das Richtige sich dadurch ergibt. Sie setzt also eine Richtung des
Willens, d.h. aber ein sittliches Sein (ἕξις) bereits voraus. Daher ist die
Phronesis nach Aristoteles eine ,geistige Tugend'. Er sieht in ihr nicht einfach eine Fähigkeit (Dynamis), sondern eine Bestimmtheit sittlichen Seins,
die nicht ohne das Ganze der ,ethischen Tugenden' sein kann, wie umgekehrt diese nicht ohne sie sein können. Obwohl diese Tugend in ihrer
Ausübung bewirkt, daß man das Tunliche vom Untunlichen unterscheidet,
ist sie nicht einfach eine praktische Klugheit und allgemeine Findigkeit.
Ihr Unterscheiden des Tunlichen und Untunlichen umfaßt immer schon
die Unterscheidung des Schicklichen und Unschicklichen und setzt damit
eine sittliche Haltung voraus, die es seinerseits fortbildet.
Es ist dieses von Aristoteles gegen Platos ,Idee des Guten' entwickelte Motiv,
auf das der Sache nach Vicos Berufung auf den sensus communis zurückweist.
In der Scholastik, etwa für Thomas, ist – in Fortbildung von ,De anima'[1] –
der sensus communis die gemeinsame Wurzel der äußeren Sinne, bzw. das sie
kombinierende Vermögen, das über das Gegebene urteilt, eine allen Menschen mitgegebene Fähigkeit[2]. Für Vico dagegen ist der sensus communis
ein Sinn für das Rechte und das gemeine Wohl, der in allen Menschen lebt,
ja mehr noch ein Sinn, der durch die Gemeinsamkeit des Lebens erworben,
durch seine Ordnungen und Zwecke bestimmt wird. Dieser Begriff hat
einen naturrechtlichen Klang, wie ihn die κοιναὶ ἔννοιαι der Stoa haben.
Aber sensus communis ist in diesem Sinne kein griechischer Begriff und
meint durchaus nicht die κοινὴ δύναμις, von der Aristoteles in De anima
spricht, wenn er die Lehre von den spezifischen Sinnen (αἴσθησις ἰδία)
mit dem phänomenologischen Befund, der jedes Wahrnehmen als ein
Unterscheiden und als ein Meinen eines Allgemeinen zeigt, auszugleichen
sucht. Vico greift vielmehr auf den altrömischen Begriff des sensus
communis zurück, wie ihn insbesondere die römischen Klassiker kennen,
die gegenüber der griechischen Bildung an dem Wert und Sinn ihrer
eigenen Traditionen staatlichen und gesellschaftlichen Lebens festhalten.
Es ist also ein kritischer Ton, ein gegen die theoretische Spekulation der
Philosophen gerichteter Ton, der schon in dem römischen Begriff des
sensus communis zu hören ist und den Vico aus seiner veränderter Front-

---

[1] Aristoteles, de anima, 425 a 14 ff.
[2] Thomas Aq. S. Th. I q. 1, 5 ad 2 et q. 78, 4 ad 1.

2·

stellung gegen die moderne Wissenschaft (die critica) zum Anklingen bringt.

Es hat etwas sofort Einleuchtendes, die philologisch-historischen Studien und die Arbeitsweise der Geisteswissenschaften auf diesen Begriff des sensus communis zu gründen. Denn ihr Gegenstand, die moralische und geschichtliche Existenz des Menschen, wie sie in seinen Taten und Werken Gestalt gewinnt, ist selbst durch den sensus communis entscheidend bestimmt. So kann der Schluß aus dem Allgemeinen und der Beweis aus Gründen nicht ausreichen, weil es auf die Umstände entscheidend ankommt. Aber das ist nur negativ formuliert. Es ist eine eigene positive Erkenntnis, die der Gemeinsinn vermittelt. Die Erkenntnisweise der historischen Erkenntnis erschöpft sich keineswegs darin, ,Glauben an fremdes Zeugnis' (Tetens [1]) statt ,selbstbewußtem Schließen' (Helmholtz) zulassen zu müssen. Es ist auch durchaus nicht so, daß solchem Wissen nur ein verminderter Wahrheitswert zukäme. D'Alembert [2] schreibt mit Recht: »La probabilité a principalement lieu pour les faits historiques, et en général pour tous les événements passés, présents et à venir, que nous attribuons à une sorte de hasard, parce que nous n'en démêlons pas les causes. La partie de cette connaissance qui a pour objet le présent et le passé, quoi-qu'elle ne soit fondée que sur le simple témoignage, produit souvent en nous une persuasion aussi forte que celle qui naît des axiomes.«

Die historia ist eben eine ganz andersartige Wahrheitsquelle als die theoretische Vernunft. Schon Cicero hatte das im Auge, wenn er sie die vita memoriae nennt [3]. Ihr Eigenrecht beruht darauf, daß die menschlichen Leidenschaften nicht durch die allgemeinen Vorschriften der Vernunft regiert werden können. Dazu sind vielmehr überzeugende Beispiele vonnöten, wie sie nur die Geschichte bietet. Daher nennt Bacon die historia, die solche Beispiele bringt, geradezu einen anderen Weg des Philosophierens (alia ratio philosophandi [4]).

Auch das ist negativ genug formuliert. Aber wir werden sehen, daß in all diesen Wendungen die von Aristoteles erkannte Seinsweise des sittlichen Wissens wirksam ist. Die Erinnerung daran wird für das angemessene Selbstverständnis der Geisteswissenschaften wichtig werden.

Der Rückgriff Vicos auf den römischen Begriff des sensus communis und seine Verteidigung der humanistischen Rhetorik gegen die moderne Wissenschaft ist für uns von besonderem Interesse; denn hier werden wir an ein Wahrheitsmoment der geisteswissenschaftlichen Erkenntnis herangeführt, das für die Selbstbesinnung der Geisteswissenschaften im 19. Jahrhundert nicht mehr zugänglich war. Vico lebte in einer ungebrochenen

---

[1] Tetens, Philosophische Versuche, 1777, Neudruck der Kant-Gesellschaft, S. 515.
[2] Discours Préliminaire de l'Encyclopédie, ed. Köhler, Meiner 1955, S. 80.
[3] Cicero, De oratore, II. 9. 36.
[4] Vgl. Leo Strauss, The Political Philosophy of Hobbes, chapter VI.

Tradition rhetorisch-humanistischer Bildung und brauchte nur deren
unveraltetes Recht erneut zur Geltung zu bringen. Schließlich gab es von
jeher ein Wissen darum, daß die Möglichkeiten des rationalen Beweisens
und Lehrens den Kreis der Erkenntnis nicht voll ausschöpfen. Vicos Berufung auf den sensus communis gehört insofern, wie wir sahen, in einen
weiten Zusammenhang, der bis in die Antike zurückreicht und dessen
Fortwirken bis in die Gegenwart unser Thema ist[1].

Wir umgekehrt müssen uns den Rückweg in diese Tradition mühsam bahnen, indem wir erst einmal die Schwierigkeiten zeigen, die sich aus
der Anwendung des modernen Methodenbegriffs auf die Geisteswissenschaften ergeben. Zu diesem Zweck gehen wir der Frage nach, wie es zur
Verkümmerung dieser Tradition kam und wie damit der Wahrheitsanspruch geisteswissenschaftlicher Erkenntnis unter das ihm wesensfremde
Maß des Methodendenkens der modernen Wissenschaft geriet.

Für diese Entwicklung, die wesentlich durch die deutsche ‚historische
Schule' bestimmt wurde, ist Vico und überhaupt die ununterbrochene
rhetorische Tradition Italiens nicht unmittelbar entscheidend. Ein Einfluß Vicos auf das 18. Jahrhundert ist kaum merklich. Vico stand
aber mit seiner Berufung auf den sensus communis nicht allein. Er hat
eine wichtige Parallele in *Shaftesbury*, dessen Einfluß auf das 18. Jahrhundert gewaltig gewesen ist. Shaftesbury stellt die Würdigung der gesellschaftlichen Bedeutung von wit und humour unter den Titel sensus
communis und beruft sich ausdrücklich auf die römischen Klassiker und
ihre humanistischen Interpreten[2]. Gewiß hat der Begriff sensus communis
für uns, wie wir anmerkten, auch einen stoisch-naturrechtlichen Klang.
Gleichwohl wird man der humanistischen Interpretation, die sich auf
die römischen Klassiker stützt und der Shaftesbury folgt, ihre Richtigkeit nicht bestreiten können. Die Humanisten verstanden nach Shaftesbury unter sensus communis den Sinn für das gemeinsame Wohl, aber auch
love of the community or society, natural affection, humanity, obligingness.
Es ist ein Wort des Mark Aurel[3], κοινονοημοσύνη, an das sie anknüpfen. Ein höchst seltenes und künstliches Wort – und das bestätigt im
Grunde, daß der Begriff sensus communis gar nicht von griechisch-philo-
sophischer Herkunft ist, sondern den stoischen Begriffsklang nur wie einen
Oberton widerklingen läßt. Der Humanist Salmasius umschreibt den Inhalt
dieses Wortes als ‚moderatam, usitatam et ordinariam hominis mentem,
que in commune quodam modo consulit nec omnia ad commodum suum
refert, respectumque etiam habet eorum, cum quibus versatur, modeste,

---

[1] Offenbar hat Castiglione eine wichtige Rolle bei der Vermittlung dieses aristotelischen Motivs gespielt, vgl. Erich Loos: Baldassare Castigliones »Libro del cor-
tegiano« (Analecta romanica, hrsg. v. F. Schalk, H. 2).
[2] Shaftesbury, Characteristics, Treatise II, insbesondere Part. III, Sect. I.
[3] Marc Ant. I, 16.

modiceque de se sentiens'. Es ist also nicht so sehr eine naturrechtliche,
allen Menschen verliehene Ausstattung, als eine soziale Tugend, eine
Tugend des Herzens mehr als des Kopfes, die Shaftesbury meint. Und
wenn er wit und humour von da aus begreift, so folgt er auch darin altrömischen Begriffen, die in der humanitas die feine Lebensart mit ein-
schlossen, die Haltung des Mannes, der Spaß versteht und macht, weil er
einer tieferen Solidarität mit seinem Gegenüber gewiß ist. (Shaftesbury
beschränkt wit und humour ausdrücklich auf den geselligen Umgang
unter Freunden). Wenn sensus communis hier fast wie eine soziale Um-
gangstugend erscheint, so ist in Wahrheit doch eine moralische, ja eine
metaphysische Basis darin impliziert.

Es ist die geistige und soziale Tugend der sympathy, die Shaftesbury
im Auge hat und auf die er bekanntlich nicht nur die Moral, sondern eine
ganze ästhetische Metaphysik gegründet hat. Seine Nachfolger, vor allem
Hutcheson [1] und Hume, haben seine Anregungen zu der Lehre vom moral
sense ausgebaut, die später der kantischen Ethik zur Folie dienen sollte.

Eine wirklich zentrale systematische Funktion hat der Begriff des common sense in der Philosophie der *Schotten* gefunden, die sich polemisch
gegen die Metaphysik wie gegen ihre skeptische Auflösung richtet und auf
dem Grunde ursprünglicher und natürlicher Urteile des common sense
ihr neues System aufbaut (Thomas Reid) [2]. Ohne Zweifel ist darin die
aristotelisch-scholastische Begriffstradition des sensus communis wirksam
geworden. Die Untersuchung der Sinne und ihrer Erkenntnisleistung
wird aus dieser Tradition geschöpft und soll letzten Endes dazu dienen, die
Übertreibungen der philosophischen Spekulation zu korrigieren. Aber
gleichzeitig wird dabei der Bezug des common sense auf die society festgehalten: »They serve to direct us in the common affairs of life, where our
reasoning faculty would leave us in the dark«. Die Philosophie des gesunden Menschenverstandes, des good sense, ist in ihren Augen nicht nur
ein Heilmittel gegen die ‚Mondsüchtigkeit' der Metaphysik – sie enthält
auch die Grundlage einer Moralphilosophie, die dem Leben der Gesellschaft wirklich gerecht wird.

---

[1] Hutcheson verdeutlicht sensus communis geradezu durch sympathy.

[2] Thomas Reid, The philosophical Works, ed. Hamilton, eighth edition, 1895. Dort
findet sich in Band II, S. 774 ff., eine ausführliche Anmerkung Hamiltons über sensus
communis, die freilich das reiche Material mehr klassifikatorisch, als historisch ver-
arbeitet. Wie ich einem freundlichen Hinweis von Guenther Pflug entnehme, ist die
systematische Funktion des sensus communis innerhalb der Philosophie zuerst bei
Buffier (1704) nachweisbar. Daß die Erkenntnis der Welt durch die Sinne über alle
theoretischen Probleme erhaben und pragmatisch legitimiert ist, stellt an sich ein
altes skeptisches Motiv dar. Buffier aber erhebt den sensus communis zum Range
eines Axioms, das der Erkenntnis der Außenwelt, der res extra nos, ebenso zur
Grundlage dienen soll, wie das cartesianische cogito der Welt des Bewußtseins.
Buffier hat auf Reid gewirkt.

Das moralische Motiv im Begriff des common sense oder des bon sens ist bis zum heutigen Tage wirksam geblieben und unterscheidet diese Begriffe von unserem Begriff des ‚gesunden Menschenverstandes'. Ich verweise als Beispiel auf die schöne Rede, die *Henri Bergson* 1895 anläßlich der großen Preisverteilung an der Sorbonne über den bon sens gehalten hat [1]. Seine Kritik an den Abstraktionen der Naturwissenschaft wie an denen der Sprache und des Rechtsdenkens, sein stürmischer Appell an die »énergie intérieure d'une intelligence qui se reconquiert à tout moment sur elle-même, éliminant les idées faites pour laisser la place libre aux idées qui se font« (88), konnte in Frankreich auf den Namen des bon sens getauft werden. Die Bestimmung dieses Begriffs enthielt zwar, wie es natürlich ist, eine Bezugnahme auf die Sinne, aber es ist für Bergson offenbar selbstverständlich, daß im Unterschied zu den Sinnen der bon sens auf das milieu social geht. »Tandis que les autres sens nous mettent en rapport avec des choses, le bon sens préside à nos relations avec des personnes« (85). Er ist eine Art Genie für das praktische Leben, aber weniger eine Gabe als die beständige Aufgabe des »ajustement toujours renouvelé des situations toujours nouvelles«, eine Arbeit der Anpassung der allgemeinen Prinzipien an die Wirklichkeit, durch die sich die Gerechtigkeit realisiert, ein »tact de la vérité pratique«, eine »rectitude du jugement, qui vient de la droiture de l'âme« (88). Der bon sens ist nach Bergson als die gemeinsame Quelle von Denken und Wollen ein sens social, der ebensosehr die Fehler der wissenschaftlichen Dogmatiker, welche soziale Gesetze suchen, wie die der metaphysischen Utopisten vermeidet. *»Peut-être n'a-t-il pas de méthode à proprement parler,* mais plutôt une certaine manière de faire«. Bergson spricht zwar auch über die Bedeutung der klassischen Studien für die Ausbildung dieses bon sens – er sieht in ihnen die Bemühung, das ‚Eis der Worte' zu brechen und darunter den freien Strom des Gedankens zu entdecken (91)–, aber er stellt freilich nicht die umgekehrte Frage, wie weit zu den klassischen Studien selber bon sens erforderlich ist, d. h. er spricht nicht von seiner hermeneutischen Funktion. Seine Frage ist ganz und gar nicht auf die Wissenschaften gerichtet, sondern auf den selbständigen Sinn des bon sens für das Leben. Wir unterstreichen allein die Selbstverständlichkeit, mit der der moralisch-politische Sinn dieses Begriffes bei ihm und seinen Zuhörern die Führung behält.

Es ist nun sehr bezeichnend, daß für die Selbstbesinnung der modernen Geisteswissenschaften im 19. Jahrhundert nicht die moralistische Tradition der Philosophie bestimmend war, der Vico wie Shaftesbury zugehören und die vor allem durch Frankreich, das klassische Land des bon sens, repräsentiert ist, sondern die deutsche Philosophie im Zeitalter Kants und Goethes. Während in England und in den romanischen Ländern der Be-

---

[1] Henri Bergson, Ecrits et paroles I (RM Mossé-Bastide), S. 84 ff.

griff des sensus communis noch heute nicht nur eine kritische Parole, sondern eine allgemeine Qualität des Staatsbürgers bezeichnet, haben in
Deutschland die Anhänger Shaftesburys und Hutchesons schon im 18. Jahrhundert den politisch-sozialen Inhalt, der mit ‚sensus communis‘ gemeint
war, nicht mit übernommen. Die Schulmetaphysik und Popularphilosophie des 18. Jahrhunderts, so sehr sie auch lernend und nachahmend auf
die führenden Länder der Aufklärung, auf England und Frankreich, gerichtet war, konnte sich nicht anverwandeln, wofür die gesellschaftlichen
und politischen Bedingungen schlechterdings fehlten. Man nahm zwar
den Begriff des sensus communis auf, aber indem man ihn völlig ent-
politisierte, verlor der Begriff seine eigentliche kritische Bedeutung. Man
verstand nun unter sensus communis lediglich ein theoretisches Vermögen,
die theoretische Urteilskraft, die neben das sittliche Bewußtsein (das Gewissen) und den Geschmack trat. So wurde er einer Scholastik der Grund-
kräfte eingeordnet, deren Kritik dann von Herder geleistet worden ist (im
vierten kritischen Wäldchen, das gegen Riedel gerichtet ist), und durch
die Herder auch auf dem Gebiete der Ästhetik zum Vorläufer des Historismus wurde.

Doch gibt es eine bezeichnende Ausnahme: den *Pietismus*. Nicht nur
einem Weltmann wie Shaftesbury mußte gegenüber der ‚Schule‘ daran
liegen, die Ansprüche der Wissenschaft, d. h. der demonstratio, zu begrenzen und sich auf den sensus communis zu berufen, sondern ebenso dem
Prediger, der das Herz seiner Gemeinde erreichen will. So hat sich der
schwäbische Pietist *Oetinger* ausdrücklich an Shaftesburys Verteidigung des
sensus communis angelehnt. Wir finden für sensus communis geradezu die
Übersetzung ‚Herz‘ und die folgende Umschreibung: »Der sensus communis geht... mit lauter Dingen um, die alle Menschen täglich vor sich
sehen, die eine ganze Gesellschaft zusammenhalten, die sowohl Wahrheiten und Sätze, als Anstalten und Formen, die Sätze zu fassen, betreffen...« [1] Oetingers Anliegen ist dabei, zu zeigen, daß es nicht nur auf die
Deutlichkeit der Begriffe ankommt – sie ist »nicht genug zur lebendigen

---

[1] Ich zitiere aus: »Die Wahrheit des sensus communis oder des allgemeinen Sinnes, in den nach dem Grundtext erklärten Sprüchen und Prediger Salomo oder das
beste Haus- und Sittenbuch für Gelehrte und Ungelehrte« von M. Friedrich Christoph Oetinger (neu herausgegeben von Ehmann, 1861). Oetinger beruft sich für seine
generative Methode auf die rhetorische Tradition und zitiert ferner Shaftesbury,
Fenelon, Fleury. Nach Fleury (Discours sur Platon) besteht der Vorzug der Methode
der Redner darin, »die Vorurteile zu heben«, und Oetinger gibt ihm recht, wenn er
sagt, daß die Redner diese Methode mit den Philosophen gemein haben (125). Nach
Oetinger ist es ein Fehler der Aufklärung, wenn sie sich über diese Methode erhaben
meint. Unsere Untersuchung wird uns noch dahin führen, dieses Urteil Oetingers zu
bestätigen. Denn wenn er sich auch *gegen* eine heute nicht mehr oder eben erst
wieder aktuelle Form des mos geometricus, d. h. gegen das Demonstrationsideal der
Aufklärung wendet, so gilt das gleiche doch auch für die modernen Geisteswissenschaften und ihr Verhältnis zur ‚Logik‘.

Erkenntnis«. Vielmehr müssen »gewisse Vorempfindungen und Neigungen«
dabei sein. »Die Väter sind ohne Beweis schon gerührt, für ihre Kinder zu
sorgen: die Liebe demonstriert nicht, sondern reißt das Herz oft wider die
Vernunft gegen den geliebten Vorwurf.« Oetingers Berufung auf den sensus
communis gegen den Rationalismus der ,Schule' ist für uns nun deshalb
besonders interessant, weil sie bei ihm in ausdrücklicher hermeneutischer
Anwendung begegnet. Dem Prälaten Oetinger geht es um das Verständnis
der Heiligen Schrift. Weil hier die mathematisch-demonstrative Methode
versagt, verlangt er eine andere, die ,generative Methode', d. h. den
»pflanzenden Schriftvortrag, damit die Gerechtigkeit wie ein Gewächs ge-
pflanzt werden könne«.

Oetinger hat den Begriff des sensus communis auch zum Gegenstand einer
ausführlichen und gelehrten Untersuchung gemacht, die gleichfalls gegen
den Rationalismus gekehrt ist[1]. Er sieht dort in ihm den Ursprung aller
Wahrheiten, die eigentliche ars inveniendi, im Gegensatz zu Leibniz, der
alles auf einen bloßen calculus metaphysicus gründet (excluso omni gusto
interno). Die wahre Grundlage des sensus communis ist nach Oetinger der
Begriff der vita, des Lebens (sensus communis vitae gaudens). Gegenüber
der gewaltsamen Zerschneidung der Natur durch Experiment und Rechnung begreift er die natürliche Entfaltung vom Einfachen ins Vielfältige
als das allgemeine Wachstumsgesetz der göttlichen Schöpfung und mit ihr
auch des menschlichen Geistes. Er beruft sich für den Ursprung alles
Wissens im sensus communis auf Wolff, Bernoulli und Pascal, auf die Untersuchung Maupertuis' über den Ursprung der Sprache, auf Bacon, Fénelon
u. a. und definiert den sensus communis als »viva et penetrans perceptio
objectorum toti humanitati obviorum, ex immediato tactu et intuitu
eorum, quae sunt simplicissima...«

Schon aus diesem zweiten Satz geht hervor, daß Oetinger die humanistisch-
politische Bedeutung des Wortes von vornherein mit dem peripatetischen
Begriff des sensus communis zusammenschließt. Die obige Definition
klingt stellenweise (immediato tactu et intuitu) an die aristotelische $\nu o \tilde{v} \varsigma$-
Lehre an; die aristotelische Frage der gemeinsamen $\delta \acute{v} \nu \alpha \mu \iota \varsigma$, die Sehen,
Hören usw. vereinigt, wird von ihm aufgenommen und dient ihm zur
Bestätigung des eigentlichen, göttlichen Lebensgeheimnisses. Das göttliche Geheimnis des Lebens ist seine Einfachheit – wenn der Mensch dieselbe auch durch den Sündenfall verloren hat, so vermag er doch zur Einheit und Einfachheit durch Gottes Gnadenwillen zurückzufinden: »operatio
$\lambda \acute{o} \gamma o v$ s. praesentia Dei simplificat diversa in unum« (162). Die Gegenwart
Gottes besteht geradezu im Leben selbst, in diesem ,gemeinsamen Sinn',
der alles Lebendige von allem Toten unterscheidet – der Polyp und der

---

[1] F. Ch. Oetinger, Inquisitio in sensum communem et rationem ... (Tübingen
1753). Daraus stammen die folgenden Zitate.

Seestern, die trotz aller Zerschneidung sich zu neuen Individuen regenerieren, werden von Oetinger nicht zufällig erwähnt. – Im Menschen ist die gleiche Gotteskraft wirksam als Instinkt und innerliche Erregung, Gottes Spuren zu empfinden, und das, was die größte Verwandtschaft mit dem menschlichen Glück und Leben hat, zu erkennen. Ausdrücklich unterscheidet Oetinger die Empfänglichkeit für die gemeinsamen Wahrheiten, die zu aller Zeit und an jedem Orte für alle Menschen nützlich sind, als ,sinnliche' Wahrheiten von den rationalen. Der gemeinsame Sinn ist ein Komplex von Instinkten, d. h. ein natürlicher Drang zu dem, worauf das wahrhafte Glück des Lebens beruht, und insofern eine Wirkung der Gegenwart Gottes. Instinkte sind nicht mit Leibniz als Affekte, d. h. als confusae repraesentationes zu fassen, denn sie sind nicht vorübergehend, sondern sind eingewurzelte Tendenzen und haben eine diktatorische, göttliche, unwiderstehliche Gewalt[1]. Der sensus communis, der sich auf diese stützt, ist für unsere Erkenntnis von besonderer Bedeutung[2], eben weil sie eine Gabe Gottes sind. Oetinger schreibt: die ratio regiert sich durch Regeln oft auch ohne Gott, der Sinn immer mit Gott. So wie sich die Natur von der Kunst unterscheidet, so unterscheidet sich Sinn und ratio. Gott verfährt durch die Natur in einem gleichzeitigen Wachstumsfortschritt, der sich gleichmäßig im Ganzen ausbreitet – die Kunst dagegen beginnt mit irgend einem bestimmten Teil... Der Sinn ahmt die Natur nach, die ratio die Kunst (247).

Dieser Satz steht interessanterweise in einem hermeneutischen Zusammenhang, wie überhaupt auch in dieser gelehrten Schrift die ,Sapientia Salomonis' den letzten Gegenstand und die höchste Instanz der Erkenntnis darstellt. Es ist das Kapitel über den Gebrauch (usus) des sensus communis. Hier wendet sich Oetinger gegen die hermeneutische Theorie der Wolffianer. Wichtiger als alle hermeneutischen Regeln sei, daß einer ,sensu plenus' sei. Eine solche These ist natürlich ein spiritualistisches Extrem, doch hat sie ihren logischen Grund im Begriff der vita bzw. des sensus communis. Ihr hermeneutischer Sinn läßt sich durch den Satz illustrieren: »Die Ideen, die sich in der Heiligen Schrift und in den Werken Gottes finden, sind um so fruchtbarer und gereinigter, je mehr die einzelnen in allem und alle in den einzelnen erkannt werden«[3]. Hier wird das, was man im 19. und 20. Jahrhundert Intuition zu nennen liebt, auf seinen metaphysischen Grund zurückgeführt, nämlich auf die Struktur des lebendig-organischen Seins, in jedem Einzelnen das Ganze zu sein: »cyclus vitae centrum suum in corde habet, quod infinita simul percipit per sensum communem« (praef.).

Was alle hermeneutische Regelweisheit überspielt, ist die Anwendung auf sich selbst: »applicentur regulae ad se ipsum ante omnia et tum habebitur

---

[1] radicatae tendentiae . . . Habent vim dictatoriam divinam, irresistibilem.
[2] in investigandis ideis usum habet insignem.
[3] sunt foecundiores et defaecatiores, quo magis intelliguntur singulae in omnibus et omnes in singulis.

clavis ad intelligentiam proverbiorum Salomonis« (207 [1]). Oetinger weiß von
da aus den Einklang mit den Gedanken Shaftesburys herzustellen, der, wie
er sagt, als einziger über den sensus communis unter diesem Titel geschrieben habe. Doch beruft er sich auch auf andere, die die Einseitigkeit der
rationalen Methode bemerkt haben, so auf Pascals Unterscheidung von
‚esprit geometrique‘ und ‚esprit de finesse‘. Indessen ist es bei dem schwäbi-
schen Pietisten mehr ein theologisches als ein politisches oder gesellschaftliches Interesse, das sich um den Begriff des sensus communis kristallisiert.

Offenbar haben auch sonst pietistische Theologen dem herrschenden
Rationalismus gegenüber im gleichen Sinne wie Oetinger die applicatio in
den Vordergrund gestellt, wie das Beispiel Rambachs lehrt, dessen damals
sehr einflußreiche Hermeneutik die Applikation mitbehandelt. Doch ließ
die Zurückdrängung der pietistischen Tendenzen im späteren 18. Jahrhundert die hermeneutische Funktion des sensus communis zu einem bloßen
Korrektiv herabsinken: Was dem consensus in Gefühlen, Urteilen und
Schlüssen, d. h. dem sensus communis widerspricht, kann nicht richtig
sein [2]. Im Vergleich mit der Bedeutung, die Shaftesbury dem sensus communis für Gesellschaft und Staat zuspricht, zeigt sich in dieser negativen
Funktion des sensus communis die inhaltliche Entleerung und Intellektuierung, die dem Begriff durch die deutsche Aufklärung widerfahren ist.

γ) *Urteilskraft*

Dieser Entwicklung des Begriffs im deutschen 18. Jahrhundert mag
zugrunde liegen, daß der Begriff des sensus communis mit dem *Begriff der
Urteilskraft* aufs engste zusammenhängt. Der ‚gesunde Menschenverstand‘,
mitunter auch der ‚gemeine Verstand‘ genannt, ist in der Tat durch Urteilskraft entscheidend charakterisiert. Das ist es, wodurch sich ein Dumm-
kopf von dem Gescheiten unterscheidet, daß er keine Urteilskraft besitzt,
d. h. daß er nicht richtig zu subsumieren vermag und daher nicht imstande
ist, das, was er gelernt hat und weiß, richtig anzuwenden. Die Einführung
des Wortes ‚Urteilskraft‘ im 18. Jahrhundert will also den Begriff des
judicium angemessen wiedergeben, der als eine geistige Grundtugend zu
gelten hat. Im selben Sinne betonen die englischen Moralphilosophen, daß
die moralischen und ästhetischen Beurteilungen nicht der reason gehorchen, sondern den Charakter des sentiment (bzw. taste) haben, und
ähnlich sieht Tetens, einer der Repräsentanten der deutschen Aufklärung,
im sensus communis ein ‚judicium ohne Reflexion‘ [3]. In der Tat ist die

---

[1] Eben dort erinnert sich Oetinger der aristotelischen Skepsis gegen allzu jugend-
liche Zuhörer bei moralphilosophischen Untersuchungen. – Auch dies ein Zeichen,
wie sehr ihm das Problem der Applikation im Bewußtsein ist. Vgl. unten S. 296 f.

[2] Ich beziehe mich auf Morus, Hermeneutica, I, II, II, XXIII.

[3] Tetens, Philosophische Versuche über die menschliche Natur und ihre Entwicklung, Leipzig 1777, I, 520.

Tätigkeit der Urteilskraft, ein Besonderes unter ein Allgemeines zu subsumieren, etwas als Fall einer Regel zu erkennen, logisch nicht demonstrierbar. Die Urteilskraft befindet sich daher in einer grundsätzlichen Verlegenheit wegen eines Prinzips, das ihre Anwendung leiten könnte. Sie würde für die Befolgung dieses Prinzips selber wieder einer anderen Urteilskraft bedürfen, wie Kant scharfsinnig bemerkt[1]. Sie kann daher nicht im allgemeinen gelehrt, sondern nur von Fall zu Fall geübt werden und ist insofern mehr eine Fähigkeit, wie es die Sinne sind. Sie ist etwas schlechthin Unerlernbares, weil keine Demonstration aus Begriffen die Anwendung von Regeln zu leiten vermag.

Konsequenterweise hat die deutsche Aufklärungsphilosophie deshalb die Urteilskraft nicht dem höheren Vermögen des Geistes zugerechnet, sondern dem niederen Erkenntnisvermögen. Sie hat damit eine Richtung eingeschlagen, die von dem ursprünglich römischen Sinn von sensus communis weit abgeht und die scholastische Tradition fortführt. Das sollte für die Ästhetik eine besondere Bedeutung erhalten. Denn bei Baumgarten etwa steht ganz fest: Was die Urteilskraft erkennt, ist das sinnlich-Individuale, das Einzelding, und was sie am Einzelding beurteilt, ist seine Vollkommenheit bzw. Unvollkommenheit [2]. Nun muß man bei dieser Bestimmung der Beurteilung beachten, daß hier nicht ein vorgegebener Begriff des Dinges einfach angewendet wird, sondern daß das sinnlich-Einzelne in sich zur Erfassung kommt, indem an ihm die Übereinstimmung von Vielem zu Einem bemerkt wird. Hier ist also nicht Anwendung eines Allgemeinen, sondern die innere Übereinstimmung das Entscheidende. Wie man sieht, handelt es sich schon um das, was Kant später ,reflektierende Urteilskraft' nennt und als die Beurteilung nach einer realen und formalen Zweckmäßigkeit versteht. Es ist kein Begriff gegeben, sondern das Einzelne wird ,immanent' beurteilt. Kant nennt das eine ästhetische Beurteilung, und wie Baumgarten das iudicium sensitivum als gustus bezeichnete, so wiederholt Kant: »Eine sinnliche Beurteilung der Vollkommenheit heißt Geschmack.« [3]

Wir werden später sehen, wie diese ästhetische Wendung des Begriffs iudicium, die im 18.Jahrhundert vor allem durch Gottsched gefördert wird, bei Kant zu systematischer Bedeutung gelangt, und dabei wird sich herausstellen, daß die kantische Unterscheidung einer bestimmenden und einer reflektierenden Urteilskraft nicht ohne Fragwürdigkeit ist [4]. Auch läßt sich der Bedeutungsgehalt von sensus communis schwerlich auf das ästhetische Urteil einschränken. Denn aus dem Gebrauch, den Vico und

---

[1] Kant, Kritik der Urteilskraft 1799 [2], S. VII.
[2] Baumgarten, Metaphysica § 606: perfectionem imperfectionemque rerum percipio, i. e. diiudico.
[3] Eine Vorlesung Kants über Ethik, ed. Menzer, 1924, S. 34.
[4] Vgl. im Folgenden S. 36.

Shaftesbury von diesem Begriff machen, geht hervor: sensus communis ist nicht in erster Linie eine formale Fähigkeit, ein geistiges Vermögen, das man üben muß, sondern umfaßt immer schon einen Inbegriff von Urteilen und Urteilsmaßstäben, die ihn inhaltlich bestimmen.

Die gesunde Vernunft, der common sense, zeigt sich vor allem in den Urteilen über recht und unrecht, tunlich und untunlich, die sie fällt. Wer ein gesundes Urteil hat, der ist nicht überhaupt befähigt, Besonderes unter allgemeinen Gesichtspunkten zu beurteilen, sondern er weiß, worauf es wirklich ankommt, d. h. er sieht die Dinge unter den richtigen, rechten, gesunden Gesichtspunkten. Ein Hochstapler, der die Schwächen der Menschen richtig berechnet und für seine Betrügereien stets das Richtige trifft, hat gleichwohl nicht (im eminenten Sinne des Wortes) ein ‚gesundes Urteil‘. Die Allgemeinheit, die dem Urteilsvermögen zugeschrieben wird, ist also gar nichts so ‚gemeines‘, wie Kant darin sieht. Urteilskraft ist überhaupt nicht so sehr eine Fähigkeit als eine Forderung, die an alle zu stellen ist. Alle haben genug *‚gemeinen Sinn‘*, d. h. Urteilsvermögen, daß man ihnen den Beweis von ‚*Gemeinsinn‘*, von echter sittlich-bürgerlicher Solidarität, d. h. aber: Urteil über Recht und Unrecht, und Sorge für den ‚gemeinen Nutzen‘ zumuten kann. Das ist es, was Vicos Berufung auf die humanistische Tradition so imposant macht, daß er gegenüber der Logisierung des Begriffs des Gemeinsinns die ganze inhaltliche Fülle dessen festhält, was in der römischen Tradition dieses Wortes lebendig war (und bis zum heutigen Tage die lateinische Rasse auszeichnet). Ebenso war Shaftesburys Aufgreifen dieses Begriffs, wie wir sahen, zugleich eine Anknüpfung an die politisch-gesellschaftliche Überlieferung des Humanismus. Der sensus communis ist ein Moment des bürgerlich-sittlichen Seins. Auch wo dieser Begriff, wie im Pietismus oder in der Philosophie der Schotten, eine polemische Wendung gegen die Metaphysik bedeutet, bleibt er damit noch in der Linie seiner ursprünglichen kritischen Funktion.

Dagegen ist *Kants* Aufnahme dieses Begriffs in der ‚Kritik der Urteilskraft‘ ganz anders akzentuiert [1]. Der grundlegende moralische Sinn dieses Begriffs hat bei ihm keinen systematischen Ort mehr. Bekanntlich hat er seine Moralphilosophie geradezu im Gegenzuge gegen die in der englischen Philosophie entwickelte Lehre vom ‚moralischen Gefühl‘ entworfen. So ist der Begriff des sensus communis aus der Moralphilosophie von ihm ganz ausgeschieden worden.

Was mit der Unbedingtheit eines moralischen Gebotes auftritt, kann nicht auf ein Gefühl gegründet werden, auch dann nicht, wenn man damit nicht die Einzelheit des Gefühls, sondern die Gemeinsamkeit des sittlichen Empfindens meint. Denn der Charakter des Gebots, der der Moralität eignet, schließt die vergleichende Reflexion auf andere grundsätzlich aus. Die

---

[1] Kritik der Urteilskraft, § 40.

Unbedingtheit des moralischen Gebots bedeutet für das moralische Bewußtsein gewiß nicht, daß es bei der Beurteilung anderer starr sein dürfe.
Vielmehr ist es sittlich geboten, von den subjektiven Privatbedingungen
des eigenen Urteils zu abstrahieren und sich in den Standpunkt des anderen
zu versetzen. Wohl aber bedeutet diese Unbedingtheit, daß das moralische
Bewußtsein sich nicht selber aus der Berufung auf das Urteil anderer entlasten darf. Die Verbindlichkeit des Gebotes ist in einem strengeren Sinne
allgemein, als je die Allgemeinheit eines Empfindens erreichen kann. Die
Anwendung des Sittengesetzes auf die Willensbestimmung ist Sache der
Urteilskraft. Da es sich aber hier um Urteilskraft unter Gesetzen der reinen
praktischen Vernunft handelt, besteht ihre Aufgabe gerade darin, vor dem
»Empirismus der praktischen Vernunft, der die praktischen Begriffe des
Guten und Bösen bloß in Erfahrungsfolgen ... setzt«, zu bewahren [1]. Das
leistet die Typik der reinen praktischen Vernunft.

Daneben gibt es gewiß auch für Kant die Frage, wie man dem strengen
Gesetze der reinen praktischen Vernunft in das menschliche Gemüt Eingang verschaffen könne. Davon handelt er in der »Methodenlehre der
reinen, praktischen Vernunft«, die die »Methode der Gründung und Kultur
echter moralischer Gesinnungen mit wenigem entwerfen will«. Für diese
Aufgabe beruft er sich in der Tat auf die gemeine Menschenvernunft und
will die praktische Urteilskraft üben und bilden, und gewiß sind darin
auch ästhetische Momente wirksam [2]. Aber daß es in dieser Weise eine
Kultur des moralischen Gefühls geben kann, gehört nicht eigentlich in die
Moralphilosophie und betrifft jedenfalls nicht die Grundlagen derselben.
Denn Kant fordert, daß unsere Willensbestimmung allein von den Trieb-
federn bestimmt bleibt, die auf der Selbstgesetzgebung der reinen praktischen Vernunft beruhen. Dafür kann keine bloße Gemeinsamkeit des
Empfindens die Basis bilden, sondern nur eine »wenn auch dunkle, so
doch sicher leitende praktische Vernunfthandlung«, die aufzuklären und
zu festigen eben die Aufgabe der Kritik der praktischen Vernunft ist.

Auch im logischen Sinne des Wortes spielt der sensus communis bei Kant
keine Rolle. Was Kant in der transzendentalen Doktrin der Urteilskraft ab-
handelt, also die Lehre vom Schematismus und den Grundsätzen [3], hat mit
dem sensus communis nichts mehr zu tun. Denn es handelt sich hier um Begriffe, die sich auf ihre Gegenstände a priori beziehen sollen, und nicht um
eine Subsumtion des Einzelnen unter das Allgemeine. Wo es sich dagegen
wirklich um die Fähigkeit handelt, das Einzelne als Fall des Allgemeinen zu
erkennen, und wo wir von gesundem Verstand reden, haben wir es nach Kant
im wahrsten Sinne des Wortes mit etwas ‚gemeinem‘ zu tun, d.h.: »was
man allenthalben antrifft, mithin zu besitzen, schlechterdings kein Ver-

[1] Kritik der praktischen Vernunft, 1787, S. 124.
[2] a.a.O. 1787, S. 272; Kritik der Urteilskraft § 60.
[3] Kritik der reinen Vernunft, B 171 ff.

dienst oder Vorzug ist[1]«. Solcher gesunde Verstand hat keine andere Bedeutung als die, Vorstufe des ausgebildeten und aufgeklärten Verstandes zu sein. Er betätigt sich zwar in einer dunklen Unterscheidung der Urteilskraft, die man Gefühl nennt, aber er urteilt dennoch immer schon nach Begriffen, »wie wohl gemeiniglich nur nach dunkel vorgestellten Prinzipien[2]« und kann jedenfalls nicht als ein eigener Gemeinsinn angesehen werden. Der allgemeine logische Gebrauch der Urteilskraft, den man auf den sensus communis zurückführt, enthält nichts von einem eigenen Prinzip[3].

So bleibt für Kant von der Reichweite dessen, was man ein sinnliches Urteilsvermögen nennen könnte, nur das ästhetische Geschmacksurteil übrig. Hier kann man von einem wirklichen Gemeinsinn reden. So zweifelhaft es sein mag, ob man beim ästhetischen Geschmack von Erkenntnis reden darf, und so gewiß im ästhetischen Urteil nicht nach Begriffen geurteilt wird, so steht doch fest, daß im ästhetischen Geschmack die Notwendigkeit der allgemeinen Beistimmung gedacht ist, auch wenn er sinnlich und nicht begrifflich ist. Der wahre Gemeinsinn also, sagt Kant, ist der *Geschmack*.

Das ist eine paradoxe Formulierung, wenn man bedenkt, wie im 18. Jahrhundert gerade die Verschiedenheiten des menschlichen Geschmacks mit Vorliebe erörtert wurden. Aber selbst wenn man aus den Verschiedenheiten des Geschmacks keine skeptisch-relativistischen Konsequenzen zieht, sondern an der Idee eines guten Geschmacks festhält, klingt es paradox, den ‚guten Geschmack‘, diese seltene Auszeichnung, durch die sich die Angehörigen einer gebildeten Gesellschaft von allen übrigen Menschen abheben, einen Gemeinsinn zu nennen. Im Sinne einer empirischen Behauptung wäre das in der Tat unsinnig, und wir werden sehen, inwiefern diese Benennung für Kant in transzendentaler Absicht, d. h. als apriorische Rechtfertigung für die Anmaßung der Geschmackskritik, Sinn erhält. Wir werden uns aber auch zu fragen haben, was die Einengung des Begriffs des Gemeinsinns auf das Geschmacksurteil über das Schöne für den Wahrheitsanspruch dieses Gemeinsinnes besagt und wie sich das kantische subjektive Apriori des Geschmacks auf das Selbstverständnis der Wissenschaft ausgewirkt hat.

δ) Geschmack

Abermals gilt es, weiter auszuholen. Denn in Wahrheit handelt es sich nicht allein um eine Einengung des Begriffs des Gemeinsinns auf den Geschmack, sondern ebenso um die Einengung des Begriffs des Geschmacks selbst. Die lange Vorgeschichte, die dieser Begriff hat, bis er von Kant zum

---

[1] Kritik der Urteilskraft, 1799[3], S. 157.   [2] Ebda S. 64.
[3] Vgl. Kants Anerkennung der Bedeutung der Beispiele (und damit der Historie) als ‚Gängelwagen‘ der Urteilskraft (B 173).

Fundament seiner Kritik der Urteilskraft gemacht wird, läßt erkennen, daß *der Begriff des Geschmacks* ursprünglich eher ein *moralischer* als ein ästhetischer Begriff ist. Er beschreibt ein Ideal echter Humanität und verdankt seine Prägung dem Bestreben, sich gegen den Dogmatismus der ‚Schule' kritisch abzuheben. Auf das ‚Schöngeistige' wird der Gebrauch des Begriffs erst später eingeengt.

Am Ursprung seiner Geschichte steht Balthasar *Gracian* [1]. Gracian geht davon aus, daß der sinnliche Geschmack, dieser animalischste und innerlichste unserer Sinne, dennoch bereits einen Ansatz zu der in der geistigen Beurteilung der Dinge vollzogenen Unterscheidung enthält. Das sinnliche Unterscheiden des Geschmacks, das auf die unmittelbarste Weise genießendes Aufnehmen und Zurückweisen ist, ist also in Wahrheit nicht bloßer Trieb, sondern hält bereits die Mitte zwischen sinnlichem Trieb und geistiger Freiheit. Den sinnlichen Geschmack zeichnet eben dies aus, daß er selbst zu solchem den Abstand der Wahl und der Beurteilung gewinnt, was zur dringendsten Notdurft des Lebens gehört. So sieht Gracian im Geschmack bereits eine ‚Vergeistigung der Animalität' und weist mit Recht darauf hin, daß es nicht nur vom Geist (ingenio), sondern auch schon vom Geschmack (gusto) Bildung (cultura) gibt. Bekanntlich gilt das selbst vom sinnlichen Geschmack. Es gibt Menschen, die eine gute Zunge haben, Feinschmecker, die diese Freuden pflegen. Dieser Begriff des gusto nun ist der Ausgangspunkt für Gracians gesellschaftliche Idealbildung. Sein Ideal des Gebildeten (des discreto) besteht darin, daß er, der ‚hombre en su punto', zu allen Dingen des Lebens und der Gesellschaft die rechte Freiheit des Abstandes gewinnt, so daß er bewußt und überlegen zu unterscheiden und zu wählen weiß.

Das Bildungsideal, das Gracian damit aufstellt, sollte Epoche machen. Es ersetzte das des christlichen Hofmannes (Castiglione). Innerhalb der Geschichte der abendländischen Bildungsideale liegt seine Auszeichnung darin, daß es von ständischen Vorgegebenheiten unabhängig ist. Es ist das Ideal einer *Bildungsgesellschaft*. [2] Wie es scheint, vollzieht sich solche gesellschaftliche Idealbildung überall im Zeichen des Absolutismus und seiner Zurückdrängung des Blutsadels. Die Geschichte des Geschmacksbegriffs folgt daher der Geschichte des Absolutismus von Spanien nach Frankreich und England und fällt mit der Vorgeschichte des dritten Standes zusammen. Geschmack ist nicht nur das Ideal, das eine neue

---

[1] Über Gracian und seine Wirkung, insbesondere in Deutschland, ist grundlegend: Karl Borinski, Balthasar Gracian und die Hofliteratur in Deutschland, 1894; ergänzend neuerdings Fr. Schummer, Die Entwicklung des Geschmacksbegriffs in der Philosophie des 17. und 18. Jahrhunderts (Archiv für Begriffsgeschichte I, 1955).

[2] F. Heer scheint mir recht zu haben, wenn er den Ursprung des modernen Begriffs der Bildung in der Schulkultur der Renaissance, Reformation und Gegenreformation sieht. Vgl. Der Aufgang Europas S. 82 u. S. 570.

Gesellschaft aufstellt, sondern erstmals bildet sich im Zeichen dieses Ideals des ‚guten Geschmacks' das, was man seither die ‚gute Gesellschaft' nennt. Sie erkennt sich und legitimiert sich nicht mehr durch Geburt und Rang, sondern grundsätzlich durch nichts als die Gemeinsamkeit ihrer Urteile oder besser dadurch, daß sie sich überhaupt über die Borniertheit der Interessen und die Privatheit der Vorlieben zum Anspruch auf Urteil zu erheben weiß.

Im Begriff des Geschmacks ist also ohne Zweifel eine *Erkenntnisweise* gemeint. Es geschieht im Zeichen des guten Geschmacks, daß man zur Abstandnahme von sich selbst und den privaten Vorlieben fähig ist. Geschmack ist daher seinem eigensten Wesen nach nichts Privates, sondern ein gesellschaftliches Phänomen ersten Ranges. Er kann sogar der privaten Neigung des Einzelnen wie eine richterliche Instanz entgegentreten, namens einer Allgemeinheit, die er meint und vertritt. Man kann eine Vorliebe für etwas haben, was der eigene Geschmack zugleich verwirft. Der Richterspruch des Geschmacks hat dabei eine eigentümliche Entschiedenheit. Es gibt in Geschmackssachen bekanntlich keine Möglichkeit zu argumentieren (Kant sagt richtig, es gebe Streit, aber nicht Disputation in Geschmacksdingen [1]), aber nicht nur, weil sich keine begrifflich allgemeinen Maßstäbe finden lassen, die alle anerkennen müssen, sondern weil man solche nicht einmal sucht, ja, es nicht einmal richtig fände, wenn es solche gäbe. Geschmack muß man haben – man kann ihn sich nicht andemonstrieren lassen, man kann ihn auch nicht durch bloße Nachahmung ersetzen. Gleichwohl ist Geschmack keine bloße private Eigenheit, denn er will immer guter Geschmack sein. Die Entschiedenheit des Geschmacksurteils schließt seinen Geltungsanspruch ein. Guter Geschmack ist sich seines Urteils stets sicher, d. h. er ist seinem Wesen nach sicherer Geschmack: ein Annehmen und Verwerfen, das kein Schwanken, Schielen nach dem Anderen und kein Suchen nach Gründen kennt.

Der Geschmack ist also eher so etwas wie ein Sinn. Er verfügt nicht vorgängig über eine Erkenntnis aus Gründen. Wenn etwas in Geschmacksdingen negativ ist, so vermag er nicht zu sagen, warum. Aber er erfährt es mit der größten Sicherheit. Sicherheit des Geschmacks ist also Sicherheit vor dem Geschmacklosen. Es ist sehr merkwürdig, daß wir vorzugsweise für dieses negative Phänomen im unterscheidenden Wählen des Geschmacks empfindlich sind. Seine positive Entsprechung ist nicht eigentlich das Geschmackvolle, sondern das für den Geschmack Unanstößige. Das ist es vor allem, was der Geschmack beurteilt. Geschmack ist geradezu dadurch definiert, daß er durch das Geschmackswidrige verletzt wird und es so meidet, wie alles, was mit Verletzung droht. Der Begriff des ‚schlechten Geschmacks' ist also kein ursprüngliches Gegenphänomen zum ‚guten Geschmack'.

---

[1] Kant, Kritik der Urteilskraft, 1799³, S. 233.

Vielmehr ist dessen Gegenteil, ‚keinen Geschmack‘ zu haben. Guter Geschmack ist eine Empfindlichkeit, die alles Auffällige so naturhaft meidet, daß seine Reaktion dem, der keinen Geschmack hat, schlechthin unverständlich ist.

Ein Phänomen, das mit dem Geschmack aufs engste verknüpft ist, ist die *Mode.* Hier wird das Moment der gesellschaftlichen Verallgemeinerung, das der Begriff des Geschmacks enthält, zu einer bestimmenden Wirklichkeit. Eben durch die Abhebung gegen die Mode wird aber deutlich, daß die Verallgemeinerung, die dem Geschmack zukommt, auf ganz anderem Grunde ruht und nicht nur empirische Allgemeinheit meint. (Das ist der für Kant wesentliche Punkt.) Im Begriff der Mode liegt schon sprachlich, daß es sich dabei um ein veränderungsfähiges Wie (modus) innerhalb eines bleibenden Ganzen des geselligen Verhaltens handelt. Was bloße Modesache ist, das enthält an sich keine andere Norm als die durch das Tun aller gesetzte. Die Mode regelt nach ihrem Belieben nur solche Dinge, die ebensogut so wie auch anders sein können. Für sie ist in der Tat die empirische Allgemeinheit, die Rücksicht auf die Andern, das Vergleichen, mithin das Sichversetzen in einen allgemeinen Gesichtspunkt konstitutiv. Insofern schafft die Mode eine gesellschaftliche Abhängigkeit, der man sich schlecht entziehen kann. Kant hat ganz recht, wenn er es besser findet, ein Narr in der Mode als gegen die Mode zu sein[1] – auch wenn es gewiß Narrheit bleibt, die Dinge der Mode allzu ernst zu nehmen.

Dagegen ist das Phänomen des Geschmacks als ein geistiges Unterscheidungsvermögen zu bestimmen. Geschmack betätigt sich zwar in solcher Gemeinschaftlichkeit, aber er unterliegt ihr nicht – im Gegenteil zeichnet sich der gute Geschmack dadurch aus, daß er sich der durch die Mode repräsentierten Geschmacksrichtung anzupassen weiß, oder auch umgekehrt das von der Mode Geforderte dem eigenen guten Geschmack anzupassen weiß. Im Begriff des Geschmacks liegt daher, daß man auch in der Mode Maß hält, die wechselnden Forderungen der Mode nicht blindlings befolgt, sondern das eigene Urteil dabei betätigt. Man hält seinen ‚Stil‘ fest, d.h. man bezieht die Forderungen der Mode auf ein Ganzes, das der eigene Geschmack im Auge behält und nimmt nur das an, was zu diesem Ganzen paßt und wie es zusammenpaßt.

So ist es vorzüglich eine Frage des Geschmacks, nicht nur dieses oder jenes als schön zu erkennen, das schön ist, sondern auf ein Ganzes hinzusehen, zu dem alles, was schön ist, zu passen hat[2]. Der Geschmack ist also nicht in dem Sinne ein gemeinschaftlicher Sinn, daß er sich von einer empirischen Allgemeinheit, der durchgängigen Einhelligkeit der Urteile Anderer, abhängig macht. Er sagt nicht, daß jedermann mit unserem Ur-

---

[1] Anthropologie in pragmatischer Hinsicht, § 71.
[2] cf. A. Baeumler, Einleitung in die Kritik der Urteilskraft, S. 280 ff., bes. 285.

teil übereinstimmen werde, sondern damit zusammenstimmen solle (wie Kant feststellt[1]). Gegenüber der Tyrannei, die die Mode darstellt, bewahrt der sichere Geschmack daher eine spezifische Freiheit und Überlegenheit. Darin liegt seine eigentliche und ganz ihm eigene Normkraft, sich der Zustimmung einer idealen Gemeinschaft sicher zu wissen. Im Gegensatz zur Normierung des Geschmacks durch die Mode macht sich so die Idealität des guten Geschmacks geltend. Es folgt daraus, daß der Geschmack etwas erkennt – freilich auf eine Weise, die sich nicht von dem konkreten Anblick, an dem er sich vollzieht, ablösen, auf Regeln und Begriffe bringen läßt.

Genau das ist es offenbar, was die ursprüngliche Weite des Begriffs des Geschmacks ausmacht, daß durch ihn eine eigene Erkenntnisweise bezeichnet wird. Er gehört in den Bereich dessen, was in der Weise der reflektierenden Urteilskraft am Einzelnen das Allgemeine, dem es zu subsumieren ist, erfaßt. Geschmack wie Urteilskraft sind Beurteilungen des Einzelnen im Hinblick auf ein Ganzes, ob es mit allem anderen zusammenpaßt, ob es also ‚passend‘ ist [2]. Man muß dafür ‚Sinn‘ haben – demonstrierbar ist es nicht.

Eines solchen Sinnes bedarf es offenbar überall dort, wo ein Ganzes gemeint, aber nicht als ein Ganzes gegeben bzw. in Zweckbegriffen gedacht ist: So beschränkt sich der Geschmack keineswegs auf das Schöne in Natur und Kunst, es auf seine dekorative Qualität hin beurteilend, sondern umfaßt den ganzen Bereich von Sitte und Anstand. Auch die Begriffe der Sitte sind ja nie als ein Ganzes gegeben oder normativ eindeutig bestimmt. Vielmehr ist die Durchordnung des Lebens durch die Regeln des Rechts und der Sitte eine unvollständige, der produktiven Ergänzung bedürftige. Es bedarf der Urteilskraft, die konkreten Fälle richtig einzuschätzen. Wir kennen diese Funktion der Urteilskraft besonders aus der Jurisprudenz, wo die rechtsergänzende Leistung der ‚Hermeneutik‘ eben darin besteht, die Konkretion des Rechts zu bewirken.

Immer handelt es sich dabei um mehr als um die rechte Anwendung allgemeiner Prinzipien. Immer wird auch unser Wissen um Recht und Sitte vom Einzelfall her ergänzt, ja geradezu produktiv bestimmt. Der Richter wendet nicht nur das Gesetz in concreto an, sondern trägt durch seinen Richtspruch selber zur Entfaltung des Rechtes bei (‚Richterrecht‘). Wie das Recht so bildet sich auch die Sitte ständig fort, kraft der Produktivität des Einzelfalls. Es ist also keineswegs so, daß die Urteilskraft nur im Bereich von Natur und Kunst als Beurteilung des Schönen und Erhabenen

---

[1] Kritik der Urteilskraft, 1799³, S. 67.

[2] Hier hat der Begriff ‚Stil‘ seinen Ort. Als historische Kategorie entspringt er daraus, daß sich das Dekorative gegenüber dem ‚Schönen‘ geltend macht. Vgl. Exkurs I, S. 466ff.

3*

produktiv ist, ja man wird nicht einmal mit Kant [1] sagen, daß ‚hauptsächlich‘ dort eine Produktivität der Urteilskraft anzuerkennen sei. Vielmehr ist das Schöne in Natur und Kunst durch das ganze weite Meer des Schönen zu ergänzen, das in der sittlichen Realität des Menschen seine Ausbreitung hat.

Von Subsumtion des Einzelnen unter ein gegebenes Allgemeines (Kants bestimmende Urteilskraft) kann man allenfalls bei der reinen theoretischen wie praktischen Vernunftübung sprechen. In Wahrheit liegt selbst da eine ästhetische Beurteilung mit vor. Das findet bei Kant eine indirekte Anerkennung, sofern er den Nutzen der Beispiele für die Schärfung der Urteilskraft anerkennt. Zwar fügt er einschränkend hinzu: »Was die Richtigkeit und Präzision der Verstandeseinsicht betrifft, so tun sie derselben vielmehr gemeiniglich einigen Abbruch, weil sie nur selten die Bedingung der Regel adäquat erfüllen (als casus in terminis). [2]« Aber die Kehrseite dieser Einschränkung ist doch offenbar, daß der als Beispiel fungierende Fall in Wahrheit noch etwas anderes ist, als nur der Fall dieser Regel. Ihm wirklich gerecht werden – und sei es auch nur in technischer oder praktischer Beurteilung – schließt also immer ein ästhetisches Moment ein. Insofern ist die Unterscheidung der bestimmenden und reflektierenden Urteilskraft, auf die Kant die Kritik der Urteilskraft gründet, keine unbedingte [3].

Immer handelt es sich offenkundig nicht nur um logische, sondern auch um *ästhetische Urteilskraft.* Der Einzelfall, an dem die Urteilskraft tätig wird, ist nie ein bloßer Fall; er erschöpft sich nicht darin, die Besonderung eines allgemeinen Gesetzes oder Begriffes zu sein. Er ist vielmehr stets ein ‚individueller Fall‘, und bezeichnenderweise sagen wir dafür: ein besonderer Fall, ein Sonderfall, weil er von der Regel nicht erfaßt wird. Jedes Urteil über ein in seiner konkreten Individualität Gemeintes, wie es die uns begegnenden Situationen des Handelns von uns verlangen, ist streng genommen ein Urteil über einen Sonderfall. Das besagt nichts anderes, als daß die Beurteilung des Falles den Maßstab des Allgemeinen, nach dem sie geschieht, nicht einfach anwendet, sondern selbst mitbestimmt, ergänzt und berichtigt. Daraus folgt letzten Endes, daß alle sittlichen Entscheidungen Geschmack verlangen – nicht als ob diese individualste Auswägung

---

[1] Kritik der Urteilskraft, 1799, S. VII.

[2] Kritik der reinen Vernunft, B 173.

[3] Offenbar ist es diese Überlegung, aufgrund deren Hegel über Kants Unterscheidung von bestimmender und reflektierender Urteilskraft hinausgeht. Er erkennt den spekulativen Sinn in Kants Lehre von der Urteilskraft an, sofern dort das Allgemeine als an ihm selbst konkret gedacht werde, macht zugleich aber die Einschränkung, daß bei Kant das Verhältnis von Allgemeinem und Besonderem noch nicht als die Wahrheit geltend gemacht wird, sondern als ein Subjektives behandelt wird (Enz. § 55 ff. und ähnlich Logik, ed. Lasson, II 19). Kuno Fischer formuliert geradezu, daß in der Identitätsphilosophie der Gegensatz von gegebenem und zu findendem Allgemeinem aufgehoben sei (Logik u. Wissenschaftslehre, S. 148).

der Entscheidung das allein Bestimmende an ihnen ist, aber sie ist ein unentbehrliches Moment. Es ist wirklich eine Leistung undemonstrierbaren Taktes, das Richtige zu treffen und der Anwendung des Allgemeinen, des Sittengesetzes (Kant) eine Disziplinierung zu geben, wie sie die Vernunft selber nicht leisten kann. So ist Geschmack zwar gewiß nicht die Grundlage, wohl aber die höchste Vollendung des sittlichen Urteils. Wem das Unrechte gegen den Geschmack geht, dessen Sicherheit im Annehmen des Guten und Verwerfen des Schlechten ist die höchste – so hoch, wie die Sicherheit des vitalsten unserer Sinne, der Nahrung wählt oder abweist.

Das Auftreten des Geschmacksbegriffs im 17. Jahrhundert, dessen gesellschaftliche und gesellschaftsbindende Funktion wir oben angedeutet haben, rückt damit in Zusammenhänge der Moralphilosophie, die bis in die Antike zurückreichen.

Es ist dies eine humanistische und damit am Ende griechische Komponente, die innerhalb der durch das Christentum bestimmten Moralphilosophie wirksam wird. Die griechische Ethik – die Maßethik der Pythagoreer und Platos, die Ethik der Mesotes, die Aristoteles geschaffen hat – ist in einem tiefen und umfassenden Sinne eine Ethik des guten Geschmacks[1].

Eine solche These klingt freilich fremd in unseren Ohren. Einmal weil man im Begriff des Geschmacks das ideale normative Element meist verkennt und das relativistisch-skeptische Räsonnement über die Verschiedenheiten des Geschmacks im Ohr hat. Vor allem aber sind wir durch Kants moralphilosophische Leistung bestimmt, der die Ethik von allen ästhetischen und Gefühls-Momenten gereinigt hat. Blickt man nun auf die Rolle, die Kants Kritik der Urteilskraft innerhalb der Geschichte der Geisteswissenschaften spielt, wird man sagen müssen, daß seine transzendentalphilosophische Grundlegung der Ästhetik nach beiden Seiten folgenreich war und einen Einschnitt darstellt. Sie bedeutet den Abbruch einer Tradition, aber zugleich die Einleitung einer neuen Entwicklung: sie hat den Begriff des Geschmacks auf das Feld eingeschränkt, auf dem er als ein eigenes Prinzip der Urteilskraft selbständige und unabhängige Geltung beanspruchen konnte – und engte umgekehrt damit den Begriff der Erkenntnis auf den theoretischen und praktischen Vernunftgebrauch ein. Die transzendentale Absicht, die ihn leitete, fand an dem eingeschränkten Phänomen des Urteils über das Schöne (und Erhabene) Erfüllung und

---

[1] Des Aristoteles letztes Wort in der näheren Charakteristik der Tugenden und des rechten Verhaltens ist daher immer: ὡς δεῖ oder ὡς ὁ ὀρθὸς λόγος: das in der ethischen Pragmatie Lehrbare ist zwar auch λόγος, aber dieser ist nicht ἀκριβής über einen allgemeinen Umriß hinaus. Das Treffen der richtigen Nuance bleibt das Entscheidende. Die φρόνησις, die das leistet, ist eine ἕξις τοῦ ἀληθεύειν, eine Seinsverfassung, in der etwas Verborgenes offenbar gemacht, in der also etwas erkannt wird. Nic. Hartmann, in dem Versuch, alle normativen Momente der Ethik auf ‚Werte' hin zu verstehen, hat daraus den ‚Wert der Situation' gemacht, eine freilich seltsame Erweiterung der Tafel der aristotelischen Tugendbegriffe.

verwies den allgemeineren Erfahrungsbegriff des Geschmacks und die Tätigkeit der ästhetischen Urteilskraft im Bereich von Recht und Sitte aus
dem Zentrum der Philosophie[1].

Das ist von nicht leicht zu überschätzender Bedeutung. Denn was damit
aus der Hand gegeben wurde, ist eben das, worin die philologisch-historischen Studien lebten und wovon sie, als sie sich unter dem Namen der
‚Geisteswissenschaften' neben den Naturwissenschaften methodisch begründen wollten, allein ihr volles Selbstverständnis hätten gewinnen können.
Jetzt war – durch Kants transzendentale Fragestellung – der Weg verbaut,
die Überlieferung, deren Pflege und deren Studium sie sich widmeten, in
ihrem eigentümlichen Wahrheitsanspruch anzuerkennen. Damit ging aber
der methodischen Eigenart der Geisteswissenschaften ihre Legitimation
im Grunde verloren.

Was Kant seinerseits durch seine Kritik der ästhetischen Urteilskraft
legitimierte und legitimieren wollte, war die subjektive Allgemeinheit des
ästhetischen Geschmacks, in der keine Erkenntnis des Gegenstandes mehr
liegt, und im Bereich der ‚schönen Künste' die Überlegenheit des Genies
über alle Regelästhetik. So findet die romantische Hermeneutik und die
Historik für ihr Selbstverständnis lediglich in dem Geniebegriff, der durch
die kantische Ästhetik zur Geltung gekommen ist, einen Anknüpfungspunkt. Das eben war die andere Seite der kantischen Wirkung. Die transzendentale Rechtfertigung der ästhetischen Urteilskraft begründete die
Autonomie des ästhetischen Bewußtseins, aus der auch das historische
Bewußtsein seine Legitimation ableiten sollte. Die radikale Subjektivierung, die Kants Neubegründung der Ästhetik einschloß, hat so wahrhaft
Epoche gemacht. Indem sie jede andere theoretische Erkenntnis als die der
Naturwissenschaft diskreditierte, hat sie die Selbstbesinnung der Geisteswissenschaften in die Anlehnung an die Methodenlehre der Naturwissenschaften gedrängt. Sie hat ihr aber zugleich diese Anlehnung erleichtert,
indem sie als subsidiäre Leistung das ‚künstlerische Moment', das ‚Gefühl'
und die ‚Einfühlung' bereitstellte. Helmholtz' Charakteristik der Geisteswissenschaften, die wir oben[2] behandelten, ist nach beiden Seiten ein
gutes Beispiel der kantischen Wirkung.

Wenn wir das Unzureichende einer solchen Selbstinterpretation der
Geisteswissenschaften erweisen und ihnen angemessenere Möglichkeiten
eröffnen wollen, werden wir daher den Weg über die Probleme der *Ästhetik* gehen müssen. Die transzendentale Funktion, die Kant der ästhetischen
Urteilskraft zuweist, vermag der Abgrenzung gegen die begriffliche Erkenntnis und insofern der Bestimmung der Phänomene des Schönen und

---

[1] Selbstverständlich verkennt Kant nicht, daß der Geschmack für die Gesittung
als »Moralität in der äußeren Erscheinung« bestimmend ist (vgl. Anthropol., § 69),
aber aus der reinen Vernunftsbestimmung des Willens schaltet er ihn aus.
[2] S. 3ff.

der Kunst zu genügen. Aber geht es an, den Begriff der Wahrheit der begrifflichen Erkenntnis vorzubehalten? Muß man nicht auch anerkennen, daß das Kunstwerk Wahrheit habe? Wir werden noch sehen, daß eine Anerkennung dieser Seite der Sache nicht nur das Phänomen der Kunst, sondern auch das der Geschichte in ein neues Licht rückt[1].

2. Subjektivierung der Ästhetik durch die kantische Kritik

a) Kants Lehre von Geschmack und Genie

α) Die transzendentale Auszeichnung des Geschmacks

Kant selbst hat es als eine Art geistiger Überraschung empfunden, daß ihm im Zusammenhang dessen, was dem Geschmack unterliegt, ein über die empirische Allgemeinheit hinausgehendes apriorisches Moment aufging[2]. Die ‚Kritik der Urteilskraft' ist aus dieser Einsicht entstanden. Sie ist nicht mehr bloße Kritik des Geschmacks in dem Sinne, in dem der Geschmack Gegenstand der kritischen Beurteilung durch den anderen ist. Sie ist Kritik der Kritik, d. h. sie fragt nach dem Rechte solchen kritischen Verhaltens in Geschmacksdingen. Dabei geht es nicht mehr bloß um empirische Prinzipien, die einen verbreiteten und herrschenden Geschmack legitimieren sollen – etwa um die beliebte Frage nach den Ursachen der Verschiedenheit des Geschmacks, sondern es geht um ein echtes Apriori, das überhaupt und immer die Möglichkeit der Kritik rechtfertigen soll. Worin kann ein solches liegen?

Es ist klar, daß sich die Geltung des Schönen nicht aus einem allgemeinen Prinzip ableiten und beweisen läßt. Niemand zweifelt daran, daß Geschmacksfragen nicht durch Argumentation und Demonstration entschieden werden können. Ebenso ist klar, daß der gute Geschmack niemals eine wirkliche empirische Allgemeinheit besitzen wird, so daß die Berufung auf den herrschenden Geschmack das eigentliche Wesen des Geschmacks verkennt. Wir sahen ja, daß es in seinem eigenen Begriff liegt, sich nicht der Durchschnittlichkeit herrschender Maßstäbe und erwählter Vorbilder blind zu unterwerfen und einfach nachzuahmen. Im Bereich des ästhetischen Geschmacks hat das Vorbild und Muster zwar seine bevorzugte Funktion, aber, wie Kant richtig sagt, nicht in der Weise der Nachahmung,

---

[1] Das ausgezeichnete Buch »Kants Kritik der Urteilskraft«, das wir Alfred Baeumler verdanken, ging der positiven Seite des Zusammenhangs zwischen Kants Ästhetik und dem Geschichtsproblem auf aufschlußreiche Weise nach. Es gilt aber, auch einmal die Verlustrechnung aufzumachen.

[2] Vgl. Paul Menzer, Kants Ästhetik in ihrer Entwicklung, 1952.

sondern der Nachfolge[1]. Das Vorbild und Beispiel gibt dem Geschmack eine
Spur, seinen eigenen Gang zu nehmen, nimmt ihm aber die eigentliche
Aufgabe nicht ab. »Denn der Geschmack muß ein selbsteigenes Vermögen
sein.«[2]

Auf der anderen Seite ist durch unsere begriffsgeschichtliche Skizze
deutlich genug geworden, daß im Geschmack nicht die partikulare Vorliebe
entscheidet, sondern eine überempirische Norm in Anspruch genommen
wird, sobald es sich um ästhetische Beurteilung handelt. Man wird anerkennen können, daß Kants Begründung der Ästhetik auf das Geschmacksurteil den beiden Seiten des Phänomens gerecht wird, seiner empirischen
Nicht-Allgemeinheit und seinem apriorischen Anspruch auf Allgemeinheit.

Aber der Preis, den er für diese Rechtfertigung der Kritik im Felde des
Geschmacks zahlt, besteht darin, daß er dem Geschmack jede *Erkenntnisbedeutung* abspricht. Es ist ein subjektives Prinzip, auf das er den Gemeinsinn reduziert. In ihm wird nichts von den Gegenständen erkannt, die als
schön beurteilt werden, sondern es wird nur behauptet, daß ihnen apriori
ein Gefühl der Lust im Subjekt entspricht. Bekanntlich wird dieses Gefühl
von Kant auf die Zweckmäßigkeit gegründet, die die Vorstellung des Gegenstandes für unser Erkenntnisvermögen überhaupt besitzt. Es ist das
freie Spiel von Einbildungskraft und Verstand, ein zur Erkenntnis überhaupt schickliches subjektives Verhältnis, das den Grund der Lust an dem
Gegenstande darstellt. Dieses zweckmäßig-subjektive Verhältnis ist in der
Tat der Idee nach für alle das Gleiche, ist also allgemein mitteilungsfähig
und begründet damit den Anspruch des Geschmacksurteils auf Allgemeingültigkeit.

Das ist das *Prinzip*, das Kant in der ästhetischen Urteilskraft entdeckt.
Sie ist hier sich selbst Gesetz. Insofern handelt es sich um eine apriorische
Wirkung des Schönen, die zwischen einer bloß sinnlich-empirischen Übereinstimmung in Geschmacksdingen und einer rationalistischen Regelall-
gemeinheit in der Mitte steht. Freilich, eine *cognitio* sensitiva kann man
den Geschmack nicht mehr nennen, wenn man das Verhältnis zum ‚Lebensgefühl‘ als seine alleinige Grundlage behauptet. In ihm wird nichts vom
Gegenstande erkannt, es wird aber auch nicht eine bloße subjektive Reaktion vollzogen, wie sie der Reiz des Sinnlich-Angenehmen auslöst. Der
Geschmack ist ‚Reflexionsgeschmack‘.

Wenn Kant dergestalt den Geschmack den wahren ‚Gemeinsinn‘[3] nennt
so zieht er die große moralisch-politische Tradition des Begriffs des Gemeinsinns, die wir oben darstellten, nicht mehr in Betracht. Es sind vielmehr
zwei Momente, die sich in diesem Begriff für ihn vereinen: erstens die

---

[1] Kritik der Urteilskraft, 1799, S. 139, vgl. 200.
[2] Kritik der Urteilskraft, § 17 (S. 54).
[3] Kritik der Urteilskraft, 1799, S. 64.

Allgemeinheit, die dem Geschmack insofern zukommt, als er die Wirkung aus dem freien Spiel aller unserer Erkenntniskräfte ist und nicht auf einen spezifischen Bereich eingeschränkt ist wie ein äußerer Sinn, zweitens aber enthält der Geschmack insofern Gemeinschaftlichkeit, als er nach Kant von allen subjektiven Privatbedingungen, wie sie Reiz und Rührung darstellen, abstrahiert. Die Allgemeinheit dieses ‚Sinnes‘ ist also in beiden Richtungen privativ bestimmt, durch das, wovon abstrahiert wird, und nicht positiv durch das, was die Gemeinsamkeit begründet und die Gemeinschaft stiftet.

Zwar bleibt auch für Kant noch der alte Zusammenhang zwischen Geschmack und Geselligkeit gültig. Aber lediglich unter dem Stichwort einer »Methodenlehre des Geschmacks« wird anhangsweise von der »Kultur des Geschmacks« gehandelt[1]. Dort werden die ‚Humaniora‘, wie sie das Vorbild der Griechen repräsentiert, als die der Menschheit angemessene Geselligkeit bestimmt und die Kultur des moralischen Gefühls als der Weg bezeichnet, wie der echte Geschmack eine bestimmte unveränderliche Form annehmen kann[2]. Die inhaltliche Bestimmtheit des Geschmacks fällt also aus dem Bereich seiner transzendentalen Funktion heraus. Nur soweit es ein eigenes Prinzip der ästhetischen Urteilskraft gibt, interessiert sich Kant, und deshalb kommt es ihm auf das *reine* Geschmacksurteil allein an.

Seiner transzendentalen Absicht entspricht nun, daß die »Analytik des Geschmacks« Beispiele des ästhetischen Wohlgefallens ganz beliebig vom Naturschönen, vom Dekorativen wie von der künstlerischen Darstellung nehmen kann. Auf die Daseinsart der Gegenstände, deren Vorstellung gefällt, kommt für das Wesen der ästhetischen Beurteilung nichts an. Die »Kritik der ästhetischen Urteilskraft« will nicht eine Philosophie der Kunst sein – so sehr auch die Kunst ein Gegenstand dieser Urteilskraft ist. Der Begriff des »reinen ästhetischen Geschmacksurteils« ist eine methodische Abstraktion, die zu dem Unterschied von Natur und Kunst windschief steht. Es gilt daher, durch eine genauere Prüfung der Kantischen Ästhetik die kunstphilosophischen Ausdeutungen derselben, die insbesondere an den Geniebegriff anschließen, auf ihr Maß zurückzubringen. Zu diesem Zweck betrachten wir die merkwürdige und vielumstrittene Lehre Kants von der freien und anhängenden Schönheit[3].

---

[1] Kritik der Urteilskraft, § 60.
[2] Kritik der Urteilskraft, S. 264. Immerhin konnte ihm – trotz seiner Kritik an der englischen Philosophie des moralischen Gefühls – nicht verborgen bleiben, daß dieses Phänomen des moralischen Gefühls der Verwandtschaft nach ästhetisch ist. Jedenfalls kann er dort, wo er das Gefallen am Schönen der Natur ‚der Verwandtschaft nach moralisch‘ nennt, von dem moralischen Gefühl, dieser Wirkung der praktischen Urteilskraft, sagen, daß es ein Wohlgefallen apriori sei (K. d. U. 169).
[3] Kritik der Urteilskraft, § 16 f.

β) Die Lehre von der freien und anhängenden Schönheit

Kant diskutiert hier den Unterschied des ‚reinen' und des ‚intellek-
tuierten' Geschmacksurteils, der dem Gegensatz der ‚freien' und der (einem
Begriffe) ‚anhängenden' Schönheit entspricht. Das ist eine für das Verständnis der Kunst höchst fatale Lehre, indem als die eigentliche Schönheit des reinen Geschmacksurteils die freie Naturschönheit und – im Bereich der Kunst – das Ornament erscheinen, weil sie ‚für sich' schön sind.
Überall dort, wo der Begriff ‚mit in Anschlag' gebracht wird – und das ist
nicht nur im Bereich der Poesie, sondern in aller *darstellenden* Kunst der
Fall –, scheint die Sachlage die gleiche wie bei den von Kant angeführten
Beispielen für ‚anhängende' Schönheit. Kants Beispiele – Mensch, Tier,
Gebäude – bezeichnen Naturdinge, wie sie in der von menschlichen Zwek-
ken beherrschten Welt vorkommen, oder zu menschlichen Zwecken her-
gestellte Dinge. In allen diesen Fällen bedeutet die Zweckbestimmung eine
Einschränkung für das ästhetische Wohlgefallen. So erregt nach Kant die
Tätowierung, also die Verzierung der menschlichen Gestalt, Anstoß, obwohl
sie ‚unmittelbar' gefallen könnte. Kant spricht hier gewiß nicht von der
Kunst als solcher (nicht bloß von der ‚schönen Vorstellung eines Dinges'),
sondern ebenso sehr von schönen Dingen (der Natur, bzw. der Baukunst).
Der Unterschied zwischen Naturschönem und Kunstschönem, wie er ihn
später selbst erörtert (§ 48), hat hier keine Bedeutung, aber wenn er unter
den Beispielen freier Schönheit außer Blumen auch die Arabeskentapete
und die Musik (‚ohne Thema' oder gar ‚ohne Text') nennt, so ist damit
indirekt umschrieben, was alles ein ‚Objekt unter einem bestimmten Begriffe' vorstellt und deshalb zur bedingten, unfreien Schönheit zu zählen
ist: das ganze Reich der Poesie, der bildenden Kunst und der Baukunst,
ebenso wie alle Naturdinge, die wir nicht derart auf ihre Schönheit allein
hin ansehen wie die Zierblumen. In all diesen Fällen ist das Geschmacksurteil getrübt und cingeschränkt. Die Anerkennung der Kunst scheint von
der Grundlegung der Ästhetik im ‚reinen Geschmacksurteil' aus unmöglich – es sei denn, daß der Maßstab des Geschmacks zu einer bloßen Vorbedingung herabgesetzt wird. Man kann die Einführung des Begriffs des
Genies in den späteren Partien der ‚Kritik der Urteilskraft' in diesem Sinne
verstehen. Aber das würde eine nachträgliche Verschiebung bedeuten. Denn
zunächst ist davon keine Rede. Hier (im § 16) ist anscheinend der Standpunkt des Geschmacks so wenig eine bloße Vorbedingung, daß er vielmehr
das Wesen der ästhetischen Urteilskraft zu erschöpfen und sie gegen die Einschränkung durch ‚intellektuelle' Maßstäbe zu schützen beansprucht. Und
wenn auch Kant sieht, daß es derselbe Gegenstand sein kann, der unter
den beiden verschiedenen Gesichtspunkten der freien und der anhängenden
Schönheit beurteilt wird, so scheint doch der ideale Geschmacksrichter der
zu sein, der, nach dem, was er vor den Sinnen hat', urteilt, und nicht nach

dem, ‚was er in Gedanken hat'. Die eigentliche Schönheit wäre die der
Blumen und des Ornaments, die sich in unserer zweckbeherrschten Welt
von vornherein und von sich aus als Schönheiten darstellen und daher gar
kein bewußtes Absehen von einem Begriff oder Zweck erst nötig machen.

Indessen, sieht man genauer zu, so stimmt eine solche Auffassung weder
zu Kants Worten noch zu der Sache, die er sieht. Die vermeintliche Verschiebung des Kantischen Standpunktes vom Geschmack zum Genie besteht
so nicht; man muß nur die geheime Vorbereitung der späteren Entwicklung
schon im Anfang erkennen lernen. Schon dies ist ja unzweifelhaft, daß jene
Einschränkungen, die einem Menschen Tätowierung oder einer Kirche ein
bestimmtes Ornament verwehren, von Kant nicht beklagt, sondern gefordert werden, daß Kant also jenen Abbruch, der damit dem ästhetischen
Wohlgefallen geschieht, vom moralischen Standpunkt aus als Gewinn
wertet. Die Beispiele der freien Schönheit sollen offenbar gar nicht die
eigentliche Schönheit darstellen, sondern nur das eine sichern, daß das
Gefallen als solches nicht eine Beurteilung der Vollkommenheit des Dinges
ist. Und wenn Kant am Schluß des Paragraphen durch die Unterscheidung
jener zwei Arten der Schönheit, oder besser des Verhaltens zu Schönem,
manchen Streit der Geschmacksrichter über Schönheit schlichten zu können
glaubt, so ist die Schlichtungsmöglichkeit für einen Geschmacksstreit doch
nur eine Folgeerscheinung, der die Kooperation zweier Betrachtungsweisen
zugrunde liegt, und dies so, daß der häufigere Fall die Einigkeit beider
Betrachtungsweisen sein wird.

Solche Einigkeit wird immer dort gegeben sein, wo das ‚Hinaussehen auf
einen Begriff' die Freiheit der Einbildungskraft nicht aufhebt. Kant kann,
ohne sich zu widersprechen, als eine berechtigte Bedingung auch des
ästhetischen Wohlgefallens bezeichnen, daß kein Widerstreit mit Zweckbestimmungen auftritt. Und wie die Isolierung für sich seiender freier
Schönheiten eine künstliche war (‚Geschmack' scheint sich ohnehin am
meisten dort zu beweisen, wo nicht nur das Rechte, sondern das Rechte für
den rechten Ort gewählt wird), kann und muß man über den Standpunkt
jenes reinen Geschmacksurteils soweit hinausgehen, daß man sagt: gewiß
ist nicht dort von Schönheit die Rede, wo ein bestimmter Begriff des
Verstandes durch die Einbildungskraft schematisch versinnlicht wird, sondern nur da, wo die Einbildungskraft mit dem Verstande in freier Übereinstimmung ist, d. h. wo sie produktiv sein kann. Aber dies produktive
Bilden der Einbildungskraft ist am reichsten nicht dort, wo sie schlechthin
frei ist, wie angesichts der Windungen der Arabeske, sondern dort, wo sie
in einem Spielraum lebt, den das Einheitsstreben des Verstandes ihr nicht
so sehr als Schranke aufrichtet, wie zur Anregung ihres Spieles vorzeichnet.

γ) Die Lehre vom Ideal der Schönheit

Mit den letzten Bemerkungen ist freilich dem Kantischen Text weit vorgegriffen, doch zeigt der Fortgang des Gedankenganges (§ 17) das Recht dieser Ausdeutung. Die Gewichtsverteilung dieses Paragraphen wird freilich erst einem feinen Nachwägen deutlich. Jene Normalidee der Schönheit, von der da ausführlich die Rede ist, ist gerade nicht die Hauptsache und stellt nicht das Ideal der Schönheit dar, dem der Geschmack seinem Wesen nach zustrebt. Ein Ideal der Schönheit gibt es vielmehr nur von der menschlichen Gestalt: in dem ‚Ausdruck des Sittlichen‘, *»ohne welches der Gegenstand nicht allgemein gefallen würde«*. Beurteilung nach einem Ideale der Schönheit ist dann freilich, wie Kant sagt, kein bloßes Urteil des Geschmacks. Als die bedeutungsvolle Konsequenz dieser Lehre wird sich aber erweisen: um als Kunstwerk zu gefallen, muß etwas zugleich mehr als nur geschmackvoll-gefällig sein.

Es ist in der Tat erstaunlich: schien eben noch eigentliche Schönheit jede Fixierung durch Zweckbegriffe auszuschließen, so wird hier umgekehrt selbst noch von einem schönen Wohnhaus, einem schönen Baum, schönen Garten usw. gesagt, es ließe sich von ihm kein Ideal vorstellen, »weil diese Zwecke durch ihren Begriff *nicht genug* (Auszeichnung von mir) bestimmt und fixiert sind, folglich die Zweckmäßigkeit beinahe so frei ist, als bei der *vagen* Schönheit«. Nur von der menschlichen Gestalt, gerade weil sie allein einer durch einen Zweckbegriff fixierten Schönheit fähig ist, gibt es ein Ideal der Schönheit! Diese von Winckelmann und Lessing[1] aufgestellte Lehre gewinnt in Kants Grundlegung der Ästhetik eine Art Schlüsselstellung. Denn gerade an dieser These zeigt sich, wie wenig eine formale Geschmacksästhetik (Arabeskenästhetik) dem Kantischen Gedanken entspricht.

Die Lehre vom Ideal der Schönheit gründet sich auf die Unterscheidung von Normalidee und Vernunftidee oder Ideal der Schönheit. Die ästhetische Normalidee findet sich bei allen Gattungen der Natur. Wie ein schönes Tier (z. B. eine Kuh: Myron) auszusehen hat, das ist ein Richtmaß der Beurteilung des einzelnen Exemplars. Diese Normalidee ist also eine einzelne Anschauung der Einbildungskraft als das »zwischen allen einzelnen Individuen schwebende Bild der Gattung«. Aber die Darstellung solcher Normalidee gefällt nicht durch Schönheit, sondern bloß, »weil sie keiner Bedingung, unter welcher allein ein Ding dieser Gattung schön sein kann, widerspricht«. Sie ist nicht das Urbild der Schönheit, sondern bloß der Richtigkeit.

Das gilt auch von der Normalidee der menschlichen Gestalt. Aber an der menschlichen Gestalt gibt es ein wirkliches Ideal der Schönheit in dem

---

[1] Lessing, Entwürfe zum Laokoon Nr. 20 b; in Lessings sämtl. Schriften ed. Lachmann, 1886 ff., Bd. 14, S. 415.

‚Ausdruck des Sittlichen'. ‚Ausdruck des Sittlichen': man nehme das zusammen mit der späteren Lehre von den ästhetischen Ideen und der Schönheit als Symbol der Sittlichkeit. Dann erkennt man, daß mit der Lehre vom Ideal der Schönheit auch der Ort für das Wesen der Kunst vorbereitet ist[1]. Die kunsttheoretische Anwendung dieser Lehre im Sinne des Winckelmannschen Klassizismus liegt ja auf der Hand[2]. Was Kant sagen will, ist offenbar dies, daß bei der Darstellung der menschlichen Gestalt der dargestellte Gegenstand und das, was als künstlerischer Gehalt in dieser Darstellung zu uns spricht, eines sind. Es kann keinen anderen Gehalt dieser Darstellung geben, als schon in Gestalt und Erscheinung des Dargestellten zum Ausdruck kommt. Kantisch gesprochen: das intellektuierte und interessierte Wohlgefallen an diesem dargestellten Ideal der Schönheit drängt nicht ab von dem ästhetischen Wohlgefallen, sondern ist mit ihm eins. Bei der Darstellung der menschlichen Gestalt allein spricht der ganze Gehalt des Werkes zugleich als Ausdruck seines Gegenstandes zu uns[3].

An sich besteht das Wesen aller Kunst darin – wie Hegel es formuliert hat, daß sie »den Menschen vor sich selbst bringt«[4]. Auch andere Gegenstände der Natur – nicht nur die menschliche Gestalt – können in künstlerischer Darstellung sittliche Ideen zum Ausdruck bringen. Alle künstlerische Darstellung, sei es von Landschaft, sei es von nature morte, ja schon jede beseelende Betrachtung der Natur bewirkt dies. Insofern aber behält Kant recht: der Ausdruck des Sittlichen ist dann ein geliehener. Der Mensch dagegen bringt diese Ideen in seinem eigenen Sein, und weil er ist, was er ist, zum Ausdruck. Ein Baum, der durch unglückliche Wachstumsbedingungen verkümmert ist, mag uns elend vorkommen, aber dies Elend ist nicht Ausdruck des sich elend fühlenden Baumes, und vom Ideal

---

[1] Man beachte auch, daß Kant von nun an offenkundig an das Kunstwerk denkt und nicht mehr vorzüglich an das Naturschöne.

[2] Vgl. Lessing a.a.O. vom ‚Blumen- und Landschaftsmaler': »Er ahmet Schönheiten nach, die keines Ideals fähig sind«, und positiv stimmt dazu die führende Stellung der Plastik innerhalb der Rangordnung der bildenden Künste.

[3] Kant folgt hier Sulzer, der im Artikel ‚Schönheit' seiner ‚Allgemeinen Theorie der schönen Künste' die menschliche Gestalt in ähnlicher Weise auszeichnet. Denn der menschliche Körper sei »nichts anderes als die sichtbar gemachte Seele«. Auch Schiller, in seiner Abhandlung ‚Über Matthissons Gedichte', schreibt – doch wohl im selben Sinne – »Das Reich bestimmter Formen geht über den thierischen Körper und das menschliche Herz nicht hinaus, daher nur in diesen Beiden (gemeint ist doch wohl, wie der Zusammenhang nahelegt, die Einheit dieser beiden, der tierischen Körperlichkeit und des Herzens, die das doppelseitige Wesen des Menschen sind) ein Ideal kann aufgestellt werden«. Doch ist Schillers Arbeit im übrigen geradezu eine Rechtfertigung der Landschaftmalerei und Landschaftpoesie mit Hilfe des Symbolbegriffs und präludiert damit der späteren Kunstästhetik.

[4] Vorlesungen über die Ästhetik, ed. Lasson, S. 57: »Es ist also das allgemeine Bedürfnis des Kunstwerks im Gedanken des Menschen zu suchen, indem es eine Art und Weise ist, dem Menschen vor ihn zu bringen, was er ist«.

des Baumes her ist Verkümmerung nicht ‚Elend‘. Der elende Mensch
dagegen ist, am menschlich-sittlichen Ideal selbst gemessen, elend (und
nicht erst so, daß wir ihm ein für ihn gar nicht gültiges Ideal des Menschlichen zumuten, an dem gemessen er für uns Elend ausdrückte, ohne elend
zu sein). Hegel hat das in seinen Vorlesungen zur Ästhetik vollendet begriffen, wenn er den Ausdruck des Sittlichen als ‚Scheinen der Geistigkeit‘
wiedergibt[1].

So führt der Formalismus des ‚trockenen Wohlgefallens‘ zur entscheidenden Auflösung nicht nur des Rationalismus in der Ästhetik, sondern überhaupt jeder universalen (kosmologischen) Schönheitslehre. Gerade mit
jener klassizistischen Unterscheidung von Normalidee und Ideal der Schönheit vernichtet Kant die Grundlage, von der aus die Vollkommenheitsästhetik in der vollendeten Sinnenfälligkeit jeglichen Seienden seine unver-
gleichbar einzigartige Schönheit findet. Jetzt erst vermag ‚die Kunst‘ zu
einer autonomen Erscheinung zu werden. Ihre Aufgabe ist nicht mehr
Darstellung der Naturideale – sondern die Selbstbegegnung des Menschen
in Natur und menschlich-geschichtlicher Welt. Kants Nachweis, daß das
Schöne begrifflos gefällt, hindert also durchaus nicht, daß nur das Schöne,
das uns bedeutsam anspricht, unser volles Interesse findet. Gerade die
Erkenntnis der Begrifflosigkeit des Geschmacks führt über eine Ästhetik
des bloßen Geschmacks hinaus.

δ) Das Interesse am Schönen in Natur und Kunst

Wenn Kant nach dem *Interesse* fragt, das dem Schönen nicht empirisch,
sondern a priori entgegengebracht wird, so stellt diese Frage nach dem
Interesse am Schönen gegenüber der grundlegenden Bestimmung der
Interesselosigkeit des ästhetischen Wohlgefallens eine neue Frage dar und
vollzieht den Übergang vom Standpunkt des Geschmacks zum Standpunkt
des Genies. Es ist die gleiche Lehre, die sich im Zusammenhang beider
Phänomene entfaltet. In der Sicherung der Grundlage kommt es auf die
Freistellung der ‚Kritik des Geschmacks‘ von sensualistischen und rationalistischen Vorurteilen an. Es ist ganz in der Ordnung, daß hier die Frage
nach der Daseinsart des ästhetisch Beurteilten (und damit der ganze
Fragenbereich des Verhältnisses von Naturschönem und Kunstschönem) von
Kant überhaupt noch nicht gestellt wird. Diese Fragendimension öffnet
sich aber mit Notwendigkeit, wenn man den Standpunkt des Geschmacks
zu Ende, und d. h. über sich hinaus, denkt[2]. Die interessierende Bedeutsamkeit des Schönen ist die eigentlich bewegende Problematik der Kan-

---

[1] Vorlesungen über die Ästhetik, ed. Lasson, S. 213.

[2] Es ist das Verdienst von Rudolf Odebrecht (in »Form und Geist. Der Aufstieg
des dialektischen Gedankens in Kants Ästhetik«, Berlin 1930), diese Zusammenhänge
erkannt zu haben.

tischen Ästhetik. Sie ist für Natur und Kunst eine je andere und gerade der Vergleich des Naturschönen mit dem Kunstschönen bringt die Probleme zur Entwicklung.

Hier kommt Kants Eigenstes zur Sprache[1]. Es ist nämlich keineswegs, wie wir erwarten würden, die Kunst, um derentwillen Kant über das ,interesselose Wohlgefallen' hinausgeht und nach dem Interesse am Schönen fragt. Wir hatten aus der Lehre von dem Ideal der Schönheit einen Vorzug der Kunst gegenüber dem Naturschönen nur erschlossen: den Vorzug, unmittelbarere Ausdruckssprache des Sittlichen zu sein. Kant dagegen betont zunächst (im § 42) den Vorzug des *Naturschönen* vor dem Kunstschönen. Die Naturschönheit hat nicht nur für das reine ästhetische Urteil einen Vorzug, nämlich klarzumachen, daß das Schöne auf der Zweckmäßigkeit des vorgestellten Dinges für unser Erkenntnisvermögen überhaupt beruht. Das wird am Naturschönen deshalb so klar, weil es keine inhaltliche Bedeutung besitzt, das Geschmacksurteil also in seiner unintellektuierten Reinheit zeigt.

Aber nicht nur diesen methodischen Vorzug besitzt es – es hat nach Kant auch einen inhaltlichen, und Kant hält sich offenkundig auf diesen Punkt seiner Lehre besonders viel zugute. Die schöne Natur vermag ein unmittelbares Interesse zu erwecken, nämlich ein moralisches. Das Schönfinden der schönen Formen der Natur weist über sich hinaus auf den Gedanken, »daß die Natur jene Schönheit hervorgebracht hat«. Wo dieser Gedanke ein Interesse erregt, dort liegt Kultiviertheit des sittlichen Gefühls vor. Während der durch Rousseau belehrte Kant den allgemeinen Rückschluß von der Verfeinerung des Geschmacks am Schönen überhaupt auf das sittliche Gefühl ablehnt, ist es mit dem Sinn für die Schönheit der Natur nach Kant eine eigene Sache. Daß die Natur schön ist, weckt nur bei dem ein Interesse, der »vorher schon sein Interesse am Sittlich-Guten wohlgegründet hat«. Das Interesse am Schönen in der Natur ist also »der Verwandtschaft nach moralisch«. Indem es die absichtslose Übereinstimmung der Natur zu unserem von allem Interesse unabhängigen Wohlgefallen bemerkt, mithin eine wunderbare Zweckmäßigkeit der Natur für uns, weist es auf uns als auf den letzten Zweck der Schöpfung, auf unsere ,moralische Bestimmung'.

Hier schließt sich die Ablehnung der Vollkommenheitsästhetik aufs schönste mit der moralischen Bedeutsamkeit des Naturschönen zusammen. Gerade weil wir in der Natur keine *Zwecke an sich* antreffen und dennoch Schönheit, d.h. eine Zweckmäßigkeit zum Zweck unseres Wohlgefallens, gibt uns Natur damit einen ,Wink', daß wir wirklich der letzte Zweck, der Endzweck der Schöpfung sind. Die Auflösung des antiken Kosmosgedan-

---

[1] Das hat Schiller richtig gefühlt, wenn er schreibt: »Wer den Verfasser nur als einen großen Denker bewundern gelernt hat, wird sich freuen, hier auf eine Spur seines Herzens zu treffen«. (Über naive und sentimentalische Dichtung, Werke ed. Güntter u. Witkowski, Leipzig 1910ff., Teil 17, S. 480.)

kens, der dem Menschen im Allgefüge des Seienden seinen Platz gab und
jedem Seienden seinen Zweck der Vollkommenheit, gibt der Welt, die auf-
hört, als eine Ordnung absoluter Zwecke schön zu sein, die neue *Schönheit*, für uns zweckmäßig zu sein. Sie wird ,Natur', deren Unschuld darin
besteht, daß sie nichts vom Menschen und seinen geselligen Lastern weiß.
Gleichwohl hat sie uns etwas zu sagen. Im Hinblick auf die Idee einer
intelligiblen Bestimmung der Menschheit gewinnt die Natur als schöne
Natur eine *Sprache*, die sie zu *uns* führt.

Natürlich beruht auch die Bedeutsamkeit der Kunst darauf, daß sie uns
anspricht, daß sie dem Menschen ihn selbst in seiner moralisch bestimmten
Existenz vorstellt. Aber die Kunstprodukte sind nur, um uns so anzusprechen – Naturobjekte dagegen sind nicht, um uns so anzusprechen.
Gerade darin liegt das bedeutsame Interesse des Naturschönen, daß es uns
dennoch unsere moralische Bestimmung bewußt zu machen vermag. Kunst
kann uns dieses Sichfinden des Menschen in absichtsloser Wirklichkeit nicht
vermitteln. Daß der Mensch sich in der Kunst selbst begegnet, ist ihm
nicht die Bestätigung von einem andern seiner selbst her.

Das ist an sich richtig. So eindrucksvoll die Geschlossenheit dieses Kantischen Gedankenganges aber ist – er stellt das Phänomen der Kunst nicht
unter den ihm angemessenen Maßstab. Man kann die Gegenrechnung auf-
machen. Der Vorzug des Naturschönen vor dem Kunstschönen ist nur die
Kehrseite des Mangels des Naturschönen an bestimmter Ausdruckskraft. So
kann man umgekehrt den Vorzug der Kunst vor dem Naturschönen darin
sehen, daß die Sprache der Kunst anspruchsvolle Sprache ist, die sich nicht
der stimmungshaften Ausdeutung frei und unbestimmt darbietet, sondern
uns bedeutungshaft bestimmt anspricht. Und es ist das Wunderbare und
Geheimnisvolle der Kunst, daß dieser bestimmte Anspruch dennoch keine
Fessel für unser Gemüt ist, sondern den Spielraum der Freiheit im Spiele
unserer Erkenntnisvermögen gerade recht öffnet. Kant wird dem durchaus
gerecht, wenn er sagt[1], die Kunst müsse ,als Natur anzusehen' sein, d. h.
gefallen, ohne den Zwang von Regeln zu verraten. Wir beachten nicht die
absichtsvolle Übereinstimmung des Dargestellten mit bekannter Wirklichkeit, nicht darauf sehen wir es an, wem es ähnlich ist, wir messen nicht
seinen Anspruchssinn an einem uns schon wohlbekannten Maß, sondern
im Gegenteil wird dieses Maß, der ,Begriff', auf unbegrenzte Art ,ästhetisch
erweitert'[2].

Kants Definition der Kunst als der ,schönen Vorstellung von einem Dinge'[3]
trägt dem Rechnung, sofern sogar das Häßliche in der Darstellung durch
die Kunst schön ist. Dennoch kommt das eigentliche Wesen der Kunst in
der Abhebung gegen das Naturschöne schlecht heraus. Wenn der Begriff
eines Dinges nur schön dargestellt würde, so wäre das ja wieder nur Sache

---

[1] Kritik der Urteilskraft, 1799[3], S. 179f.
[2] Ebda, S. 194.   [3] Ebda, S. 188.

einer ‚schulgerechten' Darstellung und erfüllte nur die unerläßliche Bedingung aller Schönheit. Kunst ist gerade auch nach Kant mehr als ‚schöne Vorstellung eines Dinges': sie ist Darstellung *ästhetischer Ideen*, d. h. von etwas, das über allen Begriff hinausliegt. Der Begriff des Genies will diese Einsicht Kants formulieren.

Es kann nicht geleugnet werden, daß die Lehre von den ästhetischen Ideen, durch deren Darstellung der Künstler den gegebenen Begriff unendlich erweitere und das freie Spiel der Gemütskräfte belebe, für den heutigen Leser einen unglücklichen Zug hat. Es sieht so aus, als würden diese Ideen zu dem schon leitenden Begriff hinzugesellt wie die Attribute einer Gottheit zu ihrer Gestalt. So stark ist der traditionelle Vorrang des rationalen Begriffs vor der inexponiblen ästhetischen Vorstellung, daß selbst bei Kant der falsche Schein eines Vorhergangs des Begriffs vor der ästhetischen Idee entsteht, wo doch überhaupt nicht der Verstand, sondern die Einbildungskraft im Spiel der Vermögen die Führung hat[1]. Der Theoretiker der Kunst wird auch sonst der Zeugnisse genug finden, nach denen es Kant schwer wird, seine leitende Einsicht in die Unbegreiflichkeit des Schönen, die zugleich seine Verbindlichkeit wahrt, durchzuhalten, ohne den Vorrang des Begriffs ungewollt in Anspruch zu nehmen.

Die Grundlinien seiner Gedankenführung sind aber von solchen Mängeln frei und zeigen eine eindrucksvolle Folgerichtigkeit, die in der Funktion des Geniebegriffs für die Begründung der Kunst gipfelt. Auch ohne in eine nähere Interpretation dieses ‚Vermögens zur Darstellung ästhetischer Ideen' einzutreten, läßt sich andeuten, daß Kant hier keineswegs aus seiner transzendentalphilosophischen Fragestellung vertrieben und auf den Abweg einer Psychologie des künstlerischen Schaffens abgedrängt wird. Die Irrationalität des Genies macht vielmehr ein Moment produktiver Regelschöpfung namhaft, das für den Schaffenden wie für den Genießenden gleichartig zur Ausweisung kommt: es gibt dem Werk der schönen Kunst gegenüber keine Möglichkeit, seinen Gehalt anders zu ergreifen als in der einmaligen Gestalt des Werks und in dem von keiner Sprache je völlig erreichbaren Geheimnis seines Eindrucks. Der Begriff des Genies entspricht daher dem, was Kant am ästhetischen Geschmack als das Entscheidende ansieht, nämlich das erleichterte Spiel der Gemütskräfte, die Steigerung des Lebensgefühls, die sich aus der Zusammenstimmung von Einbildungskraft und Verstand erzeugt und gegenüber dem Schönen zum Verweilen einlädt. Genie ist vollends eine Erscheinungsweise dieses belebenden Geistes. Denn gegenüber der starren Regelhaftigkeit der Schulmeisterei beweist das Genie freien Schwung der Erfindung und damit musterbildende Originalität.

---

[1] K. d. U., S. 161: »Wo Einbildungskraft in ihrer Freiheit den Verstand erweckt«; ebenso S. 194: »so ist die Einbildungskraft hierbei schöpferisch und bringt das Vermögen intellektueller Ideen (die Vernunft) in Bewegung«.

ε) Das Verhältnis von Geschmack und Genie

Angesichts dieser Sachlage stellt sich die Frage, wie Kant das gegenseitige Verhältnis von Geschmack und Genie bestimmt. Kant wahrt dem Geschmack seinen prinzipiellen Vorrang, sofern auch die Werke der schönen Kunst, die Kunst des Genies ist, unter dem leitenden Gesichtspunkt der Schönheit stehen. Man mag gegenüber der Erfindung des Genies die Nachbesserung, die vom Geschmack geboten wird, peinlich nennen – er ist doch die notwendige Disziplin, die dem Genie zugemutet wird. Insofern verdient in Konfliktsfällen nach Kants Meinung der Geschmack den Vorrang: Aber das ist keine Frage von prinzipieller Bedeutung. Denn grundsätzlich steht der Geschmack auf demselben Grunde mit dem Genie. Die Kunst des Genies besteht darin, das freie Spiel der Erkenntniskräfte mitteilbar zu machen. Das leisten die ästhetischen Ideen, die es erfindet. Mitteilbarkeit des Gemütszustandes, der Lust, kennzeichnete aber auch das ästhetische Wohlgefallen des Geschmacks. Er ist ein Vermögen der Beurteilung, also ein Reflexionsgeschmack, aber das, worauf er reflektiert, ist eben jener Gemütszustand der Belebung der Erkenntniskräfte, der sich ebensowohl am Naturschönen wie am Kunstschönen ergibt. Die systematische Bedeutung des Geniebegriffs ist also auf den Sonderfall des Kunstschönen beschränkt, die des Geschmacksbegriffs dagegen ist universal.

Daß Kant den Geniebegriff ganz und gar seiner transzendentalen Fragestellung dienstbar macht und keineswegs in die empirische Psychologie abgleitet, wird an seiner Einengung des Geniebegriffs auf das künstlerische Schaffen ganz deutlich. Wenn er den großen Erfindern und Entdeckern im Bereich der Wissenschaft und Technik diese Bezeichnung vorenthält[1], so ist das, empirisch-psychologisch gesehen, ganz ungerechtfertigt. Überall, wo man ‚auf etwas kommen‘ muß, was man nicht durch Lernen und methodische Arbeit allein finden kann, überall also, wo inventio vorliegt, wo etwas der Eingebung und nicht der methodischen Berechnung verdankt wird, kommt es auf das ingenium, auf Genie an. Gleichwohl ist Kants Intention richtig: Nur das Kunstwerk ist seinem Sinn nach dadurch bestimmt, daß es nicht anders als durch Genie erschaffen ist. Nur beim Künstler ist es so, daß seine ‚Erfindung‘, das Werk, seinem eigenen Sein nach auf den Geist bezogen bleibt, den Geist, der schafft, wie den, der beurteilt und genießt. Nur diese Erfindungen lassen sich nicht nachmachen, und daher ist es – transzendental gesehen – richtig, wenn Kant nur hier von Genie spricht und die schöne Kunst als Kunst des Genies definiert. Alle anderen genialen Leistungen und Erfindungen, so groß die Genialität in der Erfindung auch sein mag, sind nicht in ihrem Wesen durch sie bestimmt.

---

[1] K.d.U., S. 183f.

Wir halten fest: Für Kant bedeutet der Geniebegriff wirklich nur eine Ergänzung dessen, was ihn an der ästhetischen Urteilskraft ,in transzendentaler Absicht' interessiert. Man darf nicht vergessen, daß die Kritik der Urteilskraft in ihrem zweiten Teil durchaus nur mit der Natur (und ihrer Beurteilung unter Zweckbegriffen), und gar nicht mit der Kunst zu tun hat. Für die systematische Absicht des Ganzen ist daher die Anwendung der ästhetischen Urteilskraft auf das Schöne und Erhabene in der Natur wichtiger als die transzendentale Grundlegung der Kunst. Die ,Zweckmäßigkeit der Natur für unser Erkenntnisvermögen', die, wie wir sahen, nur am Naturschönen (und nicht an der schönen Kunst) in Erscheinung treten kann, hat als transzendentales Prinzip der ästhetischen Urteilskraft zugleich die Bedeutung, den Verstand darauf vorzubereiten, den Begriff eines Zweckes auf die Natur anzuwenden[1]. Insofern ist die Kritik des Geschmacks, d. h. die Ästhetik, eine Vorbereitung für die Teleologie. Diese, deren konstitutiven Anspruch für die Naturerkenntnis die Kritik der reinen Vernunft zerstört hatte, als ein Prinzip der Urteilskraft zu legitimieren, ist die philosophische Intention Kants, die das Ganze seiner Philosophie erst zum systematischen Abschluß führt. Die Urteilskraft stellt die Brücke zwischen Verstand und Vernunft dar. Das Intelligible, worauf der Geschmack hinausweist, das übersinnliche Substrat der Menschheit, enthält zugleich die Vermittlung zwischen Naturbegriffen und Freiheitsbegriffen[2]. Das ist die systematische Bedeutung, die das Problem der Naturschönheit für Kant hat: *sie begründet die zentrale Stellung der Teleologie.* Nur sie, nicht die Kunst, kann der Legitimierung des Zweckbegriffs für die Beurteilung der Natur zustatten kommen. Schon aus diesem systematischen Grunde bleibt das ,reine' Geschmacksurteil die unentbehrliche Grundlage der dritten Kritik.

Aber auch innerhalb der Kritik der ästhetischen Urteilskraft ist keine Rede davon, daß der Standpunkt des Genies den des Geschmacks schließlich verdrängt. Man beachte nur, wie Kant das Genie beschreibt: Das Genie ist ein Günstling der Natur – ähnlich wie die Naturschönheit als eine Gunst der Natur angesehen wird. Schöne Kunst muß als Natur anzusehen sein. Durch das Genie gibt die Natur der Kunst die Regel. In all diesen Wendungen[3] ist der Naturbegriff der unangefochtene Maßstab.

Was der Geniebegriff leistet, ist also nur, die Produkte der schönen Kunst mit der Naturschönheit ästhetisch gleichzustellen. Auch die Kunst wird ästhetisch angesehen, d. h. auch sie ist ein Fall für die reflektierende Urteilskraft. Was absichtlich – und insofern zweckvoll – hervorgebracht ist, soll doch nicht auf einen Begriff bezogen werden, sondern will in der bloßen Beurteilung – ganz wie das Naturschöne – gefallen. »Schöne Kunst ist Kunst des Genies« heißt also nichts anderes als: es gibt auch für das Schöne in der Kunst kein anderes Prinzip der Beurteilung, kein Maß des Begriffs

---

[1] K. d. U., S. LI.   [2] Ebda, S. LV ff.   [3] Ebda, S. 181.

4*

und der Erkenntnis als das der Zweckmäßigkeit für das Gefühl der Freiheit im Spiel unseres Erkenntnisvermögens. Das Schöne in Natur *oder*
Kunst[1] hat ein und dasselbe apriorische Prinzip, das ganz und gar in der
Subjektivität liegt. Die Heautonomie der ästhetischen Urteilskraft begründet durchaus keinen autonomen Geltungsbereich für schöne Objekte. Kants
transzendentale Reflexion auf ein Apriori der Urteilskraft rechtfertigt den
Anspruch des ästhetischen Urteils, läßt aber eine philosophische Ästhetik
im Sinne einer Philosophie der Kunst im Grunde nicht zu (Kant selbst
sagt: der Kritik entspricht hier keine Doktrin oder Metaphysik[2]).

b) *Genieästhetik und Erlebnisbegriff*

α) *Das Vordringen des Geniebegriffs*

Die Begründung der ästhetischen Urteilskraft auf ein Apriori der Subjektivität sollte eine ganz neue Bedeutung gewinnen, als sich der Sinn der
transzendentalphilosophischen Reflexion bei den Nachfolgern Kants veränderte. Wenn der metaphysische Hintergrund, der den Vorzug des Naturschönen bei Kant begründete und den Geniebegriff an die Natur zurück-
band, nicht mehr besteht, stellt sich in einem neuen Sinne das Problem der
Kunst. Schon die Art, wie Schiller Kants ‚Kritik der Urteilskraft‘ aufnahm
und für den Gedanken einer ‚ästhetischen Erziehung‘ die ganze Wucht
seines moralpädagogischen Temperaments einsetzte, ließ den Standpunkt
der Kunst gegenüber dem kantischen Standpunkt des Geschmacks und der
Urteilskraft in den Vordergrund treten.

Vom Standpunkt der Kunst aus verschiebt sich nun das Verhältnis der
kantischen Begriffe des Geschmacks und des Genies von Grund auf. Der
umfassendere Begriff mußte der des Genies werden – umgekehrt mußte
das Phänomen des Geschmacks sich entwerten.

Nun fehlte es bei Kant selbst für eine solche Umwertung nicht an An-
knüpfungsmöglichkeiten. Auch nach Kant ist es für das Beurteilungsver-
mögen des Geschmacks nicht gleichgültig, daß schöne Kunst Kunst des
Genies ist. Gerade das beurteilt der Geschmack mit, ob ein Kunstwerk
wirklich Geist hat oder ob es geistlos ist. Kant sagt einmal von der Kunst-
schönheit, daß auf deren Möglichkeit – mithin auf das Genie darin – »in
der Beurteilung eines dergleichen Gegenstandes auch Rücksicht genommen
werden muß[3]«, und an anderer Stelle ganz selbstverständlich, daß ohne
Genie nicht nur die schöne Kunst, sondern ebenso ein richtiger, sie be-
urteilender eigener Geschmack nicht möglich ist[4]. Daher geht der Standpunkt des Geschmackes, sofern dieser an seinem vornehmsten Objekt, der
schönen Kunst, ausgeübt wird, von selber in den Standpunkt des Genies
über. Der Genialität des Schaffens entspricht eine Genialität des Ver-

---

[1] Kant bevorzugt charakteristischerweise vor dem ‚und‘ das ‚oder‘.
[2] K. d. U., S. X u. LII.   [3] K. d. U., § 48.   [4] K. d. U., § 60.

stehens. Kant drückt das nicht so aus, aber der Begriff Geist, den er hier[1] gebraucht, gilt in beiden Hinsichten in gleicher Weise. Das ist die Basis, auf der später weitergebaut werden sollte.

Es ist in der Tat einleuchtend, daß der Begriff des Geschmacks seine Bedeutung verliert, wenn das Phänomen der Kunst in den Vordergrund tritt. Der Standpunkt des Geschmacks ist gegenüber dem Kunstwerk ein sekundärer. Die Auswahlempfindlichkeit, die ihn ausmacht, hat gegenüber der Originalität des genialen Kunstwerks oft eine nivellierende Funktion. Der Geschmack meidet das Ungewöhnliche und Ungeheure. Er ist ein Oberflächensinn, er läßt sich nicht ein auf das Originale einer künstlerischen Produktion. Schon der Aufstieg des Geniebegriffes im 18. Jahrhundert zeigt eine polemische Spitze gegen den Begriff des Geschmacks. Er war ja gegen die klassizistische Ästhetik gerichtet, indem man dem Geschmacksideal der französischen Klassik die Anerkennung Shakespeares zumutete (Lessing!). Kant ist insofern altmodisch und nimmt eine vermittelnde Stellung ein, als er an dem Geschmacksbegriff, der im Zeichen des Sturm und Drang nicht nur mit Elan verworfen, sondern auch stürmisch verletzt worden war, in transzendentaler Absicht festhielt.

Doch wenn Kant von dieser allgemeinen Grundlegung aus in die besonderen Probleme der Kunstphilosophie übergeht, weist er über den Standpunkt des Geschmacks selber hinaus. Er redet dann wohl von der Idee einer *Vollendung des Geschmacks*[2]. Aber was ist das? Der normative Charakter des Geschmacks schließt die Möglichkeit seiner Bildung und Perfektionierung ein: der vollendete Geschmack, auf dessen Gründung es ankommt, wird nach Kant eine bestimmte unveränderliche Form annehmen. Das ist — so absurd es in unseren Ohren klingt — ganz folgerichtig gedacht. Denn wenn Geschmack seinem Anspruch nach guter Geschmack ist, so müßte die Einlösung dieses Anspruchs in der Tat den gesamten Relativismus des Geschmacks, auf den sich der ästhetische Skeptizismus beruft, beenden. Er würde alle Werke der Kunst umfassen, die ‚Qualität' haben, also ganz gewiß alle, die mit Genie gemacht sind.

So sehen wir, daß der Sache nach die Idee eines vollendeten Geschmacks, die Kant erörtert, besser durch den Begriff des Genies definiert würde. Offenbar wäre es mißlich, die Idee des vollendeten Geschmacks überhaupt im Bereich des Naturschönen anzuwenden. Für die Gartenkunst mag das allenfalls hingehen. Aber die Gartenkunst hat Kant konsequenterweise zum Kunstschönen geschlagen[3]. Doch gegenüber der Schönheit der Natur,

---

[1] K. d. U., § 49.   [2] K. d. U., S. 264.

[3] Seltsamerweise zur Malerei statt zur Architektur (Kr. d. U., S 205) – eine Klassifikation, die den Geschmackswandel vom französischen zum englischen Gartenideal voraussetzt. Vgl. Schillers Abhandlung: Über den Gartenkalender auf das Jahr 1795. Anders Schleiermacher (Ästhetik, ed. Odebrecht, S. 204), der die englische Gartenkunst wieder der Architektur, als ‚horizontale Architektur' zurechnet.

z.B. der Schönheit der Landschaft, ist die Idee eines vollendeten Geschmacks recht fehl am Platze. Soll er darin bestehen, alles, was in der
Natur schön ist, nach Gebühr zu würdigen? Kann es da eine Auswahl geben? Gibt es da eine Rangordnung? Ist eine sonnige Landschaft schöner als
eine in Regen gehüllte? Gibt es in der Natur überhaupt Häßliches? Oder
nur für wechselnde Stimmung wechselnd Ansprechendes, für verschiedenen
Geschmack verschieden Gefallendes? Kant mag recht haben, wenn er es
von moralischem Gewicht findet, ob jemandem die Natur überhaupt gefallen kann. Aber kann man mit Sinn ihr gegenüber guten und schlechten
Geschmack unterscheiden? Wo solche Unterscheidung ganz unzweifelhaft
ist, der Kunst und dem Künstlichen gegenüber, dort ist dagegen der Geschmack, wie wir sahen, nur eine einschränkende Bedingung des Schönen
und enthält nicht sein eigentliches Prinzip. So behält die Idee eines vollendeten Geschmacks der Natur wie der Kunst gegenüber etwas Zweifel-
haftes. Man tut dem Begriff des Geschmacks Gewalt an, wenn man die
Wandelbarkeit des Geschmacks nicht in ihn aufnimmt. Wenn etwas, so ist
der Geschmack ein Zeugnis für die Wandelbarkeit aller menschlichen Dinge
und die Relativität aller menschlichen Werte.

Kants Begründung der Ästhetik auf den Geschmacksbegriff kann von da
aus nicht recht befriedigen. Es liegt weit näher, den Geniebegriff, den Kant
als transzendentales Prinzip für das Kunstschöne entwickelt, als universales
ästhetisches Prinzip zu verwenden. Denn er erfüllt weit besser als der
Begriff des Geschmacks die Forderung, gegen den Wandel der Zeit invariant
zu sein. Das Wunder der Kunst, die rätselhafte Vollendung, die den gelun-
genen Schöpfungen der Kunst anhaftet, ist über alle Zeiten hinweg sichtbar. Es erscheint möglich, den Begriff des Geschmacks der transzendentalen Begründung der Kunst unterzuordnen und unter Geschmack den
sicheren Sinn für das Geniale der Kunst zu verstehen. Der kantische Satz:
»Schöne Kunst ist Kunst des Genies« wird dann zum transzendentalen
Grundsatz für die Ästhetik überhaupt. Ästhetik ist am Ende nur als Philosophie der Kunst möglich.

Es war der deutsche Idealismus, der diese Konsequenz zog. Wie sich
Fichte und Schelling auch sonst an Kants Lehre von der transzendentalen
Einbildungskraft anschlossen, so haben sie ebenso für die Ästhetik von
diesem Begriff einen neuen Gebrauch gemacht. Im Unterschiede zu Kant
wurde damit der *Standpunkt der Kunst* als der der bewußtlos genialen Produktion allumfassend und umschloß auch die Natur, die als Produkt des
Geistes verstanden wird[1].

---

[1] Bis zu welchem Grade der zwischen Kant und seinen Nachfolgern eingetretene
Wandel, den ich durch die Formel ‚Standpunkt der Kunst‘ zu kennzeichnen suche,
das universale Phänomen des Schönen verdunkelt hat, kann das erste Schlegelfrag-
ment (Friedrich Schlegel, Fragmente, Aus dem ‚Lyceum‘, 1797) lehren: »Man
nennt viele Künstler, die eigentlich Kunstwerke der Natur sind«. In dieser Wendung

Damit aber haben sich die Grundlagen der Ästhetik verschoben. Wie der Begriff des Geschmacks wird auch der Begriff des Naturschönen entwertet, bzw. anders verstanden. Das moralische Interesse am Schönen der Natur das Kant so enthusiastisch geschildert hatte, tritt nun hinter der Selbstbegegnung des Menschen in den Werken der Kunst zurück. In Hegels großartiger Ästhetik kommt das Naturschöne nur noch als ,Reflex des Geistes' vor. Es ist im Grunde kein selbständiges Moment mehr im systematischen Ganzen der Ästhetik[1].

Offenbar ist es die Unbestimmtheit, mit der sich die schöne Natur dem deutenden und verstehenden Geist darstellt, die es rechtfertigt, mit Hegel zu sagen, sie sei »ihrer Substanz nach im Geiste erhalten«[2]. Hegel zieht hier, ästhetisch gesehen, eine absolut richtige Konsequenz, die sich uns oben bereits nahelegte, als wir von der Mißlichkeit der Anwendung der Idee des Geschmacks auf die Natur sprachen. Denn unleugbar ist das Urteil über die Schönheit einer Landschaft in Abhängigkeit von dem Kunstgeschmack einer Zeit. Man denke etwa an die Schilderung der Häßlichkeit der Alpenlandschaft, die wir noch im 18. Jahrhundert antreffen – offenkundig ein Reflex des Geistes der künstlichen Symmetrie, der das Jahrhundert des Absolutismus beherrscht. So steht Hegels Ästhetik ganz und gar auf dem Standpunkt der Kunst. In der Kunst begegnet sich der Mensch selbst, Geist dem Geiste.

Für die Entwicklung der neueren Ästhetik ist nun entscheidend, daß auch hier, wie im Ganzen der systematischen Philosophie, der spekulative Idealismus eine weit über seine anerkannte Geltung hinausgehende Wirkung getan hat. Bekanntlich führte die Perhorreszierung des dogmatischen Schematismus der Hegel-Schule in der Mitte des 19. Jahrhunderts zur Forderung einer Erneuerung der Kritik unter der Parole ,Zurück zu Kant'. Das gilt ebenso für die Ästhetik. So großartig die Auswertung der Kunst für eine Geschichte der Weltanschauungen war, die Hegel in seiner Ästhetik gegeben hat – die Methode einer solchen apriorischen Geschichtskonstruktion, die in der Hegelschule manche Anwendung fand (Rosenkranz, Schasler u. a.), war schnell diskreditiert. Die Forderung einer Rückkehr zu Kant, die sich demgegenüber erhob, konnte nun aber nicht eine wirkliche Rückkehr und Wiedergewinnung des Horizontes bedeuten, der Kants Kritiken umschloß. Vielmehr blieben das Phänomen der Kunst und der Begriff des Genies im Zentrum der Ästhetik, und das Problem des Na-

---

klingt Kants Begründung des Geniebegriffs auf die Gunst der Natur nach, wird aber so wenig mehr gewürdigt, daß sie im Gegenteil zum Einwand gegen ein seiner selbst zu wenig bewußtes Künstlertum wird.

[1] Hothos Redaktion der Vorlesungen über Ästhetik hat dem Naturschönen eine etwas zu selbständige Stellung gegeben, wie die von Lasson aus den Nachschriften hergestellte originale Gliederung Hegels beweist. Vgl. Hegel, Sämtl. Werke, ed. Lasson, Bd. Xa, 1. Halbband (Die Idee und das Ideal), S. XII ff.

[2] Vorlesungen über die Ästhetik, ed. Lasson.

turschönen, auch der Begriff des Geschmacks, standen weiterhin am Rande.

Das zeigt sich auch am Sprachgebrauch. Kants Einengung des Geniebegriffs auf den Künstler, die wir oben behandelt haben, hat sich nicht
durchgesetzt. Im Gegenteil stieg im 19.Jahrhundert der Geniebegriff zu
einem universellen Wertbegriff auf und erfuhr – in eins mit dem Begriff
des Schöpferischen – eine wahre Apotheose. Es war der romantisch-
idealistische Begriff der unbewußten Produktion, der diese Entwicklung
trug und durch Schopenhauer und die Philosophie des Unbewußten eine
ungeheure Breitenwirkung gewann. Zwar haben wir gezeigt, daß der kantischen Ästhetik eine solche systematische Vorzugsstellung des Geniebegriffs
gegenüber dem Begriff des Geschmacks durchaus nicht entsprach. Jedoch
kam Kants wesentliches Anliegen, eine autonome, vom Maßstab des Begriffs befreite Grundlegung der Ästhetik zu leisten und die Frage nach der
Wahrheit im Bereiche der Kunst überhaupt nicht zu stellen, sondern das
ästhetische Urteil auf das subjektive Apriori des Lebensgefühls, die Harmonie unseres Vermögens zur ‚Erkenntnis überhaupt‘ zu begründen, die
das gemeinsame Wesen von Geschmack und Genie ausmacht, dem Irrationalismus und dem Geniekult des 19.Jahrhunderts entgegen. Kants
Lehre von der ‚Steigerung des Lebensgefühls‘ im ästhetischen Wohlgefallen
förderte die Entfaltung des Begriffes ‚Genie‘ zu einem umfassenden
Lebensbegriff, insbesondere nachdem Fichte den Standpunkt des Genies
und der genialen Produktion zu einem universalen transzendentalen Standpunkt erhoben hatte. So kam es, daß der Neukantianismus, indem er alle
gegenständliche Geltung aus der transzendentalen Subjektivität abzuleiten
suchte, den Begriff des Erlebnisses als die eigentliche Tatsache des Bewußtseins auszeichnete[1].

β) Zur Wortgeschichte von ‚Erlebnis‘

Die Untersuchung des Auftretens des Wortes ‚Erlebnis‘ im deutschen
Schrifttum führt zu dem überraschenden Resultat, daß es im Unterschied
zu ‚Erleben‘ erst in den 70er Jahren des 19. Jahrhunderts üblich geworden
ist. Im 18. Jahrhundert fehlt es noch ganz, aber auch Schiller und Goethe
kennen es nicht. Der früheste Beleg[2] scheint ein Hegel-Brief[3] zu sein. Aber

---

[1] Es ist das Verdienst der Schrift von Luigi Pareyson, L'estetica del idealismo
tedesco, 1952, die Bedeutung Fichtes für die idealistische Ästhetik zur Geltung
gebracht zu haben. Entsprechend ließe sich innerhalb des Ganzen der neukantianischen Bewegung die geheime Fortwirkung Fichtes und Hegels erkennen.

[2] Lt. freundlicher Auskunft der Deutschen Akademie in Berlin, die allerdings das
Stichwort ‚Erlebnis‘ bisher noch ganz unvollkommen gesammelt hat.

[3] Im Bericht von einer Reise schreibt Hegel ‚meine ganze Erlebnis‘ (Briefe, ed.
Hoffmeister, III 179). Man muß dabei beachten, daß es sich um einen Brief handelt,
wo man ungewohnte Ausdrücke und insbes. solche aus der Umgangssprache sorglos
aufnimmt, wenn man kein üblicheres Wort findet. So gebraucht Hegel daneben eine

auch in den dreißiger und vierziger Jahren sind mir bisher nur ganz vereinzelte Vorkommen bekannt (bei Tieck, Alexis und Gutzkow). Ebenso selten scheint das Wort in den fünfziger und sechziger Jahren und tritt erst in den siebziger Jahren plötzlich häufig auf[1]. Seine allgemeine Einführung in den allgemeinen Sprachgebrauch hängt, wie es scheint, mit seiner Verwendung in der biographischen Literatur zusammen.

Da es sich hier um eine Sekundärbildung zu dem Wort ‚erleben‘ handelt, das schon älter ist und in der Goethezeit viel angetroffen wird, hat man das Motiv zu der neuen Wortbildung aus der Bedeutungsanalyse von ‚erleben‘ zu gewinnen. Erleben heißt zunächst »noch am Leben sein, wenn etwas geschieht«. Von da aus trägt das Wort ‚erleben‘ den Ton der Unmittelbarkeit, mit der etwas Wirkliches erfaßt ist – im Gegensatz zu solchem, von dem man auch zu wissen meint, dem aber die Beglaubigung durch das eigene Erlebnis fehlt, sei es, daß es von anderen übernommen ist oder aus dem Hörensagen stammt, sei es, daß es erschlossen, gemutmaßt oder eingebildet ist. Das Erlebte ist immer das Selbsterlebte.

Zugleich aber wird die Form ‚das Erlebte‘ in dem Sinne gebraucht, daß der bleibende Gehalt dessen, was da erlebt wird, dadurch bezeichnet wird. Dieser Inhalt ist wie ein Ertrag oder Ergebnis, das aus dem Vorübergehenden des Erlebens Dauer, Gewicht und Bedeutsamkeit gewonnen hat. Beide Bedeutungsrichtungen liegen offenbar der Wortbildung ‚Erlebnis‘ zugrunde, sowohl die Unmittelbarkeit, die aller Deutung, Verarbeitung oder Vermittlung vorausgeht und lediglich Anhalt für Deutung und Stoff für Gestaltung bietet, als auch der aus ihr ermittelte Ertrag, ihr bleibendes Ergebnis.

Es entspricht dieser doppelten Richtung der Bedeutung von ‚erleben‘, daß es die biographische Literatur ist, durch die sich das Wort ‚Erlebnis‘ zuerst einbürgert. Das Wesen der Biographie, insbesondere das der Künstler- und Dichterbiographie des 19. Jahrhunderts, ist ja, aus dem Leben das Werk zu verstehen. Ihre Leistung besteht gerade darin, die beiden Bedeutungsrichtungen, die wir am ‚Erlebnis‘ unterscheiden, zu vermitteln bzw. als einen produktiven Zusammenhang zu erkennen: etwas wird zum Erlebnis, sofern es nicht nur erlebt wurde, sondern sein Erlebtsein einen besonderen Nachdruck hatte, der ihm bleibende Bedeutung verleiht. Was in dieser Weise ein ‚Erlebnis‘ ist, gewinnt vollends einen neuen Seinsstand im Ausdruck der Kunst. Diltheys berühmt gewordener Buchtitel »Das Erlebnis und die Dichtung« bringt diesen Zusammenhang auf eine einprägsame Formel. In der Tat ist es Dilthey gewesen, der zuerst dem Worte

ähnliche Wendung (Briefe III, 55) »nun von meinem Lebwesen in Wien«. Offenbar suchte er einen Sammelbegriff, der ihm noch nicht zur Verfügung ist (wofür auch der Feminingebrauch an der ersten Briefstelle spricht).
[1] In Diltheys Schleiermacher-Biographie (1870), bei Justi in der Winckelmann-Biographie (1872), in Hermann Grimms ‚Goethe‘ (1877) und vermutlich öfter.

eine begriffliche Funktion zuwies, das bald zu einem beliebten Modewort
und zur Bezeichnung eines so einleuchtenden Wertbegriffs aufsteigen sollte,
daß viele europäische Sprachen es als Fremdwort übernommen haben.
Man wird aber annehmen dürfen, daß der eigentliche Vorgang im Sprach-
leben selber sich in der terminologischen Pointierung, die das Wort bei
Dilthey findet, nur niederschlägt.

Indessen lassen sich bei Dilthey die Motive auf besonders glückliche
Weise isolieren, die in der sprachlichen und begrifflichen Neuprägung des
Wortes ‚Erlebnis' wirksam sind. Der Buchtitel »Das Erlebnis und die Dichtung« ist nämlich spät (1905). Die erste Fassung des darin enthaltenen
Goethe-Aufsatzes, die Dilthey 1877 veröffentlicht hatte, zeigt zwar schon
einen gewissen Gebrauch des Wortes ‚Erlebnis', aber noch nichts von der
späteren terminologischen Festigkeit des Begriffs. Es ist lohnend, die Vor-
formen des späteren, begrifflich fixierten Sinnes von Erlebnis genauer zu
untersuchen. Es scheint mehr als ein Zufall, daß es gerade eine Goethe-
biographie ist (und ein Aufsatz über diese), worin sich das Wort plötzlich
öfters findet. Goethe verführt wie kein anderer zu dieser Wortbildung, da
seine Dichtungen von dem aus, was er erlebt hat, in einem neuen Sinne
ihre Verständlichkeit empfangen. Hat er doch selbst von sich gesagt, daß
alle seine Dichtungen den Charakter einer großen Konfession haben[1]. Hermann Grimms Goethe-Biographie befolgt diesen Satz wie ein methodisches
Prinzip, und so kommt es, daß er das Wort ‚Erlebnisse' häufig gebraucht.

Diltheys Goethe-Aufsatz läßt uns nun in die unbewußte Vorgeschichte
des Wortes zurückblicken, weil dieser Aufsatz in der Fassung von 1877[2] und
in der späteren Bearbeitung von »Das Erlebnis und die Dichtung« (1905)
vorliegt. Dilthey vergleicht in diesem Aufsatz Goethe mit Rousseau, und
um Rousseaus neuartiges Dichten aus der Welt seiner inneren Erfahrungen
zu beschreiben, wendet er den Ausdruck ‚das Erleben' an. In der Paraphrase eines Rousseau-Textes findet sich dann die Wendung »die Erlebnisse
früherer Tage«[3].

Indessen ist selbst beim frühen Dilthey die Bedeutung des Wortes Erlebnis noch irgendwie unsicher. Das zeigt besonders schön eine Stelle, an
der Dilthey in den späteren Auflagen das Wort Erlebnis getilgt hat: »Entsprechend dem, was er erlebte und sich als Erlebnis gemäß seiner Welt-
unkenntnis zusammenphantasierte«[4]. Wieder ist von Rousseau die Rede.

---

[1] Dichtung und Wahrheit, Zweiter Teil, siebentes Buch; Werke, Sophienausgabe
Bd. 27, S. 110.

[2] Zeitschrift für Völkerpsychologie, Bd. X; cf. die Anmerkung Diltheys zu »Goethe
und die dichterische Phantasie« (Das Erlebnis und die Dichtung, S. 468 ff.).

[3] Das Erlebnis und die Dichtung, 6. Aufl., S. 219; cf. Rousseau, Les Confessions,
Partie II, Livre 9. Die genaue Entsprechung läßt sich nicht nachweisen. Offenbar
handelt es sich nicht um eine Übersetzung, sondern ist eine Paraphrase der bei
Rousseau zu lesenden Schilderung.

[4] Zeitschrift für Völkerpsychologie, a.a.O.

Aber ein zusammenphantasiertes Erlebnis, das will zu dem ursprünglichen Wortsinn von ‚erleben‘ nicht recht passen – auch nicht zu Diltheys eigenem wissenschaftlichen Sprachgebrauch der späteren Zeit, wo Erlebnis gerade das unmittelbar Gegebene meint, das der letzte Stoff für alle Phantasiegestaltung ist[1]. Die Wortprägung ‚Erlebnis‘ evoziert offenkundig die Kritik am Rationalismus der Aufklärung, die im Ausgang von Rousseau den Begriff des Lebens zur Geltung brachte. Es dürfte der Einfluß Rousseaus auf die deutsche Klassik sein, der den Maßstab des ‚Erlebtseins‘ in Kraft setzte und damit die Wortbildung ‚Erlebnis‘ ermöglichte[2]. Der Begriff des Lebens bildet aber auch den metaphysischen Hintergrund, der das spekulative Denken des deutschen Idealismus trägt, und spielt bei Fichte wie bei Hegel, aber auch bei Schleiermacher eine fundamentale Rolle. Gegenüber der Abstraktion des Verstandes ebenso wie gegenüber der Partikularität der Empfindung oder Vorstellung impliziert dieser Begriff die Verbindung zur Totalität, zur Unendlichkeit. Das ist in dem Ton, den das Wort Erlebnis bis zum heutigen Tage hat, deutlich vernehmbar.

Schleiermachers Berufung auf das lebendige Gefühl gegen den kalten Rationalismus der Aufklärung, Schillers Aufruf zur ästhetischen Freiheit gegen den Mechanismus der Gesellschaft, Hegels Entgegensetzung des Lebens (später: des Geistes) gegen die ‚Positivität‘ waren der Vorklang eines Protestes gegen die moderne Industriegesellschaft, der im Anfang unseres Jahrhunderts die Worte Erlebnis und Erleben zu Losungsworten von fast religiösem Klang aufsteigen ließ. Der Aufstand der Jugendbewegung gegen die bürgerliche Bildung und ihre Lebensformen stand unter diesem Zeichen, der Einfluß Friedrich Nietzsches und Henri Bergsons wirkte in dieser Richtung, aber auch eine ‚geistige Bewegung‘ wie die um Stefan George und nicht zuletzt die seismographische Feinheit, mit der Georg Simmels Philosophieren auf diese Vorgänge reagierte, bezeugen das gleiche. So schließt die Lebensphilosophie unserer Tage an ihre romantischen Vorgänger an. Die Abwehr der Mechanisierung des Lebens im Massendasein

---

[1] Man vergleiche etwa in der späteren Fassung des Goethe-Aufsatzes in ‚Das Erlebnis und die Dichtung‘ 177: »Poesie ist Darstellung und Ausdruck des Lebens. Sie drückt das Erlebnis aus, und sie stellt die äußere Wirklichkeit des Lebens dar«.

[2] Sicherlich hat hier Goethes Sprachgebrauch das Entscheidende gewirkt. »Fragt Euch nur bei jedem Gedicht, ob es ein Erlebtes enthalte«. (Jubiläumsausgabe 38, 326); oder: »Auch Bücher haben ihr Erlebtes« (38, 257). Wenn mit solchem Maßstab die Welt der Bildung und der Bücher gemessen wird, dann wird sie auch selbst als Gegenstand eines Erlebnisses verstanden werden. Es ist gewiß nicht von ungefähr, daß wiederum in einer neueren Goethe-Biographie, dem Goethe-Buch von Friedrich Gundolf, der Begriff des Erlebnisses eine weitere terminologische Entwicklung erfuhr. Die Unterscheidung von Ur-Erlebnis und Bildungserlebnissen ist eine konsequente Fortbildung der biographischen Begriffsbildung, von der das Wort ‚Erlebnis‘ seinen Aufstieg genommen hat.

der Gegenwart akzentuiert das Wort noch heute mit solcher Selbstverständlichkeit, daß seine begrifflichen Implikationen ganz verhüllt bleiben[1].

So wird man Diltheys Prägung des Begriffs aus der romantischen Vorgeschichte des Wortes verstehen müssen und sich erinnern, daß Dilthey
der Biograph Schleiermachers war. Freilich findet sich das Wort ‚Erlebnis‘
bei Schleiermacher noch nicht, ja, wie es scheint, nicht einmal das Wort
‚Erleben‘. Aber es fehlt nicht an Synonymen, die den Bedeutungskreis von
Erlebnis besetzen[2], und immer ist der pantheistische Hintergrund deutlich
sichtbar. Jeder Akt bleibt als ein Lebensmoment der Unendlichkeit des
Lebens verbunden, die sich in ihm manifestiert. Alles Endliche ist Ausdruck, Darstellung des Unendlichen.

In der Tat finden wir in Diltheys Schleiermacher-Biographie bei der
Beschreibung des religiösen Anschauens eine besonders prägnante Verwendung des Wortes ‚Erlebnis‘, die schon den Begriffsgehalt andeutet:
»Jedes seiner Erlebnisse für sich bestehend, ein gesondertes, aus dem er-
klärenden Zusammenhang herausgenommenes Bild des Universums«[3].

γ) Der Begriff des Erlebnisses

Untersuchen wir nun im Anschluß an die Wortgeschichte die Begriffsgeschichte von ‚Erlebnis‘, so können wir aus dem Vorhergehenden entnehmen, daß Diltheys Erlebnisbegriff offenbar beide Momente enthält, das
pantheistische und mehr noch das positivistische, das Erlebnis und mehr
noch sein Ergebnis. Das ist gewiß kein Zufall, sondern eine Folge seiner
eigenen Zwischenstellung zwischen Spekulation und Empirie, auf die wir
später noch werden einzugehen haben. Da es ihm darauf ankommt, die
Arbeit der Geisteswissenschaften erkenntnistheoretisch zu rechtfertigen,

---

[1] Vgl. etwa Rothackers Befremden über Heideggers – ganz auf die begrifflichen
Implikationen des Cartesianismus gezielte – Kritik am ‚Erleben‘: Die dogmatische
Denkform in den Geisteswissenschaften und das Problem des Historismus, 1954,
S. 431.

[2] Akt des Lebens, Akt des gemeinschaftlichen Seins, Moment, eigenes Gefühl,
Empfindung, Einwirkung, Regung als freie Selbstbestimmung des Gemüts, das ursprünglich Innerliche, Erregung usw.

[3] Dilthey, Das Leben Schleiermachers[2], S. 341. Bezeichnenderweise ist aber die
Lesart ‚Erlebnisse‘ (die ich für die richtige halte) eine Verbesserung der 2. Auflage
(1922, von Mulert) für das im Originaldruck von 1870 zu findende ‚Ergebnisse‘
([1], 305). Wenn die 1. Auflage hier einen Druckfehler hat, so wirkt sich darin die
Bedeutungsnähe aus, die wir schon oben zwischen Erlebnis und Ergebnis festgestellt
hatten. Ein weiteres Beispiel kann das erläutern. Wir lesen bei Hotho (Vorstudien für
Leben und Kunst, 1835): »Doch eine solche Art der Einbildungskraft beruht
mehr auf Erinnerung erlebter Zustände, gemachter Erfahrungen, als daß sie selber
erzeugend wäre. Die Erinnerung bewahrt und erneut die Einzelheit und äußere Art
des Geschehens solcher Ergebnisse mit allen Umständen und läßt dagegen nicht das
Allgemeine für sich heraustreten«. Kein Leser würde sich über einen Text wundern,
in dem hier statt ‚Ergebnisse‘ ‚Erlebnisse‘ stünde.

beherrscht ihn überall das Motiv des wahrhaft Gegebenen. Es ist also ein
erkenntnistheoretisches Motiv oder besser das Motiv der Erkenntnistheorie
selber, das seine Begriffsbildung motiviert und das dem sprachlichen Vorgang, den wir oben verfolgten, entspricht. Wie die Erlebnisferne und der
Erlebnishunger, die aus dem Leiden an der komplizierten Apparatur der
durch die industrielle Revolution umgestalteten Zivilisation herrühren,
das Wort ‚Erlebnis‘ im allgemeinen Sprachgebrauch aufsteigen lassen, so
weist der neue Abstand, den das historische Bewußtsein zur Überlieferung
einnimmt, den Begriff des Erlebnisses in seine erkenntnistheoretische Funktion ein. Das charakterisiert eben die Entwicklung der Geisteswissenschaften im 19. Jahrhundert, daß sie nicht nur äußerlich die Naturwissenschaften als Vorbild anerkennen, sondern daß sie, aus dem gleichen Grunde
kommend, aus dem die neuzeitliche Naturwissenschaft lebt, das gleiche
Pathos von Erfahrung und Forschung entwickeln wie sie. Hatte die Fremdheit, die das Zeitalter der Mechanik gegen die Natur als natürliche Welt
empfinden mußte, ihren erkenntnistheoretischen Ausdruck in dem Begriff
des Selbstbewußtseins und der zur Methode entfalteten Gewißheitsregel
der ‚klaren und distinkten Perzeption‘, so empfanden die Geisteswissenschaften des 19. Jahrhunderts eine ähnliche Fremdheit gegenüber der
geschichtlichen Welt. Die geistigen Schöpfungen der Vergangenheit, Kunst
und Geschichte gehören nicht mehr zu dem selbstverständlichen Inhalt
der Gegenwart, sondern sind der Erforschung aufgegebene Gegenstände,
Gegebenheiten, aus denen sich eine Vergangenheit vergegenwärtigen läßt.
So ist es der Begriff des Gegebenen, der auch Diltheys Prägung des Erlebnisbegriffes leitet.

Die Gegebenheiten im Bereich der Geisteswissenschaften sind nämlich
von besonderer Art, und das will Dilthey durch den Begriff des ‚Erlebnisses‘
formulieren. In Anknüpfung an Descartes Auszeichnung der res cogitans
bestimmt er den Begriff des Erlebnisses durch Reflexivität, durch das
Innesein, und will von dieser besonderen Gegebenheitsweise aus die Erkenntnis der geschichtlichen Welt erkenntnistheoretisch rechtfertigen. Die
primären Gegebenheiten, auf die die Deutung der geschichtlichen Gegenstände zurückgeht, sind nicht Daten des Experiments und der Messung,
sondern Bedeutungseinheiten. Das ist es, was der Begriff des Erlebnisses
sagen will: Die Sinngebilde, denen wir in den Geisteswissenschaften begegnen, mögen uns noch so fremd und unverständlich gegenüberstehen –
sie lassen sich auf letzte Einheiten des im Bewußtsein Gegebenen zurück-
führen, die selber nichts Fremdes, Gegenständliches, Deutungsbedürftiges
mehr enthalten. Es sind die Erlebniseinheiten, die selber Sinneinheiten
sind.

Es wird sich zeigen, wie es für Diltheys Denken von entscheidender
Bedeutung ist, daß als letzte Bewußtseinseinheit nicht ‚sensation‘ oder
Empfindung genannt wird, wie das im Kantianismus und noch in der

positivistischen Erkenntnistheorie des 19. Jahrhunderts bis zu Ernst Mach
selbstverständlich war, sondern daß Dilthey dafür Erlebnis sagt. Er begrenzt
damit das konstruktive Ideal eines Aufbaus der Erkenntnis aus Empfin-
dungsatomen und stellt ihm eine schärfere Fassung des Begriffs des Gegebenen entgegen. Die Erlebniseinheit (und nicht psychische Elemente, in die
sie sich analysieren läßt) stellt die wirkliche Einheit des Gegebenen dar. So
meldet sich in der Erkenntnistheorie der Geisteswissenschaften ein Lebensbegriff, der das mechanistische Modell einschränkt.

Dieser Lebensbegriff ist teleologisch gedacht: Leben ist für Dilthey
Produktivität schlechthin. Indem sich Leben in Sinngebilden objektiviert,
ist alles Verstehen von Sinn »ein Zurückübersetzen der Objektivationen des
Lebens in die geistige Lebendigkeit, aus der sie hervorgegangen sind«. So
bildet der Begriff des Erlebnisses die erkenntnistheoretische Grundlage für
alle Erkenntnis von Objektivem.

Ähnlich universal ist die erkenntnistheoretische Funktion, die der Begriff des Erlebnisses in der Husserlschen Phänomenologie hat. In der
5. logischen Untersuchung (2. Kapitel) wird ausdrücklich der phänomenologische Erlebnisbegriff von dem populären unterschieden. Die Erlebniseinheit wird nicht als ein Teilstück des realen Erlebnisstromes eines Ich
verstanden, sondern als eine intentionale Beziehung. Die Sinneinheit ,Er-
lebnis' ist auch hier eine teleologische. Es gibt nur Erlebnisse, sofern etwas
in ihnen erlebt und gemeint ist. Zwar erkennt Husserl auch nichtinten-
tionale Erlebnisse an, aber diese gehen als stoffliche Momente in die Sinneinheit intentionaler Erlebnisse ein. Insofern wird bei Husserl der Begriff
des Erlebnisses zum umfassenden Titel für alle Akte des Bewußtseins,
dessen Wesensverfassung die Intentionalität ist[1].

So zeigt sich bei Dilthey wie bei Husserl, in der Lebensphilosophie so gut
wie in der Phänomenologie, der Begriff des Erlebnisses zunächst als ein rein
erkenntnistheoretischer Begriff. Er wird bei ihnen in seiner teleologischen
Bedeutung in Anspruch genommen, aber nicht begrifflich bestimmt. Daß
es Leben ist, was sich im Erlebnis manifestiert, will nur sagen, daß es das
Letzte ist, auf das wir zurückkommen. Für diese begriffliche Prägung von
der Leistung her lieferte die Wortgeschichte eine gewisse Legitimation.
Denn wir sahen, daß der Wortbildung Erlebnis eine verdichtende, inten-
sivierende Bedeutung zukommt. Wenn etwas ein Erlebnis genannt oder als
ein Erlebnis gewertet wird, so ist es durch seine Bedeutung zur Einheit
eines Sinnganzen zusammengeschlossen. Was als Erlebnis gilt, das ist
ebensowohl von anderen Erlebnissen abgehoben – in denen anderes erlebt
wird –, wie von dem sonstigen Lebensverlauf – in dem ,nichts' erlebt wird.
Was als ein Erlebnis gilt, das ist nicht mehr bloß ein flüchtig Vorüber-

---

[1] Vgl. E. Husserl, Logische Untersuchungen II, 365 Anm.; Ideen zu einer reinen
Phänomenologie und phänomenologischen Philosophie, I, 65.

strömendes im Strome des Bewußtseinslebens – es ist als Einheit gemeint und gewinnt dadurch eine neue Weise, eines zu sein. Insofern ist es ganz verständlich, daß das Wort in der biographischen Literatur aufkommt und letztlich aus autobiographischem Gebrauch stammt. Was Erlebnis genannt werden kann, konstituiert sich in der Erinnerung. Wir meinen damit den Bedeutungsgehalt, den eine Erfahrung für den, der das Erlebnis hatte, als einen bleibenden besitzt. Das ist es, was noch die Rede von dem intentionalen Erlebnis und der teleologischen Struktur, die das Bewußtsein besitzt, legitimiert. Andererseits aber liegt im Begriff des Erlebnisses doch auch der Gegensatz des Lebens zum Begriff. Das Erlebnis hat eine betonte Unmittelbarkeit, die sich allem Meinen seiner Bedeutung entzieht. Alles Erlebte ist Selbsterlebtes, und das macht seine Bedeutung mit aus, daß es der Einheit dieses Selbst angehört und somit einen unverwechselbaren und unersetzlichen Bezug auf das Ganze dieses einen Lebens enthält. Insofern geht es wesensmäßig in dem nicht auf, was sich von ihm vermitteln und als seine Bedeutung festhalten läßt. Die autobiographische oder biographische Reflexion, in der sich sein Bedeutungsgehalt bestimmt, bleibt in das Ganze der Lebensbewegung eingeschmolzen und begleitet sie ständig weiter. Es ist geradezu die Seinsweise des Erlebnisses, so bestimmend zu sein, daß man mit ihm nicht fertig ist. Nietzsche sagt: »Bei tiefen Menschen dauern alle Erlebnisse lange«[1]. Er meint damit: sie werden nicht schnell vergessen, ihre Verarbeitung ist ein langer Prozeß, und gerade darin liegt ihr eigentliches Sein und ihre Bedeutung und nicht nur in dem ursprünglich erfahrenen Inhalt als solchen. Was wir emphatisch ein Erlebnis nennen, meint also etwas Unvergeßliches und Unersetzbares, das für die begreifende Bestimmung seiner Bedeutung grundsätzlich unerschöpflich ist[2].

Philosophisch gesehen bedeutet die Doppelseitigkeit, die wir in dem Erlebnisbegriff aufwiesen, daß dieser Begriff in der ihm zugewiesenen Rolle, letzte Gegebenheit und Fundament aller Erkenntnis zu sein, nicht aufgeht. Es liegt noch etwas ganz anderes im Begriff ‚Erlebnis‘, das nach Anerkennung verlangt und eine unbewältigte Problematik anzeigt: sein innerer Bezug auf Leben[3].

Es waren vor allem zwei Ansätze, von denen aus sich dies weiterreichende Thema stellte, das den Zusammenhang von Leben und Erlebnis betrifft, und wir werden später sehen, wie Dilthey sowohl als insbesondere Husserl sich in die hier vorliegende Problematik verstrickten. Da ist einmal die

---

[1] Gesammelte Werke, Musarionausgabe, Bd. XIV, S. 50.
[2] Vgl. Dilthey, VII, 29 ff.
[3] Dilthey schränkt deshalb seine eigene Definition von Erlebnis später ein, wenn er schreibt: »Das Erlebnis ist ein qualitatives Sein = eine Realität, die nicht durch das Innesein definiert werden kann, sondern auch in das hinabreicht, das nicht unterschieden besessen wird« (VII, 230). Wie wenig der Ausgangspunkt von der Subjektivität hier ausreicht, wird ihm nicht eigentlich klar, aber doch in Gestalt eines sprachlichen Bedenkens bewußt: »kann man sagen: besessen wird?«

I. Teil: Die Erfahrung der Kunst

grundlegende Bedeutung, die Kants Kritik aller substanzialen Seelenlehre und die von ihr unterschiedene transzendentale Einheit des Selbstbewußtseins, die synthetische Einheit der Apperzeption besitzt. An diese Kritik der rationalistischen Psychologie ließ sich die Idee einer Psychologie nach kritischer Methode anschließen, wie das Paul Natorp schon 1888[1] unternommen und worauf später Richard Hönigswald den Begriff der Denkpsychologie gegründet hat[2]. Natorp hat durch den Begriff der Bewußtheit, die die Unmittelbarkeit des Erlebens aussagt, den Gegenstand der kritischen Psychologie bezeichnet und die Methode einer universellen Subjektivierung als die Forschungsweise der rekonstruktiven Psychologie entwickelt. Natorp hat später seinen Grundansatz durch eine eingehende Kritik an der Begriffsbildung der zeitgenössischen psychologischen Forschung gestützt und fortentwickelt, aber schon 1888 stand der Grundgedanke fest, daß die Konkretion des Urerlebnisses, d.h. die Totalität des Bewußtseins, eine ungeschiedene Einheit darstellt, die sich durch die objektivierende Methode der Erkenntnis erst differenziert und bestimmt.»Das Bewußtsein aber bedeutet Leben, d.h. durchgängige Wechselbeziehung«. Das zeigt sich besonders in dem Verhältnis von Bewußtsein und Zeit: »Gegeben ist nicht das Bewußtsein als Vorgang in der Zeit, sondern die Zeit als Form des Bewußtseins«[3].

Im gleichen Jahre 1888, in dem Natorp dergestalt der herrschenden Psychologie entgegentrat, erschien das erste Buch Henri Bergsons, Les données immédiates de la conscience, ein kritischer Angriff gegen die zeitgenössische Psychophysik, der ebenso entschieden wie Natorp den Begriff des Lebens gegen die objektivierende, insbes. verräumlichende Tendenz der psychologischen Begriffsbildung hervorkehrte. Hier finden sich ganz ähnliche Aussagen über das ,Bewußtsein' und seine unzerstückte Konkretion, wie bei Natorp. Bergson hat dafür den berühmt gewordenen Ausdruck der ,durée' geprägt, der die absolute Kontinuität des Psychischen aussagt. Bergson begreift dieselbe als ,organisation', d.h. er bestimmt sie von der Seinsweise des Lebendigen her (être vivant), in dem jedes Element für das Ganze repräsentativ ist (représentatif du tout). Die innere Durchdringung aller Elemente im Bewußtsein vergleicht er mit der Weise, wie sich im Anhören einer Melodie alle Töne durchdringen. Auch bei Bergson ist es das anticartesianische Moment des Lebensbegriffes, das er gegen die objektivierende Wissenschaft verteidigt[4].

Prüft man nun die genauere Bestimmung dessen, was hier Leben heißt und was davon im Begriff des Erlebnisses wirksam ist, so zeigt sich: das Verhältnis von Leben und Erlebnis ist nicht das eines Allgemeinen zum

[1] Einleitung in die Psychologie nach kritischer Methode 1888; Allgemeine Psychologie nach kritischer Methode 1912 (Neubearbeitung).
[2] Die Grundlagen der Denkpsychologie, 1921, 2. Aufl. 1925.
[3] Einleitung in die Psychologie nach kritischer Methode, S. 32.
[4] H. Bergson, Les données immédiates de la conscience, S. 76f.

Besonderen. Die durch seinen intentionalen Gehalt bestimmte Einheit des Erlebnisses steht vielmehr in einer unmittelbaren Beziehung zum Ganzen, zur Totalität des Lebens. Bergson spricht von représentation des Ganzen, und ebenso ist der Begriff der Wechselbeziehung, den Natorp gebrauchte, ein Ausdruck für die ‚organische‘ Beziehung von Teil und Ganzem, die hier statthat. Es ist vor allem Georg Simmel gewesen, der den Begriff des Lebens in diesem Aspekt analysiert hat als das ‚Hinausgreifen des Lebens über sich selbst‘[1].

Die Repräsentation des Ganzen im augenblicklichen Erlebnis geht offenbar weit über die Tatsache der Bestimmtheit desselben durch seinen Gegenstand hinaus. Jedes Erlebnis ist, mit Schleiermacher zu sprechen, »ein Moment des unendlichen Lebens«[2]. Georg Simmel, der den Aufstieg des Wortes ‚Erlebnis‘ zu einem Modewort nicht nur begleitet, sondern zum guten Teile mitverantwortet, sieht das Auszeichnende im Begriff des Erlebnisses geradezu darin, »daß das Objektive nicht nur, wie im Erkennen, zu Bild und Vorstellung, sondern zu Momenten des Lebensprozesses selbst wird«[3]. Er weist einmal darauf hin, daß jedes Erlebnis etwas vom Abenteuer hat[4]. Was aber ist ein Abenteuer? Das Abenteuer ist keineswegs nur eine Episode. Episoden sind sich aneinanderreihende Einzelheiten, die keinen inneren Zusammenhang und eben deshalb keine bleibende Bedeutung haben, weil sie nur Episoden sind. Das Abenteuer dagegen unterbricht zwar ebenfalls den gewohnten Lauf der Dinge, aber es ist positiv und bedeutsam auf den Zusammenhang, den es unterbricht, bezogen. So läßt das Abenteuer das Leben im Ganzen, in seiner Weite und in seiner Stärke fühlbar werden. Darauf beruht der Reiz des Abenteuers. Es enthebt den Bedingtheiten und Verbindlichkeiten, unter denen das gewohnte Leben steht. Es wagt sich ins Ungewisse heraus.

Zugleich aber weiß es um den Ausnahmecharakter, der ihm als Abenteuer eigen ist, und bleibt somit auf die Rückkehr des Gewohnten bezogen, in das das Abenteuer nicht mit hinübergenommen werden kann. Das Abenteuer wird daher ‚bestanden‘, wie eine Probe und als eine Prüfung, aus der man bereichert und gereift hervorgeht.

Etwas davon kommt in der Tat jedem Erlebnis zu. Jedes Erlebnis ist aus der Kontinuität des Lebens herausgehoben und ist zugleich auf das Ganze des eigenen Lebens bezogen. Nicht nur, daß es als Erlebnis nur so lange lebendig ist, als es in den Zusammenhang des eigenen Lebensbewußtseins noch nicht völlig eingearbeitet ist, auch die Weise, wie es durch seine Ver-

---

[1] Georg Simmel, Lebensanschauung, 2. Aufl. 1922, S. 13. Wir werden später sehen, wie Heidegger den entscheidenden Schritt tat, der aus der dialektischen Umspielung des Lebensbegriffs ontologischen Ernst machte (Vgl. S. 229ff.).
[2] F. Schleiermacher, Über die Religion, II. Abschnitt.
[3] Georg Simmel, Brücke und Tür, ed. Landmann, 1957, S. 8.
[4] Vgl. Simmel, Philosophische Kultur. Gesammelte Essays 1911, S. 11–28.

arbeitung im Ganzen des Lebensbewußtseins ‚aufgehoben' ist, geht über jede ‚Bedeutung' grundsätzlich hinaus, von der einer selber zu wissen meint. Indem es selbst im Lebensganzen darin ist, ist auch in ihm das Ganze gegenwärtig.

Am Ende unserer begrifflichen Analyse von ‚Erlebnis' wird damit deutlich, welche Affinität zwischen der Struktur von Erlebnis überhaupt und der Seinsart des Ästhetischen besteht. Das ästhetische Erlebnis ist nicht nur eine Art von Erlebnis neben anderen, sondern repräsentiert die Wesensart von Erlebnis überhaupt. Wie das Kunstwerk als solches eine Welt für sich ist, so ist auch das ästhetisch Erlebte als Erlebnis allen Wirklichkeitszusammenhängen entrückt. Es scheint geradezu die Bestimmung des Kunstwerks, zum ästhetischen Erlebnis zu werden, d.h. aber, den Erlebenden aus dem Zusammenhange seines Lebens durch die Macht des Kunstwerks mit einem Schlage herauszureißen und ihn doch zugleich auf das Ganze seines Daseins zurückzubeziehen. Im Erlebnis der Kunst ist eine Bedeutungsfülle gegenwärtig, die nicht diesem besonderen Inhalt oder Gegenstand allein zugehört, sondern die vielmehr das Sinnganze des Lebens vertritt. Ein ästhetisches Erlebnis enthält immer die Erfahrung eines unendlichen Ganzen. Gerade weil es sich nicht mit anderen zur Einheit eines offenen Erfahrungsfortgangs zusammenschließt, sondern das Ganze unmittelbar repräsentiert, ist seine Bedeutung eine unendliche.

Sofern das ästhetische Erlebnis, wie wir oben sagten, den Gehalt des Begriffes ‚Erlebnis' exemplarisch darstellt, ist verständlich, daß der Begriff des Erlebnisses für die Begründung des Standpunktes der Kunst bestimmend wird. Das Kunstwerk wird als die Vollendung der symbolischen Repräsentation des Lebens verstanden, zu der ein jedes Erlebnis gleichsam schon unterwegs ist. Deshalb wird es selber als Gegenstand des ästhetischen Erlebens ausgezeichnet. Das hat für die Ästhetik die Folge, daß die sogenannte Erlebniskunst als die eigentliche Kunst erscheint.

c) Die Grenze der Erlebniskunst. Rehabilitierung der Allegorie

Der Begriff der *Erlebniskunst* enthält eine bezeichnende Zweideutigkeit. Erlebniskunst meint offenbar ursprünglich, daß die Kunst *aus* dem Erlebnis stammt und Ausdruck des Erlebnisses ist. In einem abgeleiteten Sinne wird der Begriff der Erlebniskunst dann aber auch für solche Kunst gebraucht, die *für* das ästhetische Erlebnis bestimmt ist. Beides hängt offenbar zusammen. Was seine Seinsbestimmung darin hat, Ausdruck eines Erlebnisses zu sein, das kann auch nicht anders in seiner Bedeutung erfaßt werden als durch ein Erlebnis.

Der Begriff ‚Erlebniskunst' ist, wie immer in einem solchen Fall, von der Erfahrung der Grenze her geprägt, die seinem Anspruch gesetzt ist. Erst wenn es nicht mehr selbstverständlich ist, daß ein Kunstwerk die Umsetzung von Erlebnissen ist, und wenn es nicht mehr selbstverständlich ist, daß solche Umsetzung dem Erlebnis einer genialen Inspiration verdankt wird, die in nachtwandlerischer Sicherheit das Kunstwerk schafft, das dem Aufnehmenden seinerseits zum Erlebnis wird, wird der Begriff der Erlebniskunst in seinem Umriß bewußt. Es ist das Jahrhundert Goethes, das für uns durch die Selbstverständlichkeit dieser Voraussetzungen bezeichnet wird, ein Jahrhundert, das ein ganzes Zeitalter, eine Epoche ist. Nur weil es für uns abgeschlossen ist und wir über seine Grenze hinaussehen können, können wir es in seinen Grenzen sehen und haben dafür einen Begriff.

Langsam wird uns bewußt, daß dieses Zeitalter im Ganzen der Geschichte der Kunst und der Dichtung nur eine Episode ist. Die großartigen Forschungen zur Literarästhetik des Mittelalters, die Ernst Robert Curtius zusammengefaßt hat, geben davon eine gute Vorstellung[1]. Wenn man über die Grenzen der Erlebniskunst hinauszublicken beginnt und andere Maßstäbe gelten läßt, öffnen sich neue weite Räume innerhalb der abendländischen Kunst, die von der Antike bis zum Zeitalter des Barock von durchaus anderen Wertmaßstäben beherrscht war als von dem der Erlebtheit, und ebenso wird der Blick auf ganz fremde Kunstwelten frei.

Gewiß, all das vermag uns zum ‚Erlebnis‘ zu werden. Diese ästhetische Selbstauffassung steht ständig zu Gebote. Aber man kann sich doch nicht darüber täuschen, daß das Kunstwerk selbst, das uns dergestalt zum Erlebnis wird, nicht für solche Auffassung bestimmt war. Unsere Wertbegriffe von Genie und Erlebtheit sind hier nicht adäquat. Wir können uns auch ganz anderer Maßstäbe erinnern und etwa sagen: Nicht die Echtheit des Erlebnisses oder die Intensität seines Ausdrucks, sondern die kunstvolle Fügung fester Formen und Sagweisen macht das Kunstwerk zum Kunstwerk. Dieser Gegensatz in den Maßstäben gilt für alle Kunstarten, hat aber an den sprachlichen Künsten seine besondere Ausweisung[2]. Noch im 18. Jahrhundert stehen in einer für das moderne Bewußtsein überraschenden Weise Poesie und Rhetorik nebeneinander. Kant sieht in beiden »ein freies Spiel der Einbildungskraft und ein Geschäft des Verstandes«[3]. Beide, Poesie und Rhetorik, heißen ihm schöne Künste und gelten als ‚frei‘, sofern die Harmonie der beiden Erkenntnisvermögen, der Sinnlichkeit und des Verstandes, in beiden unabsichtlich gelingt. Der Maßstab der Erlebtheit und der genialen Inspiration mußte gegen diese Tradition einen recht anderen Begriff von ‚freier‘ Kunst heraufführen, dem die Poesie nur entspricht, sofern in ihr alles Gelegentliche getilgt ist und aus dem die Rhetorik ganz herausfällt.

---

[1] E. R. Curtius, Europäische Literatur und lateinisches Mittelalter, Bern 1948.

[2] Vgl. auch den Gegensatz von Sinnbildsprache und Ausdrucksprache, den Paul Böckmann seiner »Formgeschichte der deutschen Dichtung« zugrunde gelegt hat.

[3] K. d. U., § 51.

Der Wertverfall der Rhetorik im 19. Jahrhundert ist somit die notwendige Folge der Anwendung der Lehre von der unbewußten Produktion des Genies. Wir gehen dem an einem bestimmten Beispiel nach, der Geschichte der Begriffe *Symbol* und *Allegorie,* deren inneres Verhältnis sich im Laufe der Neuzeit verschiebt.

Selbst wortgeschichtlich interessierte Forscher schenken der Tatsache oft nicht genügend Beachtung, daß der uns selbstverständlich erscheinende künstlerische Gegensatz zwischen Allegorie und Symbol erst das Resultat der philosophischen Entwicklung der letzten zwei Jahrhunderte ist und an deren Beginn so wenig erwartet werden darf, daß vielmehr die Frage zu stellen ist, wie es überhaupt zum Bedürfnis einer solchen Unterscheidung und Entgegensetzung kam. Es läßt sich nicht übersehen, daß Winckelmann, dessen Einfluß auf die Ästhetik und Geschichtsphilosophie der Zeit bestimmend war, beide Begriffe synonym gebraucht, und das gilt vom Ganzen der ästhetischen Literatur des 18. Jahrhunderts. Die beiden Wortbedeutungen haben wirklich vom Ursprung her etwas Gemeinsames: In beiden Worten ist etwas bezeichnet, dessen Sinn nicht in seiner Erscheinungshaftigkeit, seinem Anblick bzw. seinem Wortlaut besteht, sondern in einer Bedeutung, die über es hinaus gelegen ist. Daß etwas derart für ein anderes steht, macht ihre Gemeinsamkeit aus. Solche bedeutungsvolle Bezogenheit, durch die Unsinnliches sinnlich wird, findet sich sowohl im Felde der Poesie und bildenden Kunst als im Bereich des Religiös-Sakramentalen.

Es müßte einer genaueren Untersuchung vorbehalten bleiben, wieweit der antike Wortgebrauch von Symbol und Allegorie die spätere Entgegensetzung, die uns vertraut ist, schon angebahnt hat. Hier können nur einige Grundlinien festgelegt werden. Selbstverständlich haben die beiden Begriffe zunächst gar nichts miteinander zu tun. Allegorie gehört ursprünglich der Sphäre des Redens, des Logos an, ist also eine rhetorische bzw. hermeneutische Figur. Statt des eigentlich Gemeinten wird ein Anderes, Handgreiflicheres gesagt, aber so, daß dieses dennoch jenes andere verstehen läßt[1]. Symbol dagegen ist nicht auf die Sphäre des Logos eingeschränkt, denn Symbol hat nicht durch seine Bedeutung den Bezug auf eine andere Bedeutung, sondern sein eigenes sinnfälliges Sein hat ,Bedeutung'. Als Vorgezeigtes ist es das, woran man etwas anderes erkennt. So die tessera hospitalis und ähnliches. Offenbar heißt ,Symbol', was nicht durch seinen Inhalt allein, sondern durch seine Vorzeigbarkeit gilt, also ein Dokument ist[2], an dem sich die Mitglieder einer Gemeinschaft erkennen: Ob es ein religiöses Symbol ist oder in profanem Sinne auftritt, als ein Abzeichen oder ein Ausweis oder ein Losungswort – in jedem Falle beruht die Bedeutung des Symbolon auf seiner Präsenz und gewinnt durch die Gegen-

---

[1] ἀλληγορία tritt für das ursprüngliche ὑπόνοια ein: Plut. de aud. poet. 19e.

[2] Ich lasse dahingestellt, ob die Bedeutung von σύμβολον als ,Vertrag' auf dem Charakter der ,Übereinkunft' selbst oder auf ihrer Dokumentation beruht.

wart seines Gezeigt- oder Gesagtwerdens erst seine repräsentierende Funktion.

Obwohl die beiden Begriffe Allegorie und Symbol verschiedenen Sphären angehören, stehen sie einander nahe, nicht nur durch ihre gemeinsame Struktur der Repräsentation von etwas durch ein anderes, sondern auch dadurch, daß sie beide im religiösen Bereich ihre bevorzugte Anwendung finden. Allegorie entsteht aus dem theologischen Bedürfnis, in religiöser Überlieferung – so ursprünglich im Homer – das Anstößige zu eliminieren und gültige Wahrheiten dahinter zu erkennen. Eine entsprechende Funktion gewinnt sie im rhetorischen Gebrauch überall dort, wo die Umschreibung und indirekte Aussage schicklicher erscheint. In die Nähe dieses rhetorisch-hermeneutischen Allegoriebegriffs gerät nun auch der Symbolbegriff (der zuerst bei Chrysipp in der Bedeutung von Allegorie belegt scheint[1]), vor allem durch die christliche Umformung des Neuplatonismus. Pseudodionys begründet gleich am Eingang seines Hauptwerkes die Notwendigkeit, symbolisch ($\sigma\upsilon\mu\beta o\lambda\iota\kappa\tilde{\omega}\varsigma$) zu verfahren, aus der Unangemessenheit des übersinnlichen Seins Gottes an unseren des Sinnlichen gewohnten Geist. So erhält symbolon hier eine anagogische Funktion[2]; es leitet zu der Erkenntnis des Göttlichen hinauf – ganz wie die allegorische Redeweise auf eine ‚höhere‘ Bedeutung hinführt. Das allegorische Verfahren der Auslegung und das symbolische Verfahren der Erkenntnis haben den gleichen Grund der Notwendigkeit: es ist nicht möglich, das Göttliche anders als vom Sinnlichen aus zu erkennen.

Im Begriff des Symbols klingt aber ein metaphysischer Hintergrund an, der dem rhetorischen Gebrauch der Allegorie ganz abgeht. Es ist möglich, vom Sinnlichen aus zum Göttlichen hinaufgeführt zu werden. Denn das Sinnliche ist nicht bloße Nichtigkeit und Finsternis, sondern Ausfluß und Abglanz des Wahren. Der moderne Symbolbegriff ist ohne diese seine gnostische Funktion und ihren metaphysischen Hintergrund gar nicht zu verstehen. Das Wort ‚Symbol‘ kann von seiner ursprünglichen Verwendung als Dokument, Erkennungszeichen, Ausweis nur deshalb zum philosophischen Begriff eines geheimnisvollen Zeichens gesteigert werden und damit in die Nähe der Hieroglyphe geraten, deren Enträtselung nur dem Eingeweihten gelingt, weil das Symbol keine beliebige Zeichennahme oder Zeichenstiftung ist, sondern einen metaphysischen Zusammenhang von Sichtbarem und Unsichtbarem voraussetzt. Die Untrennbarkeit von sichtbarer Anschauung und unsichtbarer Bedeutung, dieser ‚Zusammenfall‘ zweier Sphären, liegt allen Formen des religiösen Kultus zugrunde. Ebenso liegt die Wendung ins Ästhetische nahe. Das Symbolische bezeichnet nach Solger[3] eine »Existenz, worin die Idee auf irgend eine Weise erkannt wird«,

---

[1] St. Vet. Fragm. II, 257 f.
[2] $\sigma\upsilon\mu\beta o\lambda\iota\kappa\tilde{\omega}\varsigma$ $\kappa\alpha\grave{\iota}$ $\dot{\alpha}\nu\alpha\gamma\omega\gamma\iota\kappa\tilde{\omega}\varsigma$, de Coel. hier. I 2.
[3] Vorlesungen über Ästhetik, ed. Heyse 1829, S. 127.

also die innige Einheit von Ideal und Erscheinung, die für das Kunstwerk spezifisch ist. Das Allegorische hingegen läßt solche bedeutungsvolle Einheit nur durch das Hinausdeuten auf ein anderes zustande kommen.

Doch hat der Begriff der Allegorie seinerseits eine bezeichnende Ausweitung erfahren, sofern Allegorie nicht nur die Redefigur und den Auslegungssinn (sensus allegoricus) bezeichnet, sondern auch entsprechende bildhafte Darstellungen abstrakter Begriffe in der Kunst. Offenbar dienen hier die Begriffe der Rhetorik und Poetik auch für die ästhetische Begriffsbildung im Bereich der bildenden Kunst als Modell[1]. Der rhetorische Bezug des Begriffs Allegorie bleibt für diese Bedeutungsentwicklung insofern wirksam, als Allegorie nicht eigentlich eine metaphysische Urverwandtschaft voraussetzt, wie sie das Symbol beansprucht, als vielmehr nur eine durch Konvention und dogmatische Fixierung gestiftete Zuordnung, die es erlaubt, bildhafte Darstellungen für Bildloses zu verwenden.

So etwa wird man die sprachlichen Bedeutungstendenzen zusammenfassen dürfen, die am Ausgang des 18. Jahrhunderts dazu führen, daß das Symbol und das Symbolische als das innerlich und wesenhaft Bedeutsame dem äußerlich und künstlich Bedeutsamen der Allegorie entgegengestellt wird. Das Symbol ist der Zusammenfall des Sinnlichen und Unsinnlichen, die Allegorie der bedeutungsvolle Bezug des Sinnlichen auf das Unsinnliche.

Nun wird unter dem Einfluß des Geniebegriffs und der Subjektivierung des ‚Ausdrucks' dieser Unterschied der Bedeutungen zu einem Wertgegensatz. Das Symbol tritt als das unerschöpflich, weil unbestimmt Deutbare dem in genauerem Bedeutungsbezug stehenden und sich darin Erschöpfenden der Allegorie ausschließend entgegen wie der Gegensatz von Kunst und Unkunst. Gerade die Unbestimmtheit seiner Bedeutung ist es, die Wort und *Begriff des Symbolischen* siegreich aufsteigen läßt, als die rationalistische Ästhetik des Aufklärungszeitalters der kritischen Philosophie und der Genie-

---

[1] Es wäre zu untersuchen, wann eigentlich die Übertragung des Wortes Allegorie von der Sphäre des Sprachlichen in die der bildenden Kunst erfolgt ist. Erst im Gefolge der Emblematik? (Vgl. P. Mesnard, Symbolisme et Humanisme, in Umanesimo e Simbolismo ed. Castelli, 1958.) Im 18. Jahrhundert ist umgekehrt immer in erster Linie an bildende Kunst gedacht, wenn von Allegorien die Rede ist, und die Befreiung der Poesie von der Allegorie, wie sie Lessing vertritt, meint in erster Linie ihre Befreiung vom Vorbild der bildenden Künste. Übrigens stimmt Winckelmanns positive Stellung zum Begriff der Allegorie keineswegs zu dem Zeitgeschmack noch auch zu den Ansichten der zeitgenössischen Theoretiker, wie Dubos und Algarotti. Er scheint vielmehr von Wolff-Baumgarten beeinflußt, wenn er fordert, daß der Pinsel des Malers »in Verstand getunkt sein soll«. So verwirft er nicht die Allegorie überhaupt, sondern beruft sich auf die klassische Antike, um die neueren Allegorien dagegen abzuwerten. Wie wenig die allgemeine Verketzerung der Allegorie im 19. Jahrhundert – genau wie die Selbstverständlichkeit, mit der man ihr den Begriff des Symbolischen entgegensetzt –, Winckelmann gerecht zu werden vermag, lehrt das Beispiel Justis (I, 430ff.).

ästhetik erlag. Es ist lohnend, sich diesen Zusammenhang im einzelnen zu vergegenwärtigen.

Entscheidend wurde, daß Kant im § 59 der Kritik der Urteilskraft eine logische Analyse des Symbolbegriffs gegeben hat, die gerade diesen Punkt ins hellste Licht setzt: symbolische Darstellung wird von ihm gegen die schematische abgesetzt. Sie ist Darstellung (und nicht bloße Bezeichnung wie im sogenannten logischen ,Symbolismus'), nur, daß die symbolische Darstellung nicht unmittelbar einen Begriff darstellt (wie es in Kants Philosophie der transzendentale Schematismus tut), sondern indirekt, »wodurch der Ausdruck nicht das eigentliche Schema für den Begriff, sondern bloß ein Symbol für die Reflexion enthält«. Dieser Begriff der symbolischen Darstellung ist eines der glänzendsten Resultate des kantischen Denkens. Kant wird damit der theologischen Wahrheit gerecht, die sich im Gedanken der analogia entis ihre scholastische Gestalt gegeben hat, und hält von Gott die menschlichen Begriffe fern. Darüber hinaus entdeckt er – im ausdrücklichen Hinweis darauf, daß dies ,Geschäft' eine ,tiefere Untersuchung verdient' – die symbolische Arbeitsweise der Sprache (ihre beständige Metaphorik), und wendet schließlich den Analogiebegriff im besonderen an, um das Verhältnis des Schönen zum Sittlich-Guten zu beschreiben, das weder eine Unterordnung noch eine Gleichordnung sein kann. »Das Schöne ist das Symbol des Sittlich-Guten«: in dieser ebenso vorsichtigen wie prägnanten Formel vereinigt Kant die Forderung der vollen Reflexionsfreiheit der ästhetischen Urteilskraft mit ihrer humanen Bedeutung – ein Gedanke, der von der größten geschichtlichen Wirkung wurde. Schiller war hier sein Nachfolger[1]. Wenn er die Idee einer ästhetischen Erziehung des Menschengeschlechts auf die Analogie von Schönheit und Sittlichkeit gründete, die von Kant formuliert worden ist, konnte er einem ausdrücklichen Hinweis Kants folgen: »Der Geschmack macht gleichsam den Übergang vom Sinnenreiz zum habituellen moralischen Interesse ohne einen zu gewaltsamen Sprung möglich«[2].

Es ist nun die Frage, wie der so verstandene Begriff des Symbols in der uns vertrauten Weise zum Gegenbegriff von Allegorie geworden ist. Davon ist bei Schiller zunächst nichts zu finden, auch wenn er die Kritik an der kalten und künstlichen Allegorie teilt, die von Klopstock, Lessing, dem jungen Goethe, Karl-Philipp Moritz und anderen damals gegen Winckelmann gekehrt wurde[3]. Erst im Austausch zwischen Schiller und Goethe

---

[1] Er sagt etwa in ,Anmut und Würde', daß der schöne Gegenstand einer Idee zum ,Symbol' diene (Werke ed. Güntter u. Witkowski, 1910ff., Teil 17, S. 322).

[2] Kant, Kritik der Urteilskraft[3], S. 260.

[3] Die sorgfältigen Untersuchungen der Goethephilologie über den Wortgebrauch von ,Symbol' bei Goethe (Curt Müller, Die geschichtlichen Voraussetzungen des Symbolbegriffs in Goethes Kunstanschauung, 1933) zeigen, wie wichtig die Auseinandersetzung mit Winckelmanns Allegorie-Ästhetik für die Zeitgenossen war und welche Bedeutung Goethes Kunstanschauung gewann. In der Winckelmann-Ausgabe

bahnt sich die Neuprägung des Symbolbegriffs an. In dem bekannten Brief vom 17. 8. 97 schildert Goethe die sentimentalische Stimmung, in die ihn seine Frankfurter Eindrücke versetzen, und sagt von den Gegenständen, die einen solchen Effekt hervorrufen, »daß sie eigentlich symbolisch sind, d. h. wie ich kaum zu sagen brauche: es sind eminente Fälle, die in einer charakteristischen Mannigfaltigkeit als Repräsentanten von vielen anderen dastehen, eine gewisse Totalität in sich schließen . . .«. Er gibt dieser Erfahrung Gewicht, weil sie ihm helfen soll, der ,millionenfachen Hydra der Empirie' zu entgehen. Schiller bestärkt ihn darin und findet diese sentimentalische Empfindungsweise ganz im Einklang mit dem, »was wir darüber miteinander festgesetzt haben«. Bei Goethe ist es jedoch offenkundig *nicht so sehr eine ästhetische als eine Wirklichkeitserfahrung,* für die er anscheinend aus altprotestantischem Sprachgebrauch den Begriff des Symbolischen herbeizieht.

Schiller macht gegen eine solche Auffassung der Symbolik der Wirklichkeit seine idealistischen Einwände und verschiebt damit die Bedeutung von Symbol in die Richtung des Ästhetischen. Ebenso folgt Goethes Kunstfreund Meyer dieser ästhetischen Anwendung des Symbolbegriffs, um das wahre Kunstwerk gegen die Allegorie abzugrenzen. Für Goethe selbst aber bleibt der kunsttheoretische Gegensatz von Symbol und Allegorie nur eine Sondererscheinung der allgemeinen Richtung auf das Bedeutende, die er in allen Erscheinungen sucht. So wendet er den Symbolbegriff etwa auf die Farben an, weil auch dort »das wahre Verhältnis zugleich die Bedeutung aussprächen«, wobei die Anlehnung an das traditionelle hermeneutische Schema von allegorice, symbolice, mystice deutlich durchscheint[1], bis er das schließlich für ihn so bezeichnende Wort schreiben kann: »Alles, was geschieht, ist Symbol, und indem es vollkommen sich selbst darstellt, deutet es auf das Übrige«[2].

In der philosophischen Ästhetik dürfte dieser Sprachgebrauch vor allem auf dem Wege über die griechische ,Kunstreligion' heimisch geworden sein. Das zeigt deutlich Schellings Entwicklung der Philosophie der Kunst von

---

setzen Fernow (I, 219) und Heinrich Meyer (II, 675 ff.) den in der Weimarer Klassik erarbeiteten Symbolbegriff schon als selbstverständlich voraus. So schnell auch Schillers und Goethes Sprachgebrauch hier durchgedrungen ist — das Wort scheint vor Goethe noch gar keine ästhetische Bedeutung zu haben. Goethes Beitrag zur Begriffsprägung von Symbol kommt offenbar aus anderem Ursprung, nämlich aus der protestantischen Hermeneutik und Sakramentenlehre, wie Looff (Der Symbolbegriff, S. 195) durch Hinweis auf Gerhard wahrscheinlich macht. Eine besonders gute Veranschaulichung dessen bietet Karl-Philipp Moritz. Obwohl seine Kunstanschauung ganz vom Geiste Goethes erfüllt ist, kann er dennoch in der Kritik an der Allegorie schreiben, daß die Allegorie sich »dem bloßen Symbol nähert, bei dem es nicht mehr auf die Schönheit ankommt« (Zitat nach Müller 201).

[1] Farbenlehre, Des ersten Bandes erster, didaktischer Teil, Nr. 916.

[2] Brief vom 3. 4. 1818 an Schubart. Ähnlich sagt der junge Friedrich Schlegel (Neue philosophische Schriften, her. von J. Körner, 1935, S. 123) »Alles Wissen ist symbolisch«.

der Mythologie aus. Karl-Philipp Moritz, auf den sich Schelling dort beruft, hatte zwar für die mythologischen Dichtungen in seiner ‚Götterlehre‘ die ‚Auflösung in bloße Allegorie‘ bereits zurückgewiesen, verwandte aber für diese ‚Sprache der Phantasie‘ den Ausdruck Symbol noch nicht. Schelling dagegen schreibt: »Die Mythologie überhaupt und jede Dichtung derselben insbesondere ist weder schematisch noch allegorisch, sondern symbolisch zu begreifen. Denn die Forderung der absoluten Kunstdarstellung ist: Darstellung mit *völliger Indifferenz*, so nämlich, daß das Allgemeine ganz das Besondere, das Besondere zugleich das ganze Allgemeine *ist,* nicht es bedeutet«[1]. Wenn Schelling derart (in der Kritik an Heynes Homerauffassung) das wahre Verhältnis von Mythologie und Allegorie herstellt, bereitet er zugleich dem Symbolbegriff seine zentrale Stellung innerhalb der Philosophie der Kunst. Ähnlich begegnet uns bei Solger der Satz, daß alle Kunst symbolisch ist[2]. Solger will damit sagen, daß das Kunstwerk die Existenz der ‚Idee‘ selber ist – und nicht etwa, daß eine »neben dem eigentlichen Kunstwerk aufgesuchte Idee« seine Bedeutung wäre. Gerade das ist vielmehr für das Kunstwerk, die Schöpfung des Genies, charakteristisch, daß seine Bedeutung in der Erscheinung selbst liegt und nicht willkürlich in sie hineingelegt wird. Schelling beruft sich auf die Verdeutschung von Symbol durch ‚Sinnbild‘: »so konkret, nur sich selbst gleich wie das Bild, und doch so allgemein und sinnvoll wie der Begriff«[3]. In der Tat liegt in der Auszeichnung des Symbolbegriffs schon bei Goethe der entscheidende Ton darauf, daß die Idee selbst es ist, die sich darin Existenz gibt. Nur weil im Symbolbegriff die innere Einheit von Symbol und Symbolisiertem impliziert ist, konnte dieser Begriff zum universalen ästhetischen Grundbegriff aufsteigen. Das Symbol meint den Zusammenfall von sinnlicher Erscheinung und übersinnlicher Bedeutung, und dieser Zusammenfall ist, so wie der ursprüngliche Sinn des griechischen Symbolon und sein Fortleben im terminologischen Gebrauch der Konfessionen, keine nachträgliche Zuordnung, wie bei der Zeichennahme, sondern die Vereinigung von Zusammengehörigem: Alle Symbolik, durch welche »die Priesterschaft das höhere Wissen abspiegelt«, beruht vielmehr auf jener ‚anfänglichen Verbindung‘ zwischen Göttern und Menschen, so schreibt Friedrich Creuzer[4], dessen ‚Symbolik‘ sich die vielumstrittene Aufgabe stellte, die rätselvolle Symbolik der Vorzeit zum Sprechen zu bringen.

Die Ausweitung des Symbolbegriffs zum ästhetischen Universalprinzip geschah freilich nicht ohne Widerstände. Denn die innige Einheit von Bild und Bedeutung, die das Symbol ausmacht, ist keine schlechthinnige. Das Symbol hebt die Spannung zwischen Ideenwelt und Sinnenwelt nicht ein-

---

[1] Schelling, Philosophie der Kunst (1802) (WW. V, 411).
[2] Erwin, Vier Gespräche über das Schöne und die Kunst, II 41.
[3] a.a.O., V, 412.
[4] F. Creuzer, Symbolik, I § 19.

fach auf: es läßt gerade auch das Mißverhältnis zwischen Form und Wesen, Ausdruck und Inhalt denken. Insbesondere die religiöse Funktion des Symbols lebt von dieser Spannung. Daß auf dem Grunde dieser Spannung der momentane und totale Zusammenfall der Erscheinung mit dem Unendlichen im Kultus möglich wird, setzt voraus, daß es eine innere Zusammengehörigkeit von Endlichem und Unendlichem ist, die das Symbol mit Bedeutung erfüllt. Die religiöse Form des Symbols entspricht damit genau der ursprünglichen Bestimmung von Symbolon, Teilung des Einen und Wiederergänzung aus der Zweiheit zu sein.

Die Unangemessenheit von Form und Wesen bleibt dem Symbol insofern wesentlich, als es durch seine Bedeutung über seine Sinnenfälligkeit hinausverweist. In ihr entspringt jener Charakter des Schwebens, der Unentschiedenheit zwischen Form und Wesen, der dem Symbol eigen ist; diese Unangemessenheit ist offenbar um so stärker, je dunkler und bedeutungsvoller es ist – um so geringer, je mehr die Bedeutung die Form durchdringt: Das war die Idee, der Creuzer folgte[1]. Hegels Einschränkung des Gebrauchs des Symbolischen auf die symbolische Kunst des Orients beruht im Grunde auf diesem Mißverhältnis von Bild und Sinn. Das Übermaß der gemeinten Bedeutung soll eine besondere Kunstform charakterisieren[2], die sich von der klassischen Kunst dadurch unterscheidet, daß diese über solches Mißverhältnis erhaben ist. Aber das ist offenbar schon eine bewußte Fixierung und künstliche Verengung des Begriffs, der, wie wir sahen, nicht so sehr die Unangemessenheit, als auch den Zusammenfall von Bild und Sinn zum Ausdruck bringen will. Auch muß man zugeben, daß die Hegelsche Einschränkung des Begriffs des Symbolischen (trotz der vielen Nachfolger, die sie fand) der Tendenz der neueren Ästhetik zuwiderlief, die seit Schelling gerade die Einheit von Erscheinung und Bedeutung in diesem Begriff zu denken suchte, um durch sie die ästhetische Autonomie gegen den Anspruch des Begriffs zu rechtfertigen[3].

Verfolgen wir nun die dieser Entwicklung entsprechende *Abwertung der Allegorie*. Von Anbeginn an mag dabei die Abwehr des französischen Klassizismus durch die deutsche Ästhetik seit Lessing und Herder eine Rolle gespielt haben[4]. Immerhin behält Solger den Ausdruck des Allegorischen

---

[1] F. Creuzer, Symbolik I, § 30.
[2] Ästhetik I, (Werke 1832ff., Bd. X, 1) S. 403f.
[3] Immerhin zeigt Schopenhauers Beispiel, daß ein Sprachgebrauch, der 1818 das Symbol als Spezialfall einer rein konventionellen Allegorie faßt, auch 1859 noch möglich war: Welt als Wille und Vorstellung, § 50.
[4] Hier erscheint für Klopstock (X, 254ff.) selbst Winckelmann noch in falscher Abhängigkeit: »Die beiden Hauptfehler der meisten allegorischen Gemälde sind, daß sie oft gar nicht oder doch sehr mühsam verstanden werden, und daß sie, ihrer Natur nach, uninteressant sind . . . die wahre heilige und weltliche Geschichte sei dasjenige, womit sich die größten Meister am liebsten beschäftigen . . . Die anderen mögen die Geschichte ihres Vaterlandes arbeiten. Was geht mich, wie interessant sie

noch in einem sehr hohen Sinne der gesamten christlichen Kunst vor und
Friedrich Schlegel geht noch weiter. Er sagt: Alle Schönheit ist Allegorie
(Gespräch über Poesie). Auch Hegels Gebrauch des Begriffes symbolisch
(wie der Creuzers) steht diesem Begriff des Allegorischen noch ganz nahe.
Aber dieser Sprachgebrauch der Philosophen, dem die romantischen Ideen
über das Verhältnis des Unaussprechlichen zur Sprache und die Entdeckung
der allegorischen Poesie des ,Morgenlandes‘ zugrunde liegen, ist von dem
Bildungshumanismus des 19. Jahrhunderts nicht mehr festgehalten worden. Man berief sich auf die Weimarer Klassik, und in der Tat, die Abwertung der Allegorie war das beherrschende Anliegen der deutschen Klassik,
das sich ganz notwendig aus der Befreiung der Kunst von den Fesseln des
Rationalismus und der Auszeichnung des Geniebegriffes ergab. Die Allegorie ist gewiß nicht allein Sache des Genies. Sie beruht auf festen Traditionen und hat stets eine bestimmte, angebbare Bedeutung, die sich gar
nicht dem verstandesmäßigen Erfassen durch den Begriff widersetzt – im
Gegenteil, Begriff und Sache der Allegorie ist mit Dogmatik fest verknüpft:
mit der Rationalisierung des Mythischen (so in der griechischen Aufklärung) oder mit der christlichen Auslegung der Heiligen Schrift auf die
Einheit einer Lehre hin (so in der Patristik) und schließlich mit der Versöhnung der christlichen Überlieferung und der antiken Bildung, die der
Kunst und Dichtung der neueren Völker zugrunde liegt und deren letzte
Weltform das Barock war. Mit dem Abbruch dieser Tradition war es auch
um die Allegorie geschehen. Denn in dem Augenblick, wo sich das Wesen
der Kunst von aller dogmatischen Bindung löste und durch die unbewußte
Produktion des Genies definiert werden konnte, mußte die Allegorie ästhetisch fragwürdig werden.

So sehen wir von Goethes kunsttheoretischen Bemühungen einen starken Einfluß dahin ausgehen, das Symbolische zum positiven, das Allegorische zum negativ-künstlerischen Begriff zu stempeln. Insbesondere
hat seine eigene Dichtung dahin gewirkt, sofern man in ihr die Lebensbeichte, also die dichterische Gestaltung des Erlebnisses sah: Der Maßstab
der Erlebtheit, den er selbst aufgestellt hat, wurde im 19. Jahrhundert
zum leitenden Wertbegriff. Was sich in Goethes Werk diesem Maßstab nicht
fügte, – so die Alterspoesie Goethes – wurde dem realistischen Geiste des
Jahrhunderts gemäß als allegorisch ,überladen‘ hintangesetzt.

Das wirkt sich schließlich auch in der Entwicklung der philosophischen
Ästhetik aus, die zwar den Symbolbegriff im universalen Goetheschen
Sinne rezipiert, aber ganz vom Gegensatz von Wirklichkeit und Kunst aus,
d. i. auf dem ,Standpunkt der Kunst‘ und der ästhetischen Bildungsreligion
des 19. Jahrhunderts denkt. Dafür ist der späte F. Th. Vischer bezeichnend,

auch ist, sogar die Geschichte der Griechen und Römer an?« Ausdrückliche Abwehr
des minderen Sinnes der Allegorie (Verstandes-Allegorie) besonders bei den neueren
Franzosen: Solger, Vorl. z. Ästh., S. 133 ff. Ähnlich: Erwin II, 49; Nachlaß I, S. 525.

der, je mehr er Hegel entwächst, desto mehr den Symbolbegriff Hegels ausweitet und im Symbol eine der Grundleistungen der Subjektivität sieht.
Die ‚dunkle Symbolik des Gemüts‘ leiht dem an sich Unbeseelten (der
Natur oder der sinnenfälligen Erscheinung) Seele und Bedeutung. Da sich
das ästhetische Bewußtsein – gegenüber dem mythisch-religiösen – frei
weiß, ist auch die Symbolik, die es allem leiht, ‚frei‘. So sehr eine viel-
deutige Unbestimmtheit dem Symbol angemessen bleibt, ist es nicht mehr
durch seine privative Beziehung auf den Begriff zu charakterisieren. Es hat
vielmehr seine eigene Positivität als eine Schöpfung des Menschengeistes.
Es ist die vollendete Übereinstimmung von Erscheinung und Idee, die nun
– mit Schelling – im Symbolbegriff gedacht wird, während die Nichtüber-
einstimmung der Allegorie bzw. dem mythischen Bewußtsein vorbehalten
sei[1]. Noch bei Cassirer finden wir in ähnlichem Sinne die ästhetische Symbolik gegenüber der mythischen dadurch ausgezeichnet, daß im ästhetischen Symbol die Spannung von Bild und Bedeutung zum Gleichgewicht
ausgeglichen sei – ein letzter Nachhall des klassizistischen Begriffs der
‚Kunstreligion‘[2].

Wir ziehen aus dieser Übersicht über die Wortgeschichte von Symbol und
Allegorie eine sachliche Folgerung. Die feste Vorfindlichkeit des Begriffs-
gegensatzes: das ‚organisch‘ gewachsene Symbol – die kalte, verstandes-
mäßige Allegorie, verliert ihre Verbindlichkeit, wenn man ihre Bindung an
die Genie- und Erlebnisästhetik erkennt. Führte schon die Wiederentdeckung der Kunst des Barock (im Antiquitäten-Markt ein sicher abzu-
lesender Vorgang), insbesondere aber in den letzten Jahrzehnten die der
barocken Poesie und die neuere kunstwissenschaftliche Forschung zu einer
gewissen Ehrenrettung der Allegorie, so wird auch der theoretische Grund
dieses Vorganges jetzt angebbar. Die Grundlage der Ästhetik des 19. Jahrhunderts war die Freiheit der symbolisierenden Tätigkeit des Gemüts.
Aber ist das eine tragende Basis? Ist diese symbolisierende Tätigkeit in
Wahrheit nicht auch heute noch durch das Fortleben einer mythisch-alle-
gorischen Tradition begrenzt? Wenn man das erkennt, muß sich aber der
Gegensatz von Symbol und Allegorie wieder relativieren, der unter dem
Vorurteil der Erlebnisästhetik ein absoluter schien; ebenso wird der Unterschied des ästhetischen Bewußtseins vom mythischen kaum als ein absoluter
gelten können.

Man muß sich bewußt machen, daß das Aufkommen solcher Fragen eine
grundsätzliche Revision der ästhetischen Grundbegriffe impliziert. Denn

---

[1] F. Th. Vischer, Kritische Gänge: Das Symbol. Vgl. die gute Analyse bei
E. Volhard, Zwischen Hegel und Nietzsche 1932, S. 157 ff. und die genetische Darstellung von W. Oelmüller: F. Th. Vischer und das Problem der nachhegelschen
Ästhetik, 1959.
[2] E. Cassirer, Der Begriff der symbolischen Form im Aufbau der Geisteswissenschaften, S. 29.

offenkundig handelt es sich hier um mehr als um einen abermaligen Wandel des Geschmacks und der ästhetischen Wertung. Vielmehr wird der Begriff des ästhetischen Bewußtseins selbst zweifelhaft – und damit der Standpunkt der Kunst, dem er zugehört. Ist das ästhetische Verhalten überhaupt eine dem Kunstwerk gegenüber angemessene Haltung? Oder ist das, was wir ‚ästhetisches Bewußtsein‘ nennen, eine Abstraktion? Die neue Schätzung der Allegorie, von der wir sprachen, weist darauf hin, daß in Wahrheit auch im ästhetischen Bewußtsein ein dogmatisches Moment seine Geltung behauptet. Und wenn der Unterschied zwischen mythischem und ästhetischem Bewußtsein kein absoluter sein sollte, wird dann nicht der Begriff der Kunst selber fragwürdig, der, wie wir sahen, eine Schöpfung des ästhetischen Bewußtseins ist? Man kann jedenfalls nicht bezweifeln, daß die großen Zeiten der Geschichte der Kunst solche waren, in denen man sich ohne alles ästhetische Bewußtsein und ohne unseren Begriff von ‚Kunst‘ mit Gestaltungen umgab, deren religiöse oder profane Lebensfunktion für alle verständlich und für niemanden nur ästhetisch genußreich war. Läßt sich auf sie der Begriff des ästhetischen Erlebnisses überhaupt anwenden, ohne ihr wahres Sein zu verkürzen?

3. Wiedergewinnung der Frage nach der Wahrheit der Kunst

a) Die Fragwürdigkeit der ästhetischen Bildung

Wir stellen, um die Tragweite dieser Frage recht ermessen zu lernen, zunächst eine historische Überlegung an, die den Begriff des ‚ästhetischen Bewußtseins‘ in seinem spezifischen, historisch geprägten Sinn bestimmen soll. Offenbar meinen wir heute mit ‚ästhetisch‘ nicht mehr ganz das, was noch Kant mit diesem Worte verband, wenn er die Lehre von Raum und Zeit eine ‚transzendentale Ästhetik‘ nannte und die Lehre vom Schönen und Erhabenen in Natur und Kunst als eine »Kritik der ästhetischen Urteilskraft« verstand. Der Wendepunkt scheint bei Schiller zu liegen, der den transzendentalen Gedanken des Geschmacks in eine moralische Forderung umwandelte und als Imperativ formulierte: verhalte dich ästhetisch[1]. Schiller hat in seinen ästhetischen Schriften die radikale Subjektivierung, durch die Kant das Geschmacksurteil und seinen Anspruch auf Allgemeingültigkeit transzendental gerechtfertigt hatte, aus einer methodischen in eine inhaltliche Voraussetzung gewandelt.

Zwar konnte er dabei an Kant selber anknüpfen, sofern Kant bereits dem Geschmack die Bedeutung eines Übergangs vom Sinnengenuß zum Sittengefühl zuerkannt hatte[2]. Indem Schiller aber die Kunst als eine Einübung

---

[1] So kann man zusammenfassen, was in den Briefen »Über die ästhetische Erziehung des Menschen«, etwa im 15. Brief, begründet wird: »es soll eine Gemeinschaft zwischen Formtrieb und Stofftrieb, d. h. ein Spieltrieb sein«.

[2] K. d. U., S. 164.

der Freiheit proklamierte, bezog er sich mehr auf Fichte als auf Kant. Das freie Spiel der Erkenntnisvermögen, auf das Kant das Apriori des Geschmacks und des Genies gegründet hatte, verstand er anthropologisch von der Basis der Fichteschen Trieblehre aus, indem der Spieltrieb die Harmonie zwischen Formtrieb und Stofftrieb bewirken soll. Die Kultivierung dieses Triebes ist das Ziel der ästhetischen Erziehung.

Das hat weitreichende Konsequenzen. Denn jetzt wird Kunst als Kunst des schönen Scheins der praktischen Wirklichkeit entgegengesetzt und aus diesem Gegensatz verstanden. An die Stelle des Verhältnisses positiver Ergänzung, das seit alters die Beziehung von Kunst und Natur bestimmt, tritt jetzt der Gegensatz von Schein und Wirklichkeit. Traditionellerweise ist es die Bestimmung der ,Kunst', die auch alle bewußte Umgestaltung der Natur zum menschlichen Gebrauch umfaßt, innerhalb der von der Natur gegebenen und freigelassenen Räume ihre ergänzende und ausfüllende Tätigkeit zu vollbringen[1]. Auch die ,Schöne Kunst', solange sie in diesem Horizont gesehen wird, ist eine Perfektionierung der Wirklichkeit und nicht ihre scheinhafte Maskierung, Verschleierung oder Verklärung. Wenn aber der Gegensatz von Wirklichkeit und Schein den Begriff der Kunst prägt, ist der umfassende Rahmen, den die Natur bildet, gesprengt. Die Kunst wird ein eigener Standpunkt und begründet einen eigenen autonomen Herrschaftsanspruch.

Wo die Kunst herrscht, da gelten die Gesetze der Schönheit und werden die Grenzen der Wirklichkeit überflogen. Es ist ,der Ideale Reich', das gegen alle Beschränkung zu verteidigen ist, auch gegen die moralistische Bevormundung durch Staat und Gesellschaft. Es hängt wohl mit der inneren Verschiebung in der ontologischen Basis der Schillerschen Ästhetik zusammen, daß sich auch sein großartiger Ansatz in den ,Briefen über die ästhetische Erziehung' in der Durchführung wandelt. Bekanntlich wird aus einer Erziehung durch die Kunst eine Erziehung zur Kunst. An die Stelle der wahren sittlichen und politischen Freiheit, zu der die Kunst vorbereiten sollte, tritt die Bildung eines ,ästhetischen Staates', einer für die Kunst interessierten Bildungsgesellschaft[2]. Damit wird aber auch die Überwindung des kantischen Dualismus von Sinnenwelt und Sittenwelt, die durch die Freiheit des ästhetischen Spiels und die Harmonie des Kunstwerks repräsentiert wird, in einen neuen Gegensatz genötigt. Die Versöhnung von Ideal und Leben durch die Kunst ist lediglich eine partikulare Versöhnung. Das Schöne und die Kunst leihen der Wirklichkeit nur einen flüchtigen und verklärenden Schimmer. Die Freiheit des Gemüts, zu der

---

[1] ἡ τέχνη τὰ μὲν ἐπιτελεῖ ἃ ἡ φύσις ἀδυνατεῖ ἀπεργάσασθαι, τὰ δὲ μιμεῖται (Aristot. Phys. B 8, 199 a 15).

[2] Über die ästhetische Erziehung des Menschen, siebenundzwanzigster Brief. Vgl. noch immer die ausgezeichnete Darstellung dieses Vorgangs bei H. Kuhn, Die Vollendung der klassischen deutschen Ästhetik durch Hegel, Berlin 1931.

sie erheben, ist Freiheit lediglich in einem ästhetischen Staat und nicht in der Wirklichkeit. So klafft auf dem Grunde der ästhetischen Versöhnung des kantischen Dualismus von Sein und Sollen ein tieferer, ungelöster Dualismus. Es ist die Prosa der entfremdeten Wirklichkeit, gegen die die Poesie der ästhetischen Versöhnung ihr eigenes Selbstbewußtsein suchen muß.

Der Begriff von Wirklichkeit, dem Schiller die Poesie entgegensetzt, ist gewiß nicht mehr kantisch. Denn Kant geht stets, wie wir sahen, vom Naturschönen aus. Aber sofern Kant um seiner Kritik der dogmatischen Metaphysik willen den Erkenntnisbegriff ganz auf die Möglichkeit der ‚reinen Naturwissenschaft' eingeengt hatte und damit den nominalistischen Wirklichkeitsbegriff zur unbestrittenen Geltung brachte, geht letzten Endes die ontologische Verlegenheit, in der sich die Ästhetik des 19. Jahrhunderts befand, doch auf Kant selbst zurück. Unter der Herrschaft des nominalistischen Vorurteils läßt sich das ästhetische Sein nur unzureichend und mißverständlich begreifen.

Im Grunde verdanken wir erst der phänomenologischen Kritik an der Psychologie und Erkenntnistheorie des 19. Jahrhunderts die Befreiung von den Begriffen, die ein angemessenes Verständnis des ästhetischen Seins verhinderten. Sie hat gezeigt, daß alle Versuche in die Irre gehen, die Seinsart des Ästhetischen von der Wirklichkeitserfahrung her zu denken und als eine Modifikation derselben zu begreifen[1]. Alle diese Begriffe wie Nachahmung, Schein, Entwirklichung, Illusion, Zauber, Traum setzen den Bezug auf ein eigentliches Sein voraus, von dem das ästhetische Sein unterschieden sei. Nun lehrt aber der phänomenologische Rückgang auf die ästhetische Erfahrung, daß diese gar nicht aus solchem Bezug denkt und vielmehr in dem, was sie erfährt, die eigentliche Wahrheit sieht. Dem entspricht, daß die ästhetische Erfahrung wesensmäßig nicht durch eine eigentlichere Erfahrung der Wirklichkeit enttäuscht werden kann. Dagegen charakterisiert es alle die oben genannten Modifikationen von Wirklichkeitserfahrung, daß ihnen wesensnotwendig eine Erfahrung der Enttäuschung entspricht. Was nur scheinbar ist, hat sich enthüllt, was entwirklicht ist, ist wirklich gewesen, was Zauber war, verliert seinen Zauber, was Illusion war, wird durchschaut und was Traum war, daraus erwachen wir. Wenn das Ästhetische in solchem Sinne Schein wäre, dann könnte seine Geltung – wie die Schrecknisse des Traumes – nur so lange herrschen, wie an der Wirklichkeit der Erscheinung nicht gezweifelt würde, und verlöre mit dem Erwachen seine Wahrheit.

Die Abdrängung der ontologischen Bestimmung des Ästhetischen auf den Begriff des ästhetischen Scheins hat also ihren theoretischen Grund

---

[1] Vgl. E. Fink, Vergegenwärtigung und Bild, Jb. f. Philos. u. phän. Forsch. Bd. XI, 1930.

darin, daß die Herrschaft des naturwissenschaftlichen Erkenntnisvorbildes zur Diskreditierung aller Erkenntnismöglichkeiten führt, die außerhalb dieser neuen Methodik stehen.

Ich erinnere daran, daß Helmholtz an der bekannten Stelle, von der wir ausgingen, das andersartige Moment, das die Arbeit der Geisteswissenschaften gegenüber den Naturwissenschaften auszeichnet, nicht besser zu charakterisieren wußte als durch das Beiwort ‚künstlerisch‘. Diesem theoretischen Verhältnis entspricht positiv, was wir das ästhetische Bewußtsein nennen können. Es ist mit dem ‚Standpunkt der Kunst‘ gegeben, den Schiller als erster begründet hat. Denn wie die Kunst des ‚schönen Scheins‘ der Wirklichkeit entgegengesetzt ist, so schließt das ästhetische Bewußtsein eine Entfremdung von der Wirklichkeit ein – es ist eine Gestalt des ‚entfremdeten Geistes‘, als den Hegel die *Bildung* erkannt hat. Sich ästhetisch verhalten zu können, ist ein Moment des gebildeten Bewußtseins[1]. Denn im ästhetischen Bewußtsein finden wir die Züge, die das gebildete Bewußtsein auszeichnen: Erhebung zur Allgemeinheit, Abstandnahme von der Partikularität des unmittelbaren Annehmens oder Verwerfens, Geltenlassen von solchem, was nicht der eigenen Erwartung oder Vorliebe entspricht.

Wir haben oben die Bedeutung des Begriffs des *Geschmacks* in diesem Zusammenhange erörtert. Indessen ist die Einheit eines Geschmacksideals, das eine Gesellschaft auszeichnet und verbindet, von dem, was die Figur der ästhetischen Bildung ausmacht, charakteristisch verschieden. Der Geschmack folgt noch einem inhaltlichen Maßstab. Was in einer Gesellschaft gilt, welcher Geschmack in ihr herrscht, das prägt die Gemeinsamkeit des gesellschaftlichen Lebens. Eine solche Gesellschaft wählt aus und weiß, was zu ihr gehört und was nicht. Auch der Besitz an künstlerischen Interessen ist für sie kein beliebiger und der Idee nach universaler, sondern was Künstler schaffen und was die Gesellschaft schätzt, gehört in der Einheit eines Lebensstiles und Geschmacksideals zusammen.

Die Idee der ästhetischen Bildung dagegen – wie wir sie von Schiller herleiteten – besteht gerade darin, keinen inhaltlichen Maßstab mehr gelten zu lassen und die Einheit der Zugehörigkeit eines Kunstwerks zu seiner Welt aufzulösen. Ausdruck dessen ist die universale Ausbreitung des Besitzes, den das ästhetisch gebildete Bewußtsein für sich in Anspruch nimmt. Alles, dem es ‚Qualität‘ zuerkennt, ist das Seine. Darunter wählt es nicht mehr aus, weil es selbst nichts ist und sein will, woran sich eine Auswahl bemessen könnte. Es ist als ästhetisches Bewußtsein aus allem bestimmenden und bestimmten Geschmack herausreflektiert und stellt selbst einen Nullgrad von Bestimmtheit dar. Ihm gilt nicht mehr die Zugehörigkeit des Kunstwerks zu seiner Welt, sondern umgekehrt ist das ästhetische Bewußt-

---

[1] Vgl. oben S. 9ff.

sein das erlebende Zentrum, von dem her alles als Kunst Geltende sich bemißt.

Was wir ein Kunstwerk nennen und ästhetisch erleben, beruht somit auf einer Leistung der Abstraktion. Indem von allem abgesehen wird, worin ein Werk als seinem ursprünglichen Lebenszusammenhang wurzelt, von aller religiösen oder profanen Funktion, in der es stand und in der es seine Bedeutung besaß, wird es als das ‚reine Kunstwerk‘ sichtbar. Die Abstraktion des ästhetischen Bewußtseins vollbringt insofern eine für es selbst positive Leistung. Sie läßt sehen und für sich sein, was das reine Kunstwerk ist. Ich nenne diese seine Leistung die ‚ästhetische Unterscheidung‘.

Damit soll – im Unterschiede zu der Unterscheidung, die ein inhaltlich gefüllter und bestimmter Geschmack im Auswählen und Verwerfen ausübt – die Abstraktion bezeichnet sein, die allein auf die ästhetische Qualität als solche hin auswählt. Sie vollzieht sich im Selbstbewußtsein des ‚ästhetischen Erlebnisses‘. Worauf das ästhetische Erlebnis gerichtet ist, soll das eigentliche Werk sein – wovon es absieht, sind die ihm anhaftenden außerästhetischen Momente: Zweck, Funktion, Inhaltsbedeutung. Diese Momente mögen bedeutsam genug sein, sofern sie das Werk in seine Welt eingliedern und damit erst die ganze Bedeutungsfülle determinieren, die ihm ursprünglich eigen ist. Aber das künstlerische Wesen des Werks muß sich von all dem unterscheiden lassen. Es definiert geradezu das ästhetische Bewußtsein, daß es eben diese Unterscheidung des ästhetisch Gemeinten von allem Außer-Ästhetischen vollzieht. Es abstrahiert von allen Zugangsbedingungen, unter denen sich ein Werk uns zeigt. Solche Unterscheidung ist also selbst eine spezifisch ästhetische. Sie unterscheidet die ästhetische Qualität eines Werkes von allen inhaltlichen Momenten, die uns zu inhaltlicher, moralischer oder religiöser Stellungnahme bestimmen, und meint nur es selbst in seinem ästhetischen Sein. Sie unterscheidet ebenso bei den reproduktiven Künsten das Original (die Dichtung, Komposition) von seiner Aufführung, und dies so, daß sowohl das Original gegen die Reproduktion wie die Reproduktion in sich, im Unterschied vom Original oder von anderen möglichen Auffassungen, das ästhetische Gemeinte sein kann. Es macht die Souveränität des ästhetischen Bewußtseins aus, überall solche ästhetische Unterscheidung vollziehen und alles ‚ästhetisch‘ ansehen zu können.

Das ästhetische Bewußtsein hat daher den Charakter der Simultaneität, weil es beansprucht, daß in ihm sich alles versammelt, was Kunstwert hat. Die Reflexionsform, in der es sich als ästhetisches bewegt, ist eben damit nicht nur eine präsentische. Denn indem das ästhetische Bewußtsein alles, was es gelten läßt, in sich zur Simultaneität erhebt, bestimmt es sich zugleich als historisches. Nicht nur, daß es historische Kenntnis einschließt und als Kennzeichen gebraucht[1] – die Auflösung alles inhaltlich bestimmten Ge-

---

[1] Die Freude am Zitat als einem gesellschaftlichen Spiel gehört hier charakteristisch dazu.

schmacks, die ihm als ästhetischem eigen ist, zeigt sich auch ausdrücklich
am Schaffen der Künstler in der Wendung ins Historische. Das Historienbild, das nicht einem zeitgenössischen Darstellungsbedürfnis, sondern der
Repräsentation aus historischer Rückbesinnung seinen Ursprung verdankt,
der historische Roman, aber vor allem die historisierenden Formen, in
denen sich die Baukunst des 19. Jahrhunderts in unaufhörlichen Stilre-
miniszenzen ergeht, zeigen die innere Zusammengehörigkeit des ästhetischen und des historischen Moments im Bewußtsein der Bildung.

Man könnte einwenden, daß Simultaneität nicht erst durch die ästhetische Unterscheidung zustande kommt, sondern von jeher ein Integra-
tionsprodukt des geschichtlichen Lebens sei. Mindestens die großen Bauwerke stehen ja als lebendige Zeugen der Vergangenheit in das Leben der
Gegenwart hinein, und alle Bewahrung des Angestammten in Brauch und
Sitte, Bild und Schmuck tut ein Gleiches, sofern auch sie ein Älteres dem
gegenwärtigen Leben vermittelt. Allein das ästhetische Bildungsbewußt-
sein ist davon wohl unterschieden. Es versteht sich nicht als eine solche
Integration der Zeiten, sondern die ihm eigene Simultaneität gründet sich
auf die historische Relativität des Geschmacks, die ihm bewußt ist. Erst mit
der grundsätzlichen Bereitschaft, einen Geschmack, der von dem eigenen
‚guten‘ Geschmack abweicht, nicht einfach als schlechten Geschmack anzusehen, wird die faktische Gleichzeitigkeit zu einer prinzipiellen Simultaneität. An die Stelle der Einheit eines Geschmacks tritt nun ein bewegliches
Qualitätsgefühl[1].

Die ‚ästhetische Unterscheidung‘, die es als ästhetisches Bewußtsein betätigt, schafft sich auch ein eigenes äußeres Dasein. Sie beweist ihre Produktivität, indem sie der Simultaneität ihre Stätten bereitet: die ‚Univer-
salbibliothek‘ im Bereiche der Literatur, das Museum, das stehende Theater, den Konzertsaal usw. Man mache sich den Unterschied dessen, was nun
eintritt, gegenüber Älterem recht klar: das Museum z. B. ist nicht einfach
eine öffentlich gewordene Sammlung. Vielmehr spiegelten die alten Sammlungen (der Höfe wie der Städte) die Wahl eines bestimmten Geschmacks
und enthielten vorwiegend die Arbeiten der gleichen, als vorbildlich emp-
fundenen ‚Schule‘. Das Museum dagegen ist die Sammlung solcher Sammlungen und findet bezeichnenderweise seine Perfektion darin, sein eigenes
Wachstum aus solchen Sammlungen zu verhüllen, sei es durch die historische Neuordnung des Ganzen, sei es durch die Ergänzung ins möglichst
Umfassende. Ähnlich ließe sich am stehend werdenden Theater oder dem
Konzertbetrieb des letzten Jahrhunderts zeigen, wie der Spielplan sich
mehr und mehr vom zeitgenössischen Schaffen entfernt und dem Bedürfnis
nach Selbstbestätigung anpaßt, das für die diese Einrichtung tragende Bildungsgesellschaft charakteristisch ist. Selbst Kunstformen, die sich der

---

[1] Vgl. inzwischen die meisterhafte Darstellung dieser Entwicklung bei W. Weidlé,
Die Sterblichkeit der Musen.

Simultaneität des ästhetischen Erlebnisses so zu widersetzen scheinen wie die Baukunst, werden in sie hineingezogen, sei es durch die moderne Reproduktionstechnik, welche Bauten in Bilder, sei es durch den modernen Tourismus, der das Reisen in das Blättern von Bilderbüchern verwandelt[1].

So verliert durch die ‚ästhetische Unterscheidung' das Werk seinen Ort und die Welt, zu der es gehört, indem es dem ästhetischen Bewußtsein zugehörig wird. Dem entspricht auf der anderen Seite, daß auch der Künstler seinen Ort in der Welt verliert. Das zeigt sich in der Diskreditierung dessen, was man Auftragskunst nennt. In dem vom Zeitalter der Erlebniskunst beherrschten öffentlichen Bewußtsein bedarf es der ausdrücklichen Erinnerung daran, daß das Schaffen aus freier Inspiration ohne Auftrag, vorgegebenes Thema und gegebene Gelegenheit ehedem der Ausnahmefall im künstlerischen Schaffen war, während wir heute den Architekten eben deshalb als eine Erscheinung sui generis empfinden, weil er für seine Produktion nicht wie der Dichter, Maler oder Musiker von Auftrag und Gelegenheit unabhängig ist. Der freie Künstler schafft ohne Auftrag. Er scheint gerade durch die völlige Unabhängigkeit seines Schaffens ausgezeichnet und gewinnt daher auch gesellschaftlich die charakteristischen Züge eines Außenseiters, dessen Lebensformen nicht mit den Maßen der öffentlichen Sitte gemessen werden. Der Begriff der Boheme, der im 19. Jahrhundert entsteht, spiegelt diesen Verlauf. Das Heimatland der fahrenden Leute wird zum Gattungsbegriff für den Lebensstil des Künstlers. Zugleich aber wird der Künstler, der so »frei wie Vogel oder Fisch« ist, mit einer Berufung belastet, die ihn zu einer zweideutigen Figur macht. Denn eine aus ihren religiösen Traditionen herausgefallene Bildungsgesellschaft erwartet von der Kunst sogleich mehr, als dem ästhetischen Bewußtsein auf dem ‚Standpunkt der Kunst' entspricht. Die romantische Forderung einer neuen Mythologie, wie sie bei F. Schlegel, Schelling, Hölderlin und dem jungen Hegel laut wird[2], aber ebenso beispielsweise in den künstlerischen Versuchen und Reflexionen des Malers Runge lebendig ist, gibt dem Künstler und seiner Aufgabe in der Welt das Bewußtsein einer neuen Weihe. Er ist so etwas wie ein ‚weltlicher Heiland' (Immermann), dessen Schöpfungen im Kleinen die Versöhnung des Verderbens leisten sollen, auf die die heillos gewordene Welt hofft. Dieser Anspruch bestimmt seither die Tragödie des Künstlers in der Welt. Denn die Einlösung, die der

---

[1] Vgl. André Malraux, Les musée imaginaire, und W. Weidlé, Les abeilles d'Aristée, Paris 1954. Doch ist dort die eigentliche Konsequenz verfehlt, die unser hermeneutisches Interesse auf sich zieht, sofern Weidle noch immer – in der Kritik des rein Ästhetischen – den Schöpfungsakt als Norm festhält, ein Akt, »der dem Werk vorausgeht, der aber in das Werk selber eingeht und den ich begreife, den ich anschaue, wenn ich das Werk anschaue und begreife.« (Zitiert nach der dt. Übers., Die Sterblichkeit der Musen, S. 181).

[2] Vgl. Fr. Rosenzweig, Das älteste Systemprogramm des deutschen Idealismus, 1917, S. 7.

6*

Anspruch findet, ist immer nur eine partikulare. Das aber bedeutet in Wahrheit seine Widerlegung. Das experimentierende Suchen nach neuen Symbolen oder einer neuen alle verbindenden ‚Sage‘ mag zwar ein Publikum um sich sammeln und eine Gemeinde schaffen. Aber da jeder Künstler so seine Gemeinde findet, bezeugt die Partikularität solcher Gemeindebildung nur den geschehenden Zerfall. Es ist allein die universale Gestalt der ästhetischen Bildung, die alle eint.

Der eigentliche Vorgang der Bildung, d. h. der Erhebung zur Allgemeinheit, ist hier gleichsam in sich selbst zerfallen. Die »Fertigkeit der denkenden Reflexion, sich in Allgemeinheiten zu bewegen, jeden beliebigen Inhalt unter herangetragene Gesichtspunkte zu stellen und ihn so mit Gedanken zu bekleiden«, ist nach Hegel die Weise, sich auf den wahren Inhalt der Gedanken nicht einzulassen. Immermann nennt solches freie Sich-Ergießen des Geistes in sich etwas ‚Schwelgerisches‘[1]. Er beschreibt damit die durch die klassische Literatur und Philosophie der Goethezeit heraufgeführte Situation, in der die Epigonen alle Formen des Geistes bereits vorfanden und daher die eigentliche Leistung der Bildung, das Weg-Arbeiten des Fremden und Rohen, mit dem Genuß derselben vertauschten. Es war *leicht* geworden, ein gutes Gedicht zu machen, und eben deshalb schwer, ein Dichter zu werden.

b) Kritik der Abstraktion des ästhetischen Bewußtseins

Wenden wir uns nun dem Begriff der ästhetischen Unterscheidung zu, dessen Bildungsgestalt wir beschrieben haben, und entwickeln wir die theoretischen Schwierigkeiten, die im *Begriff des Ästhetischen* liegen. Die Abstraktion auf das ‚rein Ästhetische‘ hebt sich offenbar selber auf. Das scheint mir an dem konsequentesten Versuch, im Ausgang von den Kantischen Unterscheidungen eine systematische Ästhetik zu entwickeln, den wir Richard Hamann verdanken, deutlich zu werden[2]. Hamanns Versuch ist dadurch ausgezeichnet, daß er wirklich auf die transzendentale Absicht Kants zurückgeht und so den einseitigen Maßstab der Erlebniskunst abbaut. Indem er das ästhetische Moment überall, wo es vorliegt, gleichmäßig herausarbeitet, treten auch zweckgebundene Sonderformen, wie die Monumentalkunst oder die Plakatkunst, in ihr ästhetisches Recht. Aber auch hier hält Hamann die Aufgabe der ästhetischen Unterscheidung fest. Denn er unterscheidet an ihnen das Ästhetische von den außerästhetischen Bezügen, in denen es steht, genau so, wie wir auch außerhalb der Erfahrung von Kunst davon sprechen können, daß jemand sich ästhetisch verhält. Dem Problem der Ästhetik wird also seine volle Weite wiedergegeben und die transzendentale Fragestellung wiederhergestellt, die durch den Stand-

---

[1] z. B. in den ‚Epigonen‘.   [2] Richard Hamann, Ästhetik, 1921[2].

punkt der Kunst und seine Scheidung von schönem Schein und rauher Wirklichkeit verlassen worden war. Das ästhetische Erlebnis ist indifferent dagegen, ob sein Gegenstand wirklich ist oder nicht, ob die Szene die Bühne oder das Leben ist. Das ästhetische Bewußtsein besitzt eine uneingeschränkte Souveränität über alles.

Hamanns Versuch scheitert aber nun an der umgekehrten Stelle: am Begriff der Kunst, den er konsequenterweise aus dem Bereich des Ästhetischen so weit herausdrängt, daß er mit der Virtuosität zusammenfällt[1]. Hier wird die ,ästhetische Unterscheidung' auf die Spitze getrieben. Sie abstrahiert auch noch von der Kunst.

Der ästhetische Grundbegriff, von dem Hamann ausgeht, ist die ,Eigenbedeutsamkeit der Wahrnehmung'. Mit diesem Begriff wird offenbar dasselbe gesagt wie mit Kants Lehre von der zweckmäßigen Übereinstimmung mit dem Zustand unseres Erkenntnisvermögens überhaupt. Wie für Kant soll auch für Hamann damit der für die Erkenntnis wesentliche Maßstab des Begriffs bzw. der Bedeutung suspendiert sein. Sprachlich gesehen ist ,Bedeutsamkeit' eine Sekundärbildung zu Bedeutung, die den Bezug auf eine bestimmte Bedeutung bedeutsam ins Ungewisse verschiebt. Was ,bedeutsam' ist, hat eine (ungesagte oder) unerkannte Bedeutung. ,Eigenbedeutsamkeit' geht aber noch darüber hinaus. Was eigenbedeutsam statt fremdbedeutsam ist, will den Bezug auf das, woher sich seine Bedeutung bestimmen ließe, überhaupt abschneiden. Kann ein solcher Begriff eine tragfähige Grundlage für die Ästhetik hergeben? Kann man den Begriff ,Eigenbedeutsamkeit' überhaupt von einer Wahrnehmung gebrauchen? Muß man nicht dem Begriff des ästhetischen ,Erlebnisses' auch zubilligen, was dem Wahrnehmen zukommt, nämlich, daß es Wahres vernimmt, also auf Erkenntnis bezogen bleibt?

In der Tat tut man gut, sich an Aristoteles zu erinnern. Er hat gezeigt, daß alle αἴσθησις auf ein Allgemeines geht, auch wenn es so ist, daß jeder Sinn sein spezifisches Feld hat und das in ihm unmittelbar Gegebene insofern nicht allgemein ist. Aber die spezifische Wahrnehmung einer Sinnengegebenheit als solche ist eben eine Abstraktion. In Wahrheit sehen wir, was uns sinnlich im einzelnen gegeben ist, immer auf ein Allgemeines hin an. Wir erkennen z.B. eine weiße Erscheinung als einen Menschen[2].

Nun ist das ,ästhetische' Sehen gewiß dadurch ausgezeichnet, daß es den Anblick nicht eilends auf ein Allgemeines, die gewußte Bedeutung, den geplanten Zweck oder dergleichen bezieht, sondern bei dem Anblick als ästhetischem verweilt. Aber wir hören doch deshalb nicht auf, im Sehen derart zu beziehen, z.B. diese weiße Erscheinung, die wir ästhetisch bewundern, dennoch als einen Menschen zu sehen. Unser Wahrnehmen ist eben niemals eine einfache Abspiegelung dessen, was den Sinnen gegeben ist.

---

[1] Kunst und Können, Logos, 1933.
[2] Aristoteles, De anima, 425 a 25.

Vielmehr hat die neuere Psychologie, insbesondere die scharfsinnige
Kritik, die Scheler im Anschluß an W. Koehler, E. Strauß, M. Wertheimer,
u. a. an dem Begriff der reinen, ‚reizreziproken‘ Wahrnehmung geübt hat[1],
gelehrt, daß dieser Begriff einem erkenntnistheoretischen Dogmatismus
entspringt. Sein wahrer Sinn ist allein ein normativer, sofern Reizrezipro-
zität das ideale Endresultat des Abbaus aller Triebphantasien wäre, die
Folge einer großen Ernüchterung, die am Ende das, was da ist – statt der
Vermeintlichkeit des von der Triebphantasie Vorgestellten – zu gewahren
befähigte. Das bedeutet aber, daß die durch den Begriff der Reizadäquation
definierte reine Wahrnehmung lediglich einen idealen Grenzfall darstellt.

Dazu kommt aber ein zweites. Auch die als adäquat gedachte Wahrnehmung würde niemals ein einfaches Abspiegeln dessen sein, was ist. Denn
sie bliebe immer ein Auffassen als etwas. Jedes Auffassen als . . . artikuliert
das, was da ist, indem es wegsieht von . . . hinsieht auf . . ., zusammensieht
als . . . – und all das kann wiederum im Zentrum einer Beachtung stehen
oder am Rande und im Hintergrunde bloß ‚mitgesehen‘ werden. So ist es
kein Zweifel, daß das Sehen als ein artikulierendes Lesen dessen, was da
ist, vieles, was da ist, gleichsam wegsieht, so daß es für das Sehen eben
nicht mehr da ist; ebenso aber auch, daß es von seinen Antizipationen
geleitet ‚hineinsieht‘, was gar nicht da ist. Man denke auch an die Inva-
rianztendenz, die im Sehen selber wirksam ist, so daß man die Dinge immer
möglichst genau so sieht.

Diese Kritik an der Lehre von der reinen Wahrnehmung, die von der
pragmatischen Erfahrung aus geübt worden ist, ist dann von Heidegger ins
Grundsätzliche gewendet worden. Damit gilt sie aber auch für das ästhetische Bewußtsein, obwohl hier das Sehen nicht einfach über das Gesehene
‚hinwegsieht‘, z. B. auf seine allgemeine Brauchbarkeit zu etwas, sondern
beim Anblick verweilt. Verweilendes Schauen und Vernehmen ist nicht einfach Sehen des reinen Anblicks, sondern bleibt selbst ein Auffassen als . . .
Die Seinsart des ‚ästhetisch‘ Vernommenen ist nicht Vorhandenheit. Wo es
sich um bedeutungshafte Darstellung handelt, z. B. bei Werken der bildenden Kunst, soweit sie nicht ungegenständlich-abstrakt sind, ist die Bedeutungshaftigkeit für das Lesen des Anblicks offenkundig leitend. Nur wenn
wir das Dargestellte ‚erkennen‘, vermögen wir ein Bild zu ‚lesen‘, ja, nur
dann ist es im Grunde ein Bild. Sehen heißt aufgliedern. Solange wir noch
variable Gliederungsformen probieren oder zwischen solchen schwanken,
wie bei gewissen Vexierbildern, sehen wir noch nicht, was ist. Das Vexier-
bild ist gleichsam die künstliche Verewigung solchen Schwankens, die
‚Qual‘ des Sehens. Ähnlich steht es mit dem sprachlichen Kunstwerk. Nur
wenn wir einen Text verstehen – also mindestens die Sprache beherrschen,
um die es sich handelt –, kann er ein sprachliches Kunstwerk für uns sein.

---

[1] M. Scheler, in »Die Wissensformen und die Gesellschaft«, 1926, S. 397 ff.

Selbst wenn wir etwa absolute Musik hören, müssen wir sie ‚verstehen'. Und nur, wenn wir sie verstehen, wenn sie uns ‚klar' ist, ist sie für uns als künstlerisches Gebilde da. Obwohl also absolute Musik eine reine Formbewegtheit als solche, eine Art klingender Mathematik ist und es keine gegenständlich bedeutungshaften Inhalte gibt, die wir darin gewahren, behält das Verstehen dennoch einen Bezug zum Bedeutungshaften. Die Unbestimmtheit dieses Bezuges ist es, die die spezifische Bedeutungsbeziehung solcher Musik ist[1].

Das bloße Sehen, das bloße Hören sind dogmatische Abstraktionen, die die Phänomene künstlich reduzieren. Wahrnehmung erfaßt immer Bedeutung. Es ist daher ein verkehrter Formalismus, der sich überdies nicht auf Kant berufen darf, die Einheit des ästhetischen Gebildes im Gegensatz zu seinem Inhalt allein in seiner Form zu suchen. Kant hatte mit seinem Begriff der Form etwas ganz anderes im Auge. Nicht gegen den bedeutungsvollen Inhalt eines Kunstwerks, sondern gegen den bloß sinnlichen Reiz des Stofflichen bezeichnet bei ihm der Formbegriff den Aufbau des ästhetischen Gebildes[2]. Der sogenannte gegenständliche Inhalt ist gar nicht Stoff, der auf nachträgliche Formung wartete, sondern ist im Kunstwerk immer schon in die Einheit von Form und Bedeutung gebunden.

Der in der Malersprache übliche Ausdruck des ‚Motivs' kann das illustrieren. Es kann ebensowohl gegenständlich wie abstrakt sein – als Motiv ist es in jedem Falle ontologisch gesehen unstofflich (ἄνευ ὕλης). Das heißt keineswegs, daß es inhaltslos ist. Vielmehr ist etwas dadurch ein Motiv, daß es auf überzeugende Weise Einheit besitzt und daß der Künstler diese Einheit als Einheit eines Sinnes durchgeführt hat, genau wie der Aufnehmende sie als Einheit versteht. Kant spricht in diesem Zusammenhang bekanntlich von ‚ästhetischen Ideen', denen ‚viel Unnennbares' hinzu-

---

[1] Die neueren Untersuchungen über das Verhältnis von Vokalmusik und absoluter Musik, die wir Georgiades verdanken (Musik und Sprache, 1954), scheinen mir diesen Zusammenhang zu bestätigen. Die zeitgenössische Diskussion über die abstrakte Kunst ist m. E. im Begriff, sich in eine abstrakte Entgegensetzung von ‚gegenständlich' und ‚ungegenständlich' zu verrennen. Auf dem Begriff der Abstraktheit liegt in Wahrheit ein polemischer Akzent. Polemik aber setzt immer Gemeinsamkeit voraus. So löst sich die abstrakte Kunst von dem Bezug auf Gegenständlichkeit nicht schlechthin, sondern hält ihn in der Form der Privation fest. Darüber kann es gar nicht hinausgehen, sofern unser Sehen ein Gegenstandsehen ist und bleibt; es kann nur im Absehen von den Gewohnheiten des praktisch gerichteten Sehens von ‚Gegenständen' ein ästhetisches Sehen geben – und wovon man absieht, das muß man sehen, ja, im Auge behalten. Ähnlich die Thesen von Bernhard Berenson: »Was wir im allgemeinen als ‚Sehen' bezeichnen, ist ein zweckmäßiges Übereinkommen . . .« »Die bildenden Künste sind ein Kompromiß zwischen dem, was wir sehen und dem, was wir wissen« (Sehen und Wissen, Die Neue Rundschau, 1959, S. 55–77).

[2] Vgl. Rudolf Odebrecht, a.a.O. Daß Kant, dem klassizistischen Vorurteil folgend, die Farbe insgesamt der Form entgegensetzte und zum Reiz rechnete, wird niemanden mehr beirren, der die neuere Malerei kennt, in der mit Farben gebaut wird.

gedacht werde[1]. Das ist seine Weise, über die transzendentale Reinheit des
Ästhetischen hinauszugehen und die Seinsart der Kunst anzuerkennen. Es
lag ihm, wie wir oben gezeigt haben, ganz fern, die ‚Intellektuierung‘ des
reinen ästhetischen Wohlgefallens an sich vermeiden zu wollen. Die Arabeske ist keineswegs sein ästhetisches Ideal, sondern lediglich ein methodisches Vorzugsbeispiel. Um der Kunst gerecht zu werden, muß die Ästhetik über sich selbst hinausgehen und die ‚Reinheit‘[2] des Ästhetischen preisgeben. Aber findet sie damit einen wirklich festen Stand? Bei Kant hatte
der Geniebegriff die transzendentale Funktion besessen, durch die sich der
Begriff der Kunst begründete. Wir hatten gesehen, wie dieser Begriff des
Genies sich bei seinen Nachfolgern zur universalen Basis der Ästhetik ausweitete. Aber ist der Geniebegriff dazu wirklich geeignet?

Schon das Bewußtsein des Künstlers von heute scheint dem zu widersprechen. Es ist eine Art Geniedämmerung eingetreten. Die Vorstellung
von der nachtwandlerischen Unbewußtheit, mit der das Genie schafft –
eine Vorstellung, die sich immerhin durch Goethes Selbstbeschreibung in
seiner poetischen Produktionsweise legitimieren kann – erscheint uns heute
als eine falsche Romantik. Ihr hat ein Dichter wie Paul Valéry die Maßstäbe eines Künstlers und Ingenieurs wie Leonardo da Vinci entgegengesetzt, in dessen totalem Ingenium Handwerk, mechanische Erfindung
und künstlerische Genialität noch ununterscheidbar eins waren[3]. Das allgemeine Bewußtsein dagegen ist von den Wirkungen des Geniekultes des
18. Jahrhunderts und der Sakralisierung des Künstlertums, die wir für die
bürgerliche Gesellschaft des 19. Jahrhunderts charakteristisch gefunden
hatten, noch immer bestimmt. Es bestätigt sich darin, daß der Begriff des
Genies im Grunde vom Betrachter aus konzipiert ist. Nicht dem schaffenden, sondern dem beurteilenden Geiste bietet sich dieser antike Begriff als
überzeugend dar. Was sich dem Betrachter als ein Wunder darstellt, von
dem man nicht begreifen kann, wie einer so etwas kann, wird in das
Wundersame einer Schöpfung durch geniale Inspiration hinausgespiegelt.
Die Schaffenden mögen dann, sofern sie sich selber zuschauen, sich der
gleichen Auffassungsformen bedienen können, und so ist der Geniekult des

---

[1] Kr. d. U., S. 197.

[2] Die Geschichte der ‚Reinheit‘ müßte einmal geschrieben werden. H. Sedlmayr,
Die Revolution in der modernen Kunst, 1955, S. 100, verweist auf den calvinisti-
schen Purismus und den Deismus der Aufklärung. Kant, der für die philosophische
Begriffssprache des 19. Jahrhunderts bestimmend wurde, knüpft überdies unmittelbar an die pythagoreisch-platonische Reinheitslehre der Antike an (vgl. G. Mollo-
witz, Kants Platoauffassung, Kantstudien, 1935). Ist der Platonismus die gemeinsame
Wurzel für allen neuzeitlichen ‚Purismus‘? Zur Katharsis bei Plato vgl. die ungedruckte Heidelberger Dissertation von Werner Schmitz: Elenktik und Dialektik
als Katharsis (1953).

[3] Paul Valéry, Introduction à la méthode de Léonard de Vinci et son annotation
marginale, Variété I.

18. Jahrhunderts gewiß auch von den Schaffenden genährt worden[1]. Aber sie sind in der Selbstapotheose nie so weit gegangen, wie ihnen die bürgerliche Gesellschaft zugestand. Das Selbstverständnis des Schaffenden bleibt weit nüchterner. Er sieht auch dort Möglichkeiten des Machens und Könnens und Fragen der ‚Technik‘, wo der Betrachter Eingebung, Geheimnis und tiefere Bedeutung sucht[2].

Wenn man solcher Kritik an der Lehre von der unbewußten Produktivität des Genies Rechnung tragen will, sieht man sich aufs neue vor das Problem gestellt, das Kant durch die transzendentale Funktion, die er dem Geniebegriff zuwies, gelöst hatte. Was ist ein Kunstwerk, und wie unterscheidet es sich von einem handwerklichen Produkt oder gar von einem ‚Machwerk‘, d. h. von etwas ästhetisch Minderwertigem? Für Kant und den Idealismus definierte sich das Kunstwerk als das Werk des Genies. Seine Auszeichnung, das vollendet Gelungene und Musterhafte zu sein, bewährte sich darin, daß es dem Genuß und der Betrachtung einen unausschöpflichen Gegenstand des Verweilens und Deutens bot. Daß der Genialität des Schaffens eine Genialität des Genießens entspricht, lag schon in Kants Lehre von Geschmack und Genie, und ausdrücklicher noch lehrten das K. Ph. Moritz und Goethe.

Wie soll nun ohne den Geniebegriff das Wesen des Kunstgenusses und die Differenz zwischen handwerklich Gemachtem und künstlerisch Geschaffenem gedacht werden?

Wie soll auch nur die Vollendung eines Werkes der Kunst, sein Fertigsein, gedacht werden? Was sonst gemacht und hergestellt wird, empfängt den Maßstab seiner Vollendung von seinem Zweck, d. h. es ist durch den Gebrauch bestimmt, der davon gemacht werden soll. Das Verfertigen ist zu Ende, das Gemachte ist fertig, wenn es dem Zweck genügt, dem es bestimmt ist[3]. Wie soll man sich nun den Maßstab für die Vollendung eines Kunstwerks denken? Mag man die künstlerische ‚Herstellung‘ noch so rational und nüchtern ansehen – vieles, das wir ein Kunstwerk nennen, ist doch gar nicht für einen Gebrauch bestimmt, und überhaupt keines empfängt das Maß für sein Fertigsein von einem solchen Zweck. Stellt sich dann das Sein des Werkes nur dar wie der Abbruch eines virtuell über es hinausweisenden Gestaltungsvorganges? Ist es in sich selbst überhaupt nicht vollendbar?

Paul Valéry hat die Dinge in der Tat so gesehen. Er hat auch nicht die Konsequenz gescheut, die sich für den daraus ergibt, der einem Kunstwerk

---

[1] Vgl. meine Studien zum Prometheus-Symbol: »Vom geistigen Lauf des Menschen«, 1949.

[2] Das methodische Recht der von Dessoir u. anderen geforderten ‚Künstlerästhetik‘ liegt in diesem Punkt.

[3] Vgl. Platos Bemerkung über den Wissensvorrang, der dem Gebrauchenden gegenüber dem Herstellenden zukommt: Rep. X, 601 c.

gegenübertritt und es zu verstehen sucht. Wenn es nämlich gelten soll, daß ein Kunstwerk nicht in sich selbst vollendbar ist, woran soll sich dann die Angemessenheit des Aufnehmens und Verstehens messen? Der zufällige und beliebige Abbruch eines Gestaltungsvorganges kann doch nichts Verbindliches enthalten[1]. Daraus folgt also, daß es dem Aufnehmenden überlassen bleiben muß, was er seinerseits aus dem macht, was vorliegt. Die eine Art, ein Gebilde zu verstehen, ist dann nicht weniger legitim als die andere. Es gibt keinen Maßstab der Angemessenheit. Nicht nur, daß der Dichter selbst einen solchen nicht besitzt – darin würde auch die Genieästhetik zustimmen. Vielmehr hat jede Begegnung mit dem Werk den Rang und das Recht einer neuen Produktion. – Das scheint mir ein unhaltbarer hermeneutischer Nihilismus. Wenn Valéry für sein Werk gelegentlich solche Konsequenzen gezogen hat[2], um dem Mythos der unbewußten Produktion des Genies zu entgehen, hat er sich in Wahrheit, wie mir scheint, in ihm erst recht verfangen. Denn nun überträgt er dem Leser und Ausleger die Vollmacht des absoluten Schaffens, die er selber nicht ausüben will. Die Genialität des Verstehens bietet in Wahrheit keine bessere Auskunft als die Genialität des Schaffens.

Die gleiche Aporie ergibt sich, wenn man statt von dem Begriff des Genies von dem Begriff des ästhetischen Erlebnisses ausgeht. Hier hat bereits der grundlegende Aufsatz von Georg von Lukács »Die Subjekt-Objekt-Beziehung in der Ästhetik[3]« das Problem aufgedeckt. Er spricht der ästhetischen Sphäre eine heraklitische Struktur zu und will damit sagen: Die Einheit des ästhetischen Gegenstandes ist gar keine wirkliche Gegebenheit. Das Kunstwerk ist nur eine Leerform, der bloße Knotenpunkt in der möglichen Mehrheit von ästhetischen Erlebnissen, in denen allein der ästhetische Gegenstand da ist. Wie man sieht, ist absolute Diskontinuität, d.h. Zerfall der Einheit des ästhetischen Gegenstandes in die Vielheit von Erlebnissen, die notwendige Konsequenz der Erlebnisästhetik. An die Ideen von Lukács anknüpfend hat Oskar Becker geradezu formuliert: »Zeitlich angesehen ist das Werk nur in einem Augenblick (d.h. jetzt), es ist ‚jetzt‘ dies Werk und ist es schon jetzt nicht mehr!«[4] Das ist in der Tat konsequent. Die Grundlegung der Ästhetik im Erlebnis führt zur absoluten Punktualität, die die Einheit des Kunstwerks ebenso aufhebt,

[1] Es war das Interesse an dieser Frage, das mich in meinen Goethe-Studien leitete. Vgl. »Vom geistigen Lauf des Menschen«, 1949; auch meinen Vortrag »Zur Fragwürdigkeit des ästhetischen Bewußtseins«, in Venedig 1958 (Rivista di Estetica, III–A III 574–583).
[2] Variété III, Commentaires de Charmes: »Mes vers ont le sens qu'on leur prête«.
[3] Im ‚Logos‘, Bd. VII., 1917/18. Valéry vergleicht das Kunstwerk gelegentlich mit einem chemischen Katalysator (a.a.O. S. 83).
[4] Oskar Becker, Die Hinfälligkeit des Schönen und die Abenteuerlichkeit des Künstlers, Husserl-Festschrift, 1928, S. 51.

wie die Identität des Künstlers mit sich selbst und die Identität des Verstehenden bzw. Genießenden[1].

Wie mir scheint, hat schon Kierkegaard die Unhaltbarkeit dieser Position bewiesen, indem er die zerstörerische Konsequenz des Subjektivismus erkannte und als erster die Selbstvernichtung der ästhetischen Unmittelbarkeit beschrieb. Seine Lehre vom ästhetischen Stadium der Existenz ist vom Standpunkte des Ethikers aus entworfen, dem die Heillosigkeit und Unhaltbarkeit einer Existenz in reiner Unmittelbarkeit und Diskontinuität aufgegangen ist. Sein kritischer Versuch ist deshalb von grundlegender Bedeutung, weil die hier vorgetragene Kritik des ästhetischen Bewußtseins die inneren Widersprüche der ästhetischen Existenz aufdeckt, so daß dieselbe über sich selbst hinaus genötigt wird. Indem das ästhetische Stadium der Existenz sich als in sich unhaltbar erweist, wird anerkannt, daß auch das Phänomen der Kunst der Existenz eine Aufgabe stellt: die Aufgabe nämlich, angesichts der fordernden und mitreißenden Gegenwart des jeweiligen ästhetischen Eindrucks dennoch die Kontinuität des Selbstverständnisses zu gewinnen, die allein das menschliche Dasein zu tragen vermag[2].

Wenn man gleichwohl eine Seinsbestimmung des ästhetischen Daseins versuchen wollte, die dasselbe außerhalb der hermeneutischen Kontinuität der menschlichen Existenz aufbaute, wäre das Recht der von Kierkegaard geübten Kritik, wie ich meine, verkannt. Selbst wenn man anerkennen kann, daß im ästhetischen Phänomen Grenzen des geschichtlichen Selbstverständnisses des Daseins sichtbar werden, die der Grenze entsprechen, die das Naturhafte darstellt, das im Geist als seine Bedingung mitgesetzt in mancherlei Formen, als Mythos, als Traum, als unbewußte Präformation des bewußten Lebens ins Geistige hineinragt, so ist uns doch kein Standort gegeben, der uns erlaubte, das uns so Begrenzende und Bedingende von ihm selbst her und uns als die so Begrenzten und Bedingten von außen zu sehen. Auch das noch, was unserem Verstehen verschlossen ist, wird als Begrenzendes von uns selber erfahren und gehört damit in die Kontinuität des Selbstverständnisses, in dem sich das menschliche Dasein bewegt. Mit der Erkenntnis der »Hinfälligkeit des Schönen und der Abenteuerlichkeit des Künstlers« ist also in Wahrheit nicht eine Seinsverfassung außerhalb der ,hermeneutischen Phänomenologie' des Daseins ausgezeichnet, sondern vielmehr die Aufgabe formuliert, angesichts solcher Diskontinuität des ästhetischen Seins und der ästhetischen Erfahrung die hermeneutische Kontinuität zu bewähren, die unser Sein ausmacht[3].

---

[1] Schon bei K. Ph. Moritz, Von der bildenden Nachahmung des Schönen, 1788, S. 26 lesen wir: »Das Werk hat seinen höchsten Zweck in seiner Entstehung, in seinem Werden schon erreicht.«

[2] Vgl. Hans Sedlmayr, Kierkegaard über Picasso, in »Wort und Wahrheit« 5, 356 ff.

[3] Die geistreichen Ideen Oskar Beckers zur ,Paraontologie' scheinen mir die

Das Pantheon der Kunst ist nicht eine zeitlose Gegenwärtigkeit, die sich dem reinen ästhetischen Bewußtsein darstellt, sondern die Tat eines geschichtlich sich sammelnden und versammelnden Geistes. Auch die ästhetische Erfahrung ist eine Weise des Sichverstehens. Alles Sichverstehen vollzieht sich aber an etwas anderem, das da verstanden wird, und schließt die Einheit und Selbigkeit dieses anderen ein. Sofern wir in der Welt dem Kunstwerk und in dem einzelnen Kunstwerk einer Welt begegnen, bleibt dieses nicht ein fremdes Universum, in das wir auf Zeit und Augenblick hineinverzaubert sind. Vielmehr lernen wir uns in ihm verstehen, und das heißt, wir heben die Diskontinuität und Punktualität des Erlebnisses in der Kontinuität unseres Daseins auf. Es gilt daher, dem Schönen und der Kunst gegenüber einen Standpunkt zu gewinnen, der nicht Unmittelbarkeit prätendiert, sondern der geschichtlichen Wirklichkeit des Menschen entspricht. Die Berufung auf die Unmittelbarkeit, auf das Geniale des Augenblicks, auf die Bedeutung des ‚Erlebnisses‘ kann vor dem Anspruch der menschlichen Existenz auf Kontinuität und Einheit des Selbstverständnisses nicht bestehen. Die Erfahrung der Kunst darf nicht in die Unverbindlichkeit des ästhetischen Bewußtseins abgedrängt werden.

Diese negative Einsicht bedeutet positiv: Kunst ist Erkenntnis und die Erfahrung des Kunstwerks macht dieser Erkenntnis teilhaftig.

Damit ist die Frage gestellt, wie man der Wahrheit der ästhetischen Erfahrung gerecht werden und die radikale Subjektivierung des Ästhetischen überwinden kann, die mit Kants ‚Kritik der ästhetischen Urteilskraft‘ begonnen hat. Wir hatten gezeigt, daß es eine methodische Abstraktion zum Zwecke einer ganz bestimmten, transzendentalen Begründungsleistung war, die Kant bewog, die ästhetische Urteilskraft ganz auf den Zustand des Subjektes zu beziehen. Wenn diese ästhetische Abstraktion in der Folge jedoch inhaltlich verstanden und in die Forderung verwandelt wurde, die Kunst ‚rein ästhetisch‘ zu verstehen, so sehen wir jetzt, wie diese Abstraktionsforderung zu der wirklichen Erfahrung der Kunst in einen unauflösbaren Widerspruch gerät.

‚hermeneutische Phänomenologie‘ Heideggers zu wenig als eine methodische, zu sehr als eine inhaltliche These anzusehen. Inhaltlich gesehen kommt die Überbietung dieser Paraontologie, die Oskar Becker selber in konsequenter Durchreflexion der Problematik ansteuert, genau auf den Punkt zurück, den Heidegger methodisch fixiert hatte. Es wiederholt sich hier der Streit um die ‚Natur‘, in dem Schelling der methodischen Konsequenz von Fichtes Wissenschaftslehre unterlegen geblieben ist. Gesteht sich der Entwurf der Paraontologie seinen komplementären Charakter ein, dann muß er sich auf etwas hin übersteigen, das beides umschließt, eine dialektische Anzeige der eigentlichen Dimension der Seinsfrage, die Heidegger eröffnet hat und die Becker freilich nicht als solche zu erkennen scheint, wenn er die ‚hyperontologische‘ Dimension am ästhetischen Problem exemplifiziert, um dadurch die *Subjektivität* des künstlerischen Genies ontologisch zu bestimmen (vgl. zuletzt seinen Aufsatz ‚Künstler und Philosoph‘, in »Konkrete Vernunft«, Festschrift für Erich Rothacker).

Soll in der Kunst keine Erkenntnis liegen? Liegt nicht in der Erfahrung der Kunst ein Anspruch auf Wahrheit, der von dem der Wissenschaft gewiß verschieden, aber ebenso gewiß ihm nicht unterlegen ist? Und ist nicht die Aufgabe der Ästhetik darin gelegen, eben das zu begründen, daß die Erfahrung der Kunst eine Erkenntnisweise eigener Art ist, gewiß verschieden von derjenigen Sinneserkenntnis, welche der Wissenschaft die letzten Daten vermittelt, aus denen sie die Erkenntnis der Natur aufbaut, gewiß auch verschieden von aller sittlichen Vernunfterkenntnis und überhaupt von aller begrifflichen Erkenntnis, aber doch Erkenntnis, das heißt Vermittlung von Wahrheit?

Das läßt sich schwerlich zur Anerkennung bringen, wenn man mit Kant Wahrheit der Erkenntnis an dem Erkenntnisbegriff der Wissenschaft und dem Wirklichkeitsbegriff der Naturwissenschaft mißt. Es ist notwendig, den Begriff der Erfahrung weiter zu fassen, als es Kant tat, so daß auch die Erfahrung des Kunstwerkes als Erfahrung verstanden werden kann. Für diese Aufgabe können wir uns auf Hegels bewundernswerte Vorlesungen über Ästhetik berufen. Hier ist auf eine großartige Weise der Wahrheitsgehalt, der in aller Erfahrung von Kunst liegt, zur Anerkennung gebracht und zugleich mit dem geschichtlichen Bewußtsein vermittelt. Die Ästhetik wird damit zu einer Geschichte der Weltanschauungen, d.h. zu einer Geschichte der Wahrheit, wie sie im Spiegel der Kunst sichtbar wird. Damit ist die Aufgabe grundsätzlich anerkannt, die wir formulierten, in der Erfahrung der Kunst selbst die Erkenntnis von Wahrheit zu rechtfertigen.

Der uns vertraute Begriff der Weltanschauung, der bei Hegel zuerst in der ‚Phänomenologie des Geistes'[1] zur Kennzeichnung von Kants und Fichtes postulatorischer Ergänzung der sittlichen Grunderfahrung zu einer moralischen Weltordnung auftaucht, gewinnt erst in der Ästhetik seine eigentliche Prägung. Es ist die Vielheit und der mögliche Wandel der Weltanschauungen, der dem Begriff ‚Weltanschauung' den uns vertrauten Klang verliehen hat[2]. Dafür aber ist die Geschichte der Kunst das führende Beispiel, weil diese geschichtliche Vielheit sich nicht in die Einheit eines Fortschrittsziels auf die wahre Kunst hin aufheben läßt. Freilich hat Hegel die Wahrheit der Kunst nur dadurch anerkennen können, daß er sie im begreifenden Wissen der Philosophie überbot und die Geschichte der Weltanschauungen, wie die Weltgeschichte und die Geschichte der Philosophie, vom vollendeten Selbstbewußtsein der Gegenwart aus

---

[1] ed. Hoffmeister, S. 424 ff.

[2] Das Wort ‚Weltanschauung' (vgl. A. Götze, Euphorion 1924) hält den Bezug auf den mundus sensibilis anfangs noch fest, selbst bei Hegel, sofern es die Kunst ist, in deren Begriffe die wesentlichen Weltanschauungen liegen (Aesth. II, 131). Da aber nach Hegel die Bestimmtheit der Weltanschauung für den heutigen Künstler etwas Vergangenes ist, ist die Vielheit und Relativität der Weltanschauungen eine Sache der Reflexion und der Innerlichkeit geworden.

konstruierte. Auch darin kann man aber nicht nur etwas Abwegiges sehen, sofern damit der Bereich des subjektiven Geistes weit überschritten wird. In diesem Überschritt liegt ein bleibendes Wahrheitsmoment des Hegelschen Denkens. Freilich, sofern die Wahrheit des Begriffs dadurch allmächtig wird und alle Erfahrung in sich aufhebt, desavouiert Hegels Philosophie den Wahrheitsweg zugleich wieder, den sie in der Erfahrung der Kunst erkannt hat. Suchen wir diesen in seinem eigenen Recht zu verteidigen, so müssen wir uns grundsätzlich darüber Rechenschaft geben, was Wahrheit hier heißt. Es sind die Geisteswissenschaften insgesamt, in denen sich eine Antwort auf diese Frage finden lassen muß. Denn sie wollen die Vielfältigkeit aller Erfahrungen, ob die des ästhetischen oder die des historischen, ob die des religiösen oder die des politischen Bewußtseins, nicht überbieten, sondern verstehen, d. h. aber: in ihrer Wahrheit sich zumuten. Wir werden noch darauf einzugehen haben, wie sich Hegel und das Selbstverständnis der Geisteswissenschaften, das die ‚historische Schule' darstellt, zueinander verhalten und wie sich auf beide Seiten verteilt, was ein angemessenes Verständnis dessen, was in den Geisteswissenschaften Wahrheit heißt, ermöglicht. Dem Problem der Kunst jedenfalls werden wir nicht vom ästhetischen Bewußtsein aus, sondern nur in diesem größeren Rahmen gerecht werden können.

Zunächst gingen wir nur einen ersten Schritt in dieser Richtung, indem wir die Selbstinterpretation des ästhetischen Bewußtseins zu berichtigen suchten und die Frage nach der Wahrheit der Kunst erneuerten, für die die ästhetische Erfahrung Zeugnis ablegt. Es kommt uns also darauf an, die Erfahrung der Kunst so zu sehen, daß sie als Erfahrung verstanden wird. Die Erfahrung der Kunst soll nicht in ein Besitzstück ästhetischer Bildung umgefälscht und damit in ihrem eigenen Anspruch neutralisiert werden. Wir werden sehen, daß darin eine weitreichende hermeneutische Konsequenz liegt, sofern *alle Begegnung mit der Sprache der Kunst Begegnung mit einem unabgeschlossenen Geschehen und selbst ein Teil dieses Geschehens ist*. Das ist es, was gegen das ästhetische Bewußtsein und seine Neutralisierung der Wahrheitsfrage zur Geltung gebracht werden muß.

Wenn der spekulative Idealismus den auf Kant gegründeten ästhetischen Subjektivismus und Agnostizismus zu überwinden suchte, indem er sich zum Standpunkt des unendlichen Wissens erhob, so schloß, wie wir sahen, eine solche gnostische Selbsterlösung der Endlichkeit die Aufhebung der Kunst in die Philosophie in sich. Wir werden statt dessen den Standpunkt der Endlichkeit festzuhalten haben. Es scheint mir das Produktive von Heideggers Kritik am Subjektivismus der Neuzeit, daß seine temporale Interpretation des Seins dafür eigene Möglichkeiten eröffnet hat. Interpretation des Seins aus dem Horizont der Zeit bedeutet nicht, wie man immer wieder mißversteht, daß das Dasein derart radikal verzeitlicht würde, daß es nichts mehr als Immerseiendes oder Ewiges gelten lassen könne, sondern sich ganz auf seine eigene Zeit und Zukunft hin verstünde. Wäre das die Meinung, dann handelte es sich überhaupt nicht um eine Kritik und Überwindung des Subjektivismus, sondern um eine ‚existenzialistische‘ Radikalisierung desselben, der man ihre kollektivistische Zukunft sicher prophezeien kann. Die Frage der Philosophie aber, um die es sich hier handelt, ist gerade an diesen Subjektivismus selbst gerichtet. Nur deshalb wird dieser auf die Spitze getrieben, um ihn in Frage zu stellen. Die Frage der Philosophie fragt, was das Sein des Sichverstehens ist. Mit dieser Frage übersteigt sie grundsätzlich den Horizont dieses Sichverstehens. Indem sie als seinen ihm verborgenen Grund die Zeit aufdeckt, predigt sie nicht ein blindes Engagement aus nihilistischer Verzweiflung, sondern öffnet sich einer bislang verschlossenen, das Denken aus der Subjektivität übersteigenden Erfahrung, die Heidegger das *Sein* nennt.

Um der Erfahrung der Kunst gerecht zu werden, haben wir mit der Kritik des ästhetischen Bewußtseins begonnen. Die Erfahrung der Kunst gesteht ja von sich ein, daß sie nicht in einer abschließenden Erkenntnis die vollendete Wahrheit dessen je einbringen kann, was sie erfährt. Hier gibt es keinen schlechthinnigen Fortschritt und keine endgültige Ausschöpfung dessen, was in einem Kunstwerk gelegen ist. Die Erfahrung der Kunst weiß das von sich selbst. Gleichwohl gilt es, von dem ästhetischen Bewußtsein nicht einfach anzunehmen, als was es seine Erfahrung denkt. Denn es denkt sie, wie wir sahen, in letzter Konsequenz als die Diskontinuität von Erlebnissen. Diese Konsequenz aber haben wir als unannehmbar erkannt.

Wir fragen die Erfahrung der Kunst statt dessen nicht danach, als was sie sich selber denkt, sondern danach, was sie in Wahrheit ist und was ihre Wahrheit ist, auch wenn sie nicht weiß, was sie ist und nicht sagen kann, was sie weiß – so wie Heidegger gefragt hat, was Metaphysik ist, im Gegensatz zu dem, als was sie sich selber meint. Wir sehen in der Erfahrung der Kunst eine echte Erfahrung am Werke, die den, der sie macht, nicht unverändert läßt, und fragen nach der Seinsart dessen, was auf solche Weise erfahren wird. So können wir hoffen, besser zu verstehen, was es für eine Wahrheit ist, die uns da begegnet.

Wir werden sehen, daß sich damit zugleich die Dimension öffnet, in der im ‚Verstehen‘, das die Geisteswissenschaften betreiben, die Frage nach der Wahrheit sich neu stellt.

Wenn wir wissen wollen, was Wahrheit in den Geisteswissenschaften ist, dann werden wir an das Ganze des geisteswissenschaftlichen Verfahrens in demselben Sinne die Frage der Philosophie richten müssen, wie Heidegger sie an die Metaphysik gerichtet hat und wie wir sie an das ästhetische Bewußtsein richten. Wir werden auch nicht die Antwort des Selbstverständnisses der Geisteswissenschaften annehmen dürfen, sondern fragen müssen, was ihr Verstehen in Wahrheit ist. Der Vorbereitung dieser

weitergehenden Frage wird die Frage nach der Wahrheit der Kunst insbesondere deshalb dienen können, weil die Erfahrung des Kunstwerks Verstehen einschließt, also selbst ein hermeneutisches Phänomen darstellt, und
das gewiß nicht im Sinne einer wissenschaftlichen Methode. Vielmehr
gehört das Verstehen der Begegnung mit dem Kunstwerk selber zu, so daß
nur von der *Seinsweise des Kunstwerks* aus diese Zugehörigkeit aufgehellt
werden kann.

II

DIE ONTOLOGIE DES KUNSTWERKS

UND IHRE HERMENEUTISCHE BEDEUTUNG

1. Spiel als Leitfaden der ontologischen Explikation

a) Der Begriff des Spiels

Wir wählen dafür als ersten Ausgangspunkt einen Begriff, der in der Ästhetik eine große Rolle gespielt hat: den Begriff des *Spiels*. Doch kommt es uns darauf an, diesen Begriff von der subjektiven Bedeutung abzulösen, die er bei Kant und Schiller hat und die die gesamte neuere Ästhetik und Anthropologie beherrscht. Wenn wir im Zusammenhang der Erfahrung der Kunst von Spiel sprechen, so meint Spiel nicht das Verhalten oder gar die Gemütsverfassung des Schaffenden oder Genießenden und überhaupt nicht die Freiheit einer Subjektivität, die sich im Spielen betätigt, sondern die Seinsweise des Kunstwerkes selbst. Wir hatten in der Analyse des ästhetischen Bewußtseins erkannt, daß das Gegenüber eines ästhetischen Bewußtseins und eines Gegenstandes der Sachlage nicht gerecht wird. Das ist der Grund, warum uns der Begriff des Spieles wichtig ist.

Gewiß läßt sich von dem Spiel selbst das Verhalten des Spielenden unterscheiden, das als solches mit anderen Verhaltensweisen der Subjektivität zusammengehört. So läßt sich etwa sagen, daß für den Spielenden das Spiel nicht Ernstfall ist, und gerade deswegen gespielt wird. Wir können also den Begriff des Spiels von hier aus zu bestimmen suchen. Was bloß Spiel ist, ist nicht ernst. Das Spielen hat einen eigenen Wesensbezug zum Ernsten. Nicht nur, daß es darin seinen ‚Zweck' hat. Es geschieht ‚um der Erholung willen', wie Aristoteles sagt[1]. Wichtiger ist, daß im Spielen selbst ein eigener, ja, ein heiliger Ernst gelegen ist. Und doch sind im spielenden Verhalten alle Zweckbezüge, die das tätige und sorgende Dasein bestimmen, nicht einfach verschwunden, sondern kommen auf eigentümliche Weise zum Verschweben. Der Spielende weiß selber, daß das Spiel nur Spiel ist und in einer Welt steht, die durch den Ernst der Zwecke bestimmt wird. Aber er weiß das nicht in der Weise, daß er als Spielender diesen Bezug auf den Ernst selber noch meinte. Nur dann erfüllt ja Spielen den Zweck, den es hat, wenn der Spielende im Spielen aufgeht. Nicht der aus dem Spiel herausweisende Bezug auf den Ernst, sondern nur der Ernst beim Spiel läßt das Spiel ganz Spiel sein. Wer das Spiel nicht ernst nimmt, ist ein Spielverderber. Die Seinsweise des Spieles läßt nicht zu, daß sich der Spieler zu dem Spiel wie zu einem Gegenstande verhält. Der Spielende weiß

---

[1] Aristot. Pol. VIII, 3, 1337 b 39 u. ö. Vgl. Eth. Nic. X, 6, 1176 b 33: παίζειν ὅπως σπουδάζῃ κατ' Ἀνάχαρσιν ὀρθῶς ἔχειν δοκεῖ.

wohl, was Spiel ist, und daß, was er tut, ‚nur ein Spiel ist‘, aber er weiß nicht, was er da ‚weiß‘.

Unsere Frage nach dem Wesen des Spieles selbst kann daher keine Antwort finden, wenn wir sie von der subjektiven Reflexion des Spielenden her erwarten[1]. Wir fragen statt dessen nach der Seinsweise des Spieles als solcher. Wir hatten ja gesehen, daß nicht das ästhetische Bewußtsein, sondern die Erfahrung der Kunst und damit die Frage nach der Seinsweise des Kunstwerks der Gegenstand unserer Besinnung sein muß. Eben das aber war die Erfahrung der Kunst, die wir gegen die Nivellierung des ästhetischen Bewußtseins festzuhalten haben, daß das Kunstwerk kein Gegenstand ist, der dem für sich seienden Subjekt gegenübersteht. Das Kunstwerk hat vielmehr sein eigentliches Sein darin, daß es zur Erfahrung wird, die den Erfahrenden verwandelt. Das ‚Subjekt‘ der Erfahrung der Kunst, das was bleibt und beharrt, ist nicht die Subjektivität dessen, der sie erfährt, sondern das Kunstwerk selbst. Eben das ist der Punkt, an dem die Seinsweise des Spieles bedeutsam wird. Denn das Spiel hat ein eigenes Wesen, unabhängig von dem Bewußtsein derer, die spielen. Spiel ist auch dort, ja eigentlich dort, wo kein Fürsichsein der Subjektivität den thematischen Horizont begrenzt und wo es keine Subjekte gibt, die sich spielend verhalten.

Das Subjekt des Spieles sind nicht die Spieler, sondern das Spiel kommt durch die Spielenden lediglich zur Darstellung. Das lehrt schon der Gebrauch des Wortes, vor allem seine vielseitige metaphorische Verwendung, die besonders Buytendijk[2] beachtet hat.

Der metaphorische Gebrauch hat wie immer, so auch hier einen methodischen Vorrang. Wenn ein Wort auf einen Anwendungsbereich übertragen wird, dem es ursprünglich nicht zugehört, dann tritt die eigentliche ‚ursprüngliche‘ Bedeutung wie abgehoben heraus. Die Sprache hat da eine Abstraktion vorausgeleistet, die an sich Aufgabe begrifflicher Analyse ist. Nun braucht das Denken diese Vorausleistung nur auszuwerten.

Ähnliches gilt übrigens auch von den Etymologien. Sie sind freilich weit unzuverlässiger, weil nicht von der Sprache, sondern der Sprachwissenschaft geleistete Abstraktionen, die durch die Sprache selbst, ihren wirklichen Gebrauch nie ganz verifiziert werden können. Daher sind sie, auch wo sie zutreffen, nicht Beweisstücke, sondern Vorausleistungen der begrifflichen Analyse, und sie finden erst in dieser ihren festen Grund[3].

---

[1] Kurt Riezler hat in seinem geistvollen ‚Traktat vom Schönen‘ den Ausgangspunkt von der Subjektivität des Spielenden und damit den Gegensatz von Spiel und Ernst festgehalten, so daß sich ihm der Begriff des Spiels allzu sehr verengt und er sagen muß: »Wir zweifeln, ob das Spiel der Kinder nur Spiel sei« und: »Das Spiel der Kunst ist nicht nur Spiel« (S. 189).

[2] F. J. J. Buytendijk, Wesen und Sinn des Spiels, 1933.

[3] Diese Selbstverständlichkeit muß denen entgegengehalten werden, die aus der etymologischen Manier Heideggers den Wahrheitsgehalt seiner Aussagen kritisieren möchten.

Betrachten wir den Wortgebrauch von Spiel, indem wir die sogenannten übertragenen Bedeutungen bevorzugen, so ergibt sich: Wir reden vom Spiel des Lichtes, vom Spiel der Wellen, vom Spiel des Maschinenteils in einem Kugellager, vom Zusammenspiel der Glieder, vom Spiel der Kräfte, vom Spiel der Mücken, ja sogar vom Wortspiel. Immer ist da das Hin und Her einer Bewegung gemeint, die an keinem Ziele festgemacht ist, an dem sie endet. Dem entspricht auch die ursprüngliche Bedeutung des Wortes Spiel als Tanz, die noch in mannigfaltigen Wortformen nachlebt (z.B. in Spielmann)[1]. Die Bewegung, die Spiel ist, hat kein Ziel, in dem sie endet, sondern erneuert sich in beständiger Wiederholung. Die Bewegung des Hin und Her ist für die Wesensbestimmung des Spieles offenbar so zentral, daß es gleichgültig ist, wer oder was diese Bewegung ausführt. Die Spielbewegung als solche ist gleichsam ohne Substrat. Es ist das Spiel, das gespielt wird oder sich abspielt – es ist kein Subjekt dabei festgehalten, das da spielt. Das Spiel ist Vollzug der Bewegung als solcher. So reden wir etwa von Farbenspiel und meinen in diesem Falle nicht einmal, daß da eine einzelne Farbe ist, die in eine andere spielt, sondern wir meinen den einheitlichen Vorgang oder Anblick, in dem sich eine wechselnde Mannigfaltigkeit von Farben zeigt.

Die Seinsweise des Spieles ist also nicht von der Art, daß ein Subjekt da sein muß, das sich spielend verhält, so daß das Spiel gespielt wird. Vielmehr ist der ursprünglichste Sinn von Spielen der mediale Sinn. So reden wir etwa davon, daß etwas dort und dort oder dann und dann ‚spielt‘, daß etwas sich abspielt, daß etwas im Spiele ist[2].

Diese sprachliche Beobachtung scheint mir ein indirekter Hinweis darauf, daß Spielen überhaupt nicht als eine Art von Betätigung verstanden sein will. Für die Sprache ist das eigentliche Subjekt des Spieles offenbar nicht die Subjektivität dessen, der unter anderen Betätigungen auch spielt, sondern das Spiel selbst. Wir sind nur derart gewohnt, ein Phänomen wie das Spiel auf die Subjektivität und ihre Verhaltungsweisen zu beziehen, daß wir diesen Hinweisen des Sprachgeistes gegenüber verschlossen bleiben.

Immerhin hat auch die neuere anthropologische Forschung das Thema des Spiels so weit gefaßt, daß sie dadurch gleichsam an die Grenze der von

---

[1] Vgl. J. Trier, Beiträge zur Geschichte der deutschen Sprache und Literatur 67, 1947.

[2] Huizinga (Homo ludens, Vom Ursprung der Kultur im Spiel, rde S. 43) macht auf folgende sprachliche Tatsachen aufmerksam: »Man kann zwar im Deutschen ‚ein Spiel treiben‘ und im Holländischen ‚een spelletje doen‘, das eigentlich zugehörige Zeitwort aber ist Spielen selbst. Man spielt ein Spiel. Mit anderen Worten: Um die Art der Tätigkeit auszudrücken, muß der im Substantiv enthaltene Begriff im Verbum wiederholt werden. Das bedeutet allem Anschein nach, daß die Handlung von so besonderer und selbständiger Art ist, daß sie aus den gewöhnlichen Arten von Betätigung herausfällt. Spielen ist kein Tun im gewöhnlichen Sinne«. – Entsprechend ist die Wendung ‚ein Spielchen machen‘ symptomatisch für ein Disponieren über seine Zeit, das noch gar nicht Spielen ist.

der Subjektivität ausgehenden Betrachtungsweise geführt wird. Huizinga hat das Spielmoment in aller Kultur aufgesucht und vor allem den Zusammenhang des kindlichen und tierischen Spieles mit den ‚heiligen Spielen' des Kultes herausgearbeitet. Das führte ihn dazu, die eigentümliche Unentschiedenheit im spielenden Bewußtsein zu erkennen, die es schlechterdings unmöglich macht, zwischen Glauben und Nichtglauben zu unterscheiden. »Der Wilde selbst weiß von keinen Begriffsunterscheidungen zwischen Sein und Spielen, er weiß von keiner Identität, von keinem Bild oder Symbol. Und darum bleibt es fraglich, ob man dem Geisteszustande des Wilden bei seiner sakralen Handlung nicht am besten dadurch nahe kommt, daß man an dem primären Terminus Spielen festhält. In unserem Begriff Spiel löst sich die Unterscheidung von Glauben und Verstellung auf.«[1]

Hier wird der *Primat des Spieles gegenüber dem Bewußtsein des Spielenden* grundsätzlich anerkannt, und in der Tat gewinnen gerade auch die Erfahrungen des Spielens, die der Psychologe und Anthropologe zu beschreiben hat, ein neues und aufklärendes Licht, wenn man von dem medialen Sinn von Spielen ausgeht. Das Spiel stellt offenbar eine Ordnung dar, in der sich das Hin und Her der Spielbewegung wie von selbst ergibt. Zum Spiel gehört, daß die Bewegung nicht nur ohne Zweck und Absicht, sondern auch ohne Anstrengung ist. Es geht wie von selbst. Die Leichtigkeit des Spiels, die natürlich kein wirkliches Fehlen von Anstrengung zu sein braucht, sondern phänomenologisch allein das Fehlen der Angestrengtheit meint[2], wird subjektiv als Entlastung erfahren. Das Ordnungsgefüge des Spieles läßt den Spieler gleichsam in sich aufgehen und nimmt ihm damit die Aufgabe der Initiative, die die eigentliche Anstrengung des Daseins ausmacht. Das zeigt sich auch in dem spontanen Drang zur Wiederholung, der im Spielenden aufkommt und an dem beständigen Sich-Erneuern des Spieles, das seine Form prägt (z. B. der Refrain).

Daß die Seinsweise des Spieles derart der Bewegungsform der Natur nahesteht, erlaubt aber eine wichtige methodische Folgerung. Es ist offenbar nicht so, daß auch Tiere spielen und daß man im übertragenen Sinne sogar vom Wasser und vom Licht sagen kann, daß es spielt. Vielmehr können wir umgekehrt vom Menschen sagen, daß auch er spielt. Auch sein Spielen ist ein Naturvorgang. Auch der Sinn seines Spielens ist, gerade weil er und soweit er Natur ist, ein reines Sichselbstdarstellen. So wird es am Ende überhaupt sinnlos, in diesem Bereich eigentlichen und metaphorischen Gebrauch zu unterscheiden.

Vor allem aber kommt erst von diesem medialen Sinn von Spiel aus der Bezug zum Sein des Kunstwerkes heraus. Die Natur, sofern sie ohne Zweck

---

[1] Huizinga, a.a.O., S. 32.

[2] Rilke in der fünften Duineser Elegie: ... »wo sich das reine Zuwenig unbegreiflich verwandelt – umspringt in jenes leere Zuviel.«

und Absicht, ohne Anstrengung ein stets sich erneuerndes Spiel ist, kann geradezu als Vorbild der Kunst erscheinen. So schreibt Friedrich Schlegel: »Alle heiligen Spiele der Kunst sind nur ferne Nachbildungen von dem unendlichen Spiele der Welt, dem ewig sich selbst bildenden Kunstwerk.«[1]

Auch eine andere Frage, die bei Huizinga erörtert wird, klärt sich von der fundamentalen Rolle des Hin und Her der Spielbewegung, nämlich der Spielcharakter des Wettkampfes. Gewiß gilt für den Wettkämpfer seinem eigenen Bewußtsein nach nicht, daß er spielt. Wohl aber entsteht durch den Wettbewerb die spannungsvolle Bewegung des Hin und Her, die den Sieger hervorgehen und so das Ganze ein Spiel sein läßt. Das Hin und Her gehört offenbar so wesentlich zum Spiel, daß es in einem letzten Sinne überhaupt kein Für-sich-allein-Spielen gibt. Damit Spiel sei, muß zwar nicht ein anderer wirklich mitspielen, aber es muß immer ein anderes da sein, mit dem der Spielende spielt und das dem Zug des Spielers von sich aus mit einem Gegenzug antwortet. So wählt die spielende Katze das Wollknäuel, weil es mitspielt, und die Unsterblichkeit des Ballspieles beruht auf der freien Allbeweglichkeit des Balles, der gleichsam von sich aus das Überraschende tut.

Der Primat des Spieles vor den es ausführenden Spielern wird nun, wo es sich um menschliche Subjektivität handelt, die sich spielend verhält, auch von den Spielenden selbst in besonderer Weise erfahren. Wieder sind es die uneigentlichen Anwendungen des Wortes, die für sein eigentliches Wesen den reichsten Aufschluß geben. So sagen wir etwa von jemandem, daß er mit Möglichkeiten oder mit Plänen spielt. Was wir damit meinen, ist deutlich. Er ist noch nicht auf solche Möglichkeiten als auf ernsthafte Ziele festgelegt. Er hat noch die Freiheit, sich so oder so, für die eine oder andere Möglichkeit zu entscheiden. Auf der anderen Seite ist diese Freiheit nicht ungefährdet. Vielmehr ist das Spiel selbst ein Risiko für den Spieler. Nur mit ernstlichen Möglichkeiten kann man spielen. Das bedeutet offenbar, daß man sich soweit auf sie einläßt, daß sie einen überspielen und sich durchsetzen können. Der Reiz des Spieles, den es auf den Spieler ausübt, liegt eben in diesem Risiko. Man genießt damit eine Entscheidungsfreiheit, die doch zugleich gefährdet ist und unwiderruflich eingeengt wird. Man denke etwa an die Geduldspiele, Patiencen etc. Das gleiche gilt aber auch im Bereiche des Ernstes. Wer um des Genusses der eigenen Entscheidungsfreiheit willen Entscheidungen, die drängend sind, vermeidet oder sich mit Möglichkeiten abgibt, die er gar nicht ernstlich will und die deshalb auch das Risiko gar nicht enthalten, daß er sie wählt und dadurch sich selbst beschränkt, den nennt man verspielt.

Es läßt sich von da aus ein allgemeiner Zug angeben, wie sich das Wesen des Spieles im spielenden Verhalten reflektiert: *alles Spielen ist ein Gespielt-*

---

[1] Friedrich Schlegel, Gespräch über die Poesie (Friedrich Schlegels Jugendschriften, her. v. J. Minor, 1882, II, S. 364).

werden. Der Reiz des Spieles, die Faszination, die es ausübt, besteht eben
darin, daß das Spiel über den Spielenden Herr wird. Auch wenn es sich um
Spiele handelt, in denen man selbstgestellte Aufgaben zu erfüllen sucht,
ist es das Risiko, ob es ‚geht‘, ob es ‚gelingt‘ und ob es ‚wieder gelingt‘,
was den Reiz des Spieles ausübt. Wer so versucht, ist in Wahrheit der Versuchte. Das eigentliche Subjekt des Spieles (das machen gerade solche Erfahrungen evident, in denen es nur einen einzelnen Spielenden gibt) ist
nicht der Spieler, sondern das Spiel selbst. Das Spiel ist es, was den Spieler
im Banne hält, was ihn ins Spiel verstrickt, im Spiele hält.

Das prägt sich auch darin aus, daß Spiele einen eigenen, besonderen Geist
haben[1]. Auch das meint nicht die Stimmung oder geistige Verfassung derer,
die das Spiel spielen. Vielmehr ist diese Verschiedenheit der Gemütsverfassung beim Spielen verschiedener Spiele bzw. bei der Lust zu solchen
Spielen eine Folge und nicht die Ursache der Verschiedenheit der Spiele
selbst. Die Spiele selbst unterscheiden sich voneinander durch ihren Geist.
Das beruht auf nichts anderem, als daß sie das Hin und Her der Spielbewegung, die sie sind, je anders vorzeichnen und ordnen. Die Regeln und
Ordnungen, die die Ausfüllung des Spielraums vorschreiben, machen das
Wesen eines Spieles aus. Das gilt in aller Allgemeinheit überall dort, wo
überhaupt Spiel vorliegt. Es gilt z. B. auch von Wasserspielen oder von
spielenden Tieren. Der Spielraum, in dem das Spiel sich abspielt, wird
gleichsam durch das Spiel selbst von innen her ausgemessen und begrenzt
sich weit mehr durch die Ordnung, die die Spielbewegung bestimmt, als
durch das, woran sie stößt, d.h. die Grenzen des freien Raumes, die die
Bewegung von außen beschränken.

Für das menschliche Spielen scheint mir nun gegenüber diesen allgemeinen Bestimmungen charakteristisch, daß es *etwas* spielt. Das will heißen, daß die Bewegungsordnung, der es sich unterordnet, eine Bestimmtheit besitzt, die der Spielende ‚wählt‘. Er grenzt zunächst sein spielendes
Verhalten ausdrücklich gegen sein sonstiges Verhalten dadurch ab, daß er
spielen *will.* Aber auch innerhalb der Spielbereitschaft trifft er seine Wahl.
Er wählt dieses und nicht jenes Spiel. Dem entspricht, daß der Spielraum
der Spielbewegung nicht einfach der freie Raum des Sichausspielens ist,
sondern ein eigens für die Spielbewegung ausgegrenzter und freigehal-
tener. Das menschliche Spiel verlangt seinen Spielplatz. Die Abgrenzung
des Spielfeldes – ganz wie die des heiligen Bezirkes, wie Huizinga[2] mit
Recht betont – setzt die Spielwelt als eine geschlossene Welt der Welt der
Zwecke ohne Übergang und Vermittlungen entgegen. Daß alles Spielen
Etwas-Spielen ist, gilt erst hier, wo das geordnete Hin und Her der Spielbewegung als ein *Verhalten* bestimmt ist und sich gegen andersartiges Verhalten absetzt. Der spielende Mensch ist selbst im Spielen noch ein sich

---

[1] Vgl. F. G. Jünger, Die Spiele.   [2] Huizinga, a.a.O., S. 17.

verhaltender, auch wenn das eigentliche Wesen des Spieles darin besteht, daß er sich von der Anspannung entläßt, in der er sich zu seinen Zwecken verhält. Damit bestimmt sich näher, wieso Spielen Etwas-Spielen ist. Jedes Spiel stellt dem Menschen, der es spielt, eine Aufgabe. Er kann sich gleichsam nicht anders in die Freiheit des Sichausspielens entlassen, als durch die Verwandlung der Zwecke seines Verhaltens in bloße Aufgaben des Spiels. So stellt das Kind sich selbst beim Ballspiel seine Aufgabe, und diese Aufgaben sind Spielaufgaben, weil der wirkliche Zweck des Spieles gar nicht die Lösung dieser Aufgaben ist, sondern die Ordnung und Gestaltung der Spielbewegung selbst.

Offenbar beruht die eigentümliche Leichtigkeit und Erleichterung, die das spielende Verhalten bedeutet, auf dem besonderen Aufgabencharakter, der der Spielaufgabe zukommt, und entspringt dem Gelingen ihrer Lösung.

Man kann sagen: das Gelingen einer Aufgabe ‚stellt sie dar‘. Diese Redeweise liegt besonders nahe, wo es sich um Spiel handelt, denn dort weist die Erfüllung der Aufgabe in keine Zweckzusammenhänge hinaus. Das Spiel ist wirklich darauf beschränkt, sich darzustellen. Seine Seinsweise ist also Selbstdarstellung. Nun ist Selbstdarstellung ein universaler Seinsaspekt der Natur. Wir wissen heute, wie wenig biologische Zweckvorstellungen ausreichen, die Gestalt lebendiger Wesen verständlich zu machen[1]. So gilt auch für das Spiel, daß die Frage nach seiner Lebensfunktion und seinem biologischen Zweck zu kurz zielt. Es ist in einem ausgezeichneten Sinne Selbstdarstellung.

Die Selbstdarstellung des menschlichen Spieles beruht zwar, wie wir sahen, auf einem an die Scheinzwecke des Spieles gebundenen Verhalten, aber dessen ‚Sinn‘ besteht nicht wirklich in der Erreichung dieser Zwecke. Vielmehr ist das Sichausgeben an die Spielaufgabe in Wahrheit ein Sichausspielen. Die Selbstdarstellung des Spieles bewirkt so, daß der Spielende gleichsam zu seiner eigenen Selbstdarstellung gelangt, indem er etwas spielt, d.h. darstellt. Nur weil Spielen immer schon ein Darstellen ist, kann das menschliche Spiel im Darstellen selbst die Aufgabe des Spieles finden. So gibt es Spiele, die man darstellende Spiele nennen muß, sei es, daß sie im verschwebenden Sinnbezug der Anspielung etwas von Darstellung an sich haben (etwa ‚Kaiser, König, Edelmann‘), sei es, daß das Spielen eben darin besteht, etwas darzustellen (z.B. wenn Kinder Auto spielen).

Alles Darstellen ist nun seiner Möglichkeit nach ein Darstellen für jemanden. Daß diese Möglichkeit als solche gemeint wird, macht das Eigentümliche im Spielcharakter der Kunst aus. Der geschlossene Raum der Spielwelt läßt hier gleichsam die eine Wand fallen[2]. Das Kultspiel und das

---

[1] In zahlreichen Arbeiten hat insbesondere Adolf Portmann diese Kritik geübt und das Recht der morphologischen Betrachtungsweise neu begründet.

[2] Vgl. Rudolf Kassner, Zahl und Gesicht, S. 161 f. Kassner deutet an, daß »die höchst merkwürdige Einheit und Zweiheit von Kind und Puppe« damit zusammenhängt,

Schauspiel stellen offenkundig nicht in demselben Sinne dar, wie das spielende Kind darstellt. Sie gehen darin, daß sie darstellen, nicht auf, sondern weisen zugleich über sich hinaus auf diejenigen, die zuschauend daran teilhaben. Spiel ist hier nicht mehr das bloße Sichdarstellen einer geordneten Bewegung, noch auch das bloße Darstellen, in dem das spielende Kind aufgeht, sondern es ist ,darstellend für . . .'. Diese allem Darstellen eigene Anweisung wird hier gleichsam eingelöst und wird für das Sein der Kunst konstitutiv.

Im allgemeinen werden Spiele, so sehr sie ihrem Wesen nach Darstellungen sind und so sehr sich in ihnen die Spielenden darstellen, nicht für jemanden dargestellt, d.h. die Zuschauer sind nicht gemeint. Kinder spielen für sich, auch wenn sie darstellen. Und nicht einmal diejenigen Spiele wie die sportlichen, die vor Zuschauern gespielt werden, meinen dieselben. Ja, sie drohen, ihren eigentlichen Spielcharakter als Kampfspiel gerade dadurch zu verlieren, daß sie zum Schaukampf werden. Erst recht ist etwa die Prozession, die ja ein Teil einer Kulthandlung ist, mehr als eine Schaustellung, da sie ihrem eigenen Sinne nach die ganze Kultgemeinde umfaßt. Und doch ist der kultische Akt wirkliche Darstellung für die Gemeinde, und ebenso ist das Schauspiel ein Spielvorgang, der wesenhaft nach dem Zuschauer verlangt. Die Darstellung des Gottes im Kult, die Darstellung des Mythos im Spiel sind also nicht nur in der Weise Spiele, daß die teilnehmenden Spieler im darstellenden Spiel sozusagen aufgehen und darin ihre gesteigerte Selbstdarstellung finden, sondern sie gehen von sich aus dahin über, daß die Spielenden für den Zuschauer ein Sinnganzes darstellen. Es ist also gar nicht wirklich das Fehlen einer vierten Wand, das das Spiel zur Schaustellung veränderte. Das Offensein zum Zuschauer hin macht vielmehr die Geschlossenheit des Spieles mit aus. Der Zuschauer vollzieht nur, was das Spiel als solches ist[1].

Das ist der Punkt, an dem sich die Bestimmung des Spieles als eines medialen Vorgangs in seiner Wichtigkeit erweist. Wir hatten gesehen, daß das Spiel nicht im Bewußtsein oder Verhalten des Spielenden sein Sein hat, sondern diesen im Gegenteil in seinen Bereich zieht und mit seinem Geiste erfüllt. Der Spielende erfährt das Spiel als eine ihn übertreffende Wirklichkeit. Das gilt erst recht dort, wo es als eine solche Wirklichkeit selber ,gemeint' wird – und das ist dort der Fall, wo das Spiel als *Darstellung für den Zuschauer* erscheint.

Auch das Schauspiel bleibt Spiel, d.h. es hat die Struktur des Spiels, eine in sich geschlossene Welt zu sein. Aber das kultische oder profane Schauspiel, so sehr es eine ganz in sich geschlossene Welt ist, die es darstellt, ist

---

daß die vierte »immer aufgetane Wand des Zuschauers« hier (wie im kultischen Akt) fehlt. Ich folgere umgekehrt, daß es eben diese vierte Wand des Zuschauers ist, welche die Spielwelt des *Kunstwerks* schließt.

[1] S. Anm. 2 S. 103.

wie offen nach der Seite des Zuschauers. In ihm erst gewinnt es seine ganze Bedeutung. Die Spieler spielen ihre Rollen wie in jedem Spiel, und so kommt das Spiel zur Darstellung, aber das Spiel selbst ist das Ganze aus Spielern und Zuschauern. Ja, es wird von dem am eigentlichsten erfahren und stellt sich dem so dar, wie es ‚gemeint‘ ist, der nicht mitspielt, sondern zuschaut. In ihm wird das Spiel gleichsam zu seiner Idealität erhoben.

Das bedeutet für die Spieler, daß sie ihre Rollen nicht wie in jedem Spiel einfach ausfüllen – sie spielen vielmehr ihre Rolle vor, sie stellen sie für den Zuschauer dar. Ihre Art der Teilhabe an dem Spiel ist nun nicht mehr dadurch bestimmt, daß sie ganz in ihm aufgehen, sondern dadurch, daß sie ihre Rolle in bezug und im Blick auf das Ganze des Schauspiels spielen, in dem nicht sie, sondern die Zuschauer aufgehen sollen. Es ist eine totale Wendung, die dem Spiel als Spiel geschieht, wenn es Schauspiel wird. Sie bringt den Zuschauer an die Stelle des Spielers. Er ist es – und nicht der Spieler –, für den und in dem das Spiel spielt. Das will natürlich nicht heißen, daß nicht auch der Spieler den Sinn des Ganzen, in dem er darstellend seine Rolle spielt, zu erfahren vermag. Der Zuschauer hat nur einen methodischen Vorrang: Indem das Spiel für ihn ist, wird anschaulich, daß es einen Sinngehalt in sich trägt, der verstanden werden soll und der deshalb von dem Verhalten der Spielenden ablösbar ist. Im Grunde hebt sich hier die Unterscheidung von Spieler und Zuschauer auf. Die Forderung, das Spiel selbst in seinem Sinngehalt zu meinen, ist für beide die gleiche.

Das ist selbst dort unabdingbar, wo die Spielgemeinschaft sich gegen alle Zuschauer abschließt, etwa, weil sie die gesellschaftliche Institutionalisierung des Kunstlebens bekämpft, wie in der sogenannten Hausmusik, die in einem eigentlicheren Sinne Musizieren sein will, weil sie für die Spieler selbst und nicht für ein Publikum gemacht wird. Wer in dieser Weise Musik treibt, erstrebt in Wahrheit auch, daß die Musik gut ‚herauskommt‘, d.h. aber: für jemanden, der zuhören würde, richtig da wäre. Die Darstellung der Kunst ist ihrem Wesen nach so, daß sie für jemanden ist, auch wenn niemand da ist, der nur zuhört oder zuschaut.

b) Die Verwandlung ins Gebilde und die totale Vermittlung

Ich nenne diese Wendung, in der das menschliche Spiel seine eigentliche Vollendung, Kunst zu sein, ausbildet, *Verwandlung ins Gebilde*. Erst durch diese Wendung gewinnt das Spiel seine Idealität, so daß es als dasselbe gemeint und verstanden werden kann. Erst jetzt zeigt es sich wie abgelöst von dem darstellenden Tun der Spieler und besteht in der reinen Erscheinung dessen, was sie spielen. Als solche ist das Spiel – auch das Unvorhergesehene der Improvisation – prinzipiell wiederholbar und insofern bleibend. Es hat den Charakter des Werkes, des Ergon und nicht nur der Energeia[1]. In diesem Sinne nenne ich es ein Gebilde.

Was derart von dem darstellenden Tun des Spielers ablösbar ist, bleibt aber dennoch auf Darstellung angewiesen. Solche Angewiesenheit bedeutet nicht Abhängigkeit in dem Sinne, daß erst durch die jeweiligen Darsteller, d.h. vom Darstellenden bzw. Zuschauenden her, das Spiel seine Sinnbestimmtheit empfinge, ja auch nicht von dem her, der als der Urheber dieses Werkes sein eigentlicher Schöpfer heißt, der Künstler. Ihnen allen gegenüber hat das Spiel vielmehr eine schlechthinnige Autonomie, und eben das soll durch den Begriff der Verwandlung angezeigt sein.

Was damit für die Bestimmung des Seins der Kunst gesagt sein soll, tritt heraus, wenn man den Sinn von Verwandlung ernst nimmt. Verwandlung ist nicht Veränderung, etwa eine Veränderung besonders großen Umfanges. Mit Veränderung wird vielmehr immer gedacht, daß das, was sich da verändert, zugleich als dasselbe bleibt und festgehalten wird. So total es sich verändern mag, es verändert sich etwas an ihm. Kategorial gesehen gehört alle Veränderung ($\dot{\alpha}\lambda\lambda o\acute{\iota}\omega\sigma\iota\varsigma$) in den Bereich der Qualität, d.h. eines Akzidens der Substanz. Verwandlung dagegen meint, daß etwas auf einmal und als Ganzes ein anderes ist, daß dies andere, das es als Verwandeltes ist, sein wahres Sein ist, dem gegenüber sein früheres Sein nichtig ist. Wenn wir jemanden wie verwandelt finden, dann meinen wir damit eben dies, daß er gleichsam ein anderer Mensch geworden ist. Es kann hier keinen Übergang allmählicher Veränderung geben, der vom einen zum anderen führte, da das eine die Verneinung des anderen ist. So meint Verwandlung ins Gebilde, daß das, was vorher ist, nicht mehr ist. Aber auch daß das, was nun ist, was sich im Spiel der Kunst darstellt, das bleibende Wahre ist.

Zunächst ist auch hier deutlich, wie der Ausgang von der Subjektivität die Sache verfehlt. Was nicht mehr ist, das sind einmal die Spieler – wobei der Dichter oder Komponist mit zu den Spielern zu rechnen ist. Sie alle haben nicht ein eigenes Für-sich-sein, das sie in dem Sinne festhalten, daß ihr Spielen bedeutete, daß sie ‚nur spielen‘. Beschreibt man vom Spieler her, was sein Spielen ist, so ist es offenbar nicht Verwandlung, sondern Verkleidung. Wer verkleidet ist, will zwar nicht erkannt sein, sondern als ein anderer erscheinen und für ihn gelten. In den Augen anderer möchte er nicht mehr er selbst sein, sondern für jemanden genommen werden. Er will also nicht, daß man ihn errät oder erkennt. Er spielt den anderen, aber so, wie wir im praktischen Umgang etwas spielen, d.h. daß wir bloß vorgeben, uns verstellen und den Anschein erwecken. Dem Anschein nach verleugnet zwar, wer derart ein Spiel spielt, die Kontinuität mit sich selbst. In

---

[1] Ich bediene mich hier der klassischen Unterscheidung, durch die Aristoteles (Eth. Eud. B 1; Eth. Nic. A 1) die $\pi o\acute{\iota}\eta\sigma\iota\varsigma$ von der $\pi\varrho\tilde{\alpha}\xi\iota\varsigma$ abhebt.

Wahrheit aber bedeutet das, daß er diese Kontinuität mit sich für sich selber festhält und nur den anderen vorenthält, denen er etwas vorspielt.

Nach allem, was wir über das Wesen des Spieles ausgemacht haben, ist solche subjektive Unterscheidung seiner selbst von dem Spiel, in der das Vorspielen besteht, nicht das wahrhafte Sein des Spiels. Das Spiel selbst ist vielmehr derart Verwandlung, daß für niemanden die Identität dessen, der da spielt, fortbesteht. Ein jeder fragt nur, was das sein soll, was da ‚gemeint‘ ist. Die Spieler (oder Dichter) sind nicht mehr, sondern nur das von ihnen Gespielte.

Was nicht mehr ist, ist aber vor allem die Welt, in der wir als unserer eigenen leben. Verwandlung ins Gebilde ist nicht einfach Versetzung in eine andere Welt. Gewiß ist es eine andere, in sich geschlossene Welt, in der das Spiel spielt. Aber sofern es Gebilde ist, hat es gleichsam sein Maß in sich selbst gefunden und bemißt sich an nichts, was außerhalb seiner ist. So ist die Handlung eines Schauspiels – darin gleicht sie noch ganz der Kulthandlung – schlechterdings als etwas in sich selbst Beruhendes da. Sie läßt kein Vergleichen mit der Wirklichkeit als dem heimlichen Maßstab aller abbildlichen Ähnlichkeit mehr zu. Sie ist über allen solchen Vergleich hinausgehoben – und damit auch über die Frage, ob denn das alles wirklich sei –, weil aus ihr eine überlegene Wahrheit spricht. Selbst Plato, der radikalste Kritiker des Seinsranges der Kunst, den die Geschichte der Philosophie kennt, redet gelegentlich, ohne zu unterscheiden, von der Komödie und Tragödie des Lebens wie von der der Bühne[1]. Denn dieser Unterschied hebt sich auf, wenn einer den Sinn des Spieles, das sich vor ihm abspielt, wahrzunehmen weiß. Die Freude an dem Schauspiel, das sich bietet, ist in beiden Fällen die gleiche: es ist die Freude der Erkenntnis.

Damit gewinnt, was wir Verwandlung ins Gebilde nannten, erst seinen vollen Sinn. Die Verwandlung ist Verwandlung ins Wahre. Sie ist nicht Verzauberung im Sinne der Verhexung, die auf das erlösende, rückverwandelnde Wort wartet, sondern sie selbst ist die Erlösung und Rückverwandlung ins wahre Sein. In der Darstellung des Spieles kommt heraus, was ist. In ihr wird hervorgeholt und ans Licht gebracht, was sich sonst ständig verhüllt und entzieht. Wer die Komödie und Tragödie des Lebens wahrzunehmen weiß, der weiß sich eben der Suggestion der Zwecke zu entziehen, die das Spiel verhüllen, das mit uns gespielt wird.

‚Wirklichkeit‘ steht immer in einem Zukunftshorizont erwünschter und gefürchteter, jedenfalls noch unentschiedener Möglichkeiten. Sie ist daher stets so, daß einander ausschließende Erwartungen geweckt werden, von denen sich nicht alle erfüllen können. Die Unentschiedenheit der Zukunft ist es, die ein solches Übermaß von Erwartungen erlaubt, daß die Wirklichkeit hinter den Erwartungen notwendig zurückbleibt. Wenn sich nun im

---

[1] Plato, Phileb. 50 b.

besonderen Falle ein Sinnzusammenhang im Wirklichen so schließt und
erfüllt, daß all dies Im-Leeren-Enden von Sinnlinien entfällt, dann ist solche
Wirklichkeit selbst wie ein Schauspiel. Ebenso wird, wer das Ganze der
Wirklichkeit als einen geschlossenen Sinnkreis zu sehen vermag, in dem
sich alles erfüllt, von der Komödie und Tragödie des Lebens selbst reden. An
diesen Fällen, in denen die Wirklichkeit als Spiel verstanden wird, tritt
heraus, was die Wirklichkeit des Spieles ist, das wir als das Spiel der Kunst
auszeichnen. Das Sein alles Spieles ist stets Einlösung, reine Erfüllung,
Energeia, die ihr Telos in sich selbst hat. Die Welt des Kunstwerks, in der
ein Spiel sich derart in der Einheit seines Ablaufs voll aussagt, ist in der
Tat eine ganz und gar verwandelte Welt. An ihr erkennt ein jeder: so ist es.

Der Begriff der Verwandlung soll also die selbständige und überlegene
Seinsart dessen, was wir Gebilde nannten, charakterisieren. Von ihm her
bestimmt sich die sogenannte Wirklichkeit als das Unverwandelte und die
Kunst als die Aufhebung dieser Wirklichkeit in ihre Wahrheit. Auch die
antike Kunsttheorie, die aller Kunst den Begriff der Mimesis, der *Nachahmung*, zugrunde legt, ist dabei offenkundig von dem Spiel ausgegangen,
das als Tanz die Darstellung des Göttlichen ist[1].

Der Begriff der Nachahmung vermag aber das Spiel der Kunst nur zu
beschreiben, wenn man den *Erkenntnissinn*, der in Nachahmung liegt, im
Auge behält. Das Dargestellte ist da – das ist das mimische Urverhältnis.
Wer etwas nachahmt, läßt das da sein, was er kennt und wie er es kennt.
Nachahmend beginnt das kleine Kind zu spielen, indem es betätigt, was es
kennt und sich selbst damit bestätigt. Auch die Verkleidungsfreude der
Kinder, auf die sich schon Aristoteles beruft, will nicht ein Sichverbergen,
ein Vorgeben sein, um dahinter erraten und erkannt zu werden, sondern im
Gegenteil ein Darstellen derart, daß nur das Dargestellte ist. Das Kind will
um keinen Preis hinter seiner Verkleidung erraten werden. Was es darstellt, soll sein, und wenn etwas erraten werden soll, so ist es eben dies. Es
soll wiedererkannt werden, was das ‚ist'[2].

Wir halten aus dieser Überlegung fest: der Erkenntnissinn von Mimesis
ist Wiedererkennung. Was aber ist Wiedererkennung? Eine genauere Analyse des Phänomens wird uns den Seinssinn von Darstellung, um den es
uns geht, erst ganz deutlich machen. Bekanntlich hebt schon Aristoteles
hervor, daß die künstlerische Darstellung sogar das Unerfreuliche erfreu-
lich erscheinen lasse[3], und Kant definiert die Kunst deshalb als die schöne
Vorstellung eines Dinges, weil sie auch das Häßliche als schön erscheinen
zu lassen wisse[4]. Damit ist offenbar nicht etwa die Künstlichkeit und Kunstfertigkeit als solche gemeint. Man bewundert nicht wie beim Artisten die

---

[1] Vgl. die neue Untersuchung von Koller, Mimesis, 1954, die den ursprünglichen
Zusammenhang von Mimesis und Tanz nachweist.
[2] Arist. Poet. 4, insbes. 1448 b 16: συλλογίζεσθαι τί ἕκαστον, οἷον οὗτος ἐκεῖνος.
[3] a.a.O., 1448, b 10.   [4] Kant, Kr. d. U., § 48.

Kunst, mit der etwas gemacht ist. Dem gilt erst ein sekundäres Interesse. Was man eigentlich an einem Kunstwerk erfährt und worauf man gerichtet ist, ist vielmehr, wie wahr es ist, d. h. wie sehr man etwas und sich selbst darin erkennt und wiedererkennt.

Was Wiedererkenntnis ihrem tiefsten Wesen nach ist, wird aber nicht verstanden, wenn man nur darauf sieht, daß da etwas, was man schon kennt, von neuem erkannt wird, d. h. daß das Bekannte wiedererkannt wird. Die Freude des Wiedererkennens ist vielmehr die, daß *mehr* erkannt wird als nur das Bekannte. In der Wiedererkenntnis tritt das, was wir kennen, gleichsam wie durch eine Erleuchtung aus aller Zufälligkeit und Variabilität der Umstände, die es bedingen, heraus und wird in seinem Wesen erfaßt. Es wird als etwas erkannt.

Wir stehen hier vor dem zentralen Motiv des Platonismus. Plato hat in seiner Lehre von der Anamnesis die mythische Vorstellung von der Wiedererinnerung mit dem Weg seiner Dialektik zusammengedacht, die in den Logoi, d. h. in der Idealität der Sprache die Wahrheit des Seins sucht[1]. In der Tat ist ein solcher Idealismus des Wesens im Phänomen der Wiedererkenntnis angelegt. Das ‚Bekannte‘ kommt erst in sein wahres Sein und zeigt sich als das, was es ist, durch seine Wiedererkennung. Als Wiedererkanntes ist es das in seinem Wesen Festgehaltene, aus der Zufälligkeit seiner Aspekte Gelöste. Das gilt vollends für die Art Wiedererkennung, die gegenüber der Darstellung im Spiel statthat. Solche Darstellung läßt ja all das hinter sich, was zufällig und unwesentlich ist, z. B. das eigene besondere Sein des Schauspielers. Über der Erkenntnis dessen, was er darstellt, verschwindet er ganz. Aber auch das, was dargestellt wird, der bekannte Vorgang der mythologischen Überlieferung, wird durch die Darstellung gleichsam in seine gültige Wahrheit gehoben. Im Hinblick auf Erkenntnis des Wahren ist das Sein der Darstellung mehr als das Sein des dargestellten Stoffes, der homerische Achilles mehr als sein Urbild.

Das mimische Urverhältnis, das wir erörtern, enthält also nicht nur, daß das Dargestellte da ist, sondern auch, daß es eigentlicher ins Da gekommen ist. Nachahmung und Darstellung sind nicht abbildende Wiederholung allein, sondern Erkenntnis des Wesens. Weil sie nicht bloß Wiederholung, sondern ‚Hervorholung‘ sind, ist in ihnen zugleich der Zuschauer mitgemeint. Sie enthalten in sich den Wesensbezug auf jeden, für den die Darstellung ist.

Ja, man kann noch mehr sagen: die Darstellung des Wesens ist so wenig bloße Nachahmung, daß sie notwendig zeigend ist. Wer nachmacht, muß weglassen und hervorheben. Weil er zeigt, muß er, ob er will oder nicht, übertreiben. Insofern besteht ein unaufhebbarer Seinsabstand zwischen dem Seienden, das ‚so ist wie‘, und demjenigen, dem es gleichen will.

---

[1] Plato, Phaid., 73 ff.

Bekanntlich hat Plato auf diesem ontologischen Abstand, auf dem Mehr oder Minder des Zurückbleibens des Abbildes gegenüber dem Urbild, bestanden und von da aus die Nachahmung und Darstellung im Spiel der Kunst als eine Nachahmung der Nachahmung auf den dritten Rang verwiesen[1]. Gleichwohl ist in der Darstellung der Kunst Wiedererkenntnis am Werk, die den Charakter echter Wesenserkenntnis hat, und das ist gerade dadurch, daß Plato alle Wesenserkenntnis als Wiedererkenntnis versteht, sachlich begründet worden: Aristoteles konnte die Poesie philosophischer nennen als die Historie[2].

Nachahmung hat also als Darstellung eine ausgezeichnete Erkenntnisfunktion. Der Begriff der Nachahmung konnte aus diesem Grunde in der Kunsttheorie solange ausreichen, wie die Erkenntnisbedeutung der Kunst unbestritten war. Das aber gilt solange, als es feststeht, daß Erkenntnis des Wahren Erkenntnis des Wesens ist[3], denn solcher Erkenntnis dient die Kunst auf eine überzeugende Weise. Für den Nominalismus der modernen Wissenschaft dagegen und seinen Wirklichkeitsbegriff, aus dem Kant für die Ästhetik die agnostizistischen Konsequenzen gezogen hat, hat der Begriff der Mimesis seine ästhetische Verbindlichkeit eingebüßt.

Nachdem uns die Aporien dieser subjektiven Wendung der Ästhetik deutlich geworden sind, sehen wir uns jedoch an die ältere Tradition zurückverwiesen. Wenn Kunst nicht die Varietät wechselnder Erlebnisse ist, deren Gegenstand je subjektiv mit Bedeutung ausgefüllt wird wie eine Leerform, muß ‚Darstellung‘ als die Seinsart des Kunstwerkes selber anerkannt werden. Das sollte dadurch vorbereitet werden, daß der Begriff der Darstellung aus dem Begriff des Spiels abgeleitet wurde, sofern das Sichdarstellen das wahre Wesen des Spiels – und mithin auch des Kunstwerks – ist. Das gespielte Spiel ist es, das durch seine Darstellung den Zuschauer anredet, und das so, daß der Zuschauer trotz allem Abstand des Gegenübers dazugehört.

Am deutlichsten war das an der Art Darstellung, die Kulthandlung ist. Hier liegt der Bezug auf die Gemeinde auf der Hand. Ein noch so reflektiertes ästhetisches Bewußtsein kann nicht mehr meinen, erst die ästhetische Unterscheidung, die den ästhetischen Gegenstand für sich stelle, treffe den wahren Sinn des Kultbildes oder des religiösen Spiels. Niemand wird meinen können, daß für die religiöse Wahrheit die Ausführung der Kulthandlung etwas Unwesentliches sei.

Das gleiche gilt nun in ähnlicher Weise für das Schauspiel überhaupt und das, was es als Dichtung ist. Die Aufführung eines Schauspiels ist auch nicht einfach von ihm ablösbar als etwas, das zu seinem wesentlichen Sein

---

[1] Plato, Rep. X.   [2] Aristot. Poet. 9, 1451 b 6.

[3] Anna Tumarkin hat sehr genau an der Kunsttheorie des 18. Jahrhunderts den Übergang von ‚Nachahmung‘ zu ‚Ausdruck‘ zeigen können (Festschrift für Samuel Singer, 1930).

nicht gehört, sondern so subjektiv und fließend ist wie die ästhetischen Erlebnisse, in denen es erfahren wird. Vielmehr begegnet in der Aufführung und nur in ihr – das wird am klarsten an der Musik – das Werk selbst, so wie im Kult das Göttliche begegnet. Hier wird der methodische Gewinn sichtbar, den das Ausgehen vom Spielbegriff einbringt. Das Kunstwerk ist nicht von der ‚Kontingenz' der Zugangsbedingungen, unter denen es sich zeigt, schlechthin isolierbar, und wo solche Isolation doch geschieht, ist das Ergebnis eine Abstraktion, die das eigentliche Sein des Werkes reduziert. Es selbst gehört in die Welt hinein, der es sich darstellt. Schauspiel ist erst eigentlich, wo es gespielt wird, und vollends Musik muß ertönen.

Die These ist also, daß das Sein der Kunst nicht als Gegenstand eines ästhetischen Bewußtseins bestimmt werden kann, weil umgekehrt das ästhetische Verhalten mehr ist, als es von sich weiß. Es ist ein Teil des *Seinsvorganges der Darstellung* und gehört dem Spiel als Spiel wesenhaft zu.

Was hat das für ontologische Konsequenzen? Was ergibt sich, wenn wir derart von dem Spielcharakter des Spieles ausgehen, für die nähere Bestimmung der Seinsart des ästhetischen Seins? Soviel ist klar: das Schauspiel und das von dorther verstandene Kunstwerk ist kein bloßes Schema von Regeln oder Verhaltensvorschriften, innerhalb derer das Spielen sich frei verwirklichen kann. Das Spielen des Schauspiels will nicht als Befriedigung eines Spielbedürfnisses verstanden werden, sondern als das Ins-Dasein-Treten der Dichtung selbst. So fragt sich, was solch Dichtwerk seinem Sein nach eigentlich ist, daß es je nur im Gespieltwerden, in der Darstellung als Schauspiel ist und daß es doch sein eigenes Sein ist, das darin zur Darstellung kommt.

Wir erinnern uns der oben gebrauchten Formel von der ‚Verwandlung ins Gebilde'. Das Spiel ist Gebilde – diese These will sagen: seinem Angewiesensein auf das Gespieltwerden zum Trotz ist es ein bedeutungshaftes Ganzes, das als dieses wiederholt dargestellt und in seinem Sinn verstanden werden kann. Das Gebilde ist aber auch Spiel, weil es – dieser seiner ideellen Einheit zum Trotz – nur im jeweiligen Gespieltwerden sein volles Sein erlangt. Es ist die Zusammengehörigkeit beider Seiten, was wir gegen die Abstraktion der ästhetischen Unterscheidung zu betonen haben.

Wir können dem jetzt geradezu die Form geben, daß wir der ästhetischen Unterscheidung, dem eigentlichen Konstitutivum des ästhetischen Bewußtseins, die ‚*ästhetische Nichtunterscheidung*' entgegensetzen. Es war klargeworden: das in der Nachahmung Nachgeahmte, vom Dichter Gestaltete, vom Spieler Dargestellte, vom Zuschauer Erkannte ist so sehr das Gemeinte, das, worin die Bedeutung der Darstellung liegt, daß die dichterische Gestaltung oder die Darstellungsleistung als solche gar nicht zur Abhebung gelangen. Wo man doch unterscheidet, wird von der Gestaltung ihr Stoff, von der ‚Auffassung' die Dichtung unterschieden. Aber diese Unterscheidungen sind sekundärer Natur. Was der Spieler spielt und der Zuschauer erkennt, sind die Gestalten und die Handlung selbst, wie sie vom Dichter gemeint sind. Wir haben hier also eine *doppelte Mimesis:* der Dichter stellt dar und der Spieler stellt dar. Aber gerade diese doppelte Mimesis ist *eine:* was in der einen und in der anderen zum Dasein kommt, ist das gleiche.

Genauer kann man sagen: die mimische Darstellung der Aufführung bringt das zum Da-Sein, was die Dichtung eigentlich verlangt. Der doppelten Unterscheidung von Dichtung und ihrem Stoff und von Dichtung und Aufführung entspricht eine doppelte Nichtunterscheidung als die Einheit der Wahrheit, die man im Spiel der Kunst erkennt. Es ist ein Herausfallen aus der eigentlichen Erfahrung einer Dichtung, wenn man die ihr zugrunde liegende Fabel etwa auf ihre Herkunft hin betrachtet, und ebenso ist es schon ein Herausfallen aus der eigentlichen Erfahrung des Schauspiels, wenn der Zuschauer über die Auffassung, die einer Aufführung zugrunde liegt, oder über die Leistung der Darsteller als solche reflektiert. Eine solche Reflexion enthält ja schon die ästhetische Unterscheidung des Werkes selbst von seiner Darstellung. Für den Gehalt der Erfahrung als solchen ist es aber, wie wir gesehen haben, sogar gleichgültig, ob die tragische oder komische Szene, die sich vor einem abspielt, auf der Bühne oder im Leben vor sich geht – wenn man nur Zuschauer ist. Was wir ein Gebilde nannten, ist es, sofern es sich derart als ein Sinnganzes darstellt. Es ist nicht an sich und begegnet dazu in einer ihm akzidentellen Vermittlung, sondern es gewinnt in der Vermittlung sein eigentliches Sein.

Die Varietät der Aufführungen oder Ausführungen eines solchen Gebildes mag dabei noch so sehr auf die Auffassung der Spieler zurückgehen – auch sie bleibt nicht in die Subjektivität ihres Meinens verschlossen, sondern ist leibhaft da. Es handelt sich also gar nicht um eine bloße subjektive Varietät von Auffassungen, sondern um eigene Seinsmöglichkeiten des Werks, das sich gleichsam in der Varietät seiner Aspekte selber auslegt.

Damit soll nicht geleugnet werden, daß hier ein möglicher Ansatzpunkt für ästhetische Reflexion liegt. Bei verschiedenen Aufführungen desselben Spiels etwa kann man ja eine Weise der Vermittlung von der anderen unterscheiden, so wie man sich auch die Zugangsbedingungen zu Kunstwerken anderer Art veränderlich denken kann – z.B. wenn man ein Bauwerk auf die Frage hin ansieht, wie es ,freigelegt' wirken würde oder wie seine Umgebung aussehen sollte. Oder wenn man vor der Frage der Restaurierung eines Bildes steht. In allen solchen Fällen wird das Werk selbst von seiner ,Darstellung' unterschieden[1], aber man verkennt die Verbindlichkeit des

---

[1] Ein Problem von besonderer Art ist, ob man nicht im Vorgang der Gestaltung selber im selben Sinne schon ästhetische Reflexion am Werke sehen soll. Daß der Schaffende im Blick auf die Idee seines Werkes verschiedene Möglichkeiten der Ausgestaltung erwägen, kritisch vergleichen und beurteilen kann, ist unleugbar. Diese dem Schaffen selbst einwohnende nüchterne Helligkeit scheint mir jedoch

Kunstwerks, wenn man die in der Darstellung möglichen Variationen für frei und beliebig hält. In Wahrheit unterstellen sie sich alle dem kritischen Leitmaßstab der ‚richtigen' Darstellung[1].

Wir kennen das etwa im modernen Theater als die Tradition, die von einer Inszenierung, einer Rollenschöpfung oder der Praxis einer musikalischen Aufführung ausgeht. Es gibt hier kein beliebiges Nebeneinander, eine bloße Varietät von Auffassungen, vielmehr bildet sich aus ständiger Vorbildnahme und produktiver Abwandlung eine Tradition, mit der sich jeder neue Versuch auseinandersetzen muß. Davon hat auch der reproduktive Künstler ein gewisses Bewußtsein. Wie er an ein Werk oder an eine Rolle herangeht, das ist immer schon irgendwie auf Vorbilder, die das gleiche taten, bezogen. Dabei handelt es sich keineswegs um eine blinde Nachahmung. Die Tradition, die durch einen großen Schauspieler, Regisseur oder Musiker geschaffen wird, indem sein Vorbild wirksam bleibt, ist nicht etwa ein Hemmnis für freie Gestaltung, sondern hat sich mit dem Werk selbst derart verschmolzen, daß die Auseinandersetzung mit diesem Vorbild nicht minder als die mit dem Werk selbst die schöpferische Nachgestaltung jedes Künstlers aufruft. Die reproduktiven Künste haben eben dies Besondere, daß die Werke, mit denen sie es tun zu haben, zu solcher Nachgestaltung ausdrücklich freilassen und damit die Identität und Kontinuität des Kunstwerkes nach seiner Zukunft hin sichtbar geöffnet halten[2].

etwas sehr anderes als die ästhetische Reflexion und die ästhetische Kritik, die sich an dem Werk selber zu entzünden vermag. Es mag sein, daß, was Gegenstand der Besinnung des Schaffenden war: die Möglichkeiten der Gestaltung also, auch Ansatzpunkt ästhetischer Kritik sein kann. Aber selbst im Falle solcher inhaltlicher Übereinstimmung von schöpferischer und kritischer Reflexion ist der Maßstab ein anderer. Ästhetische Kritik hat die Störung des einheitlichen Verstehens zu ihrem Grunde, während die ästhetische Besinnung des Schaffenden auf die Erstellung der Werkeinheit selber gerichtet ist. Wir werden später sehen, was diese Feststellung für hermeneutische Konsequenzen hat.

Es scheint mir noch immer ein Rest des falschen Psychologismus, der aus der Geschmacks- und Genieästhetik stammt, wenn man den Produktionsvorgang und den Reproduktionsvorgang in der Idee zusammenfallen läßt. Man verkennt damit das über die Subjektivität des Schaffenden wie des Genießenden hinausgehende Ereignis, das das Gelingen eines Werkes darstellt.

[1] Ich kann es nicht für richtig halten, wenn R. Ingarden (in seinen ‚Bemerkungen zum Problem des ästhetischen Werturteils', Rivista di Estetica 1959), dessen Analysen zur ‚Schematik' des literarischen Kunstwerks im übrigen viel zu wenig beachtet werden, in der Konkretion zum ‚ästhetischen Gegenstande' den Spielraum ästhetischer Bewertung des Kunstwerks erblickt. Nicht im ästhetischen Erfassungserlebnis konstituiert sich der ästhetische Gegenstand, sondern durch seine Konkretisierung und Konstituierung hindurch wird das Kunstwerk selbst in seiner ästhetischen Qualität erfahren. Darin stimme ich mit L. Pareysons Ästhetik der ‚formativita' voll überein.

[2] Daß sich das nicht auf die reproduktiven Künste beschränkt, sondern jedes Kunstwerk, ja jedes Sinngebilde umfaßt, das zu neuem Verständnis erweckt wird, wird sich später zeigen.

Vielleicht ist der Maßstab, der hier bemißt, daß etwas ‚richtige Darstellung‘ ist, ein höchst beweglicher und relativer. Aber die Verbindlichkeit der Darstellung wird dadurch nicht gemindert, daß sie auf einen
festen Maßstab verzichten muß. So werden wir gewiß der Interpretation
eines Musikwerks oder eines Dramas nicht die Freiheit einräumen, daß sie
den fixierten ‚Text‘ zum Anlaß der Erzeugung beliebiger Effekte nimmt,
und werden doch auch umgekehrt die Kanonisierung einer bestimmten
Interpretation, z. B. durch die Schallplattenaufnahme, die der Komponist
dirigiert hat, oder die detaillierten Aufführungsvorschriften, die sich von
der kanonisierten Uraufführung herleiten, für eine Verkennung der eigentlichen Interpretationsaufgabe halten. Eine dermaßen angestrebte ‚Richtigkeit‘ würde der wahren Verbindlichkeit des Werkes selbst nicht gerecht, die
einen jeden Interpreten auf eigene und unmittelbare Weise bindet und ihm
die Entlastung durch bloße Nachahmung eines Vorbildes vorenthält.

Es ist auch offenkundig falsch, die ‚Freiheit‘ des reproduktiven Beliebens
auf Äußerlichkeiten oder Randerscheinungen zu beschränken und nicht
vielmehr das Ganze einer Reproduktion verbindlich und frei zugleich zu
denken. Interpretation ist wohl in einem gewissen Sinne Nachschaffen,
aber dies Nachschaffen folgt nicht einem vorgängigen Schaffensakt, sondern
der Figur des geschaffenen Werks, die einer so, wie er Sinn darin findet,
zur Darstellung zu bringen hat. Historisierende Darstellungen, z. B. Musik
auf alten Instrumenten, sind daher nicht so getreu, wie sie meinen. Sie
sind vielmehr in der Gefahr, als Nachahmung der Nachahmung ‚dreifach
von der Wahrheit abzustehen‘ (Plato).

Die Idee einer allein richtigen Darstellung hat angesichts der Endlichkeit unseres geschichtlichen Daseins, wie es scheint, überhaupt etwas
Widersinniges. Darüber wird in anderem Zusammenhang noch zu reden
sein. Hier dient der offenbare Sachverhalt, daß jede Darstellung richtig
sein will, nur als Bestätigung dafür, daß die Nichtunterscheidung der Vermittlung von dem Werke selbst die eigentliche Erfahrung des Werkes ist.
Daß das ästhetische Bewußtsein die ästhetische Unterscheidung zwischen
dem Werk und seiner Vermittlung im allgemeinen nur in der Weise der
Kritik, also dort, wo diese Vermittlung scheitert, zu vollziehen weiß, stimmt
damit überein. Die Vermittlung ist ihrer Idee nach eine totale.

Totale Vermittlung bedeutet, daß das Vermittelnde als Vermittelndes sich
selbst aufhebt. Das will sagen, daß die Reproduktion (im Falle von Schauspiel und Musik, aber auch beim epischen oder lyrischen Vortrag) als solche
nicht thematisch wird, sondern daß sich durch sie hindurch und in ihr das
Werk zur Darstellung bringt. Wir werden sehen, daß das gleiche von dem
Zugangs- und Begegnungscharakter gilt, in dem Bauten und Bildwerke
sich darstellen. Auch hier wird der Zugang als solcher nicht selbst thematisch, aber umgekehrt ist es auch nicht so, daß man von diesen Lebensbezügen zu abstrahieren hätte, um das Werk selbst zu erfassen. Vielmehr

ist es in ihnen selbst da. Daß Werke einer Vergangenheit entstammen, aus der sie als dauernde Monumente in die Gegenwart hineinragen, macht ihr Sein noch lange nicht zu einem Gegenstand des ästhetischen oder historischen Bewußtseins. Sie sind, solange sie in ihren Funktionen stehen, mit jeder Gegenwart gleichzeitig. Ja, selbst wenn sie nur noch als Kunstwerke in Museen ihren Platz haben, sind sie nicht gänzlich sich selbst entfremdet. Nicht nur, daß ein Kunstwerk die Spur seiner ursprünglichen Funktion nie ganz verlöschen läßt und dem Wissenden möglich macht, sie erkennend wiederherzustellen, – das Kunstwerk, das im Nebeneinander der Galerie seinen Platz angewiesen bekommt, ist noch immer ein eigener Ursprung. Es bringt sich selbst zur Geltung, und wie es das tut – indem es anderes ,totschlägt' oder zu anderem sich gut ergänzt –, ist noch etwas von ihm selbst.

Wir fragen nach der Identität dieses Selbst, das sich im Wandel der Zeiten und Umstände so verschieden darstellt. Es wirft sich offenbar in die wechselnden Aspekte seiner selbst nicht derart auseinander, daß es seine Identität verlöre, sondern es ist in ihnen allen da. Sie alle gehören ihm zu. Sie alle sind mit ihm *gleichzeitig*. So stellt sich die Aufgabe einer temporalen Interpretation des Kunstwerks.

c) Die Zeitlichkeit des Ästhetischen

Was ist das für eine Gleichzeitigkeit? Was ist es für eine Zeitlichkeit, die dem ästhetischen Sein zukommt? Man nennt diese Gleichzeitigkeit und Gegenwärtigkeit des ästhetischen Seins im allgemeinen seine Zeitlosigkeit. Aber die Aufgabe ist, diese Zeitlosigkeit mit der Zeitlichkeit zusammenzudenken, mit der sie wesentlich zusammengehört. Zeitlosigkeit ist zunächst nichts als eine dialektische Bestimmung, die sich auf dem Grunde der Zeitlichkeit und auf dem Gegensatz zu der Zeitlichkeit erhebt. Auch die Rede von zwei Zeitlichkeiten, einer geschichtlichen und einer übergeschichtlichen Zeitlichkeit, durch die etwa Sedlmayr im Anschluß an Baader und unter Berufung auf Bollnow die Zeitlichkeit des Kunstwerks zu bestimmen sucht[1], kommt über eine dialektische Entgegensetzung nicht hinaus. Die übergeschichtliche ,heile' Zeit, in welcher ,Gegenwart' nicht der flüchtige Augenblick, sondern die Fülle der Zeit ist, wird von der ,existenziellen' Zeitlichkeit aus beschrieben, mag es Getragenheit, Leichtigkeit, Unschuld oder was immer sein, was sie auszeichnen soll. Wie unzureichend eine solche Entgegensetzung ist, tritt gerade dann heraus, wenn man, der Sache folgend, zugibt, daß die ,wahre Zeit' in die geschichtlich-existenzielle ,Schein-Zeit' hineinragt. Ein solches Hineinragen hätte offenbar den Charakter einer Epiphanie, d.h. aber, es wäre für das erfahrende Bewußtsein ohne Kontinuität.

---

[1] Hans Sedlmayr, Kunst und Wahrheit, rde 1958, S. 140 ff.

Der Sache nach wiederholen sich damit die Aporien des ästhetischen Bewußtseins, die wir oben dargestellt haben. Denn es ist gerade die Kontinuität, die ein jedes Zeitverständnis zu leisten hat, auch wenn es sich um die Zeitlichkeit des Kunstwerks handelt. Hier rächt sich das Mißverständnis, das Heideggers ontologischer Exposition des Zeithorizonts widerfahren ist. Statt den methodischen Sinn der existenzialen Analytik des Daseins festzuhalten, behandelt man diese existenziale, geschichtliche Zeitlichkeit des durch Sorge, Vorlaufen zum Tode, d.h. radikale Endlichkeit bestimmten Daseins als eine unter anderen Möglichkeiten des Existenzverständnisses und vergißt darüber, daß es die Seinsweise des Verstehens selbst ist, die hier als Zeitlichkeit enthüllt wird. Die Abhebung der eigentlichen Zeitlichkeit des Kunstwerks als der ‚heilen Zeit‘ von der verfallenden geschichtlichen Zeit bleibt in Wahrheit eine bloße Ausspiegelung der menschlichendlichen Erfahrung der Kunst. Nur eine biblische Theologie der Zeit, die nicht vom Standpunkte menschlichen Selbstverständnisses aus, sondern von der göttlichen Offenbarung her wüßte, könnte von einer ‚heilen Zeit‘ sprechen und die Analogie zwischen der Zeitlosigkeit des Kunstwerks und dieser ‚heilen Zeit‘ theologisch legitimieren. Ohne solche theologische Legitimation verdeckt die Rede von der ‚heilen Zeit‘ das eigentliche Problem, das nicht in der Zeitentrücktheit des Kunstwerkes, sondern in seiner Zeitlichkeit liegt.

Wir nehmen also unsere Frage wieder auf: was ist das für eine Zeitlichkeit[1]?

Wir gingen davon aus, daß das Kunstwerk Spiel ist, d.h. daß es sein eigentliches Sein nicht ablösbar von seiner Darstellung hat und daß doch in der Darstellung die Einheit und Selbigkeit eines Gebildes herauskommt. Angewiesenheit auf Sichdarstellen gehört zu seinem Wesen. Das bedeutet, daß, soviel Verwandlung und Entstellung immer es in der Darstellung erfahren mag, es dennoch es selbst bleibt. Das gerade macht die Verbindlichkeit einer jeden Darstellung aus, daß sie den Bezug auf das Gebilde selbst enthält und sich dem Maßstab der daraus zu entnehmenden Richtigkeit unterstellt. Selbst noch der privative Extremfall einer ganz und gar entstellenden Darstellung bestätigt das. Sie wird als Entstellung bewußt, sofern die Darstellung als Darstellung des Gebildes selbst gemeint und beurteilt wird. Die Darstellung hat auf eine unauflösbare, unauslöschliche Art den Charakter der Wiederholung des Gleichen. Wiederholung meint hier freilich nicht, daß etwas im eigentlichen Sinne wiederholt, d.h. auf ein Ursprüngliches zurückgeführt würde. Vielmehr ist jede Wiederholung gleich ursprünglich zu dem Werk selbst.

---

[1] Zum Folgenden vergleiche man die gediegene Analyse von R. und G. Koebner, vom Schönen und seiner Wahrheit, 1957, die der Verf. erst kennenlernte, als seine eigene Arbeit abgeschlossen war. Vgl. die Notiz Phil. Rdsch. 7. S. 79.

Wir kennen die höchst rätselhafte Zeitstruktur, die hier vorliegt, vom Fest her[1]. Mindestens zu den periodischen Festen gehört, daß sie sich wiederholen. Wir nennen das beim Fest seine Wiederkehr. Dabei ist das wiederkehrende Fest weder ein anderes noch auch die bloße Rückerinnerung an ein ursprünglich gefeiertes. Der ursprünglich sakrale Charakter aller Feste schließt offenbar solche Unterscheidungen aus, wie wir sie in der Zeiterfahrung von Gegenwart, Erinnerung und Erwartung kennen. Die Zeiterfahrung des Festes ist vielmehr die *Begehung*, eine Gegenwart sui generis.

Der Zeitcharakter von Begehung ist von der üblichen Zeiterfahrung der Sukzession aus schwer zu fassen. Bezieht man die Wiederkehr des Festes auf die übliche Erfahrung der Zeit und ihrer Dimensionen, so erscheint sie als eine historische Zeitlichkeit. Das Fest verändert sich von Mal zu Mal. Denn immer anderes ist mit ihm gleichzeitig. Gleichwohl bliebe es auch unter solchem historischen Aspekt ein und dasselbe Fest, das solchen Wandel erleidet. Ursprünglich war es so und wurde so gefeiert, dann anders, dann wieder anders.

Indes trifft dieser Aspekt den Zeitcharakter des Festes ganz und gar nicht, der darin liegt, daß es begangen wird. Für das Wesen des Festes sind seine historischen Bezüge sekundär. Als Fest ist es nicht in der Weise einer historischen Begebenheit ein identisches, ist aber auch nicht derart von seinem Ursprung her bestimmt, daß einstmals das eigentliche Fest war – im Unterschied zu der Art, wie es in der Folge der Zeit gefeiert wird. Vielmehr ist an seinem Ursprung, z.B. durch seine Stiftung oder durch allmähliche Einführung, gegeben, daß es regelmäßig gefeiert wird. Es ist also seinem eigenen originalen Wesen nach so, daß es stets ein anderes ist (auch wenn es ,genau so' gefeiert wird). Seiendes, das nur ist, indem es stets ein anderes ist, ist in einem radikaleren Sinne zeitlich, als alles, was der Geschichte angehört. Es hat nur im Werden und im Wiederkehren sein Sein[2].

---

[1] Walter F. Otto und Karl Kerényi haben das Verdienst, die Bedeutung des Festes für die Religionsgeschichte und Anthropologie erkannt zu haben (vgl. Karl Kerényi, Vom Wesen des Festes, Paideuma 1938).

[2] Aristoteles bezieht sich zur Charakteristik der Seinsweise des Apeiron, also im Blick auf Anaximander, auf das Sein des Tages und des Wettkampfs, also des Festes (Phys. III, 6, 206 a 20). Hat etwa schon Anaximander das Nicht-Ausgehen des Apeiron in der Beziehung auf solche reine Zeitphänomene zu bestimmen gesucht? Hatte er dabei vielleicht mehr im Auge als was mit den aristotelischen Begriffen von Werden und Sein faßbar ist? Denn das Bild des Tages begegnet noch in einem anderen Zusammenhang in ausgezeichneter Funktion: In Platos Parmenides (Parm. 131b) will Sokrates das Verhältnis der Idee zu den Dingen an der Anwesenheit des *Tages*, der für alle ist, veranschaulichen. Hier wird am Sein des Tages nicht das im Vergehen allein Seiende, sondern die unteilbare Anwesenheit und PARUSIA des *Selben* demonstriert, unbeschadet dessen, daß der Tag überall ein anderes ist. Sollte etwa den frühen Denkern, wenn sie Sein, d.h. Anwesenheit dachten, das, was ihnen Gegenwart war, im Lichte der sakralen Kommunion erschienen sein, in der das Göttliche

Das Fest ist nur, indem es gefeiert wird. Damit ist keineswegs gesagt, daß es subjektiven Charakters sei und nur in der Subjektivität der Feiernden sein Sein habe. Vielmehr feiert man das Fest, weil es da ist. Ähnlich galt auch für das Schauspiel, daß es sich für den Zuschauer darstellen muß, und doch ist sein Sein durchaus nicht bloß der Schnittpunkt von Erlebnissen, die die Zuschauer haben. Vielmehr ist umgekehrt das Sein des Zuschauers durch sein ‚Dabeisein‘ bestimmt. Dabeisein ist mehr als bloße Mitanwesenheit mit etwas anderem, das zugleich da ist. Dabeisein heißt Teilhabe. Wer bei etwas dabei war, der weiß im ganzen Bescheid, wie es eigentlich war. Erst abgeleiteterweise bedeutet Dabeisein dann auch eine Weise des subjektiven Verhaltens, das ‚Bei-der-Sache-sein‘. Zuschauen ist also eine echte Weise der Teilhabe. Man darf an den Begriff der sakralen Kommunion erinnern, wie sie dem ursprünglichen griechischen Begriff der Theoria zugrunde liegt. Theoros heißt bekanntlich der Teilnehmer an einer Festgesandtschaft. Teilnehmer an einer Festgesandtschaft haben keine andere Qualifikation und Funktion als dabei zu sein. Der Theoros ist also der Zuschauer im eigentlichen Sinne des Wortes, der an dem feierlichen Akte durch Dabeisein teilhat und dadurch seine sakralrechtliche Auszeichnung, z.B. seine Unverletzlichkeit, gewinnt.

In gleicher Weise faßt noch die griechische Metaphysik das Wesen der Theoria und des Nous als das reine Dabeisein bei dem wahrhaft Seienden[1], und auch in unseren Augen ist die Fähigkeit, sich theoretisch verhalten zu können, dadurch definiert, daß man über einer Sache seine eigenen Zwecke vergessen kann[2]. Theoria ist aber nicht primär als ein Verhalten der Subjektivität zu denken, als eine Selbstbestimmung des Subjekts, sondern von dem her, was es anschaut. Theoria ist wirkliche Teilnahme, kein Tun, sondern ein Erleiden (Pathos), nämlich das hingerissene Eingenommensein vom Anblick. Von hier aus hat man in jüngster Zeit den religiösen Hintergrund des griechischen Vernunftbegriffes verständlich gemacht[3].

---

sich zeigt? Die Parusie des Göttlichen ist ja noch für Aristoteles das eigentlichste Sein, die durch kein δυνάμει eingeschränkte Energeia (Met. XIII, 7). Von der üblichen Zeiterfahrung der Sukzession aus ist dieser Zeitcharakter nicht zu fassen. Die Dimensionen der Zeit und die Erfahrung derselben lassen die Wiederkehr des Festes nur als eine historische verstanden werden: ein und dasselbe verändert sich von Mal zu Mal. In Wahrheit aber ist ein Fest nicht ein und dasselbe, sondern es ist, indem es stets ein anderes ist. Seiendes, das nur ist, indem es stets ein anderes ist, ist in einem radikalen Sinne zeitlich: es hat im Werden sein Sein. Vgl. über den Seinscharakter der ‚Weile‘ M. Heidegger, Holzwege, S. 322ff.

[1] Vgl. meinen Aufsatz ‚Zur Vorgeschichte der Metaphysik‘ über das Verhältnis von ‚Sein‘ und ‚Denken‘ bei Parmenides (Anteile 1949).

[2] Vgl. das oben S. 9ff. über Bildung Gesagte.

[3] Vgl. Gerhard Krüger, Einsicht und Leidenschaft. Das Wesen des platonischen Denkens, 1940[1]. Insbesondere die Einleitung dieses Buches enthält wichtige Einsichten. Inzwischen hat eine publizierte Vorlesung Krügers (Grundfragen der Philosophie, 1958) die systematischen Absichten des Verfassers noch verdeutlicht. So

Wir gingen davon aus, daß das wahre Sein des Zuschauers, der dem Spiel der Kunst zugehört, von der Subjektivität her, als eine Verhaltungsweise des ästhetischen Bewußtseins, nicht angemessen zu fassen ist. Das soll aber nicht heißen, daß sich nicht doch auch das Wesen des Zuschauers von jenem Dabeisein aus beschreiben läßt, das wir hervorhoben. Dabeisein als eine subjektive Leistung menschlichen Verhaltens hat den Charakter des Außersichseins. Schon Plato hat in seinem ‚Phaidros' die Unverständigkeit gekennzeichnet, mit der man von der rationalen Vernünftigkeit aus die Ekstatik des Außersichseins zu verkennen pflegt, wenn man darin eine bloße Negation des Beisichseins, also eine Art von Verrücktheit sieht. In Wahrheit ist Außersichsein die positive Möglichkeit, ganz bei etwas dabei zu sein. Solches Dabeisein hat den Charakter der Selbstvergessenheit, und es macht das Wesen des Zuschauers aus, einem Anblick selbstvergessen hingegeben zu sein. Selbstvergessenheit ist hier aber alles andere als ein privativer Zustand, denn sie entspringt aus der Zuwendung zur Sache, die der Zuschauer als seine eigene positive Leistung aufbringt [1].

---

sei hier einiges angemerkt. Krügers Kritik des modernen Denkens und seiner Emanzipation von allen Bindungen an ‚ontische Wahrheit' scheint mir fiktiv. Daß die moderne Wissenschaft, so konstruktiv sie vorgehen mag, ihre grundsätzliche Rückbindung an die Erfahrung nie preisgegeben hat und nie preisgeben kann, hat auch die Philosophie der Neuzeit niemals vergessen können. Man denke nur an Kants Fragestellung, wie eine reine Naturwissenschaft möglich sei. Aber man tut auch dem spekulativen Idealismus sehr unrecht, wenn man ihn so einseitig versteht, wie Krüger das tut. Seine Konstruktion der Totalität aller Gedankenbestimmungen ist keineswegs das Sichausdenken eines beliebigen Weltbildes, sondern will die absolute Aposteriorität der Erfahrung ins Denken einholen. Das ist der genaue Sinn der transzendentalen Reflexion. Das Beispiel Hegels kann lehren, daß damit sogar die Erneuerung des antiken Begriffsrealismus angestrebt sein kann. Krügers Bild des modernen Denkens ist im Grunde ganz an dem verzweifelten Extremismus Nietzsches orientiert. Dessen Perspektivismus des Willens zur Macht ist aber nicht in Übereinstimmung mit der idealistischen Philosophie, sondern im Gegenteil auf dem Boden erwachsen, den nach dem Zusammenbruch der Philosophie des Idealismus der Historismus des 19. Jahrhunderts bereitet hatte. Ich vermag daher auch Diltheys Theorie der geisteswissenschaftlichen Erkenntnis nicht so einzuschätzen, wie Krüger möchte. Vielmehr kommt es m. E. gerade darauf an, die bisherige philosophische Interpretation der modernen Geisteswissenschaften zu berichtigen, die sich auch bei Dilthey noch vielzusehr dem einseitigen Methodendenken der exakten Naturwissenschaften überliefert zeigt. Gewiß stimme ich mit Krüger überein, wenn er sich auf die Lebenserfahrung und auf die Erfahrung des Künstlers beruft. Die fortdauernde Geltung dieser Instanzen für unser Denken scheint mir jedoch zu beweisen, daß der Gegensatz zwischen dem antiken Denken und dem modernen Denken, wie ihn Krüger zuspitzt, selber eine moderne Konstruktion ist.

Wenn unsere Untersuchung sich – gegenüber der Subjektivierung der philosophischen Ästhetik – auf die Erfahrung der Kunst besinnt, zielt sie nicht nur auf eine Frage der Ästhetik, sondern auf eine angemessene Selbstinterpretation des modernen Denkens überhaupt, das immer noch mehr in sich schließt, als der neuzeitliche Methodenbegriff anerkennt.

[1] E. Fink hat den Sinn des enthusiastischen Außersichseins des Menschen durch

Offenbar besteht ein wesentlicher Unterschied zwischen dem Zuschauer, der sich dem Spiel der Kunst ganz hingibt, und der Schaulust der bloßen Neugierde. Auch der Neugierde ist es eigentümlich, daß sie von dem Anblick wie fortgezogen wird, sich in ihm völlig vergißt und sich nicht von ihm losreißen kann. Aber für den Gegenstand der Neugierde ist kennzeichnend, daß er einen im Grunde nichts angeht. Er hat für den Zuschauer keinen Sinn. Es ist nichts in ihm, worauf er wirklich zurückzukommen vermöchte und wohinein er sich sammelte. Denn es ist ja die formale Qualität der Neuheit, d.h. der abstrakten Andersheit, die den Reiz des Anblicks begründet. Das zeigt sich darin, daß ihm als dialektisches Komplement das Langweiligwerden und die Abstumpfung zukommen. Dagegen erschöpft sich das, was sich dem Zuschauer als Spiel der Kunst darstellt, nicht in der bloßen Hingerissenheit des Augenblicks, sondern schließt einen Anspruch auf Dauer und die Dauer eines Anspruches ein.

Das Wort Anspruch kommt einem hier nicht von ungefähr. In der von Kierkegaard angeregten theologischen Besinnung, die wir als ‚dialektische Theologie' bezeichnen, hat dieser Begriff nicht zufällig eine theologische Explikation des mit Kierkegaards Begriff der Gleichzeitigkeit Gemeinten ermöglicht. Ein Anspruch ist zwar etwas Bestehendes. Seine Berechtigung (oder die Vorgeblichkeit einer solchen) ist das Erste. Eben weil der Anspruch besteht, kann er jederzeit geltend gemacht werden. Der Anspruch besteht gegen jemanden und muß daher bei ihm geltend gemacht werden. Offenbar enthält der Begriff des Anspruchs aber, daß er nicht selber eine festgelegte Forderung ist, deren Erfüllung eindeutig vereinbart ist, sondern vielmehr eine solche begründet. Ein Anspruch ist die Rechtsgrundlage für eine unbestimmte Forderung. Wie ihm so entsprochen wird, daß er abgegolten ist, muß er dann, wenn er geltend gemacht wird, die Gestalt einer Forderung erst annehmen. Dem Bestehen des Anspruchs entspricht also, daß er sich zu einer Forderung konkretisiert.

---

eine Unterscheidung zu klären versucht, die offenbar vom platonischen Phaidros inspiriert ist. Während aber dort das Gegenideal der reinen Vernünftigkeit die Unterscheidung als die des guten und des schlechten Wahnsinns bestimmt, fehlt bei Fink ein entsprechendes Kriterium, wenn er »die reinhumane Begeisterung« mit dem Enthusiasmus kontrastiert, in welchem der Mensch im Gotte ist. Denn am Ende ist auch die »reinhumane Begeisterung« ein Wegsein und Dabeisein, das der Mensch nicht ‚vermag', sondern das über ihn kommt, und scheint mir insofern vom Enthusiasmus nicht zu trennen. Daß es eine in des Menschen Macht stehende Begeisterung gibt und umgekehrt der Enthusiasmus die Erfahrung von einer uns schlechthin übertreffenden Übermacht sei: solche Unterscheidungen von Herrschaft über sich selbst und von Überwältigtsein sind selber vom Machtdenken her gedacht und werden deshalb dem Ineinander von Außersichsein und Beietwassein nicht gerecht, das für jede Form von Begeisterung und Enthusiasmus gilt. Die von Fink beschriebenen Formen ‚rein-menschlicher Begeisterung' sind selber, wenn man sie nur nicht ‚narzistisch-psychologisch' mißdeutet, Weisen der ‚endlichen Selbstüberschreitung der Endlichkeit' (vgl. Eugen Fink, Vom Wesen des Enthusiasmus, insbes. S. 22–25).

Die Anwendung auf die lutherische Theologie besteht darin, daß der Anspruch des Glaubens seit der Verkündigung besteht und in der Predigt je neu geltend gemacht wird. Das Wort der Predigt leistet eben dieselbe totale Vermittlung, die sonst der kultischen Handlung – etwa der heiligen Messe – obliegt. Daß das Wort auch sonst berufen ist, die Vermittlung der Gleichzeitigkeit zu leisten, und daß ihm daher im Problem der Hermeneutik die Führung zukommt, werden wir noch sehen.

Jedenfalls kommt dem Sein des Kunstwerks ‚Gleichzeitigkeit' zu. Sie macht das Wesen des ‚Dabeiseins' aus. Sie ist nicht die Simultaneität des ästhetischen Bewußtseins. Denn diese Simultaneität meint das Zugleichsein und die Gleich-Gültigkeit verschiedener ästhetischer Erlebnisgegenstände in einem Bewußtsein. ‚Gleichzeitigkeit' dagegen will hier sagen, daß ein Einziges, das sich uns darstellt, so fernen Ursprungs es auch sei, in seiner Darstellung volle Gegenwart gewinnt. Gleichzeitigkeit ist also nicht eine Gegebenheitsweise im Bewußtsein, sondern eine Aufgabe für das Bewußtsein und eine Leistung, die von ihm verlangt wird. Sie besteht darin, sich so an die Sache zu halten, daß diese ‚gleichzeitig' wird, d. h. aber, daß alle Vermittlung in totaler Gegenwärtigkeit aufgehoben ist.

Dieser Begriff der Gleichzeitigkeit stammt bekanntlich von Kierkegaard, der ihm eine besondere theologische Prägung gab[1]. Gleichzeitig heißt bei Kierkegaard nicht Zugleichsein, sondern formuliert die Aufgabe, die an den Glaubenden gestellt ist, das, was nicht zugleich ist, die eigene Gegenwart und die Heilstat Christi, so total miteinander zu vermitteln, daß diese dennoch wie ein Gegenwärtiges (statt im Abstand des Damals) erfahren und ernst genommen wird. Umgekehrt beruht die Simultaneität des ästhetischen Bewußtseins auf der Verdeckung der mit der Gleichzeitigkeit gestellten Aufgabe.

In diesem Sinne kommt Gleichzeitigkeit besonders der kultischen Handlung, auch der Verkündigung in der Predigt, zu. Der Sinn des Dabeiseins ist hier die echte Teilhabe am Heilsgeschehen selbst. Niemand kann zweifeln, daß die ästhetische Unterscheidung, etwa der ‚schönen' Zeremonie oder der ‚guten' Predigt, angesichts des an uns ergehenden Anspruchs fehl am Platze ist. Nun behaupte ich, daß für die Erfahrung der Kunst im Grunde das gleiche gilt. Auch hier muß die Vermittlung als eine totale gedacht werden. Weder das Fürsichsein des schaffenden Künstlers – etwa seine Biographie – noch das des Darstellers, der ein Werk aufführt, noch auch das des Zuschauers, der das Spiel aufnimmt, hat angesichts des Seins des Kunstwerks eine eigene Legitimation.

Was sich da vor ihm abspielt, ist für einen Jeden so herausgehoben aus den fortgehenden Weltlinien und so zu einem selbständigen Sinnkreis zusammengeschlossen, daß sich für niemanden ein Hinausgehen auf irgend-

---

[1] Kierkegaard, Philosophische Brocken, 4. Kap. u. ö.

eine andere Zukunft und Wirklichkeit motiviert. Der Aufnehmende ist in eine absolute Distanz verwiesen, die ihm jede praktisch zweckvolle Anteilnahme verwehrt. Diese Distanz ist aber eine im eigentlichen Sinne ästhetische Distanz, denn sie bedeutet den Abstand zum Sehen, der die eigentliche und allseitige Teilhabe an dem, was sich vor einem darstellt, ermöglicht. Der ekstatischen Selbstvergessenheit des Zuschauers entspricht daher seine Kontinuität mit sich selber. Gerade von dem her, worein er sich als Zuschauer verliert, wird ihm die Kontinuität des Sinnes zugemutet. Es ist' die Wahrheit seiner eigenen Welt, der religiösen und sittlichen Welt, in der er lebt, die sich vor ihm darstellt und in der er sich erkennt. So wie die Parusie, die absolute Gegenwart, die Seinsweise des ästhetischen Seins bezeichnete und ein Kunstwerk dennoch überall dasselbe ist, wo immer es solche Gegenwart wird, so ist auch der absolute Augenblick, in dem ein Zuschauer steht, Selbstvergessenheit und Vermittlung mit sich selbst zugleich. Was ihn aus allem herausreißt, gibt ihm zugleich das Ganze seines Seins zurück.

Die Angewiesenheit des ästhetischen Seins auf Darstellung bedeutet also keine Bedürftigkeit, keinen Mangel an autonomer Sinnbestimmtheit. Sie gehört zu seinem eigentlichen Wesen. Der Zuschauer ist ein Wesensmoment des Spiels selber, das wir ästhetisch nennen. Wir erinnern uns hier der berühmten Definition der Tragödie, die wir in der Poetik des Aristoteles finden. Dort ist in die Wesensdefinition der Tragödie die Verfassung des Zuschauers ausdrücklich mit eingeschlossen.

d) Das Beispiel des Tragischen

Die aristotelische Theorie der Tragödie soll uns also als Beispiel für die Struktur des ästhetischen Seins überhaupt dienen. Bekanntlich steht sie im Zusammenhang einer Poetik und scheint nur für die dramatische Dichtung Geltung zu haben. Indessen ist das Tragische ein Grundphänomen, eine Sinnfigur, die durchaus nicht nur in der Tragödie, dem tragischen Kunstwerk im engeren Sinne, vorliegt, sondern auch in anderen Kunstgattungen, vor allem im Epos ihren Ort haben kann. Ja, es ist überhaupt nicht ein spezifisch künstlerisches Phänomen, sofern es auch im Leben begegnet. Aus diesem Grunde wird von neueren Forschern (Richard Hamann, Max Scheler[1]) das Tragische geradezu als ein außerästhetisches Moment angesehen; es handle sich hier um ein ethisch-metaphysisches Phänomen, das nur von außen in den Bereich der ästhetischen Problematik eingreife.

---

[1] Richard Hamann, Ästhetik, S. 97: »Das Tragische hat also mit Ästhetik nichts zu tun«; Max Scheler, Vom Umsturz der Werte, ‚Zum Phänomen des Tragischen': »Auch ob das Tragische ein wesentlich ‚ästhetisches' Phänomen sei, ist zweifelhaft.« Zur Prägung des Begriffs ‚Tragödie' vgl. E. Staiger, Die Kunst der Interpretation, S. 132 ff.

Nachdem uns aber der Begriff des Ästhetischen seine Fragwürdigkeit enthüllt hat, müssen wir uns umgekehrt fragen, ob nicht das Tragische vielmehr ein ästhetisches Grundphänomen ist. Das Sein des Ästhetischen war uns als Spiel und Darstellung sichtbar geworden. So dürfen wir auch die Theorie des tragischen Spiels, die Poetik der Tragödie, nach dem Wesen des Tragischen fragen.

Was sich in der von Aristoteles bis in die Gegenwart reichenden Reflexion über das Tragische spiegelt, ist freilich kein unwandelbares Wesen. Daß das Wesen des Tragischen sich in der attischen Tragödie auf eine einmalige Weise darstellt – und anders für Aristoteles, dem Euripides der ,tragischste' war[1], anders für den, dem etwa Aischylos die wahre Tiefe des tragischen Phänomens enthüllt – aber erst recht anders dem, der an Shakespeare oder Hebbel denkt, ist kein Zweifel. Solcher Wandel bedeutet jedoch nicht einfach, daß die Frage nach dem einheitlichen Wesen des Tragischen gegenstandslos würde, sondern im Gegenteil, daß sich das Phänomen in seinem zu einer geschichtlichen Einheit gezogenen Umriß darstellt. Der Reflex des Antik-Tragischen in dem Modern-Tragischen, von dem Kierkegaard redet, ist in allem neueren Nachdenken über das Tragische ständig gegenwärtig. Wenn wir bei Aristoteles einsetzen, werden wir daher das Ganze des tragischen Phänomens in den Blick bekommen. Aristoteles hat in seiner berühmten Definition der Tragödie den für das Problem des Ästhetischen, wie wir es zu exponieren begannen, entscheidenden Hinweis gegeben, indem er in die Wesensbestimmung der Tragödie *die Wirkung auf den Zuschauer* mitaufnahm.

Es kann hier nicht die Aufgabe sein, diese berühmte und vieldiskutierte Definition der Tragödie ausführlich zu behandeln. Aber die bloße Tatsache, daß der Zuschauer in die Wesensbestimmung der Tragödie mithineingenommen wird, verdeutlicht, was oben über die wesentliche Zugehörigkeit des Zuschauers zum Spiel gesagt wurde. Die Weise, wie der Zuschauer dazugehört, bringt die Sinnhaftigkeit der Figur des Spieles erst zur Erscheinung. So ist die Distanz, die der Zuschauer zu dem Schauspiel hält, keine beliebige Wahl eines Verhaltens, sondern die wesenhafte Beziehung, die in der Sinneinheit des Spieles ihren Grund hat. Die Tragödie ist die Einheit eines tragischen Ablaufs, die als solche erfahren wird. Was aber als tragischer Ablauf erfahren wird, ist, auch wenn es sich nicht um ein Schauspiel handelt, das auf der Bühne gezeigt wird, sondern um eine Tragödie im ,Leben', ein in sich geschlossener Sinnkreis, der von sich aus jedes Eindringen und Eingreifen in ihn verwehrt. Was als tragisch verstanden wird, ist nur hinzunehmen. Insofern ist es in der Tat ein ,ästhetisches' Grundphänomen.

Nun erfahren wir bei Aristoteles, daß die Darstellung der tragischen Handlung eine spezifische Wirkung auf den Zuschauer hat. Die Darstel-

---

[1] Arist. Poet. 13, 1453 a 29. Kierkegaard, Entweder – Oder I.

lung wirkt durch Eleos und Phobos. Die überlieferte Übersetzung dieser
Affekte durch Mitleid und Furcht läßt eine viel zu subjektive Tönung anklingen. Es geht bei Aristoteles überhaupt nicht um Mitleid oder gar um
die in den Jahrhunderten wechselnde Schätzung des Mitleids[1], und ebensowenig ist Furcht als ein Gemütszustand der Innerlichkeit zu verstehen.
Beides sind vielmehr Widerfahrnisse, die den Menschen überfallen und
mitreißen. Eleos ist der Jammer, der einen überkommt angesichts dessen,
was wir jammervoll nennen. So jammert einen das Schicksal des Ödipus
(das Beispiel, auf das Aristoteles ständig sieht). Das deutsche Wort Jammer
ist deshalb ein gutes Äquivalent, weil auch dies Wort keine bloße Innerlichkeit meint, sondern ebenso sehr deren Ausdruck. Entsprechend ist Phobos
nicht nur ein Gemütszustand, sondern, wie Aristoteles sagt, ein Kälte-
schauer[2], derart, daß einem das Blut gefriert, daß einen ein Schauder
überkommt. In der besonderen Weise, in der hier bei der Charakteristik der
Tragödie von Phobos in Verbindung mit Eleos die Rede ist, bedeutet Phobos
die Schauer der Bangigkeit, die einen angesichts dessen überkommen, den
man dem Untergang entgegeneilen sieht und für den man bangt. Jammer
und Bangigkeit sind Weisen der Ekstasis, des Außer-sich-seins, die den
Bann dessen bezeugen, was sich vor einem abspielt.

Nun wird von diesen Affekten bei Aristoteles gesagt, daß sie es sind,
durch die das Schauspiel die Reinigung von derartigen Leidenschaften
bewirkt. Bekanntlich ist diese Übersetzung strittig und insbesondere der
Sinn des Genitivs[3]. Aber die Sache, die Aristoteles meint, scheint mir
davon ganz unabhängig, und ihre Erkenntnis muß es am Ende verständlich
machen, warum zwei grammatisch so verschiedene Auffassungen derartig
zählebig einander entgegenstehen können. Es scheint mir klar, daß Aristoteles an die tragische Wehmut denkt, die den Zuschauer angesichts einer
Tragödie überfällt. Wehmut aber ist eine Art Erleichterung und Lösung,
in der Schmerz und Lust eigentümlich gemischt sind. Wieso kann Aristoteles diesen Zustand eine Reinigung nennen? Was ist das Unreine, das den
Affekten anhaftet oder das sie sind, und wieso wird dies in der tragischen
Erschütterung getilgt? Mir scheint die Antwort in folgendem zu liegen:
Das Überkommenwerden von Jammer und Schauder stellt eine schmerzhafte Entzweiung dar. Es ist darin eine Uneinigkeit mit dem, was geschieht, ein Nichtwahrhabenwollen, das sich gegen das grausige Ge-

---

[1] Max Kommerell (Lessing und Aristoteles) hat in verdienstvoller Weise diese
Geschichte des Mitleids geschrieben, aber den ursprünglichen Sinn von ἔλεος nicht
genug davon unterschieden. Vgl. inzwischen W. Schadewaldt, Furcht und Mitleid?
Hermes 83, 1955, S. 129 ff. und die Ergänzung durch H. Flashar, Hermes 1956,
S. 12–48.

[2] Arist. Rhet. II 13, 1389 b 32.

[3] Vgl. M. Kommerell, der die älteren Auffassungen überschaubar macht: a.a.O.,
S. 262–272; auch neuerdings finden sich Verteidiger des objektiven Genitivs: zuletzt
K. H. Volkmann-Schluck in Varia Variorum, (Festschrift für Karl Reinhardt 1952).

schehen auflehnt. Eben das aber ist die Wirkung der tragischen Katastrophe, daß diese Entzweiung mit dem, was ist, sich auflöst. Insofern bewirkt sie eine universale Befreiung der beengten Brust. Nicht nur von dem Banne ist man befreit, in den einen das Jammervolle und Schauerliche dieses einen Geschickes gebannt hielt, sondern in eins damit ist man von allem frei, was einen mit dem, was ist, entzweit.

Die tragische Wehmut spiegelt also eine Art Affirmation, eine Rückkehr zu sich selber, und wenn, wie das in der modernen Tragödie nicht selten ist, der Held in seinem eigenen Bewußtsein von solcher tragischen Wehmut getönt ist, so hat er an solcher Affirmation ein wenig selber Teil, indem er sein Geschick annimmt.

Was aber ist der eigentliche Gegenstand dieser Affirmation? Was wird da bejaht? Sicherlich nicht die Gerechtigkeit einer sittlichen Weltordnung. Die berüchtigte tragische Schuldtheorie, die bei Aristoteles noch kaum eine Rolle spielt, ist selbst für die moderne Tragödie keine angemessene Erklärung. Denn Tragödie ist nicht, wo Schuld und Sühne wie in einer gerechten Zumessung einander entsprechen, wo eine sittliche Schuldrechnung ohne Rest aufgeht. Auch in der modernen Tragödie kann und darf es keine volle Subjektivierung der Schuld und des Schicksals geben. Vielmehr ist das Übermaß der tragischen Folgen für das Wesen des Tragischen bezeichnend. Trotz aller Subjektivität der Verschuldung bleibt selbst in der neuzeitlichen Tragödie noch immer ein Moment jener antiken Übermacht des Schicksals wirksam, die sich gerade in der Ungleichheit von Schuld und Schicksal als das für alle Gleiche offenbart. Hebbel erst scheint an der Grenze dessen zu stehen, was man noch Tragödie nennen kann, so genau ist das subjektive Verschulden in den Fortgang des tragischen Geschehens eingepaßt. Aus dem gleichen Grunde hat auch der Gedanke einer christlichen Tragödie eine eigene Fragwürdigkeit, da im Lichte göttlicher Heilsgeschichte die für das tragische Geschehen konstitutiven Größen von Glück und Unglück das Menschenschicksal nicht mehr bestimmen. Auch Kierkegaards[1] geistreiche Gegenüberstellung des antiken Leids, das aus dem auf einem Geschlecht liegenden Fluch folgt, mit dem Schmerz, der das mit sich selbst uneinige, in den Konflikt gestellte Bewußtsein zerreißt, streift die Grenze des Tragischen überhaupt. Seine umgedichtete Antigone[2] wäre keine Tragödie mehr.

Die Frage muß also wiederholt werden: was wird da vom Zuschauer bejaht? Offenbar ist es gerade die Unangemessenheit und furchtbare Größe der Folgen, die aus einer schuldhaften Tat erwachsen, welche die eigentliche Zumutung für den Zuschauer darstellt. Die tragische Affirmation ist die Bewältigung dieser Zumutung. Sie hat den Charakter einer echten

---

[1] Kierkegaard, Entweder–Oder I, S. 133 (Diederichs).
[2] Kierkegaard, a.a.O., S. 139 ff.

Kommunion. Es ist ein wahrhaft Gemeinsames, was an solchem Übermaß tragischen Unheils erfahren wird. Der Zuschauer erkennt sich selbst und sein eigenes endliches Sein angesichts der Macht des Schicksals. Was den Großen widerfährt, hat exemplarische Bedeutung. Die Zustimmung der tragischen Wehmut gilt nicht dem tragischen Verlauf als solchem oder der Gerechtigkeit des Geschicks, das den Helden ereilt, sondern meint eine metaphysische Seinsordnung, die für alle gilt. Das ‚So ist es' ist eine Art Selbsterkenntnis des Zuschauers, der von den Verblendungen, in denen er wie ein jeder lebt, einsichtig zurückkommt. Die tragische Affirmation ist Einsicht kraft der Sinnkontinuität, in die sich der Zuschauer selber zurückstellt.

Wir entnehmen dieser Analyse des Tragischen nicht nur, daß es sich hier um einen ästhetischen Grundbegriff handelt, sofern der Abstand des Zuschauerseins zum Wesen des Tragischen gehört – wichtiger ist, daß der Abstand des Zuschauerseins, der die Seinsart des Ästhetischen bestimmt, nicht etwa die ‚ästhetische Unterscheidung', die wir als Wesenszug des ‚ästhetischen Bewußtseins' erkannt hatten, in sich schließt. Der Zuschauer verhält sich nicht in der Distanz des ästhetischen Bewußtseins, das die Kunst der Darstellung genießt[1], sondern in der Kommunion des Dabeiseins. Das eigentliche Schwergewicht des tragischen Phänomens liegt am Ende in dem, was sich da darstellt und erkannt wird und woran teilzuhaben offenbar nicht beliebig ist. So sehr das tragische Schauspiel, das im Theater festlich aufgeführt wird, eine Ausnahmesituation im Leben eines jeden darstellt, ist es doch nicht wie ein abenteuerhaftes Erlebnis und bewirkt nicht einen Rausch der Betäubung, aus dem man zu seinem wahren Sein wiedererwacht, sondern die Gehobenheit und die Erschütterung, die über den Zuschauer kommen, vertiefen in Wahrheit seine *Kontinuität mit sich selbst.* Die tragische Wehmut entspringt der Selbsterkenntnis, die dem Zuschauer zuteil wird. Er findet in dem tragischen Geschehen sich selber wieder, weil es seine eigene ihm aus religiöser oder geschichtlicher Überlieferung bekannte Welt ist, die ihm da begegnet, und wenn auch für ein späteres Bewußtsein – gewiß schon das des Aristoteles, erst recht das des Seneca oder des Corneille – diese Überlieferung nicht mehr verbindlich gilt, so liegt doch in der Fortwirkung solcher tragischer Werke und Stoffe mehr als nur die Fortgeltung eines literarischen Vorbildes. Sie setzt nicht nur voraus, daß der Zuschauer mit der Sage noch bekannt ist, sie schließt auch ein, daß ihre Sprache ihn noch wirklich erreicht. Nur dann kann die Begegnung mit solchem tragischen Stoff und solchem tragischen Werk zur Selbstbegegnung werden.

Was in dieser Weise vom Tragischen gilt, das gilt aber in Wahrheit in einem viel umfassenderen Ausmaß. Für den Dichter ist die freie Erfindung immer

---

[1] Arist. Poet. 4, 1448 b 18 διὰ τὴν ἀπεργασίαν ἢ τὴν χροὰν ἢ διὰ τοιαύτην τινὰ ἄλλην αἰτίαν – im Gegensatz zu dem ‚Erkennen' des Mimema.

nur die eine Seite eines durch vorgegebene Geltung gebundenen Mittlertums. Er erfindet seine Fabel nicht frei, auch wenn er sich das noch so sehr einbildet. Vielmehr bleibt bis zum heutigen Tage etwas von dem alten Fundament der Mimesis-Theorie bestehen. Die freie Erfindung des Dichters ist Darstellung einer gemeinsamen Wahrheit, die auch den Dichter bindet.

Nicht anders steht es mit den anderen, insbesondere den bildenden Künsten. Der ästhetische Mythos der freischaffenden Phantasie, die das Erlebnis in die Dichtung verwandelt, und der Kult des Genies, der ihm zugehört, bezeugt nur, daß im 19. Jahrhundert das mythisch-geschichtliche Traditionsgut kein selbstverständlicher Besitz mehr ist. Aber selbst dann noch stellt der ästhetische Mythos der Phantasie und der genialen Erfindung eine Übertreibung dar, die vor dem, was wirklich ist, nicht standhält. Immer noch entspringt die Stoffwahl und die Ausgestaltung des gewählten Stoffes keinem freien Belieben des Künstlers und ist nicht bloßer Ausdruck seiner Innerlichkeit. Vielmehr spricht der Künstler vorbereitete Gemüter an und wählt dafür, was ihm Wirkung verspricht. Er selbst steht dabei in den gleichen Traditionen wie das Publikum, das er meint und sich sammelt. In diesem Sinne ist es wahr, daß er nicht als Einzelner, als denkendes Bewußtsein das ausdrücklich zu wissen braucht, was er tut und was sein Werk sagt. Es ist eben niemals nur eine fremde Welt des Zaubers, des Rausches, des Traumes, zu der der Spieler, Bildner oder Beschauer hingerissen ist, sondern es ist immer noch die eigene Welt, der er eigentlicher übereignet wird, indem er sich tiefer in ihr erkennt. Es bleibt eine Sinnkontinuität, die das Kunstwerk mit der Daseinswelt zusammenschließt und von der sich selbst das entfremdete Bewußtsein einer Bildungsgesellschaft nie gänzlich löst.

Ziehen wir aus all dem das Fazit. Was ist das: ästhetisches Sein? Wir haben am Begriff des Spiels und der Verwandlung ins Gebilde, die das Spiel der Kunst kennzeichnete, etwas Allgemeines aufzuweisen gesucht: daß nämlich die Darstellung bzw. Aufführung von Dichtung und Musik etwas Wesenhaftes und durchaus nicht Akzidentelles ist. In ihnen vollendet sich nur, was die Werke der Kunst selber schon sind: das Dasein dessen, was durch sie dargestellt wird. Die spezifische Zeitlichkeit des ästhetischen Seins, im Dargestelltwerden sein Sein zu haben, wird im Falle der Wiedergabe als selbständige und abgehobene Erscheinung existent.

Nun fragt es sich, ob das wirklich allgemein gilt, so daß der Seinscharakter des ästhetischen Seins von da aus bestimmt werden kann. Läßt sich das auch auf Kunstwerke statuarischen Charakters übertragen? Wir stellen die Frage zunächst für die sogenannten bildenden Künste. Es wird sich aber zeigen, daß die statuarischste aller Künste, die Baukunst, für unsere Fragestellung besonders aufschlußreich ist.

2. Ästhetische und hermeneutische Folgerungen

a) Die Seinsvalenz des Bildes

Es hat zunächst den Anschein, als wäre in den bildenden Künsten das Werk von derart eindeutiger Identität, daß ihm keine Variabilität der Darstellung entspricht. Was variiert, scheint nicht auf die Seite des Werkes selbst zu gehören und hat insofern subjektiven Charakter. So mögen vom Subjekt her Einschränkungen erfolgen, die das adäquate Erleben des Werkes beeinträchtigen, aber solche subjektiven Einschränkungen lassen sich grundsätzlich überwinden. Man kann ein jedes Werk der bildenden Kunst ‚unmittelbar‘, d. h. ohne daß es einer weiteren Vermittlung bedarf, als es selbst erfahren. Soweit es bei Bildwerken Reproduktionen gibt, gehören diese gewiß nicht dem Kunstwerk selbst zu. Sofern es aber immer subjektive Bedingungen gibt, unter denen ein Bildwerk zugänglich ist, muß man von diesen offenbar abstrahieren, wenn man es selbst erfahren will. So scheint die ästhetische Unterscheidung hier ihre volle Legitimität zu besitzen.

Insbesondere kann sie sich auf das berufen, was der allgemeine Sprachgebrauch ein ‚Bild‘ nennt. Darunter verstehen wir vor allem das neuzeitliche Tafelbild, das an keinen festen Ort gebunden ist und durch den Rahmen, der es umschließt, sich ganz für sich darbietet – eben damit ein beliebiges Nebeneinander, wie es die moderne Galerie zeigt, ermöglichend. Ein solches Bild hat von der objektiven Angewiesenheit auf Vermittlung, die wir bei Dichtung und Musik hervorhoben, anscheinend überhaupt nichts an sich. Vollends das für die Ausstellung oder die Galerie gemalte Bild, das mit dem Zurücktreten der Auftragskunst zur Regel wird, kommt dem Abstraktionsanspruch des ästhetischen Bewußtseins sowie der Theorie der Eingebung, die in der Genieästhetik formuliert ist, sichtbar entgegen. Das Bild gibt also der Unmittelbarkeit des ästhetischen Bewußtseins anscheinend recht. Es ist wie ein Kronzeuge für dessen universellen Anspruch, und es ist offenbar doch kein zufälliges Zusammentreffen, daß das ästhetische Bewußtsein, das den Begriff der Kunst und des Künstlerischen als Auffassungsform überlieferter Gebilde entwickelt und damit die ästhetische Unterscheidung vollzieht, gleichzeitig ist mit der Schaffung von Sammlungen, die alles, was wir so ansehen, im Museum vereinigen. Wir machen damit ein jedes Kunstwerk gleichsam zum Bilde; indem wir es aus allen seinen Lebensbezügen und dem Besonderen seiner Zugangsbedingungen ablösen, wird es wie ein Bild in einen Rahmen geschlagen und gleichsam aufgehängt.

So gilt es, die Seinsart des Bildes näher zu untersuchen und sich zu fragen, ob die vom Spiel her beschriebene Seinsverfassung des Ästhetischen auch für die Frage nach dem Sein des Bildes Geltung hat.

Die Frage nach der Seinsart des Bildes, die wir hier stellen, fragt nach etwas, was allen verschiedenartigen Erscheinungsweisen des Bildes gemeinsam ist. Sie nimmt damit eine Abstraktion vor, aber diese Abstraktion ist keine Willkürlichkeit der philosophischen Reflexion, sondern etwas, das sie vom ästhetischen Bewußtsein vollzogen findet, dem im Grunde alles zum Bilde wird, was sich der Bildtechnik der Gegenwart unterwerfen läßt. In dieser Verwendung des Bildbegriffs ist gewiß keine historische Wahrheit. Die kunstgeschichtliche Forschung der Gegenwart vermag uns auf eine reichliche Weise darüber zu belehren, daß das, was wir ein Bild nennen, eine differenzierte Geschichte besitzt[1]. Im Grunde kommt erst dem Bildgehalt der mit der Hochrenaissance erreichten Entwicklungsphase der abendländischen Malerei die volle ‚Bildhoheit' (Theodor Hetzer) zu. Erst hier haben wir Bilder, die ganz auf sich selber stehen und auch ohne Rahmen und umrahmende Umgebung ein einheitliches und geschlossenes Gebilde von sich aus schon sind. Man kann etwa in L. B. Albertis Forderung der concinnitas, die er an das ‚Bild' stellt, einen guten theoretischen Ausdruck des neuen Kunstideals erkennen, das die Bildgestaltung der Renaissance bestimmt.

Nun scheint es mir aber bezeichnend, daß es die klassischen Begriffsbestimmungen des Schönen überhaupt sind, die der Theoretiker des ‚Bildes' hier aufbietet. Daß das Schöne so ist, daß ihm nichts genommen und nichts hinzugefügt werden darf, wenn es nicht als dieses sogleich zerstört werden soll, wußte schon Aristoteles, für den es das Bild im Sinne Albertis gewiß nicht gab[2]. Das weist darauf hin, daß der Begriff des ‚Bildes' doch einen allgemeinen Sinn haben kann, der nicht nur auf eine bestimmte Phase der Bildgeschichte zu begrenzen ist. Auch die ottonische Miniatur oder die byzantinische Ikone ist in einem weiteren Sinne ein Bild, wenn auch die Bildgestaltung in diesen Fällen ganz anderen Prinzipien folgt und eher durch den Begriff des ‚Bildzeichens'[3] charakterisierbar ist. Im selben Sinne wird der ästhetische Bildbegriff die Skulptur, die zu den bildenden Künsten zählt, immer mitumfassen müssen. Das ist keine willkürliche Verallgemeinerung, sondern entspricht einer geschichtlich gewordenen Problemlage der philosophischen Ästhetik, die zuletzt auf die Rolle des Bildes im Platonismus zurückgeht und sich im Sprachgebrauch von Bild niederschlägt[4].

---

[1] Ich verdanke wertvolle Bestätigung und Belehrung einer Diskussion, die ich mit Wolfgang Schöne anläßlich des Kunsthistorikergesprächs der Evangelischen Akademien (Christophorus-Stift) in Münster 1956 hatte.

[2] cf. Eth. Nic. II, 5, 1106 b 10.

[3] Der Ausdruck stammt von Dagobert Frey (vgl. dessen Beitrag in der Festschrift Jantzen).

[4] Vgl. W. Paatz, »Von den Gattungen und vom Sinn der gotischen Rundfigur« (Abh. der Heidelberger Akademie der Wissenschaften, 1951, S. 24f.).

Der Bildbegriff der neueren Jahrhunderte kann freilich nicht als selbstverständlicher Ausgangspunkt gelten. Die vorliegende Untersuchung will sich vielmehr von dieser Voraussetzung befreien. Sie möchte für die Seinsweise des Bildes eine Auffassungsform vorschlagen, die es aus der Beziehung auf das ästhetische Bewußtsein und den Bildbegriff, wie ihn uns die moderne Galerie zur Gewohnheit gemacht hat, löst und mit dem von der Erlebnis-Ästhetik diskreditierten Begriffe des Dekorativen wieder zusammenschließt. Wenn sie darin mit der neueren kunstgeschichtlichen Forschung zusammentrifft, die mit den naiven Begriffen von Bild und Skulptur, die im Zeitalter der Erlebniskunst nicht nur das ästhetische Bewußtsein, sondern auch das kunstgeschichtliche Denken beherrschten, ein Ende gemacht hat, so ist dies Zusammentreffen gewiß nicht zufällig. Vielmehr liegt der kunstwissenschaftlichen Forschung wie der philosophischen Reflexion die gleiche Krise des Bildes zugrunde, die die Gegenwart des modernen Industrie- und Verwaltungsstaates und seine funktionalisierte Öffentlichkeit heraufbeschworen hat. Erst seit wir keinen Platz für Bilder mehr haben, wissen wir wieder, daß Bilder nicht nur Bilder sind, sondern Platz heischen[1].

Die Absicht der vorliegenden begrifflichen Analyse ist indes keine kunsttheoretische, sondern eine ontologische. Für sie ist die Kritik der traditionellen Ästhetik, die sie zunächst im Blick hat, nur ein Durchgang zur Gewinnung eines Kunst und Geschichte gemeinsam umschließenden Horizontes. Wir haben bei der Analyse des Bildbegriffs lediglich zwei Fragen im Auge. Wir fragen einmal, in welcher Hinsicht sich das Bild vom *Abbild* unterscheidet (also nach der Problematik des Ur-Bildes), und ferner, wie sich der Bezug des Bildes zu seiner *Welt* von da aus ergibt.

So geht der Begriff des Bildes über den bisher gebrauchten Begriff von Darstellung hinaus und zwar dadurch, daß ein Bild sich wesensmäßig auf sein Urbild bezieht.

Was die erste Frage betrifft, so verwickelt sich erst hier der Begriff der Darstellung mit dem Begriff des Bildes, das sich auf sein Urbild bezieht. Bei den transitorischen Künsten, von denen wir ausgingen, sprachen wir zwar von Darstellung, aber nicht von Bild. Darstellung erschien dabei gleichsam doppelt. Sowohl die Dichtung als auch ihre Wiedergabe, etwa auf der Bühne, ist Darstellung. Und es war für uns von entscheidender Bedeutung, daß die eigentliche Erfahrung der Kunst durch die Doppelung dieser Darstellungen hindurchgeht, ohne sie zu unterscheiden. Die im Spiel der Darstellung erscheinende Welt steht nicht wie ein Abbild neben der wirklichen Welt, sondern ist diese selbst in der gesteigerten Wahrheit ihres Seins. Und erst recht ist die Wiedergabe, z. B. die Aufführung auf der Bühne, kein Abbild, neben dem das Urbild des Dramas selbst sein Für-

---

[1] Vgl. W. Weischedel, Wirklichkeit und Wirklichkeiten, 1960 S. 158 ff.

sich-sein behielte. Der Begriff der Mimesis, der für beide Weisen von Darstellung verwendet wurde, meinte nicht so sehr Abbildung, als die Erscheinung des Dargestellten. Ohne die Mimesis des Werkes ist die Welt nicht so da, wie sie in ihm da ist, und ohne die Wiedergabe ist das Werk seinerseits nicht da. In der Darstellung vollendet sich somit die Präsenz des Dargestellten. Wir werden die grundsätzliche Bedeutung dieser ontologischen Verschlingung von originalem und reproduktivem Sein und den methodischen Vorrang, den wir den transitorischen Künsten gaben, als gerechtfertigt erkennen, wenn sich die dort gewonnene Einsicht auch an den bildenden Künsten bewähren läßt. Zwar ist es klar, daß man dort nicht von Reproduktion als von dem eigentlichen Sein des Werkes reden kann. Das Bild weist vielmehr als Original das Reproduziertwerden von sich. Ebenso scheint klar, daß das im Abbild Abgebildete ein vom Bilde unabhängiges Sein besitzt, und das so sehr, daß das Bild gegenüber dem Dargestellten ein gemindertes Sein zu sein scheint. So verwickeln wir uns in die ontologische Problematik von Urbild und Abbild.

Wir gehen davon aus, daß die Seinsweise des Kunstwerks *Darstellung* ist und fragen uns, wie der Sinn von Darstellung an dem verifizierbar wird, was wir ein *Bild* nennen. Darstellung kann hier nicht Abbildung meinen. Wir werden die Seinsweise des Bildes dadurch näher bestimmen müssen, daß wir die Weise, wie sich in ihm die Darstellung auf ein Urbildliches bezieht, von dem Verhältnis der Abbildung, dem Bezug des Abbildes auf das Urbild, unterscheiden.

Das läßt sich durch eine genauere Analyse klären, bei der der alte Vorrang des Lebendigen, des ζῷον und im besonderen der Person, zunächst im Blick stehen mag[1]. Im Wesen des Abbildes liegt es, daß es keine andere Aufgabe hat, als dem Urbild zu gleichen. Der Maßstab seiner Angemessenheit ist, daß man das Urbild am Abbild erkennt. Das bedeutet, daß es seine Bestimmung ist, sein eigenes Für-sich-sein aufzuheben und ganz der Vermittlung des Abgebildeten zu dienen. Das ideale Abbild wäre insofern das Spiegelbild, denn es hat wirklich ein verschwindendes Sein; es ist nur für den, der in den Spiegel blickt, und ist über sein reines Erscheinen hinaus ein Nichts. In Wahrheit ist es aber überhaupt kein Bild oder Abbild, denn es hat kein Fürsichsein; der Spiegel wirft das Bild zurück, d.h. der Spiegel macht jemandem das, was er spiegelt, nur solange sichtbar, als man in den Spiegel sieht und darin sein eigenes Bild oder was sich sonst in ihm spiegelt gewahrt. Nicht zufällig reden wir hier gleichwohl von Bild und nicht von Abbild oder Abbildung. Denn im Spiegelbild erscheint das Seiende

---

[1] Nicht umsonst heißt ja ζῷον auch einfach ‚Bild'. Wir werden später die gewonnenen Resultate daraufhin zu prüfen haben, ob sie die Bindung an dieses Modell abgestreift haben. Ähnlich betont Bauch (vgl. Anm. zu S. 132) zu imago: »Jedenfalls handelt es sich immer um das Bild in Menschengestalt. Das ist das einzige Thema der mittelalterlichen Kunst!«

selbst im Bilde, so daß ich es selbst im Spiegelbild habe. Das Abbild dagegen will immer nur im Hinblick auf das mit ihm Gemeinte gesehen sein. Es ist Abbild, das nichts als die Wiedergabe von etwas sein will und in der Identifikation desselben (z. B. als Paßfoto oder Abbildung in einem Verkaufskatalog) seine einzige Funktion hat. Das Abbild hebt sich selbst auf in dem Sinne, daß es als Mittel fungiert und wie alle Mittel durch Erreichung seines Zweckes seine Funktion verliert. Es ist für sich, um sich so aufzuheben. Diese Selbstaufhebung des Abbildes ist ein intentionales Moment am Sein des Abbildes selbst. Bei Änderung der Intention, z. B. wenn man ein Abbild mit dem Urbild vergleichen, es in seiner Ähnlichkeit beurteilen und insofern von dem Urbild unterscheiden will, kehrt es seine eigene Erscheinung hervor, wie jedes andere Mittel oder Werkzeug, das nicht gebraucht, sondern geprüft wird. Aber seine eigentliche Funktion hat es eben nicht in der Reflexion des Vergleichens und Unterscheidens, sondern indem es aufgrund seiner Ähnlichkeit auf das Abgebildete verweist. Es erfüllt sich also in seiner Selbstaufhebung.

Was dagegen ein Bild ist, hat seine Bestimmung überhaupt nicht in seiner Selbstaufhebung. Denn es ist nicht ein Mittel zum Zweck. Hier ist das Bild selber das Gemeinte, sofern es gerade darauf ankommt, wie sich in ihm das Dargestellte darstellt. Das bedeutet zunächst, daß man nicht einfach von ihm fortverwiesen wird auf das Dargestellte. Die Darstellung bleibt vielmehr mit dem Dargestellten wesenhaft verbunden, ja, gehört zu ihm hinzu. Das ist auch der Grund, warum der Spiegel das Bild und nicht ein Abbild zurückwirft: Es ist das Bild dessen, was sich im Spiegel darstellt und unabtrennbar von dessen Gegenwart. Der Spiegel kann ein verzerrtes Bild geben, gewiß, aber das ist nur seine Mangelhaftigkeit: er erfüllt seine Funktion nicht recht. Insofern bestätigt der Spiegel, was hier grundsätzlich zu sagen ist: daß dem Bild gegenüber die Intention auf die ursprüngliche Einheit und Nichtunterscheidung von Darstellung und Dargestelltem geht. Es ist das Bild des Dargestellten – es ist ‚sein' Bild (und nicht das des Spiegels), was sich im Spiegel zeigt.

Daß nur am Anfang der Geschichte des Bildes, sozusagen seiner Prähistorie angehörig, der magische Bildzauber steht, der auf der Identität und Nichtunterscheidung von Bild und Abgebildetem beruht, bedeutet nicht, daß sich ein immer differenzierter werdendes Bildbewußtsein, das sich von der magischen Identität zunehmend entfernt, je ganz von ihr lösen kann[1]. Vielmehr bleibt die Nichtunterscheidung ein Wesenszug aller Bilderfahrung. Die Unersetzbarkeit des Bildes, seine Verletzlichkeit, seine ‚Heiligkeit' findet, wie ich meine, ihre angemessene Begründung in der dargeleg-

---

[1] Vgl. neuerdings die Geschichte des Begriffes ‚imago' im Übergang vom Altertum zum Mittelalter bei Kurt Bauch, Beiträge zur Philosophie und Wissenschaft (W. Szilasi zum 70. Geburtstag), S. 9–28.

ten Ontologie des Bildes. Noch die Sakralisierung der ‚Kunst‘ im 19. Jahrhundert, die wir geschildert haben, lebt aus diesem Grunde.

Nun ist der ästhetische Bildbegriff durch das Modell des Spiegelbildes freilich nicht in seinem vollen Wesen erfaßt. Nur die ontologische Unlösbarkeit des Bildes von dem ‚Dargestellten‘ wird daran anschaulich. Das ist aber wichtig genug, sofern daran klar wird, daß die primäre Intention dem Bild gegenüber zwischen Dargestelltem und Darstellung nicht unterscheidet. Erst sekundär baut sich darauf jene eigene Intention der Unterscheidung auf, die wir die ‚ästhetische‘ Unterscheidung nannten. Diese sieht dann die Darstellung als solche in Abhebung gegen das Dargestellte. Sie tut das freilich nicht in der Weise, daß sie das Abbild eines in der Darstellung Abgebildeten so aufnähme, wie man sonst Abbildungen aufnimmt. Sie will ja nicht, daß das Bild sich selber aufhebe, um das Abgebildete dasein zu lassen. Im Gegenteil macht das Bild sein eigenes Sein geltend, um das Abgebildete sein zu lassen.

Hier verliert dann auch die Leitfunktion des Spiegelbildes ihre Geltung. Das Spiegelbild ist eben ein bloßer Schein, d. h. es hat kein wirkliches Sein und wird in seiner flüchtigen Existenz als abhängig von der Spiegelung verstanden. Wohl aber hat das Bild im ästhetischen Sinne des Wortes ein eigenes Sein. Dies sein Sein als Darstellung, also gerade das, worin es mit dem Abgebildeten nicht dasselbe ist, gibt ihm gegenüber dem bloßen Abbild die positive Auszeichnung, ein Bild zu sein. Selbst die mechanischen Bildtechniken der Gegenwart können insoweit künstlerisch gebraucht werden, als sie aus dem Abgebildeten etwas herausholen, das in seinem bloßen Anblick als solchem so nicht liegt. Ein solches Bild ist kein Abbild, denn es stellt etwas dar, was ohne es sich nicht so darstellte. Es sagt über das Urbild etwas aus.

Darstellung bleibt also in einem wesenhaften Sinne auf das Urbild bezogen, das in ihr zur Darstellung kommt. Aber sie ist mehr als ein Abbild. Daß die Darstellung ein Bild – und nicht das Urbild selbst – ist, bedeutet nichts Negatives, keine bloße Minderung an Sein, sondern vielmehr eine autonome Wirklichkeit. So stellt sich die Beziehung des Bildes zum Urbild grundsätzlich anders dar, als sie beim Abbild gilt. *Es ist keine einseitige Beziehung mehr.* Daß das Bild eine eigene Wirklichkeit hat, bedeutet nun umgekehrt für das Urbild, daß es in der Darstellung zur Darstellung kommt. Es stellt sich selbst darin dar. Das braucht nicht zu heißen, daß es gerade auf diese Darstellung angewiesen ist, um zu erscheinen. Es kann sich als das, was es ist, auch anders darstellen. Aber wenn es sich so darstellt, ist dies kein beiläufiger Vorgang mehr, sondern gehört zu seinem eigenen Sein. Jede solche Darstellung ist ein Seinsvorgang und macht den Seinsrang des Dargestellten mit aus. Durch die Darstellung erfährt es gleichsam einen *Zuwachs an Sein.* Der Eigengehalt des Bildes ist ontologisch als Emanation des Urbildes bestimmt.

Im Wesen der Emanation liegt, daß das Emanierte ein Überfluß ist. Das, von dem es ausfließt, wird dadurch nicht weniger. Die Entwicklung dieses Gedankens durch die neuplatonische Philosophie, die damit den Bereich der griechischen Substanzontologie sprengt, begründet den positiven Seinsrang des Bildes. Denn wenn das ursprünglich Eine durch den Ausfluß des Vielen aus ihm nicht weniger wird, so heißt das ja, daß das Sein mehr wird.

Es scheint, daß schon die griechischen Väter sich solcher neuplatonischer Gedankengänge bedienten, als sie die Bilderfeindlichkeit des Alten Testamentes im Blick auf die Christologie zurückwiesen. In der Menschwerdung Gottes erblickten sie die grundsätzliche Anerkennung der sichtbaren Erscheinung und gewannen damit für die Werke der Kunst eine Legitimation. Man darf wohl in dieser Überwindung des Bildverbots das entscheidende Ereignis sehen, durch das die Entfaltung der bildenden Künste im christlichen Abendland möglich wurde[1].

Der Seinswirklichkeit des Bildes liegt sonach das ontologische Verhältnis von Urbild und Abbild zugrunde. Doch kommt es gerade darauf an zu sehen, daß das platonische Begriffsverhältnis von Abbild und Urbild die Seinsvalenz dessen, was wir ein Bild nennen, nicht erschöpft. Mir scheint, daß man dessen Seinsweise nicht besser als durch einen sakralrechtlichen Begriff charakterisieren kann, nämlich durch den Begriff der *Repräsentation*[2].

---

[1] Vgl. Joh. Damascenus nach Campenhausen, Zschr. f. Theol. u. Kirche, 1952, S. 54f. und Hubert Schrade, Der verborgene Gott, 1949, S. 23.

[2] Die Bedeutungsgeschichte dieses Wortes ist äußerst lehrreich. Das den Römern vertraute Wort erfährt nämlich im Lichte des christlichen Gedankens der Inkarnation und des corpus mysticum eine ganz neue Bedeutungswendung. Repräsentation heißt nun nicht mehr Abbildung oder bildliche Darstellung, bzw. ‚Darstellung‘ im kaufmännischen Sinne der Erlegung der Kaufsumme, sondern es heißt jetzt Vertretung. Das Wort kann diese Bedeutung offenbar deshalb annehmen, weil das Abgebildete im Abbild selber anwesend wird. Repraesentare heißt Gegenwärtigseinlassen. Das kanonische Recht hat dieses Wort im Sinne von rechtlicher Vertretung gebraucht, Nicolaus Cusanus hat es im selben Sinne aufgenommen und ihm wie dem Begriff des Bildes einen neuen systematischen Akzent verliehen. Vgl. G. Kallen, Die politische Theorie im philosophischen System des Nikolaus von Cues, Hist. Zeitschr. 165 (1942), S. 275ff. und seine Erläuterungen zu De auctoritate presidendi, Sitzungsber. der Heidelberger Akad., phil.-hist. Klasse 1935/36, 3, S. 64ff. Das Wichtige an dem juristischen Repräsentationsbegriff ist, daß die persona repraesentata das nur Vor- und Dargestellte ist und daß dennoch der Repräsentant, der ihre Rechte ausübt, von ihr *abhängig* ist. Es ist auffallend, daß dieser rechtliche Sinn von repraesentatio in der Vorgeschichte des Leibnizschen Begriffes der Repräsentation keine Rolle gespielt zu haben scheint. Vielmehr schließt sich Leibniz' tiefsinnige metaphysische Lehre von der repraesentatio universi, die in jeder Monade statthat, offenbar an den mathematischen Gebrauch des Begriffes an; repraesentatio meint also hier den mathematischen ‚Ausdruck‘ für etwas, die eindeutige Zuordnung als solche. Die Wendung ins Subjektive, die in unserem Begriff der ‚Vorstellung‘ ganz selbstverständlich ist, entstammt dagegen erst der Subjektivierung

Offenbar stellt sich der Begriff der Repräsentation nicht von ungefähr ein, wenn man den Seinsrang des Bildes gegenüber dem Abbild bestimmen will. Es muß eine wesentliche Modifikation, ja fast eine Umkehrung des ontologischen Verhältnisses von Urbild und Abbild stattfinden, wenn das Bild ein Moment der ‚Repräsentation' ist und damit eine eigene Seinsvalenz besitzt. Das Bild hat dann eine Eigenständigkeit, die sich auch auf das Urbild auswirkt. Denn strenggenommen ist es so, daß erst durch das Bild das Urbild eigentlich zum Ur-Bilde wird, d. h. erst vom Bilde her wird das Dargestellte eigentlich bildhaft.

Das läßt sich an dem besonderen Fall des Repräsentationsbildes leicht aufweisen. Wie sich der Herrscher, der Staatsmann, der Held zeigt und darstellt, das wird im Bilde zur Darstellung gebracht. Was heißt das? Doch nicht dies, daß durch das Bild der Dargestellte eine neue eigentlichere Erscheinungsweise gewinnt. Vielmehr ist es umgekehrt: *weil* der Herrscher, der Staatsmann, der Held sich zeigen und den Seinen darstellen muß, weil er repräsentieren muß, gewinnt das *Bild* seine eigene Wirklichkeit. Trotzdem liegt hier ein Umschlagspunkt. Er selbst muß, wenn er sich zeigt, der Bilderwartung, die ihm entgegengebracht wird, entsprechen. Nur weil er derart ein Sein im Sichzeigen hat, wird er ja eigens im Bilde dargestellt. Das Erste ist also gewiß das Sich-Darstellen, das Zweite die Darstellung im Bilde, die dieses Sichdarstellen findet. Die Repräsentation des Bildes ist ein Sonderfall der Repräsentation als des öffentlichen Geschehens. Aber das Zweite wirkt dann auch auf das Erste zurück. Wessen Sein so wesenhaft das Sich-Zeigen einschließt, der gehört sich selbst nicht mehr[1]. Er kann es z. B. gar nicht vermeiden, im Bilde dargestellt zu werden – und, weil diese Darstellungen das Bild bestimmen, das man von ihm hat, muß er sich schließlich so zeigen, wie sein Bild es vorschreibt. So paradox es klingt: das Urbild wird erst vom Bilde her zum Bilde – und doch ist das Bild nichts als die Erscheinung des Urbildes[2].

Wir haben diese ‚Ontologie' des Bildes bisher an profanen Verhältnissen verifiziert. Offenkundig läßt aber das *religiöse* Bild die eigentliche Seins-

---

des Ideenbegriffs im 17. Jahrhundert, wobei Malebranche für Leibniz bestimmend gewesen sein wird. Vgl. Mahnke, Jahrb. f. Phänom. IX, S. 519 ff., 589 ff.

[1] Der staatsrechtliche Begriff der Repräsentation nimmt hier eine besondere Wendung. Es ist klar, daß die durch ihn bestimmte Bedeutung von Repräsentation im Grunde immer stellvertretende Gegenwart meint. Nur weil der Träger einer öffentlichen Funktion, der Herrscher, der Beamte usw. wo er sich zeigt, nicht als Privatmann auftritt, sondern in seiner Funktion – und diese zur Darstellung bringt –, kann man von ihm selbst sagen, er repräsentiere.

[2] Über die produktive Vieldeutigkeit des Begriffs des Bildes und seinen geschichtlichen Hintergrund vgl. die Bemerkung auf S. 8. Daß für unser Sprachgefühl das Urbild kein Bild ist, ist offenkundig die späte Folge eines nominalistischen Seinsverständnisses – wie unsere Analyse lehrt, zeigt sich darin ein wesentlicher Aspekt der ‚Dialektik' des Bildes.

macht des Bildes[1] erst voll hervortreten. Denn von der Erscheinung des
Göttlichen gilt wirklich, daß sie allein durch das Wort und das Bild ihre
Bildhaftigkeit gewinnt. Die Bedeutung des religiösen Bildes ist also eine
exemplarische. An ihm wird zweifelsfrei klar, daß das Bild nicht Abbild
eines abgebildeten Seins ist, sondern mit dem Abgebildeten seinsmäßig
kommuniziert. Von seinem Beispiel her wird einsichtig, daß die Kunst
überhaupt und in einem universellen Sinne dem Sein einen Zuwachs an
Bildhaftigkeit einbringt. Wort und Bild sind nicht bloße nachfolgende Illu-
strationen, sondern lassen das, was sie darstellen, damit erst ganz sein, was
es ist.

In der Kunstwissenschaft zeigt sich der ontologische Aspekt des Bildes
an dem speziellen Problem der Entstehung und des Wandels von Typen.
Die Eigenart dieser Verhältnisse scheint mir darauf zu beruhen, daß hier
eine doppelte Bildwerdung vorliegt, sofern die bildende Kunst der poetisch-
religiösen Überlieferung gegenüber nochmals dasselbe leistet, was diese
selbst schon tut. Herodots bekannte Aussage, Homer und Hesiod hätten den
Griechen ihre Götter geschaffen, meint ja, daß sie in die vielfältige religiöse
Überlieferung der Griechen die theologische Systematik einer Götterfa-
milie gebracht und damit erst nach Gestalt ($\varepsilon l\delta o\varsigma$) und Funktion ($\tau\iota\mu\dot{\eta}$)
abgehobene Gestalten festgelegt haben[2]. Die Poesie leistete hier theolo-
gische Arbeit. Indem sie die Beziehungen der Götter zueinander aussprach,
hat sie die Festigung eines systematischen Ganzen bewirkt.

Sie hat damit die Schaffung fester Typen ermöglicht, sofern sie der
bildenden Kunst die Gestaltung und Ausgestaltung derselben auftrug und
freigab. Wie das dichterische Wort eine erste, die Lokalkulte übergreifende
Einheit in das religiöse Bewußtsein bringt, stellt es der bildenden Kunst
eine neue Aufgabe. Denn das Poetische behält immer eine eigentümliche
Unfixiertheit, indem es in der geistigen Allgemeinheit der Sprache etwas
zur Darstellung bringt, was sich beliebiger Phantasieausfüllung noch offenhält. Die bildende Kunst erst legt fest und schafft insofern erst die Typen.
Das gilt gerade auch dann, wenn man die Schaffung des ‚Bildes‘ vom Göttlichen nicht mit der Erfindung von Göttern verwechselt und sich von der
durch Feuerbach eingeführten Umkehrung der Imago-Dei-These der Genesis freihält[3]. Diese anthropologische Umkehrung und Uminterpretation
der religiösen Erfahrung, die im 19. Jahrhundert herrschend wird, entspringt vielmehr dem gleichen Subjektivismus, der auch der Denkweise
der neueren Ästhetik zugrunde liegt.

Im Gegenzug gegen diese subjektivistische Denkweise der neueren Ästhetik hatten wir oben den Begriff des *Spieles* als des eigentlichen Kunst-

---

[1] Es scheint festzustehen, daß ahd. *bilidi* zunächst stets ‚Macht‘ bedeutet (vgl.
Kluge-Goetze s. v.).

[2] Herodot, Hist. II 53.

[3] Vgl. Karl Barth, Ludwig Feuerbach, in: Zwischen den Zeiten V, 1927, S. 17 ff.

geschehens entwickelt. Dieser Ansatz hat sich uns jetzt insofern bestätigt, als auch das Bild – und damit das Ganze der nicht auf Reproduktion angewiesenen Kunst – ein Seinsvorgang ist und darum als Gegenstand eines ästhetischen Bewußtseins nicht angemessen begriffen werden kann, sondern viel eher von solchen Phänomenen wie dem der Repräsentation aus in seiner ontologischen Struktur erfaßbar wird. Das Bild ist ein Seinsvorgang – in ihm kommt Sein zur sinnvoll-sichtbaren Erscheinung. Urbildlichkeit ist also nicht auf die ,abbildende' Funktion des Bildes – und damit nicht auf den partikularen Bereich der ,gegenständlichen' Malerei und Plastik beschränkt, von dem etwa die Baukunst völlig ausgeschlossen bliebe. Urbildlichkeit ist vielmehr ein Wesensmoment, das im Darstellungscharakter der Kunst begründet liegt. Die ,Idealität' des Kunstwerks ist nicht durch die Beziehung auf eine Idee als ein nachzuahmendes, wiederzugebendes Sein zu bestimmen, sondern wie bei Hegel, als das ,Scheinen' der Idee selbst. Von der Grundlage einer solchen Ontologie des Bildes aus wird der Vorrang des Tafelbildes, das in die Gemäldesammlung gehört und dem ästhetischen Bewußtsein entspricht, hinfällig. Das Bild enthält vielmehr einen unauflösbaren Bezug zu seiner Welt.

b) Der ontologische Grund des Okkasionellen und des Dekorativen

Geht man davon aus, daß das Kunstwerk nicht vom ,ästhetischen Bewußtsein' aus zu verstehen ist, dann verlieren manche Erscheinungen, die für die neuere Ästhetik eine Randstellung einnehmen, ihr Problematisches, ja, sie rücken sogar ins Zentrum einer ,ästhetischen' Fragestellung, die sich nicht auf künstliche Weise verkürzt.

Ich meine Phänomene wie das Porträt, das Widmungsgedicht oder auch die Anspielung in der zeitgenössischen Komödie. Die ästhetischen Begriffe Porträt, Widmungsgedicht, Anspielung sind natürlich selber von dem ästhetischen Bewußtsein aus gebildet. Das Gemeinsame dieser Phänomene stellt sich für das ästhetische Bewußtsein in dem *Charakter der Okkasionalität* dar, den solche Kunstformen von sich aus in Anspruch nehmen. Okkasionalität besagt, daß die Bedeutung sich aus der Gelegenheit, in der sie gemeint wird, inhaltlich fortbestimmt, so daß sie mehr enthält als ohne diese Gelegenheit[1]. So enthält das Porträt eine Beziehung auf den Dargestellten, in die man es nicht erst rückt, sondern die in der Darstellung selber ausdrücklich gemeint ist und sie als Porträt charakterisiert.

Es bleibt dabei entscheidend, daß die gekennzeichnete Okkasionalität im Anspruch des Werkes selbst gelegen ist und ihm nicht etwa von seinem

---

[1] Das ist der in der neueren Logik üblich gewordene Sinn von Okkasionalität, an den wir anknüpfen. Zur Diskreditierung der Okkasionalität durch die Erlebnisästhetik ist ein gutes Beispiel die Verstümmelung von Hölderlins Rheinhymne in der Ausgabe von 1826. Die Widmung an Sinclair wirkte so befremdlich, daß man die letzten zwei Strophen lieber strich und das Ganze als Fragment bezeichnete.

Interpreten erst aufgenötigt wird. Gerade deshalb finden solche Kunstformen wie das Porträt, bei denen das feststeht, in einer auf den Erlebnisbegriff gegründeten Ästhetik keinen rechten Platz. Ein Porträt etwa enthält in seinem eigenen Bildgehalt die Beziehung auf das Urbild. Damit ist
nicht nur gemeint, daß das Bild tatsächlich nach diesem Urbild gemalt ist,
sondern daß es dieses meint.

Das wird deutlich am Unterschiede zum Modell, das der Maler etwa für
ein Genrebild oder für eine Figurenkomposition benutzt. Im Porträt kommt
die Individualität des Porträtierten zur Darstellung. Wirkt dagegen in
einem Bilde das Modell als Individualität, etwa als eine interessante Type,
die dem Maler vor den Pinsel gekommen ist, so ist das ein Einwand gegen
das Bild; denn man sieht dann in dem Bilde nicht mehr das, *was* der Maler
darstellt, sondern etwas von unverwandeltem Stoff. So zerstört es den Sinn
eines Figurenbildes, wenn etwa in ihm das bekannte Modell eines Malers
kenntlich wird. Denn ein Modell ist ein verschwindendes Schema. Der
Bezug auf das Urbild, das dem Maler diente, muß im Bilde ausgelöscht sein.

Das nennt man ja auch sonst ‚Modell': etwas, woran ein Anderes, das
selbst nicht anschaubar ist, zur Anschauung kommt; etwa das Modell eines
geplanten Hauses oder das Atommodell. Das Modell des Malers ist nicht
als es selbst gemeint. Es dient nur dem Tragen von Gewändern oder der
Veranschaulichung von Gebärden – wie eine verkleidete Puppe. Umgekehrt
ist ein im Porträt Dargestellter so sehr er selbst, daß er nicht verkleidet
wirkt, selbst wenn das Prachtgewand, das er trägt, die Aufmerksamkeit
auf sich zieht: denn Pracht des Auftretens gehört ihm selbst zu. Er ist der,
der er für andere ist[1]. Die in der biographischen und quellengeschicht-
lichen Literaturforschung gepflogene Interpretation einer Dichtung aus
den ihr zugrunde liegenden Erlebnissen oder Quellen tut manchmal nichts
anderes, als was eine Kunstforschung täte, welche die Werke eines Malers
auf seine Modelle hin untersucht.

Der Unterschied von Modell und Porträt macht klar, was hier Okka
sionalität bedeutet. Okkasionalität in dem hier gemeinten Sinne liegt un-
zweideutig in dem Sinnanspruch eines Werkes selbst, im Unterschied zu
all dem, was gegen den Anspruch des Werks an ihm beobachtet und aus
ihm geschlossen werden kann. Ein Porträt will als Porträt verstanden werden, selbst dann noch, wenn die Beziehung auf das Urbild von dem eigenen
Bildgehalt des Bildes fast erdrückt wird. Das wird besonders deutlich an
Bildern, die gar keine Porträts sind, aber doch, wie man sagt, porträthafte
Züge enthalten. Auch sie geben Anlaß, nach dem Urbild zu fragen, das
hinter dem Bilde kenntlich wird, und sind deshalb mehr als ein bloßes
Modell, das ja bloßes verschwindendes Schema ist. Ebenso ist es bei Werken
der Literatur, in die literarische Porträts eingeformt sein können, ohne daß

---

[1] Plato redet von der Nähe des Ziemlichen (πρέπον) zum Schönen (καλόν), Hipp.
maj. 293 e.

sie deshalb der pseudokünstlerischen Indiskretion des Schlüsselromans zu verfallen brauchen[1].

So fließend und oft umstritten die Grenze sein mag, die dergestalt eine okkasionell gemeinte Anspielung von dem sonstigen zeitdokumentarischen Inhalt eines Werkes scheidet, ist es doch eine grundsätzliche Frage, ob man sich dem Sinnanspruch unterwirft, den ein Werk stellt, oder in ihm bloß ein historisches Dokument erblickt, das man auszufragen versucht. Der Historiker wird überall, auch gegen den Anspruchsinn eines Werkes, alle Bezüge aufsuchen, die ihm von der Vergangenheit etwas mitzuteilen wissen. Er wird an Werken der Kunst gleichsam überall die Modelle aufspüren, das heißt den Zeitbezügen nachgehen, die in die Werke der Kunst eingewebt sind, auch wenn sie für den zeitgenössischen Betrachter unkenntlich blieben und den Sinn des Ganzen nicht tragen. Okkasionalität in dem hier gemeinten Sinne ist das nicht, sondern nur, wenn es im Sinnanspruch eines Werkes selber liegt, daß es auf ein bestimmtes Urbild verweist. Es ist dann nicht in das Belieben des Betrachters gestellt, ob ein Werk solche okkasionelle Momente hat oder nicht. Ein Porträt *ist* ein Porträt und wird es nicht erst durch die und für die, die in ihm den Porträtierten erkennen. Obwohl der Urbild-Bezug im Werke selber liegt, ist es trotzdem richtig, ihn okkasionell zu nennen. Denn das Porträt sagt nicht selber, wer der Dargestellte ist, sondern nur das, daß es ein bestimmtes Individuum ist (und nicht ein Typus). Wer es ist, kann man nur ,erkennen', wenn der Dargestellte einem bekannt ist und nur wissen, wenn eine Beischrift oder die Beigabe einer Information es einem sagt. In jedem Falle liegt im Bilde selbst eine uneingelöste, aber grundsätzlich einlösbare Anweisung, die seine Bedeutung mit ausmacht. Diese Okkasionalität gehört zu dem kernhaften Bedeutungsgehalt des ,Bildes', unabhängig von ihrer Einlösung.

Man erkennt das daran, daß ein Porträt einem auch als Porträt erscheint (und etwa eine Personendarstellung in einem Figurenbilde als porträthaft), wenn man den Porträtierten nicht kennt. Es ist dann etwas an dem Bilde gleichsam nicht einlösbar, eben das Gelegenheitliche. Aber was so nicht einlösbar ist, ist nicht etwa nicht da; es ist sogar auf eine vollkommen eindeutige Weise da. Ähnliches gilt von manchen dichterischen Erscheinungen. Die Siegesgedichte Pindars, die immer zeitkritische Komödie, aber auch ein so literaturhaftes Gebilde wie das Oden- und Satirenwerk des Horaz, sind ihrem ganzen Wesen nach okkasioneller Natur. Das Okkasionelle ist in solchen Kunstwerken derart bleibende Gestalt geworden, daß es auch uneingelöst und unverstanden den Sinn des Ganzen mitträgt. Der reale geschichtliche Bezug, den der Erklärer beibringen mag, ist für das Gedicht als Ganzes nur sekundär. Er füllt nur eine Sinnvorzeichnung aus, die in ihm selbst gelegen ist.

---

[1] An der Unklarheit in diesem Punkte leidet das verdienstliche Buch von J. Bruns, Das literarische Porträt bei den Griechen.

Es gilt anzuerkennen, daß das, was wir hier Okkasionalität nennen, keineswegs eine Minderung des künstlerischen Anspruchs und der künstlerischen Eindeutigkeit solcher Werke darstellt. Denn was sich der ästhetischen Subjektivität als »Einbruch der Zeit in das Spiel«[1] darstellt und im Zeitalter der Erlebniskunst wie eine Beeinträchtigung der ästhetischen Bedeutung eines Werkes erschien, ist in Wahrheit nur der subjektive Reflex jenes ontologischen Verhältnisses, das wir oben herausgearbeitet haben. Ein Kunstwerk gehört mit dem, worauf es Bezug hat, so sehr zusammen, daß es dessen Sein wie durch einen neuen Seinsvorgang bereichert. Im Bilde Festgehalten-sein, im Gedicht Angeredet-werden, Zielpunkt einer Anspielung von der Bühne her sein, das sind nicht Beiläufigkeiten, die dem Wesen fernbleiben, sondern Darstellungen dieses Wesens selbst. Was wir oben über die Seinsvalenz des Bildes allgemein sagten, schließt auch diese okkasionellen Momente ein. So stellt sich das Moment der Okkasionalität, das in den genannten Erscheinungen begegnet, als der Sonderfall eines allgemeinen Verhältnisses dar, das dem Sein des Kunstwerks zukommt: aus der ‚Gelegenheit‘ seines zur Darstellung Kommens eine Fortbestimmung seiner Bedeutung zu erfahren.

Am deutlichsten wird das ohne Zweifel an den reproduktiven Künsten, vor allem an dem Bühnenspiel und der Musik, die förmlich auf die Gelegenheit zu sein, warten und sich erst durch die Gelegenheit, die sie finden, bestimmen.

Die Schaubühne ist deshalb eine politische Anstalt ausgezeichneter Art, weil erst in der Aufführung herauskommt, was alles in dem Spiel liegt, worauf es anspielt, was es an Widerhall weckt. Niemand weiß vorher, was ‚ankommen‘ wird und was irgendwie ins Leere verhallt. Jede Aufführung ist ein Ereignis, aber nicht ein Ereignis, das als ein eigenes dem dichterischen Werke gegenüber oder zur Seite träte – das Werk selbst ist es, das sich in dem Ereignis der Aufführung ereignet. Es ist sein Wesen, derart ‚okkasionell‘ zu sein, daß die Gelegenheit der Aufführung es zum Sprechen bringt und herauskommen läßt, was in ihm ist. Der Regisseur, der die Dichtung in Szene setzt, zeigt darin sein Können, daß er die Gelegenheit zu ergreifen weiß. Er handelt damit aber nach der Anweisung des Dichters, dessen ganzes Werk eine Bühnenanweisung ist. Mit erklärter Deutlichkeit gilt das vollends vom musikalischen Werk – die Partitur ist wirklich nur eine Anweisung. Die ästhetische Unterscheidung mag die aufgeführte Musik an dem inneren, aus der Partitur herausgelesenen Klangbild messen – aber niemand kann zweifeln, daß Musikhören nicht lesen ist.

Es liegt also im Wesen dramatischer oder musikalischer Werke, daß ihre Aufführung in verschiedenen Zeiten und bei verschiedenen Gelegenheiten eine veränderte ist und sein muß. Nun gilt es, einzusehen, daß das mutatis

---

[1] Vgl. Exkurs II (S. 469 ff.).

mutandis auch für die statuarischen Künste zutrifft. Auch da ist es nicht so, daß das Werk ‚an sich' wäre und nur die Wirkung eine je andere ist – das Kunstwerk selbst ist es, was sich unter je veränderten Bedingungen anders darbietet. Der Betrachter von heute sieht nicht nur anders, er sieht auch anderes. Man denke nur daran, wie die Vorstellung von dem bleichen Marmor der Antike unseren Geschmack, aber auch unser bewahrendes Verhalten seit den Tagen der Renaissance beherrscht, oder welche Spiegelung klassizistischen Empfindens im romantischen Norden die puristische Geistigkeit gotischer Kathedralen darstellt.

Aber grundsätzlich sind auch spezifisch okkasionelle Kunstformen, z. B. die Parabase in der antiken Komödie oder die Karikatur im politischen Kampf, die auf eine ganz bestimmte ‚Gelegenheit' gezielt sind, – und schließlich auch das Porträt – Ausformungen der allgemeinen Okkasionalität, die dem Kunstwerk dadurch eignet, daß es sich von Gelegenheit zu Gelegenheit neu bestimmt. Auch die einmalige Bestimmtheit, durch die sich ein in diesem engeren Sinne okkasionelles Moment am Kunstwerk erfüllt, gewinnt im Sein des Kunstwerks an der Allgemeinheit teil, die es zu neuer Erfüllung fähig macht – so daß zwar die Einmaligkeit seines Gelegenheitsbezugs uneinlösbar wird, aber der uneinlösbar gewordene Bezug im Werke selber anwesend und wirksam bleibt. In diesem Sinne ist auch das Porträt unabhängig von der Einmaligkeit seines Urbildbezuges und enthält denselben gleichwohl in sich selbst, indem es ihn übersteigt.

Der Fall des Porträts ist nur die Zuspitzung einer allgemeinen Wesensverfassung des Bildes. Jedes Bild ist ein Seinszuwachs und ist wesenhaft bestimmt als Repräsentation, als Zur-Darstellung-Kommen. Im besonderen Falle des Porträts gewinnt diese Repräsentation einen personhaften Sinn, sofern hier eine Individualität repräsentativ dargestellt wird. Denn das bedeutet, daß der Dargestellte sich selbst in seinem Porträt darstellt und mit seinem Porträt repräsentiert. Das Bild ist nicht nur Bild oder gar nur Abbild, es gehört zu der Gegenwart oder dem gegenwärtigen Gedächtnis des Dargestellten. Das macht sein eigentliches Wesen aus. Insofern ist der Fall des Porträts ein Sonderfall der allgemeinen Seinsvalenz, die wir dem Bilde als solchen zugesprochen hatten. Was in ihm zum Sein kommt, ist nicht in dem schon enthalten, was seine Bekannten in dem Abgebildeten sehen – die rechten Beurteiler für ein Porträt sind nie die nächsten Angehörigen oder gar der Dargestellte selbst. Denn ein Porträt will gar nicht die Individualität, die es darstellt, so wiedergeben, wie sie in den Augen dieses oder jenes seiner nächsten Menschen lebt. Es zeigt vielmehr notwendig eine Idealisierung, die vom Repräsentativen bis zum Intimsten unendliche Abstufungen durchlaufen kann. Solche Idealisierung ändert nichts daran, daß in einem Porträt eine Individualität dargestellt ist und nicht ein Typus, so sehr auch die porträtierte Individualität im Porträt aus dem Zufälligen und Privaten ins Wesenhafte ihrer gültigen Erscheinung erlöst sein mag.

Bildwerke, die religiöse oder profane Monumente sind, bezeugen die allgemeine Seinsvalenz des Bildes daher deutlicher als das intime Porträt. Denn sie ist es, auf der ihre öffentliche Funktion beruht. Ein Monument hält das, was in ihm dargestellt wird, in einer spezifischen Gegenwärtigkeit, die offenbar etwas ganz anderes als die des ästhetischen Bewußtseins ist[1]. Es lebt nicht aus der autonomen Sagkraft des Bildes allein. Das lehrt schon die Tatsache, daß auch anderes als Bildwerke, z. B. Symbole oder Inschriften, für die gleiche Funktion eintreten können. Vorausgesetzt ist immer die Bekanntheit dessen, woran durch das Monument erinnert werden soll, gleichsam seine potentielle Gegenwart. So setzen auch die Götterfigur, das Königsbild, das Denkmal, das jemandem gesetzt wird, voraus, daß der Gott, der König, der Held, oder das Ereignis, der Sieg oder der Friedensschluß eine für alle bestimmende Gegenwart schon besitzen. Das Bildwerk, das sie darstellt, tut insofern nichts anderes als etwa eine Inschrift: es hält sie in dieser ihrer allgemeinen Bedeutung gegenwärtig. Gleichwohl – wenn es ein Kunstwerk ist, so heißt das nicht nur, daß es dieser vorausgesetzten Bedeutung etwas zuträgt, sondern auch, daß es aus Eigenem zu sprechen vermag und damit von dem Vorwissen unabhängig wird, das es trägt.

Was ein Bild ist, bleibt – aller ästhetischen Unterscheidung zum Trotz – eine Manifestation dessen, was es darstellt, auch wenn es dasselbe durch seine autonome Sagkraft zur Erscheinung kommen läßt. Das ist am Kultbild unbestritten. Aber der Unterschied von sakral und profan ist beim Kunstwerk selbst ein relativer. Sogar das individuelle Porträt hat, wenn es ein Kunstwerk ist, noch teil an der geheimnisvollen Seinsausstrahlung, die dem Seinsrang dessen entspringt, was da zur Darstellung kommt.

Das mag an einem Beispiel illustriert werden: Justi[2] hat einmal sehr schön die Übergabe von Breda von Velasquez »ein militärisches Sakrament« genannt. Er wollte damit sagen: dies Bild ist kein Gruppenporträt und auch kein bloßes Historienbild. Was hier im Bilde festgehalten ist, ist nicht nur ein feierlicher Vorgang als solcher. Vielmehr ist die Feierlichkeit dieser Zeremonie deshalb im Bilde so gegenwärtig, weil ihr selber Bildhaftigkeit zugehört und sie wie ein Sakrament vollzogen wird. Es gibt eben Seiendes, das bildbedürftig und bildwürdig ist und das sich in seinem Wesen gleichsam erst vollendet, wenn es im Bilde dargestellt wird.

Nicht zufällig stellen sich religiöse Begriffe ein, wenn man den Seinsrang der Werke der schönen Kunst gegen die ästhetische Nivellierung geltend machen will.

Daß sich der Gegensatz von profan und sakral unter unseren Voraussetzungen als ein relativer erweist, ist dabei ganz in der Ordnung. Man braucht sich nur der Bedeutung und der Geschichte des Begriffs der Pro-

---

[1] Vgl. oben S. 81.
[2] Carl Justi, Diego Velazquez und sein Jahrhundert, I 1888, 366.

fanität zu erinnern: profan ist das vor dem Heiligtum Gelegene. Der Begriff des Profanen und der aus ihm abgeleitete Begriff der Profanierung setzt also Sakralität immer schon voraus. In der Tat kann der Gegensatz von profan und sakral in der antiken Welt, der er entstammt, nur ein relativer sein, da der gesamte Bereich des Lebens sakral geordnet und bestimmt ist. Erst vom Christentum aus wird es möglich, Profanität in einem strengeren Sinne zu verstehen. Denn erst das Neue Testament hat die Welt derart entdämonisiert, daß für den schlechthinnigen Gegensatz des Profanen zum Religiösen Raum wurde. Die Heilsverheißung der Kirche bedeutet, daß die Welt nur noch ‚diese Welt' ist. Die Besonderheit dieses Anspruches schafft damit zugleich die Spannung von Kirche und Staat, die das Ende der antiken Welt heraufführt, und damit gewinnt der Begriff der Profanität seine eigentliche Aktualität. Von der Spannung zwischen Kirche und Staat ist bekanntlich die ganze Geschichte des Mittelalters beherrscht. Die spiritualistische Vertiefung des Gedankens der christlichen Kirche setzt schließlich den weltlichen Staat frei. Es ist die weltgeschichtliche Bedeutung des hohen Mittelalters, daß sich derart die Profanwelt bildet, die dem Begriff des Profanen seine weite neuzeitliche Prägung gibt[1]. Das ändert aber nichts daran, daß Profanität ein sakralrechtlicher Begriff geblieben ist und nur vom Sakralen her bestimmt werden kann. Vollendete Profanität ist ein Unbegriff[2].

Die Relativität von profan und sakral gehört nicht nur der Dialektik der Begriffe an, sondern ist am Phänomen des Bildes als ein realer Bezug kenntlich. Ein Kunstwerk hat immer etwas Sakrales an sich. Es ist zwar richtig, daß ein religiöses Kunstwerk, das im Museum Aufstellung gefunden hat, oder eine Denkmalstatue, die dort gezeigt wird, nicht mehr im selben Sinne geschändet werden kann, wie ein an seinem ursprünglichen Platze gebliebenes. Aber das bedeutet nur, daß es in Wahrheit schon verletzt ist, sofern es ein Museumsstück geworden ist. Offenbar gilt das nicht für religiöse Kunstwerke allein. Genau so empfinden wir es manchmal in einem Antiquitätenladen, wenn alte Stücke zum Verkauf stehen, denen ein Hauch intimen Lebens noch anhaftet, irgendwie als schändlich, als eine Art Pietätsverletzung oder Profanierung. Und am Ende hat jedes Kunstwerk etwas, was sich gegen Profanierung auflehnt.

Dafür scheint mir von entscheidender Beweiskraft, daß selbst ein reines ästhetisches Bewußtsein den Begriff der Profanierung kennt. Es empfindet die Zerstörung von Kunstwerken noch immer als Frevel. (Das Wort Frevel lebt heute fast nur noch in solcher Anwendung auf den ‚Kunst-Frevel'.)

---

[1] Vgl. Friedrich Heer, Der Aufgang Europas.

[2] W. Kamlah (Der Mensch in der Profanität, 1948) hat dem Begriff der Profanität diesen Sinn zu geben versucht, um das Wesen der neuzeitlichen Wissenschaft zu charakterisieren, aber auch für ihn bestimmt sich dieser Begriff durch seinen Gegenbegriff: die ‚Hinnahme des Schönen'.

Das ist ein für die moderne ästhetische Bildungsreligion bezeichnender Zug, dem sich manche andere Zeugnisse beigesellen ließen. So hat z. B. auch das Wort Vandalismus, das an sich bis ins Mittelalter zurückreicht, seine eigentliche Aufnahme erst in der Reaktion auf die jakobinischen Zerstörungen der französischen Revolution gefunden. Zerstörung von Kunstwerken ist wie ein Einbruch in eine durch Heiligkeit geschützte Welt. So kann selbst ein autonom gewordenes ästhetisches Bewußtsein nicht verleugnen, daß Kunst mehr ist, als es selber wahrhaben will.

Aus allen diesen Überlegungen rechtfertigt sich, die Seinsweise der Kunst insgesamt durch den *Begriff der Darstellung, der Spiel wie Bild, Kommunion wie Repräsentation in gleicher Weise umfaßt,* zu charakterisieren. Das Kunstwerk wird damit als ein Seinsvorgang gedacht und die Abstraktion aufgelöst, in die die ästhetische Unterscheidung es versetzt. Auch das Bild ist ein Vorgang der Darstellung. Sein Bezug auf das Urbild ist so wenig eine Minderung seiner Seinsautonomie, daß wir im Gegenteil im Hinblick auf das Bild von einem Zuwachs an Sein zu sprechen Ursache hatten. Die Anwendung sakralrechtlicher Begriffe erwies sich von da her als geboten.

Nun kommt es freilich darauf an, den besonderen Sinn von Darstellung, der dem Kunstwerk zukommt, nicht einfach mit sakraler Darstellung, wie sie etwa dem *Symbol* zukommt, verfließen zu lassen. Nicht alle Formen von ‚Darstellung‘ haben den Charakter von ‚Kunst‘. Formen von Darstellung sind auch die Symbole, auch die Abzeichen. Auch sie haben die Struktur der Verweisung, die sie zu Darstellungen macht.

Im Zusammenhang der logischen Untersuchungen über das Wesen von Ausdruck und Bedeutung, die in den letzten Jahrzehnten unternommen worden sind, ist die Struktur der Verweisung, die allen diesen Formen von Darstellung zugehört, besonders intensiv herausgearbeitet worden [1]. Wir erinnern uns hier dieser Analysen, allerdings in anderer Absicht. Uns geht es zunächst nicht um das Problem der Bedeutung, sondern um das Wesen des Bildes. Wir wollen seine Eigenart erfassen, ohne uns durch die vom ästhetischen Bewußtsein ausgeübte Abstraktion beirren zu lassen. Daher gilt es, diese Phänomene von Verweisung zu mustern, um das Gemeinsame wie das Unterscheidende festzuhalten.

Das Wesen des Bildes steht gleichsam zwischen zwei Extremen in der Mitte. Diese Extreme von Darstellung sind das *reine Verweisen* – das Wesen des Zeichens – und das *reine Vertreten* – das Wesen des Symbols. Von beidem ist etwas im Wesen des Bildes da. Sein Darstellen enthält das Moment des Verweisens auf das, was sich in ihm darstellt. Wir sahen, daß das

---

[1] Vor allem in der ersten der ‚Logischen Untersuchungen‘ E. Husserls, in Diltheys davon beeinflußten Studien über den ‚Aufbau der geschichtlichen Welt‘ (Dilthey Bd. VII) und M. Heideggers Analyse der Weltlichkeit der Welt (Sein und Zeit, §§ 17 und 18).

am deutlichsten heraustritt an Sonderformen wie dem Porträt, dem die Urbildbeziehung wesentlich ist. Gleichwohl ist ein Bild kein *Zeichen*. Denn ein Zeichen ist nichts anderes, als was seine Funktion fordert; und die ist, von sich wegzuverweisen. Um diese Funktion erfüllen zu können, muß es freilich zunächst einmal auf sich ziehen. Es muß auffallen, das heißt, sich deutlich abheben und in seinem Verweisungsgehalt darstellen – wie ein Plakat. Dennoch ist ein Zeichen sowenig wie ein Plakat ein Bild. Es darf nicht so auf sich ziehen, daß es bei sich verweilen läßt, denn es soll nur etwas gegenwärtig machen, das nicht gegenwärtig ist, und so, daß das Nichtgegenwärtige allein das Gemeinte ist[1]. Es darf also nicht durch seinen eigenen Bildgehalt zum Verweilen einladen. Das Gleiche gilt von allen Zeichen, z.B. Verkehrszeichen oder Merkzeichen und dergleichen. Auch sie haben etwas Schematisches und Abstraktes, weil sie nicht sich selbst zeigen wollen, sondern das Nicht-Gegenwärtige, z.B. die kommende Kurve oder die Seite, bis zu der ein Buch gelesen ist. (Selbst von natürlichen Zeichen, z.B. Vorzeichen für das Wetter, gilt, daß sie nur durch Abstraktion ihre Verweisungsfunktion haben. Wenn wir bei dem Blick auf den Himmel etwa von der Schönheit einer Himmelserscheinung erfüllt werden und bei ihr verweilen, erfahren wir eine Intentionsverschiebung, die ihr Zeichensein zurücktreten läßt.)

Am meisten Eigenwirklichkeit scheint unter allen Zeichen dem Andenken zuzukommen. Es meint zwar das Vergangene und ist insofern wirklich ein Zeichen, aber es ist uns selber kostbar, weil es das Vergangene als ein Stück desselben, das nicht vergangen ist, für uns gegenwärtig hält. Gleichwohl ist deutlich, daß das nicht im eigenen Sein des Andenkengegenstandes begründet ist. Das Andenken hat nur für den, der an der Vergangenheit selber schon – und d.h. noch – hängt, als Andenken Wert. Andenken verlieren ihren Wert, wenn die Vergangenheit, an die sie erinnern, keine Bedeutung mehr hat. Umgekehrt gilt von jemandem, der sich durch Andenken nicht nur erinnern läßt, sondern mit ihnen einen Kult treibt und mit der Vergangenheit wie in einer Gegenwart lebt, daß er sich in gestörter Wirklichkeitsbeziehung befindet.

Ein Bild ist also gewiß kein Zeichen. Selbst das Andenken läßt einen in Wahrheit nicht bei sich verweilen, sondern bei der Vergangenheit, die es einem darstellt. Das Bild dagegen erfüllt seine Verweisung auf das Dargestellte allein durch seinen eigenen Gehalt. Indem man sich in es vertieft,

---

[1] Daß der Bildbegriff, der hier gebraucht wird, selbst seine historische Erfüllung im neuzeitlichen Tafelbild hat, wurde oben betont. (S. 128f.) Dennoch scheint mir seine ‚transzendentale' Verwendung unbedenklich. Wenn man in historischer Absicht mittelalterliche Darstellungen durch den Begriff des ‚Bildzeichens' gegen das spätere ‚Bild' abgehoben hat (D. Frey), so gilt von solchen Darstellungen zwar manches, was im Text vom ‚Zeichen' gesagt ist, aber der Unterschied zum bloßen Zeichen bleibt unübersehbar. Bildzeichen sind nicht eine Art Zeichen, sondern eine Art Bild.

ist man zugleich bei dem Dargestellten. Das Bild ist verweisend, indem es
verweilen läßt. Denn das macht jene Seinsvalenz aus, die wir betonten, daß
es von dem, was es darstellt, nicht schlechthin geschieden ist, sondern an
dessen Sein teilhat. Wir sahen, das Dargestellte kommt im Bilde zu sich
selbst. Es erfährt einen Seinszuwachs. Das heißt aber, es ist im Bilde selber da.
Es ist lediglich eine ästhetische Reflexion – wir nannten sie die ästhetische
Unterscheidung –, die von dieser Gegenwart des Urbildes im Bilde abstrahiert.

Der Unterschied von Bild und Zeichen hat also ein ontologisches Fundament. Das Bild geht nicht in seiner Verweisungsfunktion auf, sondern
hat in seinem eigenen Sein teil an dem, was es abbildet.

Solche ontologische Teilhabe kommt nun freilich nicht nur dem Bilde zu,
sondern auch dem, was wir ein *Symbol* nennen. Für das Symbol gilt wie
für das Bild, daß es nicht auf etwas verweist, das nicht zugleich in ihm
selber gegenwärtig ist. So stellt sich die Aufgabe, die Seinsweise des Bildes
und die Seinsweise des Symbols gegeneinander abzuheben [1].

Die Abhebung des Symbols gegen das Zeichen, die es in die Nähe des
Bildes führt, liegt auf der Hand. Die Darstellungsfunktion des Symbols ist
nicht die einer bloßen Verweisung auf Nichtgegenwärtiges. Das Symbol läßt
vielmehr etwas als gegenwärtig hervortreten, was im Grunde stets gegenwärtig ist. Das zeigt schon der ursprüngliche Sinn von ‚Symbol‘. Wenn man
Symbol das Erkennungszeichen getrennter Gastfreunde oder verstreuter
Mitglieder einer religiösen Gemeinde nannte, an welchem sich die Zusammengehörigkeit ausweist, so hat ein solches Symbol gewiß Zeichenfunktion. Aber es ist doch mehr als ein Zeichen. Es zeigt nicht nur eine
Zusammengehörigkeit an, sondern weist sie aus und stellt sie sichtbar dar.
Die tessera hospitalis ist ein Rest ehemals gelebten Lebens und bezeugt
durch ihr Dasein das, was sie anzeigt, d. h. läßt das Vergangene selbst gegenwärtig sein und als gültig erkennen. Erst recht gilt das von religiösen Symbolen, daß sie nicht nur als Abzeichen fungieren, sondern daß der Sinn
dieser Symbole es ist, der von allen verstanden wird, alle verbindet und
deshalb auch eine Zeichenfunktion übernehmen kann. Was symbolisiert
wird, ist also gewiß der Darstellung bedürftig, sofern es selber unsinnlich,
unendlich, undarstellbar ist, aber es ist auch dessen fähig. Denn nur weil
es selber gegenwärtig ist, vermag es im Symbol gegenwärtig zu sein.

Ein Symbol also verweist nicht nur, sondern es stellt dar, indem es vertritt. Vertreten aber heißt, etwas gegenwärtig sein lassen, was nicht anwesend ist. So vertritt das Symbol, indem es repräsentiert, das heißt, etwas
unmittelbar gegenwärtig sein läßt. Nur weil das Symbol so die Gegenwart
dessen darstellt, was es vertritt, wird ihm selbst die Verehrung bezeugt, die
dem von ihm Symbolisierten zukommt. Symbole wie das religiöse Symbol,

---

[1] Vgl. oben S. 68–76 die begriffsgeschichtliche Unterscheidung von ‚Symbol‘ und
‚Allegorie‘.

die Fahne, die Uniform, sind so sehr stellvertretend für das Verehrte, daß es in ihnen da ist.

Daß hier der Begriff der Repräsentation seinen ursprünglichen Ort hat, den wir oben zur Charakteristik des Bildes gebraucht hatten, zeigt die sachliche Nähe an, die zwischen der Darstellung im Bilde und der Darstellungsfunktion des Symbols besteht. In ihnen beiden ist selbst gegenwärtig, was sie darstellen. Gleichwohl ist ein Bild als solches kein Symbol. Nicht nur, daß Symbole gar nicht bildhaft zu sein brauchen: sie vollziehen ihre Vertretungsfunktion durch ihr reines Dasein und Sichzeigen, aber sie sagen von sich aus nichts über das Symbolisierte aus. Man muß sie kennen, so wie man ein Zeichen kennen muß, wenn man seiner Verweisung folgen soll. Insofern bedeuten sie keinen Seinszuwachs für das Repräsentierte. Zwar gehört es zu seinem Sein, sich derart in Symbolen gegenwärtig sein zu lassen. Aber dadurch, daß die Symbole da sind und gezeigt werden, wird nicht sein eigenes Sein inhaltlich fortbestimmt. Es ist nicht *mehr* da, wenn sie da sind. Sie sind bloße Stellvertreter. Daher kommt es gar nicht auf ihre eigene Bedeutung an, selbst wenn sie eine solche haben. Sie sind Repräsentanten und empfangen ihre repräsentative Seinsfunktion von dem her, was sie repräsentieren sollen. Das Bild dagegen repräsentiert zwar auch, aber durch sich selbst, durch das Mehr an Bedeutung, das es darbringt. Das aber bedeutet, daß in ihm das Repräsentierte – das ‚Urbild' – mehr da ist, eigentlicher, so, wie es wahrhaft ist.

So steht das Bild in der Tat in der Mitte zwischen dem Zeichen und dem Symbol. Sein Darstellen ist weder ein reines Verweisen noch ein reines Vertreten. Eben diese Mittelstellung, die ihm zukommt, hebt es auf einen ganz ihm eigenen Seinsrang. Künstliche Zeichen so gut wie Symbole empfangen ihren Funktionssinn nicht wie das Bild aus ihrem eigenen Gehalt, sondern müssen als Zeichen oder als Symbol genommen werden. Wir nennen diesen Ursprung ihres Funktionssinnes ihre *Stiftung*. Es ist für die Bestimmung der Seinsvalenz des Bildes, auf die wir gerichtet sind, entscheidend, daß es Stiftung im gleichen Sinne bei dem, was ein Bild ist, nicht gibt.

Unter Stiftung verstehen wir den Ursprung der Zeichennahme bzw. der Symbolfunktion. Auch die sogenannten natürlichen Zeichen, z. B. alle Anzeichen und Vorzeichen eines natürlichen Geschehens, sind in diesem grundsätzlichen Sinne gestiftet. Das heißt, sie stehen nur in Zeichenfunktion, wenn sie als Zeichen genommen werden. Sie werden aber nur als Zeichen genommen auf Grund einer vorgängigen Zusammennahme von Zeichen und Bezeichnetem. Das gilt ebenso für alle künstlichen Zeichen. Hier vollzieht sich die Zeichennahme durch Konvention, und die Sprache nennt den ursprunggebenden Akt, durch den sie eingeführt werden, Stiftung. Auf der Stiftung des Zeichens beruht erst sein verweisender Sinn, so etwa der des Verkehrzeichens auf dem Erlaß der Verkehrsordnung, der des Erinne-

10*

rungszeichens (des Andenkens) auf der Sinngebung seiner Aufbewahrung
usw. Ebenso geht das Symbol auf Stiftung zurück, die ihm erst den Reprä-
sentationscharakter verleiht. Denn es ist nicht sein eigener Seinsgehalt,
der ihm seine Bedeutung verleiht, sondern eben eine Stiftung, Einsetzung,
Weihung, die dem an sich Bedeutungslosen, z. B. dem Hoheitszeichen, der
Fahne, dem Kultsymbol, Bedeutung gibt.

Es gilt nun zu sehen, daß ein Kunstwerk seine eigentliche Bedeutung
nicht einer Stiftung verdankt, auch dann nicht, wenn es tatsächlich als
Kultbild oder als profanes Denkmal gestiftet worden ist. Der öffentliche
Akt der Einweihung oder Enthüllung, der es seiner Bestimmung übergibt,
verleiht ihm nicht erst seine Bedeutung. Vielmehr ist es schon ein Gebilde
mit eigener Bedeutungsfunktion, als bildliche oder unbildliche Darstellung,
bevor es in seine Funktion als Denkmal eingewiesen wird. Die Stiftung
und Einweihung eines Denkmals – und nicht zufällig redet man von religiösen wie profanen Bauwerken auch als von Baudenkmälern, wenn der
geschichtliche Abstand sie geweiht hat – realisiert also nur eine Funktion,
die in dem eigenen Gehalte des Werks selbst schon intendiert ist.

Das ist der Grund, warum Kunstwerke bestimmte reale Funktionen übernehmen können und andere von sich weisen, z. B. religiöse oder profane,
öffentliche oder intime. Sie werden nur deshalb als Male der Andacht, der
Verehrung, der Pietät gestiftet und aufgestellt, weil sie selber einen solchen
Funktionszusammenhang von sich aus vorschreiben und mitformen. Sie
beanspruchen von sich aus ihren Platz, und selbst wenn sie deplaciert, z. B.
in der modernen Sammlung untergebracht sind, läßt sich die Spur an
ihnen nicht auslöschen, die in ihre ursprüngliche Bestimmung weist. Sie gehört zu ihrem Sein selbst, weil ihr Sein Darstellung ist.

Wenn man die exemplarische Bedeutung dieser Sonderformen bedenkt,
so erkennt man, daß Kunstformen, die vom Standpunkt der Erlebniskunst
aus Grenzfälle darstellen, ins Zentrum rücken: nämlich alle diejenigen,
deren eigener Gehalt über sie hinausweist in das Ganze eines von ihnen
und für sie bestimmten Zusammenhanges. Die vornehmste und groß-
artigste Kunstform, die unter diesen Gesichtspunkt gehört, ist die *Baukunst*.

Ein Bauwerk greift in einer doppelten Weise über sich selbst hinaus. Es
ist ebenso sehr bestimmt durch den Zweck, dem es dienen soll wie durch
den Ort, den es im Ganzen eines räumlichen Zusammenhanges einzunehmen hat. Ein jeder Baumeister muß mit beidem rechnen. Sein Entwurf ist selbst dadurch bestimmt, daß das Bauwerk einem Lebensverhalten
dienen soll und sich natürlichen und baulichen Vorgegebenheiten einordnen muß. So nennen wir ein gut gelungenes Bauwerk eine ‚glückliche
Lösung' und meinen damit sowohl, daß es seine Zweckbestimmung auf eine
vollkommene Weise erfüllt als auch, daß es dem städtischen oder land-
schaftlichen Raumbilde durch seine Errichtung etwas Neues hinzubringt.

Auch das Bauwerk stellt durch diese seine doppelte Einordnung einen wirklichen Seinszuwachs dar, das heißt: es ist ein Kunstwerk.

Es ist es nicht, wenn es nur irgendwo herumsteht, als irgendein Gebäude, das die Gegend verschandelt, sondern nur, wenn es die Lösung einer ‚Bauaufgabe' darstellt. So beachtet denn auch die Kunstwissenschaft nur solche Bauwerke, die etwas Denkenswürdiges enthalten und nennt sie ‚Baudenkmäler'. Wenn ein Bauwerk ein Kunstwerk ist, dann stellt es nicht nur die künstlerische Lösung einer Bauaufgabe dar, die von dem Zweckzusammenhang und Lebenszusammenhang gestellt wird, dem es ursprünglich zugehört, sie hält diesen auch irgendwie fest, so daß er sinnfällig da ist, auch wenn die gegenwärtige Erscheinung der ursprünglichen Bestimmung ganz entfremdet ist. Etwas in ihr weist auf das Ursprüngliche zurück. Wo die ursprüngliche Bestimmung ganz unkenntlich geworden oder durch zu viele Veränderungen, die die Folgezeit vorgenommen hat, in ihrer einheitlichen Bestimmung gebrochen worden ist, wird ein Bauwerk selber unverständlich werden. So macht die Baukunst, diese statuarischste aller Kunstarten, vollends deutlich, wie sekundär die ‚ästhetische Unterscheidung' ist. Ein Bauwerk ist niemals in erster Linie ein Kunstwerk. Seine Zweckbestimmung, durch die es in den Zusammenhang des Lebens gehört, läßt sich von ihm nicht ablösen, ohne daß es selber an Wirklichkeit einbüßt. Ist es nur noch Gegenstand eines ästhetischen Bewußtseins, so ist es nur von schattenhafter Wirklichkeit und lebt nur noch in der entarteten Form des Touristenziels oder der photographischen Wiedergabe ein verzerrtes Leben. Das ‚Kunstwerk an sich' erweist sich als eine reine Abstraktion.

In Wahrheit stellt das Hereinragen der großen Baudenkmäler der Vergangenheit in das moderne Verkehrsleben und die von ihm errichteten Bauten die Aufgabe einer steinernen Integration von Einst und Jetzt. Die Werke der Baukunst stehen nicht unverrückt am Ufer des geschichtlichen Lebensstromes, sondern werden von ihm mitgetragen. Selbst wenn historisch gesinnte Zeitalter einen älteren Bauzustand wiederherzustellen suchen, können sie das Rad der Geschichte nicht zurückdrehen wollen, sondern müssen ihrerseits eine neue, bessere Vermittlung zwischen Vergangenheit und Gegenwart leisten. Selbst der Restaurator oder Denkmalspfleger bleibt ein Künstler seiner Zeit.

Die besondere Bedeutung, die die Baukunst für unsere Fragestellung hat, besteht also darin, daß auch in ihr jene Vermittlung nachweisbar ist, ohne die ein Kunstwerk keine wirkliche Gegenwärtigkeit besitzt. Auch dort also, wo die Darstellung nicht erst durch Reproduktion geschieht (von der jeder weiß, daß sie ihrer eigenen Gegenwart gehört), wird im Kunstwerk Vergangenheit und Gegenwart vermittelt. Daß jedes Kunstwerk seine Welt hat, bedeutet eben nicht, daß es dann, wenn seine ursprüngliche Welt verändert ist, nur noch in einem entfremdeten ästhetischen Bewußtsein Wirklichkeit hätte. Das kann die Baukunst lehren, der ihre Weltzugehörigkeit unverrückbar anhaftet.

Damit ist aber ein weiteres gegeben. Die Baukunst ist raumgestaltend schlechthin. Raum ist das, was alles im Raume Seiende umgreift. Daher umgreift die Baukunst alle anderen Formen von Darstellung: alle Werke der bildenden Kunst, alles Ornament – sie gibt überdies der Darstellung von Dichtung, Musik, Mimik und Tanz erst ihren Platz. Indem sie das Ganze der Künste umgreift, macht sie den ihr eigenen Gesichtspunkt überall geltend. Dieser Gesichtspunkt ist der der *Dekoration*. Ihn wahrt die Baukunst auch gegen solche Kunstformen, deren Werke nicht dekorativ sein dürfen, sondern durch die Geschlossenheit ihres Sinnkreises auf sich versammeln. Die neuere Forschung beginnt sich daran zu erinnern, daß das für alle Bildwerke gilt, deren Platz bei der Auftragserteilung vorgegeben war. Noch das freie Standbild auf dem Podest ist dem dekorativen Zusammenhang nicht wahrhaft entzogen, sondern dient der repräsentativen Erhöhung eines Lebenszusammenhanges, dem es sich schmückend einordnet[1]. Sogar Dichtung und Musik, die von der freiesten Beweglichkeit sind und überall zur Aufführung gelangen können, eignen sich nicht für beliebigen Raum, sondern finden entweder in diesem oder jenem, im Theater, im Saal oder in der Kirche, den angemessenen Platz. Auch hier handelt es sich nicht um eine nachträgliche äußerliche Platzfindung für ein in sich fertiges Gebilde, sondern man hat der raumbildenden Potenz des Werkes selbst zu gehorchen, das sich ebenso sehr den Gegebenheiten anpassen muß, wie es seine eigenen Bedingungen stellt. (Man denke etwa auch an das Problem der Akustik, das nicht nur eine technische, sondern eine baukünstlerische Aufgabe ist.)

Aus dieser Überlegung geht hervor, daß die umfassende Stellung, welche die Baukunst allen Künsten gegenüber einnimmt, eine zweiseitige Vermittlung einschließt. Als die raumbildende Kunst schlechthin ist sie ebenso sehr Raum gestaltend wie Raum freilassend. Sie umfaßt nicht nur alle dekorativen Gesichtspunkte der Raumgestaltung bis hin zum Ornament, sondern sie ist selbst ihrem Wesen nach dekorativ. Das Wesen der Dekoration besteht eben darin, daß sie jene zweiseitige Vermittlung leistet, die Aufmerksamkeit des Betrachters auf sich zu ziehen, seinen Geschmack zu befriedigen, und doch auch wieder ihn von sich wegzuweisen in das größere Ganze des Lebenszusammenhanges, den sie begleitet.

Das gilt für die ganze Spanne des Dekorativen, vom Städtebau bis zum einzelnen Ornament. Ein Bauwerk soll gewiß die Lösung einer künstlerischen Aufgabe sein und insofern die staunende Bewunderung des Betrachters auf sich ziehen. Gleichwohl soll es sich einem Lebensverhalten einordnen und will nicht Selbstzweck sein. Es will als Schmuck, als Stim-

---

[1] Daß die Gartenkunst nicht zur Malerei, sondern zur Architektur gehört, hat aus dem gleichen Grunde Schleiermacher gegen Kant richtig betont (Ästhetik 201).

mungshintergrund, als zusammenhaltender Rahmen einem Lebensverhalten entsprechen. Das gleiche gilt für alle Einzelgestaltung, die der Baukünstler vollbringt, bis hin zum Ornament, das gar nicht auf sich ziehen soll, sondern ganz in seiner begleitenden dekorativen Funktion aufzugehen hat. Aber selbst der Extremfall des Ornaments hat noch etwas von der Doppelseitigkeit der dekorativen Vermittlung an sich. Zwar soll es nicht zum Verweilen einladen und als dekoratives Motiv nicht selber beachtet werden, sondern lediglich eine begleitende Wirkung tun. Es wird daher im allgemeinen gar keinen gegenständlichen Inhalt haben oder denselben durch Stilisierung oder Wiederholung soweit nivellieren, daß der Blick darüber hinweggleitet. Das ‚Erkennen‘ der in einem Ornament verwandten Naturformen ist nicht beabsichtigt. Wird das sich wiederholende Muster als das, was es gegenständlich ist, gesehen, so wird seine Wiederholung zur quälenden Monotonie. Auf der anderen Seite aber soll es nicht tot oder eintönig wirken, denn es soll als das Begleitende eine belebende Wirkung tun, muß also in gewissem Grade den Blick auf sich ziehen.

Sieht man in dieser Weise die volle Spannweite dekorativer Aufgaben, die der Baukunst gestellt sind, so erkennt man leicht, daß an ihr das Vorurteil des ästhetischen Bewußtseins am sichtbarsten zum Scheitern kommt, demzufolge das eigentliche Kunstwerk das sei, was außer allem Raum und aller Zeit in der Präsenz des Erlebens Gegenstand eines ästhetischen Erlebnisses wäre. An ihr wird unzweifelhaft, daß die uns gewohnte Unterscheidung des eigentlichen Kunstwerks und der bloßen Dekoration einer Überprüfung bedarf.

Der Begriff des Dekorativen ist hier offenbar aus dem Gegensatz zum ‚eigentlichen Kunstwerk‘ und von seinem Ursprung in der genialen Eingebung aus gedacht. Man argumentiert etwa so: Was nur dekorativ ist, ist nicht Kunst des Genies, sondern Kunstgewerbe. Es ist als Mittel dem, was es schmücken soll, untergeordnet und kann daher wie alle einem Zweck untergeordneten Mittel durch andere zweckentsprechende Mittel ersetzt werden. Es hat nicht teil an der Einzigkeit des Kunstwerks.

In Wahrheit muß der Begriff der Dekoration aus solchem Gegensatz zu dem Begriff der Erlebniskunst herausgelöst werden und in der ontologischen Struktur der Darstellung, die wir als die Seinsweise des Kunstwerkes herausgearbeitet haben, seinen Grund finden. Man hat sich nur dessen zu erinnern, daß das Schmückende, das Dekorative, seinem ursprünglichen Sinne nach das Schöne schlechthin ist. Es gilt, diese alte Erkenntnis wiederherzustellen. Alles, was Schmuck ist und schmückt, ist durch den Bezug auf das, was es schmückt, auf das, woran es ist, auf das, was sein Träger ist, bestimmt. Es besitzt nicht einen ästhetischen Eigengehalt, der erst nachträglich eine einschränkende Bedingung durch den Bezug auf seinen Träger erhielte. Selbst Kant, der dieser Meinung Vorschub leisten könnte, trägt in seiner berühmten Wendung gegen die Tätowierung der Tatsache

Rechnung, daß ein Schmuck nur Schmuck ist, wenn er dem Träger ansteht und ihm steht[1]. Es gehört mit zum Geschmack, daß man etwas nicht in sich nur schön zu finden weiß, sondern auch weiß, wo es hingehört und wohin nicht. Schmuck ist eben nicht erst ein Ding für sich, und wird dann an etwas anderem angebracht, sondern er gehört zum Sichdarstellen seines Trägers. Gerade auch für den Schmuck gilt, daß er zur Darstellung gehört; Darstellung aber ist ein Seinsvorgang, ist Repräsentation. Ein Schmuck, ein Ornament, eine an bevorzugter Stelle aufgestellte Plastik sind in demselben Sinne repräsentativ, wie etwa die Kirche selbst repräsentativ ist, an der sie angebracht sind.

Der Begriff des Dekorativen ist also geeignet, unsere Fragestellung nach der Seinsart des Ästhetischen abzurunden. Wir werden später sehen, wie sich auch von anderer Seite her die Wiederherstellung des alten, transzendentalen Sinns des Schönen empfiehlt. Was wir mit ‚Darstellung' meinen, ist jedenfalls ein universelles ontologisches Strukturmoment des Ästhetischen, ein Seinsvorgang und nicht etwa ein Erlebnisvorgang, der im Augenblick der künstlerischen Schöpfung geschähe und von dem aufnehmenden Gemüt jeweils nur wiederholt würde. Im Ausgang von dem universellen Sinn von Spiel hatten wir den ontologischen Sinn von Darstellung darin erkannt, daß ‚Reproduktion' die ursprüngliche Seinsweise der originalen Kunst selbst ist. Jetzt hat sich bestätigt, daß auch das Bild und die statuarischen Künste insgesamt ontologisch gesehen von der gleichen Seinsart sind. Die spezifische Präsenz des Kunstwerks ist ein Zur-Darstellung-Kommen des Seins.

c) Die Grenzstellung der Literatur

Es stellt nun gleichsam die Probe auf das Exempel dar, ob sich der von uns herausgearbeitete ontologische Aspekt auch auf die Seinsweise der *Literatur* erstreckt. Hier gibt es anscheinend überhaupt keine Darstellung mehr, die eine eigene Seinsvalenz beanspruchen könnte. Die Lektüre ist ein Vorgang der reinen Innerlichkeit. In ihr scheint die Ablösung von aller Gelegenheit und Kontingenz, wie sie im öffentlichen Vortrag oder in der Aufführung liegen, vollendet. Die einzige Bedingung, unter der Literatur steht, ist ihre sprachliche Überlieferung und ihre Einlösung durch die Lektüre. Wird nicht die ästhetische Unterscheidung, mit der sich das ästhetische Bewußtsein dem Werk gegenüber auf sich selbst stellt, durch die Autonomie des lesenden Bewußtseins gleichsam legitimiert? Die Literatur scheint die ihrer ontologischen Valenz entfremdete Poesie. Von einem jeden Buch – nicht nur von jenem einen berühmten[2] – läßt sich sagen, daß es für alle und keinen ist.

---

[1] Kant, Kritik der Urteilskraft, 1799, S. 50.
[2] Friedrich Nietzsche, Also sprach Zarathustra. Ein Buch für alle und keinen.

Aber ist das ein richtiger Begriff von Literatur? Oder entspringt er am Ende einer romantischen Rückprojektion aus dem entfremdeten Bewußtsein der Bildung? Denn Literatur als Gegenstand der Lektüre ist zwar eine Späterscheinung, aber keineswegs auch die Schriftlichkeit als solche. Diese gehört in Wahrheit zur ursprünglichen Gegebenheit aller großen Dichtung. Die neuere Forschung hat die romantischen Vorstellungen von der Mündlichkeit der epischen Poesie, etwa Homers, preisgegeben. Schriftlichkeit ist weit älter, als wir ehedem glaubten und scheint dem geistigen Element der Dichtung vom Ursprung her zugehörig. Auch dort existiert also die Dichtung bereits als ‚Literatur‘, wo sie noch nicht als Lesestoff konsumiert wird. Insofern bringt das Vordringen der Lektüre gegenüber dem Vortrag, das wir in Spätzeiten beobachten (man denke etwa an Aristoteles' Abkehr vom Theater) nichts schlechterdings Neues.

Das leuchtet unmittelbar ein, solange das Lesen ein lautes Lesen ist. Nun gibt es aber offenbar keine scharfe Abgrenzung gegen das stille Lesen; alles verstehende Lesen ist immer schon eine Art von Reproduktion und Interpretation. Betonung, rhythmische Gliederung und dergl. gehören auch dem stillsten Lesen an. Das Bedeutungshafte und sein Verständnis ist offenbar mit dem Sprachlich-Leibhaften so eng verbunden, daß Verstehen immer ein inneres Sprechen enthält.

Wenn das so ist, dann ist der Konsequenz aber gar nicht auszuweichen, daß die Literatur – etwa in der ihr eigenen Kunstform des Romans – ein ebenso ursprüngliches Dasein in der Lektüre hat, wie das Epos im Vortrag des Rhapsoden oder das Bild im Anschauen seines Betrachters. Auch die Lektüre des Buches bliebe danach noch ein Geschehen, in welchem sich der gelesene Inhalt zur Darstellung bringt. Gewiß zeigt die Literatur und ihre Aufnahme in der Lektüre ein Höchstmaß an Entbundenheit und Beweglichkeit[1]. Das bezeugt schon die Tatsache, daß man ein Buch nicht in einem Zuge zu lesen braucht, so daß das Daranbleiben eine eigene Aufgabe des Wiederaufnehmens ist, die im Anhören oder Anschauen kein Analogon hat. Eben daran wird aber deutlich, daß ‚die Lektüre‘ der Einheit des Textes entspricht.

Nur von der Ontologie des Kunstwerks her – und nicht von den im Phasenverlauf der Lektüre sich einstellenden ästhetischen Erlebnissen – läßt sich also die Kunstart der Literatur begreifen. Dem literarischen Kunstwerk gehört die Lektüre wesenhaft zu, wie der Vortrag oder die Aufführung. Sie alle sind Abstufungen dessen, was man im allgemeinen Reproduktion nennt, was aber in Wahrheit die *originale* Seinsweise aller transitorischen Künste darstellt und für die Bestimmung der Seinsweise von Kunst überhaupt sich als exemplarisch erwies.

---

[1] Treffliche Analysen der sprachlichen Schichtung des literarischen Kunstwerks und der Beweglichkeit anschaulicher Erfüllung, die dem literarischem Wort zukommt, hat R. Ingarden, Das literarische Kunstwerk, 1931, gegeben. Doch vgl. oben S. 113 die Anmerkung.

Daraus folgt aber ein Weiteres. Der Begriff der Literatur ist gar nicht
ohne Bezug zu dem Aufnehmenden. Das Dasein von Literatur ist nicht
das tote Überdauern eines entfremdeten Seins, das der Erlebniswirklichkeit
einer späteren Zeit in Simultaneität gegeben wäre. Literatur ist vielmehr
eine Funktion geistiger Bewahrung und Überlieferung und bringt daher
in jede Gegenwart ihre verborgene Geschichte ein. Von der Kanonbildung
der antiken Literatur an, die durch die alexandrinischen Philologen geleistet wurde, ist die ganze Folge der Abschrift und Erhaltung der ‚Klassiker‘ eine lebendige Bildungstradition, die nicht einfach Vorhandenes kon-
serviert, sondern als Muster anerkennt und als Vorbild weitergibt. In allem
Wandel des Geschmacks bildet sich so die Wirkungsgröße, die wir ‚klassische
Literatur‘ nennen, als bleibendes Vorbild aller Späteren, bis in die Tage des
zweideutigen Streits der Anciens et Modernes und über sie hinaus.

Erst die Entfaltung des historischen Bewußtseins verwandelt diese leben-
dige Einheit der Weltliteratur aus der Unmittelbarkeit ihres normativen
Einheitsanspruches in die historische Fragestellung der Literaturgeschichte.
Das ist aber ein unabgeschlossener, vielleicht nie abschließbarer Prozeß.
Bekanntlich hat Goethe dem Begriff der Weltliteratur in der deutschen
Sprache seine erste Prägung gegeben[1], aber für Goethe war der normative
Sinn eines solchen Begriffes noch ganz selbstverständlich. Er ist auch heute
noch nicht erstorben, denn wir sagen noch heute von einem Werk von
bleibender Bedeutung, daß es der Weltliteratur angehöre.

Was zur Weltliteratur zählt, hat seinen Ort im Bewußtsein aller. Es
gehört der ‚Welt‘. Nun mag die Welt, die sich ein Werk der Weltliteratur
zurechnet, von der ursprünglichen Welt, in die dies Werk hineinsprach,
durch weitesten Abstand geschieden sein. Es ist also ganz gewiß nicht mehr
dieselbe ‚Welt‘. Auch dann noch bedeutet aber der normative Sinn, der im
Begriff der Weltliteratur liegt, daß Werke, die zur Weltliteratur gehören,
sprechend bleiben, obwohl die Welt, zu der sie sprechen, eine ganz andere ist.
Ebenso beweist das Dasein einer Übersetzungsliteratur, daß sich in solchen
Werken etwas darstellt, was noch immer und für alle Wahrheit und Gültigkeit hat. Es ist also keineswegs so, daß die Weltliteratur eine entfremdete
Gestalt dessen ist, was die Seinsweise eines Werkes seiner ursprünglichen
Bestimmung nach ausmacht. Es ist vielmehr die geschichtliche Seinsweise
von Literatur überhaupt, die es ermöglicht, daß etwas zur Weltliteratur
gehört.

Die normative Auszeichnung, die mit der Zugehörigkeit zur Weltliteratur gegeben ist, rückt nun das Phänomen der Literatur unter einen neuen
Gesichtspunkt. Denn wenn schon Zugehörigkeit zur Weltliteratur nur
einem literarischen Werk zuerkannt wird, das als Dichtung oder als sprach-

---

[1] Goethe, Kunst und Altertum, Jub. Ausg. B. 38 S. 97, und das Gespräch mit
Eckermann vom 51. Jan. 1827.

liches Kunstwerk einen eigenen Rang besitzt, so ist auf der anderen Seite der Begriff der Literatur sehr viel weiter als der Begriff des literarischen Kunstwerks. An der Seinsweise der Literatur hat alle sprachliche Überlieferung teil, nicht nur die religiösen, rechtlichen, wirtschaftlichen, öffentlichen und privaten Texte aller Art, sondern auch die Schriften, in denen solche überlieferte Texte wissenschaftlich bearbeitet und gedeutet werden, mithin das Ganze der Geisteswissenschaften. Ja, die Form der Literatur kommt aller wissenschaftlichen Forschung überhaupt zu, sofern sie mit Sprachlichkeit wesentlich verbunden ist. Es ist die Schriftfähigkeit alles Sprachlichen, die den weitesten Sinn von Literatur umgrenzt.

Wir fragen uns nun, ob für diesen weiten Sinn von Literatur das überhaupt noch Anwendung hat, was wir über die Seinsweise der Kunst ermittelt haben. Muß man den normativen Sinn von Literatur, den wir oben entwickelt haben, solchen literarischen Werken vorbehalten, die als Kunstwerke gelten können, und darf nur von diesen gesagt werden, daß sie an der Seinsvalenz der Kunst teilhaben? Haben alle übrigen Formen literarischen Seins daran grundsätzlich keinen Teil?

Oder besteht hier keine so scharfe Grenze? Es gibt Werke der Wissenschaft, die durch ihre schriftstellerischen Vorzüge sich den Anspruch erworben haben, als literarische Kunstwerke gewürdigt und zur Weltliteratur gezählt zu werden. Das ist vom Standpunkt des ästhetischen Bewußtseins aus einleuchtend, sofern dieses am Kunstwerk nicht seine Inhaltsbedeutung, sondern allein die Qualität seiner Formung für bestimmend erklärt. Nachdem aber unsere Kritik am ästhetischen Bewußtsein die Reichweite dieses Gesichtspunktes grundsätzlich eingeschränkt hat, wird uns dieses Prinzip der Abgrenzung zwischen literarischer Kunst und Literatur zweifelhaft sein. Hatten wir doch gesehen, daß nicht einmal das dichterische Kunstwerk vom Maßstab des ästhetischen Bewußtseins aus in seiner wesentlichen Wahrheit erfaßt wird. Ihm ist vielmehr mit allen anderen literarischen Texten gemeinsam, daß es in seiner inhaltlichen Bedeutung zu uns spricht. Unser Verstehen ist nicht der Formungsleistung, die ihm als Kunstwerk zukommt, spezifisch zugewandt, sondern dem, was es uns sagt.

Insofern ist der Unterschied zwischen einem literarischen Kunstwerk und irgendeinem anderen literarischen Text kein so grundsätzlicher. Gewiß besteht ein Unterschied zwischen der Sprache der Poesie und der Sprache der Prosa, und abermals zwischen der Sprache der dichterischen Prosa und der ‚wissenschaftlichen‘ Prosa. Man kann diese Unterschiede gewiß auch vom Gesichtspunkt der literarischen Formung aus betrachten. Aber der wesentliche Unterschied solcher verschiedener ‚Sprachen‘ liegt offenbar woanders, nämlich in der Verschiedenheit des Wahrheitsanspruches, der von ihnen erhoben wird. Darin besteht eine tiefe Gemeinsamkeit zwischen allen literarischen Werken, daß die sprachliche Formung die inhaltliche Bedeutung, die ausgesagt werden soll, zur Wirksamkeit kommen läßt. So gesehen ist das Verstehen von Texten, wie es etwa der Historiker betreibt, gar nicht so ganz von der Erfahrung der Kunst verschieden. Und es ist kein bloßer Zufall, wenn im Begriff der Literatur nicht nur literarische Kunstwerke, sondern alle literarische Überlieferung überhaupt zusammengefaßt ist.

Jedenfalls liegt im Phänomen der Literatur nicht zufällig der Punkt, an dem Kunst und Wissenschaft ineinander übergehen. Die Seinsart von Literatur hat etwas Einzigartiges und Unvergleichbares. Sie stellt der Umsetzung in Verstehen eine spezifische Aufgabe. Es gibt nichts so Fremdes und zugleich Verständnisforderndes wie Schrift. Nicht einmal die Begegnung mit Menschen fremder Zunge kann mit dieser Fremdheit und Befremdung verglichen werden, da die Sprache der Gebärde und des Tones immer schon ein Moment von unmittelbarer Verständlichkeit enthält. Schrift und was an ihr teil hat, die Literatur, ist die ins Fremdeste entäußerte Verständlichkeit des Geistes. Nichts ist so sehr reine Geistesspur wie Schrift, nichts aber auch so auf den verstehenden Geist angewiesen wie sie. In ihrer Entzifferung und ihrer Deutung geschieht ein Wunder: die Verwandlung von etwas Fremdem und Totem in schlechthinniges Zugleichsein und Vertrautsein. Keine sonstige Überlieferung, die aus der Vergangenheit auf uns kommt, ist dem gleich. Die Überreste vergangenen Lebens, Reste von Bauten, Werkzeuge, der Inhalt der Gräber sind verwittert durch die Stürme der Zeit, die über sie hingebraust sind – schriftliche Überlieferung dagegen, sowie sie entziffert und gelesen ist, ist so sehr reiner Geist, daß sie wie gegenwärtig zu uns spricht. Daher ist die Fähigkeit des Lesens, sich auf Schriftliches zu verstehen, wie eine geheime Kunst, ja wie ein Zauber, der uns löst und bindet. In ihm scheint Raum und Zeit aufgehoben. Wer schriftlich Überliefertes zu lesen weiß, bezeugt und vollbringt die reine Gegenwart der Vergangenheit.

So macht sich allen ästhetischen Grenzziehungen zum Trotz der weiteste Begriff von Literatur in unserem Zusammenhang geltend. Wie wir zeigen konnten, daß das Sein des Kunstwerks Spiel ist, welches sich erst mit der Aufnahme durch den Zuschauer vollendet, so gilt von Texten überhaupt, daß erst im Verstehen die Rückverwandlung toter Sinnspur in lebendigen Sinn geschieht. Daher muß man sich die Frage stellen, ob das, was für die Erfahrung der Kunst nachgewiesen wurde, auch für das Verstehen von Texten insgesamt gilt, also auch von solchen, die keine Kunstwerke sind. Wir hatten gesehen, daß das Kunstwerk sich erst in der Darstellung, die es findet, vollendet, und wir waren zu der Konsequenz genötigt worden, daß alle literarischen Kunstwerke sich erst in der Lektüre zu vollenden vermögen. Gilt das nun auch vom Verstehen aller Texte? Vollendet sich der Sinn aller Texte erst mit ihrer Aufnahme im Verstehenden? Gehört, anders gesprochen, das Verstehen zum Sinngeschehen eines Textes ebenso dazu wie das Zu-Gehör-Bringen zur Musik? Kann das noch Verstehen heißen, wenn man sich zu dem Sinne eines Textes mit so viel Freiheit verhält wie der reproduzierende Künstler zu seiner Vorlage?

d) Rekonstruktion und Integration als hermeneutische Aufgaben

Die klassische Disziplin, die es mit der Kunst des Verstehens von Texten zu tun hat, ist die Hermeneutik. Wenn unsere Überlegungen richtig sind, stellt sich das eigentliche Problem der Hermeneutik aber ganz anders dar, als man es kennt. Es weist dann in die gleiche Richtung, in die unsere Kritik am ästhetischen Bewußtsein das Problem der Ästhetik verschoben hatte. Ja, die Hermeneutik müßte dann sogar derart umfassend verstanden werden, daß sie die ganze Sphäre der Kunst und ihre Fragestellung mit einbezöge. Wie jeder andere zu verstehende Text muß ein jegliches Kunstwerk – nicht nur das literarische – verstanden werden, und solches Verstehen will gekonnt sein. Damit erhält das hermeneutische Bewußtsein eine umfassende Weite, die diejenige des ästhetischen Bewußtseins noch übertrifft. *Die Ästhetik muß in der Hermeneutik aufgehen.* Das ist nicht nur eine Aussage, die den Umfang des Problems betrifft, sondern sie gilt erst recht inhaltlich. Die Hermeneutik muß nämlich umgekehrt im ganzen so bestimmt werden, daß sie der Erfahrung der Kunst gerecht wird. Das Verstehen muß als ein Teil des Sinngeschehens gedacht werden, in dem der Sinn aller Aussagen – derjenigen der Kunst und derjenigen aller sonstigen Überlieferung – sich bildet und vollendet.

Nun hat die alte theologische und philologische Hilfsdisziplin der Hermeneutik im 19. Jahrhundert eine systematische Ausbildung erfahren, die sie zur Grundlage für das gesamte Geschäft der Geisteswissenschaften machte. Sie hat sich über ihren ursprünglichen pragmatischen Zweck, das Verstehen literarischer Texte zu ermöglichen oder zu erleichtern, grundsätzlich erhoben. Nicht nur die literarische Überlieferung ist entfremdeter und neuer, richtigerer Aneignung bedürftiger Geist, vielmehr ist alles, was nicht mehr unmittelbar in seiner Welt steht und sich in ihr und an sie aussagt, mithin alle Überlieferung, Kunst sowohl wie alle anderen geistigen Schöpfungen der Vergangenheit, Recht, Religion, Philosophie usw., ihrem ursprünglichen Sinn entfremdet und auf den aufschließenden und vermittelnden Geist angewiesen, den wir mit den Griechen nach Hermes, dem Götterboten, benennen. Es ist die *Entstehung des historischen Bewußtseins,* der die Hermeneutik eine zentrale Funktion innerhalb der Geisteswissenschaften verdankt. Aber es ist die Frage, ob uns die Spannweite des Problems, das mit ihr gestellt ist, von den Voraussetzungen des historischen Bewußtseins aus überhaupt richtig sichtbar zu werden vermag.

Die bisherige Arbeit auf diesem Gebiet, die vor allem durch Wilhelm Diltheys hermeneutische Grundlegung der Geisteswissenschaften[1] und

---

[1] Wilhelm Diltheys Gesammelte Schriften, Bd. VII u. VIII.

durch seine Untersuchungen zur Entstehung der Hermeneutik[1] bestimmt
wird, hat die Dimensionen des hermeneutischen Problems auf ihre Weise
festgelegt. Die heutige Aufgabe könnte sein, sich dem beherrschenden
Einfluß der Diltheyschen Fragestellung und den Vorurteilen der durch ihn
begründeten ‚Geistesgeschichte‘ zu entziehen.

Um vorgängig anzuzeigen, worum es geht, und die systematische Konsequenz unseres bisherigen Gedankenganges mit der Ausweitung, die
unsere Fragestellung nunmehr erfährt, zusammenzuschließen, tun wir
gut, uns zunächst an die hermeneutische Aufgabe zu halten, die durch
das Phänomen der Kunst gestellt ist. So sehr wir einleuchtend machen
konnten, daß die ‚ästhetische Unterscheidung‘ eine Abstraktion ist, die die
Zugehörigkeit des Kunstwerkes zu seiner Welt nicht aufzuheben vermag,
so unbezweifelbar bleibt es doch auch, daß die Kunst niemals nur vergangene ist, sondern den Abstand der Zeiten durch ihre eigene Sinnpräsenz
zu überwinden weiß. Insofern zeigt sich am Beispiel der Kunst nach beiden
Seiten hin ein ausgezeichneter Fall von Verstehen. Sie ist kein bloßer
Gegenstand des historischen Bewußtseins, dennoch aber schließt ihr Verständnis immer schon historische Vermittlung mit ein. Wie bestimmt sich
dann ihr gegenüber die Aufgabe der Hermeneutik?

Am Beispiele Schleiermachers und Hegels seien zwei extreme Möglichkeiten, die Antwort auf diese Frage zu denken, dargestellt. Man könnte sie
durch die Begriffe der *Rekonstruktion* und der *Integration* bezeichnen. Am
Anfang steht für Schleiermacher wie für Hegel das Bewußtsein eines Ver-
lusts und einer Entfremdung gegenüber der Überlieferung, das ihre hermeneutische Besinnung herausfordert. Sie bestimmen dennoch die Aufgabe
der Hermeneutik auf sehr verschiedene Weise.

Schleiermacher, mit dessen hermeneutischer Theorie wir uns später noch
beschäftigen werden, ist ganz darauf gerichtet, die ursprüngliche Bestimmung eines Werkes im Verständnis wiederherzustellen. Denn Kunst
und Literatur, die uns aus der Vergangenheit überliefert sind, sind ihrer
ursprünglichen Welt entrissen. Wie wir in unserer Analyse zeigten, gilt dies
für alle Kunst, also auch für die literarischen Künste, aber an der bildenden
Kunst wird es besonders deutlich. So schreibt Schleiermacher, daß es schon
nicht mehr das Natürliche und Ursprüngliche sei, »wenn Kunstwerke in
den Verkehr kommen. Nämlich jedes hat einen Teil seiner Verständlichkeit
aus seiner ursprünglichen Bestimmung.« »Daher das Kunstwerk, aus seinem ursprünglichen Zusammenhang gerissen, wenn dieser nicht geschichtlich aufbewahrt wird, von seiner Bedeutsamkeit verliert.« Er sagt geradezu: »So ist also eigentlich ein Kunstwerk auch eingewurzelt in seinen
Grund und Boden, in seine Umgebung. Es verliert schon seine Bedeutung,
wenn es aus dieser Umgebung herausgerissen wird und in den Verkehr

---

[1] Ebenda, Bd. V.

übergeht, es ist wie etwas, das aus dem Feuer gerettet ist und nun Brand-
flecken trägt.«[1]

Folgt daraus nicht, daß das Kunstwerk nur dort seine wirkliche Bedeutung hat, wo es ursprünglich hingehört? Ist also die Erfassung seiner Bedeutung eine Art von Wiederherstellung des Ursprünglichen? Wenn man erkennt
und anerkennt, daß das Kunstwerk nicht zeitloser Gegenstand des ästhetischen Erlebens ist, sondern einer Welt zugehört, die seine Bedeutung erst voll
bestimmt, scheint zu folgen, daß die wahre Bedeutung des Kunstwerkes aus
dieser Welt, also vor allem aus seinem Ursprung und seiner Entstehung allein
zu verstehen ist. Wiederherstellung der ‚Welt‘, der es zugehört, Wiederherstellung des ursprünglichen Zustandes, den der schaffende Künstler ‚gemeint‘ hatte, Aufführung im ursprünglichen Stile, alle diese Mittel historischer Rekonstruktion dürften dann beanspruchen, die wahre Bedeutung
eines Kunstwerks verständlich zu machen und gegen Mißverständnis und
falsche Aktualisierung zu schützen. – Das ist in der Tat der Schleiermachersche Gedanke, den seine gesamte Hermeneutik stillschweigend voraussetzt. Das geschichtliche Wissen öffnet nach Schleiermacher den Weg,
das Verlorene zu ersetzen und die Überlieferung wiederherzustellen, sofern
es das Okkasionelle und Ursprüngliche zurückbringt. So sucht das hermeneutische Bemühen den ‚Anknüpfungspunkt‘ im Geiste des Künstlers
wiederzugewinnen, der die Bedeutung eines Kunstwerks erst voll verständlich machen soll, genau wie es sonst Texten gegenüber verfährt, indem es die ursprüngliche Produktion des Verfassers zu reproduzieren strebt.

Nun ist die Wiederherstellung der Bedingungen, unter denen ein überliefertes Werk seine ursprüngliche Bestimmung erfüllte, für das Verständnis
gewiß eine wesentliche Hilfsoperation. Allein es fragt sich, ob das, was hier
gewonnen wird, wirklich das ist, was wir als die *Bedeutung* des Kunstwerkes suchen, und ob das Verstehen richtig bestimmt wird, wenn wir in
ihm eine zweite Schöpfung, die Reproduktion der ursprünglichen Produktion, sehen. Am Ende ist eine solche Bestimmung der Hermeneutik nicht
minder widersinnig wie alle Restitution und Restauration vergangenen
Lebens. Wiederherstellung ursprünglicher Bedingungen ist, wie alle Restauration, angesichts der Geschichtlichkeit unseres Seins ein ohnmächtiges
Beginnen. Das wiederhergestellte, aus der Entfremdung zurückgeholte
Leben ist nicht das ursprüngliche. Es gewinnt lediglich in der Fortdauer
der Entfremdung ein sekundäres Dasein der Bildung. Die in jüngster Zeit
sich geltend machende Tendenz, Kunstwerke aus dem Museum wieder an
den ursprünglichen Ort ihrer Bestimmung zurückzubringen oder Archi-
tekturdenkmälern wieder ihre ursprüngliche Gestalt zu geben, kann
das nur bestätigen. Selbst das aus dem Museum in die Kirche zurückgeholte Bild oder das in seinem alten Zustand wiederhergestellte Bauwerk

---

[1] Schleiermacher, Ästhetik, ed. R. Odebrecht, S. 84 ff.

sind nicht, was sie gewesen sind – sie werden zum Touristenziel. Genauso bliebe ein hermeneutisches Tun, für das das Verstehen Wiederherstellung des Ursprünglichen hieße, nur die Mitteilung eines erstorbenen Sinnes.

Demgegenüber repräsentiert *Hegel* eine andere Möglichkeit, Gewinn und Verlust des hermeneutischen Beginnens miteinander auszugleichen. Er hat das klarste Bewußtsein von der Ohnmacht aller Restauration, wenn er im Hinblick auf den Untergang des antiken Lebens und seiner ‚Kunstreligion' schreibt[1]: Die Werke der Muse »sind nun das, was sie für uns sind, – vom Baume gebrochene schöne Früchte, ein freundliches Schicksal reichte sie uns dar, wie ein Mädchen jene Früchte präsentiert; es gibt nicht das wirkliche Leben ihres Daseins, nicht den Baum, der sie trug, nicht die Erde und die Elemente, die ihre Substanz, noch das Klima, das ihre Bestimmtheit ausmachte, oder den Wechsel der Jahreszeiten, die den Prozeß ihres Werdens beherrschten. – So gibt das Schicksal uns mit den Werken jener Kunst nicht ihre Welt, nicht den Frühling und Sommer des sittlichen Lebens, worin sie blühten und reiften, sondern allein die eingehüllte Erinnerung dieser Wirklichkeit.« Und er nennt das Verhalten der Späteren zu den überlieferten Werken der Kunst ein ‚äußerliches Tun', »das von diesen Früchten etwa Regentropfen oder Stäubchen abwischt und an die Stelle der inneren Elemente der umgebenden, erzeugenden und begeisternden Wirklichkeit des Sittlichen das weitläufige Gerüste der toten Elemente ihrer äußerlichen Existenz, der Sprache, des Geschichtlichen usf. errichtet, nicht um sich in sie hineinzuleben, sondern nur, um sie in sich vorzustellen.«[2] Was Hegel hier beschreibt, ist genau das, was Schleiermachers Forderung einer historischen Aufbewahrung umfaßte, aber bei Hegel trägt es von vornherein einen negativen Akzent. Die Erforschung des Okkasionellen, das die Bedeutung von Kunstwerken ergänzt, vermag sie nicht wiederherzustellen. Es bleiben vom Baum gebrochene Früchte. Indem man sie in ihren geschichtlichen Zusammenhang zurückstellt, gewinnt man kein Verhältnis des Lebens zu ihnen, sondern das der bloßen Vorstellung. Hegel bestreitet damit nicht, daß es eine legitime Aufgabe ist, gegenüber der Kunst der Vergangenheit sich derart historisch zu verhalten. Er spricht vielmehr das Prinzip der kunstgeschichtlichen Forschung aus, die freilich, wie alles ‚historische' Verhalten, in Hegels Augen ein äußerliches Tun ist.

Die wahre Aufgabe des denkenden Geistes gegenüber der Geschichte, auch gegenüber der Geschichte der Kunst, wäre dagegen nach Hegel keine

[1] Hegel, Phänomenologie des Geistes, ed. Hoffmeister, S. 524.
[2] Wie wenig aber das ‚Sichhineinleben' für Hegel eine Lösung wäre, mag der Satz aus seiner ‚Aesthetik' (Hotho II, 233), lehren: »Es hilft da weiter nichts, sich vergangene Weltanschauungen wieder, sozusagen, substanziell aneignen, d. i., sich in Eine dieser Anschauungsweisen festhineinmachen zu wollen, als z. B. katholisch zu werden, wie es in neueren Zeiten der Kunst wegen viele getan, um ihr Gemüth zu fixieren...«

äußere, sofern der Geist sich selbst in ihr auf eine höhere Weise dargestellt sähe. In Fortspinnung des Bildes von dem Mädchen, das die vom Baum gebrochenen Früchte präsentiert, schreibt Hegel nämlich: »Aber wie das Mädchen, das die gepflückten Früchte darreicht, mehr ist, als die in ihre Bedingungen und Elemente, den Baum, Luft, Licht usf. ausgebreitete Natur derselben, welche sie unmittelbar darbot, indem es auf eine höhere Weise dies alles in den Strahl des selbstbewußten Auges und der darreichenden Gebärde zusammenfaßt, so ist der Geist des Schicksals, der uns jene Kunstwerke darbietet, mehr als das sittliche Leben und die Wirklichkeit jenes Volkes, denn er ist die *Er-Innerung* des in ihnen noch *veräußerten* Geistes, – er ist der Geist des tragischen Schicksals, das alle jene individuellen Götter und Attribute der Substanz in das Eine Pantheon versammelt, in den seiner als Geist selbstbewußten Geist.«

Hier weist Hegel über die ganze Dimension hinaus, in der sich das Problem des Verstehens bei Schleiermacher stellte. Hegel hebt es auf die Basis, auf der er die Philosophie als die höchste Gestalt des absoluten Geistes begründet hat. Im absoluten Wissen der Philosophie vollendet sich jenes Selbstbewußtsein des Geistes, der, wie der Text sagt, ‚auf eine höhere Weise‘ auch die Wahrheit der Kunst in sich faßt. So ist es für Hegel die Philosophie, d. h. die geschichtliche Selbstdurchdringung des Geistes, welche die hermeneutische Aufgabe bewältigt. Sie ist die äußerste Gegenposition zur Selbstvergessenheit des historischen Bewußtseins. Ihr wandelt sich das historische Verhalten der Vorstellung in ein denkendes Verhalten zur Vergangenheit. Hegel spricht damit eine entschiedene Wahrheit aus, sofern das Wesen des geschichtlichen Geistes nicht in der Restitution des Vergangenen, sondern in der *denkenden Vermittlung mit dem gegenwärtigen Leben* besteht. Hegel hat recht, wenn er solche denkende Vermittlung nicht als ein äußerliches und nachträgliches Verhältnis denkt, sondern mit der Wahrheit der Kunst selbst auf eine Stufe stellt. Er ist damit der Schleiermacherschen Idee der Hermeneutik grundsätzlich überlegen. Auch uns hat die Frage nach der Wahrheit der Kunst zu einer Kritik des ästhetischen wie des historischen Bewußtseins genötigt, sofern wir nach der *Wahrheit* fragen, die sich in Kunst und Geschichte manifestiert.

———

>Qui non intelligit res, non potest
ex verbis sensum elicere«

M. Luther

I

GESCHICHTLICHE VORBEREITUNG

1. Fragwürdigkeit der romantischen Hermeneutik
und ihrer Anwendung auf die Historik

a) Wesenswandel der Hermeneutik zwischen Aufklärung und Romantik

Wenn wir als Aufgabe erkennen, mehr Hegel als Schleiermacher zu folgen, muß die Geschichte der Hermeneutik ganz neu akzentuiert werden.
Sie hat dann ihre Vollendung nicht mehr im Freiwerden des historischen
Verstehens von allen dogmatischen Voreingenommenheiten, und man wird
die Entstehung der Hermeneutik nicht mehr unter dem Aspekt sehen
können, unter dem Dilthey sie in der Nachfolge Schleiermachers dargestellt hat. Es gilt vielmehr, den von Dilthey gebahnten Weg aufs neue zu
gehen und dabei nach anderen Zielen auszuschauen, als sie Diltheys historischem Selbstbewußtsein vorschwebten. Dabei sehen wir ganz von dem
dogmatischen Interesse an dem hermeneutischen Problem ab, das das Alte
Testament schon für die alte Kirche bot[1], und begnügen uns, die Entwicklung der hermeneutischen Methode in der Neuzeit zu verfolgen, die
in der Entstehung des historischen Bewußtseins mündet.

a) Vorgeschichte der romantischen Hermeneutik

Auf zwei Wegen, dem theologischen wie dem philologischen, hatte sich
die Kunstlehre des Verstehens und der Auslegung aus einem analogen Antrieb entwickelt: Die theologische Hermeneutik, wie Dilthey schön gezeigt
hat[2], aus der Selbstverteidigung des reformatorischen Bibelverständnisses

---

[1] Man denke an Augustins De doctrina christiana. Vgl. neuerdings den Artikel
G. Ebelings, Hermeneutik, in RGG[3].
[2] Dilthey, Die Entstehung der Hermeneutik, Ges. Schriften Bd. V, 317–338.

gegen den Angriff der tridentinischen Theologen und ihre Berufung auf die Unentbehrlichkeit der Tradition; die philologische Hermeneutik als ein Instrumentarium für den humanistischen Anspruch auf Wiederentdeckung der klassischen Literatur. Auf beiden Wegen handelt es sich um eine Wiederentdeckung, und zwar um eine Wiederentdeckung von etwas, das nicht schlechthin unbekannt war, aber dessen Sinn fremd und unzugänglich geworden war: Die klassische Literatur, als Bildungsstoff zwar ständig gegenwärtig, war doch ganz in die christliche Welt eingeformt worden, und ebenso war die Bibel gewiß das ständig gelesene Heilige Buch der Kirche, aber ihr Verständnis war durch die dogmatische Tradition der Kirche bestimmt und – nach der Überzeugung der Reformatoren – verdeckt. Bei beiden Überlieferungen handelt es sich um fremde Sprachen, nicht um die universale Gelehrtensprache des lateinischen Mittelalters, so daß das Studium der ursprünglich zu gewinnenden Überlieferung die Erlernung der griechischen und der hebräischen Sprache sowie die Reinigung des Latein nötig machte. Es ist der Anspruch der Hermeneutik, in beiden Überlieferungsbereichen, für die humanistische Literatur wie für die Bibel, den ursprünglichen Sinn der Texte durch kunstgerechtes Verfahren aufzuschließen, und es ist von entscheidender Bedeutung geworden, daß sich durch Luther und Melanchthon die humanistische Tradition mit dem reformatorischen Antrieb vereinigte.

Voraussetzung der biblischen Hermeneutik ist – soweit die biblische Hermeneutik als Vorgeschichte der modernen geisteswissenschaftlichen Hermeneutik in Frage kommt – das Schriftprinzip der Reformation. Der Standpunkt Luthers[1] ist etwa folgender: die Heilige Schrift ist sui ipsius interpres. Man bedarf nicht der Tradition, um das rechte Verständnis derselben zu erwerben, auch nicht einer Auslegungskunst im Stile der antiken Lehre vom vierfachen Schriftsinn, sondern der Wortlaut der Schrift hat einen eindeutigen, aus ihr selbst zu ermittelnden Sinn, den sensus literalis. Die allegorische Methode im besonderen, die für die dogmatische Einheitlichkeit der biblischen Lehre vordem unentbehrlich schien, ist nur dort legitim, wo die allegorische Absicht in der Schrift selbst gegeben ist. So ist sie bei den Gleichnisreden am Platz. Das Alte Testament dagegen darf seine spezifisch christliche Relevanz nicht durch eine allegorische Interpretation gewinnen. Man muß es wörtlich verstehen, und gerade indem

---

[1] Die hermeneutischen Prinzipien der lutherischen Bibelerklärung sind nach K. Holl vor allem durch G. Ebeling eingehend erforscht worden. (G. Ebeling, Ev. Evangelienauslegung. Eine Untersuchung zu Luthers Hermeneutik [1942] und Die Anfänge von Luthers Hermeneutik [ZThK 48, 1951, 172–230] und neuerdings Wort Gottes und Hermeneutik [ZThK 56, 1959]). Hier muß eine summarische Darstellung genügen, die lediglich der Abhebung dient und die Wendung der Hermeneutik ins Historische, die das 18. Jahrhundert bringt, verdeutlicht. Zur eigenen Problematik des ‚sola scriptura‘ vgl. auch G. Ebeling, RGG³ s. v. Hermeneutik.

man es wörtlich versteht und in ihm den Standpunkt des Gesetzes erkennt, den die Gnadentat Christi aufhebt, hat es eine christliche Bedeutung.

Der wörtliche Sinn der Schrift freilich ist nicht an jeder Stelle und in jedem Augenblick eindeutig verstehbar. Denn es ist das Ganze der Heiligen Schrift, das das Verständnis des Einzelnen leitet – so wie umgekehrt dieses Ganze nur aus dem durchgeführten Verständnis des Einzelnen erworben wird. Ein solches zirkelhaftes Verhältnis von Ganzem und Teilen ist an sich nichts Neues. Das wußte schon die antike Rhetorik, die die vollkommene Rede mit dem organischen Körper, dem Verhältnis von Haupt und Gliedern vergleicht. Luther und seine Nachfolger[1] übertrugen dieses aus der klassischen Rhetorik bekannte Bild auf das Verfahren des Verstehens und entwickelten als allgemeinen Grundsatz einer Textinterpretation, daß alle Einzelheiten eines Textes aus dem contextus, dem Zusammenhang, und aus dem einheitlichen Sinn, auf den das Ganze zielt, dem scopus, zu verstehen sind[2].

Indem sich die reformatorische Theologie für die Auslegung der Heiligen Schrift auf diesen Grundsatz beruft, bleibt sie freilich ihrerseits in einer dogmatisch begründeten Voraussetzung befangen. Sie macht die Voraussetzung, daß die Bibel selbst eine Einheit ist. Von dem im 18. Jahrhundert errungenen historischen Standpunkt aus geurteilt, ist also auch die reformatorische Theologie dogmatisch und verlegt einer gesunden Einzelinterpretation der Heiligen Schrift den Weg, die den relativen Zusammenhang einer Schrift, ihren Zweck und ihre Komposition je gesondert im Auge hätte.

Ja, die reformatorische Theologie erscheint nicht einmal als konsequent. Indem sie schließlich die protestantischen Glaubensformeln als Leitfaden für das Verständnis der Einheit der Bibel in Anspruch nimmt, hebt auch sie

---

[1] Der Vergleich mit caput und membra findet sich auch bei Flacius.

[2] Die Entstehung des Systembegriffes liegt offenbar in der gleichen theologischen Situation begründet, wie die der Hermeneutik. Dafür ist die Untersuchung von O. Ritschl, System und systematische Methode in der Geschichte des wissenschaftlichen Sprachgebrauchs und in der philosophischen Methodologie, Bonn 1906, überaus lehrreich. Sie zeigt, daß die reformatorische Theologie, weil sie nicht mehr eine enzyklopädische Verarbeitung der dogmatischen Tradition sein wollte, sondern die christliche Lehre von entscheidenden Stellen der Bibel aus (loci communes) neu zu organisieren strebte, zur Systematik hindrängte, – eine Feststellung, die doppelt lehrreich ist, wenn man das spätere Auftreten des Terminus System in der Philosophie des 17. Jahrhunderts bedenkt. Auch dort war in das traditionelle Gefüge der scholastischen Gesamtwissenschaft etwas Neues eingebrochen: die neue Naturwissenschaft. Dieses neue Element nötigte die Philosophie zur Systematik, d. h. zur Harmonisierung des Alten und Neuen. Der Systembegriff, der seither ein methodisch unentbehrliches Requisit der Philosophie geworden ist, hat also seine historische Wurzel in dem Auseinandertreten von Philosophie und Wissenschaft in der beginnenden Neuzeit, und er erscheint nur deshalb als eine selbstverständliche Forderung an die Philosophie, weil dieses Auseinandergehen von Philosophie und Wissenschaft seitdem der Philosophie ihre beständige Aufgabe stellt.

das Schriftprinzip auf – zugunsten einer allerdings kurzfristigen reformatorischen Tradition. So hat darüber nicht nur die gegenreformatorische Theologie, sondern auch Dilthey geurteilt[1]. Er glossiert diese Widersprüche der
prostetantischen Hermeneutik aus dem vollen Selbstgefühl der historischen
Geisteswissenschaften heraus. Wir werden uns noch zu fragen haben, ob
dieses Selbstbewußtsein – gerade auch im Blick auf den theologischen Sinn
der Bibelexegese – wirklich berechtigt ist und ob nicht der philologisch-
hermeneutische Grundsatz, Texte aus sich selbst zu verstehen, selber etwas
Ungenügendes hat und einer meist nur uneingestandenen Ergänzung durch
einen dogmatischen Leitfaden immer bedarf.

Indes läßt sich eine solche Frage erst heute stellen, nachdem die historische Aufklärung ihre Möglichkeiten voll ausgemessen hat. Diltheys Studien zur Entstehung der Hermeneutik entwickeln einen in sich stimmigen
und unter den Voraussetzungen des Wissenschaftsbegriffs der Neuzeit über-
zeugenden Zusammenhang. Erst einmal mußte sich die Hermeneutik aus
aller dogmatischen Beschränkung lösen und zu sich selbst befreien, um zu
der universalen Bedeutung eines historischen Organon aufzusteigen. Das
geschah im 18. Jahrhundert, als Männer wie Semler und Ernesti erkannten,
daß ein adäquates Verständnis der Schrift die Anerkennung der Verschiedenheit ihrer Verfasser, also die Preisgabe der dogmatischen Einheit des
Kanon voraussetzt. Mit dieser »Befreiung der Auslegung vom Dogma«
(Dilthey) rückte die Sammlung der Heiligen Schriften der Christenheit in
die Rolle einer Sammlung historischer Quellen, die als Schriftwerke nicht
nur einer grammatischen, sondern zugleich auch einer historischen Interpretation unterworfen werden mußten[2]. Das Verständnis aus dem Zusammenhang des Ganzen forderte jetzt notwendig auch die historische
Restitution des Lebenszusammenhanges, dem die Dokumente zugehören.
Der alte Auslegungsgrundsatz, das Einzelne aus dem Ganzen zu verstehen, war nun nicht mehr auf die dogmatische Einheit des Kanons bezogen und beschränkt, sondern ging auf das Umfassende der geschichtlichen Wirklichkeit, zu deren Ganzheit das einzelne historische Dokument
gehört.

Und wie es nunmehr keinen Unterschied mehr gibt zwischen der Interpretation heiliger oder profaner Schriften und damit nur *eine* Hermeneutik
existiert, so ist diese Hermeneutik am Ende nicht nur eine propädeutische
Funktion aller Historik – als Kunst der rechten Auslegung schriftlicher
Quellen – sondern übergreift noch das ganze Geschäft der Historik selbst.

---

[1] Vgl. Dilthey II, 126 Anm. 3 die von Richard Simon an Flacius geübte Kritik.

[2] Semler, der diese Forderung stellt, meint damit freilich noch dem Heilssinn der
Bibel zu dienen, sofern der historisch Verstehende »nun auch imstande ist, von diesen
Gegenständen auf eine solche Weise jetzt zu reden, als es die veränderte Zeit und
andere Umstände der Menschen neben uns erfordern« (zitiert nach G. Ebeling,
RGG[3] Hermeneutik) – also Historie im Dienste der applicatio.

Denn was von den schriftlichen Quellen gilt, daß jeder Satz in ihnen nur aus dem Zusammenhang verstanden werden könne, das gilt auch von den Inhalten, die sie berichten. Auch deren Bedeutung steht nicht für sich fest. Der weltgeschichtliche Zusammenhang, in dem sich die Einzelgegenstände der historischen Forschung, große wie kleine, in ihrer wahren relativen Bedeutung zeigen, ist selbst ein Ganzes, von dem aus alles Einzelne in seinem Sinn erst voll verstanden wird und das umgekehrt erst von diesen Einzelheiten aus voll verstanden werden kann: die Weltgeschichte ist gleichsam das große dunkle Buch, das in den Sprachen der Vergangenheit verfaßte Sammelwerk des menschlichen Geistes, dessen Text verstanden werden soll. Die historische Forschung versteht sich selbst nach dem Modell der Philologie, deren sie sich bedient. Wir werden sehen, daß das in der Tat das Vorbild ist, dem folgend Dilthey die historische Weltanschauung begründete.

In Diltheys Augen kommt also die Hermeneutik erst in ihr eigentliches Wesen, wenn sie ihre Stellung im Dienst einer dogmatischen Aufgabe – die für den christlichen Theologen die rechte Verkündigung des Evangeliums ist – in die Funktion eines historischen Organon verwandelt. Wenn sich hingegen das Ideal der historischen Aufklärung, dem Dilthey anhängt, als eine Illusion erweisen sollte, dann wird auch die von ihm skizzierte Vorgeschichte der Hermeneutik eine ganz andere Bedeutung erhalten; die Wendung zum historischen Bewußtsein ist dann nicht ihre Befreiung von den Fesseln des Dogmas, sondern ein Wandel ihres Wesens. Genau das gleiche gilt von der philologischen Hermeneutik. Denn die ars critica der Philologie hatte zunächst ihre Voraussetzung in der unreflektierten Vorbildlichkeit des klassischen Altertums, dessen Überlieferung sie pflegte. Auch sie muß sich in ihrem Wesen wandeln, wenn zwischen dem Altertum und der eigenen Gegenwart kein eindeutiges Verhältnis von Vorbild und Nachfolge mehr besteht. Daß das so ist, beweist die querelle des anciens et des modernes, die für die gesamte Epoche vom französischen Klassizismus bis zur deutschen Klassik das Generalthema anschlägt. An diesem Thema sollte sich die historische Reflexion entfalten, die schließlich den normativen Anspruch des klassischen Altertums zur Auflösung brachte. Auf beiden Wegen also, der Philologie und der Theologie, ist es der gleiche Vorgang, der schließlich zur Konzeption einer universalen Hermeneutik führte, für die die besondere Vorbildlichkeit der Überlieferung keine Voraussetzung der hermeneutischen Aufgabe mehr darstellt.

Die Ausbildung einer Wissenschaft der Hermeneutik, wie sie von Schleiermacher in der Auseinandersetzung mit den Philologen F. A. Wolf und F. Ast und in Fortbildung der theologischen Hermeneutik Ernestis geleistet wurde, ist also nicht einfach nur ein weiterer Schritt in der Geschichte der Kunst des Verstehens selbst. An sich ist diese Geschichte des Verstehens schon seit den Tagen der antiken Philologie von theoretischer

Reflexion begleitet. Aber diese Reflexionen haben den Charakter einer
‚Kunstlehre‘, d.h. sie wollen der Kunst des Verstehens dienen, wie etwa
die Rhetorik der Redekunst, die Poetik der Dichtkunst und ihrer Beurteilung dienen wollen. In diesem Sinne war auch die theologische Hermeneutik der Patristik und die der Reformation eine Kunstlehre. Jetzt aber
wird das Verstehen als solches zum Problem gemacht. Die Allgemeinheit
dieses Problems bezeugt, daß das Verstehen in einem neuen Sinne zur Aufgabe geworden ist, und damit erhält auch die theoretische Reflexion einen
neuen Sinn. Sie ist nicht mehr eine Kunstlehre, die der Praxis des Philologen oder der Praxis des Theologen dient. Schleiermacher nennt seine
Hermeneutik zwar schließlich auch ‚Kunstlehre‘, aber in einem ganz anderen systematischen Sinn. Er sucht die theoretische Begründung des den
Theologen und Philologen gemeinsamen Verfahrens zu gewinnen, indem
er hinter beider Anliegen auf ein ursprünglicheres Verhältnis des Verstehens von Gedanken zurückgeht.

Die Philologen, die seine unmittelbaren Vorgänger waren, standen noch
anders. Für sie war die Hermeneutik durch den Inhalt des zu Verstehenden
bestimmt – und das war die selbstverständliche Einheit der antik-christ-
lichen Literatur. Asts Zielsetzung einer universalen Hermeneutik: »die
hervorzubringende Einheit des griechischen und christlichen Lebens«
spricht aus, was im Grunde alle ‚christlichen Humanisten‘ denken[1]. –
Schleiermacher dagegen sucht die Einheit der Hermeneutik *nicht mehr* in
der inhaltlichen Einheit der Überlieferung, auf die das Verstehen angewendet
werden soll, sondern abgelöst von aller inhaltlichen Besonderung in der
Einheit eines Verfahrens, das nicht einmal durch die Art, wie die Gedanken
überliefert sind, ob schriftlich oder mündlich, in fremder oder in der eigenen
gleichzeitigen Sprache, differenziert wird. Die Bemühung des Verstehens
hat überall statt, wo sich kein unmittelbares Verstehen ergibt, bzw. wo mit
der Möglichkeit eines Mißverstehens gerechnet werden muß.

Schleiermachers Idee einer universalen Hermeneutik bestimmt sich von
da aus. Sie ist aus der Vorstellung entstanden, daß die Erfahrung der Fremdheit und die Möglichkeit des Mißverständnisses eine universelle ist. Gewiß
ist solche Fremdheit bei kunstvoller Rede größer und Mißverstand näher-
liegend als bei kunstloser, und bei schriftlich fixierter Rede größer als bei
der mündlichen, die durch die lebendige Stimme gleichsam beständig mit-
ausgelegt wird. Aber gerade die Ausweitung der hermeneutischen Aufgabe
auf das ‚bedeutsame Gespräch‘, die für Schleiermacher besonders charakteristisch ist, zeigt, wie sich der Sinn der Fremdheit, deren Überwindung

---

[1] Dilthey, der dies wohl bemerkt, aber anders wertet, schreibt schon im Jahre
1859: »Es ist wohl zu beachten, daß Philologie, Theologie, Geschichte und Philosophie... noch keineswegs so geschieden waren, wie wir das gewohnt sind. Hat doch
Heyne erst der Philologie als Einzeldisziplin Raum gemacht, schrieb doch Wolf
zuerst sich als Student der Philologie ein« (Der junge Dilthey, S. 88).

die Hermeneutik leisten soll, gegenüber der bisherigen Aufgabenstellung der Hermeneutik grundsätzlich gewandelt hat. In einem neuen, universalen Sinn ist Fremdheit mit der Individualität des Du unauflöslich gegeben.

Man darf den lebhaften, ja genialen Sinn für menschliche Individualität, der Schleiermacher auszeichnet, gleichwohl nicht als eine individuelle Besonderheit nehmen, die hier die Theorie beeinflußt. Vielmehr ist es die kritische Abwehr all dessen, was im Zeitalter der Aufklärung unter dem Titel ‚Vernünftige Gedanken‘ als das gemeinsame Wesen der Humanität galt, was zu einer grundsätzlichen Neubestimmung des Verhältnisses zur Überlieferung nötigt[1]. Die Kunst des Verstehens wird einer prinzipiellen theoretischen Aufmerksamkeit und universellen Pflege gewürdigt, weil weder ein biblisch noch ein rational begründetes Einverständnis den dogmatischen Leitfaden alles Textverständnisses mehr bildet. Es gilt daher für Schleiermacher, der hermeneutischen Reflexion eine grundsätzliche Motivation zu geben und damit das Problem der Hermeneutik in einen Horizont zu stellen, wie ihn die bisherige Hermeneutik nicht kannte.

Um der eigentlichen Wendung, die Schleiermacher der Geschichte der Hermeneutik gibt, den rechten Hintergrund zu verschaffen, stellen wir eine Überlegung an, die bei Schleiermacher gar keine Rolle spielt, und die seit Schleiermacher aus der Fragestellung der Hermeneutik gänzlich verschwunden ist (was auch Diltheys historisches Interesse an der Geschichte der Hermeneutik eigentümlich verengt), die aber in Wahrheit das Problem der Hermeneutik beherrscht und Schleiermachers Stellung in der Geschichte der Hermeneutik erst verständlich macht. Wir gehen von dem Satz aus: Verstehen heißt zunächst, sich miteinander verstehen. Verständnis ist zunächst Einverständnis. So verstehen einander die Menschen zumeist unmittelbar, bzw. sie verständigen sich bis zur Erzielung des Einverständnisses. Verständigung ist also immer: Verständigung über etwas. Sich verstehen ist Sichverstehen in etwas. Die Sprache sagt es schon, daß das Worüber und Worin nicht nur ein an sich beliebiger Gegenstand der Rede ist, von dem unabhängig das wechselseitige Sichverstehen seinen Weg suchte, sondern vielmehr Weg und Ziel des Sichverstehens selber. Und wenn von zwei Menschen unabhängig von solchem Worüber und Worin gilt, daß sie einander verstehen, dann meint das: sie verstehen sich nicht nur in diesem und jenem, sondern in allem Wesentlichen, das Menschen verbindet. Eine eigene Aufgabe wird das Verstehen nur da, wo dieses natürliche Leben im

---

[1] Chr. Wolff und seine Schule rechneten die ‚allgemeine Auslegungskunst‘ folgerichtig zur Philosophie, da »endlich alles dahin abziele, daß man anderer Wahrheiten erkennen und prüfen möge, wenn man ihre Rede verstanden« (Walch 165). Ähnlich ist es für Bentley, wenn er vom Philologen fordert: »Seine einzigen Führer seien Vernunft – das Licht der Gedanken des Verfassers und ihre zwingende Gewalt« (zitiert nach Wegner, Altertumskunde, S. 94).

Mitmeinen des Gemeinten, das ein Meinen der gemeinsamen *Sache* ist, gestört wird. Wo Mißverständnisse entstanden sind oder eine Meinungsäußerung als unverständlich befremdet, da erst wird das natürliche Leben in der gemeinten Sache derart gehemmt, daß die Meinung als Meinung, das heißt als die Meinung des anderen, des Du oder des Textes, überhaupt zur fixen Gegebenheit kommt. Und auch dann noch wird im allgemeinen die Verständigung – und nicht bloß Verständnis – gesucht und das so, daß man aufs neue den Weg über die Sache geht. Erst wenn alle diese Wege und Rückwege umsonst sind, die die Kunst des Gesprächs, der Argumentation, des Fragens und Antwortens, Einwendens und Widerlegens ausmachen und die auch einem Text gegenüber als innerer Dialog der das Verständnis suchenden Seele geführt werden, wird sich die Fragestellung umwenden. Erst dann wird die Bemühung des Verstehens auf die Individualität des Du aufmerksam werden und seine *Eigenheit* in Betracht ziehen. Sofern es sich um eine fremde Sprache handelt, wird freilich der Text immer schon Gegenstand einer grammatisch-sprachlichen Auslegung sein, aber das ist nur eine Vorbedingung. Das eigentliche Problem des Verstehens bricht offenbar auf, wenn sich bei der Bemühung um inhaltliches Verständnis die Reflexions-Frage erhebt: Wie kommt er zu seiner Meinung? Denn es ist klar, daß eine solche Fragestellung eine Fremdheit ganz anderer Art bekundet und letztlich einen Verzicht auf gemeinsamen Sinn bedeutet.

Spinozas Bibelkritik ist dafür ein gutes Beispiel (und zugleich eines der frühesten Dokumente). Im 7. Kapitel des Tractatus theologico-politicus entwickelt Spinoza seine Interpretationsmethode der Heiligen Schrift in Anlehnung an die Interpretation der Natur: aus den historischen Daten muß man auf den Sinn (mens) der Autoren schließen – soweit in diesen Büchern Dinge erzählt werden (Geschichten von Wundern sowie Offenbarungen), die nicht aus den der natürlichen Vernunft bekannten Prinzipien ableitbar sind. Auch in diesen Dingen, die an sich unbegreiflich (imperceptibiles) sind, läßt sich, unbeschadet dessen, daß die Schrift unbestrittenermaßen im Ganzen einen moralischen Sinn hat, alles worauf es ankommt verstehen, wenn wir nur den Geist des Autors ‚historisch‘ erkennen, das heißt, unter Überwindung unserer Vorurteile an keine anderen Dinge denken als an die, welche der Autor im Sinne haben konnte.

Hier folgt also die Notwendigkeit der historischen Interpretation ‚im Geiste des Verfassers‘ aus dem Hieroglyphischen, Unbegreiflichen des Inhalts. Euklid werde niemand so interpretieren, daß man Leben, Studien und Sitten (vita, studium et mores) des Verfassers beachtet[1], und das gelte auch für den Geist der Bibel in moralischen Dingen (circa documenta mo-

---

[1] Es ist symptomatisch für den Triumph des historischen Denkens, daß Schleiermacher in seiner Hermeneutik immerhin die Möglichkeit erwägt, selbst Euklid nach der 'subjektiven Seite' auf die Genesis seiner Gedanken hin auszulegen (151).

ralia). Nur weil es unbegreifliche Dinge (res imperceptibiles) in den Erzählungen der Bibel gebe, so sei deren Verständnis davon abhängig, daß
wir den Sinn des Autors aus dem Ganzen seiner Schrift zu eruieren vermögen (ut mentem auctoris percipiamus). Und da ist es in der Tat gleichgültig, ob das Gemeinte unserer Einsicht entspricht – denn wir wollen ja
nur den Sinn der Sätze (den sensus orationum), nicht aber ihre Wahrheit
(veritas) erkennen, Dafür bedarf es der Ausschaltung aller Voreingenommenheit, sogar der durch unsere Vernunft (erst recht natürlich der
durch unsere Vorurteile) (§ 17).

Die ,Natürlichkeit' des Bibelverständnisses beruht also darauf, daß das
Einsichtige einsehbar, das Uneinsichtige ,historisch' verständlich wird. Die
Störung des unmittelbaren Verständnisses der Sachen in ihrer Wahrheit
motiviert den Umweg ins Historische. Was das damit formulierte Auslegungsprinzip für Spinozas eigenes Verhältnis zur biblischen Überlieferung
bedeutet, ist eine Frage für sich. In jedem Falle ist in Spinozas Augen der
Umfang dessen, was an der Bibel nur in dieser Weise historisch verstanden
werden kann, sehr groß, auch wenn der Geist des Ganzen (quod ipsa veram
virtutem doceat) einsichtig und das Einsichtige von überwiegender *Bedeutung* ist.

Greift man so auf die Vorgeschichte der historischen Hermeneutik zurück, so ist zunächst hervorzuheben, daß zwischen der Philologie und der
Naturwissenschaft in ihrer frühen Selbstbesinnung eine enge Entsprechung besteht, die einen doppelten Sinn hat. Einmal soll die ,Natürlichkeit'
des naturwissenschaftlichen Verfahrens auch für die Stellung zur biblischen
Überlieferung gelten – und dem dient die historische Methode. Aber auch
umgekehrt weist die Natürlichkeit der in der biblischen Exegese geübten
philologischen Kunst, der Kunst, aus dem Zusammenhang zu verstehen,
der Naturerkenntnis die Aufgabe zu, das ,Buch der Natur' zu entziffern[1].
Insofern ist das Modell der *Philologie* für die naturwissenschaftliche Methode leitend.

Es spiegelt sich darin, daß es das aus der Heiligen Schrift und den Autoritäten belegte Wissen der Gegner ist, gegen das sich die neue Wissenschaft von der Natur durchsetzen muß. Ihr eigentliches Wesen hat die neue
Wissenschaft im Unterschied dazu in ihrer eigenen Methodik, die durch
Mathematik und Vernunft zur Einsicht in das in sich Verständliche hinführt.

Die historische Bibelkritik, die im 18. Jahrhundert grundsätzlich durchdringt, hat, wie dieser Blick auf Spinoza lehrt, durchaus ein dogmatisches
Fundament in dem Vernunftglauben der Aufklärung, und in ähnlicher
Weise haben auch andere Vorbereiter des historischen Denkens, unter denen
es im 18. Jahrhundert manchen lange verschollenen Namen gibt, für das

---

[1] So versteht Bacon seine neue Methode als interpretatio naturae. Vgl. unten
S. 331.

Verstehen und die Auslegung historischer Bücher Anleitungen zu geben versucht. Unter ihnen ist im besonderen *Chladenius*[1] als ein Vorläufer der romantischen Hermeneutik herausgestellt worden[2], und in der Tat finden wir bei ihm den interessanten Begriff des ,Sehepunktes' als Grund dafür, »warum wir eine Sache so und nicht anders erkennen«, einen aus der Optik stammenden Begriff, den der Autor ausdrücklich von Leibniz übernimmt.

Allein, wie schon ein Blick auf den Titel seiner Schrift lehrt, wird Chladenius im Grunde in ein falsches Licht gestellt, wenn man in seiner Hermeneutik eine Vorform der historischen Methodik sieht. Nicht nur, daß der Fall der »Auslegung historischer Bücher« für ihn gar nicht der wichtigste Punkt ist – in jedem Falle handelt es sich um den sachlichen Inhalt der Schriften –, sondern das ganze Problem der Auslegung stellt sich ihm im Grunde als ein pädagogisches und ist *okkasioneller* Natur. Die Auslegung hat es ausdrücklich mit »vernünftigen Reden und Schriften« zu tun. Auslegen heißt für ihn, »diejenigen Begriffe beibringen, welche zum vollkommenen Verstand einer Stelle nötig sind«. Auslegen soll also nicht »den wahren Verstand einer Stelle anzeigen«, sondern ist ausdrücklich dazu bestimmt, Dunkelheiten in Texten zu beheben, die den Schüler am ,vollkommenen Verstand' hindern (Vorrede). Bei der Auslegung muß man sich nach der Einsicht des Schülers richten (§ 102).

Verstehen und Auslegen sind also für Chladenius nicht dasselbe (§ 648). Es ist ganz deutlich, daß für ihn die Auslegungsbedürftigkeit einer Stelle grundsätzlich ein Sonderfall ist, und daß man im allgemeinen eine Stelle unmittelbar versteht, sofern man die Sache erkennt, die in der Stelle abgehandelt wird, sei es, daß man von der Stelle an die Sache erinnert wird, sei es, daß man erst durch die Stelle zur Erkenntnis der Sache gelangt (§ 682). Unzweifelhaft ist somit für das *Verstehen* hier noch das Sachverständnis, die sachliche Einsicht das Entscheidende – es ist kein historisches noch gar ein psychologisch-genetisches Verfahren.

Gleichwohl ist sich der Autor völlig darüber im klaren, daß die Auslegungskunst eine neue und besondere Dringlichkeit erhalten hat, sofern die Auslegungskunst zugleich die Rechtfertigung der Auslegung leistet. Einer solchen bedarf es offenbar so lange nicht, als »der Schüler einerlei Erkenntnis mit dem Ausleger habe« (so daß ihm der ,Verstand' ,ohne Erweis' einleuchtete) oder »wegen des guten Vertrauens gegen den Ausleger«. Beide Bedingungen erscheinen ihm in seiner Zeit nicht mehr erfüllt, die zweite insofern, als (im Zeichen der Aufklärung) »die Schüler mit eigenen Augen sehen wollen«, die erste, sofern bei wachsender Erkenntnis der

---

[1] Einleitung zur richtigen Auslegung vernünftiger Reden und Schriften, 1742.
[2] durch J. Wach, dessen dreibändiges Werk ,Das Verstehen' ganz in Diltheys Horizont verbleibt.

Sachen – gemeint ist: mit dem Fortschreiten der Wissenschaft – die Dunkelheit der zu verstehenden Stellen immer größer werde (§ 668 f.). Das Bedürfnis einer Hermeneutik ist also gerade mit dem Schwinden des Vonselbst-Verstehens gegeben.

Auf diesem Wege gelangt die okkasionelle Motivation der Auslegung schließlich zu einer grundsätzlichen Bedeutung. Chladenius kommt nämlich zu einer höchst interessanten Folgerung. Er stellt fest, einen Autor vollkommen verstehen, sei nicht dasselbe wie: eine Rede oder Schrift vollkommen verstehen (§ 86). Die Norm für das Verständnis eines Buches sei keineswegs die Meinung des Autors. Denn, »weil die Menschen nicht alles übersehen können, so können ihre Worte, Reden und Schriften etwas bedeuten, was sie selbst nicht willens gewesen zu reden oder zu schreiben«, und folglich »kann man, indem man ihre Schriften zu verstehen sucht, Dinge, und zwar mit Grund dabey gedenken, die denen Verfassern nicht in Sinn kommen sind«.

Auch wenn es den umgekehrten Fall gibt, »daß ein Autor mehr meinte, als was man verstehen konnte«, so ist doch die eigentliche Aufgabe der Hermeneutik für ihn nicht, dieses 'Mehr' endlich zum Verständnis zu bringen, sondern die Bücher selber in ihrer wahren, d.h. sachlichen Bedeutung. Weil »alle Bücher der Menschen und ihre Reden etwas Unverständliches an sich haben« – nämlich Dunkelheiten aus Mangel an sachlicher Einsicht –, bedarf es der richtigen Auslegung: »unfruchtbare Stellen können uns fruchtbar werden«, d.h. »mehrere Gedanken veranlassen«.

Man beachte wohl, daß Chladenius bei all dem nicht etwa die erbauliche Bibelexegese im Auge hat, sondern ausdrücklich von den ‚heiligen Schriften' absieht, für die die ‚philosophische Auslegungskunst' nur ein Vorsaal sei. Auch will er mit seinen Ausführungen gewiß nicht legitimieren, daß alles, was man sich dabei denken kann (alle ‚Anwendungen') zum Verstande eines Buches gehöre, sondern nur, was den Absichten des Verfassers entspricht. Aber offenbar hat das für ihn nicht den Sinn einer historisch-psychologischen Einschränkung, sondern meint ein sachliches Entsprechen, von dem er ausdrücklich versichert, daß es die neuere Theologie exegetisch beachte[1].

β) Schleiermachers Entwurf einer universalen Hermeneutik

Wie man sieht, nimmt sich die Vorgeschichte der Hermeneutik des 19. Jahrhunderts in der Tat sehr anders aus, wenn man sie nicht mehr von den Voraussetzungen Diltheys aus ansieht. Welch eine Wendung liegt zwischen Spinoza und Chladenius einerseits und Schleiermacher auf der anderen Seite! Die Unverständlichkeit, die bei Spinoza den Umweg ins Histo-

---

[1] Das dürfte gewiß auf Semler zutreffen, dessen oben S. 165[2] zitierte Äußerung zeigt, wie seine Forderung der historischen Interpretation theologisch gemeint ist.

rische motiviert und für Chladenius die Auslegungskunst in einem ganz sachgerichteten Sinne auf den Plan ruft, hat bei Schleiermacher eine völlig andere, universelle Bedeutung.

Zunächst macht es, wenn ich recht sehe, schon einen interessanten Unterschied, daß Schleiermacher nicht so sehr von Unverständnis als von Mißverstand spricht. Was er im Auge hat, ist nicht mehr die pädagogische Situation der Auslegung, die dem Verständnis des anderen, des Schülers, zu Hilfe kommt; Auslegung und Verstehen verweben sich bei ihm vielmehr aufs innigste, wie das äußere und das innere Wort, und alle Probleme der Auslegung sind in Wahrheit Probleme des Verstehens. Es geht um die subtilitas intelligendi allein, nicht um die subtilitas explicandi[1] (geschweige denn um die applicatio[2]). Vor allem aber unterscheidet Schleiermacher aus- drücklich die laxere Praxis der Hermeneutik, derzufolge das Verstehen sich von selbst ergibt, von der strengeren Praxis, die davon ausgeht, daß sich das Mißverstehen von selbst ergibt[3]. Auf diesen Unterschied gründete seine eigentliche Leistung, anstelle eines ‚Aggregats von Observationen‘ eine wirkliche Kunstlehre des Verstehens zu entwickeln. Das bedeutet etwas grundsätzlich Neues. Denn nun rechnet man mit der Verständnisschwierig- keit und dem Mißverständnis nicht mehr als gelegentlichen, sondern als integrierenden Momenten, um deren vorgängige Ausschaltung es geht. So definiert Schleiermacher geradezu: »Hermeneutik ist die Kunst, Mißver- stand zu vermeiden«. Sie erhebt sich über die pädagogische Okkasionalität der Auslegungspraxis zur Selbständigkeit einer Methode, sofern »das Miß- verstehen sich von selbst ergibt und das Verstehen auf jedem Punkt muß gewollt und gesucht werden«[4]. Mißverständnis zu vermeiden – »alle Aufgaben sind in diesem negativen Ausdruck enthalten«. Ihre positive Auflösung sieht Schleiermacher in einem Kanon grammatischer und psy- chologischer Auslegungsregeln, die sich von aller dogmatisch-inhaltlichen Bindung auch im Bewußtsein des Auslegers ganz und gar absondern.

Nun ist es gewiß nicht erst Schleiermacher, der die Aufgabe der Her- meneutik darauf beschränkt, das von anderen in Rede und Text Gemeinte verständlich zu machen. Die Kunst der Hermeneutik ist niemals das Or- ganon der Sachforschung gewesen. Das unterscheidet sie von jeher von dem, was Schleiermacher Dialektik nennt. Aber indirekt ist doch überall, wo man sich um das Verständnis – z. B. der Heiligen Schrift oder der Klassiker – bemüht, ein Bezug auf die Wahrheit wirksam, die im Text verborgen liegt und ans Licht soll. Was verstanden werden soll, ist in Wirklichkeit nicht ein Gedanke als ein Lebensmoment, sondern als eine Wahrheit. Eben des- halb hat die Hermeneutik eine dienende Funktion und bleibt der Sach-

---

[1] Die Ernesti, Institutio interpretis NT (1761), S. 7, daneben stellt.
[2] J. J. Rambach, Institutiones hermeneuticae sacrae (1723), S. 2.
[3] Hermeneutik, § 15 und 16, Werke I, 7, S. 29f.
[4] Ebda, S. 30.

forschung eingeordnet. Dem trägt auch Schleiermacher insoweit Rechnung, als er die Hermeneutik immerhin grundsätzlich – im System der Wissenschaften – auf die Dialektik bezieht.

Gleichwohl ist die Aufgabe, die er sich stellt, gerade die, das Verfahren des Verstehens zu isolieren. Es soll zu einer eigenen Methodik verselbständigt werden. Dazu gehört für Schleiermacher auch, daß er sich von den beschränkten Aufgabestellungen befreit, die bei seinen Vorgängern, bei Wolf und bei Ast, das Wesen der Hermeneutik bestimmen. Weder gilt für ihn die Beschränkung auf fremde Sprachen, noch überhaupt die auf Schriftsteller, »als ob nicht auch im Gespräch und in der unmittelbar vernommenen Rede dasselbe vorkommen könne«[1].

Das ist mehr als eine Ausweitung des hermeneutischen Problems vom Verstehen des schriftlich Fixierten auf das Verstehen von Rede überhaupt – es verrät sich darin eine Verschiebung grundsätzlicher Art. Was verstanden werden soll, ist nun nicht nur der Wortlaut und sein objektiver Sinn, sondern ebenso die Individualität des Sprechenden bzw. des Verfassers. Schleiermacher meint, nur im Rückgang auf die Entstehung von Gedanken lassen sich diese wirklich verstehen. Was für Spinoza ein Grenzfall der Verständlichkeit ist und daher den Umweg ins Historische erforderlich macht, das wird für ihn der Normalfall und bildet die Voraussetzung, von der aus er die Lehre vom Verstehen entwickelt. Was er »am meisten hintangestellt, ja großenteils ganz vernachlässigt« findet, ist, »eine Reihe von Gedanken zugleich als einen hervorbrechenden Lebensmoment, als eine mit vielen anderen, auch anderer Art zusammenhängende Tat zu verstehen«.

So stellt er neben die grammatische die psychologische (technische) Auslegung – und in dieser liegt sein Eigenstes. Wir lassen im Folgenden die an sich sehr geistvollen Ausführungen Schleiermachers zur grammatischen Interpretation beiseite. Sie enthalten Vortreffliches über die Rolle, die die vorgegebene Totalität der Sprache für den Schriftsteller – und damit auch für seinen Interpreten – spielt, ebenso wie über die Bedeutung des Ganzen einer Literatur für das einzelne Werk. Es mag auch sein – wie eine neuere Untersuchung des Schleiermacherschen Nachlasses wahrscheinlich macht[2]–,

---

[1] F. Schleiermacher, Werke III, 3, S. 390.

[2] Unsere Kenntnis der Schleiermacherschen Hermeneutik beruhte bisher auf seinen Akademiereden vom Jahre 1829 und der von Lücke herausgegebenen Hermeneutik-Vorlesung. Diese ist aufgrund eines Manuskripts des Jahres 1819 und vor allem aufgrund von Kollegnachschriften aus Schleiermachers letztem Jahrzehnt komponiert. Schon dieser äußerliche Tatbestand zeigt, daß es die Spätphase von Schleiermachers Gedanken – und nicht die Zeit seiner fruchtbaren Anfänge im Umgang mit Friedrich Schlegel – ist, der die uns bekannte hermeneutische Theorie zugehört. Sie ist die – vor allem durch Dilthey – geschichtlich wirksam gewordene. Auch die obige Diskussion geht von diesen Texten aus und sucht ihre wesentlichen Tendenzen herauszuarbeiten. Indessen ist die Lückesche Bearbeitung nicht ganz frei von Motiven, die auf eine Entwicklung von Schleiermachers hermeneutischen Ge-

daß die psychologische Interpretation sich in der Entwicklung des Schleiermacherschen Gedanken erst allmählich derart in den Vordergrund drängt.
Auf alle Fälle ist diese psychologische Interpretation für die Theorien-
bildung des 19. Jahrhunderts – für Savigny, Boeckh, Steinthal und vor
allem Dilthey – die eigentlich bestimmende geworden.

Selbst gegenüber der Bibel, wo die psychologisch-individuelle Auslegung
der einzelnen Schriftsteller hinter der Bedeutung des dogmatisch Einheitlichen und Gemeinsamen in ihnen weit zurückbleibt[1], ist Schleiermacher
die methodische Scheidung von Philologie und Dogmatik dennoch wesentlich[2]. Die Hermeneutik umfaßt grammatische und psychologische Auslegungskunst. Schleiermachers Eigenstes ist aber die psychologische Interpretation. Sie ist letzten Endes ein divinatorisches Verhalten, ein Sichversetzen in die ganze Verfassung des Schriftstellers, eine Auffassung des
,inneren Herganges' der Abfassung eines Werkes[3], ein Nachbilden
des schöpferischen Aktes. Verstehen also ist eine auf eine ursprüngliche Produktion bezogene Reproduktion, ein Erkennen des Erkannten
(Boeckh)[4], eine Nachkonstruktion, die von dem lebendigen Moment der
Konzeption, dem ,Keimentschluß' als dem Organisationspunkt der Komposition ausgeht[5].

Eine solche isolierende Beschreibung des Verstehens bedeutet aber, daß
das Gedankengebilde, das wir als Rede oder als Text verstehen wollen,
nicht auf seinen sachlichen Inhalt hin, sondern als ein ästhetisches Gebilde
verstanden wird, als Kunstwerk oder ,künstlerisches Denken'. Hält man
das fest, so versteht man, warum es hier gar nicht auf das Verhältnis zur
Sache (Schl. ,das Sein') ankommen soll. Schleiermacher folgt ästhetischen

---

danken hinweisen und die selbständiges Interesse verdienen. Auf meine Anregung
hin hat Heinz Kimmerle das Nachlaßmaterial, das bei der Deutschen Akademie in
Berlin liegt, neu durchgearbeitet und einen kritisch revidierten Text in den Abhandlungen der Heidelberger Akademie der Wissenschaften (Jg. 1959, 2. Abhandlung) veröffentlicht. In seiner dort zitierten Dissertation macht Kimmerle den interessanten Versuch, den Richtungssinn von Schleiermachers Entwicklung zu bestimmen. Vgl. seinen Aufsatz Kantstudien 51, 4, S. 410 ff.

[1] I, 7, 262: »Wenn wir es auch nie zum völligen Verstehen jeder persönlichen
Eigentümlichkeit der neutestamentlichen Schriftstellen bringen können, so ist doch
das Höchste der Aufgabe möglich, nämlich das gemeinsame Leben in ihnen ...immer
vollkommener zu erfassen.«

[2] Werke I, 7, S. 83.   [3] Werke III, 3, S. 355, 358, 364.

[4] Enzyklopädie und Methodologie der philologischen Wissenschaften, ed. Bratu-
schek, 2. Aufl. 1886, S. 10.

[5] Dilthey hat dafür im Zusammenhang seiner Studien über die dichterische Einbildungskraft den Ausdruck ,Eindruckspunkt' eingeführt und ausdrücklich vom
Künstler auf den Geschichtsschreiber übertragen. (VI S. 283). Die Bedeutung dieser
Übertragung unter dem Gesichtspunkt der Geistesgeschichte werden wir später
erörtern. Ihre Grundlage ist Schleiermachers Begriff des *Lebens:* »Wo aber Leben
ist, da werden Funktionen und Teile zusammengehalten.« Der Ausdruck ,Keim-
entschluß' Werke I, 7, S. 168.

Grundbestimmungen Kants, wenn er sagt, daß das ‚künstlerische Denken‘
»nur unterschieden wird an dem größeren oder geringeren Wohlgefallen«
und »eigentlich nur der momentane Akt des Subjekts« ist[1]. Nun ist natürlich die Voraussetzung, mit der die Aufgabe des Verstehens erst gesetzt ist,
daß dieses ‚künstlerische Denken‘ nicht ein bloßer momentaner Akt ist,
sondern sich äußert. Schleiermacher sieht im ‚künstlerischen Denken‘
ausgezeichnete Lebensmomente, in denen ein so großes Wohlgefallen
ist, daß sie in die Äußerung hervorbrechen, aber sie bleiben auch dann –
so sehr sie in den »Urbildern künstlerischer Werke« Wohlgefallen hervorrufen – individuelles Denken, freie, nicht durch das Sein gebundene Kombination. Genau das unterscheidet dichterische Texte von wissenschaftlichen[2]. Schleiermacher will damit gewiß sagen, daß die dichterische Rede
dem Maßstab der oben geschilderten Verständigung über die Sache nicht
unterliegt, weil das in ihr Gesagte nicht ablösbar ist von dem Wie seines
Gesagtseins. Der trojanische Krieg z. B. *ist* im Homerischen Gedicht – wer
auf die historische Sachwirklichkeit gerichtet ist, liest Homer nicht mehr
als dichterische Rede. Niemand wird ja behaupten wollen, daß Homers
Gedicht durch die Ausgrabungen der Archäologen an künstlerischer Realität gewonnen hätte. Was hier verstanden werden soll, ist eben kein gemeinsames Sachdenken, sondern individuelles Denken, das seinem Wesen nach
freie Kombination, Ausdruck, freie Äußerung eines Einzelwesens ist.

Nun ist es aber für Schleiermacher charakteristisch, daß er dieses Moment
der freien Produktion überall aufsucht. Auch das Gespräch, von dem eben
die Rede war, wird von Schleiermacher im gleichen Sinne unterschieden,
wenn er neben dem ‚eigentlichen Gespräch‘, das auf das gemeinsame
Wissenwollen des Sinns geht und das die Urgestalt der Dialektik ist, das
‚freie Gespräch‘ kennt und dieses dem künstlerischen Denken zurechnet.
Bei diesem kommen die Gedanken ihrem Inhalt nach »so gut als gar nicht
in Betracht«. – Das Gespräch ist nichts als die wechselseitige Anregung der
Gedankenerzeugung (»und hat kein anderes natürliches Ende als die allmähliche Erschöpfung des beschriebenen Prozesses«)[3], eine Art künstlerisches Bilden im Wechselverhältnis der Mitteilung.

Sofern nun die Rede nicht bloß inneres Produkt der Gedankenerzeugung
ist, sondern auch Mitteilung und als solche eine äußere Gestalt besitzt, ist
sie nicht einfach unmittelbare Erscheinung des Gedankens, sondern setzt
schon Besinnung voraus. Erst recht gilt das natürlich von schriftlich Fixier-
tem, also von allen Texten. Sie sind immer schon Darstellung durch Kunst[4].
Wo nun das Reden Kunst ist, da ist es auch das Verstehen. Alle Rede und
aller Text sind also grundsätzlich auf die Kunst des Verstehens, die Hermeneutik, verwiesen, und so erklärt sich die Zusammengehörigkeit von

---

[1] Schleiermacher, Dialektik (ed. Odebrecht), S. 569f.
[2] Dialektik, S. 470.   [3] Dialektik, S. 572.
[4] Ästhetik (ed. Odebrecht), S. 269.

Rhetorik (die ein Teilbereich der Ästhetik ist) und Hermeneutik: Jeder Akt des Verstehens ist nach Schleiermacher Umkehrung eines Aktes des Redens, die Nachkonstruktion einer Konstruktion. Die Hermeneutik ist entsprechend eine Art Umkehrung zur Rhetorik und Poetik.

Daß auf diese Weise die Dichtung mit der Rede-Kunst zusammengefaßt wird[1], hat für uns etwas Befremdliches. Denn es scheint uns gerade als die Auszeichnung und Würde der Dichtkunst, daß in ihr die Sprache nicht Rede ist, d. h. unabhängig von allem Verhältnis des Redens und Angeredet- oder Überredetwerdens eine Sinn- und Gestalteinheit besitzt. Schleiermachers Begriff des ‚künstlerischen Denkens‘, unter dem er Dichtkunst und Redekunst zusammenfaßt, sieht dagegen nicht auf das Produkt, sondern auf die Verhaltensweise des Subjekts. So wird auch das Reden hier rein als Kunst, das heißt unter Absehung von allem Zweck- und Sachbezug, als Ausdruck einer bildnerischen Produktivität gedacht, und allerdings sind dann die Übergänge vom Kunstlosen zum Künstlichen fließend – wie auch die vom kunstlosen (unmittelbaren) Verstehen zu dem durch ein kunstvolles Verfahren bewirkten. Sofern solche Produktion mechanisch nach Gesetzen und Regeln erfolgt und nicht unbewußt-genial, wird die Komposition vom Ausleger bewußt nachvollzogen werden; sofern sie aber eine individuelle, im eigentlichen Sinne schöpferische Leistung aus Genie ist, kann es einen solchen Nachvollzug nach Regeln nicht geben. Das Genie ist selbst musterbildend und regelgebend: es schafft neue Formen des Sprachgebrauchs, der literarischen Komposition usw. Diesem Unterschied trägt Schleiermacher durchaus Rechnung. Der genialen Produktion entspricht auf der Seite der Hermeneutik, daß es der Divination bedarf, des unmittelbaren Erratens, das letzten Endes eine Art Kongenialität voraussetzt. Wenn nun aber die Grenzen zwischen der kunstlosen und kunstvollen, der mechanischen und der genialischen Produktion fließend sind, sofern sich immer eine Individualität zum Ausdruck bringt und darin immer ein Moment der regelfreien Genialität wirksam ist – wie in den Kindern, die in eine Sprache hineinwachsen –, so folgt daraus, daß auch der letzte Grund alles Verstehens immer ein divinatorischer Akt der Kongenialität sein muß, dessen Möglichkeit auf einer vorgängigen Verbundenheit aller Individualitäten beruht.

Das ist in der Tat Schleiermachers Voraussetzung, daß jede Individualität eine Manifestation des Allebens ist und daher »jeder von jedem ein Minimum in sich trägt und die Divination wird sonach aufgeregt durch Vergleichung mit sich selbst«. So kann er sagen, daß die Individualität des Verfassers unmittelbar aufzufassen ist, »indem man sich selbst gleichsam in den anderen verwandelt«. Indem Schleiermacher dergestalt das Verstehen auf das Problem der Individualität zuspitzt, stellt sich ihm die Auf-

---

[1] Ästhetik, S. 384.

gabe einer Hermeneutik als eine universelle dar. Denn die beiden Extreme
der Fremdheit und der Vertrautheit sind mit der relativen Differenz aller
Individualität gegeben. Die ‚Methode' des Verstehens wird ebensosehr das
Gemeinsame – durch Vergleichen – wie das Eigentümliche – durch Erraten
im Auge haben, das heißt, sie wird sowohl komparativ als auch divinatorisch
sein. Sie bleibt aber in beiden Hinsichten ‚Kunst', weil sie nicht als Anwendung von Regeln mechanisiert werden kann. Das Divinatorische bleibt
unentbehrlich[1].

Auf der Grundlage dieser ästhetischen Metaphysik der Individualität
erfahren nun die vom Philologen wie Theologen gehandhabten hermeneutischen Grundsätze eine besondere Wendung. Schleiermacher folgt Friedrich Ast und der gesamten hermeneutisch-rhetorischen Tradition, wenn
er als einen wesentlichen Grundzug des Verstehens anerkennt, daß der Sinn
des einzelnen sich immer nur aus dem Zusammenhang, mithin letztlich
dem Ganzen ergibt. Dieser Satz gilt in selbstverständlicher Weise für das
grammatische Verständnis jeden Satzes bis zu der Einordnung desselben in
den Zusammenhang des Ganzen eines Literatur-Werkes, ja, bis zum Ganzen der Literatur bzw. der betreffenden literarischen Gattung – *Schleiermacher wendet ihn nun aber auf das psychologische Verständnis an*, das ein
jedes Gedankengebilde als einen Lebensmoment im Totalzusammenhang
dieses Menschen verstehen muß.

Dabei war von jeher klar, daß logisch gesehen hier ein Zirkel vorliegt,
sofern das Ganze, von dem aus das einzelne verstanden werden soll, ja
nicht vor dem einzelnen gegeben ist – es sei denn in der Weise eines dogmatischen Kanons (wie ihn das katholische, und wie wir sahen, in gewissem
Grade auch das reformatorische Schriftverständnis leitet) oder eines ihm
analogen Vorbegriffs vom Geiste einer Zeit (wie Ast den Geist des Altertums in der Weise der Ahndung voraussetzt).

Schleiermacher aber erklärt, daß solche dogmatischen Leitfäden keine
vorgängige Geltung beanspruchen können und daher nur relative Be-
schränkungen des Zirkels sind. Grundsätzlich gesehen ist Verstehen immer
ein Sichbewegen in solchem Kreise, weshalb die wiederholte Rückkehr von
dem Ganzen zu den Teilen und umgekehrt wesentlich ist. Dazu kommt,
daß dieser Kreis sich ständig erweitert, indem der Begriff des Ganzen ein
relativer ist und die Einordnung in immer größere Zusammenhänge immer
auch das Verständnis des einzelnen berührt. Schleiermacher wendet auf die
Hermeneutik das von ihm stets geübte Verfahren einer polaren dialektischen Beschreibung an und trägt damit der inneren Vorläufigkeit und
Unendlichkeit des Verstehens Rechnung, indem er es aus dem alten hermeneutischen Grundsatz des Ganzen und der Teile entwickelt. Aber spekulative Relativierung, wie sie für ihn charakteristisch ist, stellt mehr ein

---

[1] Schleiermacher, Werke I, 7, 146f.

deskriptives Ordnungs-Schema für den Verstehensprozeß dar, als daß sie grundsätzlich gemeint wäre. Das zeigt sich daran, daß er so etwas wie ein vollständiges Verständnis annimmt, wenn die divinatorische Transposition einsetzt: »bis dann am Ende erst wie auf einmal alles einzelne sein volles Licht erhält.«

Man könnte sich fragen, ob solche Wendungen (die auch bei Boeckh in gleichem Sinne begegnen), streng genommen werden dürfen oder selbst nur eine relative Vollständigkeit des Verstehens beschreiben sollen. Gewiß hat doch Schleiermacher – wie noch entschiedener Wilhelm von Humboldt – die Individualität als ein nie ganz aufschließbares Geheimnis angesehen. Allein, gerade diese These will nur relativ verstanden werden: Die Schranke, die der Vernunft und dem Begreifen hier bleibt, ist nicht in jedem Sinne unübersteigbar. Sie soll durch das *Gefühl*, also ein unmittelbares sympathetisches und kongeniales Verstehen, überschritten werden: die Hermeneutik ist eben *Kunst* und nicht ein mechanisches Verfahren. So bringt sie ihr Werk, das Verständnis, selber wie ein Kunstwerk zur Vollendung.

Die Grenze dieser auf den Individualitätsbegriff begründeten Hermeneutik zeigt sich nun daran, daß Schleiermacher die Aufgabe der Philologie und der biblischen Exegese: einen in fremder Sprache abgefaßten und einem vergangenen Zeitalter entstammenden Text zu verstehen, nicht grundsätzlich problematischer findet als jedes Verstehen sonst. Gewiß stellt sich auch nach Schleiermacher dort, wo ein Zeitabstand überwunden werden muß, eine besondere Aufgabe. Schleiermacher nennt sie die ‚Gleichsetzung mit dem ursprünglichen Leser‘. Aber diese ‚Operation des Gleichseins‘, die sprachliche und historische Herstellung dieser Gleichheit, ist ihm nur eine ideale Vorbedingung für den eigentlichen Akt des Verstehens, der ihm nicht die Gleichsetzung mit dem ursprünglichen Leser ist, sondern die Gleichsetzung mit dem Verfasser, durch die der Text als eine eigentümliche Lebensmanifestation seines Verfassers aufgeschlossen wird. Schleiermachers Problem ist nicht das der dunklen Geschichte, sondern das des dunklen Du.

Aber es fragt sich, ob man zwischen der Herstellung der Gleichheit mit dem ursprünglichen Leser und dem Verstehen so scheiden kann. In Wahrheit läßt sich die ideale Vorbedingung der Gleichsetzung mit dem Leser nicht vor der eigentlichen Verständnisbemühung realisieren, sondern ist ganz in diese verschlungen. Auch die Meinung eines gleichzeitigen Textes, mit dessen Sprache wir nicht genug vertraut sind oder dessen Inhalt uns fremd vorkommt, erschließt sich uns erst in der beschriebenen Weise, im Hin und Her der kreisenden Bewegung zwischen Ganzem und einzelnem. Das erkennt auch Schleiermacher an. Es ist immer diese Bewegung, in der man eine fremde Meinung, eine fremde Sprache oder eine fremde Vergangenheit verstehen lernt. Eine kreisende Bewegung hat deshalb statt, »weil kein Auszulegendes auf einmal verstanden werden kann«[1]. Denn

---

[1] Werke I, 7, 33.

auch innerhalb der eigenen Sprache gilt noch, daß der Leser den Sprachschatz des Verfassers sich erst aus seinen Schriften selbst ganz aneignen muß und noch mehr das Eigentümliche seiner Meinung. Aus diesen Feststellungen, die sich bei Schleiermacher selbst finden, folgt aber: Die Gleichsetzung mit dem ursprünglichen Leser, von der Schleiermacher sprach, ist nicht eine vorgängige Operation, die von der eigentlichen Verständnisbemühung, die Schleiermacher als die Gleichsetzung mit dem Verfasser versteht, ablösbar wäre.

Betrachten wir nun näher, was Schleiermacher mit solcher Gleichsetzung meint. Denn natürlich kann sie nicht schlechthin Identifikation meinen. Reproduktion bleibt wesenhaft von der Produktion verschieden. So kommt Schleiermacher zu dem Satz, es gelte, einen Schriftsteller *besser zu verstehen, als er sich selber verstanden habe* – eine Formel, die seither immer wiederholt worden ist und in deren wechselnder Interpretation sich die gesamte Geschichte der neueren Hermeneutik abzeichnet. In der Tat liegt in diesem Satz das eigentliche Problem der Hermeneutik beschlossen. Es sei daher auf den Sinn dieser Formel näher eingegangen.

Was diese Formel bei Schleiermacher besagt, ist klar. Er sieht den Akt des Verstehens als den rekonstruktiven Vollzug einer Produktion. Ein solcher muß manches bewußt machen, was dem Urheber unbewußt bleiben kann. Es ist offenbar die Genieästhetik, die Schleiermacher mit dieser Formel auf seine allgemeine Hermeneutik überträgt. Die Schaffensweise des genialen Künstlers ist der Modellfall, auf den die Lehre von der unbewußten Produktion und der notwendigen Bewußtheit in der Reproduktion sich beruft[1].

In der Tat kann die so verstandene Formel als ein Grundsatz aller Philologie gelten, sofern diese als das Verstehen kunstvoller Rede verstanden ist. Das bessere Verständnis, das den Interpreten gegenüber dem Verfasser auszeichnet, meint nicht etwa das Verständnis der Sachen, von denen im Text die Rede ist, sondern lediglich das Verständnis des Textes, d.h. dessen, was der Verfasser gemeint und zum Ausdruck gebracht hat. Dies Verständnis kann insofern besser genannt werden, als das ausdrückliche – und damit abhebende – Verständnis einer Meinung gegenüber dem inhaltlichen Vollzug derselben ein Mehr an Erkenntnis einschließt. So sagt der Satz etwas fast Selbstverständliches. Wer einen fremdsprachlichen Text sprachlich verstehen lernt, der wird die grammatischen Regeln und die Kompositionsform dieses Textes ins ausdrückliche Bewußtsein heben, die sein Verfasser beachtet hat, ohne sie zu bemerken, weil er in dieser Sprache und ihren Kunstmitteln lebte. Das gleiche gilt grundsätzlich von aller eigentlich ge-

---

[1] Die neue Ausgabe lehrt, daß die paradoxe Formulierung, deren Herkunft wir untersuchen, erst der Spätzeit Schleiermachers angehört. Das paßt gut zu der von Kimmerle vermuteten Tendenz der Abkehr von der grammatisch-rhetorischen Tradition zum Psychologischen hin (vgl. seine Einleitung S. 14).

nialen Produktion und ihrer Aufnahme durch den anderen. Man muß
sich dessen im besonderen für die Interpretation von Dichtung erinnern.
Auch da gilt, daß man einen Dichter notwendig besser verstehen muß, als
er selbst sich verstand, denn er ,verstand sich' gar nicht, als sich ihm das
Gebilde seines Textes formte.

Daraus folgt auch – was die Hermeneutik nie vergessen sollte –, daß der
Künstler, der ein Gebilde schafft, nicht der berufene Interpret desselben
ist. Als Interpret hat er vor dem bloß Aufnehmenden keinen prinzipiellen
Vorrang an Autorität. Er ist, sofern er selbst reflektiert, sein eigener Leser.
Die Meinung, die er als Reflektierender hat, ist nicht maßgebend. Maßstab der Auslegung ist allein, was der Sinngehalt seiner Schöpfung ist, was
diese ,meint'[1]. So vollbringt die Lehre von der genialen Produktion hier
eine wichtige theoretische Leistung, indem sie den Unterschied zwischen
dem Interpreten und dem Urheber tilgt. Sie legitimiert die Gleichsetzung
beider, sofern zwar nicht die reflektierende Selbstauslegung, aber doch die
unbewußte Meinung des Urhebers das ist, was verstanden werden soll.
Nichts anderes will Schleiermacher mit seiner paradoxen Formel sagen.

Im Gefolge Schleiermachers haben auch andere, so August Boeckh,
Steinthal und Dilthey, seine Formel im selben Sinne wiederholt: »Der
Philologe versteht den Redner und Dichter besser, als dieser sich selbst und
besser als ihn die Zeitgenossen schlechthin verstanden haben. Denn er
macht klar bewußt, was in jenem nur unbewußt und tatsächlich vorlag.«[2]
Durch die »Erkenntnis der psychologischen Gesetzlichkeit« vermag der
Philologe nach Steinthal das erkennende Verstehen noch zum begreifenden
zu vertiefen, indem er der Kausalität, der Genesis des Redewerkes, der
Mechanik des schriftstellerischen Geistes auf den Grund komme.

Steinthals Wiederholung des Schleiermacherschen Satzes zeigt bereits die
Wirkung der psychologischen Gesetzesforschung, die sich die Naturforschung zum Vorbild nimmt. Dilthey ist hier freier, indem er den Zusammenhang mit der Genie-Ästhetik stärker wahrt. Er wendet die Formel im
besonderen auf die Auslegung der Dichter an. Die ,Idee' einer Dichtung
aus ihrer ,inneren Form' verstehen, kann man natürlich sie ,besser verstehen' nennen. Dilthey sieht darin geradezu den »höchsten Triumph
der Hermeneutik«[1], denn hier wird der philosophische Gehalt der
großen Dichtung dadurch aufgeschlossen, daß man sie als freie Schöpfung
versteht. Freie Schöpfung ist nicht durch äußere oder stoffliche Bedingungen eingeschränkt und kann daher nur als ,innere Form' erfaßt werden.

---

[1] Die moderne Mode, die Selbstinterpretation eines Schriftstellers als Kanon der
Interpretation zu verwenden, ist die Folge eines falschen Psychologismus. Auf
der andern Seite kann aber die ,Theorie', z. B. der Musik oder der Poetik und
Redekunst, sehr wohl ein legitimer Kanon der Auslegung sein.

[2] Steinthal, Einleitung in die Psychologie und Sprachwissenschaft, Berlin 1881.

[3] V, 335.

Es ist aber die Frage, ob dieser Idealfall der ‚freien Schöpfung' für das Problem der Hermeneutik wirklich maßgeblich sein darf, ja ob auch nur das Verstehen von Kunstwerken nach diesem Maße zureichend begriffen werden kann. Man muß sich auch die Frage stellen, ob der Satz, es gelte einen Autor besser zu verstehen, als er sich selber verstanden hat, unter der Voraussetzung der Genieästhetik seinen ursprünglichen Sinn überhaupt noch erkennen läßt oder ob er etwa zu etwas vollkommen Neuem gewandelt worden ist.

In der Tat hat die Schleiermachersche Formel eine Vorgeschichte. Bollnow, der der Sache nachgegangen ist[1], führt zwei Stellen an, an denen sich diese Formel vor Schleiermacher findet: bei Fichte[2] und bei Kant[3]. Noch weiter zurückreichende Nachweise sind nicht gelungen. Aus diesem Grunde vermutet Bollnow, daß es sich um eine mündliche Tradition handelt, um eine Art philologischer Handwerksregel, die man weiterzureichen pflegte und die Schleiermacher aufgreift.

Das scheint mir aus äußeren und inneren Gründen höchst unwahrscheinlich. Diese raffinierte methodische Formel, die noch heute vielfach als ein Freibrief für willkürliche Interpretationen mißbraucht und entsprechend bekämpft wird, steht der Zunft der Philologen schlecht an. Sie, als die »Humanisten«, haben doch vielmehr ihr Selbstbewußtsein darin, die schlechthinnige Vorbildlichkeit der klassischen Texte anzuerkennen. Für den wahren Humanisten ist sein Autor ganz gewiß nicht von der Art, daß er sein Werk besser verstehen wollte, als der Autor sich selber verstand. Für den Humanisten ist, wie man nicht vergessen darf, sein höchstes Ziel ursprünglich überhaupt nicht, seine Vorbilder zu »verstehen«, sondern es ihnen gleichzutun, oder gar sie zu übertreffen. Der Philologe ist daher ursprünglich nicht nur als Erklärer, sondern auch als Imitator – wenn nicht gar als Rivale – an seine Vorbilder gebunden. Wie die dogmatische Bindung an die Bibel mußte auch die humanistische Bindung an die Klassiker erst einem distanzierteren Verhältnis Platz machen, wenn das Geschäft des Interpreten zu so zugespitztem Selbstbewußtsein kommen sollte, wie die in Frage stehende Formel zum Ausdruck bringt.

Es ist daher von vornherein wahrscheinlich, daß erst für Schleiermacher, der die Hermeneutik zu einer von allen Inhalten abgelösten Methode verselbständigt hat, eine Wendung in Frage kommen konnte, die die Überlegenheit des Interpreten über seinen Gegenstand so grundsätzlich in Anspruch nahm. Dem entspricht nun, wenn man näher zusieht, auch das Vorkommen der Formel bei Fichte und Kant. Denn der Zusammenhang, in dem diese angebliche philologische Handwerksregel dort auftritt, zeigt, daß Fichte und Kant etwas ganz anderes damit meinen. Es handelt sich da

---

[1] O. F. Bollnow, Das Verstehen.   [2] Werke VI, 337.
[3] Kr. d. v. V., B 370.

überhaupt nicht um einen Grundsatz der Philologie, sondern um einen Anspruch der Philosophie, durch größere begriffliche Klarheit über die in einer These zu findenden Widersprüche hinauszukommen. Es ist also ein Grundsatz, der ganz im Geiste des Rationalismus die Forderung ausspricht, allein durch Denken, durch Entwicklung der in den Begriffen eines Autors gelegenen Konsequenzen, zu Einsichten zu gelangen, die der eigentlichen Absicht des Autors entsprechen – Einsichten, die er teilen müßte, wenn er klar und deutlich genug gedacht hätte. Auch die hermeneutisch unmögliche These, in die sich Fichte in der Polemik gegen die herrschende Kantauslegung verrennt, »ein anderes ist der Erfinder eines Systems, ein anderes seine Erklärer und Nachfolger«[1], sowie sein Anspruch, Kant »nach dem *Geiste* zu erklären«[2], sind ganz vom Anspruch der Sachkritik erfüllt. Die umstrittene Formel formuliert also nichts weiter als den Anspruch philosophischer Sachkritik. Wer das, worüber der Autor spricht, besser zu durchdenken weiß, der wird das, was der Autor sagt, im Lichte einer ihm selbst noch verborgenen Wahrheit zu sehen vermögen. In diesem Sinne ist der Grundsatz, man müsse einen Autor besser verstehen, als er sich selber verstanden hat, uralt – so alt nämlich, wie wissenschaftliche Kritik überhaupt[3], er gewinnt jedoch seine Prägung als Formel für philosophische Sachkritik im Geiste des Rationalismus. Als solcher hat er dann freilich einen ganz anderen Sinn als die philologische Regel bei Schleiermacher. Die Vermutung liegt nahe, daß eben Schleiermacher diesen Grundsatz philosophischer Kritik in einen der philologischen Auslegungskunst umgedeutet hat[4]. Damit würde die Stelle, an der Schleiermacher und die Ro-

---

[1] Zweite Einleitung in die Wissenschaftslehre, Werke I, 485.

[2] Ebda, 479 Anm.

[3] Ich verdanke H. Bornkamm ein hübsches Beispiel dafür, wie sich diese angebliche Formel der philologischen Handwerkskunst von selbst einstellt, wo man polemische Kritik übt. Nach einer Anwendung des aristotelischen Bewegungsbegriffs auf die Trinität sagt Luther (Predigt vom 25.12.1514, Weimarer Ausgabe I, 28): »Vide quam apte serviat Aristoteles in philosophia sua theologiae, si non ut ipse voluit, sed melius intelligitur et applicatur. Nam res vere est elocutus et credo quod aliunde furatus sit, quae tanta pompa profert et jactat.« Ich kann mir nicht denken, daß das philologische Handwerk sich in dieser Verwendung seiner ‚Regel‘ wiedererkennen will.

[4] Dafür spricht auch die Einführung der Wendung bei Schleiermacher: »Ja, ist überhaupt etwas Wahres an der Formel...: so wird wohl eben nur dieses damit gemeint sein können...«. Auch vermeidet er in der Akademierede (Werk III, 3, 362) das Paradox, indem er schreibt: »als er selbst von sich selbst Rechenschaft geben könne«. In dem Vorlesungsmanuskript heißt es gleichzeitig (1828) »die Rede zuerst eben so gut und dann besser zu verstehen als ihr Urheber« (Abh. d. Heidelberger Akademie 1959, 2. Abhandlung, S. 87). Die soeben erstmals publizierten Aphorismen Friedrich Schlegels aus seinen ‚Philosophischen Lehrjahren‘ bieten eine erwünschte Bestätigung für die obige Vermutung. Genau in der Zeit seiner engsten Beziehung zu Schleiermacher hat sich Schlegel notiert: »Um jemanden zu verstehen, muß man erstlich klüger sein als er, dann ebenso klug und dann auch ebenso dumm. Es

mantik stehen, genau markiert. Indem sie eine universelle Hermeneutik schaffen, drängen sie die vom Sachverständnis geführte Kritik aus dem Bereich der wissenschaftlichen Auslegung heraus.

Schleiermachers Formel, so wie er sie versteht, bezieht die Sache, von der die Rede ist, nicht mehr selber ein, sondern sieht die Aussage, die ein Text darstellt, unter Absehung von ihrem Erkenntnisgehalt als eine freie Produktion. Es entspricht dem, daß er die Hermeneutik, die bei ihm auf das Verstehen von allem Sprachlichen geht, an dem Standardbeispiel der Sprache selber orientiert. Das Sprechen des einzelnen ist in der Tat ein freies bildendes Tun, so sehr auch die Möglichkeiten desselben durch die feste Ausbildung der Sprache beschränkt sind. Die Sprache ist ein Ausdrucksfeld, und ihr Vorrang im Felde der Hermeneutik bedeutet für Schleiermacher, daß er als Interpret die Texte unabhängig von ihrem Wahrheitsanspruch als reine Ausdrucksphänomene ansieht.

Selbst die Geschichte ist ihm nur ein solches Schauspiel freier Schöpfung, freilich das einer göttlichen Produktivität, und das historische Verhalten versteht er als das Anschauen und Genießen dieses großartigen Schauspiels. Sehr schön schildert diesen romantischen Reflexionsgenuß an der Geschichte die bei Dilthey [1] abgedruckte Tagebuchnotiz Schleiermachers: »Der echte historische Sinn erhebt sich über die Geschichte. Alle Erscheinungen sind nur wie die heiligen Wunder da, um die Betrachtung zu lenken auf den Geist, der sie spielend hervorbrachte.«

Wenn man ein solches Zeugnis liest, kann man ermessen, wie gewaltig der Schritt sein mußte, der von Schleiermachers Hermeneutik aus zu einem universalen Verständnis der geschichtlichen Geisteswissenschaften führen

---

ist nicht genug, daß man den eigentlichen Sinn eines konfusen Werkes besser versteht, als der Autor es verstanden hat. Man muß auch die Konfusion selbst bis auf die Prinzipien kennen, charakterisieren und konstruieren können.« (Schriften und Fragmente, ed. Behler, 158).

Diese Notiz beweist einmal, daß das Besserverstehen hier noch ganz sachgerichtet gemeint ist: besser, das heißt: nicht konfus. Sofern aber alsdann die Konfusion selbst zum Gegenstand des Verstehens und ‚Konstruierens‘ erhoben wird, meldet sich darin die Wendung, die zu Schleiermachers neuem hermeneutischem Grundsatz geführt hat. Wir haben hier genau den Umschlagspunkt vor uns zwischen der allgemeinen, aufklärerischen und der neuen romantischen Bedeutung des Satzes. Eine ähnliche Zwischenstellung spricht aus Schelling, System des transz. Idealismus (Werke III, 623), wo es heißt: »wenn einer Dinge sagt und Dinge behauptet, deren Sinn er entweder der Zeit nach, in der er gelebt hat, oder seinen sonstigen Äußerungen nach unmöglich ganz durchsehen konnte, wo er also scheinbar mit Bewußtsein aussprach, was er doch nur bewußtlos aussprechen konnte..« Vgl. auch die S. 176 aus Chladenius zitierte Unterscheidung von: einen Autor verstehen und einen Text verstehen. Zum Beleg für den ursprünglichen aufklärerischen Sinn der Formel mag auch dienen, daß wir in jüngster Zeit eine ähnliche Annäherung an diese Formel bei einem ganz unromantischen Denker finden, der damit ganz gewiß den Maßstab der Sachkritik verbindet: Husserliana, Bd. 6, S. 74.

[1] Das Leben Schleiermachers, 1. Aufl. Anhang, S. 117.

sollte. So universal die von Schleiermacher entwickelte Hermeneutik auch war – diese Universalität hatte doch eine sehr fühlbare Schranke. Seine Hermeneutik meinte in Wahrheit Texte, deren Autorität feststand. Gewiß bedeutet es einen wichtigen Schritt in der Entwicklung des historischen Bewußtseins, daß das Verstehen und Auslegen – der Bibel wie der Literatur des klassischen Altertums – damit von allem dogmatischen Interesse völlig abgelöst wurde. Weder die Heilswahrheit der Heiligen Schrift noch die Vorbildlichkeit der Klassiker sollte ein Verfahren beeinflussen, das in jedem Text seinen Lebensausdruck zu erfassen wußte und die Wahrheit des Gesagten dabei dahingestellt ließ.

Jedoch das Interesse, das für Schleiermacher diese methodische Abstraktion motivierte, war nicht das des Historikers, sondern das des Theologen. Er wollte lehren, wie man Rede und schriftliche Überlieferung zu verstehen hat, weil es auf die eine, die biblische Überlieferung, für die Glaubenslehre ankommt. Daher war seine hermeneutische Theorie von einer Historik, die den Geisteswissenschaften als methodologisches Organon dienen konnte, noch weit entfernt. Ihr Ziel war die bestimmte Auffassung von Texten, dem auch das Allgemeine geschichtlicher Zusammenhänge zu dienen hatte. Das ist Schleiermachers Schranke, bei der die historische Weltansicht nicht stehenbleiben konnte.

b) Anschluß der historischen Schule an die romantische Hermeneutik

α) Verlegenheit gegenüber dem Ideal der Universalgeschichte

Wir werden uns zu fragen haben, wie von dem Ausgangspunkt ihrer hermeneutischen Theorie aus den Historikern ihr eigenes Tun verständlich werden konnte. Ihr Thema ist nicht der einzelne Text, sondern die *Universalgeschichte*. Den Historiker macht es aus, daß er das Ganze des Zusammenhangs der Geschichte der Menschheit verstehen will. Jeder einzelne Text hat für ihn nicht einen Selbstwert, sondern dient ihm nur als Quelle, d.h. aber, nur als ein vermittelndes Material für die Erkenntnis des geschichtlichen Zusammenhangs, nicht anders als alle stummen Überreste der Vergangenheit. So konnte die historische Schule auf Schleiermachers Hermeneutik eigentlich nicht weiterbauen.

Nun ist es aber doch so gewesen, daß die historische Weltansicht, die das große Ziel des Verständnisses der Universalgeschichte verfolgt, sich auf die romantische Individualitätstheorie und auf die ihr entsprechende Hermeneutik stützte. Man kann das auch negativ ausdrücken: Die Vorgängigkeit des geschichtlichen Lebensbezugs, den die Überlieferung für die Gegenwart darstellt, wurde auch jetzt noch nicht in die methodische Reflexion aufgenommen. Vielmehr sah man die Aufgabe nur darin, die Vergangenheit durch Erforschung der Überlieferung an die Gegenwart zu übermitteln. Das Grundschema, nach dem die historische Schule die Methodik der Universalgeschichte denkt, ist daher wirklich kein anderes, als das jedem Text gegenüber Gültige. Es ist das Schema von Ganzem und Teil. Zwar macht es einen Unterschied, ob man einen Text als ein literarisches Gebilde auf seine Absicht und Komposition hin zu verstehen sucht, oder ob man ihn als Dokument für die Erkenntnis eines größeren historischen Zusammenhangs zu verwerten sucht, über den er einen kritisch zu prüfenden Aufschluß gibt. Gleichwohl ordnen sich dieses philologische und jenes historische Interesse wechselseitig einander unter. Die historische Interpretation vermag als Mittel zum Verständnis eines Textzusammenhanges zu dienen, wenngleich sie in anderer Interessenwendung in ihm eine bloße Quelle sieht, die sich dem Ganzen der historischen Überlieferung eingliedert.

In klarer methodischer Reflexion finden wir das freilich weder bei *Ranke* noch bei dem scharfen Methodologen *Droysen* ausgesprochen, sondern erst bei *Dilthey*, der die romantische Hermeneutik bewußt aufgreift und zu einer historischen Methodik, ja zu einer Erkenntnistheorie der Geisteswissenschaften ausweitet. Diltheys logische Analyse des Begriffs des Zusammenhangs in der Geschichte ist der Sache nach die Anwendung des hermeneutischen Grundsatzes, daß man nur aus dem Ganzen eines Textes das Einzelne verstehen kann und nur aus dem Einzelnen das Ganze, auf die Welt der Geschichte. Nicht nur die Quellen begegnen als Texte, sondern die geschichtliche Wirklichkeit selbst ist ein zu verstehender Text. Mit dieser *Übertragung der Hermeneutik auf die Historik* ist Dilthey aber nur der Interpret der historischen Schule. Er formuliert das, was Ranke und Droysen selber im Grunde denken.

So war also die romantische Hermeneutik und ihr Hintergrund, die pantheistische Metaphysik der Individualität, für die theoretische Besinnung der Geschichtsforschung des 19. Jahrhunderts bestimmend. Das ist für das Schicksal der Geisteswissenschaften und die Weltansicht der historischen Schule verhängnisvoll geworden. Wir werden noch sehen, daß Hegels Philosophie der Weltgeschichte, gegen die sich die historische Schule auflehnte, die Bedeutung der Geschichte für das Sein des Geistes und die Erkenntnis der Wahrheit ungleich tiefer erkannt hat als die großen Historiker, die ihre Abhängigkeit von ihm sich nicht eingestehen wollten. Schleiermachers Individualitätsbegriff, der mit dem Anliegen der Theologie, der Ästhetik und der Philologie so gut zusammenging, war nicht nur eine kritische Instanz gegen die apriorische Konstruktion der Philosophie der Geschichte, sondern bot den geschichtlichen Wissenschaften zugleich eine methodische Orientierung, die sie nicht minder als die Naturwissenschaften auf Forschung, d. h. auf die alleinige Grundlage fortschreitender Erfahrung, verwies. Der Widerstand gegen die Philosophie der Weltgeschichte trieb sie so in das Fahrwasser der Philologie. Es war ihr Stolz, daß sie den Zusammenhang der Weltgeschichte nicht teleologisch, nicht im Stile der vorromantischen oder nachromantischen Aufklärung von einem Endzustande her dachte, der gleichsam das Ende der Geschichte, ein jüngster Tag der Weltgeschichte wäre. Vielmehr gibt es für sie kein Ende und Außerhalb der Geschichte. Das Verständnis des gesamten Verlaufs der Universalgeschichte kann daher nur aus der geschichtlichen Überlieferung selbst gewonnen werden. Eben das aber ist der Anspruch der philologischen Hermeneutik, daß der Sinn eines Textes aus ihm selbst verstanden werden kann. *Die Grundlage der Historik ist also die Hermeneutik.*

Nun muß freilich das Ideal der Universalgeschichte für die historische Weltansicht eine besondere Problematik gewinnen, sofern das Buch der Geschichte für jede Gegenwart ein im Dunkel abbrechendes Fragment ist. Es fehlt dem universalen Zusammenhang der Geschichte die Abgeschlossenheit, die für den Philologen ein Text besitzt und die für den Historiker etwa eine Lebensgeschichte, aber auch die Geschichte einer vergangenen, vom Schauplatz der Weltgeschichte abgetretenen Nation, ja selbst die Geschichte einer Epoche, die abgeschlossen ist und hinter uns liegt, zu einem fertigen Sinnganzen, einen in sich verstehbaren Text zu machen scheint.

Wir werden sehen, daß auch Dilthey von solchen relativen Einheiten aus gedacht hat, und damit ganz auf der Grundlage der romantischen Hermeneutik weiter baute. Was es da wie dort zu verstehen gibt, ist ein Ganzes von Sinn, das sich da wie dort in der gleichen Abgehobenheit von dem Verstehenden selbst befindet: immer ist es eine fremde Individualität, die nach ihr eigenen Begriffen, Wertmaßstäben usw. beurteilt werden muß und die dennoch verstanden werden kann, weil Ich und Du ,Momente' des gleichen Lebens sind.

So weit vermag die hermeneutische Grundlage zu tragen. Aber unmöglich kann diese Abgehobenheit des Gegenstandes von seinem Interpreten, noch auch die inhaltliche Abgeschlossenheit eines Sinnganzen, die *eigentlichste* Aufgabe des Historikers, die Universalgeschichte, mittragen. Denn die Geschichte ist nicht nur nicht am Ende – wir stehen als die Verstehenden selbst in ihr, als ein bedingtes und endliches Glied einer fortrollenden Kette. Es läge nahe genug, von dieser bedenklichen Situation des universalgeschichtlichen Problems aus den Zweifel zu erheben, ob die Hermeneutik wirklich die Grundlage der Historik sein kann. Die Universalgeschichte ist doch nicht ein bloßes Rand- und Restproblem der historischen Erkenntnis, sondern ihr eigentliches Herzstück. Auch die ,historische Schule' wußte, daß es im Grunde keine andere Geschichte als Universalgeschichte geben kann, weil sich nur vom Ganzen aus das Einzelne in seiner Einzelbedeutung bestimmt. Wie soll der empirische Forscher, dem niemals das Ganze gegeben sein kann, sich da helfen, ohne sein Recht an den Philosophen und seine aprioristische Willkür zu verlieren?

Untersuchen wir zunächst, wie die ,historische Schule' mit dem Problem

der Universalgeschichte fertig zu werden sucht. Dazu müssen wir weiter
ausholen, wobei wir innerhalb des theoretischen Zusammenhangs, den die
historische Schule darstellt, nur das Problem der Universalgeschichte verfolgen und uns daher auf Ranke und Droysen beschränken.

Man erinnere sich, wie sich die historische Schule gegen Hegel abgegrenzt
hat. Die Abkehr von der apriorischen Konstruktion der Weltgeschichte ist
gleichsam ihr Geburtsbrief. Es ist ihr neuer Anspruch, daß nicht die spekulative Philosophie, sondern allein die historische Forschung zu einer
universalgeschichtlichen Ansicht führen kann.

Für diese Wendung hat *Herders* Kritik an dem geschichtsphilosophischen
Schema der Aufklärung die entscheidende Voraussetzung geschaffen. Sein
Angriff gegen den Vernunftstolz der Aufklärung hatte an der Musterhaftigkeit des klassischen Altertums, die insbesondere Winckelmann verkündet
hatte, seine schärfste Waffe. Die »Geschichte der Kunst des Altertums« war
zwar unverkennbar mehr als eine historische Darstellung. Sie war Kritik
der Gegenwart und war ein Programm. Aber kraft der Zweideutigkeit, die
aller Gegenwartskritik anhaftet, bedeutete die Verkündung der Vorbildlichkeit der griechischen Kunst, die der eigenen Gegenwart ein neues Ideal
aufrichten sollte, dennoch einen echten Schritt zu geschichtlicher Erkenntnis. Die Vergangenheit, die hier der Gegenwart als Muster vorgehalten
wird, erweist sich gerade dadurch als eine unwiederholbar einmalige, daß
man die Ursachen für ihr So-sein erforscht und erkennt.

Herder brauchte nur wenig über die von Winckelmann gelegte Grundlage hinauszugehen und das dialektische Verhältnis von Musterhaftigkeit
und Unwiederholbarkeit in aller Vergangenheit zu erkennen, um der teleologischen Geschichtsbetrachtung der Aufklärung eine universale historische
Weltansicht entgegenzusetzen. Historisch denken heißt jetzt, jeder Epoche
ein eigenes Daseinsrecht, ja eine eigene Vollkommenheit zugestehen. Diesen Schritt hat Herder grundsätzlich getan. Die historische Weltansicht
konnte freilich noch nicht zur vollen Ausbildung kommen, solange klassizistische Vorurteile dem klassischen Altertum eine vorbildliche Sonderstellung zubilligten. Denn nicht nur eine Teleologie im Stile des Vernunft-
glaubens der Aufklärung, auch eine umgekehrte Teleologie, die das Vollkommene einer Vergangenheit oder einem Anfang der Geschichte vorbe-
hält, erkennt noch einen geschichts-jenseitigen Maßstab an.

Es gibt viele Formen, die Geschichte von einem ihr selber jenseitigen
Maßstab her zu denken. Wilhelm von Humboldts Klassizismus sieht die
Geschichte als Verlust und Verfall der Vollkommenheit des griechischen
Lebens. Die gnostische Geschichtstheologie der Goethezeit, deren Einfluß
auf den jungen Ranke kürzlich dargestellt wurde[1], denkt die Zukunft als

---

[1] C. Hinrichs, Ranke und die Geschichtstheologie der Goethezeit (1954). Vgl.
meine Notiz in Philos. Rundschau 4, S. 123 ff.

die Wiederherstellung einer verlorenen Vollkommenheit der Urzeit. Hegel versöhnte die ästhetische Musterhaftigkeit des klassischen Altertums mit dem Selbstbewußtsein der Gegenwart, indem er die Kunstreligion der Griechen als eine überwundene Gestalt des Geistes bezeichnete und im philosophischen Selbstbewußtsein der Freiheit die Vollendung der Geschichte in der Gegenwart proklamierte. All das sind Formen, die Geschichte zu denken, die einen außerhalb der Geschichte liegenden Maßstab voraussetzen.

Indessen ist auch die Leugnung eines solchen apriorischen, ungeschichtlichen Maßstabs, die am Anfang der historischen Forschung des 19. Jahrhunderts steht, nicht so frei von metaphysischen Voraussetzungen, wie sie sich glaubt und wie sie behauptet, wenn sie sich als wissenschaftliche Forschung versteht. Das läßt sich an der Analyse der leitenden Begriffe dieser historischen Weltansicht zeigen. Zwar sind diese Begriffe ihrer eigenen Intention nach gerade darauf gerichtet, die Vorgreiflichkeit einer aprioristischen Geschichtskonstruktion zu korrigieren. Aber indem sie sich gegen den idealistischen Begriff des Geistes polemisch richten, bleiben sie doch auf ihn bezogen. Am klarsten wird das an der philosophischen Durchreflexion dieser Weltansicht hervortreten, die Dilthey leistet.

Ihr Ausgangspunkt freilich ist ganz durch ihren Gegensatz zur ‚Philosophie der Geschichte‘ bestimmt. Die gemeinsame Grundannahme aller Vertreter dieser historischen Weltansicht, Rankes wie Droysens wie Diltheys, besteht darin, daß die Idee, das Wesen, die Freiheit in der geschichtlichen Wirklichkeit keinen vollständigen und adäquaten Ausdruck findet. Das ist nun nicht im Sinne eines bloßen Mangels oder Zurückbleibens zu verstehen. Vielmehr entdecken sie darin das konstitutive Prinzip der Geschichte selbst, daß die Idee in der Geschichte immer nur eine unvollkommene Repräsentation hat. Nur weil dem so ist, bedarf es statt der Philosophie der historischen Forschung, den Menschen über sich selbst und seine Stellung in der Welt zu belehren. Die Idee einer Geschichte, die reine Repräsentation der Idee wäre, bedeutete in einem den Verzicht auf sie als einen eigenen Wahrheitsweg.

Geschichtliche Wirklichkeit ist aber andererseits nicht ein bloßes trübes Medium, geistwidriger Stoff, starre Notwendigkeit, an der sich der Geist bricht und in deren Fesseln er erstickt. Solche gnostisch-neuplatonische Einschätzung des Geschehens als des Hervorgangs in die äußere Erscheinungswelt wird dem metaphysischen Seinswert der Geschichte und damit dem Erkenntnisrang der historischen Wissenschaft ebenfalls nicht gerecht. Gerade die Entfaltung des menschlichen Wesens in der Zeit hat ihre eigene Produktivität. Es ist die Fülle und Mannigfaltigkeit des Menschlichen, die sich in dem unendlichen Wechsel der menschlichen Geschicke zu steigender Wirklichkeit bringt. So etwa ließe sich die Grundannahme der historischen Schule formulieren. Ihr Zusammenhang mit dem Klassizismus der Goethezeit ist nicht zu übersehen.

Was hier leitend ist, ist im Grunde ein humanistisches Ideal. Wilhelm von Humboldt hatte die spezifische Vollendung des Griechentums in dem Reichtum großer individueller Formen gesehen, den es aufweist. Nun sind die großen Historiker auf ein solches klassizistisches Ideal gewiß nicht einzuengen. Sie folgten vielmehr Herder. Aber was tut die an Herder anknüpfende historische Weltansicht, die keinen Vorzug eines klassischen Zeitalters mehr kennt, anderes, als daß sie nun das Ganze der Weltgeschichte unter dem gleichen Maßstab sieht, den Wilhelm von Humboldt gebraucht hatte, um den Vorzug des klassischen Altertums zu begründen? Reichtum an individuellen Erscheinungen ist nicht nur die Auszeichnung des griechischen Lebens, es ist die Auszeichnung des geschichtlichen Lebens überhaupt, und das ist es, was den Wert und Sinn der Geschichte ausmacht. Die bange Frage nach dem Sinn in diesem Schauspiel glanzvoller Siege und grauenvoller Untergänge, das das menschliche Herz bestürzt, soll damit eine Antwort finden.

Es ist der Vorzug dieser Antwort, daß mit ihrem humanistischen Ideal kein bestimmter Inhalt gedacht wird, sondern die formale Idee der größten Mannigfaltigkeit zugrunde liegt. Ein solches Ideal ist wahrhaft universal. Denn es ist durch keine Erfahrung der Geschichte, durch keine noch so bestürzende Hinfälligkeit der menschlichen Dinge grundsätzlich mehr zu erschüttern. Die Geschichte hat einen Sinn in sich selbst. Was gegen diesen Sinn zu sprechen scheint – die Vergänglichkeit alles Irdischen –, ist in Wahrheit sein eigentlicher Grund. Denn im Vergehen selber liegt das Geheimnis einer unerschöpflichen Produktivität des geschichtlichen Lebens.

Die Frage ist nur, wie sich unter diesem Maßstab und formellen Ideal der Geschichte die Einheit der Weltgeschichte denken und die Erkenntnis derselben rechtfertigen läßt. Folgen wir zunächst *Ranke.* »Jede wahrhaft welthistorische Handlung, die niemals einseitig aus bloßer Vernichtung besteht, vielmehr im flüchtigen Augenblick der Gegenwart ein Künftiges zu entwickeln weiß, schließt ein volles und unmittelbares Gefühl ihres unzerstörbaren Wertes in sich ein.«[1]

Weder die Vorzugsstellung des klassischen Altertums noch die der Gegenwart oder einer Zukunft, auf die sie hinausführt, weder Verfall noch Fortschritt, diese traditionellen Grundschemata der Universalgeschichte, sind mit echtem geschichtlichem Denken vereinbar. Umgekehrt verträgt sich die berühmte Unmittelbarkeit aller Epochen zu Gott sehr wohl mit der Idee des weltgeschichtlichen Zusammenhangs. Denn Zusammenhang – Herder sagte dafür ‚Folgeordnung‘ – ist die Manifestation der geschichtlichen Wirklichkeit selbst. Was geschichtlich wirklich ist, kommt heraus »nach strengen Folgesätzen: was da folgte, stellt Wirkung und Art des eben Vorhergegangenen in helles, gemeinschaftliches Licht«[2]. Daß es ein un-

---

[1] Ranke, Weltgeschichte IX, 270.   [2] Ranke, Lutherfragm. 1.

unterbrochener Zusammenhang des Lebens ist, der sich im Wechsel der menschlichen Geschicke durchhält, ist also die erste Aussage über die formale Struktur der Geschichte, Werden im Vergehen zu sein.

Immerhin wird doch erst von hier aus verständlich, was nach Ranke eine »wahrhaft welthistorische Handlung« ist und damit auch, worauf der Zusammenhang der Weltgeschichte eigentlich beruht. Sie hat kein außer ihr auffindbares und feststehendes Telos. Insofern herrscht in der Geschichte keine apriori einsehbare Notwendigkeit. Aber die Struktur des geschichtlichen Zusammenhanges ist dennoch eine teleologische. Maßstab ist der Erfolg. Wir sahen ja, daß das, was da folgt, über die Bedeutung des Vorhergegangenen erst entscheidet. Ranke mochte das als eine bloße Bedingung historischer Erkenntnis gemeint haben. In Wahrheit beruht darauf auch das eigentümliche Gewicht, das dem Sein der Geschichte selber zukommt. Daß etwas gelingt oder mißlingt, entscheidet ja nicht nur über den Sinn dieses einen Tuns und läßt es eine dauernde Wirkung erzeugen oder wirkungslos vorübergehen, sondern dies Gelingen oder Mißlingen läßt einen ganzen Zusammenhang von Taten und Ereignissen sinnvoll sein oder sinnlos werden. Die ontologische Struktur der Geschichte selbst also ist, wenn auch ohne Telos, teleologisch[1]. Der Begriff der wahrhaft weltgeschichtlichen Handlung, den Ranke gebraucht, ist eben dadurch definiert. Sie ist eine solche, wenn sie Geschichte macht, das heißt, wenn sie eine Wirkung hat, die ihr dauernde geschichtliche Bedeutung verleiht. Die Elemente des geschichtlichen Zusammenhanges bestimmen sich also in der Tat im Sinne einer unbewußten Teleologie, die sie zusammenschließt und das Bedeutungslose von diesem Zusammenhang ausschließt.

β) Rankes historische Weltanschauung

Eine solche Teleologie ist freilich nicht vom philosophischen Begriff her erweislich. Sie macht die Weltgeschichte nicht zu einem apriorischen System, in das die Akteure wie in einen sie bewußtlos steuernden Mechanismus eingestellt sind. Sie ist vielmehr mit der Freiheit des Handelns wohl verträglich. Ranke kann geradezu sagen, daß die konstruktiven Glieder des geschichtlichen Zusammenhanges ,Szenen der Freiheit' sind[2]. Diese Wendung meint, daß es im unendlichen Geflecht der Ereignisse bestimmte herausgehobene Auftritte gibt, in denen sich die geschichtlichen Entscheidungen gleichsam konzentrieren. Entschieden wird zwar überall, wo aus Freiheit gehandelt wird, aber daß mit solcher Entscheidung wirklich *etwas* entschieden wird, das heißt, daß eine Entscheidung Geschichte macht und in ihrer Wirkung erst ihre volle und dauerhafte Bedeutung offenbart, ist die Auszeichnung wahrhaft geschichtlicher Augenblicke. Sie geben dem

---

[1] Vgl. Gerhard Masur, Rankes Begriff der Weltgeschichte, 1926.
[2] Ranke, Weltgeschichte IX, S. XIV.

geschichtlichen Zusammenhang seine Artikulation. Wir nennen solche Augenblicke, in denen ein freies Handeln geschichtlich entscheidend wird, epochemachende Augenblicke oder auch Krisen, und die Individuen, deren Handeln so entscheidend wird, kann man mit Hegel ,weltgeschichtliche Individuen' nennen. Ranke sagt dafür »originale Geister, die in den Kampf der Ideen und Weltmächte selbständig eingreifen, die mächtigsten derselben, auf denen die Zukunft beruht, zusammenfassen«. Das ist Geist vom Geiste Hegels.

Wir besitzen eine höchst lehrreiche Reflexion Rankes über die Frage, wie sich aus solchen Entscheidungen der Freiheit der geschichtliche Zusammenhang ergibt: »Gestehen wir ein, daß die Geschichte nie die Einheit eines philosophischen Systems haben kann; aber ohne inneren Zusammenhang ist sie nicht. Vor uns sehen wir eine Reihe von aufeinanderfolgenden einander bedingenden Ereignissen. Wenn ich sage: bedingen, so heißt das freilich nicht durch absolute Notwendigkeit. Das Große ist vielmehr, daß die menschliche Freiheit überall in Anspruch genommen wird: die Historie verfolgt die Szenen der Freiheit; das macht ihren größten Reiz aus. Zur Freiheit aber gesellt sich die Kraft, und zwar ursprüngliche Kraft; ohne diese hört jene in den Weltereignissen sowohl, wie auf dem Gebiete der Ideen auf. Jeden Augenblick kann wieder etwas Neues beginnen, das nur auf die erste und gemeinschaftliche Quelle alles menschlichen Tuns und Lassens zurückzuführen ist; nichts ist ganz um des anderen willen da; keines geht ganz in der Realität des anderen auf. Aber dabei waltet doch auch ein tiefer inniger Zusammenhang ob, von dem niemand ganz unabhängig ist, der überall eindringt. Der Freiheit zur Seite besteht die Notwendigkeit. Sie liegt in dem bereits Gebildeten, nicht wieder Umzustoßenden, welches die Grundlage aller neu emporkommenden Tätigkeit ist. Das Gewordene konstituiert den Zusammenhang mit dem Werdenden. Aber auch dieser Zusammenhang selbst ist nichts willkürlich Anzunehmendes, sondern er war auf eine bestimmte Weise, so und so, nicht anders. Er ist ebenfalls ein Objekt der Erkenntnis. Eine längere Reihe von Ereignissen – nacheinander und nebeneinander – auf solche Weise miteinander verbunden, bildet ein Jahrhundert, eine Epoche...«[1].

An dieser Darlegung ist bedeutsam, wie sich neben den Begriff der Freiheit hier der Begriff der Kraft stellt. Kraft ist offenbar die zentrale Kategorie der historischen Weltansicht. Als solche hat sie bereits Herder in Anspruch genommen, als es darum ging, von dem Fortschrittsschema der Aufklärung freizukommen und insbesondere den Vernunftbegriff, der ihm zugrunde liegt, zu überwinden[2]. Der Begriff der Kraft hat deswegen eine so

---

[1] Ranke, Weltgeschichte IX, XIII f.

[2] In meiner Schrift »Volk und Geschichte im Denken Herders« (1942) habe ich gezeigt, daß Herder die Übertragung des Leibnizschen Kraftbegriffs auf die geschichtliche Welt vollzogen hat.

zentrale Stellung innerhalb der historischen Weltansicht, weil in ihm Innerlichkeit und Äußerlichkeit in einer eigentümlichen Spannungseinheit gesetzt sind. Jede Kraft ist nur in ihrer Äußerung. Die Äußerung ist nicht nur die Erscheinung der Kraft, sondern ihre Wirklichkeit. Hegel hatte vollkommen recht, wenn er die innere Zugehörigkeit von Kraft und Äußerung dialektisch entfaltete. In eben dieser Dialektik aber liegt auf der anderen Seite, daß die Kraft mehr ist als ihre Äußerung. Ihr gehört Wirkungsmöglichkeit schlechthin zu, das heißt: sie ist nicht nur Ursache für eine bestimmte Wirkung, sondern das Vermögen, immer wo sie ausgelöst wird, solche Wirkung zu tun. Ihre Seinsweise ist also gerade von der der Wirkung unterschieden. Sie hat den Modus des ‚Anstehens‘ – ein Wort, das sich einstellt, weil es offenbar gerade das Fürsichsein der Kraft gegen die Unbestimmtheit dessen, worin sie sich äußern mag, zum Ausdruck bringt. Daraus folgt nun, daß Kraft nicht von den Äußerungen her erkennbar oder meßbar ist, sondern nur in der Weise eines Inneseins erfahren werden kann. Beobachtung einer Wirkung läßt immer nur die Ursache, nicht die Kraft zugänglich werden, wenn anders Kraft ein innerer Überschuß über die zur Wirkung gehörende Ursache ist. Dieser Überschuß, dessen man in dem Verursachenden inne ist, kann gewiß auch von der Wirkung her, im Widerstand erfahren werden, sofern das Widerstandleisten selbst eine Äußerung von Kraft ist. Aber auch dann ist es eben ein Innesein, worin Kraft erfahren wird. Innesein ist die Erfahrungsweise der Kraft, weil Kraft ihrem eigenen Wesen nach sich auf sich selbst bezieht. Hegel hat in seiner ‚Phänomenologie des Geistes‘ die dialektische Aufhebung des Gedankens der Kraft in die Unendlichkeit des Lebens, das sich auf sich selbst bezieht und seiner inne ist, überzeugend demonstriert[1].

Rankes Formulierung gewinnt damit selber ein weltgeschichtliches Profil, ein Profil innerhalb der Weltgeschichte des Gedankens und der Philosophie. Schon Plato hat in diesem Zusammenhang die reflexive Struktur der Dynamis erstmals gesichtet und damit ihre Übertragung auf das Wesen der Seele, die Aristoteles mit der Lehre von den Dynameis, den Vermögen der Seele vorgenommen hat, ermöglicht[2]. Kraft ist ihrem ontologischen Wesen nach ‚Innerlichkeit‘. Es ist insofern ganz genau richtig, wenn Ranke schreibt: »zur Freiheit gesellt sich die Kraft«. Denn Kraft, die mehr ist als ihre Äußerung, ist immer schon Freiheit. Das ist für den Historiker von entscheidender Bedeutung. Er weiß: Alles hätte auch anders kommen können, jedes handelnde Individuum hätte auch anders handeln können. Die Kraft, die Geschichte macht, ist nicht ein mechanisches Moment. Um das auszuschließen, sagt Ranke ausdrücklich »und zwar ursprüngliche Kraft« und redet von der »ersten und gemeinschaftlichen Quelle alles menschlichen Tuns und Lassens« – und das ist nach Ranke die Freiheit.

---

[1] Hegel, Phänomenologie des Geistes, S. 120 ff. (Hoffmeister).
[2] Plato, Charm. 169 a.

Es widerspricht nicht der Freiheit, daß sie beschränkt und begrenzt ist. Das gerade wird am Wesen der Kraft, die sich durchzusetzen weiß, anschaulich. Daher kann Ranke sagen, »der Freiheit zur Seite besteht die Notwendigkeit«. Denn Notwendigkeit meint hier nicht eine die Freiheit ausschließende Verursachung, sondern den Widerstand, den die freie Kraft findet. Hier nun zeigt sich die Wahrheit der von Hegel aufgedeckten Dialektik der Kraft[1]. Der Widerstand, den die freie Kraft findet, ist selbst aus Freiheit. Die Notwendigkeit, um die es hier geht, ist die Macht des Überkommenen und der gegenhandelnden anderen, die jedem Einsatz freier Tätigkeit vorgegeben ist. Indem sie vieles als unmöglich ausschließt, beschränkt sie das Handeln auf das Mögliche, das offen ist. Die Notwendigkeit ist selbst aus Freiheit und ist selbst bedingt durch die Freiheit, die mit ihr rechnet. Logisch gesehen handelt es sich um hypothetische Notwendigkeit (das ἐξ ὑποθέσεως ἀναγκαῖον), inhaltlich um eine Seinsweise nicht der Natur, sondern des geschichtlichen Seins: was geworden ist, ist nicht einfach umzustoßen. Insofern ist es »die Grundlage aller neu emporkommenden Tätigkeit«, wie Ranke sagt, und ist doch selbst durch Tätigkeit Gewordenes. Indem das Gewordene als Grundlage beharrt, formt es die neue Tätigkeit in die Einheit eines Zusammenhangs ein. Ranke sagt: »das Gewordene konstituiert den Zusammenhang mit dem Werdenden«. Dieser sehr unklare Satz will offenbar ausdrücken, was die geschichtliche Wirklichkeit ausmacht: daß das Werdende zwar frei ist, aber die Freiheit, aus der es wird, jeweils durch das Gewordene, d. h. die Umstände, in die sie hineinwirkt, ihre Begrenzung findet. Die von den Historikern gebrauchten Begriffe wie Kraft, Macht, bestimmende Tendenz usw. wollen alle das Wesen des geschichtlichen Seins sichtbar machen, indem sie implizieren, daß die Idee in der Geschichte immer nur eine unvollständige Repräsentation findet. Nicht die Pläne und Ansichten der Handelnden stellen den Sinn des Geschehens dar, sondern die geschichtlichen Wirkungen, die die geschichtlichen Kräfte erkennbar machen. Die geschichtlichen Kräfte, die die eigentlichen Träger der geschichtlichen Entwicklung bilden, sind nicht die monadische Subjektivität des Individuums. Alle Individuation ist vielmehr selbst schon durch die entgegenstehende Realität mitgeprägt, und eben deshalb ist Individualität nicht Subjektivität, sondern lebendige Kraft. Auch die Staaten sind für Ranke solche lebendigen Kräfte. Er sagte von ihnen ausdrücklich, sie seien nicht ‚Abteilungen des Allgemeinen‘, sondern Individualitäten, ‚reale geistige Wesen‘[2]. Ranke nennt sie ‚Gedanken Gottes‘, um damit anzuzeigen, daß es die eigene Lebenskraft dieser Gebilde ist, die sie wirklich sein läßt, und nicht irgendein menschliches Setzen und Wollen oder ein von Menschen einsehbarer Plan.

---

[1] Hegel, Enzyklopädie § 136 f., ebenso Phänomenologie (Hoffmeister) S. 105 ff.; Logik (Lasson) S. 144 ff.

[2] Ranke, Das politische Gespräch (ed. Rothacker), S. 19, 22, 25.

Der Gebrauch der Kategorie der Kraft ermöglicht nun, den Zusammenhang in der Geschichte als eine primäre Gegebenheit zu denken. Kraft ist immer nur wirklich als ein Spiel der Kräfte, und Geschichte ist ein solches Spiel von Kräften, das Kontinuität erwirkt. Ranke wie Droysen sprechen in diesem Zusammenhang davon, daß Geschichte eine ‚werdende Summe‘ ist, um damit allen Anspruch auf apriorische Konstruktion der Weltgeschichte abzuweisen, und sie meinen damit ganz auf dem Boden der Erfahrung zu stehen[1]. Es fragt sich aber, ob damit nicht doch mehr vorausgesetzt ist, als sie selber wissen. Daß die Universalgeschichte eine werdende Summe ist, heißt doch, daß sie ein – wenn auch unfertiges – Ganzes sei. Das aber ist keineswegs selbstverständlich. Qualitativ ungleiche Posten summieren sich nicht. Summierung setzt vielmehr voraus, daß die Einheit, unter der sie zusammengefaßt werden, ihre Zusammenfassung schon vorgängig leitet. Diese Voraussetzung ist aber eine Behauptung. Die Idee der Einheit der Geschichte ist in Wahrheit nicht so formal und so unabhängig von einem inhaltlichen Verständnis ‚der‘ Geschichte, wie es scheint[2].

Die Welt der Geschichte hat man durchaus nicht immer unter dem Aspekt der weltgeschichtlichen Einheit gedacht. Sie kann z. B. auch – wie bei Herodot – als ein moralisches Phänomen betrachtet werden. Als solches bietet sie eine Fülle von Exempla, aber keine Einheit. Was legitimiert die Rede von einer Einheit der Weltgeschichte? Diese Frage war ehedem leicht beantwortet, als man die Einheit eines Zieles und damit eines Planes in der Geschichte voraussetzte. Aber was ist der Generalnenner, der ein Zusammenzählen erlaubt, wenn ein solches Ziel und ein solcher Plan in der Geschichte nicht angenommen wird?

Wenn die Wirklichkeit der Geschichte als Spiel der Kräfte gedacht ist, so genügt dieser Gedanke offenkundig nicht, ihre Einheit notwendig zu machen. Auch was Herder und Humboldt leitete, das Ideal des Reichtums an Erscheinungen des Menschlichen, begründet als solches keine wahre Einheit. Es muß *etwas* sein, was sich in der Kontinuität des Geschehens als ein richtunggebendes Ziel herausstellt. In der Tat, die Stelle, die in den geschichtsphilosophischen Eschatologien religiösen Ursprungs und in ihren säkularisierten Abwandlungen besetzt ist, ist hier zunächst leer[3]. Keine Vormeinung über den Sinn der Geschichte soll ja die Erforschung derselben voreinnehmen. Gleichwohl ist die selbstverständliche Voraussetzung ihrer Erforschung, daß sie eine Einheit bildet. So kann Droysen ausdrücklich den Gedanken der weltgeschichtlichen Einheit selber – wenn auch gerade keine

---

[1] Ranke, ebda., 163; Droysen, Historik (ed. Rothacker), S. 72.

[2] Daß Ranke – und nicht als einziger – subsumieren als summieren denkt und schreibt (z. B. a.a.O. S. 63), ist für die geheime Gesinnung der historischen Schule höchst bezeichnend.

[3] Vgl. K. Löwith, Weltgeschichte und Heilsgeschehen, und meinen Artikel Geschichtsphilosophie in RGG[3].

inhaltliche Vorstellung von dem Plan der Vorsehung – als eine regulative Idee anerkennen.

Indessen liegt in diesem Postulat eine weitere Voraussetzung einge-schlossen, die es inhaltlich bestimmt. Die Idee der Einheit der Weltge-schichte schließt die ununterbrochene Kontinuität der weltgeschichtlichen Entwicklung ein. Auch diese Idee der Kontinuität ist zunächst formaler Natur und impliziert keinen konkreten Inhalt. Auch sie ist wie ein Apriori der Forschung, das zu immer tieferem Eindringen in die Verflechtungen des weltgeschichtlichen Zusammenhanges einlädt. Insofern ist es nur als eine methodologische Naivität Rankes zu beurteilen, wenn er von der ‚bewun-dernswerten Stetigkeit‘ der geschichtlichen Entwicklung spricht[1]. Was er in Wahrheit damit meint, ist gar nicht diese Struktur der Stetigkeit selbst, sondern das Inhaltliche, was sich in dieser stetigen Entwicklung heraus-bildet. Daß es etwas und ein einziges ist, was sich schließlich aus dem un-übersehbar vielfältigen Ganzen der weltgeschichtlichen Entwicklung her-ausbildet, nämlich die Einheit der abendländischen Kulturwelt, die durch die germanisch-romanischen Völker heraufgeführt sich über die ganze Erde ausbreitet, das ist es, was seine Bewunderung erweckt.

Freilich, auch wenn man diesen inhaltlichen Sinn von Rankes Bewun-derung der ‚Stetigkeit‘ anerkennt, zeigt sich noch immer Rankes Naivität. Daß die Weltgeschichte in kontinuierlicher Entwicklung diese abendlän-dische Kulturwelt heraufgeführt hat, ist abermals keine bloße Erfahrungs-tatsache, die das historische Bewußtsein feststellt, sondern eine Bedingung des historischen Bewußtseins selbst, also nichts, das auch hätte ausbleiben können oder durch neue Erfahrung durchgestrichen werden könnte. Viel-mehr nur, weil die Weltgeschichte diesen Gang gegangen ist, kann über-haupt die Frage nach dem Sinn der Geschichte von einem weltgeschicht-lichen Bewußtsein gestellt werden und die Einheit ihrer Stetigkeit meinen.

Man kann sich hierfür auf Ranke selbst berufen. Ranke erkennt es als den vornehmsten Unterschied des orientalischen und okzidentalen Sy-stems, daß im Abendland die geschichtliche Kontinuität die Daseinsform der Kultur bildet[2]. Insofern ist es nicht beliebig, daß die Einheit der Welt-geschichte auf der Einheit der abendländischen Kulturwelt beruht, zu der die abendländische Wissenschaft im ganzen und die Geschichte als Wissen-schaft im besonderen gehören. Und es ist auch nicht beliebig, daß diese abendländische Kultur durch das Christentum geprägt ist, das in der Ein-maligkeit des Erlösungsgeschehens seinen absoluten Zeitpunkt hat. Ranke hat etwas davon anerkannt, wenn er in der christlichen Religion die Wie-dereinsetzung des Menschen in die ‚Unmittelbarkeit zu Gott‘ sah, die er in romantischer Weise an den urzeitlichen Anfang aller Geschichte setzte[3].

---

[1] Ranke, Weltgeschichte IX, 2 XIII.   [2] Ranke, Weltgeschichte IX, 1, 270f.
[3] Vgl. Hinrichs, Ranke und die Geschichtstheologie der Goethezeit, S. 239f.

Aber wir werden noch sehen, daß die grundsätzliche Bedeutung dieses Tatbestandes in der philosophischen Reflexion der historischen Weltansicht nicht voll zur Geltung gekommen ist.

Auch die empirische Gesinnung der historischen Schule ist also nicht ohne philosophische Voraussetzungen. Es bleibt das Verdienst des scharfsinnigen Methodologen Droysen, daß er sie aus ihrer empirischen Verkleidung herauslöst und in ihrer grundsätzlichen Bedeutung erkennt. Sein grundlegender Gesichtspunkt ist: Kontinuität ist das Wesen der Geschichte, weil Geschichte im Unterschied zur Natur das Moment der Zeit einschließt. Droysen zitiert dafür immer wieder die aristotelische Aussage von der Seele, daß sie eine Zunahme in sich selbst (epidosis eis hauto) sei. Im Gegensatz zu der bloßen Wiederholungsform der Natur ist die Geschichte durch solche Steigerung in sich selbst charakterisiert. Das heißt aber: durch ein Bewahren und Hinausgehen über das Bewahrte. Beides aber schließt Sichwissen ein. Die Geschichte selbst ist also nicht nur ein Wissensgegenstand, sondern ist in ihrem Sein bestimmt durch das Sich-wissen. »Das Wissen von ihr ist sie selbst« (Historik § 15). Die bewundernswerte Stetigkeit der weltgeschichtlichen Entwicklung, von der Ranke sprach, ist in dem Bewußtsein der Kontinuität gegründet, einem Bewußtsein, das erst Geschichte zu Geschichte macht (Historik § 48).

Es wäre ganz falsch, darin nur eine idealistische Voreingenommenheit zu sehen. Vielmehr ist dies Apriori des geschichtlichen Denkens selber eine geschichtliche Wirklichkeit. Jakob Burckhardt hat ganz recht, wenn er in der Kontinuität der abendländischen Kulturüberlieferung die Existenzbedingung der abendländischen Kultur selber sieht[1]. Der Zusammenbruch dieser Überlieferung, der Einbruch einer neuen Barbarei, von dem gerade Jakob Burckhardt manche düstere Prophezeiung ausgesprochen hat, wäre für die historische Weltansicht nicht eine Katastrophe innerhalb der Weltgeschichte, sondern das Ende dieser Geschichte selbst – wenigstens sofern sie sich als weltgeschichtliche Einheit zu verstehen sucht. Es ist wichtig, sich diese inhaltliche Voraussetzung der universalgeschichtlichen Fragestellung der historischen Schule klarzumachen, gerade weil sie selber eine solche prinzipiell ableugnet.

Im Gedanken der Universalgeschichte findet auf diese Weise die hermeneutische Selbstauffassung der historischen Schule, wie wir sie bei Ranke und bei Droysen nachweisen konnten, selber ihre letzte Begründung. Dagegen vermochte die historische Schule Hegels Begründung der Einheit der Weltgeschichte durch den Begriff des Geistes nicht zu akzeptieren. Daß sich im vollendeten Selbstbewußtsein der geschichtlichen Gegenwart der Weg des Geistes zu sich selber vollendet, welcher den Sinn der Geschichte ausmacht – das ist eine eschatologische Selbstdeutung, die im Grunde die

---

[1] Vgl. etwa Löwith, Weltgeschichte und Heilsgeschehen, Kap. I.

Geschichte im spekulativen Begriff aufhebt. Die historische Schule sah sich statt dessen in ein theologisches Verständnis ihrer selbst gedrängt. Wenn sie ihr eigenes Wesen, sich als fortschreitende Forschung zu denken, nicht aufheben wollte, mußte sie die eigene endliche und begrenzte Erkenntnis auf einen göttlichen Geist beziehen, dem die Dinge in ihrer Vollendung bekannt sind. Es ist das alte Ideal des unendlichen Verstandes, das hier selbst noch auf die Erkenntnis der Geschichte angewandt wird. So schreibt Ranke: »Die Gottheit – wenn ich diese Bemerkung wagen darf – denke ich mir so, daß sie, da ja keine Zeit vor ihr liegt, die ganze historische Menschheit in ihrer Gesamtheit überschaut und überall gleich wert findet.« [1]

Hier ist die Idee des unendlichen Verstandes (intellectus infinitus), für den alles zugleich ist (omnia simul), zum Urbild historischer Gerechtigkeit umgeformt. Ihm kommt der Historiker nahe, der alle Epochen und alle geschichtlichen Erscheinungen vor Gott gleichberechtigt weiß. So stellt das Bewußtsein des Historikers die Vollendung des menschlichen Selbstbewußtseins dar. Je mehr es ihm gelingt, den eigenen unzerstörbaren Wert einer jeden Erscheinung zu erkennen, und das heißt: historisch zu denken, desto gott-ähnlicher denkt er [2]. Ranke hat eben deshalb das Amt des Historikers mit dem priesterlichen verglichen. Unmittelbarkeit zu Gott ist für den Lutheraner Ranke der eigentliche Inhalt der christlichen Botschaft. Die Wiederherstellung dieser dem Sündenfall vorausliegenden Unmittelbarkeit geschieht nicht durch die Gnadenmittel der Kirche allein – an ihr hat auch der Historiker teil, sofern er die in die Geschichte gefallene Menschheit zum Gegenstand seiner Forschung macht und in ihrer nie ganz verlorenen Unmittelbarkeit zu Gott erkennt.

Universalgeschichte, Weltgeschichte – das sind in Wahrheit nicht Inbegriffe formaler Art, in denen das Ganze des Geschehens gemeint ist, sondern im geschichtlichen Denken ist das Universum als die göttliche Schöpfung zum Bewußtsein ihrer selbst erhoben. Freilich ist das nicht ein begreifendes Bewußtsein: das letzte Resultat der historischen Wissenschaft ist »Mitgefühl, Mitwissenschaft des Alls« [3]. Auf diesem pantheistischen Hintergrund versteht sich Rankes berühmte Wendung, wonach er sich selbst auslöschen möchte. Natürlich ist solche Selbstauslöschung in Wahrheit, wie Dilthey [4] dagegen eingewandt hat, die Ausweitung des Selbst zu einem inneren Universum. Aber es ist doch nicht zufällig, daß Ranke eine solche Reflexion, die Dilthey auf seine psychologische Grundlegung der Geisteswissenschaften führt, nicht vollzieht. Für Ranke ist Selbstauslöschung noch eine Form wirklicher Teilhabe. Man darf den Begriff der Teilhabe nicht psychologisch-subjektiv verstehen, sondern muß ihn von dem Begriff des

---

[1] Ranke, Weltgeschichte IX, 2, S. 5, S. 7.
[2] »Denn das ist gleichsam ein Teil des göttlichen Wissens« (Ranke, ed. Rothacker S. 43, ähnlich S. 52.)
[3] Ranke (ed. Rothacker) S. 52.   [4] Ges. Schriften V, 281.

Lebens her denken, der zugrunde liegt. Weil alle geschichtlichen Erscheinungen Manifestationen des All-Lebens sind, ist die Teilhabe an ihnen Teilhabe am Leben.

Von da gewinnt der Ausdruck des Verstehens seinen fast religiösen Klang. Das Verstehen ist unmittelbare Teilhabe am Leben, ohne die gedankliche Vermittlung durch den Begriff. Darauf gerade kommt es dem Historiker an, nicht Wirklichkeit auf Begriffe zu beziehen, sondern überall an den Punkt zu gelangen, wo »Leben denkt und Gedanke lebt«. Die Erscheinungen des geschichtlichen Lebens werden im Verstehen als die Manifestationen des All-Lebens, der Gottheit erfaßt. Solche verstehende Durchdringung derselben bedeutet in der Tat mehr als eine menschliche Erkenntnisleistung und mehr als die bloße Ausbildung eines inneren Universums, wie Dilthey das Ideal des Historikers gegen Ranke umformulierte. Es ist eine metaphysische Aussage, die Ranke in die größte Nähe zu Fichte und Hegel rückt, wenn er sagt: »Die klare, volle, gelebte Einsicht, das ist das Mark des Seyns durchsichtig geworden und sich selbst durchschauend.«[1] In einer solchen Wendung ist ganz unüberhörbar, wie nahe Ranke im Grunde dem deutschen Idealismus bleibt. Die volle Selbstdurchsichtigkeit des Seins, die Hegel im absoluten Wissen der Philosophie dachte, legitimiert auch noch Rankes Selbstbewußtsein als Historiker, so sehr er auch den Anspruch der spekulativen Philosophie zurückweist. Eben deshalb liegt ihm das Vorbild des Dichters so nahe, und er verspürt kein Bedürfnis, sich als Historiker gegen den Dichter abzugrenzen. Denn was der Historiker mit dem Dichter gemeinsam hat, ist eben dies, daß er wie der Dichter das Element, in dem alle leben, »als etwas, das außer ihm liegt« zur Darstellung bringt[2]. Die reine Hingegebenheit an die Anschauung der Dinge, die epische Haltung dessen, der die Mär der Weltgeschichte sucht[3], darf in der Tat dichterisch heißen, sofern für den Historiker Gott nicht in der Gestalt des Begriffs, sondern in der Gestalt der ,äußeren Vorstellung', in allem gegenwärtig ist. Man kann Rankes Selbstverständnis in der Tat nicht besser als durch diese Begriffe Hegels umschreiben. Der Historiker, wie ihn Ranke versteht, gehört der Gestalt des absoluten Geistes zu, die Hegel als die der Kunstreligion beschrieben hat.

γ) *Verhältnis von Historik und Hermeneutik bei J. G. Droysen*

Für einen schärfer denkenden Historiker mußte die Problematik solcher Selbstauffassung sichtbar werden. Die philosophische Bedeutung von *Droysens Historik* liegt eben darin, daß er den Begriff des Verstehens aus der Unbestimmtheit ästhetisch-pantheistischer Kommunion, die er bei Ranke hat, zu lösen sucht und seine begrifflichen Voraussetzungen formuliert.

---

[1] Lutherfragment 13.   [2] Lutherfragment 1.
[3] An Heinrich Ranke, Nov. 1828 (Zur eigenen Lebensgeschichte 162).

Die erste dieser Voraussetzungen ist der Begriff des Ausdrucks. Verstehen ist Verstehen von Ausdruck. Im Ausdruck ist ein Inneres unmittelbar gegenwärtig. Das Innere aber, ‚das innerliche Wesen‘, ist die erste und eigentliche Realität. Droysen steht hier ganz auf cartesianischem Boden und in der Nachfolge Kants und Wilhelm von Humboldts. Das einzelne Ich ist wie ein einsamer Punkt in der Welt der Erscheinungen. Aber in seinen Äußerungen, vor allem in der Sprache, grundsätzlich in allen Formen, in denen es sich Ausdruck zu geben vermag, ist es kein einsamer Punkt mehr. Es gehört der Welt des Verständlichen an. Historisches Verstehen ist mithin nicht von grundsätzlich anderer Art als sprachliches Verstehen. Wie die Sprache hat auch die Welt der Geschichte nicht den Charakter eines reingeistigen Seins: »die ethische, die geschichtliche Welt verstehen wollen, heißt vor allem erkennen, daß sie weder nur doketisch noch nur Stoffwechsel ist.«[1] Das ist gegen den platten Empirismus Buckles gesagt, aber es gilt auch umgekehrt gegenüber dem geschichtsphilosophischen Spiritualismus etwa Hegels. Droysen sieht die Doppelnatur der Geschichte begründet in dem »eigentümlichen Charisma der so glücklich unvollkommenen Menschennatur, daß sie geistig und leiblich zugleich sich ethisch verhalten muß«[2].

Mit diesen, Wilhelm von Humboldt entlehnten Begriffen sucht Droysen gewiß nichts anderes zu sagen, als was Ranke mit der Betonung der Kraft im Auge hatte. Auch er sieht die Wirklichkeit der Geschichte nicht als reinen Geist. Sich ethisch verhalten schließt vielmehr ein, daß die Welt der Geschichte keine reine Ausprägung des Wollens in einem widerstandslos bildsamen Stoff kennt. Ihre Wirklichkeit besteht in einer immer neu vom Geist zu leistenden Erfassung und Gestaltung der ‚rastlos wechselnden Endlichkeiten‘, denen jeder Handelnde angehört. Droysen gelingt es nun in ganz anderem Grade, aus dieser Doppelnatur der Geschichte Folgerungen für das historische Verhalten zu ziehen.

Die Anlehnung an das Verhalten des Dichters, die Ranke genügte, kann ihm nicht mehr ausreichen. Die Selbstentäußerung im Schauen oder Erzählen führt nicht an die geschichtliche Wirklichkeit heran. Denn die Dichter »dichten zu dem Ereignis eine psychologische Interpretation desselben. In den Wirklichkeiten aber wirken noch andere Momente als die Persönlichkeiten« (Historik § 41). Die Dichter behandeln die geschichtliche Wirklichkeit so, als wäre sie von handelnden Personen so gewollt und geplant. Das ist aber gar nicht die Wirklichkeit der Geschichte, derart ‚gemeint‘ zu sein. Daher ist das wirkliche Wollen und Planen der handelnden Menschen gar nicht der eigentliche Gegenstand des historischen Verstehens. Die psychologische Interpretation der einzelnen Individuen kann die Sinndeutung der geschichtlichen Ereignisse selbst nicht erreichen.

---

[1] Droysen (ed. Rothacker) S. 65.   [2] Ebda, S. 65.

»Weder geht der Wollende ganz in diesem einen Sachverhalt auf, noch ist das, was wurde, nur durch dessen Willensstärke, dessen Intelligenz geworden; es ist weder der reine noch der ganze Ausdruck dieser Persönlichkeit.« (§ 41). Psychologische Interpretation ist daher nur ein untergeordnetes Moment im historischen Verstehen, und das nicht nur deshalb, weil sie ihr Ziel nicht wirklich erreicht. Es ist nicht nur so, daß hier eine Schranke erfahren wird. Die Innerlichkeit der Person, das Heiligtum des Gewissens ist für den Historiker nicht nur unerreichbar. Das, wohin nur Sympathie und Liebe dringen, ist vielmehr gar nicht das Ziel und der Gegenstand seiner Forschung. Er hat nicht in die Geheimnisse der individuellen Personen einzudringen. Was er erforscht, sind nicht die einzelnen als solche, sondern was sie als Momente in der Bewegung der sittlichen Mächte bedeuten.

Der Begriff der sittlichen Mächte hat bei Droysen eine zentrale Stellung (§ 55 ff.). Er begründet sowohl die Seinsweise der Geschichte wie die Möglichkeit ihrer historischen Erkenntnis. Rankes unbestimmte Reflexionen über Freiheit, Kraft und Notwendigkeit erhalten jetzt eine sachliche Ausweisung. Ebenso findet Rankes Gebrauch des Begriffs der historischen Tatsache bei Droysen eine Berichtigung. Das einzelne Individuum in der Zufälligkeit seiner partikularen Regungen und Zwecke ist kein Moment der Geschichte, sondern nur sofern es sich zu den sittlichen Gemeinsamkeiten erhebt und an ihnen teilhat. In der Bewegung dieser sittlichen Mächte, die durch die gemeinsame Arbeit der Menschen bewirkt wird, besteht der Gang der Dinge. Es ist völlig wahr, daß das, was möglich ist, dadurch eingeschränkt wird. Aber es hieße, sich aus der eigenen geschichtlichen Endlichkeit herausreflektieren, wenn man deshalb von einem Antagonismus der Freiheit und der Notwendigkeit redete. Der handelnde Mensch steht ständig unter dem Postulate der Freiheit. Der Gang der Dinge ist nicht eine von außen kommende Schranke seiner Freiheit, denn er beruht nicht auf starrer Notwendigkeit, sondern auf der Bewegung der sittlichen Mächte, zu denen man sich immer schon verhält. Er stellt die Aufgabe, an der sich die sittliche Energie des Handelnden bewährt[1]. Droysen bestimmt daher das Verhältnis von Notwendigkeit und Freiheit, das in der Geschichte waltet, weit angemessener, indem er es ganz vom geschichtlich handelnden Menschen aus bestimmt. Er ordnet der Notwendigkeit das unbedingte Sollen, der Freiheit das unbedingte Wollen zu: beides Äußerungen der sittlichen Kraft, mit der der einzelne der sittlichen Sphäre zugehört (§ 76).

Auch nach Droysen ist es, wie man sieht, der Begriff der Kraft, an dem die Grenze aller spekulativen Geschichtsmetaphysik sichtbar wird. Er kritisiert in diesem Sinne Hegels Begriff der Entwicklung – ganz wie Ranke –, sofern nicht eine keimhafte Anlage sich im Geschichtsgang nur auswickle.

---

[1] Vgl. Droysens Auseinandersetzung mit Buckle (Rothackers Neudruck S. 61).

Aber er bestimmt schärfer, was Kraft hier heißt: »Mit der Arbeit wachsen die Kräfte«. Die sittliche Kraft des einzelnen wird dadurch zur geschichtlichen Macht, daß sie in der Arbeit an den großen gemeinsamen Zwecken tätig ist. Sie wird zur geschichtlichen Macht, sofern die sittliche Sphäre das Bleibende und Mächtige im Gang der Dinge ist. Kraft ist also nicht mehr wie bei Ranke eine ursprüngliche und unmittelbare Manifestation des All-Lebens, sondern ist nur in solcher Vermittlung und gelangt nur durch solche Vermittlungen zu geschichtlicher Wirklichkeit.

Die vermittelnde sittliche Welt bewegt sich derart, daß jeder an ihr teilhat, aber doch in verschiedener Weise. Die einen, indem sie die bestehenden Zustände durch Fortübung des Gewohnten tragen, die anderen, indem sie neue Gedanken ahnen und aussprechen. In solcher ständigen Überwindung dessen, was ist, durch die Kritik von dem her, wie es sein sollte, besteht die Kontinuität des geschichtlichen Prozesses (§ 77 f.). Droysen würde also nicht von bloßen ‚Szenen der Freiheit‘ reden. Denn Freiheit ist der Grundpuls des geschichtlichen Lebens, und nicht nur im Ausnahmefall wirklich. Die großen Persönlichkeiten der Geschichte sind nur ein Moment in der Fortbewegung der sittlichen Welt, die als ganze und in jedem einzelnen eine Welt der Freiheit ist.

Gegen den historischen Apriorismus stimmt er mit Ranke überein, daß wir nicht das Ziel, sondern nur die Richtung der Bewegung erkennen können. Der Zweck der Zwecke, auf den die rastlose Arbeit der geschichtlichen Menschheit bezogen ist, ist nicht durch historische Erkenntnis auszumachen. Er ist nur Gegenstand unseres Ahnens und Glaubens. (§§ 80–86).

Diesem Bild der Geschichte entspricht nun die Stellung des historischen Erkennens. Auch dieses kann nicht so begriffen werden, wie Ranke sich begriffen hatte – als eine ästhetische Selbstvergessenheit und Selbstauslöschung in der Art des großen epischen Dichtertums. Der pantheistische Zug in Ranke erlaubte hier den Anspruch einer universalen und zugleich unmittelbaren Teilhabe, einer Mitwissenschaft des Alls. Droysen dagegen denkt die Vermittlungen, in denen sich das Verstehen bewegt. Die sittlichen Mächte sind nicht nur die eigentliche Wirklichkeit der Geschichte, zu der sich der einzelne im Handeln erhebt, sie sind zugleich das, wozu sich auch der historisch Fragende und Forschende über seine eigene Partikularität erhebt. Der Historiker ist durch seine Zugehörigkeit zu bestimmten sittlichen Sphären, seinem Vaterland, seiner politischen und religiösen Überzeugung, bestimmt und beschränkt. Aber gerade auf dieser unaufhebbaren Einseitigkeit beruht seine Teilhabe. Unter den konkreten Bedingungen seiner eigenen geschichtlichen Existenz – und nicht im Schweben über den Dingen – stellt sich als seine Aufgabe die Gerechtigkeit. »Seine Gerechtigkeit ist, daß er zu verstehen sucht« (§ 91).

Droysens Formel für das historische Erkennen lautet daher ‚forschend verstehen‘. (§ 8). Darin liegt sowohl eine unendliche Vermittlung wie eine letzte Unmittelbarkeit. Der Begriff des Forschens, den Droysen hier in so bedeutsamer Prägung mit dem des Verstehens verknüpft, soll die Unendlichkeit der Aufgabe markieren, durch die der Historiker von den Vollendungen künstlerischer Schöpfung ebenso grundsätzlich geschieden ist wie von dem vollendeten Einklang, den Sympathie und Liebe zwischen Ich und Du bewirken. Nur in ‚rastloser‘ Durchforschung der Überlieferung, in der Aufschließung immer neuer Quellen und in immer neuer Ausdeutung derselben nähert sich die Forschung schrittweise der ‚Idee‘. Das klingt wie eine Anlehnung an das Verfahren der Naturwissenschaften und wie eine Vorwegnahme der neukantianischen Interpretation des ‚Dings an sich‘ als der ‚unendlichen Aufgabe‘. Aber bei näherem Zusehen zeigt sich, daß noch etwas anderes darin liegt. Droysens Formel grenzt nämlich nicht nur das Tun des Historikers gegen die vollendete Idealität der Kunst und gegen die innige Kommunion der Seelen ab, sondern, wie es scheint, auch gegen das Verfahren der Naturwissenschaften.

Am Ende des Kollegs von 1882[1] findet sich die Wendung, »daß wir nicht wie die Naturwissenschaften das Mittel des Experimentes haben, daß wir nur forschen und nichts als forschen können«. Es muß also noch ein anderes Moment für Droysen im Begriff des Forschens wichtig sein, und nicht nur die Unendlichkeit der Aufgabe, die als das Merkmal eines unendlichen Fortschritts die Geschichtsforschung mit der Naturforschung gemeinsam hätte und das gegenüber der ‚Wissenschaft‘ des achtzehnten Jahrhunderts und der ‚Doctrina‘ früherer Jahrhunderte dem Begriff der ‚Forschung‘ im neunzehnten Jahrhundert zu seinem Aufstieg verholfen hat. Dieser Begriff von ‚Forschung‘ umfaßt, wohl im Ausgang von dem Begriff des Forschungsreisenden, der in unbekannte Gebiete vorstößt, in gleicher Weise Erkenntnis der Natur wie der geschichtlichen Welt. Je mehr der theologische und philosophische Hintergrund der Welterkenntnis verblaßt, desto mehr wird Wissenschaft als Vorstoß ins Unbekannte gedacht und deshalb Forschung genannt.

Diese Überlegung genügt aber nicht, um zu erklären, wie Droysen die historische Methode in der zitierten Art gegen die Methode des Experiments in den Naturwissenschaften abheben kann, indem er von der Historie sagt, sie sei »forschen, nichts als forschen«. Es muß eine andere Unendlichkeit sein als die der unbekannten Welt, die in Droysens Augen die historische Erkenntnis als Forschung auszeichnet. Sein Gedanke scheint folgender: der Forschung eignet eine andersartige, gleichsam qualitative Unendlichkeit, wenn das Erforschte nie selber ansichtig werden kann. Das gilt tatsächlich von der geschichtlichen Vergangenheit – im Gegensatz zu der Selbstgegebenheit, die das Experiment in der Naturforschung darstellt. Die histo-

---

[1] Johann Gustav Droysen, Historik, hrsg. von R. Hübner (1935), S. 316, nach einer Nachschrift von Friedrich Meineke.

rische Forschung befragt, um zu erkennen, immer nur andere: die Überlieferung, immer neue und immer aufs neue. Ihre Antwort hat niemals wie das Experiment die Eindeutigkeit des Selbstgesehenen.

Fragt man sich nun, welchen Ursprungs dies Bedeutungsmoment im Begriff der Forschung ist, dem Droysen in der überraschenden Entgegenstellung von Experiment und Forschung folgt, so wird man, wie mir scheint, auf den Begriff der Gewissensforschung geführt. Die Welt der Geschichte beruht auf der Freiheit, und diese bleibt ein letztlich unerforschliches Geheimnis der Person. Nur die Selbsterforschung des Gewissens kann ihm nahen, und nur Gott kann hier wissen. Aus diesem Grunde wird die historische Forschung nicht Erkenntnis von Gesetzen wollen und kann jedenfalls nicht den Entscheid des Experimentes anrufen. Denn der Historiker ist durch die unendliche Vermittlung der Überlieferung von seinem Gegenstand getrennt.

Diese Ferne ist aber auf der anderen Seite gerade Nähe. Der Historiker ist mit seinem ‚Gegenstand‘ verbunden, zwar nicht, wie durch die eindeutige Feststellung eines Experimentes, seiner ansichtig, aber dafür ist er auf seine Weise, durch die Verständlichkeit und Vertrautheit der sittlichen Welt, mit seinem Gegenstand ganz anders zusammengeschlossen als der Naturforscher mit dem seinen. Das ‚Hörensagen‘ ist hier nicht eine schlechte Beglaubigung, sondern die einzig mögliche.

»Jedes Ich geschlossen in sich, jeder jeden Anderen in seinen Äußerungen sich erschließend« (§ 91). Das, was erkannt wird, ist entsprechend in beiden Fällen ein grundsätzlich anderes: Was für die Naturerkenntnis die Gesetze, das sind für den Historiker die sittlichen Mächte (16). In ihnen findet er seine Wahrheit.

In der rastlosen Durchforschung der Überlieferung gelingt am Ende immer wieder das Verstehen. Der Begriff des Verstehens behält nun trotz aller Vermittlung für Droysen das Kennzeichen einer letzten Unmittelbarkeit. »Die Möglichkeit des Verstehens besteht in der uns kongenialen Art der Äußerungen, die als historisches Material vorliegen.« »Den Menschen, menschlichen Äußerungen und Gestaltungen gegenüber sind wir und fühlen uns in wesentlicher Gleichartigkeit und Gegenseitigkeit« (§ 9). Wie das Verstehen das einzelne Ich mit den sittlichen Gemeinsamkeiten verbindet, denen es angehört, so sind auch diese Gemeinsamkeiten selber, Familie, Volk, Staat, Religion, als Ausdruck verständlich.

So hebt sich mittels des Begriffs des *Ausdrucks* die geschichtliche Realität in die Sphäre des Sinnhaften, *und damit wird auch in Droysens methodologischer Selbstbesinnung die Hermeneutik über die Historik Herr:* »Das Einzelne wird verstanden in dem Ganzen, und das Ganze aus dem Einzelnen« (§ 10). Das ist die alte rhetorisch-hermeneutische Grundregel, die nun ins Innere gewendet wird: »Der Verstehende, weil er ein Ich, eine Totalität in sich ist, wie der, den er zu verstehen hat, ergänzt sich dessen

Totalität aus der einzelnen Äußerung und die einzelne Äußerung aus dessen Totalität.« Das ist die Formel Schleiermachers. In ihrer Anwendung liegt, daß Droysen ihre Voraussetzung teilt, das heißt, die Geschichte, die er als Taten der Freiheit sieht, ist ihm gleichwohl zutiefst verständlich und sinnhaft wie ein Text. Die Vollendung des Verständnisses der Geschichte ist, wie das Verstehen eines Textes, ‚geistige Gegenwart'. So sehen wir Droysen wohl schärfer als Ranke bestimmen, was Forschen und Verstehen an Vermittlungen in sich schließt, aber auch er vermag am Ende die Aufgabe der Historie nur in ästhetisch-hermeneutischen Kategorien zu denken. Was die Historik anstrebt, ist auch nach Droysen, aus den Bruchstücken der Überlieferung den großen Text der Geschichte zu rekonstruieren.

2. *Diltheys Verstrickung in die Aporien des Historismus*

a) *Vom erkenntnistheoretischen Problem der Geschichte zur hermeneutischen Grundlegung der Geisteswissenschaften*

Die Spannung zwischen dem ästhetisch-hermeneutischen und dem geschichtsphilosophischen Motiv in der historischen Schule erreicht ihren Höhepunkt bei *Wilhelm Dilthey*. Dilthey hat dadurch seinen Rang, daß er das erkenntnistheoretische Problem, das die historische Weltansicht gegenüber dem Idealismus impliziert, wirklich erkennt. Als Biograph Schleiermachers, als Historiker, der an der romantischen Verstehenstheorie die historische Frage nach Entstehung und Wesen der Hermeneutik stellt und die Geschichte der abendländischen Metaphysik schreibt, bewegt er sich zwar in dem Problemhorizont des deutschen Idealismus – als Schüler Rankes und der neuen Erfahrungsphilosophie des Jahrhunderts steht er aber zugleich auf einem so anderen Boden, daß ihm weder Schleiermachers ästhetisch-pantheistische Identitätsphilosophie noch Hegels geschichtsphilosophisch integrierte Metaphysik gültig bleiben können. Gewiß fanden wir auch bei Ranke und Droysen eine ähnliche Zwiespältigkeit ihrer Haltung zwischen Idealismus und Erfahrungsdenken, aber bei Dilthey gewinnt dieser Zwiespalt eine besondere Schärfe. Denn bei ihm ist es nicht mehr ein bloßes Fortwirken des klassisch-romantischen Geistes innerhalb einer empirischen Forschungsgesinnung, sondern diese fortwirkende Tradition wird von bewußter Wiederaufnahme erst Schleiermacherscher, später Hegelscher Gedanken überlagert.

Selbst wenn man den anfangs sehr großen Einfluß des englischen Empirismus und der Erkenntnistheorie der Naturwissenschaften auf Dilthey als eine Entstellung seiner wahren Intentionen ausklammert, ist es daher nicht so leicht, diese Intentionen einheitlich zu begreifen. Wir verdanken

Georg Misch einen wesentlichen Schritt in dieser Richtung[1]. Aber da es Mischs Absicht war, Diltheys Position mit der philosophischen Tendenz der Phänomenologie Husserls und der Fundamentalontologie Heideggers zu konfrontieren, wurde der innere Zwiespalt der ‚lebensphilosophischen‘ Tendenz Diltheys von diesen zeitgenössischen Gegenpositionen aus beschrieben. Das gleiche gilt von der verdienstlichen Diltheydarstellung O. F. Bollnows[2].

Die Wurzel der Zwiespältigkeit, die wir bei Dilthey nachweisen werden, liegt in der bereits gekennzeichneten Zwischenstellung der historischen Schule zwischen Philosophie und Erfahrung. Sie wird durch Diltheys Versuch einer erkenntnistheoretischen Grundlegung nicht etwa aufgelöst, sondern findet dadurch eine eigene Zuspitzung. Diltheys Bemühung um eine philosophische Grundlegung der Geisteswissenschaften sucht die erkenntnistheoretischen Konsequenzen aus dem zu ziehen, was Ranke und Droysen gegenüber dem deutschen Idealismus geltend machten. Das war Dilthey selber voll bewußt. Er sah die Schwäche der historischen Schule in der mangelnden Konsequenz ihrer Reflexionen: »Anstatt in die erkenntnistheoretischen Voraussetzungen der historischen Schule und die des Idealismus von Kant bis Hegel zurückzugehen und so die Unvereinbarkeit dieser Voraussetzungen zu erkennen, haben sie diese Standpunkte unkritisch verbunden.«[3] So konnte er sich das Ziel setzen, zwischen historischer Erfahrung und idealistischem Erbe der historischen Schule eine neue erkenntnistheoretisch tragfähige Grundlage aufzubauen. Das ist der Sinn seiner Absicht, Kants Kritik der reinen Vernunft durch eine Kritik der historischen Vernunft zu ergänzen.

Schon diese Aufgabenstellung zeigt die Abkehr vom spekulativen Idealismus. Sie stellt eine Analogie auf, die ganz wörtlich zu verstehen ist. Dilthey will sagen: Die historische Vernunft bedarf genau so einer Rechtfertigung wie die reine Vernunft. Das epochemachende Ergebnis der Kritik der reinen Vernunft war nicht nur, daß die Metaphysik als reine Vernunftwissenschaft von Welt, Seele und Gott zerstört wurde, sondern daß zugleich ein Bereich aufgewiesen wurde, innerhalb dessen der Gebrauch apriorischer Begriffe gerechtfertigt ist und Erkenntnis ermöglicht. Die Kritik der reinen Vernunft zerstörte nicht nur die Träume eines Geistersehers, sie beantwortete zugleich die Frage, wie reine Naturwissenschaft möglich ist. Nun hatte inzwischen der spekulative Idealismus die Welt der Geschichte in die Selbstexplikation der Vernunft mithineingenommen und überdies, insbesondere durch Hegel, gerade auf historischem Gebiet geniale Leistungen vollbracht. Damit war der Anspruch der reinen Vernunftwissenschaft prinzipiell auf

---

[1] Sowohl durch seine umfangreiche Einleitung zu Band V der gesammelten Schriften Diltheys als auch durch seine Diltheydarstellung in dem Buch ‚Lebensphilosophie und Phänomenologie‘ (¹1930).

[2] O. F. Bollnow, Dilthey 1936.   [3] Ges. Schriften VII, 281.

die geschichtliche Erkenntnis ausgedehnt worden. Sie war ein Teil der Enzyklopädie des Geistes.

Aber in den Augen der historischen Schule war die spekulative Geschichtsphilosophie ein ebenso krasser Dogmatismus, wie es die rationale Metaphysik gewesen war. So mußte sie von einer philosophischen Grundlegung der geschichtlichen Erkenntnis das gleiche fordern, was Kant für die Naturerkenntnis geleistet hatte.

Diese Forderung war nun durch einen bloßen Rückgang auf Kant nicht zu erfüllen, wie das gegenüber den Ausschweifungen der Naturphilosophie der gegebene Weg war. Kant hatte die Bemühungen um das Erkenntnisproblem zum Abschluß gebracht, das durch das Auftreten der neuen Wissenschaft des 17. Jahrhunderts gestellt worden war. Die mathematisch-naturwissenschaftliche Konstruktion, deren sich die neue Wissenschaft bediente, fand bei ihm die Rechtfertigung ihres Erkenntniswertes, deren sie deshalb bedurfte, weil ihre Begriffe keinen anderen Seinsanspruch mitbrachten als den von entia rationis. Die alte Abbildtheorie reichte zu ihrer Legitimierung offenkundig nicht mehr aus [1]. So war durch die Inkommensurabilität des Denkens und des Seins das Problem der Erkenntnis in einer neuen Weise gestellt worden. Dilthey hat das klar gesehen und in seinem Briefwechsel mit dem Grafen York ist bereits von dem nominalistischen Hintergrund die Rede, den die Fragestellung der Erkenntnistheorie im 17. Jahrhundert hatte und der durch die neuere Forschung seit Duhem glänzend verifiziert worden ist [2].

Eine neue Aktualität gewinnt das Problem der Erkenntnistheorie nun durch die historischen Wissenschaften. Das lehrt schon die Wortgeschichte, sofern das Wort Erkenntnistheorie erst in der Epoche nach Hegel entstanden ist. Es kam in Gebrauch, als die empirische Forschung das Hegelsche System diskreditiert hatte. Das 19. Jahrhundert wurde das Jahrhundert der Erkenntnistheorie, weil erst mit der Auflösung der Hegelschen Philosophie die selbstverständliche Entsprechung von Logos und Sein endgültig zerstört war. Indem Hegel die Vernunft in allem, sogar in der Geschichte lehrte, war er der letzte und universalste Vertreter der antiken Logosphilosophie gewesen. Jetzt sah man sich angesichts der Kritik an der apriorischen Geschichtsphilosophie erneut in den Bannkreis der kantischen Kritik geschlagen, deren Problem sich nun auch für die geschichtliche Welt stellte, nachdem der Anspruch einer reinen Vernunftkonstruktion der Weltge-

---

[1] Die antike Vorform des Erkenntnisproblems, die wir etwa bei Demokrit finden und die von der neukantianischen Geschichtsschreibung auch in Plato hineingelesen wurde, stand auf einem anderen Boden. Die Diskussion des Erkenntnisproblems, die sich von Demokrit aus hätte führen lassen, endete in Wahrheit in der antiken Skepsis (vgl. Paul Natorp, Studien zum Erkenntnisproblem im Altertum [1892] und meine Abhandlung Antike Atomtheorie, Zschr. f. d. ges. Naturw. 1935).

[2] P. Duhem, Études sur Léonard de Vinci, 3 Bde, Paris 1955; Le système du monde, Bd. X.

schichte zurückgewiesen und die geschichtliche Erkenntnis ebenfalls auf
Erfahrung beschränkt war. Wenn die Geschichte so wenig wie die Natur
als eine Erscheinungsweise des Geistes gedacht wird, dann ist es ebenso ein
Problem, auf welche Weise der menschliche Geist die Geschichte erkennen
soll, wie die Naturerkenntnis durch die Konstruktionen der mathematischen
Methode für ihn ein Problem geworden war. So mußte Dilthey neben
Kants Antwort auf die Frage, wie reine Naturwissenschaft möglich sei,
eine Antwort auf die Frage suchen, wie die geschichtliche Erfahrung zur
Wissenschaft zu werden vermag. In klarer Analogie zu der kantischen
Frage fragte er daher nach den Kategorien der geschichtlichen Welt, die
den Aufbau der geschichtlichen Welt in den Geisteswissenschaften zu tragen vermöchten.

Eines macht dabei seinen Rang aus und zeichnet ihn gegenüber dem
Neukantianismus aus, der seinerseits die Geisteswissenschaften in die Erneuerung der kritischen Philosophie einzubeziehen suchte: er vergißt nicht,
daß Erfahrung hier etwas grundsätzlich anderes ist als im Bereich der
Naturerkenntnis. Im Bereich der Naturerkenntnis kommt es lediglich auf
die verifizierbaren Feststellungen an, die durch die Erfahrung zustande
kommen, d.h. aber auf das, was sich von der Erfahrung des einzelnen
ablöst und einen zuverlässig bleibenden Bestand von Erfahrungserkenntnis
bildet. Die kategoriale Analyse dieses ‚Gegenstandes der Erkenntnis‘ war
in den Augen des Neukantianismus die positive Leistung der Transzendentalphilosophie gewesen[1].

Die bloße Abwandlung dieser Konstruktion und ihre Übertragung
auf das Gebiet der geschichtlichen Erkenntnis, wie sie der Neukantianismus etwa in Gestalt der Wertphilosophie vornahm, konnte nun
Dilthey nicht befriedigen. Er empfand den neukantianischen Kritizismus
selber als dogmatisch, und er hatte damit ebenso recht, wie wenn er den
englischen Empirismus dogmatisch nannte. Denn was den Aufbau der
geschichtlichen Welt trägt, sind nicht aus der Erfahrung genommene Tatsachen, die dann unter einen Wertbezug treten, vielmehr ist ihre Basis die
innere Geschichtlichkeit, die der Erfahrung selbst eignet. Sie ist ein lebens-
geschichtlicher Vorgang und hat ihren Modellfall nicht im Feststellen von
Tatsachen, sondern in jener eigentümlichen Verschmelzung von Erinnerung und Erwartung zu einem Ganzen, die wir Erfahrung nennen und
die man erwirbt, indem man Erfahrungen macht. So ist es insbesondere
das Leiden und die Belehrung, die durch die schmerzhafte Erfahrung der
Wirklichkeit dem zur Einsicht Reifenden bereitet wird, was die Erkenntnisweise der geschichtlichen Wissenschaften präformiert. Sie denken
nur weiter, was in der Lebenserfahrung schon gedacht wird[2].

---

[1] Vgl. H. Rickerts gleichnamiges Buch: Der Gegenstand der Erkenntnis.
[2] Vgl. unten die Analyse der Geschichtlichkeit der Erfahrung, S. 329ff.

Insofern hat die erkenntnistheoretische Fragestellung hier einen anderen Ansatz. In gewisser Weise ist ihre Aufgabe leichter. Sie braucht nicht erst nach dem Grund der Möglichkeit zu fragen, daß unsere Begriffe mit der ‚Außenwelt' in Übereinstimmung sind. Denn die geschichtliche Welt, um deren Erkenntnis es hier geht, ist immer schon eine vom Menschengeist gebildete und geformte. Aus diesem Grunde meint Dilthey, allgemein-gültige synthetische Urteile der Geschichte seien hier gar kein Problem[1], und beruft sich dafür auf Vico. Wir erinnern uns, daß Vico im Gegen-schlag zu dem cartesianischen Zweifel und der durch ihn begründeten Gewißheit mathematischer Erkenntnis der Natur den erkenntnistheore-tischen Primat der von den Menschen gemachten Welt der Geschichte be-hauptet hatte. Dilthey wiederholt das gleiche Argument. Er schreibt: »Die erste Bedingung für die Möglichkeit der Geschichtswissenschaft liegt darin, daß ich selbst ein geschichtliches Wesen bin, daß der, welcher die Geschichte erforscht, derselbe ist, der die Geschichte macht.«[2] Es ist die Gleichartigkeit von Subjekt und Objekt, die die historische Erkenntnis ermöglicht.

Indessen stellt diese Feststellung noch keineswegs eine Auflösung des erkenntnistheoretischen Problems, wie es sich Dilthey stellte, dar. Vielmehr bleibt in dieser Bedingung der Gleichartigkeit das eigentliche erkenntnis-theoretische Problem der Geschichte noch verhüllt. Die Frage ist nämlich, wie sich die Erfahrung des einzelnen und ihre Erkenntnis zur geschicht-lichen Erfahrung erhebt. In der Geschichte handelt es sich nicht mehr um Zusammenhänge, die vom einzelnen als solche erlebt oder als solche von anderen nacherlebt werden. Nur für das Erleben und Nacherleben des einzelnen gilt zunächst Diltheys Argumentation. An ihm setzt die erkennt-nistheoretische Besinnung daher ein. Dilthey entwickelt, wie der einzelne einen Lebenszusammenhang erwirbt und sucht von da aus die konstitu-tiven Begriffe zu gewinnen, die auch für den geschichtlichen Zusammen-hang und seine Erkenntnis tragfähig sind.

Diese Begriffe sind im Unterschiede zu den Kategorien der Naturer-kenntnis Lebensbegriffe. Denn die letzte Voraussetzung zur Erkenntnis der geschichtlichen Welt, in der die Identität von Bewußtsein und Gegenstand, dieses spekulative Postulat des Idealismus, noch immer aufweisbare Wirk-lichkeit ist, ist nach Dilthey das Erlebnis. Hier ist unmittelbare Gewißheit. Denn was Erlebnis ist, ist nicht mehr unterschieden in einen Akt, etwa das Innewerden, und einen Inhalt, das, dessen man inne wird[3]. Es ist vielmehr ein nicht weiter auflösbares Innesein. Selbst die Wendung, daß im Erlebnis etwas besessen wird, unterscheidet noch zu sehr. Dilthey verfolgt nun, wie aus diesem Element der geistigen Welt, das unmittelbar gewiß ist, Zu-sammenhang sich bildet und eine Erkenntnis solchen Zusammenhanges möglich wird.

[1] Ges. Schriften VII, 278.   [2] a.a.O.
[3] Ges. Schriften VII, 27 f.; 230.

Schon in seinen Ideen ‚zur beschreibenden und zergliedernden Psychologie' hatte Dilthey die Aufgabe, »den erworbenen Zusammenhang des
Seelenlebens« abzuleiten, von den Erklärungsformen der Naturerkenntnis
unterschieden[1]. Er hatte den Begriff der Struktur gebraucht, um dadurch
die Erlebtheit seelischer Zusammenhänge von den Ursachzusammenhängen
des Naturgeschehens abzuheben. Das logisch Auszeichnende von ‚Struktur'
lag darin, daß hier ein Beziehungsganzes gemeint ist, das nicht auf der
zeitlichen Abfolge des Erwirktseins beruht, sondern auf inneren Beziehungen.

Auf dieser Basis meinte Dilthey einen eigenen und tragfähigen Ansatz
gewonnen zu haben und damit die Unausgeglichenheiten zu überwinden,
die die methodologischen Reflexionen Rankes und Droysens trübten. So
weit aber gab er der historischen Schule recht: es gibt nicht ein allgemeines
Subjekt, sondern nur geschichtliche Individuen. Die Idealität der Bedeutung ist nicht einem transzendentalen Subjekt zuzuordnen, sondern erwächst aus der geschichtlichen Realität des Lebens. Es ist das Leben selbst,
das sich auf verständliche Einheiten hin ausfaltet und gestaltet, und es ist
das einzelne Individuum, von dem diese Einheiten als solche verstanden
werden. Das ist der selbstverständliche Ausgangspunkt für Diltheys Analyse. Der Zusammenhang des Lebens, wie er dem einzelnen aufgeht (und
in der biographischen Erkenntnis von anderen nacherlebt und verstanden
wird), wird durch die Bedeutsamkeit bestimmter Erlebnisse gestiftet. Von
ihnen aus, wie von einer organisierenden Mitte her, bildet sich die Einheit
eines Lebensverlaufs, genau wie sich die Sinngestalt einer Melodie ergibt –
nicht aus dem bloßen Nacheinander der ablaufenden Töne, sondern von
den musikalischen Motiven her, die ihre Gestalteinheit bestimmen.

Es ist deutlich, daß auch hier, wie bei Droysen, die Verfahrensweise der
romantischen Hermeneutik vorschwebt und nun eine universale Ausweitung erfährt. Wie der Zusammenhang eines Textes ist der Strukturzusammenhang des Lebens durch ein Verhältnis von Ganzem und Teilen
bestimmt. Jeder Teil desselben drückt etwas vom Ganzen des Lebens aus,
hat also eine Bedeutung für das Ganze, wie seine eigene Bedeutung von
diesem Ganzen her bestimmt ist. Es ist das alte hermeneutische Prinzip der
Textinterpretation, das deshalb auch für den Lebenszusammenhang gilt,
weil in ihm in gleicher Weise die Einheit einer Bedeutung vorausgesetzt
wird, die in allen seinen Teilen zum Ausdruck kommt.

Der entscheidende Schritt, den Diltheys erkenntnistheoretische Grundlegung der Geisteswissenschaften zu tun hat, ist nun der, daß von dem
Aufbau des Zusammenhangs in der Lebenserfahrung des einzelnen der
Übergang zu dem *geschichtlichen Zusammenhang* genommen wird, der
von keinem einzelnen mehr erlebt und erfahren wird. Hier wird es – trotz

---

[1] Ges. Schriften V, 177.

aller Kritik an der Spekulation – nötig, an die Stelle wirklicher Subjekte ‚logische Subjekte' zu setzen. Dilthey ist sich über diese Mißlichkeit klar. Aber er sagt sich, daß das an sich nicht unstatthaft sein kann, sofern die Zusammengehörigkeit der Individuen – etwa in der Einheit einer Generation oder einer Nation – eine seelische Wirklichkeit darstelle, die man als solche anerkennen müsse, gerade weil man nicht erklärend hinter sie zurückgehen könne. Gewiß handele es sich hier nicht um reale Subjekte. Das lehre ja schon das Fließende ihrer Grenzen; auch seien die Einzelindividuen nur je mit einem Teil ihres Wesens dabei. Dennoch aber ist es nach Dilthey keine Frage, daß sich über solche Subjekte Aussagen machen lassen. Der Historiker tut das ja ständig, wenn er von den Taten und Geschicken der Völker spricht[1]. Die Frage ist nur, wie solche Aussagen erkenntnistheoretisch zu rechtfertigen sind.

Es läßt sich nicht behaupten, daß Diltheys Gedanken über diesen Punkt, in dem er selbst das entscheidende Problem sieht, zur völligen Klarheit gelangt wären. Es ist das Problem des Übergangs von der *psychologischen* zur *hermeneutischen* Grundlegung der Geisteswissenschaften, das hier den entscheidenden Punkt darstellt. Darin ist Dilthey nie über Entwürfe hinausgekommen. So behält in dem ausgeführten Teil des ‚Aufbaus'[2] die Autobiographie und die Biographie – zwei Sonderfälle geschichtlicher Erfahrung und Erkenntnis – ein nicht ganz begründetes Übergewicht. Denn wir sahen ja: nicht, wie überhaupt Zusammenhang erlebbar und erkennbar wird, ist das Problem der Geschichte, sondern wie auch solche Zusammenhänge erkennbar sein sollen, die niemand als solche erlebt hat. Immerhin kann kein Zweifel sein, wie sich Dilthey die Aufklärung dieses Problems vom Phänomen des Verstehens aus dachte. Verstehen ist Verstehen von Ausdruck. Im Ausdruck ist das Ausgedrückte in anderer Weise da, als die Ursache in der Wirkung. Es ist im Ausdruck selbst gegenwärtig und wird verstanden, wenn der Ausdruck verstanden wird.

Diltheys Bestreben war von Anfang an, die Verhältnisse der geistigen Welt gegen die Ursachverhältnisse im Naturzusammenhang abzuheben, und daher stand der Begriff des Ausdrucks und des Verstehens von Ausdruck für ihn von vornherein im Zentrum. Es bezeichnet die neue methodische Klarheit, die er aus der Anlehnung an Husserl gewann, daß er den Begriff der Bedeutung, die sich aus dem Wirkungszusammenhang erhebt, am Ende mit Husserls ‚Logischen Untersuchungen' integrierte. Diltheys Begriff der Strukturiertheit des Seelenlebens entsprach insofern der Lehre von der Intentionalität des Bewußtseins, als auch diese nicht nur einen psycho-

---

[1] Dilthey, Ges. Schriften VII, 282 ff. Das gleiche Problem sucht Georg Simmel durch die Dialektik von Erlebnissubjektivität und Sachzusammenhang – also am Ende psychologiseh – zu lösen. Vgl. Brücke und Tor, S. 82 f.

[2] Der Aufbau der geschichtlichen Welt in den Geisteswissenschaften, Ges. Schriften VII.

logischen Tatbestand, sondern eine Wesensbestimmung des Bewußtseins phänomenologisch beschreibt. Jedes Bewußtsein ist Bewußtsein von etwas, jedes Verhalten ist Verhalten zu etwas. Das Wozu dieser Intentionalität, der intentionale Gegenstand, ist nach Husserl kein reeller psychischer Bestandteil, sondern eine ideale Einheit, ein Gemeintes als solches. So hatte Husserls erste logische Untersuchung den Begriff der ideal-einen Bedeutung gegen die Vorurteile des logischen Psychologismus verteidigt. Dieser Nachweis gewann für Dilthey entscheidende Bedeutung. Denn durch Husserls Analyse lernte er erst wahrhaft sagen, was ‚Struktur' von Kausalzusammenhang unterscheidet.

Am Beispiel wird es deutlich: eine psychische Struktur, etwa ein Individuum, bildet seine Individualität aus, indem es seine Anlage entfaltet und dabei zugleich die bedingende Wirkung der Umstände erfährt. Was dabei herauskommt, die eigentliche ‚Individualität', d. h. der Charakter des Individuums, ist nicht eine bloße Folge der verursachenden Faktoren und ist nicht nur aus dieser Verursachung zu verstehen, sondern es stellt eine in sich verständliche Einheit dar, eine Lebenseinheit, die in jeder ihrer Äußerungen zum Ausdruck kommt und daher aus einer jeden verstanden werden kann. Unabhängig von der Ordnung des Erwirkens schließt sich hier etwas zu einer eigenen Figur zusammen. Das war es, was Dilthey mit dem Strukturzusammenhang gemeint hatte und was er jetzt mit Husserl Bedeutung nennt.

Dilthey kann nun auch sagen, inwiefern der Strukturzusammenhang *gegeben* ist – sein Hauptstreitpunkt mit Ebbinghaus –: Er ist zwar nicht in der Unmittelbarkeit eines Erlebnisses gegeben, aber er ist auch nicht einfach als die Resultante wirkender Faktoren aufgrund des ‚Mechanismus' des Seelenlebens konstruiert. Vielmehr ermöglicht die Lehre von der Intentionalität des Bewußtseins eine neue Grundlegung des Begriffs der Gegebenheit. Seither kann es nicht mehr die Aufgabe sein, aus Erlebnisatomen Zusammenhänge abzuleiten und auf diese Weise zu erklären. Das Bewußtsein ist vielmehr immer schon bei solchen Zusammenhängen und hat sein eigenes Sein im Meinen derselben. So empfand Dilthey Husserls logische Untersuchungen als epochemachend[1], weil Begriffe wie Struktur und Bedeutung legitimiert wurden, obwohl sie nicht aus Elementen ableitbar waren. Sie waren nun als ursprünglicher erwiesen, als diese angeblichen Elemente, aus denen und auf denen sie sich aufbauen sollen.

Freilich war Husserls Nachweis der Idealität der Bedeutung das Ergebnis rein *logischer* Untersuchungen. Was Dilthey daraus macht, ist etwas ganz anderes. Für ihn ist Bedeutung nicht ein logischer Begriff, sondern wird als Ausdruck des *Lebens* verstanden. Das Leben selbst, diese fließende Zeitlichkeit, ist auf die Herausgestaltung von bleibenden Bedeutungsein-

---

[1] VII, 13 a.

heiten angelegt. Das Leben selbst legt sich aus. Es hat selbst hermeneutische Struktur. So bildet das Leben die wahre Grundlage der Geisteswissenschaften. Die Hermeneutik ist nicht ein romantisches Erbgut in Diltheys Denken, sondern ergibt sich folgerichtig aus der Grundlegung der
Philosophie im ‚Leben‘. Dilthey meint sich gerade dadurch dem ‚Intellektualismus‘ Hegels grundsätzlich überlegen. Ebensowenig konnte ihm der
von Leibniz herkommende, romantisch-pantheistische Individualitätsbegriff genügen. Die Grundlegung der Philosophie im Leben wehrt sich auch
gegen eine Metaphysik der Individualität und weiß sich von dem Leibnizschen Aspekt der fensterlosen Monaden, die ihr eigenes Gesetz entfalten,
weit entfernt. Individualität ist für sie nicht eine in der Erscheinung wur-
zelnde ursprüngliche Idee. Dilthey besteht vielmehr darauf, daß alle
‚seelische Lebendigkeit‘ ‚unter Umständen steht‘[1]. Es gibt gar keine ursprüngliche Kraft der Individualität. Sie ist erst, was sie ist, indem sie sich
durchsetzt. Begrenzung durch den Wirkungsverlauf gehört zum Wesen der
Individualität – wie zu allen geschichtlichen Begriffen. Auch Begriffe wie
Zweck und Bedeutung meinen für Dilthey nicht Ideen im Sinne des Platonismus oder der Scholastik. Auch sie sind geschichtliche Begriffe, sofern
sie auf die Begrenzung durch den Wirkungsverlauf bezogen sind: sie müssen Energiebegriffe sein. Dilthey beruft sich dafür auf Fichte[2], der ja
ebenso auf Ranke von bestimmendem Einfluß war. Insofern will seine
Hermeneutik des Lebens auf dem Boden der historischen Weltansicht bleiben[3]. Die Philosophie liefert ihm nur die begrifflichen Möglichkeiten,
deren Wahrheit auszusagen.

Indessen ist mit diesen erklärten Abgrenzungen noch nicht entschieden,
ob Diltheys Grundlegung der Hermeneutik im ‚Leben‘ sich auch den *im-
pliziten* Konsequenzen der idealistischen Metaphysik wirklich zu entziehen
vermocht hat[4]. Die Frage stellt sich für ihn folgendermaßen: Wie verbindet
sich die Kraft des Individuums mit dem, was über es hinaus und ihm vorausliegt: dem objektiven Geist? Wie ist das Verhältnis von Kraft und Bedeutung, von Gewalten und Ideen, von Faktizität und Idealität des Lebens
zu denken? An dieser Frage muß sich letztlich auch entscheiden, wie Erkenntnis der Geschichte möglich ist. Denn der Mensch in der Geschichte
ist gleichfalls durch das Verhältnis von Individualität und objektivem Geist
von Grund auf bestimmt.

Nun ist dieses Verhältnis offenbar kein eindeutiges. Es ist einmal die
Erfahrung von Schranke, Druck, Widerstand, durch die das Individuum
seiner eigenen Kraft inne wird. Aber es sind nicht nur die harten Wände

---

[1] Ges. Schriften V, 266.   [2] VII, 157; 280; 333.
[3] VII, 280.
[4] O. F. Bollnow, Dilthey, S. 168 f. hat richtig gesehen, daß der Begriff der Kraft
bei Dilthey zu sehr in den Hintergrund tritt. Darin spricht sich der Sieg der romantischen Hermeneutik über Diltheys Denken aus.

der Tatsächlichkeit, was es erfährt. Als geschichtliches Wesen erfährt es vielmehr geschichtliche Wirklichkeiten, und diese sind immer zugleich auch etwas, was das Individuum trägt, worin es sich selbst zum Ausdruck bringt und wiederfindet. Als solche sind sie nicht ‚harte Wände‘, sondern Objektivationen des Lebens. (Droysen hatte von ‚sittlichen Mächten‘ gesprochen.)

Das ist für die Eigenart der Geisteswissenschaften von entscheidender methodischer Bedeutung. Der Begriff des Gegebenen ist hier von grundsätzlich anderer Struktur. Es zeichnet die Gegebenheiten der Geisteswissenschaften gegenüber denen der Naturwissenschaften aus, »daß man alles Feste, alles Fremde, wie es den Bildern der physischen Welt eigen ist, wegdenken muß von dem Begriff des Gegebenen auf diesem Gebiet« [1]. Alles Gegebene ist hier hervorgebracht. Der alte Vorzug, den schon Vico den geschichtlichen Gegenständen zusprach, begründet nach Dilthey die Universalität, mit der das Verstehen sich der geschichtlichen Welt bemächtigt.

Die Frage ist jedoch, ob auf dieser Basis der Übergang vom psychologischen zum hermeneutischen Standpunkt wirklich gelingt oder ob sich Dilthey dabei in Problemzusammenhänge verstrickt, die ihn in eine ungewollte und uneingestandene Nähe zum spekulativen Idealismus bringen.

Denn nicht nur Fichte, sondern bis in die Worte hinein ist an der zitierten Stelle Hegel hörbar. Seine Kritik an der ‚Positivität‘ [2], der Begriff der Selbstentfremdung, die Bestimmung des Geistes als Selbsterkenntnis im Anderssein lassen sich leicht von diesem Diltheyschen Satz aus ableiten, und man fragt sich, wo eigentlich die Differenz bleibt, die die historische Weltansicht gegenüber dem Idealismus betonte und die Dilthey erkenntnistheoretisch zu legitimieren unternahm.

Diese Frage verstärkt sich, wenn man die zentrale Wendung bedenkt, mit der Dilthey das Leben, diese Grundtatsache der Geschichte, charakterisiert. Er spricht bekanntlich von der »gedankenbildenden Arbeit des Lebens« [3]. Was diese Wendung von Hegel unterscheidet, ist nicht leicht zu sagen. Das Leben mag noch so sehr ein ‚unergründliches Antlitz‘ [4] zeigen, Dilthey mag noch so sehr die allzu freundliche Ansicht vom Leben verspotten, die in ihm nur Fortschritt der Kultur sieht – sofern es auf die Gedanken, die es bildet, hin verstanden wird, wird es einem teleologischen Deutungsschema unterstellt und ist es als *Geist* gedacht. Dazu stimmt nun, daß Dilthey sich in seinen späteren Jahren mehr und mehr an Hegel anlehnt und dort von *Geist* redet, wo er früher ‚Leben‘ sagte. Er wiederholt damit nur eine begriffliche Entwicklung, die Hegel selber ebenso genommen hatte. Im Lichte dieser Tatsache erscheint es bemerkenswert, daß wir

---

[1] VII, 148.

[2] Hegels theologische Jugendschriften, ed. Nohl, S. 139f.

[3] Ges. Schriften VII, 136.   [4] Ges. Schriften VIII, 224.

Dilthey die Kenntnis der sogenannten theologischen Jugendschriften Hegels verdanken. In diesen Materialien zur Entwicklungsgeschichte des Hegelschen Denkens tritt ganz deutlich hervor, daß dem Hegelschen Begriff
des Geistes ein pneumatischer Lebensbegriff zugrunde liegt[1].

Dilthey selbst hat sich darüber Rechenschaft zu geben versucht, was ihn
mit Hegel verbindet und was ihn von Hegel trennt[2]. Aber was besagt seine
Kritik an Hegels Vernunftglauben, an seiner spekulativen Konstruktion der
Weltgeschichte, an seiner aprioristischen Ableitung aller Begriffe aus der
dialektischen Selbstentfaltung des Absoluten, wenn doch auch er dem Begriff des ‚objektiven Geistes' eine so zentrale Stellung gibt? Gewiß, Dilthey
wendet sich gegen die ideelle Konstruktion dieses Hegelschen Begriffs. »Wir
müssen heute von der Realität des Lebens ausgehen«[3]. Er schreibt: »Wir
suchen diese zu verstehen und in adäquaten Begriffen darzustellen. Indem
so der objektive Geist losgelöst wird von der einseitigen Begründung in der
allgemeinen, das Wesen des Weltgeistes aussprechenden Vernunft, losgelöst
auch von der ideellen Konstruktion, wird ein neuer Begriff desselben möglich: in ihm sind Sprache, Sitte, jede Art von Lebensform, von Stil des
Lebens ebenso gut umfaßt wie Familie, bürgerliche Gesellschaft, Staat und
Recht. Und nun fällt auch das, was Hegel als den absoluten Geist vom
objektiven unterschied: Kunst und Religion und Philosophie unter diesen
Begriff...«

Zweifellos ist das eine Umbildung des Hegelschen Begriffes. Was bedeutet sie? Inwiefern trägt sie der ‚Realität des Lebens' Rechnung? Am
bedeutsamsten ist offenbar die Ausdehnung des Begriffs des objektiven
Geistes auf Kunst, Religion und Philosophie. Denn das heißt, daß Dilthey
auch in ihnen nicht unmittelbare Wahrheit, sondern Ausdrucksformen des
Lebens sieht. Indem er Kunst und Religion mit der Philosophie gleichsetzt, weist er zugleich den Anspruch des spekulativen Begriffs zurück.
Dabei leugnet Dilthey durchaus nicht, daß diese Gestalten gegenüber den
anderen Gestalten des objektiven Geistes einen Vorrang haben, sofern
»gerade in ihren mächtigen Formen« der Geist sich objektiviert und erkannt wird. Nun, dieser Vorrang einer vollendeten Selbsterkenntnis des

---

[1] Diltheys grundlegende Abhandlung: Die Jugendgeschichte Hegels, zuerst 1906
erschienen und im 4. Band der gesammelten Schriften (1921) durch Nachlaßmanu-
skripte vermehrt, eröffnete eine neue Epoche der Hegelstudien, weniger durch ihre
Resultate als durch ihre Aufgabenstellung. Ihr trat bald (1911) die Herausgabe der
‚Theologischen Jugendschriften' durch Hermann Nohl zur Seite, die durch den ein-
dringlichen Kommentar Theodor Haerings (Hegel I [1928]) aufgeschlossen wurden.
Vgl. vom Verf.: Hegel und der geschichtliche Geist (Zschr. f. die ges. Staatswissen-
schaft 1939) und Herbert Marcuse, Hegels Ontologie und die Grundlegung einer
Theorie der Geschichtlichkeit, 1932, der die modellbildende Funktion des Lebens-
begriffs für die ‚Phänomenologie des Geistes' nachgewiesen hat.

[2] Ausführlich in den Nachlaßaufzeichnungen zur ‚Jugendgeschichte Hegels' (IV,
217–258), tiefer im 3. Kapitel des ‚Aufbaus' (146 ff.).

[3] Ges. Schriften VII, 150.

Geistes war es gewesen, der Hegel diese Gestalten als solche des absoluten
Geistes begreifen ließ. In ihnen war nichts Fremdes mehr und der Geist
daher ganz bei sich selbst zu Haus. Auch für Dilthey stellten, wie wir
sahen, die Objektivationen der Kunst den eigentlichen Triumph der Hermeneutik dar. So reduziert sich der Gegensatz zu Hegel auf dies eine, daß
sich nach Hegel im philosophischen Begriff die Heimkehr des Geistes vollendet, während für Dilthey der philosophische Begriff nicht Erkenntnis-,
sondern Ausdrucksbedeutung hat.

So werden wir uns fragen müssen, ob es nicht auch für Dilthey eine
Gestalt des Geistes gibt, die wahrhaft ‚absoluter Geist‘, das heißt völlige
Selbstdurchsichtigkeit, völlige Tilgung aller Fremdheit und alles Andersseins wäre. Für Dilthey ist es keine Frage, daß es das gibt und daß es das
geschichtliche Bewußtsein ist, das diesem Ideal entspricht, und nicht die
spekulative Philosophie. Es sieht alle Erscheinungen der menschlich-geschichtlichen Welt nur als Gegenstände, an denen der Geist sich selbst
tiefer erkennt. Sofern es sie als Objektivationen des Geistes versteht, übersetzt es sie zurück »in die geistige Lebendigkeit, aus der sie hervorgegangen
sind«[1]. Die Gestaltungen des objektiven Geistes sind für das historische
Bewußtsein also Gegenstände der Selbsterkenntnis dieses Geistes. Das historische Bewußtsein breitet sich ins Universelle aus, sofern es alle Gegebenheiten der Geschichte als Äußerung des Lebens versteht, dem sie
entstammen; »Leben erfaßt hier Leben«[2]. Insofern wird die gesamte
Überlieferung für das historische Bewußtsein zur Selbstbegegnung des
menschlichen Geistes. Es zieht damit an sich, was den besonderen Schöpfungen von Kunst, Religion und Philosophie vorbehalten schien. *Nicht im
spekulativen Wissen des Begriffs, sondern im historischen Bewußtsein vollendet sich das Wissen des Geistes von sich selbst.* Es gewahrt in allem
geschichtlichen Geist. Selbst die Philosophie gilt nur als Ausdruck des Lebens. Sofern sie sich dessen bewußt ist, gibt sie damit ihren alten Anspruch
auf, Erkenntnis durch Begriffe zu sein. Sie wird Philosophie der Philosophie, eine philosophische Begründung dessen, daß es im Leben Philosophie – neben der Wissenschaft – gibt. Dilthey hat in seinen letzten Arbeiten eine solche Philosophie der Philosophie entworfen, in der er die
Typen der Weltanschauung auf die Mehrseitigkeit des Lebens zurückführte, das sich in ihnen auslegt[3].

Solcher geschichtlichen Überwindung der Metaphysik tritt die geisteswissenschaftliche Interpretation der großen Dichtung zur Seite, in der
Dilthey den Triumph der Hermeneutik erblickt. Es bleibt aber ein relativer Vorrang, den Philosophie und Kunst für das historisch verstehende
Bewußtsein besitzen. Sie mögen insofern einen besonderen Vorzug behalten,
als aus ihnen der Geist nicht erst herausgelesen werden muß, weil sie

---

[1] Ges. Schriften V, 265.   [2] Ges. Schriften VII, 136.
[3] Ges. Schriften V, 339ff. u. VIII.

‚reiner Ausdruck' sind und nichts sein wollen als das. Aber auch so sind sie nicht unmittelbare Wahrheit, sondern sie dienen nur als Organ des Lebensverständnisses. Wie gewisse Blütezeiten einer Kultur für die Erkenntnis ihres ‚Geistes' bevorzugt sind oder wie es die großen Persönlichkeiten auszeichnet, daß in ihren Plänen und Taten sich die wahren geschichtlichen Entscheidungen darstellen, so sind auch Philosophie und Kunst dem auslegenden Verstehen besonders zugänglich. Es ist der Vorzug der *Gestalt,* der reinen Ausgestaltung von Bedeutungsganzen, die sich vom Werden abgelöst haben, dem hier die Geistesgeschichte folgt. In der Einleitung zu seiner Schleiermacherbiographie schreibt Dilthey: »Die Geschichte der geistigen Bewegungen hat den Vorteil von Denkmalen, die wahrhaftig sind. Über seine Absichten kann man täuschen, nicht über den Gehalt des eigenen Innern, der in Werken ausgedrückt ist.« [1] Nicht zufällig hat uns Dilthey die folgende Notiz Schleiermachers zugänglich gemacht: »Die Blüthe ist die wahre Reife. Die Frucht ist nur die chaotische Hülle dessen, was dem organischen Gewächs nicht mehr angehört.« [2] Dilthey teilt offenbar diese These einer ästhetischen Metaphysik. Sie liegt seinem Geschichtsverhältnis zugrunde.

Ihr entspricht die Umbildung des Begriffs des objektiven Geistes, die das geschichtliche Bewußtsein an die Stelle der Metaphysik rückt. Aber es stellt sich die Frage, ob das geschichtliche Bewußtsein diesen Platz wirklich auszufüllen vermag, den das absolute Wissen des sich im spekulativen Begriff begreifenden Geistes bei Hegel eingenommen hatte. Dilthey selbst hat darauf hingewiesen, daß wir nur geschichtlich erkennen, weil wir selber geschichtlich sind. Das sollte eine erkenntnistheoretische Erleichterung sein. Aber kann es das sein? Ist Vicos oft genannte Formel denn überhaupt richtig? Überträgt sie nicht eine Erfahrung des menschlichen Kunstgeistes auf die geschichtliche Welt, in der man von ‚Machen', d. h. von Planen und Ausführen angesichts des Laufs der Dinge überhaupt nicht reden kann? Wo soll hier die erkenntnistheoretische Erleichterung herkommen? Ist es nicht in Wahrheit eine Erschwerung? Muß nicht die geschichtliche Bedingtheit des Bewußtseins eine unüberwindliche Schranke dafür darstellen, daß es sich in geschichtlichem Wissen vollendet? Hegel mochte durch die Aufhebung der Geschichte im absoluten Wissen diese Schranke überwunden meinen. Aber wenn das Leben die unerschöpflich-schöpferische Realität ist, als die es Dilthey denkt, muß dann nicht die beständige Wandlung des Bedeutungszusammenhanges der Geschichte ein Wissen, das Objektivität erreicht, ausschließen? Ist also das geschichtliche Bewußtsein am Ende ein utopisches Ideal und enthält einen Widerspruch in sich?

---

[1] Leben Schleiermachers, ed. Mulert 1922, S. XXXI.
[2] Leben Schleiermachers, 1. Aufl. 1870; Denkmale der inneren Entwicklung Schleiermachers, S. 118. Vgl. Monologen S. 417.

b) Zwiespalt von Wissenschaft und Lebensphilosophie
in Diltheys Analyse des historischen Bewußtseins

Dilthey hat über dieses Problem unermüdlich reflektiert. Seine Reflexion galt immer dem Ziele, trotz der eigenen Bedingtheit die Erkenntnis des geschichtlich Bedingten als die Leistung der objektiven Wissenschaft zu legitimieren. Dazu sollte die Lehre von der Struktur, die ihre Einheit aus eigener Mitte aufbaut, dienen. Daß ein Strukturzusammenhang sich aus seiner eigenen Mitte heraus verstehen läßt, entsprach ja dem alten Grundsatz der Hermeneutik und der Forderung des historischen Denkens, daß man eine Zeit aus ihr selber verstehen müsse und nicht mit Maßen einer ihr fremden Gegenwart messen dürfe. Nach diesem Schema – so meinte Dilthey[1] – ließe sich die Erkenntnis immer weiterer geschichtlicher Zusammenhänge denken und bis zur universalgeschichtlichen Erkenntnis ausweiten, genau wie sich ein Wort nur vom ganzen Satz aus, der Satz nur im Zusammenhang des ganzen Textes, ja der gesamten überlieferten Literatur voll verstehen läßt.

Die Anwendung dieses Schemas setzt freilich voraus, daß man die Standortgebundenheit des historischen Betrachters überwinden könne. Genau das aber ist der Anspruch des historischen Bewußtseins, zu allem einen wahrhaft historischen Standpunkt zu haben. Darin sieht es seine Vollendung. Es ist daher bemüht, den ‚historischen Sinn' auszubilden, um sich über die Vorurteile der eigenen Gegenwart erheben zu lernen. So hat sich Dilthey als der wahre Vollender der historischen Weltansicht gefühlt, weil er die Erhebung des Bewußtseins zum historischen Bewußtsein zu legitimieren suchte. Was seine erkenntnistheoretische Reflexion rechtfertigen wollte, war im Grunde nichts anderes als die großartige epische Selbstvergessenheit eines Ranke. Nur trat an die Stelle der ästhetischen Selbstvergessenheit die Souveränität eines allseitigen und unendlichen Verstehens. Die Grundlegung der Historik in einer Psychologie des Verstehens, wie sie Dilthey vorschwebte, versetzt den Historiker in eben jene ideelle Gleichzeitigkeit mit seinem Gegenstand, die wir ästhetisch nennen und an Ranke bewundern.

Freilich bleibt die entscheidende Frage, wie der endlichen Menschennatur solches unendliche Verstehen möglich sein soll. Kann das wirklich Diltheys Meinung gewesen sein? Hat nicht gerade Dilthey gegenüber Hegel darauf bestanden, daß man das Bewußtsein der eigenen *Endlichkeit* festhalten müsse?

Allein, hier muß man genauer zusehen. Seine Kritik am Vernunftidealismus Hegels meinte lediglich den Apriorismus seiner Begriffsspekulation – die innere Unendlichkeit des Geistes hatte für ihn keine grundsätzliche Be-

---

[1] Ges. Schriften VII, 291 »Wie die Buchstaben eines Wortes haben Leben und Geschichte einen Sinn.«

denklichkeit, sondern erfüllte sich positiv in dem Ideal einer historisch aufgeklärten Vernunft, die zum Genie des Allesverstehens herangereift wäre.
Für Dilthey bedeutete das Bewußtsein der Endlichkeit keine Verendlichung
des Bewußtseins und keine Beschränkung. Es bezeugt vielmehr die Fähigkeit des Lebens, sich in Energie und Tätigkeit über alle Schranken zu
erheben. Insofern stellt sich in ihm gerade die potentielle Unendlichkeit
des Geistes dar. Freilich nicht Spekulation, sondern die historische Vernunft
ist die Weise, in der sich diese Unendlichkeit aktualisiert. Das historische
Verstehen breitet sich über alle geschichtlichen Gegebenheiten aus und ist
wahrhaft universal, weil es in der inneren Totalität und Unendlichkeit des
Geistes seinen festen Grund hat. Dilthey schließt sich dafür an die alte
Lehre an, die die Möglichkeit des Verstehens aus der Gleichartigkeit
der Menschennatur herleitet. Er sieht die eigene Erlebniswelt als bloßen
Ausgangspunkt einer Erweiterung, die in lebendiger Transposition die
Enge und Zufälligkeit des eigenen Erlebens durch die Unendlichkeit dessen ergänzt, was im Nacherleben der geschichtlichen Welt zugänglich
ist.

Die Schranken, die der Universalität des Verstehens durch die geschichtliche Endlichkeit unseres Wesens gesetzt sind, sind ihm also nur subjektiver
Natur. Gewiß, er kann in ihnen trotzdem etwas Positives erkennen, das
für die Erkenntnis fruchtbar werde; so versichert er, daß erst die Sympathie
wirkliches Verstehen möglich mache[1]. Aber es fragt sich, ob dem eine
grundsätzliche Bedeutung zukommt. Zunächst sei eines festgestellt: er sieht
Sympathie allein als eine Erkenntnisbedingung. Man kann mit Droysen
fragen, ob Sympathie (die ja eine Form der Liebe ist) nicht etwas ganz
anderes darstellt als eine affektive Bedingung für Erkenntnis. Sie gehört
doch zu den Beziehungsformen von Ich und Du. Gewiß ist in solch realer
sittlicher Beziehung auch Erkenntnis wirksam, und insofern zeigt sich in
der Tat, daß Liebe sehend macht[2]. Aber Sympathie ist doch sehr viel mehr
als nur eine Erkenntnisbedingung. Durch sie wird das Du zugleich verwandelt. Bei Droysen steht der tiefe Satz: »So mußt du sein, denn so liebe
ich dich: das Geheimnis aller Erziehung.«[3]

Wenn Dilthey von universaler Sympathie spricht und dabei an die reife
Abgeklärtheit des Greisenalters denkt, meint er gewiß nicht dies sittliche
Phänomen der Sympathie, sondern er meint das Ideal des vollendeten historischen Bewußtseins, das grundsätzlich die Grenzen überschreitet, die
durch den subjektiven Zufall von Vorliebe und Affinität zu einem Gegenstand dem Verstehen gesetzt sind. Dilthey folgt hier der Sache nach Ranke,
der in der Mitleidenschaft und Mitwissenschaft des Alls die Würde des

---

[1] Ges. Schriften V, 277.
[2] Vgl. vor allem die betr. Aufweisungen bei Max Scheler, Zur Phänomenologie
und Theorie der Sympathiegefühle und von Liebe und Haß, 1913.
[3] Historik § 41.

Historikers sah [1]. Zwar scheint er ihn einzuschränken, wenn er als Vorzugsbedingungen des historischen Verstehens solche auszeichnet, bei denen eine
»fortdauernde Bedingtheit der eigenen Lebendigkeit durch den großen
Gegenstand« vorliegt, und wenn er in ihnen die höchste Möglichkeit des
Verstehens sieht[1a]. Aber es wäre falsch, etwas anderes als eine subjektive
Erkenntnisbedingung unter solcher Bedingtheit der eigenen Lebendigkeit
zu verstehen.

Das lehren schon die Beispiele. Wenn Dilthey das Verhältnis von Thukydides zu Perikles oder Rankes zu Luther nennt, so meint er damit ein
kongeniales intuitives Verbundensein, das dem Historiker ein sonst nur
mühsam erreichbares Verständnis spontan ermöglicht. Grundsätzlich hält
er aber solches Verständnis, das in Ausnahmefällen auf geniale Weise gelingt, durch die Methodik der Wissenschaft immer für erreichbar. Daß sich
die Geisteswissenschaften der vergleichenden Methoden bedienen, begründet er ausdrücklich mit ihrer Aufgabe, die zufälligen Schranken, die der
eigene Erfahrungskreis darstellt, zu überwinden »und zu Wahrheiten von
größerer Allgemeinheit aufzusteigen« [2].

Hier liegt einer der fragwürdigsten Punkte seiner Theorie. Das Wesen
des Vergleichens setzt die Ungebundenheit der erkennenden Subjektivität,
die über das eine wie über das andere verfügt, bereits voraus. Es macht
auf eine erklärte Weise gleichzeitig. Man muß deshalb bezweifeln, ob die
Methode des Vergleichens der Idee der historischen Erkenntnis wirklich genügt. Wird hier nicht ein Verfahren, das in bestimmten Bereichen der
Naturwissenschaft zu Hause ist und auf manchen Gebieten der Geisteswissenschaften, z.B. der Sprachforschung, der Rechtswissenschaft, der
Kunstwissenschaft usw., Triumphe feiert[3], aus einem untergeordneten
Hilfsmittel zu zentraler Bedeutung für das Wesen historischer Erkenntnis
emporgesteigert, die oft nur oberflächlicher und unverbindlicher Reflexion
eine falsche Legitimierung verschafft? Man kann hier dem Grafen York nur
recht geben, wenn er schreibt: »Vergleichung ist immer ästhetisch, haftet
immer an der Gestalt« [4], und man erinnert sich, daß vor ihm in genialer
Weise Hegel an der Methode des Vergleichens Kritik geübt hat [5].

---

[1] Aber auch Schleiermacher, der das Greisenalter nur sehr bedingt als Vorbild
gelten läßt. Vgl. die folgende Schleiermachernotiz (bei Dilthey, Leben Schleiermachers [1] S. 417): »Der Mißmuth des Alters besonders über die wirkliche Welt ist
ein Mißverstand der Jugend und ihrer Freude, die auch nicht auf die wirkliche Welt
ging. Die Abneigung des Alters vor neuen Epochen gehört mit zur Elegie.
Der historische Sinn ist daher höchst notwendig, um zur ewigen Jugend zu gelangen, die keine Naturgabe sein soll, sondern ein Erwerb der Freiheit.«

[1a] Ges. Schriften V, 278.   [2] VII, 99.

[3] Ein beredter Anwalt dieser ‚Methode‘ ist E. Rothacker, dessen eigene Beiträge
zur Sache freilich das Umgekehrte vorteilhaft bezeugen: die Unmethode geistreicher
Einfälle und kühner Synthesen.

[4] Briefwechsel, 1923, S. 193.

[5] Wissenschaft der Logik II, ed. Lasson 1934, S. 36f.

Jedenfalls ist deutlich, daß Dilthey in der Standortgebundenheit des endlich-geschichtlichen Menschen keine grundsätzliche Beeinträchtigung der Möglichkeit geisteswissenschaftlicher Erkenntnis sah. Das historische Bewußtsein sollte eine solche Erhebung über die eigene Relativität in sich vollbringen, daß dadurch die Objektivität geisteswissenschaftlicher Erkenntnis möglich wird. Man muß sich fragen, wie dieser Anspruch gerechtfertigt sein soll, ohne einen Begriff des absoluten, philosophischen Wissens über allem geschichtlichen Bewußtsein zu implizieren. Was ist die Auszeichnung des historischen Bewußtseins – gegenüber allen anderen Bewußtseinsgestalten der Geschichte –, daß seine eigene Bedingtheit den grundsätzlichen Anspruch objektiver Erkenntnis nicht aufheben soll?

Seine Auszeichnung kann nicht darin bestehen, daß es wirklich im Sinne Hegels ,absolutes Wissen' wäre, das heißt, in einem gegenwärtigen Selbstbewußtsein das Ganze des Gewordenseins des Geistes vereinigte. Der Anspruch des philosophischen Bewußtseins, die ganze Wahrheit der Geschichte des Geistes in sich zu enthalten, wird von der historischen Weltansicht ja gerade bestritten. Das ist vielmehr der Grund, weshalb es der geschichtlichen Erfahrung bedarf, daß das menschliche Bewußtsein kein unendlicher Intellekt ist, für den alles gleich-zeitig und gleich gegenwärtig ist. Absolute Identität von Bewußtsein und Gegenstand ist dem endlich-geschichtlichen Bewußtsein prinzipiell unerreichbar. Immer bleibt es in den geschichtlichen Wirkungszusammenhang verstrickt. Worauf beruht also seine Auszeichnung, sich dennoch über sich selbst zu erheben und dadurch objektiver historischer Erkenntnis fähig zu werden?

Man wird keine ausdrückliche Antwort auf diese Frage bei Dilthey finden. Aber indirekt stellt sein ganzes wissenschaftliches Werk eine solche Antwort dar. Man könnte etwa so sagen: Historisches Bewußtsein ist nicht so sehr Selbstauslöschung als ein gesteigerter Besitz seiner selbst, der es gegenüber allen anderen Gestalten des Geistes auszeichnet. So unauflöslich der Grund des geschichtlichen Lebens ist, aus dem es sich erhebt, es vermag seine eigene Möglichkeit, sich historisch zu verhalten, geschichtlich zu verstehen. Daher ist es nicht, wie das Bewußtsein vor seiner siegreichen Entfaltung zum historischen Bewußtsein, der unmittelbare Ausdruck einer Lebenswirklichkeit. Es legt nicht mehr die Maße seines eigenen Lebensverständnisses an die Überlieferung, in der es steht, einfach an und bildet so in naiver Aneignung der Überlieferung die Tradition weiter. Es weiß sich vielmehr zu sich selbst und zu der Tradition, in der es steht, in einem reflektierten Verhältnis. Es versteht sich selber aus seiner Geschichte. *Historisches Bewußtsein ist eine Weise der Selbsterkenntnis.*

Eine solche Antwort wäre wegweisend für die Notwendigkeit, das Wesen der Selbsterkenntnis tiefer zu bestimmen. Und in der Tat sind Diltheys am Ende, wie sich zeigen wird, scheiternde Bemühungen dahin gegangen,

‚vom Leben aus' verständlich zu machen, wie sich aus Selbsterkenntnis das
wissenschaftliche Bewußtsein erhebt.

Dilthey geht vom Leben aus: Das Leben ist selbst auf Besinnung angelegt. Wir verdanken Georg Misch die energische Herausarbeitung der
lebensphilosophischen Tendenz in Diltheys Philosophieren. Sie beruht eben
darauf, daß im Leben selbst Wissen gelegen ist. Schon das Innesein, das
das Erlebnis charakterisiert, enthält eine Art Rückwendung des Lebens auf
sich selbst. »Das Wissen ist da, es ist ohne Besinnen mit dem Erleben verbunden« (VII, 18). Die gleiche immanente Reflexivität des Lebens bestimmt aber auch die Art, wie nach Dilthey Bedeutung im Lebenszusammenhang aufgeht. Denn Bedeutung wird nur erfahren, indem wir aus
der »Jagd nach den Zielen« heraustreten. Es ist eine Abstandnahme, eine
Ferne von dem Zusammenhang unseres eigenen Handelns, die solche Besinnung ermöglicht. Dilthey betont – und darin hat er ohne Zweifel recht –,
daß es noch vor aller wissenschaftlichen Objektivierung eine natürliche
Ansicht des Lebens von sich selbst ist, die sich so bildet. Sie objektiviert
sich in der Weisheit von Sprichwort und Sage, aber vor allem in den großen
Werken der Kunst, in denen »ein Geistiges sich loslöst von seinem Schöpfer«[1]. Die Kunst ist deshalb ein besonderes Organ des Lebensverständnisses,
weil in ihren »Confinien zwischen Wissen und Tat« das Leben sich in einer
Tiefe aufschließt, wie sie der Beobachtung, der Reflexion und der Theorie
nicht zugänglich ist.

Wenn das Leben selbst auf Besinnung angelegt ist, so hat gewiß der
reine Erlebnisausdruck der großen Kunst einen besonderen Rang. Aber das
schließt nicht aus, daß in allem Ausdruck des Lebens immer schon
Wissen wirksam ist und damit Wahrheit erkennbar wird. Denn die Ausdrucksformen, die das menschliche Leben beherrschen, sind allesamt Gestaltungen des objektiven Geistes. In der Sprache, in der Sitte, in den
Rechtsformen hat sich der einzelne immer schon über seine Partikularität
erhoben. Die großen sittlichen Gemeinsamkeiten, in denen er lebt, stellen
ein Festes dar, auf das er sich gegenüber der fließenden Zufälligkeit seiner
subjektiven Regungen versteht. Gerade die Hingabe an gemeinsame
Zwecke, das Aufgehen in der Tätigkeit für die Gemeinschaft »befreit den
Menschen von Partikularität und Vergänglichkeit«.

Derartiges könnte bei Droysen auch stehen, aber bei Dilthey hat es einen
eigenen Ton. In beiden Richtungen, der Kontemplation wie der praktischen
Besinnung, zeigt sich nach Dilthey die gleiche Tendenz des Lebens: ein
‚Streben nach Festigkeit'[2]. Von da aus versteht man, daß er die Objektivität
der wissenschaftlichen Erkenntnis und der philosophischen Selbstbesinnung
als die Vollendung der natürlichen Tendenz des Lebens ansehen konnte.
Es ist keineswegs eine äußerliche Anpassung der geisteswissenschaftlichen

---

[1] VII, 207.   [2] Ges. Schriften VII, 347.

Methodik an das Verfahren der Naturwissenschaften, das Diltheys Reflexionen leitet, sondern er gewahrt in beiden eine echte Gemeinsamkeit.
Erhebung über die subjektive Zufälligkeit der Beobachtung ist das Wesen
der experimentellen Methode, und mit ihrer Hilfe gelingt die Erkenntnis
der Gesetzlichkeit der Natur. Ebenso erstreben die Geisteswissenschaften
eine methodische Erhebung über die subjektive Zufälligkeit des eigenen
Standortes und über die Überlieferung, die ihm zugänglich ist, und erreichen
dadurch Objektivität der historischen Erkenntnis. Die philosophische Selbstbesinnung geht selber in der gleichen Richtung, sofern sie sich »als mensch-
lich-geschichtliche Tatsache selber gegenständlich wird« und den Anspruch
einer reinen Erkenntnis aus Begriffen aufgibt.

*Der Zusammenhang von Leben und Wissen ist also nach Dilthey eine
ursprüngliche Gegebenheit.* Das macht Diltheys Position gegen alle Einwände unangreifbar, die von der Philosophie aus und insbesondere mit
Argumenten der idealistischen Reflexionsphilosophie gegen den historischen ,Relativismus' gerichtet werden können. Seine Grundlegung der
Philosophie in der Urtatsache des Lebens sucht nicht einen widerspruchs-
losen Zusammenhang von Sätzen, der sich an die Stelle der Gedanken-
systeme der bisherigen Philosophie setzen will. Vielmehr gilt für die philosophische Selbstbesinnung das gleiche, was für die Rolle der Besinnung im
Leben von Dilthey aufgewiesen wurde. Sie denkt das Leben selbst zu Ende,
indem sie auch noch die Philosophie als eine Objektivation des Lebens versteht. Sie wird zur Philosophie der Philosophie, aber nicht in dem Sinne
und mit dem Anspruch, den der Idealismus erhob – sie will nicht aus der
Einheit eines spekulativen Prinzips die allein mögliche Philosophie begründen, sondern geht den Weg der historischen Selbstbesinnung weiter. Insofern unterliegt sie gar nicht dem Einwand, sich des Relativismus schuldig
zu machen.

Dilthey selbst hat diesen Einwand zwar immer wieder bedacht und eine
Auflösung auf die Frage gesucht, wie in aller Relativität Objektivität möglich sei und wie sich die Beziehung des Endlichen zum Absoluten denken
läßt. »Die Aufgabe ist, darzulegen, wie sich diese relativen Wertbegriffe
der Zeitalter zu etwas Absolutem erweitert haben.«[1] Aber eine wirkliche
Antwort auf dieses Problem des Relativismus wird man bei Dilthey ver-
geblich suchen, und das nicht, weil er die rechte Antwort nie gefunden hat,
sondern weil es gar nicht seine eigene wirkliche Frage gewesen ist. Er
wußte sich vielmehr in der Entfaltung der historischen Selbstbesinnung,
die ihn von Relativität zu Relativität führte, immer schon unterwegs zum
Absoluten. Insofern hat Ernst Troeltsch Diltheys Lebensarbeit ganz richtig
in die Losung zusammengezogen: Von der Relativität zur Totalität. Diltheys eigene Formel dafür lautete: »mit Bewußtsein ein Bedingtes zu
sein«[2] – eine Formel, die offen gegen den Anspruch der Reflexionsphilo-

[1] Ges. Schriften VII, 290.   [2] Ges. Schriften V, 364.

sophie gerichtet ist, in der Erhebung zur Absolutheit und Unendlichkeit des Geistes, in der Vollendung und Wahrheit des Selbstbewußtseins alle Schranken der Endlichkeit hinter sich zu lassen. Doch zeigt seine unermüdliche Reflexion über den Einwand des ‚Relativismus‘, daß er die Konsequenz seines lebensphilosophischen Ansatzes gegen die Reflexionsphilosophie des Idealismus nicht wirklich festzuhalten vermochte. Sonst hätte er in dem Einwand des Relativismus den ‚Intellektualismus‘ erkennen müssen, dem sein eigener Ausgangspunkt von der Immanenz des Wissens im Leben gerade den Boden entziehen wollte.

Diese Zweideutigkeit hat ihren letzten Grund in einer inneren Uneinheitlichkeit seines Denkens, dem unaufgelösten Cartesianismus, von dem er ausgeht. Seine erkenntnistheoretischen Besinnungen zur Grundlegung der Geisteswissenschaften schließen sich nicht wirklich mit seinem lebensphilosophischen Ausgangspunkt zusammen. Dafür gibt es in seinen spätesten Aufzeichnungen einen sprechenden Beleg. Dilthey fordert da von einer philosophischen Grundlegung, daß sie sich auf jedes Gebiet erstrecken müsse, in welchem »das Bewußtsein das Autoritative abgeschüttelt hat und durch den Standpunkt der Reflexion und des Zweifels zu gültigem Wissen zu gelangen strebt«[1]. Ein solcher Satz scheint eine unverfängliche Aussage über das Wesen der Wissenschaft und der Philosophie der Neuzeit überhaupt. Die cartesianischen Anklänge darin sind gar nicht zu überhören. In Wahrheit aber findet dieser Satz in einem ganz anderen Sinne seine Anwendung, wenn Dilthey fortfährt: »Überall führt das Leben zu Reflexionen über das, was in ihm gesetzt ist, die Reflexion zum Zweifel, und soll sich diesem gegenüber das Leben behaupten, so kann das Denken erst endigen in gültigem Wissen.« Hier sind es nicht mehr philosophische Vorurteile, die durch eine erkenntnistheoretische Grundlegung im Stile Descartes überwunden werden sollen, sondern hier sind es Wirklichkeiten des Lebens, die Tradition der Sitte, der Religion und des positiven Rechtes, welche von der Reflexion zersetzt werden und einer neuen Ordnung bedürfen[2]. Wenn Dilthey hier von Wissen und Reflexion spricht, so meint er nicht die allgemeine Immanenz des Wissens im Leben, sondern *eine gegen das Leben gerichtete Bewegung*. Die Tradition von Sitte, Religion und Recht beruht dagegen ihrerseits auf einem Wissen des Lebens von sich selbst. Ja, wir haben gesehen, daß sich in der Hingabe an die Tradition, die gewiß eine wissentliche ist, die Erhebung des einzelnen zum objektiven Geiste vollbringt. Man wird Dilthey gerne zugeben, daß der Einfluß des Denkens auf das Leben »aus der inneren Notwendigkeit entspringt, in dem unsteten Wechsel der Sinneswahrnehmungen, Begierden und Gefühle ein Festes zu stabilieren, das eine stete und einheitliche Lebensführung möglich macht«[3]. Aber diese Leistung des Denkens ist dem Leben selbst immanent

---

[1] Ges. Schriften VII, 6.   [2] VII, 6.
[3] Ges. Schriften VII, 3.

und vollzieht sich in den Objektivationen des Geistes, die als Sitte, Recht, Religion den einzelnen tragen, sofern er sich an die Objektivität der Gesellschaft hingibt. Daß es dazu den »Standpunkt der Reflexion und des Zweifels« einzunehmen gilt und daß diese Arbeit »in allen Formen von wissenschaftlichem Nachdenken« (und sonst nicht) vollbracht wird, ist mit den lebensphilosophischen Einsichten Diltheys schlechterdings nicht zu vereinigen [1]. Hier wird vielmehr das besondere Ideal der wissenschaftlichen Aufklärung beschrieben, die sich so wenig mit der lebensimmanenten Besinnung verträgt, als es geradezu der ‚Intellektualismus‘ der Aufklärung gewesen ist, gegen den sich Diltheys Grundlegung in der Tatsache der Philosophie des Lebens richtete.

In Wahrheit gibt es Gewißheit in sehr verschiedenen Modi. Die Art von Gewißheit, die eine durch Zweifel hindurchgegangene Vergewisserung zu gewähren vermag, ist von der unmittelbaren Lebensgewißheit unterschieden, mit der alle Zwecke und Werte im menschlichen Bewußtsein auftreten, wenn sie den Unbedingtheitsanspruch erheben. Erst recht aber unterscheidet sich von solcher im Leben selbst erworbenen Gewißheit die Gewißheit der Wissenschaft. Die Gewißheit der Wissenschaft hat immer einen cartesianischen Zug. Sie ist das Ergebnis einer kritischen Methodik, die nur Unbezweifelbares gelten zu lassen sucht. Diese Gewißheit erwächst also nicht aus Zweifeln und ihrer Überwindung, sondern ist dem Befallenwerden vom Zweifel immer schon zuvorgekommen. Wie bei Descartes in seiner berühmten Zweifelsmeditation ein künstlicher und hyperbolischer Zweifel – wie ein Experiment – angestellt wird, der zu dem fundamentum inconcussum des Selbstbewußtseins führt, so bezweifelt grundsätzlich die methodische Wissenschaft alles, woran man überhaupt zweifeln kann, um auf diese Weise zur Sicherheit ihrer Resultate zu gelangen.

Es ist nun für die Problematik von Diltheys Grundlegung der Geisteswissenschaften charakteristisch, daß er zwischen diesem methodischen Zweifel und den Zweifeln, die einem ‚von selber‘ kommen, nicht unterscheidet. Die Gewißheit der Wissenschaften bedeutet ihm die Vollendung der Lebensgewißheit. Das heißt nicht etwa, daß er die Ungewißheit des Lebens nicht in der vollen Wucht geschichtlicher Konkretion empfand. Im Gegenteil, je mehr er in die moderne Wissenschaft hineinwuchs, desto stärker empfand er die Spannung zwischen der christlichen Tradition seiner

---

[1] Auch darauf hat schon Misch, Lebensphilosophie und Phänomenologie, S. 295 und insbesondere S. 312 ff., hingewiesen. Misch unterscheidet das Bewußtwerden und das Bewußtmachen. Philosophische Besinnung sei beides zugleich. Aber Dilthey suche fälschlich einen kontinuierlichen Übergang vom einen zum anderen. »Die wesentlich *theoretische* Richtung auf Objektivität läßt sich aus dem Begriff der Objektivation des Lebens allein nicht herausholen« (S. 298). Die vorliegende Untersuchung gibt dieser von Misch geübten Kritik ein andersartiges Profil, sofern sie schon in der romantischen Hermeneutik den Cartesianismus aufdeckt, der Diltheys Gedankengang hier zweideutig macht.

Herkunft und den durch das moderne Leben freigesetzten geschichtlichen
Mächten. Das Bedürfnis nach etwas Festem hat bei Dilthey den Charakter
eines ausgesprochenen Schutzbedürfnisses gegenüber den furchtbaren Realitäten des Lebens. Aber er erwartet die Überwindung der Ungewißheit und
Ungesichertheit des Lebens nicht so sehr von der Festigung, die die Lebenserfahrung verleiht, als von der Wissenschaft.

Die cartesianische Form, durch den Zweifel zum Sicheren zu gelangen,
ist für Dilthey unmittelbar einleuchtend, sofern er ein Kind der Aufklärung
ist. Die Abschüttelung des Autoritativen, von der er redet, entspricht
nicht nur dem erkenntnistheoretischen Bedürfnis nach Begründung der
Naturwissenschaften, sondern betrifft ebenso das Wissen von Werten und
Zwecken. Auch sie sind ihm nicht mehr ein unbezweifeltes Ganzes aus Tradition, Sitte, Religion, Recht, sondern »der Geist muß aus sich selbst ein
gültiges Wissen auch hier hervorbringen«[1].

Der private Säkularisationsprozeß, der den Theologiestudenten Dilthey
zur Philosophie führt, kommt dergestalt mit dem weltgeschichtlichen Vorgang der Entstehung der modernen Wissenschaften zur Deckung. Wie die
moderne Naturforschung die Natur nicht als ein verständliches Ganzes
sieht, sondern als ein ich-fremdes Geschehen, in dessen Ablauf sie ein begrenztes, aber zuverlässiges Licht bringt und dessen Beherrschung sie damit ermöglicht, so soll von dem menschlichen Geist, der sich um Schutz
und Sicherheit bemüht, der ‚Unergründlichkeit‘ des Lebens, diesem ‚furchtbaren Antlitz‘, die wissenschaftlich ausgebildete Fähigkeit des Verstehens
entgegengesetzt werden. Sie soll das Leben in seiner gesellschaftlich-geschichtlichen Wirklichkeit so weit aufschließen, daß das Wissen trotz der
Unergründlichkeit des Lebens Schutz und Sicherheit gewährt. *Die Aufklärung vollendet sich als historische Aufklärung.*

Man kann von hier aus verstehen, was Dilthey an die romantische Hermeneutik anknüpfen läßt[2]. Mit ihrer Hilfe gelingt es ihm, die Differenz
zwischen dem geschichtlichen Wesen der Erfahrung und der Erkenntnisweise der Wissenschaft zu verdecken, oder besser: die Erkenntnisweise der
Geisteswissenschaften mit den methodischen Maßstäben der Naturwissenschaften in Einklang zu setzen. Wir hatten oben[3] gesehen, daß es
keine äußerliche Anpassung war, die ihn dazu brachte. Wir erkennen jetzt,
daß ihm das nicht gelang, ohne die eigene, wesenhafte Geschichtlichkeit
der Geisteswissenschaften zu vernachlässigen. Das zeigt sich sehr deutlich

---

[1] VII, 6.

[2] In die Materialien aus Diltheys Nachlaß zum ‚Aufbau‘ (Band VII) konnte sich
unbemerkt ein originaler Schleiermachertext einschleichen: S. 225 ‚Hermeneutik‘,
was Dilthey bereits im Anhang seiner Schleiermacherbiographie abgedruckt hatte –
ein indirekter Beweis dafür, wie Dilthey nicht wahrhaft über den romantischen Ansatz hinausgekommen ist. Exzerpt und eigene Darlegung sind oft schwer zu unterscheiden.

[3] Vgl. S. 222f.

an dem Begriff von Objektivität, den er für sie festhält; sie soll als Wissenschaft mit der in den Naturwissenschaften gültigen Objektivität mitkommen. Dilthey liebt es daher, das Wort ‚Ergebnisse' zu gebrauchen[1] und durch die Beschreibung der Methodik der Geisteswissenschaften ihre Ebenbürtigkeit mit den Naturwissenschaften zu erweisen. Dafür kam ihm die romantische Hermeneutik insofern entgegen, als sie, wie wir sahen, das geschichtliche Wesen der Erfahrung selber gar nicht beachtete. Sie setzte voraus, daß der Gegenstand des Verstehens der zu entziffernde und in seinem Sinne zu erfassende Text ist. So ist jede Begegnung mit einem Text für sie eine Selbstbegegnung des Geistes. Jeder Text ist fremd genug, daß er eine Aufgabe stellt, und doch vertraut genug, daß ihre grundsätzliche Lösbarkeit auch dann feststeht, wenn man nichts anderes von einem Text weiß, als daß er Text, Schrift, Geist ist.

Wie wir bei Schleiermacher sahen, ist das Vorbild seiner Hermeneutik das im Verhältnis vom Ich zum Du erreichbare kongeniale Verstehen. Verstehen von Texten hat die gleiche Möglichkeit vollkommener Adäquation wie das Verstehen des Du. Die Meinung des Autors ist aus seinem Text unmittelbar zu ersehen. Der Interpret ist mit seinem Autor absolut gleichzeitig. Das ist der Triumph der philologischen Methode, vergangenen Geist so als gegenwärtigen, fremden als vertrauten zu erfassen. Dilthey ist von diesem Triumph ganz und gar durchdrungen. Er gründet darauf die Ebenbürtigkeit der Geisteswissenschaften. Wie die naturwissenschaftliche Erkenntnis stets ein Gegenwärtiges auf einen in ihm gelegenen Aufschluß befragt, so befragt der Geisteswissenschaftler Texte.

Damit glaubte Dilthey den Auftrag zu erfüllen, den er als den seinen empfand, die Geisteswissenschaften erkenntnistheoretisch zu rechtfertigen, indem er die geschichtliche Welt wie einen zu entziffernden Text dachte. Er zog damit in der Tat eine Konsequenz, zu der sich die historische Schule, wie wir gesehen haben, nie ganz bekennen mochte. Ranke hat gewiß die Entzifferung der Hieroglyphen der Geschichte als die heilige Aufgabe des Historikers bezeichnet. Aber daß die geschichtliche Wirklichkeit eine so reine Sinnspur ist, daß man sie nur wie einen Text zu entziffern braucht, entsprach eigentlich nicht der tieferen Tendenz der historischen Schule. Dilthey, der Interpret dieser historischen Weltansicht, sah sich indes (wie Ranke und Droysen gelegentlich auch) in diese Konsequenz genötigt, sofern ihm die Hermeneutik zum Vorbild diente. Die Folge war, daß am Ende die Geschichte auf Geistesgeschichte reduziert war — eine Reduktion, zu der sich Dilthey in seiner halben Negation und seiner halben Affirmation von Hegels Philosophie des Geistes in der Tat bekennt. Während Schleiermachers Hermeneutik auf einer künstlichen methodischen Abstraktion beruhte, die ein universales Werkzeug des Geistes her-

---

[1] Vgl. oben den hübschen Druckfehler S. 60[3].

15*

zustellen strebte, aber mit Hilfe dieses Werkzeuges die Heilskraft des christlichen Glaubens zur Sprache bringen wollte, war für Diltheys Grundlegung
der Geisteswissenschaften die Hermeneutik mehr als ein Mittel. Sie ist das
universale Medium des geschichtlichen Bewußtseins, für das es keine andere
Wahrheitserkenntnis mehr gibt als die, Ausdruck und im Ausdruck Leben
zu verstehen. Alles in der Geschichte ist verständlich. Denn alles ist Text.
»Wie die Buchstaben eines Wortes haben Leben und Geschichte einen
Sinn.« [1] So wird von Dilthey am Ende die Erforschung der geschichtlichen
Vergangenheit *als Entzifferung und nicht als geschichtliche Erfahrung* ge-
dacht.

Es ist unbezweifelbar, daß damit der Wahrheit der historischen Schule
nicht Genüge geschah. Die romantische Hermeneutik und die philologische
Methode, auf der sie sich erhebt, reichen als Basis der Historie nicht aus;
ebensowenig genügt Diltheys den Naturwissenschaften entlehnter Begriff
des induktiven Verfahrens. Geschichtliche Erfahrung, wie er sie im Grunde
meint, ist nicht ein Verfahren und hat nicht die Anonymität einer Methode.
Gewiß kann man aus ihr allgemeine Erfahrungsregeln ableiten, aber deren
methodischer Wert ist nicht der einer Gesetzeserkenntnis, unter der sich
alle vorkommenden Fälle eindeutig subsumieren ließen. Erfahrungsregeln
verlangen vielmehr einen selbst erfahrenen Gebrauch und sind im Grunde
nur in solchem Gebrauch, was sie sind. Angesichts dieser Sachlage muß
man sich eingestehen, daß die geisteswissenschaftliche Erkenntnis nicht die
der induktiven Wissenschaften ist, sondern eine ganz andersartige Objektivität hat und ganz anders erworben wird. Diltheys lebensphilosophische
Grundlegung der Geisteswissenschaften und seine Kritik an allem Dogmatismus, auch dem der Empiristen, hatte eben das zur Geltung bringen wollen. Aber der erkenntnistheoretische Cartesianismus, der ihn im Bann hält,
erwies sich als stärker, so daß bei Dilthey die Geschichtlichkeit der geschichtlichen Erfahrung nicht wahrhaft bestimmend wurde. Zwar ver-
kannte Dilthey die Bedeutung nicht, die die individuelle und allgemeine
Lebenserfahrung für die geisteswissenschaftliche Erkenntnis besitzen –
aber beides wird bei ihm lediglich privativ bestimmt. Es ist unmethodische
und der Verifizierbarkeit ermangelnde Induktion, die auf die methodische
Induktion der Wissenschaft schon hinausweist.

Erinnern wir uns jetzt an den Stand der geisteswissenschaftlichen Selbstbesinnung, von dem wir ausgegangen waren, so erkennen wir Diltheys
Beitrag dazu als besonders charakteristisch. Der Zwiespalt, an dem er sich
abmüht, macht uns deutlich, welcher Zwang von dem Methodendenken
der modernen Wissenschaft ausgeht und daß es darauf ankommen muß,
die in den Geisteswissenschaften getätigte Erfahrung und die in ihnen erreichbare Objektivität angemessener zu beschreiben.

---

[1] VII, 291.

3. Überwindung der erkenntnistheoretischen Fragestellung durch die phänomenologische Forschung

a) Der Begriff des Lebens bei Husserl und Graf Yorck

Es liegt in der Natur der Sache, daß für eine solche Aufgabe, wie sie sich uns stellt, der spekulative Idealismus bessere Möglichkeiten bietet als Schleiermacher und die an ihn anknüpfende Hermeneutik. Denn im spekulativen Idealismus war der Begriff des Gegebenen, der Positivität, einer grundsätzlichen Kritik unterworfen worden – und eben darauf suchte sich Dilthey für seine lebensphilosophische Tendenz zu berufen. Er schreibt[1]: »Wodurch bezeichnet Fichte den Anfang eines Neuen? Weil er von der intellektuellen Anschauung des Ich ausgeht, dieses aber nicht als eine Substanz, ein Sein, eine Gegebenheit, sondern eben durch diese Anschauung, d. h. diese angestrengte Vertiefung des Ich in sich als Leben, Tätigkeit, Energie auffaßt und dementsprechend Energiebegriffe wie Gegensatz usw. Realisierung in ihm aufzeigt.« Ebenso hat Dilthey schließlich in Hegels Begriff des Geistes die Lebendigkeit eines echten geschichtlichen Begriffs erkannt[2]. In der gleichen Richtung wirkten, wie wir bei der Analyse des Erlebnisbegriffes hervorhoben, einige seiner Zeitgenossen: Nietzsche, Bergson, dieser späte Nachfahr der romantischen Kritik an der Denkform der Mechanik, und Georg Simmel. Aber welche radikale Denkforderung in der Unangemessenheit des Substanzbegriffs für das geschichtliche Sein und historische Erkennen liegt, hat erst *Heidegger* zum allgemeinen Bewußtsein gebracht[3]. Erst durch ihn ist die philosophische Intention Diltheys freigesetzt worden. Er knüpfte mit seiner Arbeit an die Intentionalitätsforschung der *Husserlschen Phänomenologie* an, die insofern den entscheidenden Durchbruch bedeutete, als sie gar nicht der extreme Platonismus war, den Dilthey darin sah[4].

[1] VII, 333.   [2] Ges. Schriften VII, 148.

[3] Heidegger hat mir gegenüber schon 1923 von den späten Schriften Georg Simmels mit Bewunderung gesprochen. Daß das nicht nur eine allgemeine Anerkennung der philosophischen Persönlichkeit Simmels war, sondern auf inhaltliche Anstöße hindeutete, die Heidegger empfangen hatte, wird jedem deutlich, der heute in dem ersten der vier ,Metaphysischen Kapitel' liest, die unter dem Titel ,Lebensanschauung' zusammenfaßten, was dem todgeweihten Georg Simmel als philosophische Aufgabe vorschwebte. Dort steht etwa: »Das Leben ist wirklich Vergangenheit und Zukunft«; dort wird «die Lebenstranszendenz als die wahre Absolutheit« bezeichnet, und der Aufsatz schließt: »Ich weiß sehr wohl, welche logische Schwierigkeiten dem begrifflichen Ausdruck dieser Art, das Leben zu schauen, entgegenstehen. Ich habe sie, in voller Gegenwart der logischen Gefahr, zu formulieren versucht, da doch immerhin *möglicherweise* die Schicht hier erreicht ist, in der logische Schwierigkeiten nicht ohne weiteres Schweigen gebieten – weil sie diejenige ist, aus der sich die metaphysische Wurzel der Logik selbst erst nährt.«

[4] Vgl. Natorps Kritik von Husserls Ideen (1914) (Logos 1917) und Husserl selbst

Vielmehr wird, je mehr man durch das Fortschreiten der großen Hus-
serl-Ausgabe in das langsame Wachsen der Husserlschen Gedanken Einblick
erhält, um so deutlicher, daß mit dem Thema der Intentionalität eine sich
immer stärker radikalisierende Kritik am ‚Objektivismus‘ der bisherigen
Philosophie – auch an Dilthey[1] – einsetzte, die in dem Anspruch gipfeln
sollte: »daß die intentionale Phänomenologie zum ersten Male den Geist
als Geist zum Feld systematischer Erfahrung und Wissenschaft gemacht
und dadurch die totale Umstellung der Erkenntnisaufgabe erwirkt hat.
Die Universalität des absoluten Geistes umspannt alles Seiende in einer
absoluten Historizität, welcher sich die Natur als Geistesgebilde einordnet.«[2] Nicht zufällig wird hier der Geist als das einzig Absolute, d. h. Irrelative der Relativität alles ihm Erscheinenden gegenübergestellt, ja Husserl
erkennt sogar selbst die Kontinuität seiner Phänomenologie mit der transzendentalen Fragestellung Kants und Fichtes an: »Gerechterweise muß
aber beigefügt werden, daß der von Kant ausgehende deutsche Idealismus
schon leidenschaftlich bemüht war, die schon sehr empfindlich gewordene
Naivität (sc. des Objektivismus) zu überwinden.«[3]

Diese Äußerungen des späten Husserl mögen schon aus der Auseinandersetzung mit ‚Sein und Zeit‘ motiviert sein, doch gehen ihnen zahllose
andere Denkversuche Husserls voraus, die beweisen, daß Husserl die Anwendung seiner Ideen auf die Probleme der historischen Geisteswissenschaften schon immer im Auge hatte. Es handelt sich hier also nicht um eine
äußerliche Anknüpfung an die Arbeit Diltheys (oder – später – Heideggers), sondern um die Konsequenz seiner eigenen Kritik an der objektivistischen Psychologie und an dem Objektivismus der bisherigen Philosophie.
Das ist nach der Publikation von Ideen II völlig klar[4].

Angesichts dieser Sachlage ist es geboten, der Husserlschen Phänomenologie in unseren Erörterungen ihre Stelle einzuräumen.

Diltheys Anknüpfung an Husserls logische Untersuchungen hatte den
springenden Punkt durchaus getroffen. Es war nach Husserls eigener Aussage[5] das Korrelationsapriori von Erfahrungsgegenstand und Gegebenheitsweisen, das seit den logischen Untersuchungen seine gesamte Lebensarbeit beherrschte. Schon in der fünften logischen Untersuchung hatte er
die Eigenart der intentionalen Erlebnisse herausgearbeitet und das Bewußtsein, wie er es zum Forschungsthema machte, ‚als intentionales Erlebnis‘ (so lautet die Überschrift des zweiten Kapitels) von der reellen Be-

in einem Privatbrief an Natorp vom 29. 6. 1918: »wobei ich noch bemerken darf,
daß ich schon seit mehr als einem Jahrzehnt die Stufe des statischen Platonismus
überwunden und der Phänomenologie als Hauptthema die Idee der transzendentalen
Genesis gestellt habe«. In der gleichen Richtung geht die Anm. O. Beckers in der
Husserlfestschrift S. 39.

[1] VI, 344.   [2] VI, 346.
[3] VI, 339 u. VI, 271.   [4] Husserliana Bd. IV, 1952.
[5] VI, 169[1].

wußtseinseinheit der Erlebnisse und von ihrer inneren Wahrnehmung unterschieden. Insofern war ihm schon dort das Bewußtsein kein ,Gegenstand', sondern eine wesensmäßige Zuordnung – der Punkt, der für Dilthey so erleuchtend war. Was sich in der Erforschung dieser Zuordnung offenbarte, war eine erste Überwindung des ,Objektivismus', sofern etwa die Bedeutung von Worten nicht mit dem reellen psychischen Inhalt des Bewußtseins, z. B. den assoziativen Vorstellungen, die ein Wort erweckt, länger verwechselt werden durfte. Bedeutungsintention und Bedeutungserfüllung gehören wesensmäßig der Einheit der Bedeutung zu, und wie die Bedeutungen der Worte, die wir gebrauchen, hat jedes Seiende, das für mich in Geltung ist, korrelativ und in Wesensnotwendigkeit eine »ideelle Allgemeinheit der wirklichen und möglichen erfahrenden Gegebenheitsweisen«[1].

Damit war die Idee der ,Phänomenologie', d. h. die Ausschaltung aller Seinssetzung und die Erforschung der subjektiven Gegebenheitsweisen, gewonnen und wurde zu einem universalen Arbeitsprogramm, das grundsätzlich alle Objektivität, allen Seinssinn verständlich zu machen hatte. Seinsgeltung besitzt nun aber auch die menschliche Subjektivität. Sie ist mithin ebenso als ,Phänomen' anzusehen, d. h. auch sie ist in der Mannigfaltigkeit ihrer Gegebenheitsweisen zu erforschen. Solche Erforschung des Ich als Phänomen ist nicht ,innere Wahrnehmung' eines realen Ich, sie ist aber auch nicht bloße Rekonstruktion der ,Bewußtheit', d. h. Beziehung der Bewußtseinsinhalte auf einen transzendentalen Ichpol (Natorp)[2], sondern ist ein hochdifferenziertes Thema transzendentaler Reflexion. Diese Reflexion stellt gegenüber der bloßen Gegebenheit von Phänomenen des gegenständlichen Bewußtseins, einer Gegebenheit in intentionalen Erlebnissen, den Zuwachs einer neuen Dimension der Forschung dar. Denn es gibt auch Gegebenheit, die nicht selber Gegenstand intentionaler Akte ist. Jedes Erlebnis hat implizierte Horizonte des Vorher und Nachher und verschmilzt zuletzt mit dem Kontinuum der im Vorher und Nachher präsenten Erlebnisse zur Einheit des Erlebnisstroms.

Husserls Untersuchungen zur Konstitution des Zeitbewußtseins erwachsen aus der Notwendigkeit, die Seinsweise dieses Stroms zu erfassen und damit die Subjektivität in die intentionale Korrelationsforschung einzubeziehen. Von nun an versteht sich alle übrige phänomenologische Forschung als die Erforschung der Konstitution von Einheiten des Zeitbewußtseins und im Zeitbewußtsein, die ihrerseits die Konstitution des Zeitbewußtseins selbst schon voraussetzen. Damit wird klar, daß die Einzelheit des Erlebnisses – so sehr es als ein intentionales Korrelat einer konstituierten Sinngeltung seine methodische Bedeutung behält – kein letztes phänomenologisches Datum ist. Jedes solche intentionale Erlebnis impliziert viel-

---

[1] VI, 169.
[2] *Einleitung in die Psychologie nach kritischer Methode*, 1888; *Allgemeine Psychologie nach kritischer Methode*, 1912.

mehr stets einen zweiseitigen Leerhorizont von solchem, das in ihm nicht
eigentlich gemeint ist, aber auf das sich jederzeit ein aktuelles Meinen
wesensmäßig richten kann, und letzten Endes ist es evident, daß die Einheit
des Erlebnisstroms das Ganze aller solcher thematisierbarer Erlebnisse umschließt. Daher liegt die Konstitution der Zeitlichkeit des Bewußtseins
aller Konstitutionsproblematik tragend zugrunde. Der Erlebnisstrom hat
den Charakter eines universalen Horizontbewußtseins, aus dem nur Einzelheiten wirklich – als Erlebnisse – gegeben sind.

Ohne Zweifel ist der Begriff und das Phänomen des *Horizonts* für Husserls phänomenologische Forschung von tragender Bedeutung. Mit diesem
Begriffe, den auch wir zu gebrauchen Anlaß haben werden, sucht Husserl
offenbar den Übergang aller ausgegrenzten Intentionalität des Meinens in
die tragende Kontinuität des Ganzen einzufangen. Ein Horizont ist ja keine
starre Grenze, sondern etwas, das mitwandert und zum weiteren Vordringen einlädt. So entspricht der Horizont-Intentionalität, die die Einheit des
Erlebnisstromes konstituiert, eine ebenso umfassende Horizont-Intentionalität auf der gegenständlichen Seite. Denn alles als seiend Gegebene ist welt-
lich gegeben und führt damit den Welthorizont mit sich. Husserl hat in
seinen Retraktationen zu Ideen I in ausdrücklicher Selbstkritik hervorgehoben, daß ihm damals (1913) noch nicht genügend die Bedeutung des
Weltphänomens aufgegangen sei [1]. Die Theorie der transzendentalen Reduktion, die er in den Ideen mitgeteilt hatte, mußte sich damit mehr und
mehr komplizieren. Die bloße Aufhebung der Geltung der objektiven Wissenschaften konnte nicht mehr genügen, denn auch im Vollzug der Epoche,
der Aufhebung der Seinssetzung der wissenschaftlichen Erkenntnis, bleibt
die Welt als eine vorgegebene in Geltung. Insofern ist die erkenntnistheoretische Selbstbesinnung, die nach dem Apriori, den eidetischen Wahrheiten
der Wissenschaften fragt, nicht radikal genug.

Das ist der Punkt, an dem sich Husserl mit den Intentionen Diltheys in
einem gewissen Einklang wissen konnte. In ähnlicher Weise hatte Dilthey
den Kritizismus der Neukantianer bekämpft, sofern ihm der Rückgang auf
das erkenntnistheoretische Subjekt nicht genügte. »In den Adern des erkennenden Subjekts, das Locke, Hume und Kant konstruierten, rinnt nicht
wirkliches Blut.« [2] Dilthey selbst ging auf die Lebenseinheit zurück, auf
den ‚Standpunkt des Lebens‘, und ganz ähnlich ist Husserls ‚Bewußtseinsleben‘, ein Wort, das er anscheinend von Natorp übernommen hat, bereits
ein Anzeiger für die sich später breit durchsetzende Tendenz, nicht nur
einzelne Bewußtseinserlebnisse, sondern die verhüllten, anonymen impli-

---

[1] III, 390: »Der große Fehler, daß von der natürlichen Welt (ohne sie als Welt
zu charakterisieren) ausgegangen wird« (1922), und die ausführlichere Selbstkritik
III, 399 (1929). Der Begriff des ‚Horizonts‘ und des Horizontbewußtseins ist nach
Husserliana VI, 267 durch W. James’ Begriff der ‚fringes‘ mit angeregt.

[2] Ges. Schriften, Bd. I. S. XVIII.

ziten Intentionalitäten des Bewußtseins zu studieren und auf diesem Wege das Ganze aller objektiven Seinsgeltung verständlich zu machen. Später heißt das: die Leistungen des ‚leistenden Lebens' aufklären.

Daß Husserl überall die ‚Leistung' der transzendentalen Subjektivität im Auge hat, entspricht einfach der Aufgabe der phänomenologischen Konstitutionsforschung. Aber es ist bezeichnend für seine eigentliche Absicht, daß er nicht mehr Bewußtsein, ja nicht einmal Subjektivität sagt, sondern ‚Leben'. Er will eben hinter die Aktualität des meinenden Bewußtseins, ja auch hinter die Potenzialität des Mitmeinens auf die Universalität eines Leistens zurück, das allein die Universalität des Geleisteten, d. h. in seiner Geltung Konstituierten, auszumessen vermag. Es ist eine grundsätzlich *anonyme*, d. h. von keinem mehr namentlich geleistete Intentionalität, durch die der alles umfassende Welthorizont konstituiert wird. Husserl nennt in bewußter Gegenbildung gegen einen Weltbegriff, der das Universum des von den Wissenschaften Objektivierbaren umfaßt, diesen phänomenologischen Weltbegriff ‚die Lebenswelt', d. h. die Welt, in die wir in der natürlichen Einstellung hineinleben, die uns nicht als solche je gegenständlich wird, sondern die den vorgegebenen Boden aller Erfahrung darstellt. Dieser Welthorizont bleibt auch in aller Wissenschaft vorausgesetzt und ist daher ursprünglicher als sie. Als ein Horizontphänomen ist diese ‚Welt' wesensmäßig bezogen auf Subjektivität, und diese Bezogenheit bedeutet zugleich, daß sie »in strömender Jeweiligkeit seiend« ist[1]. Die Lebenswelt ist in einer Bewegung der ständigen Geltungsrelativität.

Wie man sieht, ist der Begriff der *Lebenswelt* allem Objektivismus entgegengesetzt. Er ist ein wesenhaft geschichtlicher Begriff, der nicht ein Seinsuniversum, eine ‚seiende Welt' meint. Ja, nicht einmal die unendliche Idee einer wahren Welt läßt sich sinnvollerweise aus dem unendlichen Fortgang menschlich-geschichtlicher Welten in der geschichtlichen Erfahrung bilden. Gewiß kann man nach der Struktur dessen fragen, was alle von Menschen je erfahrenen Umwelten umfaßt und damit die weltmögliche Erfahrung schlechthin ist, und in diesem Sinne kann von einer Ontologie der Welt durchaus gesprochen werden. Eine solche Ontologie der Welt bliebe noch immer etwas ganz anderes, als was die in der Vollendung gedachten Naturwissenschaften leisten würden. Sie stellte eine philosophische Aufgabe dar, die das Wesensgefüge der Welt zum Gegenstand machte. Aber mit *Lebenswelt* ist etwas anderes gemeint, das Ganze, in das wir als geschichtlich Lebende hineinleben. Und hier ist die Folgerung nicht zu vermeiden, daß angesichts der Geschichtlichkeit der Erfahrung, die in ihr impliziert ist, die Idee eines Universums möglicher geschichtlicher Lebenswelten grundsätzlich nicht durchführbar ist. Die Unendlichkeit der Vergangenheit, aber vor allem die Offenheit der geschichtlichen

---

[1] VI, 148.

Zukunft ist mit einer solchen Idee eines geschichtlichen Universum unvereinbar. Husserl hat diese Folgerung ausdrücklich gezogen, ohne das ‚Gespenst‘ des Relativismus zu scheuen[1].

Es ist klar, daß die Lebenswelt immer zugleich eine gemeinschaftliche Welt ist und das Mitdasein anderer enthält. Sie ist personale Welt, und solche personale Welt ist in natürlicher Einstellung immer als geltend vorausgesetzt. Aber wie ist diese Geltung aus einer Leistung der Subjektivität zu begründen? Für die phänomenologische Konstitutionsanalyse stellt sie die allerschwierigste Aufgabe dar, deren Paradoxien Husserl unermüdlich durchreflektiert hat. Wie soll im ‚reinen Ich‘ etwas entspringen, was keine Objektgeltung besitzt, sondern selber ‚Ich‘ sein will?

Der Grundsatz des ‚radikalen‘ Idealismus, überall auf die konstituierenden Akte der transzendentalen Subjektivität zurückzugehen, muß offenbar das universale Horizontbewußtsein ‚Welt‘ und vor allem die Intersubjektivität dieser Welt aufklären – obwohl das so Konstituierte, die Welt als die vielen Individuen gemeinsame, ihrerseits die Subjektivität umfaßt. Die transzendentale Reflexion, die alle Weltgeltung und alle Vorgegebenheit von anderem aufheben soll, muß sich ihrerseits als von der Lebenswelt umfangen denken. Das reflektierende Ich weiß sich selber als in Zweckbestimmungen lebendes, für die die Lebenswelt den Boden darstellt. So ist die Aufgabe einer Konstitution der Lebenswelt (wie die der Intersubjektivität) eine paradoxe. Aber Husserl hält das alles für scheinbare Paradoxien. Sie lösen sich nach seiner Überzeugung auf, wenn man den transzendentalen Sinn der phänomenologischen Reduktion mit wirklicher Konsequenz festhält und sich vor dem Kinderschreck eines transzendentalen Solipsismus nicht fürchtet. Angesichts dieser klaren Tendenz der Husserlschen Gedankenbildung erscheint es mir abwegig, Husserl irgendeine Zweideutigkeit im Begriffe der Konstitution, ein Zwischen von Sinnbestimmung und Kreation nachzusagen[2]. Er versichert selbst, in der Folge seines Denkens die Furcht vor dem Erzeugungsidealismus gründlich überwunden zu haben. Seine Theorie der phänomenologischen Reduktion will vielmehr den wahren Sinn dieses Idealismus zur erstmaligen Durchführung bringen. Die transzendentale Subjektivität ist das ‚Ur-Ich‘ und nicht ‚ein Ich‘. Für sie ist der Boden der vorgegebenen Welt aufgehoben. Sie ist das Irrelative schlechthin, auf das alle Relativität, auch die des forschenden Ich, bezogen ist.

Indessen gibt es schon bei Husserl ein Moment, das diesen Rahmen in der Tat ständig zu sprengen droht. Seine Position ist in Wahrheit noch mehr als nur eine Radikalisierung des transzendentalen Idealismus, und für dieses ‚Mehr‘ ist die Funktion bezeichnend, die der Begriff ‚Leben‘ bei ihm

---

[1] Husserliana VI, S. 501.

[2] Wie E. Fink in seinem Vortrag »L'analyse intentionnelle et le problème de la pensée spéculative«, in Problèmes actuels de la Phénoménologie, 1952.

gewinnt. ‚Leben' ist nicht nur das ‚Gerade-Dahin-Leben' der natürlichen Einstellung. ‚Leben' ist auch und nicht minder die transzendental reduzierte Subjektivität, die die Quelle aller Objektivationen ist. Unter dem Titel ‚Leben' steht somit, was Husserl in der Kritik an der objektivistischen Naivität aller bisherigen Philosophie als seine eigene Leistung hervorhebt. Sie besteht in seinen Augen darin, die Scheinhaftigkeit der üblichen erkenntnistheoretischen Kontroverse von Idealismus und Realismus enthüllt und statt dessen die innere Zuordnung von Subjektivität und Objektivität thematisiert zu haben[1]. So erklärt sich die Wendung vom ‚leistenden Leben'. »Die radikale Weltbetrachtung ist systematische und reine Innenbetrachtung der sich selbst im ‚Außen' äußernden Subjektivität[2]. Es ist wie in der Einheit eines lebendigen Organismus, den man wohl von außen betrachten und zergliedern, aber verstehen nur kann, wenn man auf seine verborgenen Wurzeln zurückgeht...«[3] Auch das Weltverhalten des Subjekts hat in dieser Weise seine Verständlichkeit nicht in den bewußten Erlebnissen und ihrer Intentionalität, sondern in den anonymen ‚Leistungen' des Lebens. Das Gleichnis des Organismus, das Husserl hier gebraucht, ist mehr als ein Gleichnis. Es will, wie er ausdrücklich sagt, wörtlich genommen werden.

Geht man nun diesen und ähnlichen sprachlichen und begrifflichen Andeutungen, die sich bei Husserl gelegentlich finden, nach, so wird man in die Nähe des spekulativen Lebensbegriffs des deutschen Idealismus geführt. Was Husserl sagen will, ist doch, daß man nicht Subjektivität als Gegensatz gegen Objektivität denken darf, weil ein solcher Begriff von Subjektivität selber objektivistisch gedacht wäre. Seine transzendentale Phänomenologie will statt dessen ‚Korrelationsforschung' sein. Das aber sagt: das Verhältnis ist das Primäre, und die ‚Pole', in die es sich auseinanderfaltet, sind von ihm selbst umschlossen, so wie das Lebendige alle seine Lebensäußerungen in der Einheitlichkeit seines organischen Seins umschließt. »Die Naivität der Rede von ‚Objektivität', die die erfahrende, erkennende, die wirklich konkret leistende Subjektivität ganz außer Frage läßt, die Naivität des Wissenschaftlers von der Natur, von der Welt überhaupt, der blind ist dafür, daß alle die Wahrheiten, die er als objektive gewinnt, und die objektive Welt selbst, die in seinen Formeln Substrat ist, sein eigenes, in ihm selbst gewordenes *Lebensgebilde* ist – ist natürlich nicht mehr möglich, sowie das *Leben* in den Blickpunkt rückt«, schreibt Husserl im Hinblick auf Hume[4].

---

[1] Husserliana VI, § 34; S. 265 f.

[2] Husserliana VI, S. 116.

[3] Es ist nicht abzusehen, wie die neueren Versuche, das Sein der ‚Natur' gegen die Geschichtlichkeit auszuspielen, vor diesem *methodisch* gemeinten Verdikt bestehen wollen.

[4] Husserliana VI, S. 99.

Die Rolle, die der Begriff des Lebens hier spielt, hat ihre deutliche Entsprechung in Diltheys Untersuchungen zum Begriff des Erlebniszusammenhangs. So wie Dilthey dort vom Erlebnis nur ausgeht, um den Begriff des psychischen Zusammenhangs zu gewinnen, erweist Husserl die Einheit des Erlebnisstroms als vorgängig und wesensnotwendig gegenüber der Einzelheit der Erlebnisse. Die thematische Erforschung des Bewußtseinslebens muß den Ausgangspunkt von dem Einzelerlebnis, genau wie bei Dilthey, überwinden. Insofern besteht zwischen beiden Denkern eine echte Gemeinsamkeit. Beide gehen auf die Konkretion des Lebens zurück.

Es fragt sich aber bei beiden, ob sie den spekulativen Forderungen, die der Begriff des Lebens enthält, gerecht werden. Dilthey will den Aufbau der geschichtlichen Welt aus der dem Leben innewohnenden Reflexivität, Husserl die Konstitution der geschichtlichen Welt aus dem ‚Bewußtseinsleben‘ ableiten. Man fragt sich, ob nicht in beiden Fällen der eigentliche Inhalt des Lebensbegriffes durch das erkenntnistheoretische Schema einer solchen Ableitung aus letzten Bewußtseinsgegebenheiten überfremdet wird. Vor allem die Schwierigkeiten, die das Problem der Intersubjektivität und das Verstehen des fremden Ich bieten, lassen diese Frage aufkommen. Bei Husserl wie bei Dilthey zeigt sich hier nämlich die gleiche Schwierigkeit. Die immanenten Gegebenheiten des reflexiv befragten Bewußtseins enthalten das Du nicht unmittelbar und originär. Husserl hat ganz recht, wenn er hervorhebt, daß das Du nicht jene Art von immanenter Transzendenz besitzt, die den Gegenständen der äußeren Erfahrungswelt zukommt. Denn ein jedes Du ist ein alter ego, d. h. es wird vom ego aus verstanden und doch zugleich auch als von ihm abgelöst und, wie das ego selbst, als selbständig. Husserl hat in mühevollen Untersuchungen versucht, die Analogie von Ich und Du, – die Dilthey rein psychologisch durch den Analogieschluß der Einfühlung interpretiert – auf dem Wege über die Intersubjektivität der gemeinsamen Welt aufzuklären. Er war konsequent genug, den erkenntnistheoretischen Vorrang der transzendentalen Subjektivität dabei nicht im geringsten einzuschränken. Aber bei ihm wie bei Dilthey ist der ontologische Vorgriff der gleiche. Zunächst wird der andere als Wahrnehmungsding gefaßt, das alsdann durch Einfühlung zum Du ‚wird‘. Bei Husserl ist ein solcher Begriff der Einfühlung gewiß rein transzendental gemeint[1], aber er ist doch an dem Innesein des Selbstbewußtseins orientiert und bleibt die Orientierung an dem das Bewußtsein weit überspielenden

---

[1] Es ist das Verdienst der Heidelberger Dissertation von D. Sinn, Die transzendentale Intersubjektivität mit ihren Seinshorizonten bei E. Husserl, Heidelberg 1958, den methodisch-transzendentalen Sinn des die Konstitution der Intersubjektivität tragenden Begriffs der ‚Einfühlung‘ erkannt zu haben, der Alfred Schuetz, Das Problem der transzendentalen Intersubjektivität bei Husserl, Philos. Rundschau Jg. V, 1957 H. 2, entgangen war.

Funktionskreis[1] des Lebens schuldig, auf den er doch zurückzugehen beansprucht.

In Wahrheit ist also der spekulative Gehalt des Lebensbegriffes bei beiden unentfaltet geblieben. Dilthey sucht den Standpunkt des Lebens nur polemisch gegen das metaphysische Denken auszuspielen, und Husserl hat von dem Zusammenhang dieses Begriffs mit der metaphysischen Tradition, insbesondere mit dem spekulativen Idealismus, schlechterdings keine Vorstellung.

An diesem Punkte wird der kürzlich veröffentlichte, leider sehr fragmentarische Nachlaß des *Grafen Yorck* von überraschender aktueller Bedeutung[2]. Hatte sich schon Heidegger auf die genialen Winke dieses bedeutenden Mannes nachdrücklich berufen und gegenüber den Arbeiten Diltheys seinen Ideen eine Art Vorrang zuerkannt, so stand dem doch immer die Tatsache entgegen, daß Dilthey ein gewaltiges Lebenswerk vollbracht hat, während die brieflichen Äußerungen des Grafen niemals einen größeren systematischen Zusammenhang entwickeln. Das aus den letzten Lebensjahren stammende nunmehr edierte Nachlaßwerk ändert diese Situation gründlich. Wenn es auch nur ein Fragment ist, ist seine systematische Absicht doch konsequent genug entfaltet, daß man sich über den gedanklichen Ort dieses Versuchs nicht länger täuschen kann.

Hier wird genau das geleistet, was wir oben bei Dilthey und Husserl vermißten. Es wird zwischen dem spekulativen Idealismus und dem neuen Erfahrungsstandpunkt des Jahrhunderts eine Brücke geschlagen, sofern der Begriff des Lebens nach beiden Richtungen als der umfassende herausgestellt wird. Die Analyse der Lebendigkeit, die für Graf Yorck der Ausgangspunkt ist, so spekulativ sie klingt, bezieht dennoch die naturwissenschaftliche Denkweise des Jahrhunderts – ausdrücklich den Lebensbegriff Darwins – mit ein. Leben ist Selbstbehauptung. Das ist die Basis. Die Struktur der Lebendigkeit besteht darin, Urteilung zu sein, d. h. in der Teilung und Gliederung seiner selbst sich doch als Einheit zu behaupten. Urteilung wird aber auch als das Wesen des Selbstbewußtseins erwiesen, denn wenn es auch sich stets in Selbst und Anderes dirimiert, besteht es doch – als ein Lebendiges – in dem Spiel und Widerspiel dieser seiner konstitutiven Faktoren. Von ihm gilt wie von allem Leben, daß es Erprobung, d. h. Experiment ist. »Spontaneität und Dependenz sind die Grundcharaktere des Bewußtseins, konstitutiv im Bereich der somatischen sowie der psychischen Artikulation, wie denn weder ein Sehen und körperliches Empfinden noch ein Vorstellen, Wollen oder Fühlen ohne Gegenständlichkeit vorhanden wäre.«[3] Auch das Bewußtsein ist als ein Lebensverhalten zu verstehen.

---

[1] Ich spiele hier auf die weitreichende Perspektiven an, die Viktor von Weizsäckers Begriff des ‚Gestaltkreises‘ geöffnet hat.

[2] Bewußtseinsstellung und Geschichte, Tübingen 1956.

[3] op. cit., S. 39.

Das ist die methodische Grundforderung, die Graf Yorck an die Philosophie stellt und in der er sich mit Dilthey einig fühlt. Auf diese verhüllte Grundlage (Husserl würde sagen: auf dieses verhüllte Leisten) gilt es, das Denken zurückzubringen. Dazu bedarf es der Anstrengung philosophischer Reflexion. Denn die Philosophie handelt der Tendenz des Lebens entgegen. Graf Yorck schreibt: »Nun aber bewegt sich unser Denken in Bewußtseinsresultaten« (d. h.: es ist sich des realen Verhältnisses dieser ‚Resultate‘ zum Lebensverhalten, auf dem die Resultate beruhen, nicht bewußt). »Die vollzogene Diremption ist jene Voraussetzung.«[1] Graf Yorck will damit sagen, daß die Resultate des Denkens nur dadurch Resultate sind, daß sie sich von dem Lebensverhalten getrennt haben und trennen lassen. Daraus folgert nun Graf Yorck, daß die Philosophie diese Trennung rückgängig machen muß. Sie muß das Experiment des Lebens in umgekehrter Richtung wiederholen, »um die Bedingungsverhältnisse der Lebensresultate zu erkennen«[2]. Das mag sehr objektivistisch und naturwissenschaftlich formuliert sein, und Husserls Theorie der Reduktion würde sich demgegenüber auf ihre rein transzendentale Denkweise berufen. In Wahrheit aber wird in den kühnen und zielbewußten Überlegungen des Grafen Yorck nicht nur die gemeinsame Tendenz Diltheys und Husserls sehr deutlich. Er zeigt sich ihnen beiden vielmehr wahrhaft überlegen. Denn hier wird wirklich auf dem Niveau der Identitätsphilosophie des spekulativen Idealismus weitergedacht, und damit wird die verborgene Herkunft des Lebensbegriffes sichtbar, auf den Dilthey und Husserl zielen.

Folgt man diesem Gedanken des Grafen Yorck weiter, wird das Fortleben idealistischer Motive ganz augenfällig. Was Graf Yorck hier darlegt, ist die strukturelle *Entsprechung von Leben und Selbstbewußtsein,* die schon Hegels ‚Phänomenologie‘ entwickelt hatte. Schon in Hegels letzten Frankfurter Jahren läßt sich an den erhaltenen Manuskriptresten die zentrale Bedeutung nachweisen, die der Begriff des Lebens für seine Philosophie besitzt. In seiner ‚Phänomenologie‘ leistet das Phänomen des Lebens den entscheidenden Übergang vom Bewußtsein zum Selbstbewußtsein – und das ist in der Tat kein künstlicher Zusammenhang. Denn Leben und Selbstbewußtsein haben wirklich etwas Analoges. Leben bestimmt sich dadurch, daß das Lebendige sich von der Welt, in der es lebt und mit der es verbunden bleibt, selber unterscheidet und in solcher Selbstunterscheidung erhält. Die Selbsterhaltung des Lebendigen geschieht ja in der Weise, daß es außer ihm Seiendes in sich selbst einbezieht. Alles Lebendige nährt sich aus dem ihm Fremden. Der fundamentale Tatbestand des Lebendigseins ist die Assimilation. Die Unterscheidung ist also zugleich eine Nichtunterscheidung. Das Fremde wird angeeignet.

Diese Struktur des Lebendigen hat, wie schon Hegel gezeigt hat und wie Graf Yorck festhält, ihre Entsprechung im Wesen des Selbstbewußt-

---

[1] a.a.O.   [2] a.a.O.

seins. Dessen Sein besteht darin, daß es alles und jedes zum Gegenstand seines Wissens zu machen weiß und dennoch in allem und jedem, das es weiß, sich selber weiß. Es ist also als Wissen ein Sich-von-sich-unterscheiden und als Selbstbewußtsein zugleich ein Übergreifen, indem es sich mit sich selbst zusammenschließt.

Offenkundig handelt es sich um mehr als um eine bloße strukturelle Entsprechung von Leben und Selbstbewußtsein. Hegel hat ganz recht, wenn er das Selbstbewußtsein dialektisch aus dem Leben ableitet. Was lebendig ist, ist in der Tat für das gegenständliche Bewußtsein, die Anstrengung des Verstandes, der in das Gesetz der Erscheinungen einzudringen strebt, niemals wirklich erkennbar. Lebendiges ist nicht von der Art, daß man von außen her je dazu gelangen könnte, es in seiner Lebendigkeit einzusehen. Die einzige Weise, Lebendigkeit zu erfassen, ist vielmehr die, daß man ihrer inne wird. Hegel spielt an die Geschichte von dem verschleierten Bild von Sais an, wenn er die innere Selbstobjektivation des Lebens und des Selbstbewußtseins beschreibt: Hier schaut das Innere das Innere[1]. Es ist die Weise des Selbstgefühls, das Innesein der eigenen Lebendigkeit, in dem Leben allein erfahren wird. Hegel zeigt, wie diese Erfahrung in der Form von Begierde und Befriedigung der Begierde aufflammt und erlischt. Dies Selbstgefühl der Vitalität, in dem sich die Lebendigkeit ihrer selbst bewußt wird, ist zwar eine unwahre Vorform, eine niederste Gestalt des Selbstbewußtseins, sofern die Bewußtwerdung seiner selbst in der Begierde sich zugleich durch die Befriedigung der Begierde vernichtet. So unwahr sie ist, gegenüber der gegenständlichen Wahrheit, dem Bewußtsein von etwas Fremdem, ist sie als das Vitalgefühl dennoch die erste Wahrheit des Selbstbewußtseins.

Hier scheint mir der Punkt zu liegen, an dem die Untersuchung des Grafen Yorck in fruchtbarer Weise anschließt. Sie gewinnt aus der Entsprechung von Leben und Selbstbewußtsein eine methodische Richtlinie, nach der sie Wesen und Aufgabe der Philosophie bestimmt. Ihre leitenden Begriffe sind Projektion und Abstraktion. Projektion und Abstraktion machen die primäre Lebensverhaltung aus. Sie gelten aber ebenso auch für die wiederholende historische Verhaltung. Sofern auch die philosophische Reflexion dieser Struktur der Lebendigkeit entspricht, und nur sofern sie das tut, gewinnt sie ihre eigene Legitimation. Ihre Aufgabe ist, die Bewußtseinsergebnisse von ihrem Ursprung her zu verstehen, indem sie dieselben als Resultate, d. h. als Projektion der ursprünglichen Lebendigkeit und ihrer Ur-Teilung begreift.

Graf Yorck erhebt damit zum methodischen Prinzip, was Husserl später in seiner Phänomenologie zu breiter Ausführung bringen soll. Man begreift auf diese Weise, wie sich zwei so verschiedene Denker wie Husserl und Dilthey überhaupt begegnen konnten. Der Rückgang hinter die Abstrak-

---

[1] Phänomenologie des Geistes, ed. Hoffmeister, S. 128.

tion des Neukantianismus ist beiden gemeinsam. Graf Yorck stimmt mit ihnen überein, aber er leistet in Wahrheit noch mehr. Denn er geht nicht nur in erkenntnistheoretischer Absicht auf das Leben zurück, sondern hält den metaphysischen Zusammenhang von Leben und Selbstbewußtsein, wie ihn Hegel herausgearbeitet hatte, fest. Das ist es, worin er Dilthey wie Husserl überlegen ist.

Diltheys erkenntnistheoretische Reflexionen waren, wie wir gesehen hatten, insoweit fehlgegangen, als er aus dem Lebensverhalten und seinem Drang nach Festem die Objektivität der Wissenschaft allzu kurzschlüssig abgeleitet hatte. Husserl vollends fehlte es überhaupt an jeder näheren Bestimmung dessen, was Leben ist, obwohl das Herzstück der Phänomenologie, die Korrelationsforschung, der Sache nach dem strukturellen Vorbild des Lebensverhältnisses folgt. *Graf Yorck aber schlägt die immer vermißte Brücke zwischen Hegels Phänomenologie des Geistes und Husserls Phänomenologie der transzendentalen Subjektivität*[1]. Wie er die dialektische Metaphysizierung des Lebens, die er Hegel vorwirft, seinerseits zu vermeiden gedachte, vermag uns das Nachlaßfragment freilich nicht zu zeigen.

b) Heideggers Entwurf einer hermeneutischen Phänomenologie

Die Tendenz, die Dilthey und Graf Yorck als die ihnen gemeinsame des »Begreifens vom Leben aus« formulierten und die in Husserls Rückgang hinter die Objektivität der Wissenschaft auf die Lebenswelt ihren Ausdruck fand, war auch für *Heideggers* ersten Einsatz bestimmend. Er aber unterlag nicht mehr den erkenntnistheoretischen Implikationen, denen zufolge der Rückgang auf das Leben (Dilthey) bzw. die transzendentale Reduktion (Husserls Weg der schlechthin radikalen Selbstbesinnung) ihren methodischen Grund in der Selbstgegebenheit der Erlebnisse hatte. All das wird vielmehr Gegenstand seiner Kritik. Unter dem Stichwort einer ‚Hermeneutik der Faktizität‘ stellte Heidegger der eidetischen Phänomenologie Husserls und der Unterscheidung von Tatsache und Wesen, auf der sie beruhte, eine paradoxe Forderung entgegen. Die unbegründbare und unableitbare Faktizität des Daseins, die Existenz, und nicht das reine cogito als Wesensverfassung von typischer Allgemeinheit, sollte die ontologische Basis der phänomenologischen Fragestellung darstellen – ein ebenso kühner wie schwer einzulösender Gedanke.

Die kritische Seite dieses Gedankens war gewiß nicht schlechthin neu. Sie war schon in der Weise einer Kritik am Idealismus von den Junghegelianern gedacht worden, und insofern ist es kein Zufall, daß der aus der geistigen Krise des Hegelianismus stammende Kierkegaard wie von anderen Kritikern des neukantianischen Idealismus so auch von Heidegger da-

---

[1] Vgl. zu diesem sachlichen Zusammenhang die ausgezeichneten Bemerkungen bei A. de Waelhens, Existence et Signification, Louvain 1957, S. 7–29.

mals aufgegriffen wurde. Auf der anderen Seite sah sich aber diese Kritik am Idealismus damals wie heute dem umfassenden Anspruch der transzendentalen Fragestellung gegenüber. Sofern die transzendentale Reflexion kein mögliches Motiv des Gedankens in der Entfaltung des Inhalts des Geistes ungedacht lassen wollte – und das war seit Hegel der Anspruch der Transzendentalphilosophie –, hatte sie jeden möglichen Einwand in die totale Reflexion des Geistes immer schon einbezogen. Das gilt auch für die transzendentale Fragestellung, unter der Husserl der Phänomenologie die universale Aufgabe der Konstitution aller Seinsgeltung gestellt hatte. Sie mußte evidentermaßen auch die von Heidegger geltend gemachte Faktizität in sich einbeziehen. So konnte Husserl das In-der-Welt-sein als ein Problem der Horizontintentionalität des transzendentalen Bewußtseins anerkennen, und die absolute Historizität der transzendentalen Subjektivität mußte auch den Sinn von Faktizität auszuweisen vermögen. Daher hatte Husserl in konsequentem Festhalten an seiner Leitidee des Ur-Ich sogleich gegen Heidegger einwenden können, daß der Sinn von Faktizität selber ein Eidos ist, also wesensmäßig der eidetischen Sphäre der Wesensallgemeinheiten angehöre. Wenn man die Entwürfe der späteren Husserlschen Arbeiten, insbes. die im 7. Band vereinigten Arbeiten zur ‚Krisis‘ daraufhin prüft, so wird man in der Tat dort zahlreiche Analysen der ‚absoluten Historizität‘ in konsequenter Fortbildung der Problematik der ‚Ideen‘ finden, die Heideggers revolutionärem und polemischem Neueinsatz entsprechen[1].

Ich erinnere daran, daß sich Husserl selber der Problematik der Paradoxien gestellt hat, die aus der Durchführung seines transzendentalen Solipsismus erwachsen. Es ist daher sachlich gar nicht leicht, den Punkt zu bezeichnen, von dem aus Heidegger dem phänomenologischen Idealismus Husserls gegenübertreten konnte. Ja, man muß sogar zugeben, daß sich Heideggers Entwurf von ‚Sein und Zeit‘ dem Bereich der transzendentalen Reflexionsproblematik nicht völlig entwunden hatte. Die Idee der Fundamentalontologie, ihre Begründung auf das Dasein, dem es um das Sein geht, und die Analytik dieses Daseins schienen zunächst in der Tat nur eine neue Fragedimension innerhalb der transzendentalen Phänomenologie auszumessen[2]. Daß sich aller Sinn von Sein und Objektivität allein von der Zeitlichkeit und Geschichtlichkeit des Daseins aus verständlich machen und ausweisen läßt – eine immerhin mögliche Formel für die Tendenz von ‚Sein und Zeit‘ –, hätte Husserl auch in seinem Sinne, d. h. vom Boden

---

[1] Bemerkenswerterweise fehlt in allen bisherigen Husserliana fast ganz eine namentliche Auseinandersetzung mit Heidegger. Das hat gewiß nicht nur biographische Gründe. Vielmehr mochte sich Husserl immer wieder in die Zweideutigkeit verstrickt sehen, die ihm Heideggers Ansatz von ‚Sein und Zeit‘ bald als transzendentale Phänomenologie und bald als Kritik derselben erscheinen ließ. Er konnte seine eigenen Gedanken darin wiedererkennen, und doch traten sie in ganz anderer Frontstellung, in seinen Augen in polemischer Verzerrung auf.

[2] Wie O. Becker alsbald in der Husserlfestschrift, S. 39, betonte.

seiner absoluten Historizität des Ur-Ich aus, in Anspruch genommen. Und wenn Heideggers methodisches Programm kritisch gegen den Begriff der transzendentalen Subjektivität gerichtet war, auf den Husserl alle Letztbegründung zurückbezog, so hätte Husserl das als eine Verkennung der Radikalität der transzendentalen Reduktion bezeichnet. Er hätte gewiß behauptet, daß die transzendentale Subjektivität selber schon alle Implikationen einer Substanzontologie und damit den Objektivismus der Tradition überwunden und ausgeschieden habe. *Auch Husserl sah sich in Gegensatz zu dem Ganzen der Metaphysik.*

Immerhin ist es bezeichnend, daß für Husserl dieser Gegensatz dort seine geringste Schärfe hatte, wo es sich um die von Kant, seinen Vorgängern und seinen Nachfolgern eingeschlagene transzendentale Fragestellung handelt. Hier erkannte Husserl seine wahren Vorläufer und Wegbereiter. Die radikale Selbstbesinnung, die sein tiefster Antrieb war und die er als das Wesen der neuzeitlichen Philosophie überhaupt ansah, ließ ihn sich auf Descartes und die Engländer berufen und folgte dem methodischen Vorbild der Kantischen Kritik. Seine ‚konstitutive‘ Phänomenologie war freilich durch eine Universalität der Aufgabenstellung ausgezeichnet, die Kant fremd war und die auch der Neukantianismus nicht erreichte, der das ‚Faktum der Wissenschaft‘ unbefragt ließ.

Doch wird gerade an dieser Berufung Husserls auf seine Vorläufer der Unterschied zu Heidegger unverkennbar. Husserls Kritik am Objektivismus der bisherigen Philosophie war eine methodische Fortführung der neuzeitlichen Tendenzen und verstand sich auch als eine solche. Heideggers Anspruch dagegen war von vornherein eher der einer Teleologie mit umgekehrtem Vorzeichen. In seinem eigenen Einsatz sah er nicht so sehr die Erfüllung einer schon lange vorbereiteten und angelegten Tendenz, als vielmehr einen Rückgriff auf den ersten Anfang der abendländischen Philosophie und als die Wiederanfachung des vergessenen alten griechischen Streites um das ‚Sein‘. Natürlich war schon damals, als ‚Sein und Zeit‘ erschien, entschieden, daß dieser Rückgriff auf Ältestes zugleich ein Fortgang über die Position der zeitgenössischen Philosophie war, und sicher war es keine beliebige Anknüpfung, wenn Heidegger damals die Forschungen Diltheys und die Ideen des Grafen Yorck in die Fortbildung der phänomenologischen Philosophie hineinnahm[1]. Das Problem der Faktizität war ja auch das Kernproblem des Historismus – mindestens in der Form der Kritik an Hegels dialektischer Voraussetzung von Vernunft in der Geschichte.

Daß Heideggers Entwurf einer Fundamentalontologie das Problem der Geschichte in den Vordergrund stellen mußte, war also klar. Doch sollte sich bald zeigen, daß nicht die Lösung des Problems des Historismus, daß überhaupt keine ursprünglichere Begründung der Wissenschaften, ja auch

---

[1] Sein und Zeit, § 77.

nicht, wie bei Husserl, eine letztradikale Selbstbegründung der Philosophie den Sinn dieser *Fundamentalontologie* ausmachte, sondern daß *der Begründungsgedanke selbst eine völlige Umkehrung erfuhr*. Es war nicht mehr das gleiche, was es bei Husserl war, wenn Heidegger aus der absoluten Zeitlichkeit Sein, Wahrheit und Geschichte zu interpretieren unternahm. Denn diese Zeitlichkeit war nicht die des ‚Bewußtseins‘ oder des transzendentalen Ur-Ich. Zwar klang es im Gedankenzuge von ‚Sein und Zeit‘ zunächst nur wie eine Steigerung der transzendentalen Reflexion, als die Erreichung einer höheren Reflexionsstufe, wenn sich die Zeit als der Horizont des Seins enthüllte. Die ontologische Bodenlosigkeit der transzendentalen Subjektivität, die Heidegger Husserls Phänomenologie vorwarf, war es ja, die durch die Wiedererweckung der Seinsfrage überwunden zu werden schien. Was Sein heißt, sollte sich aus dem Horizont der Zeit bestimmen. Die Struktur der Zeitlichkeit erschien so als die ontologische Bestimmung der Subjektivität. Aber sie war mehr. Heideggers These war: Das Sein selber ist Zeit. Damit wurde der gesamte Subjektivismus der neueren Philosophie – ja, wie sich bald zeigen sollte, der gesamte Fragehorizont der Metaphysik, die von dem Sein als dem Anwesenden eingenommen ist, gesprengt. Daß es dem Dasein um sein Sein geht, daß es vor allem anderen Seienden durch Seinsverständnis ausgezeichnet ist, stellt nicht, wie es in ‚Sein und Zeit‘ scheint, die letzte Basis dar, von der eine transzendentale Fragestellung auszugehen hat. Vielmehr ist von einem ganz anderen Grunde die Rede, der alles Seinsverständnis erst möglich macht, und das ist, daß es überhaupt ein ‚da‘, eine Lichtung im Sein, d. h. die Differenz von Seiendem und Sein gibt. Das Fragen, das sich auf dieses Grundlegende, daß es das ‚gibt‘, hinwendet, ist zwar selbst ein Fragen nach dem Sein, aber in einer Richtung, die in aller bisherigen Frage nach dem Sein des Seienden notwendig ungedacht blieb, ja geradezu durch die von der Metaphysik gestellte Frage nach dem Sein verdeckt und verborgen wurde. Heidegger hat bekanntlich die wesenhafte Seinsvergessenheit, die das abendländische Denken seit der griechischen Metaphysik beherrscht, an der ontologischen Verlegenheit aufgedeckt, die das Problem des Nichts diesem Denken bereitet. Indem er die Frage nach dem Sein zugleich als die Frage nach dem Nichts aufwies, hat er Anfang und Ende der Metaphysik miteinander verknüpft. Daß sich die Frage nach dem Sein von der Frage nach dem Nichts her stellen konnte, setzte das Denken des Nichts, an dem die Metaphysik versagt, voraus.

Der wahre Vorbereiter der Heideggerschen Stellung der Seinsfrage und des Gegenzuges zu der Fragerichtung der abendländischen Metaphysik, den sie bedeutete, konnte daher weder Dilthey noch Husserl sein, sondern am ehesten noch *Nietzsche*. Das mag Heidegger erst später bewußt geworden sein. Aber in der Rückschau läßt sich sagen: Nietzsches radikale Kritik am ‚Platonismus‘ auf die Höhe der von ihm kritisierten Tradition zu heben, der abendländischen Metaphysik auf ihrem eigenen Niveau zu begegnen, die transzendentale Fragestellung als eine Konsequenz des neuzeitlichen Subjektivismus zu erkennen und zu überwinden – das waren die Aufgaben, die dem Ansatz nach schon in ‚Sein und Zeit' lagen.

Was Heidegger schließlich ‚die Kehre' nannte, war nicht eine neue Drehung in der Bewegung der transzendentalen Reflexion, sondern die Freisetzung und Durchführung eben dieser Aufgabe. Obwohl ‚Sein und Zeit' die ontologische Unterbestimmtheit von Husserls Begriff der transzendentalen Subjektivität kritisch aufdeckte, hatte es die eigene Exposition der Seinsfrage selber noch mit transzendentalphilosophischen Mitteln formuliert. In Wahrheit bedeutet jedoch die Erneuerung der Seinsfrage, die sich Heidegger als Aufgabe gestellt hatte, daß er mitten im ‚Positivismus' der Phänomenologie *das unbewältigte Grundproblem der Metaphysik* wiedererkannte, das sich in letzter Aufgipfelung in dem Begriff des *Geistes* verbarg, wie ihn der spekulative Idealismus gedacht hat. Heideggers Tendenz zielte daher durch die Kritik an Husserl hindurch auf die ontologische Kritik am spekulativen Idealismus. In seiner Grundlegung der Hermeneutik der ‚Faktizität' überschritt er ebensosehr den Begriff des Geistes, den der klassische Idealismus entwickelt hatte, wie das Themenfeld des durch die phänomenologische Reduktion gereinigten transzendentalen Bewußtseins.

Heideggers hermeneutische Phänomenologie und die Analyse der Geschichtlichkeit des Daseins zielten auf eine allgemeine Erneuerung der Seinsfrage und nicht etwa auf eine Theorie der Geisteswissenschaften oder gar auf eine Überwindung der Aporien des Historismus. Das waren lediglich aktuelle Probleme, an denen sich die Konsequenzen seiner radikalen Erneuerung der Seinsfrage demonstrieren ließen. Aber gerade aufgrund der Radikalität seiner Fragestellung gelang es ihm, über die Verwicklungen hinauszukommen, in denen sich Diltheys und Husserls Untersuchungen über die Grundbegriffe der Geisteswissenschaften festgefahren hatten.

Diltheys Bestreben, die Geisteswissenschaften aus dem Leben verständlich zu machen und von der Lebenserfahrung den Ausgang zu nehmen, war, wie wir zeigten, mit dem cartesianischen Wissenschaftsbegriff, an dem er festhielt, nie zu wirklichem Ausgleich gelangt. Er mochte noch so sehr die komtemplative Tendenz des Lebens überbetonen und den ihm einwohnenden ‚Zug zur Festigkeit' – die Objektivität der Wissenschaft, so wie er sie als eine Objektivität der Ergebnisse verstand, kam aus einem anderen Ursprung. Daher vermochte er die Aufgabenstellung nicht zu überwinden, die er sich selber erwählt hatte und die darin bestand, die methodische Eigenart der Geisteswissenschaften erkenntnistheoretisch zu rechtfertigen und sie dadurch den Naturwissenschaften ebenbürtig zu machen.

Heidegger konnte demgegenüber insofern schon ganz anders beginnen, als, wie wir gesehen haben, bereits Husserl den Rückgang auf das Leben zu einem schlechterdings universalen Arbeitsthema gemacht und damit die

Einengung auf die Frage der Methoden der Geisteswissenschaften hinter sich gelassen hatte. Seine Analyse der Lebenswelt und der anonymen Sinnstiftung, die den Boden aller Erfahrung bildet, gab der Frage nach der Objektivität in den Geisteswissenschaften einen ganz neuen Hintergrund. Sie ließ den Objektivitätsbegriff der Wissenschaft als einen Sonderfall erscheinen. Die Wissenschaft ist alles andere als ein Faktum, von dem auszugehen wäre. Die Konstitution der wissenschaftlichen Welt stellt vielmehr eine eigene Aufgabe dar, die Aufgabe nämlich, die Idealisierung, die mit der Wissenschaft gegeben ist, aufzuklären. Aber diese Aufgabe ist nicht die erste. Im Rückgang auf das ‚leistende Leben‘ erweist sich der Gegensatz von Natur und Geist als nicht letztgültig. Sowohl die Geisteswissenschaften als auch die Naturwissenschaften sind aus den Leistungen der Intentionalität des universalen Lebens, also aus einer absoluten Historizität, abzuleiten. Das ist das Verstehen, in dem sich die Selbstbesinnung der Philosophie allein Genüge tut.

Heidegger gab dem im Lichte der von ihm wiedererweckten Seinsfrage eine neue und radikale Wendung. Er folgte Husserl darin, daß das geschichtliche Sein nicht wie bei Dilthey gegen das Natursein abzuheben ist, um die methodische Eigenart der geschichtlichen Wissenschaften erkenntnistheoretisch zu legitimieren. Vielmehr wird umgekehrt die Erkenntnisweise der Naturwissenschaften als eine Abart von Verstehen sichtbar, »die sich in die rechtmäßige Aufgabe einer Erfassung des Vorhandenen in seiner wesenhaften Unverständlichkeit verlaufen hat«[1]. *Verstehen ist* nicht ein Resignationsideal der menschlichen Lebenserfahrung im Greisenalter des Geistes, wie bei Dilthey, es ist aber auch nicht, wie bei Husserl, ein letztes methodisches Ideal der Philosophie gegenüber der Naivität des Dahinlebens, sondern im Gegenteil *die ursprüngliche Vollzugsform des Daseins*, das In-der-Weltsein ist. Vor aller Differenzierung des Verstehens in die verschiedenen Richtungen des pragmatischen oder theoretischen Interesses ist Verstehen die Seinsart des Daseins, sofern es Seinkönnen und ‚Möglichkeit‘ ist.

Vor dem Hintergrund einer solchen existenzialen Analyse des Daseins mit all ihren weitreichenden und unausgemessenen Konsequenzen für das Anliegen der allgemeinen Metaphysik nimmt sich der Problemkreis der geisteswissenschaftlichen Hermeneutik plötzlich sehr anders aus. Der Herausarbeitung dieses neuen Aspekts des hermeneutischen Problems ist die vorliegende Arbeit gewidmet. Indem Heidegger die Seinsfrage neu erweckte und damit die bisherige Metaphysik im ganzen – und nicht nur ihre Zuspitzung im Cartesianismus der neuzeitlichen Wissenschaft und der Transzendentalphilosophie – überstieg, gewann er gegenüber den Aporien des Historismus eine grundsätzlich neue Stellung. Der Begriff des Ver-

---

[1] Sein und Zeit, S. 153.

stehens ist nicht mehr ein Methodenbegriff, wie bei Droysen. Verstehen ist
auch nicht, wie in Diltheys Versuch einer hermeneutischen Grundlegung
der Geisteswissenschaften, eine dem Zug des Lebens zur Idealität erst
nachfolgende inverse Operation. Verstehen ist der ursprüngliche Seinscharakter des menschlichen Lebens selber. Hatte Misch, von Dilthey ausgehend,
die ‚freie Ferne zu sich selbst‘ als eine Grundstruktur des menschlichen
Lebens anerkannt, auf der alles Verstehen beruht, so galt die radikale ontologische Besinnung Heideggers der Aufgabe, durch eine ‚transzendentale
Analytik des Daseins‘ diese Struktur des Daseins aufzuklären. Er enthüllte
den Entwurfcharakter alles Verstehens und dachte das Verstehen selbst als
die Bewegung der Transzendenz, des Überstiegs über das Seiende.

Das ist für die traditionelle Hermeneutik eine Zumutung[1]. Zwar bezeichnet man in der deutschen Sprache als Verstehen auch das praktisch
ausgerichtete Können (‚er versteht nicht zu lesen‘, – gleichbedeutend mit:
‚er versteht sich nicht auf das Lesen‘, d. h. er kann es nicht). Aber das
scheint von dem in der Wissenschaft geübten erkenntnismäßig ausgerich-
teten Verstehen wesensverschieden. Sieht man genauer zu, zeigt sich freilich ein Gemeinsames: in beiden Bedeutungsrichtungen liegt ein Erkennen,
ein Sich-Auskennen in etwas. Auch wer einen Text ‚versteht‘ (oder gar
ein Gesetz!), hat nicht nur sich verstehend auf einen Sinn hin entworfen –
in der Bemühung des Verstehens –, sondern das vollendete Verstehen stellt
den Zustand einer neuen geistigen Freiheit dar. Es impliziert die allseitige
Möglichkeit des Auslegens, Bezüge-sehens, Folgerungen-ziehens usw., in
der eben im Bereich des Textverständnisses das Sich-auskennen besteht.
Auch wer sich mit einer Maschine auskennt, d. h. sich darauf versteht, mit
ihr umzugehen, oder wer sich auf ein Handwerk versteht: zugegeben, daß
zweckrationales Verstehen anders normiert wird als etwa das Verstehen von
Lebensäußerungen oder das von Texten – richtig bleibt doch, daß *alles
solche Verstehen am Ende ein Sichverstehen ist.* Auch das Ausdrucksver-
stehen meint am Ende nicht nur die unmittelbare Erfassung des im Ausdruck Liegenden, sondern den Aufschluß über das verschlossene Innere,
den es gibt, so daß man dieses Verschlossene nun kennt. Das aber heißt,
daß man *sich* mit ihm auskennt. Insofern gilt in allen Fällen, daß, wer
versteht, sich versteht, sich auf Möglichkeiten seiner selbst hin entwirft[2].
Die traditionelle Hermeneutik hat den Problemhorizont, in den das Ver-

---

[1] Vgl. die fast empörte Polemik Bettis in seiner höchst gelehrten und geistvollen
Abhandlung »Zur Grundlegung einer allgemeinen Auslegungslehre«, S. 91, Anm. 14b.

[2] Auch die Bedeutungsgeschichte von Verstehen weist übrigens in diese Richtung.
Der juristische Sinn von Verstehen, d. h. das Vertreten einer causa vor Gericht,
scheint die Urbedeutung zu sein. Daß sich von da aus das Wort ins Geistige wendete,
erklärt sich offenbar daraus, daß die Vertretung einer Sache vor Gericht eben einschließt, sie zu verstehen, d. h. sie so zu beherrschen, daß man sich allen möglichen
Wendungen der Gegenpartei gegenüber zurechtfindet und den eigenen Rechtsstand-
punkt geltend macht.

stehen gehört, in unangemessener Weise verengt. Die Ausweitung, die Heidegger über Dilthey hinaus vornahm, wird gerade darum auch für das Problem der Hermeneutik fruchtbar. Gewiß hatte schon Dilthey die naturwissenschaftlichen Methoden für die Geisteswissenschaften abgewiesen, und Husserl hatte sogar die Anwendung des naturwissenschaftlichen Objektivitätsbegriffes auf die Geisteswissenschaften als ‚Widersinn' bezeichnet und die wesenhafte Relativität aller geschichtlichen Welten und aller geschichtlichen Erkenntnis festgestellt. Jetzt aber wird aufgrund der existenzialen Zukünftigkeit des menschlichen Daseins die Struktur des historischen Verstehens erst in ihrer ganzen ontologischen Fundierung sichtbar.

Niemand wird deshalb, weil das historische Erkennen aus der Vor-Struktur des Daseins seine Legitimation empfängt, an den immanenten Kriterien dessen, was Erkennen heißt, rütteln wollen. Auch für Heidegger ist das historische Erkennen nicht planendes Entwerfen, nicht die Extrapolation von Willenszielen, kein Sichzurechtlegen der Dinge nach Wünschen und Vorurteilen oder Suggestionen der Mächtigen, sondern es bleibt eine Anmessung an die Sache, mensuratio ad rem. Nur, daß diese Sache hier nicht ein factum brutum, nicht ein bloß Vorhandenes, bloß Feststellbares und Meßbares ist, sondern zuletzt selbst von der Seinsart des Daseins.

Nun kommt freilich alles darauf an, diese oft wiederholte Feststellung richtig zu verstehen. Diese Feststellung bedeutet nicht eine bloße ‚Gleichartigkeit' des Erkennenden und Erkannten, auf die sich die Besonderheit der psychischen Transposition als die ‚Methode' der Geisteswissenschaften gründen ließe. Dann würde die historische Hermeneutik zu einem Teil der Psychologie (wie das Dilthey in der Tat vorschwebte). In Wahrheit ist die Anmessung alles Erkennenden an das Erkannte nicht darauf gegründet, daß sie von der gleichen Seinsart sind, sondern empfängt ihren Sinn durch die *Besonderheit* der Seinsart, die beiden gemeinsam ist. Sie besteht darin, daß weder der Erkennende noch das Erkannte ‚ontisch', ‚vorhanden' sind, sondern ‚historisch', d. h. von der Seinsart der Geschichtlichkeit sind. Insofern kommt, wie Graf York sagt, in der Tat alles auf »den generischen Unterschied zwischen Ontischem und Historischem«[1] an. Indem Graf York der ‚Gleichartigkeit' die ‚Zugehörigkeit' entgegenstellt, wird das Problem sichtbar[2], das erst Heidegger in voller Radikalität entfaltet hat: daß wir nur Historie treiben, sofern wir selber ‚geschichtlich' sind, bedeutet, daß die Geschichtlichkeit des menschlichen Daseins in ihrer ganzen Bewegtheit des Gewärtigens und des Vergessens die Bedingung dafür ist, daß wir Gewesenes überhaupt vergegenwärtigen. Was zunächst nur wie eine Schranke, die den herkömmlichen Begriff von Wissenschaft und Methode beeinträchtigte, oder als eine subjektive Zugangsbedingung der geschichtlichen

---

[1] Briefwechsel mit Dilthey, S. 191.
[2] Vgl. F. Kaufmann, Die Philosophie des Grafen Paul York von Wartenburg, Jb. für Philos. u. phänomenol. Forschung Bd. IX, Halle 1928, S. 50 ff.

Erkenntnis erschien, rückt nun in den Mittelpunkt einer grundsätzlichen Fragestellung. Zugehörigkeit ist nicht deshalb eine Bedingung für den ursprünglichen Sinn historischen Interesses, weil Themenwahl und Fragestellung außerwissenschaftlichen, subjektiven Motivationen unterliegen (dann wäre Zugehörigkeit nur ein Spezialfall emotionaler Abhängigkeit vom Typus der Sympathie), sondern weil Zugehörigkeit zu Traditionen genau so ursprünglich und wesenhaft zu der geschichtlichen Endlichkeit des Daseins gehört wie sein Entworfensein auf zukünftige Möglichkeiten seiner selbst. Heidegger hat mit Recht darauf bestanden, daß das, was er Geworfenheit nennt, und das, was Entwurf ist, zusammengehören[1]. So gibt es auch kein Verstehen und Auslegen, in dem nicht die Totalität dieser existenzialen Struktur in Funktion wäre – auch wenn die Intention des Erkennenden keine andere ist, als zu lesen, ‚was da steht‘, und den Quellen zu entnehmen, ‚wie es eigentlich gewesen ist‘[2].

Hier stellen wir daher die Frage, ob aus der ontologischen Radikalisierung, die Heidegger gebracht hat, etwas für den Aufbau einer historischen Hermeneutik gewonnen werden kann. Heideggers Absicht selber war gewiß eine andere, und man muß sich hüten, aus seiner existenzialen Analyse der Geschichtlichkeit des Daseins voreilige Konsequenzen zu ziehen. Die existenziale Analytik des Daseins schließt nach Heidegger kein bestimmtes geschichtliches Existenzideal in sich. Insofern beansprucht sie selbst noch für eine theologische Aussage über den Menschen und seine Existenz im Glauben eine apriorisch-neutrale Geltung. Das mag für das Selbstverständnis des Glaubens ein problematischer Anspruch sein, wie etwa der Streit um Bultmann[3] zeigt. Umgekehrt ist damit keineswegs ausgeschlossen, daß es für die christliche Theologie wie für die historischen Geisteswissenschaften inhaltlich bestimmte (existenzielle) Voraussetzungen gibt, unter denen sie stehen. Aber gerade deshalb wird man es gelten lassen müssen, daß die existenziale Analytik selber ihrer eigenen Absicht nach keine ‚existenzielle‘ Idealbildung enthält und daher auch nicht als eine solche kritisierbar ist (so oft das auch versucht worden ist).

Es ist ein bloßes Mißverständnis, wenn man in der Zeitlichkeitsstruktur der Sorge ein bestimmtes Existenzideal erblickt, dem man erfreulichere Stimmungen (Bollnow)[4], etwa das Ideal der Sorglosigkeit, oder mit Nietzsche die naturhafte Unschuld der Tiere und Kinder entgegensetzen könnte. Man kann doch nicht leugnen, daß auch das ein Existenzideal ist. Damit aber gilt von ihm, daß seine Struktur die existenziale ist, wie sie Heidegger aufgewiesen hat.

---

[1] Sein und Zeit, S. 181, 192 u. passim.

[2] O. Vossler, Rankes historisches Problem, hat gezeigt, daß diese Rankesche Wendung nicht so naiv ist, wie sie klingt, sondern sich gegen die Besserwisserei einer moralistischen Geschichtsschreibung richtet.

[3] Vgl. unten S. 313 f..   [4] O. F. Bollnow, Das Wesen der Stimmungen.

Eine andere Frage ist, daß das Sein der Kinder oder der Tiere selber – im Gegensatz zu jenem Ideal der ‚Unschuld‘ – ein ontologisches Problem bleibt. Ihre Seinsweise ist jedenfalls nicht in dem Sinne ‚Existenz‘ und Geschichtlichkeit, wie Heidegger das für das menschliche Dasein in Anspruch nimmt. Auch mag man sich fragen, was es bedeutet, daß die menschliche Existenz ihrerseits durch ein Außergeschichtliches, Naturhaftes getragen ist. Wenn man den Bannkreis der idealistischen Spekulation wirklich durchbrechen will, darf man offenbar die Seinsart des ‚Lebens‘ nicht vom Selbstbewußtsein aus denken. Als Heidegger seine transzendentalphilosophische Selbstauffassung von ‚Sein und Zeit‘ zu revidieren unternahm, mußte ihm folgerichtigerweise das Problem des Lebens neu in den Blick kommen. So hat er im Humanismus-Brief von dem Abgrund gesprochen, der zwischen Mensch und Tier klafft[1]. Kein Zweifel, daß Heideggers eigene transzendentale Grundlegung der Fundamentalontologie in der Analytik des Daseins eine positive Entfaltung der Seinsart des Lebens noch nicht gestattete. Hier liegen offene Fragen. Aber all das ändert nichts daran, daß der Sinn dessen, was Heidegger existenzial nennt, von Grund aus verfehlt wird, wenn man meint, gegen das Existenzial der ‚Sorge‘ ein bestimmtes Existenzideal, welches auch immer es sei, ausspielen zu können. Wer das tut, verfehlt die Dimension der Fragestellung, die ‚Sein und Zeit‘ von Anfang an eröffnet hatte. Gegenüber solchen kurzschlüssigen Polemiken durfte sich Heideggers Versuch mit Recht auf seine transzendentale Absicht berufen, im selben Sinne, wie die kantische Fragestellung transzendental war. Seine Fragestellung überstieg von vornherein alle empirischen Unterschiede und damit auch alle inhaltlichen Idealbildungen.

In diesem Sinne knüpfen auch wir an den *transzendentalen* Sinn der Heideggerschen Fragestellung an. Durch Heideggers transzendentale Interpretation des Verstehens gewinnt das Problem der Hermeneutik einen universalen Umriß, ja den Zuwachs einer neuen Dimension. Die Zugehörigkeit des Interpreten zu seinem Gegenstande, die in der Reflexion der historischen Schule keine rechte Legitimation zu finden vermochte, erhält nun einen konkret aufweisbaren Sinn, und es ist die Aufgabe der Hermeneutik, die Aufweisung dieses Sinnes zu leisten. Daß die Struktur des Daseins geworfener Entwurf ist, daß das Dasein seinem eigenen Seinsvollzug nach Verstehen ist, das muß auch für den Verstehensvollzug gelten, der in den Geisteswissenschaften geschieht. Die allgemeine Struktur des Verstehens erreicht im historischen Verstehen ihre Konkretion, indem konkrete Bindungen von Sitte und Überlieferung und ihnen entsprechende Möglichkeiten der eigenen Zukunft im Verstehen selbst wirksam werden. Das sich auf sein Seinkönnen entwerfende Dasein ist immer schon ‚gewesen‘. Das ist der Sinn des Existenzials der Geworfenheit. Daß alles freie Sichverhalten

---

[1] Über den Humanismus, Bern 1947, S. 69.

zu seinem Sein hinter die Faktizität dieses Seins nicht zurückkann, darin lag die Pointe der Hermeneutik der Faktizität und ihr Gegensatz zu der transzendentalen Konstitutionsforschung der Husserlschen Phänomenologie. Unüberholbar liegt dem Dasein voraus, was all sein Entwerfen ermöglicht und begrenzt. Diese existenziale Struktur des Daseins muß ihre Ausprägung auch im Verstehen der geschichtlichen Überlieferung finden, und so folgen wir zunächst Heidegger[1].

II

GRUNDZÜGE EINER THEORIE DER HERMENEUTISCHEN ERFAHRUNG

1. Erhebung der Geschichtlichkeit des Verstehens zum hermeneutischen Prinzip

a) Der hermeneutische Zirkel und das Problem der Vorurteile

α) Heideggers Aufdeckung der Vorstruktur des Verstehens

Heidegger ging auf die Problematik der historischen Hermeneutik und Kritik nur ein, um von da aus in ontologischer Absicht die Vorstruktur des Verstehens zu entfalten[2]. Wir gehen umgekehrt der Frage nach, wie die Hermeneutik, von den ontologischen Hemmungen des Objektivitätsbegriffs der Wissenschaft einmal befreit, der Geschichtlichkeit des Verstehens gerecht zu werden vermöchte. Das traditionelle Selbstverständnis der Hermeneutik beruhte auf ihrem Charakter als Kunstlehre[3]. Selbst für Diltheys Ausweitung der Hermeneutik zum Organon der Geisteswissenschaften gilt das. Es mag fraglich sein, ob es eine solche Kunstlehre des Verstehens gibt – wir kommen darauf zurück. – Jedenfalls aber wird man nach den Konsequenzen fragen dürfen, die Heideggers grundsätzliche Ableitung der Zirkelstruktur des Verstehens aus der Zeitlichkeit des Daseins für die geisteswissenschaftliche Hermeneutik hat. Diese Konsequenzen brauchen nicht so zu sein, daß eine Theorie auf eine Praxis angewendet und dieselbe nun anders, d. h. kunstgerecht geübt würde. Sie könnten auch darin bestehen, daß *das Selbstverständnis des stets geübten Verstehens berichtigt* und von unangemessenen Anpassungen gereinigt würde – ein Vorgang, der höchstens mittelbar der Kunst des Verstehens zugute käme.

[1] Vgl. Exkurs III, S. 472 f.   [2] Heidegger, Sein und Zeit 312 ff.
[3] Vgl. Schleiermacher, Hermeneutik (ed. H. Kimmerle, Abh. d. Heidelberger Akademie 1959, 2. Abh.), der sich ausdrücklich zu dem alten Ideal der Kunstlehre bekennt. (S. 127 Anm.: »ich... hasse, wenn Theorie nur bei der Natur und den Gründen der Kunst, deren Gegenstand sie ist, stehen bleibt.«)

Wir gehen daher nochmals auf Heideggers Beschreibung des hermeneutischen Zirkels ein, um die neue grundsätzliche Bedeutung, die die Zirkelstruktur hier gewinnt, für unsere Absicht fruchtbar zu machen. Heidegger schreibt: »Der Zirkel darf nicht zu einem vitiosum, und sei es auch zu einem geduldeten, herabgezogen werden. In ihm verbirgt sich eine positive Möglichkeit ursprünglichsten Erkennens, die freilich in echter Weise nur dann ergriffen ist, wenn die Auslegung verstanden hat, daß ihre erste, ständige und letzte Aufgabe bleibt, sich jeweils Vorhabe, Vorsicht und Vorgriff nicht durch Einfälle und Volksbegriffe vorgeben zu lassen, sondern in deren Ausarbeitung aus den Sachen selbst her das wissenschaftliche Thema zu sichern.«

Was Heidegger hier sagt, ist zunächst nicht eine Forderung an die Praxis des Verstehens, sondern beschreibt die Vollzugsform des verstehenden Auslegens selbst. Heideggers hermeneutische Reflexion hat ihre Spitze nicht so sehr darin, nachzuweisen, daß hier ein Zirkel vorliegt, als vielmehr darin, daß dieser Zirkel einen ontologisch positiven Sinn hat. Die Beschreibung als solche wird jedem Ausleger einleuchten, der weiß, was er tut[1]. Alle rechte Auslegung muß sich gegen die Willkür von Einfällen und die Beschränktheit unmerklicher Denkgewohnheiten abschirmen und den Blick ‚auf die Sachen selber‘ richten (die beim Philologen sinnvolle Texte sind, die ihrerseits wieder von Sachen handeln). Sich dergestalt von der Sache bestimmen lassen, ist für den Interpreten offenkundig nicht ein einmaliger ‚braver‘ Entschluß, sondern wirklich ‚die erste, ständige und letzte Aufgabe‘. Denn es gilt, den Blick auf die Sache durch die ganze Beirrung hindurch festzuhalten, die den Ausleger unterwegs ständig von ihm selbst her anfällt. Wer einen Text verstehen will, vollzieht immer ein Entwerfen. Er wirft sich einen Sinn des Ganzen voraus, sobald sich ein erster Sinn im Text zeigt. Ein solcher zeigt sich wiederum nur, weil man den Text schon mit gewissen Erwartungen auf einen bestimmten Sinn hin liest. Im Ausarbeiten eines solchen Vorentwurfs, der freilich beständig von dem her revidiert wird, was sich bei weiterem Eindringen in den Sinn ergibt, besteht das Verstehen dessen, was dasteht.

Diese Beschreibung ist natürlich eine grobe Abbreviatur: daß jede Revision des Vorentwurfs in der Möglichkeit steht, einen neuen Entwurf von Sinn vorauszuwerfen, daß sich rivalisierende Entwürfe zur Ausarbeitung nebeneinander herbringen können, bis sich die Einheit des Sinnes eindeutiger festlegt; daß die Auslegung mit Vorbegriffen einsetzt, die durch an-

---

[1] Vgl. etwa E. Staigers übereinstimmende Schilderung in ‚Die Kunst der Interpretation‘, S. 11 ff. Doch könnte ich der Formulierung nicht zustimmen, die literaturwissenschaftliche Arbeit beginne erst, »wenn wir bereits in die Lage eines zeitgenössischen Lesers versetzt sind«. Das sind wir nie und werden doch immer schon verstehen, obwohl wir eine feste »persönliche oder Zeitgleichung« gar nie in Abzug bringen können. Vgl. auch Exkurs IV, S. 473.

gemessenere Begriffe ersetzt werden: eben dieses ständige Neu-Entwerfen, das die Sinnbewegung des Verstehens und Auslegens ausmacht, ist der Vorgang, den Heidegger beschreibt. Wer zu verstehen sucht, ist der Beirrung durch Vor-Meinungen ausgesetzt, die sich nicht an den Sachen selbst bewähren. Die Ausarbeitung der rechten, sachangemessenen Entwürfe, die als Entwürfe Vorwegnahmen sind, die sich ‚an den Sachen‘ erst bestätigen sollen, ist die ständige Aufgabe des Verstehens. Es gibt hier keine andere ‚Objektivität‘ als die Bewährung, die eine Vormeinung durch ihre Ausarbeitung findet. Was kennzeichnet die Beliebigkeit sachunangemessener Vormeinungen anders, als daß sie in der Durchführung zunichte werden? Das Verstehen kommt nun aber erst in seine eigentliche Möglichkeit, wenn die Vormeinungen, die es einsetzt, nicht beliebige sind. Es hat darum seinen guten Sinn, daß der Ausleger nicht geradezu, aus der in ihm bereiten Vormeinung lebend, auf den Text zugeht, vielmehr die in ihm lebenden Vormeinungen ausdrücklich auf ihre Legitimation, und das ist: auf Herkunft und Geltung prüft.

Man muß sich diese grundsätzliche Forderung als die Radikalisierung eines Verfahrens denken, das wir in Wahrheit immer ausüben, wenn wir verstehen. Jedem Text gegenüber ist die Aufgabe gestellt, den eigenen Sprachgebrauch – oder im Falle einer Fremdsprache den uns aus den Schriftstellern oder dem täglichen Umgang bekannten Sprachgebrauch – nicht einfach ungeprüft einzusetzen. Wir erkennen vielmehr die Aufgabe an, aus dem Sprachgebrauch der Zeit bzw. des Autors unser Verständnis des Textes erst zu gewinnen. Die Frage ist freilich, wie diese allgemeine Forderung überhaupt erfüllbar wird. Insbesondere im Bereich der Bedeutungslehre steht dem die Unbewußtheit des eigenen Sprachgebrauchs entgegen. Wie kommen wir eigentlich dazu, zwischen dem uns gewohnten Sprachgebrauch und dem des Textes eine Differenz anzunehmen?

Man wird sagen müssen, daß es im allgemeinen erst die Erfahrung des Anstoßes ist, den wir an einem Text nehmen – sei es, daß er keinen Sinn ergibt, sei es, daß sein Sinn mit unserer Erwartung unvereinbar ist –, die uns einhalten und auf das mögliche Anderssein des Sprachgebrauchs achten läßt. Daß jemand, der die gleiche Sprache spricht, die Worte, die er gebraucht, in dem mir vertrauten Sinne nimmt, ist eine generelle Voraussetzung, die nur im Einzelfalle fraglich werden kann – und das gleiche gilt im Falle der fremden Sprache, daß wir dieselbe in durchschnittlicher Weise zu kennen meinen und beim Verständnis eines Textes diesen durchschnittlichen Sprachgebrauch voraussetzen.

Was so von der Vormeinung des Sprachgebrauchs gilt, das gilt aber nicht minder von den inhaltlichen Vormeinungen, mit denen wir Texte lesen und die unser Vorverständnis ausmachen. Hier fragt es sich genauso, wie man aus dem Bannkreis seiner eigenen Vormeinungen überhaupt herausfinden soll. Gewiß kann es keine generelle Voraussetzung sein, daß das, was uns in einem Text gesagt wird, sich meinen eigenen Meinungen und Erwartungen bruchlos einfügt. Was mir einer sagt, ob im Gespräch, Brief oder Buch oder wie immer, steht ja zunächst im Gegenteil unter der Voraussetzung, daß es seine und nicht meine Meinung ist, die da ausgesprochen wird und die ich zur Kenntnis zu nehmen habe, ohne daß ich dieselbe zu teilen brauche. Aber diese Voraussetzung ist nicht eine erleichternde Bedingung für das Verstehen, sondern insofern eine Erschwerung, als die mein Verständnis bestimmenden eigenen Vormeinungen ganz unbemerkt zu bleiben vermögen. Wenn sie Mißverständnisse motivieren – wie soll einem Text gegenüber, wo keine Gegenrede eines anderen erfolgt, Mißverständnis überhaupt zur Wahrnehmung gelangen? Wie soll vorgängig ein Text vor Mißverständnis geschützt werden?

Sieht man näher zu, so erkennt man jedoch, daß auch Meinungen nicht beliebig verstanden werden können. Sowenig wir einen Sprachgebrauch dauernd verkennen können, ohne daß der Sinn des Ganzen gestört wird, so wenig können wir an unserer eigenen Vormeinung über die Sache blindlings festhalten, wenn wir die Meinung eines anderen verstehen. Es ist ja nicht so, daß man, wenn man jemanden anhört, oder an eine Lektüre geht, alle Vormeinungen über den Inhalt und alle eigenen Meinungen vergessen müßte. Lediglich Offenheit für die Meinung des anderen oder des Textes wird gefordert. Solche Offenheit aber schließt immer schon ein, daß man die andere Meinung zu dem Ganzen der eigenen Meinungen in ein Verhältnis setzt oder sich zu ihr. Nun sind zwar Meinungen eine bewegliche Vielfalt von Möglichkeiten (im Vergleich zu der Übereinstimmung, die eine Sprache und ein Vokabular darstellen), aber innerhalb dieser Vielfalt des Meinbaren, d. h. dessen, was ein Leser sinnvoll finden und insofern erwarten kann, ist doch nicht alles möglich, und wer an dem vorbeihört, was der andere wirklich sagt, wird das Mißverstandene am Ende auch der eigenen vielfältigen Sinnerwartung nicht einordnen können. So gibt es auch hier einen Maßstab. *Die hermeneutische Aufgabe geht von selbst in eine sachliche Fragestellung über* und ist von dieser immer schon mitbestimmt. Damit gewinnt das hermeneutische Unternehmen festen Boden unter den Füßen. Wer verstehen will, wird sich von vornherein nicht der Zufälligkeit der eigenen Vormeinung überlassen dürfen, um an der Meinung des Textes so konsequent und hartnäckig wie möglich vorbeizuhören – bis etwa diese unüberhörbar wird und das vermeintliche Verständnis umstößt. Wer einen Text verstehen will, ist vielmehr bereit, sich von ihm etwas sagen zu lassen. Daher muß ein hermeneutisch geschultes Bewußtsein für die Andersheit des Textes von vornherein empfänglich sein. Solche Empfänglichkeit setzt aber weder sachliche ‚Neutralität' noch gar Selbstauslöschung voraus, sondern schließt die abhebende Aneignung der eigenen Vormeinungen und Vorurteile ein. Es gilt, der eigenen Voreingenommenheit innezusein, damit sich der Text selbst in seiner Andersheit darstellt und damit in die

Möglichkeit kommt, seine sachliche Wahrheit gegen die eigene Vormeinung auszuspielen.

Heidegger hat eine völlig richtige phänomenologische Beschreibung gegeben, wenn er in dem vermeintlichen ‚Lesen‘ dessen, was ‚dasteht‘, die Vorstruktur des Verstehens aufdeckte. Er hat auch ein Beispiel dafür gegeben, daß daraus eine Aufgabe folgt. Er hat in ‚Sein und Zeit‘ die allgemeine Aussage, die er zum hermeneutischen Problem macht, an der Seinsfrage konkretisiert[1]. Um die hermeneutische Situation der Seinsfrage nach Vorhabe, Vorsicht und Vorgriff zu explizieren, hat er seine an die Metaphysik gerichtete Frage an wesentlichen Wendepunkten der Geschichte der Metaphysik kritisch erprobt. Er hat damit im Grunde nur getan, was das historisch-hermeneutische Bewußtsein in jedem Falle verlangt. Ein mit methodischem Bewußtsein geführtes Verstehen wird bestrebt sein müssen, seine Antizipationen nicht einfach zu vollziehen, sondern sie selber bewußt zu machen, um sie zu kontrollieren und dadurch von den Sachen her das rechte Verständnis zu gewinnen. Das ist es, was Heidegger meint, wenn er fordert, in der Ausarbeitung von Vorhabe, Vorsicht und Vorgriff aus den Sachen selbst her das wissenschaftliche Thema zu ‚sichern‘.

Es handelt sich also ganz und gar nicht darum, sich gegen die Überlieferung, die aus dem Text ihre Stimme erhebt, zu sichern, sondern im Gegenteil fernzuhalten, was einen hindern kann, sie von der Sache her zu zu verstehen. Es sind die undurchschauten Vorurteile, deren Herrschaft uns gegen die in der Überlieferung sprechende Sache taub macht. Heideggers Nachweis, daß im Begriff des Bewußtseins bei Descartes und des Geistes bei Hegel die griechische Substanzontologie fortherrscht, die das Sein auf das Gegenwärtig- und Anwesendsein hin auslegt, geht zwar gewiß über das Selbstverständnis der neuzeitlichen Metaphysik hinaus, aber nicht willkürlich und beliebig, sondern von einer ‚Vorhabe‘ aus, die diese Überlieferung eigentlich verständlich macht, indem sie die ontologischen Prämissen des Subjektivitätsbegriffs aufdeckt. Umgekehrt entdeckt Heidegger in Kants Kritik an der ‚dogmatischen‘ Metaphysik die Idee einer Metaphysik der Endlichkeit, an der sich sein eigener ontologischer Entwurf zu bewähren hat. In dieser Weise ‚sichert‘ er das wissenschaftliche Thema, indem er es im Verstehen der Überlieferung einsetzt und aufs Spiel setzt. So sieht die Konkretisierung des historischen Bewußtseins aus, um die es im Verstehen geht.

Erst solche Anerkennung der wesenhaften Vorurteilshaftigkeit alles Verstehens schärft das hermeneutische Problem zu seiner wirklichen Spitze zu. An dieser Einsicht gemessen zeigt es sich, *daß der Historismus, aller Kritik am Rationalismus und am Naturrechtsdenken zum Trotz, selber auf dem Boden der modernen Aufklärung steht und ihre Vorurteile un-*

---

[1] S. u. Z. 312ff.

durchschaut teilt. Es gibt nämlich sehr wohl auch ein Vorurteil der Aufklärung, das ihr Wesen trägt und bestimmt: Dies grundlegende Vorurteil der Aufklärung ist das Vorurteil gegen die Vorurteile überhaupt und damit die Entmachtung der Überlieferung.

Eine begriffsgeschichtliche Analyse zeigt, daß erst durch die Aufklärung *der Begriff des Vorurteils* die uns gewohnte negative Akzentuierung findet. An sich heißt Vorurteil ein Urteil, das vor der endgültigen Prüfung aller sachlich bestimmenden Momente gefällt wird. Im Verfahren der Rechtssprechung heißt ein Vorurteil eine rechtliche Vorentscheidung vor der Fällung des eigentlichen Endurteils. Für den im Rechtsstreit Stehenden bedeutet das Ergehen eines solchen Vorurteils gegen ihn freilich eine Beeinträchtigung seiner Chancen. So heißt préjudice wie praejudicium auch einfach Beeinträchtigung, Nachteil, Schaden. Doch ist diese Negativität nur eine konsekutive. Es ist gerade die positive Gültigkeit, der präjudizielle Wert der Vorentscheidung, – ebenso wie der eines jeden Präzedenzfalles –, auf dem die negative Konsequenz beruht.

‚Vorurteil‘ heißt also durchaus nicht: falsches Urteil, sondern in seinem Begriff liegt, daß es positiv und negativ gewertet werden kann. Offenbar ist die Anlehnung an das lateinische praejudicium darin wirksam, so daß neben dem negativen auch ein positiver Akzent auf dem Worte liegen kann. Es gibt préjugés légitimes. Das liegt unserem heutigen Sprachgefühl sehr fern. Das deutsche Wort Vorurteil scheint – wie das französische préjugé, aber noch entschiedener – durch die Aufklärung und ihre Religionskritik auf die Bedeutung ‚unbegründetes Urteil‘ beschränkt worden zu sein[1]. Die Begründung, die methodische Sicherung erst (und nicht das sachliche Zutreffen als solches), gibt dem Urteil seine Dignität. Das Fehlen der Begründung läßt in den Augen der Aufklärung nicht anderen Weisen der Gewißheit Raum, sondern bedeutet, daß das Urteil keinen in der Sache liegenden Grund hat, ‚ungegründet‘ ist. Das ist ein echter Schluß im Geist des Rationalismus. Auf ihm beruht die Diskreditierung der Vorurteile überhaupt und der Anspruch der wissenschaftlichen Erkenntnis, sie völlig auszuschalten.

Die moderne Wissenschaft, die diese Parole gewählt hat, folgt damit dem Prinzip des cartesianischen Zweifels, nichts für gewiß anzunehmen, woran sich überhaupt zweifeln läßt, und der Idee der Methode, die dieser Forderung Rechnung trägt. Wir haben schon in unseren einleitenden Betrachtungen darauf hingewiesen, wie wenig die historische Erkenntnis, die unser geschichtliches Bewußtsein mitformt, mit einem solchen Ideal in Einklang gesetzt werden kann und wie wenig sie daher von dem modernen

---

[1] Vgl. Leo Strauß, Die Religionskritik Spinozas, S. 163: »Das Wort ‚Vorurteil‘ ist der angemessenste Ausdruck für das große Wollen der Aufklärung, für den Willen zu freier, unbefangener Prüfung; Vorurteil ist das eindeutige polemische Korrelat des allzu vieldeutigen Worts ‚Freiheit‘.«

Methodenbegriff aus in ihrem wirklichen Wesen erfaßbar ist. Hier ist nun der Ort, diese negativen Aussagen ins Positive zu wenden. Der Begriff des Vorurteils bietet dazu einen ersten Ansatzpunkt.

β) Die Diskreditierung des Vorurteils durch die Aufklärung

Folgt man der von der Aufklärung entwickelten Lehre von den Vorurteilen, so findet man dort die folgende grundlegende Einteilung derselben: Man müsse unterscheiden das Vorurteil des menschlichen Ansehens und das der Übereilung[1]. Diese Einteilung hat ihren Grund in dem Ursprung der Vorurteile im Hinblick auf die Personen, die sie hegen. Es ist entweder das Ansehen anderer, ihre Autorität, was uns zu Irrtümern verführt, oder es ist die in einem selbst gelegene Übereilung. Daß die Autorität eine Quelle von Vorurteilen ist, stimmt zu dem bekannten Grundsatz der Aufklärung, wie noch Kant formuliert: Habe Mut, dich deines *eigenen* Verstandes zu bedienen[2]. Wenn die oben zitierte Einteilung auch gewiß nicht auf die Rolle eingeschränkt ist, welche die Vorurteile beim Verstehen von Texten spielen, so findet sie doch auch im hermeneutischen Bereich ihre bevorzugte Anwendung. Denn die Kritik der Aufklärung richtet sich in erster Linie gegen die religiöse Überlieferung des Christentums, also die Heilige Schrift. Indem diese als ein historisches Dokument verstanden wird, gefährdet die Bibelkritik ihren dogmatischen Anspruch. Darauf beruht die eigentümliche Radikalität der modernen Aufklärung gegenüber allen anderen Aufklärungsbewegungen, daß sie sich gegen die Heilige Schrift und ihre dogmatische Auslegung durchsetzen muß[3]. Ihr liegt daher das hermeneutische Problem in besonderer Weise am Herzen. Sie will die Überlieferung richtig, d.h. vorurteilslos und vernünftig verstehen. Das aber hat insofern seine ganz besondere Schwierigkeit, als in der bloßen Tatsache der schriftlichen Fixierung ein Autoritätsmoment von besonderem Gewicht liegt. Die Möglichkeit, daß Geschriebenes nicht wahr ist, ist nicht ganz leicht zu vollziehen. Geschriebenes hat die Handgreiflichkeit des Aufzeigbaren und ist wie ein Beweisstück. Es bedarf einer besonderen kritischen Anstrengung, sich von dem

---

[1] Praeiudicium auctoritatis et precipitantiae: So Christian Thomasius schon in seinen lectiones de praeiudiciis (1689/90) und seiner »Einleitung der Vernunftlehre« c. 13, §§ 39/40. Vgl. den Artikel bei Walch, Philosophisches Lexikon (1726), S. 2794 ff.

[2] Am Beginn seines Aufsatzes »Beantwortung der Frage: Was ist Aufklärung?« (1784).

[3] Die antike Aufklärung, deren Frucht die griechische Philosophie und ihre Zuspitzung in der Sophistik war, ist von wesentlich anderer Art gewesen und hat deshalb einem Denker wie Plato erlaubt, in philosophischen Mythen die religiöse Tradition und den dialektischen Weg des Philosophierens zu vermitteln. Vgl. Erich Frank, Philosophische Erkenntnis und religiöse Wahrheit, S. 31 ff., und meine Besprechung, Theologische Rundschau 1950 (S. 260–266), sowie vor allem Gerhard Krüger, Einsicht und Leidenschaft[2] (1951).

zugunsten des Geschriebenen gehegten Vorurteil frei zu machen und auch hier, wie bei aller mündlichen Behauptung, zwischen Meinung und Wahrheit zu unterscheiden [1]. Nun ist es die allgemeine Tendenz der Aufklärung, keine Autorität gelten zu lassen und alles vor dem Richterstuhl der Vernunft zu entscheiden. So kann auch die schriftliche Überlieferung, die Heilige Schrift wie alle andere historische Kunde, nicht schlechthin gelten, vielmehr hängt die mögliche Wahrheit der Überlieferung von der Glaubwürdigkeit ab, die ihr von der Vernunft zugebilligt wird. Nicht Überlieferung, sondern die Vernunft stellt die letzte Quelle aller Autorität dar. Was geschrieben steht, braucht nicht wahr zu sein. Wir können es besser wissen. Das ist die allgemeine Maxime, unter der die moderne Aufklärung der Überlieferung entgegentritt, und durch die sie schließlich zur historischen Forschung wird [2]. Sie macht die Überlieferung ebenso zum Gegenstand der Kritik, wie die Naturwissenschaft die Zeugnisse des Sinnenscheins. Das muß nicht heißen, daß man das ‚Vorurteil gegen die Vorurteile‘ allerorts bis zu den Konsequenzen der Freigeisterei und des Atheismus – wie in England und Frankreich – getrieben hat. Vielmehr hat die deutsche Aufklärung die ‚wahren Vorurteile‘ der christlichen Religion durchaus anerkannt. Da die menschliche Vernunft zu schwach sei, um ohne Vorurteile auszukommen, sei es eben ein Glück, unter wahren Vorurteilen erzogen zu sein.

Es wäre sinnvoll, zu untersuchen, wie weit eine solche Modifikation und Moderation der Aufklärung [3] der Entstehung der romantischen Bewegung in Deutschland vorgearbeitet hat, wie unzweifelhaft die Kritik der Aufklärung und der Revolution durch E. Burke. Aber all das ändert nichts am Grundsätzlichen. Denn die wahren Vorurteile müssen am Ende doch durch Vernunfterkenntnis gerechtfertigt werden, mag auch diese Aufgabe nie ganz vollendbar sein.

Dergestalt bestimmen die Maßstäbe der modernen Aufklärung auch noch das Selbstverständnis des Historismus. Sie tun dies freilich nicht unmittelbar, sondern in einer eigentümlichen, durch die Romantik verursachten Brechung. Das prägt sich besonders deutlich in dem geschichtsphilosophischen Grundschema aus, das die Romantik mit der Aufklärung teilt und das gerade durch die romantische Reaktion gegen die Aufklärung zu einer unerschütterlichen Prämisse verfestigt worden ist: das Schema der Überwindung des Mythos durch den Logos. Es ist die Voraussetzung von der

---

[1] Ein gutes Beispiel dafür ist, wie langsam die Autorität der antiken Geschichtsschreibung in der historischen Forschung zerstört worden ist und wie allmählich sich die Archivforschung und die Bodenforschung durchsetzten (vgl. z.B. R.G. Collingwood, Denken, eine Autobiographie, XI. Kapitel, der die Wendung zur Bodenforschung geradezu mit der Baconschen Revolution in der Naturforschung in Parallele setzt).

[2] Vgl. das zu Spinozas theologisch-politischem Traktat Ausgeführte: S. 169f.

[3] Wie sie sich etwa bei G. F. Meier, Beiträge zu der Lehre von den Vorurteilen des menschlichen Geschlechts, 1766, findet.

fortschreitenden ‚Entzauberung' der Welt, unter der dieses Schema Geltung
gewinnt. Es soll das Schrittgesetz der Geschichte des Geistes selbst darstellen, und gerade weil die Romantik diese Entwicklung negativ wertet,
nimmt sie das Schema selbst wie eine Selbstverständlichkeit in Anspruch.
Sie teilt die Voraussetzung der Aufklärung und kehrt nur die Wertung um,
indem sie das Alte als Altes zur Geltung zu bringen sucht: das ‚gotische' Mittelalter, die christliche Staatengesellschaft Europas, den ständischen Aufbau der Gesellschaft, aber auch die Einfachheit des bäuerlichen Lebens und
die Nähe zur Natur.

Im Gegenwurf gegen den Perfektionsglauben der Aufklärung, der auf
die Vollendung der Befreiung von ‚Aberglauben' und den Vorurteilen der
Vergangenheit hin denkt, gewinnt nun die Frühe der Zeiten, die mythische
Welt, das vom Bewußtsein nicht zersetzte, ungebrochene Leben in einer
‚naturwüchsigen Gesellschaft', die Welt des christlichen Rittertums romantischen Zauber, ja Vorrang an Wahrheit[1]. Die Umkehrung der Voraussetzung der Aufklärung hat die paradoxe Tendenz der Restauration zur Folge,
das heißt die Tendenz zur Wiederherstellung des Alten, weil es das Alte
ist, der bewußten Rückkehr zum Unbewußten usw. und gipfelt in der
Anerkennung der überlegenen Weisheit der mythischen Urzeit. Durch
diese romantische Umkehrung des Wertmaßstabes der Aufklärung wird
aber die Voraussetzung der Aufklärung, der abstrakte Gegensatz von Mythos
und Vernunft, gerade verewigt. Alle Kritik der Aufklärung nimmt nunmehr den Weg dieser romantischen Um-Spiegelung der Aufklärung. Der
Glaube an die Perfektibilität der Vernunft springt um in den an die Perfektion des ‚mythischen' Bewußtseins und reflektiert sich in einen paradiesi-
schen Urstand vor dem Sündenfall des Denkens.

In Wahrheit ist die Voraussetzung des geheimnisvollen Dunkels, in dem
ein allem Denken vorausliegendes mythisches Kollektivbewußtsein liegt,
ebenso dogmatisch-abstrakt, wie die eines Perfektionszustandes vollendeter
Aufklärung oder die des absoluten Wissens. Die Urweisheit ist nur das
Gegenbild der ‚Urdummheit'. Alles mythische Bewußtsein ist immer schon
Wissen, und indem es von göttlichen Mächten weiß, ist es über ein bloßes
Zittern vor der Macht (wenn man schon ein solches für das Urstadium
halten soll), aber auch über ein in magische Rituale gebanntes Kollektiv-
leben (wie wir es etwa im frühen Orient antreffen) hinaus. Es weiß von
sich, und in diesem Wissen ist es schon nicht mehr schlechthin außer sich[2].

[1] In einer kleinen Studie über Immermanns ‚Chiliastische Sonette' (Die Neue
Rundschau 1949) habe ich ein Beispiel für diesen Vorgang analysiert.
[2] Horkheimer und Adorno scheinen mir mit ihrer Analyse der ‚Dialektik der
Aufklärung' durchaus recht zu haben (wenn ich auch in der Anwendung soziolo-
gischer Begriffe wie ‚bürgerlich' auf Odysseus einen Mangel an historischer Reflexion, wenn nicht gar eine Verwechslung Homers mit Johann Heinrich Voss sehen
muß. Wie sie schon Goethe kritisiert hat).

Damit hängt zusammen, daß auch der Gegensatz eines echten mythischen Denkens und eines pseudomythischen dichterischen eine romantische Illusion ist, die auf einem Vorurteil der Aufklärung beruht: daß nämlich das dichterische Tun, weil es eine Schöpfung der freien Einbildungskraft sei, an der religiösen Verbindlichkeit des Mythos keinen Teil mehr habe. Es ist der alte Streit der Dichter und der Philosophen, der hier in sein modernes, wissenschaftsgläubiges Stadium getreten ist. Nun heißt es nicht mehr, daß die Dichter viel lügen, sondern daß sie überhaupt nichts Wahres zu sagen haben, da sie nur eine ästhetische Wirkung ausüben und lediglich durch ihre Phantasieschöpfungen die Phantasietätigkeit und das Lebensgefühl des Hörers oder Lesers anregen wollen.

Ein anderer Fall romantischer Rückspiegelung liegt wohl auch in dem Begriff der ‚naturwüchsigen Gesellschaft‘, dessen Herkunft einmal nachgegangen werden müßte. Bei Karl Marx erscheint er als eine Art naturrechtlichen Reliktes, das seine ökonomische Sozialtheorie vom Klassenkampf in ihrer Geltung begrenzt[1]. Geht der Begriff auf Rousseaus Schilderung der Gesellschaft vor der Arbeitsteilung und der Einführung des Eigentums zurück?[2] Jedenfalls hat bereits Plato in seiner ironischen Darstellung eines Naturzustandes, die er im dritten Buch des Staates gibt, den Illusionismus dieser Staatstheorie entlarvt[3].

Diesen Umwertungen der Romantik entspringt die Haltung der historischen Wissenschaft des 19. Jahrhunderts. Sie mißt nicht mehr die Vergangenheit mit den Maßstäben der Gegenwart wie an einem Absoluten, sie spricht vergangenen Zeiten einen eigenen Wert zu und kann selbst in der einen oder anderen Hinsicht deren Überlegenheit anerkennen. Die großen Leistungen der Romantik, die Erweckung der Zeitenfrühe, das Vernehmen der Stimme der Völker in Liedern, die Sammlung der Märchen und der Sagen, die Pflege des alten Brauchtums, die Entdeckung der Sprachen als Weltanschauungen, das Studium der ‚Religion und Weisheit der Inder‘ – sie alle haben historische Forschung ausgelöst, die langsam, Schritt für Schritt die ahnungsreiche Wiedererweckung in abständige historische Erkenntnis verwandelte. Der Anschluß der historischen Schule an die Romantik bestätigt damit, daß die romantische Wiederholung des Ursprünglichen selber auf dem Boden der Aufklärung steht. Die historische Wissenschaft des 19. Jahrhunderts ist ihre stolzeste Frucht und versteht sich geradezu als die Vollendung der Aufklärung, als den letzten Schritt in der Befreiung des Geistes von dogmatischer Befangenheit, den Schritt zur objektiven Erkenntnis der geschichtlichen Welt, die der Erkenntnis der Natur durch die moderne Wissenschaft ebenbürtig zur Seite tritt.

---

[1] Vgl. die Reflexionen, die ehedem G. von Lukács in ‚Geschichte und Klassenbewußtsein‘ (1923) dieser wichtigen Frage gewidmet hat.

[2] Rousseau, Discours sur l'origine et les fondements de l'inégalité parmi les hommes.

[3] Vgl. vom Verf. Plato und die Dichter, S. 12f.

17*

Daß sich die restaurative Haltung der Romantik mit dem Grundanliegen der Aufklärung zu der Wirkungseinheit der historischen Geisteswissenschaften verbinden konnte, drückt nur aus, daß es der gleiche Bruch mit der Sinnkontinuität der Überlieferung ist, der beiden zugrunde liegt. Wenn es für die Aufklärung feststeht, daß alle Überlieferung, die sich vor der Vernunft als unmöglich, d. h. als Unsinn darstellt, nur historisch, d. h. im Rückgang auf die Vorstellungsweise der Vergangenheit, verstanden werden kann, so bedeutet das historische Bewußtsein, das mit der Romantik heraufkommt, eine Radikalisierung der Aufklärung. Denn für das historische Bewußtsein ist der Ausnahmefall vernunftwidriger Überlieferung die allgemeine Situation geworden. Ein durch die Vernunft allgemein zugänglicher Sinn wird so wenig geglaubt, daß die gesamte Vergangenheit, ja, am Ende sogar alles Denken der Zeitgenossen schließlich nur noch ‚historisch‘ verstanden wird. So mündet die romantische Kritik der Aufklärung selbst in Aufklärung, indem sie sich als historische Wissenschaft entfaltet und alles in den Sog des Historismus hineinzieht. Die grundsätzliche Diskreditierung aller Vorurteile, die das Erfahrungspathos der neuen Naturwissenschaft mit der Aufklärung verbindet, wird in der historischen Aufklärung universal und radikal.

Eben hier liegt der Punkt, an dem der Versuch einer historischen Hermeneutik kritisch einzusetzen hat. Die Überwindung aller Vorurteile, diese Pauschalforderung der Aufklärung, wird sich selber als ein Vorurteil erweisen, dessen Revision erst den Weg für ein angemessenes Verständnis der Endlichkeit freimacht, die nicht nur unser Menschsein, sondern ebenso unser geschichtliches Bewußtsein beherrscht.

Heißt in Überlieferungen stehen in erster Linie wirklich: Vorurteilen unterliegen und in seiner Freiheit begrenzt sein? Ist nicht vielmehr alle menschliche Existenz, auch die freieste, begrenzt und auf mannigfaltige Weise bedingt? Wenn das zutrifft, dann ist die Idee einer absoluten Vernunft überhaupt keine Möglichkeit des geschichtlichen Menschentums. Vernunft ist für uns nur als reale geschichtliche, d. h. schlechthin: sie ist nicht ihrer selbst Herr, sondern bleibt stets auf die Gegebenheiten angewiesen, an denen sie sich betätigt. Das gilt nicht nur in dem Sinne, in dem Kant die Ansprüche des Rationalismus unter dem Einfluß der skeptischen Kritik Humes auf das apriorische Moment in der Naturerkenntnis eingeschränkt hat – es gilt noch viel entschiedener für das geschichtliche Bewußtsein und die Möglichkeit geschichtlicher Erkenntnis. Denn daß der Mensch es hier mit sich selbst und seinen eigenen Schöpfungen zu tun hat (Vico), ist nur scheinbar eine Auflösung des Problems, das uns die geschichtliche Erkenntnis stellt. Der Mensch ist sich selber und seinem geschichtlichen Schicksal in noch ganz anderer Weise fremd, als ihm die Natur fremd ist, die nicht von ihm weiß.

Die erkenntnistheoretische Frage ist hier von Grund auf anders zu stellen. Wir haben oben **gezeigt**, daß Dilthey das wohl gesehen hat, daß er aber seine Befangenheit in die traditionelle Erkenntnistheorie nicht zu überwinden vermochte. Sein Ausgangspunkt, das Inneseins der ‚Erlebnisse‘, konnte die Brücke zu den geschichtlichen Realitäten nicht schlagen, weil die großen geschichtlichen Wirklichkeiten, Gesellschaft und Staat, in Wahrheit schon immer vorgängig für jedes ‚Erlebnis‘ bestimmend sind. Die Selbstbesinnung und die Autobiographie – Diltheys Ausgangspunkte – sind nichts Primäres und reichen als Basis für das hermeneutische Problem nicht aus, weil durch sie die Geschichte reprivatisiert wird. In Wahrheit gehört die Geschichte nicht uns, sondern wir gehören ihr. Lange bevor wir uns in der Rückbesinnung selber verstehen, verstehen wir uns auf selbstverständliche Weise in Familie, Gesellschaft und Staat, in denen wir leben. Der Fokus der Subjektivität ist ein Zerrspiegel. Die Selbstbesinnung des Individuums ist nur ein Flackern im geschlossenen Stromkreis des geschichtlichen Lebens. *Darum sind die Vorurteile des einzelnen weit mehr als seine Urteile die geschichtliche Wirklichkeit seines Seins.*

b) Vorurteile als Bedingungen des Verstehens

a) Die Rehabilitierung von Autorität und Tradition

Hier hat das hermeneutische Problem seinen Ansatzpunkt. Wir hatten deshalb die Diskreditierung des Begriffes Vorurteil durch die Aufklärung überprüft. Was sich unter der Idee einer absoluten Selbstkonstruktion der Vernunft als beschränkendes Vorurteil darstellt, gehört in Wahrheit zur geschichtlichen Realität selber. Es bedarf einer grundsätzlichen Rehabilitierung des Begriffes des Vorurteils und einer Anerkennung dessen, daß es legitime Vorurteile gibt, wenn man der endlich-geschichtlichen Seinsweise des Menschen gerecht werden will. Damit wird die für eine wahrhaft geschichtliche Hermeneutik zentrale Frage, ihre erkenntnistheoretische Grundfrage, formulierbar: Worin soll die Legitimität von Vorurteilen ihren Grund finden? Was unterscheidet legitime Vorurteile von all den unzähligen Vorurteilen, deren Überwindung das unbestreitbare Anliegen der kritischen Vernunft ist?

Wir nähern uns dieser Frage, indem wir die oben dargestellte Lehre von den Vorurteilen, die die Aufklärung in kritischer Absicht entwickelt hat, nunmehr ins Positive wenden. Was zunächst die Einteilung der Vorurteile in solche der Autorität und der Übereilung betrifft, so liegt dieser Einteilung offenbar die Grundvoraussetzung der Aufklärung zugrunde, derzufolge ein methodisch disziplinierter Gebrauch der Vernunft vor jeglichem Irrtum zu bewahren vermag. Das war Descartes’ Idee der Methode. Übereilung ist die eigentliche Fehlerquelle, die beim Gebrauch der eigenen Vernunft zum Irrtum führt. Autorität dagegen ist schuld, daß man seine Vernunft überhaupt nicht gebraucht. Der Einteilung liegt also ein ausschließender Gegensatz von Autorität und Vernunft zugrunde. Die falsche

Voreingenommenheit für das Alte, für die Autoritäten, ist das an sich Bekämpfungswürdige. So sieht es die Aufklärung als die reformatorische Tat Luthers an, daß »das Vorurteil des menschlichen Ansehens, sonderlich des philosophischen (gemeint ist: Aristoteles) und römischen Papsts, gar sehr geschwächt wurde«[1]... Die Reformation bringt damit die Hermeneutik zum Aufblühen, die den richtigen Gebrauch der Vernunft im Verstehen der Überlieferung lehren soll. Weder die Lehrautorität des Papstes noch etwa die Berufung auf die Tradition können das hermeneutische Geschäft überflüssig machen, das den vernünftigen Sinn des Textes gegen alle Zumutungen zu verteidigen weiß.

Die Konsequenzen solcher Hermeneutik brauchen nicht notwendig die der radikalen Religionskritik zu sein, wie wir das etwa bei Spinoza fanden. Vielmehr kann die Möglichkeit übernatürlicher Wahrheit durchaus offenbleiben. In diesem Sinne hat die Aufklärung vielfach, insbesondere innerhalb der deutschen Popularphilosophie, die Ansprüche der Vernunft begrenzt und die Autorität von Bibel und Kirche anerkannt. So lesen wir etwa bei Walch, daß er zwar die beiden Klassen von Vorurteilen – Autorität und Übereilung – unterscheidet, aber in ihnen zwei Extreme sieht, zwischen denen es die rechte Mittelstraße zu finden gelte, nämlich die Vermittlung von Vernunft und biblischer Autorität. Dem entspricht, daß er das Vorurteil der Übereilung als Vorurteil für das Neue versteht, als eine Voreingenommenheit, die zur übereilten Verwerfung von Wahrheiten aus keinem andern Grunde führe, als weil sie alt und durch Autoritäten bezeugt seien[2]. Auf diese Weise setzt er sich mit den englischen Freidenkern (wie Collins und anderen) auseinander und verteidigt den historischen Glauben gegen die Norm der Vernunft. Hier wird offenbar der Sinn des Vorurteils aus Übereilung im konservativen Sinn uminterpretiert.

Es kann jedoch kein Zweifel sein, daß die wirkliche Konsequenz der Aufklärung eine andere ist: die Unterwerfung aller Autorität unter die Vernunft. Entsprechend ist das Vorurteil aus Voreiligkeit so zu verstehen, wie Descartes meinte, nämlich als die Quelle allen Irrtums beim Gebrauch der Vernunft. Dazu paßt, daß die alte Einteilung nach dem Siege der Aufklärung, als die Hermeneutik von allen dogmatischen Bindungen freigesetzt wird, in verändertem Sinne wiederkehrt. So lesen wir bei Schleiermacher, daß er als Ursachen des Mißverstehens Befangenheit und Übereilung unterscheidet[3]. Er setzt die dauernden Vorurteile aus Befangenheit neben die momentanen Fehlurteile aus Übereilung. Aber nur die ersteren interessieren den auf wissenschaftliche Methodik Gerichteten. Daß unter den Vorurteilen, die den in Autoritäten Befangenen erfüllen, auch solche sein können, die Wahrheit haben – und das lag doch im

---

[1] Walch, Philosophisches Lexicon (1726), 1013.
[2] Walch, 1006 ff. unter dem Stichwort ‚Freiheit zu gedenken‘. Vgl. oben S. 257.
[3] Schleiermacher, Werke I, 7, S. 31.

Begriff der Autorität von Hause aus darin – kommt Schleiermacher überhaupt nicht mehr in den Sinn. Seine Abwandlung der traditionellen Einteilung der Vorurteile dokumentiert die Vollendung der Aufklärung. Befangenheit meint nur noch eine individuelle Schranke des Verstehens: »Die einseitige Vorliebe für das, was dem einzelnen Ideenkreise naheliegt.«

In Wahrheit versteckt sich aber unter dem Begriff der Befangenheit die entscheidende Frage. Daß die Vorurteile, die mich bestimmen, meiner Befangenheit entstammen, ist selbst schon vom Standpunkte ihrer Auflösung und Aufklärung aus geurteilt und gilt nur für unberechtigte Vorurteile. Wenn es auch berechtigte und für die Erkenntnis produktive Vorurteile gibt, kehrt das Problem der Autorität für uns wieder. Die radikalen Konsequenzen der Aufklärung, die auch noch in Schleiermachers Methodenglauben stecken, sind so nicht haltbar.

Der von der Aufklärung in Anspruch genommene Gegensatz von Autoritätsglaube und Gebrauch der eigenen Vernunft besteht an sich zu Recht. Sofern die Geltung der Autorität an die Stelle des eigenen Urteils tritt, ist Autorität in der Tat eine Quelle von Vorurteilen. Aber daß sie auch eine Wahrheitsquelle sein kann, ist damit nicht ausgeschlossen, und das hat die Aufklärung verkannt, als sie schlechthin alle Autorität diffamierte. Um dessen gewiß zu werden, kann man sich auf einen der größten Wegbereiter der europäischen Aufklärung berufen, auf Descartes. Aller Radikalität seines Methodendenkens zum Trotz hat Descartes bekanntlich die Dinge der Moral von dem Anspruch einer vollkommenen Neukonstruktion aller Wahrheiten aus der Vernunft ausgenommen. Das war der Sinn seiner provisorischen Moral. Es scheint mir von symptomatischer Bedeutung, daß er seine definitive Moral nicht wirklich ausgeführt hat und daß die Grundsätze derselben, soweit wir aus den Briefen an Elisabeth urteilen können, kaum etwas Neues enthielten. Es ist offenbar undenkbar, auf die moderne Wissenschaft und ihre Fortschritte warten zu wollen, um eine neue Moral zu begründen. In der Tat ist nicht nur die Diffamierung aller Autorität ein durch die Aufklärung selber festgewordenes Vorurteil. Sie hat auch dazu geführt, daß der Begriff der Autorität deformiert worden ist. Auf dem Grunde eines aufklärerischen Begriffs von Vernunft und Freiheit konnte sich im Begriff der Autorität das schlechthinnige Gegenteil von Vernunft und Freiheit, der blinde Gehorsam hervorkehren. Das ist die Bedeutung, die wir aus dem Sprachgebrauch der Kritik an den modernen Diktaturen kennen.

Dergleichen liegt aber keineswegs im Wesen von Autorität. Gewiß kommt Autorität zunächst Personen zu. Die Autorität von Personen hat aber ihren letzten Grund nicht in einem Akte der Unterwerfung und der Abdikation der Vernunft, sondern in einem Akt der Anerkennung und der Erkenntnis – der Erkenntnis nämlich, daß der andere einem an Urteil und Einsicht überlegen ist und daß daher sein Urteil vorgeht, d.h. vor dem eigenen Urteil den Vorrang hat. Damit hängt zusammen, daß Autorität nicht eigentlich verliehen, sondern erworben wird und erworben sein muß, wenn einer sie in Anspruch nehmen will. Sie beruht auf Anerkennung und insofern auf einer Handlung der Vernunft selbst, die, ihrer Grenzen inne, anderen bessere Einsicht zutraut. Mit blindem Kommandogehorsam hat dieser richtig verstandene Sinn von Autorität nichts zu tun. Ja, unmittelbar hat Autorität überhaupt nichts mit Gehorsam, sondern mit *Erkenntnis* zu tun. (Mir scheint, daß die Tendenz zur Anerkennung der Autorität, wie sie etwa bei Karl Jaspers ‚Von der Wahrheit‘, S. 766 ff., und bei Gerhard Krüger ‚Freiheit und Weltverwaltung‘, S. 231 ff., hervortritt, solange des einsichtigen Grundes ermangelt, als dieser Satz nicht anerkannt ist.) Gewiß gehört Autorität dazu, befehlen zu können und Gehorsam zu finden. Aber das folgt nur aus der Autorität, die einer hat. Auch die anonyme und unpersönliche Autorität des Vorgesetzten, die sich aus der Befehlsordnung herleitet, entspringt zuletzt nicht dieser Ordnung, sondern macht sie möglich. Ihr wahrer Grund ist auch hier ein Akt der Freiheit und der Vernunft, die grundsätzlich dem Vorgesetzten, weil er mehr überschaut oder besser eingeweiht ist, Autorität zubilligt, also auch hier, weil er es besser weiß [1].

So ist die Anerkennung von Autorität immer mit dem Gedanken verbunden, daß das, was die Autorität sagt, nicht unvernünftige Willkür ist, sondern im Prinzip eingesehen werden kann. Das Wesen der Autorität, die der Erzieher, der Vorgesetzte, der Fachmann in Anspruch nehmen, besteht darin. Die Vorurteile, die sie einpflanzen, sind zwar durch die Person legitimiert. Ihre Geltung verlangt Eingenommenheit für die Person, die sie vertritt. Aber eben damit werden sie zu sachlichen Vorurteilen, denn sie bewirken die gleiche Eingenommenheit für eine Sache, die auf andere Weise, z. B. durch gute Gründe, die die Vernunft geltend macht, zustande kommen kann. Insofern gehört das Wesen der Autorität in den Zusammenhang einer Lehre von den Vorurteilen, die von dem Extremismus der Aufklärung befreit werden muß.

Hierfür kann man sich auf die romantische Kritik an der Aufklärung stützen. Denn es gibt eine Form der Autorität, die von der Romantik besonders verteidigt worden ist: die Tradition. Das durch Überlieferung und Herkommen Geheiligte hat eine namenlos gewordene Autorität, und unser geschichtliches endliches Sein ist dadurch bestimmt, daß stets auch Autorität des Überkommenen – und nicht nur das aus Gründen Einsichtige – über unser Handeln und Verhalten Gewalt hat. Alle Erziehung beruht darauf, und wenn auch im Falle der Erziehung der ‚Vormund‘ mit

---

[1] Der berüchtigte Satz: »Die Partei (oder der Führer) hat immer recht« ist nicht deshalb falsch, weil er die Überlegenheit der Führung in Anspruch nimmt, sondern weil er dazu dient, die Führung durch Machtentscheid gegen jede Kritik, die wahr sein könnte, abzuschirmen. Wahre Autorität braucht nicht autoritär aufzutreten.

der Reife der Mündigkeit seine Funktion verliert und die eigene Einsicht und Entscheidung an die Stelle der Autorität der Erzieher tritt, so bedeutet dieser Eintritt in die lebensgeschichtliche Reife noch keineswegs, daß einer in dem Sinne Herr seiner selbst wird, daß er von allem Herkommen und aller Überlieferung frei würde. Die Wirklichkeit der Sitten z.B. ist und bleibt in weitem Umfange eine Geltung aus Herkommen und Überlieferung. Sie werden in Freiheit übernommen, aber keineswegs aus freier Einsicht geschaffen oder in ihrer Geltung begründet. Eben das ist es vielmehr, was wir Tradition nennen: der Grund ihrer Geltung. Und wir verdanken in der Tat der Romantik diese Berichtigung der Aufklärung, daß außerhalb der Vernunftgründe auch Tradition ein Recht behält und in weitem Maße unsere Einrichtungen und Verhalten bestimmt. Es kennzeichnet geradezu die Überlegenheit der antiken Ethik über die Moralphilosophie der Neuzeit, daß sie im Blick auf die Unentbehrlichkeit der Tradition den Übergang der Ethik in die ‚Politik‘, die Kunst der rechten Gesetzgebung, begründet[1]. Die moderne Aufklärung ist im Vergleich dazu abstrakt und revolutionär.

Indessen ist der Begriff der Tradition nicht minder zweideutig geworden, wie der Begriff der Autorität, und aus dem gleichen Grunde, weil es nämlich der abstrakte Gegensatz zum Prinzip der Aufklärung ist, der das Verständnis der Romantik für Tradition bestimmt. Sie denkt Tradition im Gegensatz zur vernünftigen Freiheit und sieht in ihr eine geschichtliche Gegebenheit von der Art der Natur. Und ob man sie nun revolutionär bekämpft oder konservieren möchte, sie erscheint ihr als das abstrakte Gegenteil der freien Selbstbestimmung, da ihre Geltung keiner vernünftigen Gründe bedarf, sondern uns fraglos bestimmt. Nun ist freilich der Fall der romantischen Kritik an der Aufklärung kein Beispiel für die selbstverständliche Herrschaft von Tradition, in der sich das Überkommene ungebrochen durch Zweifel und Kritik bewahrt. Es ist vielmehr eine eigene kritische Besinnung, die sich hier der Wahrheit der Tradition erst wieder zuwendet und sie zu erneuern sucht, und die man Traditionalismus nennen kann.

Indessen scheint mir, daß zwischen Tradition und Vernunft kein derartig unbedingter Gegensatz besteht. So problematisch die bewußte Restaurierung von Traditionen oder die bewußte Schaffung neuer Traditionen sein mag, so vorurteilsvoll und im Kerne aufklärerisch ist doch auch der romantische Glaube an die ‚gewachsenen Traditionen‘, vor denen alle Vernunft zu schweigen habe. In Wahrheit ist Tradition stets ein Moment der Freiheit und der Geschichte selber. Auch die echteste, gediegenste Tradition vollzieht sich nicht naturhaft dank der Beharrungskraft dessen, was einmal da ist, sondern bedarf der Bejahung, der Ergreifung und der

---

[1] Vgl. Aristoteles Eth. Nic. K 10.

Pflege. Sie ist ihrem Wesen nach Bewahrung, wie solche in allem geschichtlichen Wandel mit tätig ist. Bewahrung aber ist eine Tat der Vernunft, freilich eine solche, die durch Unauffälligkeit ausgezeichnet ist. Darauf beruht es, daß die Neuerung, das Geplante, sich als die alleinige Handlung und Tat der Vernunft ausgibt. Aber das ist ein Schein. Selbst wo das Leben sich sturmgleich verändert, wie in revolutionären Zeiten, bewahrt sich im vermeintlichen Wandel aller Dinge weit mehr vom Alten, als irgendeiner weiß, und schließt sich mit dem neuen zu neuer Geltung zusammen. Jedenfalls ist Bewahrung nicht minder ein Verhalten aus Freiheit, wie Umsturz und Neuerung es sind. Sowohl die aufklärerische Kritik an der Tradition als auch ihre romantische Rehabilitierung bleiben darum hinter ihrem wahren geschichtlichen Sein zurück.

Diese Überlegungen führen zu der Frage, ob in der geisteswissenschaftlichen Hermeneutik das Moment der Tradition nicht grundsätzlich zu seinem Recht gebracht werden muß. Geisteswissenschaftliche Forschung kann sich zu der Weise, wie wir als geschichtlich Lebende zur Vergangenheit uns verhalten, nicht in einem schlechthinnigen Gegensatz denken. In unserem Verhalten zur Vergangenheit, das wir ständig betätigen, ist jedenfalls nicht Abstandnahme und Freiheit vom Überlieferten das eigentliche Anliegen. Wir stehen vielmehr ständig in Überlieferungen, und dieses Darinstehen ist kein vergegenständlichendes Verhalten, so daß das, was die Überlieferung sagt, als ein anderes, Fremdes gedacht wäre – es ist immer schon ein Eigenes, Vorbild und Abschreckung, ein Sichwiedererkennen, in dem für unser späteres historisches Nachurteil kaum noch Erkennen, sondern unbefangenste Anverwandlung der Überlieferung zu gewahren ist.

Wir müssen uns daher gegenüber dem herrschenden erkenntnistheoretischen Methodologismus fragen: Hat der Aufgang des historischen Bewußtseins unser wissenschaftliches Verhalten wirklich ganz von solchem natürlichen Verhalten zur Vergangenheit abgeschieden? Versteht sich das Verstehen in den Geisteswissenschaften wirklich richtig, wenn es das Ganze seiner eigenen Geschichtlichkeit auf die Seite der Vorurteile schiebt, von denen man frei werden muß? Oder teilt die ‚vorurteilslose Wissenschaft‘ mehr, als sie selber weiß, mit jener naiven Rezeption und Reflexion, in der Traditionen leben und Vergangenheit da ist?

Jedenfalls teilt das Verstehen in den Geisteswissenschaften mit dem Fortleben von Traditionen eine grundlegende Voraussetzung, nämlich, sich von der Überlieferung *angesprochen* zu sehen. Gilt denn nicht für die Gegenstände ihrer Forschung – so gut wie für die Inhalte der Tradition –, daß dann erst ihre Bedeutung erfahrbar wird? Solche Bedeutung mag jeweils noch so sehr eine vermittelte sein und einem historischen Interesse entspringen, das keinen Bezug zur Gegenwart zu enthalten scheint – auch im extremen Falle der ‚objektiven‘ historischen Forschung bleibt es die eigentliche Vollendung der historischen Aufgabe, die Bedeutung des Erforschten neu zu bestimmen. Die Bedeutung steht aber, wie am Ende solcher Forschung, ebenso auch an ihrem Beginn: als die Wahl des Forschungsthemas, als die Weckung des Forschungsinteresses, als die Gewinnung der neuen Fragestellung.

Am Anfang aller historischen Hermeneutik muß daher die *Auflösung des abstrakten Gegensatzes zwischen Tradition und Historie, zwischen Geschichte und Wissen von ihr* stehen. Die Wirkung der fortlebenden Tradition und die Wirkung der historischen Forschung bilden eine Wirkungseinheit, deren Analyse immer nur ein Geflecht von Wechselwirkungen anzutreffen vermöchte [1]. Wir tun daher gut, das historische Bewußtsein nicht – wie es zunächst scheint – als etwas radikal Neues zu denken, sondern als ein neues Moment innerhalb dessen, was das menschliche Verhältnis zur Vergangenheit von jeher ausmachte. Es gilt, mit anderen Worten, das Moment der Tradition im historischen Verhalten zu erkennen und auf seine hermeneutische Produktivität zu befragen.

Daß in den Geisteswissenschaften trotz aller Methodik ihres Verfahrens ein Einschlag von Tradition wirksam ist, der ihr eigentliches Wesen ist und ihre Auszeichnung ausmacht, wird sofort deutlich, wenn wir die Geschichte der Forschung ins Auge fassen und auf den Unterschied achten, der zwischen der Wissenschaftsgeschichte auf dem Gebiete der Geisteswissenschaften und dem der Naturwissenschaften besteht. Selbstverständlich kann es keine endlich-geschichtliche Bemühung des Menschen geben, die die Spuren dieser Endlichkeit gänzlich auszulöschen vermöchte. Auch die Geschichte der Mathematik oder der Naturwissenschaften ist ein Stück Geschichte des menschlichen Geistes und spiegelt seine Geschicke. Gleichwohl ist es nicht einfach eine historische Naivität, wenn der Naturforscher die Geschichte seiner Wissenschaft vom gegenwärtigen Stande des Wissens her schreibt. Irrtümer und Irrwege haben für ihn ein nur noch historisches Interesse, weil der Fortschritt der Forschung der selbstverständliche Maßstab der Betrachtung ist. Es ist daher ein sekundäres Interesse, das an den Fortschritten der Naturwissenschaft oder der Mathematik ihre Zugehörigkeit zu ihrem geschichtlichen Augenblick ins Auge faßt. Der Erkenntniswert der naturwissenschaftlichen oder mathematischen Erkenntnisse selber bleibt von diesem Interesse unbetroffen.

Man braucht also gar nicht abzustreiten, daß auch in der Naturwissenschaft Traditionsmomente wirksam sein können, etwa in der Form, daß an bestimmten Orten bestimmte Forschungsrichtungen bevorzugt werden.

---

[1] Ich glaube nicht, daß Scheler recht hat mit der Meinung, der vorbewußte Druck der Tradition nehme durch die Geschichtswissenschaft zunehmend ab (Stellung des Menschen im Kosmos, S. 37). Die darin implizierte Unabhängigkeit der Geschichtswissenschaft scheint mir eine liberale Fiktion, wie sie Scheler sonst nicht undurchschaut läßt. (Ähnlich Nachlaß I, S. 228 ff. das Bekenntnis zur historischen bzw. wissenssoziologischen Aufklärung.)

Aber die wissenschaftliche Forschung als solche empfängt ihr Schrittgesetz nicht von solchen Umständen, sondern von dem Gesetz der Sache, die sich ihren methodischen Bemühungen enthüllt.

Offenbar sind die Geisteswissenschaften von diesem Begriff von Forschung und Fortschritt aus nicht genügend beschreibbar. Daß es das dort auch gibt, daß man etwa die Geschichte der Lösung eines Problems, z. B. die einer Entzifferung schwer lesbarer Inschriften, schreiben kann, an der nichts anderes interessiert als die schließliche Erreichung des endgültigen Ergebnisses, ist natürlich richtig. Wäre das nicht so, dann wäre die methodologische Anlehnung der Geisteswissenschaften an die Naturwissenschaften, die wir im vergangenen Jahrhundert wirksam sahen, gar nicht möglich gewesen. Gleichwohl aber betrifft die Analogie zwischen Naturforschung und geisteswissenschaftlicher Forschung nur eine untergeordnete Schicht der in den Geisteswissenschaften geleisteten Arbeit.

Das zeigt sich schon daran, daß die großen Leistungen geisteswissenschaftlicher Forschung kaum je veralten. Der heutige Leser weiß offenbar mit Leichtigkeit davon zu abstrahieren, daß ein Historiker vor hundert Jahren über einen geringeren Wissensbestand verfügte und deshalb in manchen Einzelheiten verkehrte Urteile fällte. Aufs Ganze gesehen wird er immer noch Droysen oder Mommsen lieber lesen als die neueste Darstellung der betreffenden Gebiete aus der Feder eines gegenwärtig lebenden Historikers. Was ist es, woran hier gemessen wird? Offenbar kann man hier nicht einfach einen Maßstab der Sache zugrunde legen, an dem sich Wert und Gewicht von Forschung bemißt. Vielmehr erscheint uns die Sache erst im Lichte dessen wahrhaft bedeutsam, der sie uns recht zu schildern weiß. So gilt unser Interesse wohl der Sache, aber die Sache gewinnt ihr Leben nur durch den Aspekt, in dem sie uns gezeigt wird: Wir nehmen hin, daß es verschiedene Aspekte sind, in denen sich die Sache zu verschiedenen Zeiten oder von verschiedenem Standort aus historisch darstellt. Wir nehmen hin, daß diese Aspekte sich nicht einfach in der Kontinuität fortschreitender Forschung aufheben, sondern wie einander ausschließende Bedingungen sind, die jede für sich bestehen und die sich nur in uns selber vereinigen. Was unser geschichtliches Bewußtsein erfüllt, ist immer eine Vielzahl von Stimmen, in denen die Vergangenheit widerklingt. Nur in der Vielfachheit solcher Stimmen ist sie da: das macht das Wesen der Überlieferung aus, an der wir teilhaben und teilgewinnen wollen. Die moderne historische Forschung ist selber nicht nur Forschung, sondern Vermittlung von Überlieferung. Wir sehen sie nicht nur unter dem Schrittgesetz des Fortschritts und der gesicherten Ergebnisse – auch an ihr machen wir gleichsam geschichtliche Erfahrungen, sofern in ihr jeweils eine neue Stimme laut wird, in der die Vergangenheit widerklingt.

Was liegt dem zugrunde? Offenbar kann man nicht im selben Sinne von einem identischen Gegenstand der Erforschung in den Geisteswissenschaf-

ten sprechen, wie das in den Naturwissenschaften am Platze ist, wo die
Forschung immer tiefer in die Natur eindringt. Bei den Geisteswissenschaften ist vielmehr das Forschungsinteresse, das sich der Überlieferung
zuwendet, durch die jeweilige Gegenwart und ihre Interessen in besonderer
Weise motiviert. Erst durch die Motivation der Fragestellung konstituiert
sich überhaupt Thema und Gegenstand der Forschung. Die geschichtliche
Forschung ist mithin getragen von der geschichtlichen Bewegung, in der
das Leben selbst steht, und läßt sich nicht teleologisch von dem Gegenstand
her begreifen, dem ihre Forschung gilt. Ein solcher Gegenstand an sich
existiert offenbar überhaupt nicht. Das gerade unterscheidet die Geisteswissenschaften von den Naturwissenschaften. Während der Gegenstand
der Naturwissenschaften sich idealiter wohl bestimmen läßt als das, was
in der vollendeten Naturerkenntnis erkannt wäre, ist es sinnlos, von
einer vollendeten Geschichtserkenntnis zu sprechen, und eben deshalb ist
auch die Rede von einem Gegenstand an sich, dem diese Forschung gilt,
im letzten Sinne nicht einlösbar.

β) Das Beispiel des Klassischen

Gewiß ist es eine Zumutung an das Selbstverständnis der Geisteswissenschaften, sich dergestalt im Ganzen ihres Tuns von dem Vorbild der Naturwissenschaften abzulösen und die geschichtliche Bewegtheit dessen, womit
sie es zu tun hat, nicht nur als eine Beeinträchtigung ihrer Objektivität
anzusehen, sondern positiv anzuerkennen. Indessen gibt es in der neueren
Entwicklung der Geisteswissenschaften selbst doch Ansatzpunkte für eine
Besinnung, die der Problemlage wirklich gerecht zu werden vermag. Der
naive Methodologismus der historischen Forschung beherrscht das Feld
nicht mehr allein. Nicht überall mehr wird der Fortgang der Forschung
im Schema der Erweiterung und des Eindringens in neue Gebiete oder
Materialien verstanden, sondern statt dessen in der Erreichung einer höheren Reflexionsstufe der Fragestellung. Auch wo das geschieht, wird freilich
weiterhin teleologisch unter dem Gesichtspunkt des Fortschritts der Forschung gedacht, wie das dem Forscher ansteht. Aber es bahnt sich darin
zugleich ein hermeneutisches Bewußtsein an, das die Forschung mit Selbstbesinnung durchdringt. Das gilt vor allem von denjenigen Geisteswissenschaften, die über die älteste Tradition verfügen. So hat die klassische
Altertumswissenschaft sich, nachdem sie den weitesten Umkreis ihrer
Überlieferung allmählich aufgearbeitet hat, immer wieder den alten Vor-
zugsgegenständen ihrer Wissenschaft mit verfeinerten Fragestellungen zugewendet. Damit hat sie so etwas wie eine Selbstkritik eingeleitet, indem
sie sich darauf besann, was eigentlich den Vorzug ihrer vorzüglichsten
Gegenstände ausmacht. Der Begriff des Klassischen, den das historische
Denken seit Droysens Entdeckung des Hellenismus zu einem bloßen Stil-

begriff reduziert hatte, erhielt nun in der Wissenschaft ein neues Heimat-
recht.

Wie es möglich sein soll, daß ein normativer Begriff wie der des Klassischen ein wissenschaftliches Recht behalten oder wiedergewinnen soll,
verlangt freilich eine verfeinerte hermeneutische Besinnung. Denn in der
Konsequenz des Selbstverständnisses des historischen Bewußtseins liegt,
daß alle normative Bedeutung der Vergangenheit schließlich von der sou-
verän gewordenen historischen Vernunft zersetzt wird. Nur in den Anfängen des Historismus, etwa in Winckelmanns epochemachendem Werk, war
das normative Moment noch ein wirklicher Antrieb der historischen Forschung selbst gewesen.

Der Begriff des klassischen Altertums und des Klassischen, wie er seit
den Tagen des deutschen Klassizismus vor allem das pädagogische Denken
beherrschte, vereinigte in sich eine normative und eine historische Seite.
Eine bestimmte Entwicklungsphase des geschichtlichen Werdens der Menschheit soll zugleich eine reife und vollendete Herausgestaltung des Menschlichen geleistet haben. Diese Vermittlung zwischen normativem und historischem Sinn des Begriffs geht schon auf Herder zurück. Aber noch Hegel
hat an derselben Vermittlung festgehalten, wenn er ihr auch einen anderen
geschichtsphilosophischen Akzent gab: die klassische Kunst behielt bei ihm
ihre Auszeichnung, indem sie als ‚Kunstreligion‘ verstanden wurde. Da
diese Gestalt des Geistes eine vergangene ist, ist sie nur noch in einem
bedingten Sinne vorbildlich. Indem sie eine vergangene Kunst ist, bezeugt
sie den Vergangenheitscharakter der Kunst überhaupt. Hegel hat dadurch
die Historisierung des Begriffs des Klassischen systematisch gerechtfertigt
und jene Entwicklung eingeleitet, die schließlich das Klassische zu einem
deskriptiven Stilbegriff werden ließ, welcher zwischen archaischer Starr-
heit und barocker Auflösung einen schnell vorübergehenden Einklang von
Maß und Fülle beschreibt. Nur uneingestanden hält der Begriff des Klassischen, seit er in das stilgeschichtliche Vokabular der historischen Forschung
aufgenommen war, die Anerkennung eines normativen Gehaltes fest.

Es war nun ein Symptom der beginnenden historischen Selbstkritik, als
sich nach dem ersten Weltkrieg die ‚klassische Philologie‘ unter dem Zeichen eines neuen Humanismus auf sich selbst besann und zögernd genug
die Verknüpfung des normativen mit dem historischen Sinnmoment in
diesem Begriff erneut zur Anerkennung brachte[1]. Dabei zeigte es sich
freilich als unmöglich (wiewohl man es versuchte), den in der Antike entstandenen und in der Kanonisierung bestimmter Schulschriftsteller wirk-
samen Begriff des Klassischen inhaltlich in der Weise auszulegen, als ob er

---

[1] Die Naumburger Tagung über das Klassische (1930), die ganz von Werner
Jaeger bestimmt war, aber ebenso die Gründung der Zeitschrift ‚Die Antike‘ sind
Beispiele dafür. Vgl. Das Problem des Klassischen und die Antike (1931).

selber die Einheit eines Stilideals ausgedrückt hätte[1]. Als Stilbezeichnung entbehrte der antike Begriff vielmehr jeglicher Eindeutigkeit. Wenn wir heute ‚klassisch‘ als einen historischen Stilbegriff gebrauchen, der in der Abgrenzung gegen ein Vor und Nach seine Eindeutigkeit besitzt, so hat sich diese konsequente historische Begriffsbildung von dem antiken Begriff vollständig gelöst. Der Begriff des Klassischen beschreibt jetzt eine Zeitphase, eine Phase einer geschichtlichen Entwicklung, aber keinen übergeschichtlichen Wert.

In Wahrheit war jedoch das normative Element im Begriff des Klassischen nie ganz erloschen. Er liegt ja der Idee des ‚humanistischen Gymnasiums‘ bis zum heutigen Tage zugrunde. Der Philologe gibt sich mit Recht nicht damit zufrieden, den historischen Stilbegriff, der an der Geschichte der bildenden Kunst entwickelt worden ist, auf seine Texte anzuwenden. Schon die naheliegende Frage, ob nicht auch Homer ‚klassisch‘ sei, bringt die in Analogie zur Kunstgeschichte gebrauchte historische Stilkategorie des Klassischen ins Wanken – ein Beispiel dafür, daß das historische Bewußtsein noch immer anderes einschließt, als es von sich aus eingesteht.

Sucht man diese Implikationen sich bewußt zu machen, so wäre etwa zu sagen: Das Klassische ist gerade dadurch eine wahrhaft geschichtliche Kategorie, daß es mehr ist als ein Epochenbegriff oder ein historischer Stilbegriff und daß es dennoch nicht ein übergeschichtlicher Wertgedanke sein will. Es bezeichnet nicht eine Qualität, die bestimmten geschichtlichen Erscheinungen zuzusprechen ist, sondern eine ausgezeichnete Weise des Geschichtlichseins selbst, den geschichtlichen Vollzug der Bewahrung, die – in immer erneuerter Bewährung – ein Wahres sein läßt. Es ist durchaus nicht so, wie die historische Denkweise glauben machen wollte, daß das Werturteil, durch das etwas als klassisch ausgezeichnet wird, von der historischen Reflexion und ihrer an allen teleologischen Konstruktionen des Geschichtsganges geübten Kritik wirklich zersetzt würde. Das Werturteil, das im Begriff des Klassischen impliziert ist, gewinnt vielmehr an solcher Kritik eine neue, seine eigentliche Legitimation: Klassisch ist, was der historischen Kritik gegenüber standhält, weil seine geschichtliche Herrschaft, die verpflichtende Macht seiner sich überliefernden und bewahrenden Geltung, aller historischen Reflexion schon vorausliegt und sich in ihr durchhält.

Gewiß ist es unhistorisch – um gleich am entscheidenden Beispiel des Gesamtbegriffs des ‚klassischen Altertums‘ die Sache zu illustrieren –, wenn man den Hellenismus als Zeitalter des Niederganges und Verfalls der Klassik abwertet, und Droysen hat mit Recht die weltgeschichtliche Kontinuität und die Bedeutung des Hellenismus für die Geburt und Ausdehnung des Christentums betont. Aber er hätte es nicht erst nötig gehabt, diese histo-

---

[1] Vgl. die berechtigte Kritik, die A. Körte (Berichte der Sächsischen Akademie d. W. 86, 1934) an dem Naumburger Vortrag von J. Stroux geübt hat, und meine Anzeige Gnomon 11 (1935) S. 612 f.

rische Theodizee zu vollziehen, wenn es nicht noch immer ein Vorurteil
zugunsten des Klassischen gegeben hätte und wenn nicht die Bildungs-
macht des ‚Humanismus' an der ‚klassischen Antike' festgehalten und sie
als das unverlorene antike Erbe in der abendländischen Bildung bewahrt
hätte. Das Klassische ist eben im Grunde etwas anderes als ein deskrip-
tiver Begriff, den ein objektivierendes historisches Bewußtsein handhabt;
es ist eine geschichtliche Wirklichkeit, der auch noch das historische
Bewußtsein zugehört und untersteht. Was klassisch ist, das ist herausgehoben aus der Differenz der wechselnden Zeit und ihres wandelbaren Geschmacks – es ist auf eine unmittelbare Weise zugänglich, nicht in jener
gleichsam elektrischen Berührung, die hin und wieder eine zeitgenössische
Produktion auszeichnet und in der die Erfüllung einer alles bewußte Erwarten übersteigenden Sinn-Ahnung augenblickshaft erfahren wird. Vielmehr ist es ein Bewußtsein des Bleibendseins, der unverlierbaren, von allen
Zeitumständen unabhängigen Bedeutung, in dem wir etwas ‚klassisch'
nennen – eine Art zeitloser Gegenwart, die für jede Gegenwart Gleichzeitigkeit bedeutet.

Das erste also an dem Begriff des ‚Klassischen' (und das entspricht auch
ganz dem antiken wie dem neuzeitlichen Sprachgebrauch) ist der normative Sinn. Sofern diese Norm aber auf eine einmalige vergangene Größe
rückschauend bezogen wird, die sie erfüllte und darstellte, enthält sie
immer schon einen Zeit-Ton, der sie geschichtlich artikuliert. So war es
kein Wunder, daß mit der beginnenden historischen Reflexion, für die in
Deutschland, wie gesagt, der Klassizismus Winckelmanns bestimmend geworden ist, aus dem in dieser Weise als klassisch Geltenden ein historischer
Begriff einer Zeit oder einer Epoche abgelöst wurde, um ein inhaltlich
umschriebenes Stilideal, und zugleich historisch-deskriptiv eine Zeit oder
Epoche zu bezeichnen, die dieses Ideal erfüllte. Im Abstand des Epigonen,
der den Maßstab aufrichtet, zeigt sich, daß die Erfüllung dieses Stilideals
einen weltgeschichtlichen Augenblick bezeichnet, der der Vergangenheit
angehört. Es stimmt dazu, daß der Begriff des Klassischen im neuzeitlichen
Denken für das Ganze des ‚klassischen Altertums' in Gebrauch kam, als
der Humanismus die Vorbildlichkeit dieses Altertums neu proklamierte. Er
griff damit einen antiken Sprachgebrauch nicht ohne Grund auf. Denn jene
antiken Schriftsteller, deren ‚Entdeckung' der Humanismus vollzog, waren
dieselben Autoren, die im späteren Altertum selber den Kanon der Klassiker
bildeten.

Sie waren in der abendländischen Bildungsgeschichte aufbewahrt und
erhalten geblieben, eben weil sie als die Schriftsteller der ‚Schule' kanonisch
wurden. Es ist aber leicht ersichtlich, wie sich der historische Stilbegriff an
diesen Sprachgebrauch anlehnen konnte. Denn wenn es auch ein normatives Bewußtsein ist, das diesen Begriff prägt, so liegt doch ein retrospek-
tiver Zug zugleich darin. Es ist ein Bewußtsein des Verfalls und der Ferne,

für das sich die klassische Norm abzeichnet. Nicht zufällig sind es Spätzeiten, die den Begriff des Klassischen und des klassischen Stils geprägt haben: Kallimachos und Tacitus', ‚Dialogus‘ haben in diesem Zusammenhang die entscheidende Rolle gespielt[1]. Aber es kommt noch ein weiteres hinzu. Die als klassisch geltenden Autoren sind, wie man weiß, jeweils die Repräsentanten bestimmter literarischer Gattungen. Sie galten als die perfekte Erfüllung solcher Gattungsnorm, ein in der Retrospektion der literarischen Kritik sichtbares Ideal. Denkt man nun diesen Gattungsnormen gegenüber historisch, das heißt, denkt man die Geschichte dieser Gattungen, dann wird das Klassische zu dem Begriff einer Stilphase, eines Höhepunktes, der nach Vorher und Nachher die Geschichte dieser Gattung artikuliert. Sofern nun die gattungsgeschichtlichen Höhepunkte zu einem guten Teile dem gleichen, eng bemessenen Zeitraum angehören, bezeichnet das Klassische innerhalb des Ganzen der geschichtlichen Entwicklung des klassischen Altertums eine solche Phase und wird so zum Epochenbegriff, der mit dem Stilbegriff verschmilzt.

Als ein solcher historischer Stilbegriff ist der Begriff des Klassischen alsdann einer universalen Ausweitung auf jede ‚Entwicklung‘ fähig, der ein immanentes Telos die Einheit gibt. Und in der Tat sind in allen Kulturen Blütezeiten da, in denen sich die betreffende Kultur auf vielen Gebieten durch besondere Leistungen dokumentiert. So wird der allgemeine Wertbegriff des Klassischen auf dem Umweg über seine besondere historische Erfüllung zu einem wiederum allgemeinen historischen Stilbegriff.

So verständlich diese Entwicklung auch ist, die Historisierung des Begriffs bedeutet zugleich seine Entwurzelung, und daher hat nicht von ungefähr die einsetzende Selbstkritik des historischen Bewußtseins das normative Element in dem Begriff des Klassischen und die historische Einmaligkeit seiner Erfüllung zu neuen Ehren gebracht. Jeder ‚neue Humanismus‘ teilt eben mit dem ältesten und ersten das Bewußtsein der unmittelbaren und verpflichtenden Zugehörigkeit zu seinem Vorbild, das als ein vergangenes unerreichbar und doch gegenwärtig ist. So gipfelt im ‚Klassischen‘ ein allgemeiner Charakter des geschichtlichen Seins, Bewahrung im Ruin der Zeit zu sein. Zwar ist es das allgemeine Wesen der Überlieferung, daß nur, was sich vom Vergangenen als unvergangen bewahrt, historische Erkenntnis ermöglicht. Klassisch aber ist, wie Hegel sagt: »das sich selbst Bedeu-

---

[1] In der Naumburger Diskussion über das Klassische fand daher nicht ohne Grund der ‚Dialogus de oratoribus‘ besondere Beachtung. Die Ursachen des Verfalls der Redekunst schließen die Anerkennung ihrer einstigen Größe, also ein normatives Bewußtsein ein.

B. Snell weist mit Recht darauf hin, daß die historischen Stilbegriffe barock, archaisch usw. alle den Bezug auf den normativen Begriff des Klassischen voraussetzen und selber erst allmählich ihren pejorativen Sinn abgelegt haben (Wesen und Wirklichkeit des Menschen. Festschrift für H. Plessner, S. 333 ff.).

tende und damit auch sich selber Deutende«[1]. – Das heißt aber letzten
Endes: Klassisch ist, was sich bewahrt, *weil* es sich selbst bedeutet und sich
selber deutet; was also derart sagend ist, daß es nicht eine Aussage über
ein Verschollenes ist, ein bloßes, selbst noch zu deutendes Zeugnis von
etwas, sondern das der jeweiligen Gegenwart etwas so sagt, als sei es eigens
ihr gesagt. Was ‚klassisch‘ heißt, ist nicht erst der Überwindung des historischen Abstandes bedürftig – denn es vollzieht selber in beständiger Vermittlung diese Überwindung. Was klassisch ist, ist daher gewiß ‚zeitlos‘,
aber diese Zeitlosigkeit ist eine Weise geschichtlichen Seins.

Natürlich schließt das nicht aus, daß als klassisch geltende Werke einem
entwickelten historischen Bewußtsein, dem der historische Abstand bewußt ist, historische Erkenntnisaufgaben stellen. Es gilt ja für ein historisches Bewußtsein nicht mehr wie für Palladio oder Corneille, das klassische Vorbild unmittelbar in Anspruch zu nehmen, sondern es als eine
geschichtliche Erscheinung zu wissen, die nur aus ihrer eigenen Zeit zu
verstehen ist. Aber es wird sich in solchem Verstehen immer um *mehr*
handeln, als nur um historische Konstruktion der vergangenen ‚Welt‘, der
das Werk zugehörte. Unser Verstehen wird immer zugleich ein Bewußtsein
der Mitzugehörigkeit zu dieser Welt enthalten. Dem aber entspricht eine
Mitzugehörigkeit des Werkes zu unsrer Welt.

Eben das sagt das Wort ‚klassisch‘, daß die Fortdauer der unmittelbaren
Sagkraft eines Werkes grundsätzlich unbegrenzt ist[2]. So sehr der Begriff des
Klassischen Abstand und Unerreichbarkeit aussagt und der Bewußtseinsgestalt der Bildung zugehört, so behält doch auch die ‚klassische Bildung‘
noch immer etwas von der fortdauernden Geltung des Klassischen. Selbst
die Bewußtseinsgestalt der Bildung bezeugt noch eine letzte Gemeinsamkeit und Zugehörigkeit zu der Welt, aus der ein klassisches Werk spricht.

Diese Erörterung des Begriffs des Klassischen beansprucht keine selbständige Bedeutung, sondern möchte eine allgemeine Frage wecken. Sie
lautet: Liegt am Ende solche geschichtliche Vermittlung der Vergangenheit
mit der Gegenwart, wie sie den Begriff des Klassischen prägt, allem historischen Verhalten als wirksames Substrat zugrunde? Während die romantische Hermeneutik in der Gleichartigkeit der Menschennatur ein unge-
schichtliches Substrat für ihre Theorie des Verstehens in Anspruch genommen und damit den kongenial Verstehenden aus aller geschichtlichen Bedingtheit herausgelöst hatte, führt die Selbstkritik des historischen Bewußtseins am Ende dazu, nicht nur im Geschehen, sondern ebenso noch im
Verstehen geschichtliche Bewegtheit zu erkennen. *Das Verstehen ist selber
nicht so sehr als eine Handlung der Subjektivität zu denken, sondern als*

---

[1] Hegel, Ästhetik II, 3.

[2] Friedrich Schlegel (Fragmente, Minor 20) zieht die hermeneutische Konsequenz: »Eine klassische Schrift muß nie ganz verstanden werden können. Aber die,
welche gebildet sind und sich bilden, müssen immer mehr draus lernen wollen.«

Einrücken in ein Überlieferungsgeschehen, in dem sich Vergangenheit und Gegenwart beständig vermitteln. Das ist es, was in der hermeneutischen Theorie zur Geltung kommen muß, die viel zu sehr von der Idee eines Verfahrens, einer Methode, beherrscht ist.

c) Die hermeneutische Bedeutung des Zeitenabstandes

Wir fragen zunächst: Wie setzt denn die hermeneutische Bemühung ein? Was folgt für das Verstehen aus der hermeneutischen Bedingung der Zugehörigkeit zu einer Tradition? Wir erinnern uns hier der hermeneutischen Regel, daß man das Ganze aus dem Einzelnen und das Einzelne aus dem Ganzen verstehen müsse. Sie stammt aus der antiken Rhetorik und ist durch die neuzeitliche Hermeneutik von der Redekunst auf die Kunst des Verstehens übertragen worden. Es ist ein zirkelhaftes Verhältnis, das hier wie dort vorliegt. Die Antizipation von Sinn, in der das Ganze gemeint ist, kommt dadurch zu explizitem Verständnis, daß die Teile, die sich vom Ganzen her bestimmen, ihrerseits auch dieses Ganze bestimmen.

Wir kennen das aus der Erlernung der alten Sprachen. Wir lernen da, daß wir einen Satz erst ‚konstruieren‘ müssen, bevor wir die einzelnen Teile des Satzes in ihrer sprachlichen Bedeutung zu verstehen suchen. Dieser Vorgang des Konstruierens ist aber selber schon dirigiert von einer Sinnerwartung, die aus dem Zusammenhang des Vorangegangenen stammt. Freilich muß sich diese Erwartung berichtigen lassen, wenn der Text es fordert. Das bedeutet dann, daß die Erwartung umgestimmt wird und daß sich der Text unter einer anderen Sinnerwartung zur Einheit einer Meinung zusammenschließt. So läuft die Bewegung des Verstehens stets vom Ganzen zum Teil und zurück zum Ganzen. Die Aufgabe ist, in konzentrischen Kreisen die Einheit des verstandenen Sinnes zu erweitern. Einstimmung aller Einzelheiten zum Ganzen ist das jeweilige Kriterium für die Richtigkeit des Verstehens. Das Ausbleiben solcher Einstimmung bedeutet Scheitern des Verstehens.

Nun hat Schleiermacher diesen hermeneutischen Zirkel von Teil und Ganzem sowohl nach seiner objektiven wie nach seiner subjektiven Seite hin differenziert. Wie das einzelne Wort in den Zusammenhang des Satzes, so gehört der einzelne Text in den Zusammenhang des Werkes seines Schriftstellers und dieses in das Ganze der betreffenden literarischen Gattung bzw. der Literatur. Auf der anderen Seite gehört aber der gleiche Text als Manifestation eines schöpferischen Augenblicks in das Ganze des Seelenlebens seines Autors. Jeweils erst in solchem Ganzem objektiver und subjektiver Art kann sich Verstehen vollenden. Im Anschluß an diese Theorie spricht dann Dilthey von ‚Struktur‘ und von der ‚Zentrierung in einem Mittelpunkt‘, aus der sich das Verständnis des Ganzen ergibt. Er

18*

überträgt damit (wie wir sagten[1]) auf die geschichtliche Welt, was von jeher ein Grundsatz aller Interpretation von Texten ist: daß man einen Text aus sich selbst verstehen muß.

Es fragt sich aber, ob die Zirkelbewegung des Verstehens so angemessen verstanden ist. Hier ist auf das Ergebnis unserer Analyse der Schleiermacherschen Hermeneutik zurückzugreifen. Was Schleiermacher als subjektive Interpretation entwickelt hat, darf wohl ganz beiseite gesetzt werden. Wenn wir einen Text zu verstehen suchen, versetzen wir uns nicht in die seelische Verfassung des Autors, sondern wenn man schon von Sichversetzen sprechen will, so versetzen wir uns in die Perspektive, unter der der andere seine Meinung gewonnen hat. Das heißt aber nichts anderes, als daß wir das sachliche Recht dessen, was der andere sagt, gelten zu lassen suchen. Wir werden sogar, wenn wir verstehen wollen, seine Argumente noch zu verstärken trachten. So geschieht es schon im Gespräch. Wieviel mehr noch gilt es beim Verstehen von Schriftlichem, daß wir uns in einer Dimension von Sinnhaftem bewegen, das in sich verständlich ist und als solches keinen Rückgang auf die Subjektivität des anderen motiviert. Es ist die Aufgabe der Hermeneutik, dies Wunder des Verstehens aufzuklären, das nicht eine geheimnisvolle Kommunion der Seelen, sondern eine Teilhabe am gemeinsamen Sinn ist.

Aber auch die objektive Seite dieses Zirkels, wie sie Schleiermacher beschreibt, trifft nicht den Kern der Sache. Wir hatten gesehen: Das Ziel aller Verständigung und alles Verstehens ist das Einverständnis in der Sache. So hat die Hermeneutik von jeher die Aufgabe, ausbleibendes oder gestörtes Einverständnis herzustellen. Die Geschichte der Hermeneutik kann das bestätigen, wenn man z. B. an Augustin denkt, wo das alte Testament mit der christlichen Botschaft vermittelt werden soll, oder an den frühen Protestantismus, dem das gleiche Problem gestellt war, oder endlich an das Zeitalter der Aufklärung, wo es freilich einem Verzicht auf Einverständnis nahekommt, wenn der ‚vollkommene Verstand' eines Textes nur auf dem Wege historischer Interpretation erreicht werden soll. Es ist nun etwas qualitativ Neues, wenn die Romantik und Schleiermacher ein geschichtliches Bewußtsein von universalem Umfang begründen, indem sie die verbindliche Gestalt der Tradition, aus der sie kommen und in der sie stehen, nicht mehr als feste Grundlage für alle hermeneutische Bemühung gelten lassen.

Noch einer der unmittelbaren Vorläufer Schleiermachers, der Philologe Friedrich Ast, hatte ein ganz entschieden inhaltliches Verständnis der Aufgabe der Hermeneutik, wenn er forderte, sie solle das Einverständnis zwischen Antike und Christentum, zwischen einer neugesehenen wahren Antike und der christlichen Tradition herstellen. Das ist zwar gegenüber der

---

[1] S. 186; 227f.

Aufklärung insofern schon etwas Neues, als eine solche Hermeneutik die Tradition nicht mehr am Maßstab der natürlichen Vernunft mißt und verwirft. Sofern sie aber die beiden Traditionen, in denen sie sich weiß, zu einer sinnhaften Übereinstimmung zu bringen sucht, hält eine solche Hermeneutik grundsätzlich an der Aufgabe aller bisherigen Hermeneutik fest, im Verstehen ein *inhaltliches* Einverständnis zu gewinnen.

Indem nun Schleiermacher und nach seinem Vorgang die Wissenschaft des 19. Jahrhunderts über die ‚Partikularität‘ einer solchen Versöhnung von Antike und Christentum hinausgehen und die Aufgabe der Hermeneutik in *formaler* Allgemeinheit fassen, gelingt es ihnen, den Einklang mit dem Objektivitätsideal der Naturwissenschaften herzustellen, aber nur dadurch, daß sie darauf verzichten, die Konkretion des historischen Bewußtseins in der hermeneutischen Theorie zur Geltung zu bringen.

Heideggers Beschreibung und existenziale Begründung des hermeneutischen Zirkels bedeutet demgegenüber eine entscheidende Wendung. Von der Zirkelstruktur des Verstehens war gewiß in der hermeneutischen Theorie des 19. Jahrhunderts die Rede, aber immer im Rahmen einer formalen Relation von Einzelnem und Ganzem bzw. dessen subjektivem Reflex, der ahnenden Vorwegnahme des Ganzen und seiner nachfolgenden Explikation im einzelnen. Nach dieser Theorie lief die Zirkelbewegung des Verstehens an dem Text hin und her und war in dem vollendeten Verständnis desselben aufgehoben. Folgerichtig gipfelte die Theorie des Verstehens in Schleiermachers Lehre von dem divinatorischen Akt, durch den man sich ganz in den Verfasser versetzt und von da aus alles Fremde und Befremdende des Textes zur Auflösung bringt. Demgegenüber beschreibt Heidegger den Zirkel so, daß das Verständnis des Textes von der vorgreifenden Bewegung des Vorverständnisses dauerhaft bestimmt bleibt. Der Zirkel von Ganzem und Teil wird im vollendeten Verstehen nicht zur Auflösung gebracht, sondern im Gegenteil am eigentlichsten vollzogen.

Der Zirkel ist also nicht formaler Natur, er ist weder subjektiv noch objektiv, sondern beschreibt das Verstehen als das Ineinanderspiel der Bewegung der Überlieferung und der Bewegung des Interpreten. Die Antizipation von Sinn, die unser Verständnis eines Textes leitet, ist nicht eine Handlung der Subjektivität, sondern bestimmt sich aus der Gemeinsamkeit, die uns mit der Überlieferung verbindet. Diese Gemeinsamkeit aber ist in unserem Verhältnis zur Überlieferung in beständiger Bildung begriffen. Sie ist nicht einfach eine Voraussetzung, unter der wir schon immer stehen, sondern wir erstellen sie selbst, sofern wir verstehen, am Überlieferungsgeschehen teilhaben und es dadurch selber weiter bestimmen. Der Zirkel des Verstehens ist also überhaupt nicht ein ‚methodischer‘ Zirkel, sondern beschreibt ein ontologisches Strukturmoment des Verstehens.

Der Sinn dieses Zirkels, der allem Verstehen zugrunde liegt, hat aber eine weitere hermeneutische Konsequenz, die ich den ‚Vorgriff der Voll-

kommenheit' nennen möchte. Auch das ist offenbar eine formale Voraussetzung, die alles Verstehen leitet. Sie besagt, daß nur das verständlich ist,
was wirklich eine vollkommene Einheit von Sinn darstellt. So machen wir
denn diese Voraussetzung der Vollkommenheit immer, wenn wir einen Text
lesen, und erst wenn diese Voraussetzung sich als unzureichend erweist,
d. h. der Text nicht verständlich wird, zweifeln wir an der Überlieferung
und suchen zu erraten, wie sie zu heilen ist. Die Regeln, die wir bei solchen
textkritischen Überlegungen befolgen, können hier beiseite bleiben, denn
worauf es ankommt, ist auch hier, daß ihre rechte Anwendung nicht von
dem inhaltlichen Verständnis des Textes ablösbar ist.

Der Vorgriff der Vollkommenheit, der all unser Verstehen leitet, erweist
sich mithin selber als ein jeweils inhaltlich bestimmter. Es wird nicht nur
eine immanente Sinneinheit vorausgesetzt, die dem Lesenden die Führung
gibt, sondern das Verständnis des Lesers wird auch ständig von transzen-
denten Sinnerwartungen geleitet, die aus dem Verhältnis zur Wahrheit des
Gemeinten entspringen. So wie der Empfänger eines Briefes die Nachrichten versteht, die er enthält, und zunächst die Dinge mit den Augen des
Briefschreibers sieht, d. h. für wahr hält, was dieser schreibt – und nicht
etwa die sonderbaren Meinungen des Briefschreibers als solche zu verstehen
sucht, so verstehen wir auch überlieferte Texte auf Grund von Sinnerwartungen, die aus unserem eigenen vorgängigen Sachverhältnis geschöpft
sind. Und wie wir Nachrichten eines Korrespondenten glauben, weil er
dabei war oder es sonst besser weiß, so sind wir grundsätzlich der Möglichkeit offen, daß ein überlieferter Text es besser weiß, als die eigene Vormeinung gelten lassen will. Erst das Scheitern des Versuchs, das Gesagte
als wahr gelten zu lassen, führt zu dem Bestreben, den Text als die Meinung
eines anderen – psychologisch oder historisch – ,zu verstehen' [1]. Das Vorurteil der Vollkommenheit enthält also nicht nur dies Formale, daß ein
Text seine Meinung vollkommen aussprechen soll, sondern auch, daß das,
was er sagt, die vollkommene Wahrheit ist.

Auch hier bewährt sich, daß Verstehen primär heißt: sich in der Sache
verstehen, und erst sekundär: die Meinung des anderen als solche abheben
und verstehen. Die erste aller hermeneutischen Bedingungen bleibt somit
das Vorverständnis, das im Zu-tun-haben mit der gleichen Sache entspringt.
Von ihm her bestimmt sich, was als einheitlicher Sinn vollziehbar wird, und
damit die Anwendung des Vorgriffs der Vollkommenheit [2].

---

[1] Ich habe in einem Kongreßvortrag in Venedig 1958 über das ästhetische Urteil
zu zeigen gesucht, daß auch dieses – wie das historische – sekundären Charakter
besitzt und den »Vorgriff der Vollkommenheit« bestätigt (erschienen unter dem
Titel: ,Zur Fragwürdigkeit des ästhetischen Bewußtseins' in der Rivista di Estetica,
Fasc. III A. III [1958]).
[2] Es gibt eine Ausnahme von diesem Vorgriff der Vollkommenheit: den Fall des
verstellten oder verschlüsselten Schreibens. Dieser Fall stellt die schwierigsten hermeneutischen Probleme (vgl. die lehrreichen Erwägungen von Leo Strauß in: Per-

So erfüllt sich der Sinn der Zugehörigkeit, d. h. das Moment der Tradition im historisch-hermeneutischen Verhalten, durch die Gemeinsamkeit grundlegender und tragender Vorurteile. Die Hermeneutik muß davon ausgehen, daß wer verstehen will, mit der Sache, die mit der Überlieferung zur Sprache kommt, verbunden ist und an die Tradition Anschluß hat oder Anschluß gewinnt, aus der die Überlieferung spricht. Auf der anderen Seite weiß das hermeneutische Bewußtsein, daß es mit dieser Sache nicht in der Weise einer fraglos selbstverständlichen Einigkeit verbunden sein kann, wie sie für das ungebrochene Fortleben einer Tradition gilt. Es besteht wirklich eine Polarität von Vertrautheit und Fremdheit, auf die sich die Aufgabe der Hermeneutik gründet, nur daß diese nicht mit Schleiermacher psychologisch als die Spannweite, die das Geheimnis der Individualität birgt, zu verstehen ist, sondern wahrhaft hermeneutisch, d. h. im Hinblick auf ein Gesagtes: die Sprache, mit der die Überlieferung uns anredet, die Sage, die sie uns sagt. Auch hier ist eine Spannung gegeben. Die Stellung zwischen Fremdheit und Vertrautheit, die die Überlieferung für uns hat, ist das Zwischen zwischen der historisch gemeinten, abständigen Gegenständlichkeit und der Zugehörigkeit zu einer Tradition. *In diesem Zwischen ist der wahre Ort der Hermeneutik.*

Aus der Zwischenstellung, in der die Hermeneutik ihren Stand zu nehmen hat, folgt, daß ihre Aufgabe überhaupt nicht ist, ein Verfahren des Verstehens zu entwickeln, sondern die Bedingungen aufzuklären, unter denen Verstehen geschieht. Diese Bedingungen sind aber durchaus nicht alle von der Art eines ‚Verfahrens‘ oder einer Methode, so daß man als der Verstehende sie von sich aus zur Anwendung zu bringen vermöchte – sie müssen vielmehr gegeben sein. Die Vorurteile und Vormeinungen, die das Bewußtsein des Interpreten besetzt halten, sind ihm als solche nicht zu freier Verfügung. Er ist nicht imstande, von sich aus vorgängig die produktiven Vorurteile, die das Verstehen ermöglichen, von denjenigen Vorurteilen zu scheiden, die das Verstehen verhindern und zu Mißverständnissen führen.

Diese Scheidung muß vielmehr im Verstehen selbst geschehen, und daher muß die Hermeneutik fragen, wie das geschieht. Das bedeutet aber: sie muß in den Vordergrund stellen, was in der bisherigen Hermeneutik völlig am Rande blieb, den Zeitenabstand und seine Bedeutung für das Verstehen.

secution and the Art of Writing). Dieser Ausnahmefall des hermeneutischen Verhaltens ist insofern von exemplarischer Bedeutung, als hier die reine Sinnauslegung nach der gleichen Richtung überschritten wird, wie wenn die historische Quellenkritik hinter die Überlieferung zurückgeht. Obwohl es sich hier um keine historische, sondern um eine hermeneutische Aufgabe handelt, wird diese nur lösbar, indem man ein sachliches Verständnis als Schlüssel verwendet. Nur dann läßt sich die Verstellung entschlüsseln – wie man ja auch im Gespräch Ironie in dem Grade versteht, in dem man in sachlichem Einverständnis mit dem anderen steht. Die scheinbare Ausnahme bestätigt also erst recht, daß Verstehen Einverständnis impliziert.

Das sei zunächst durch die Abhebung gegen die hermeneutische Theorie der Romantik verdeutlicht. Wir erinnern uns, daß dort das Verstehen als Reproduktion einer ursprünglichen Produktion gedacht war. Daher konnte es unter die Devise gesellt werden, man müsse einen Autor besser verstehen, als er sich selber verstanden habe. Wir haben die Herkunft dieses Satzes und seine Bindung an die Genieästhetik untersucht, müssen jetzt aber darauf zurückkommen, da der Satz im Lichte unserer gegenwärtigen Überlegungen eine neue Bedeutung gewinnt.

Daß das nachkommende Verstehen der ursprünglichen Produktion gegenüber eine prinzipielle Überlegenheit besitzt und deshalb als ein Besserverstehen formuliert werden kann, beruht nicht so sehr auf der nachkommenden Bewußtmachung, die zur Gleichstellung mit dem Urheber führt (wie Schleiermacher meinte), sondern beschreibt im Gegenteil eine unaufhebbare Differenz zwischen dem Interpreten und dem Urheber, die durch den geschichtlichen Abstand gegeben ist. Eine jede Zeit wird einen überlieferten Text auf ihre Weise verstehen müssen, denn er gehört in das Ganze der Überlieferung, an der sie ein sachliches Interesse nimmt und in der sie sich selbst zu verstehen sucht. Der wirkliche Sinn eines Textes, wie er den Interpreten anspricht, hängt eben nicht von dem Okkasionellen ab, das der Verfasser und sein ursprüngliches Publikum darstellen. Er geht zum mindesten nicht darin auf. Denn er ist immer auch durch die geschichtliche Situation des Interpreten mitbestimmt und damit durch das Ganze des objektiven Geschichtsganges. Dem trägt ein Autor wie Chladenius[1], der das Verstehen noch nicht in das Historische abdrängt, ganz unbefangen und naiv Rechnung, wenn er meint, daß ein Autor den wahren Sinn seines Textes nicht selber zu erkennen brauche und daher der Interpret oft mehr verstehen könne und müsse als er. Aber das hat grundsätzliche Bedeutung. Nicht nur gelegentlich, sondern immer übertrifft der Sinn eines Textes seinen Autor. Daher ist Verstehen kein nur reproduktives, sondern stets auch ein produktives Verhalten. Es ist vielleicht nicht richtig, für dieses produktive Moment, das im Verstehen liegt, von Besserverstehen zu reden. Denn diese Formel ist, wie wir gezeigt haben, die Umsetzung eines Grundsatzes der Sachkritik aus dem Zeitalter der Aufklärung auf die Basis der Genieästhetik. Verstehen ist in Wahrheit kein Besserverstehen, weder im Sinne des sachlichen Besserwissens durch deutlichere Begriffe, noch im Sinne der grundsätzlichen Überlegenheit, die das Bewußte über das Unbewußte der Produktion besitzt. Es genügt zu sagen, daß man *anders* versteht, *wenn man überhaupt versteht.*

Ein solcher Begriff von Verstehen durchbricht freilich ganz den von der romantischen Hermeneutik gezogenen Kreis. Sofern jetzt nicht die Individualität und ihre Meinung, sondern die sachliche Wahrheit gemeint ist,

[1] Vgl. oben S. 172.

wird ein Text nicht als bloßer Lebensausdruck verstanden, sondern wird in seinem Wahrheitsanspruch ernst genommen. Daß auch das, ja gerade das ‚Verstehen' heißt, war ehedem eine Selbstverständlichkeit – ich erinnere etwa an das aus Chladenius Zitierte [1]. Aber diese Dimension des hermeneutischen Problems ist durch das historische Bewußtsein und die psychologische Wendung, die Schleiermacher der Hermeneutik gab, diskreditiert worden und konnte erst wiedergewonnen werden, als die Aporien des Historismus zutage traten und schließlich zu der neuen grundsätzlichen Wendung führten, für die, wie ich glaube, Heidegger die entscheidenden Anstöße gegeben hat. Denn erst von der ontologischen Wendung, die Heidegger dem Verstehen als einem ‚Existenzial' verlieh, und der temporalen Interpretation, die er der Seinsweise des Daseins widmete, aus konnte der Zeitenabstand in seiner hermeneutischen Produktivität gedacht werden.

Nun ist die Zeit nicht mehr primär ein Abgrund, der überbrückt werden muß, weil er trennt und fernhält, sondern sie ist in Wahrheit der tragende Grund des Geschehens, in dem das Gegenwärtige wurzelt. Der Zeitenabstand ist daher nicht etwas, was überwunden werden muß. Das war vielmehr die naive Voraussetzung des Historismus, daß man sich in den Geist der Zeit versetzen, daß man in deren Begriffen und Vorstellungen denken solle und nicht in seinen eigenen und auf diese Weise zur historischen Objektivität vordringen könne. In Wahrheit kommt es darauf an, den Abstand der Zeit als eine positive und produktive Möglichkeit des Verstehens zu erkennen. Er ist nicht ein gähnender Abgrund, sondern ist ausgefüllt durch die Kontinuität des Herkommens und der Tradition, in deren Lichte uns alle Überlieferung sich zeigt. Hier ist es nicht zuviel, von einer echten Produktivität des Geschehens zu sprechen. Jedermann kennt die eigentümliche Ohnmacht unseres Urteils dort, wo uns nicht der Abstand der Zeiten sichere Maßstäbe anvertraut hat. So ist das Urteil über gegenwärtige Kunst für das wissenschaftliche Bewußtsein von verzweifelter Unsicherheit. Offenbar sind es unkontrollierbare Vorurteile, unter denen wir an solche Schöpfungen herangehen, Voraussetzungen, die uns viel zu sehr einnehmen, als daß wir sie wissen könnten und die der zeitgenössischen Schöpfung eine Überresonanz zu verleihen vermögen, die ihrem wahren Gehalt, ihrer wahren Bedeutung nicht entspricht. Erst das Absterben aller aktuellen Bezüge läßt ihre eigene Gestalt sichtbar werden und ermöglicht damit ein Verständnis des in ihnen Gesagten, das verbindliche Allgemeinheit beanspruchen kann.

Es ist diese Erfahrung, die in der historischen Forschung zu der Vorstellung geführt hat, daß erst aus einem gewissen geschichtlichen Abstande heraus objektive Erkenntnis erreichbar werde. Es ist wahr, daß das, was an einer Sache ist, der ihr selbst einwohnende Gehalt, sich erst im Abstand

---

[1] oben S. 172.

von der aus flüchtigen Umständen entstandenen Aktualität scheidet. Die Überschaubarkeit, die relative Abgeschlossenheit eines geschichtlichen Vorganges, seine Ferne von den die Gegenwart erfüllenden Sachmeinungen – das sind in gewissem Sinne wirklich positive Bedingungen des geschichtlichen Verstehens. Die stillschweigende Voraussetzung der historischen Methode ist daher, daß erst dann etwas in seiner bleibenden Bedeutung objektiv erkennbar wird, wenn es einem abgeschlossenen Zusammenhang angehört. Mit anderen Worten: wenn es tot genug ist, um nur noch historisch zu interessieren. Nur dann scheint die Ausschaltung des subjektiven Anteils des Betrachters möglich. Das ist in Wahrheit ein Paradox – die wissenschaftstheoretische Entsprechung zu dem alten moralischen Problem, ob jemand vor seinem Tode glücklich genannt werden könne. Wie dort Aristoteles gezeigt hat, welche Überschärfung menschlicher Urteilsmöglichkeiten ein solches Problem entstehen läßt[1], so muß hier die hermeneutische Besinnung eine Überschärfung des methodischen Selbstbewußtseins der Wissenschaft feststellen. Es ist durchaus wahr, daß gewisse hermeneutische Forderungen dort von selber erfüllt sind, wo ein historischer Zusammenhang nur noch historisch interessiert. Gewisse Fehlerquellen sind da von selbst ausgeschaltet. Aber es fragt sich, ob das hermeneutische Problem sich damit erschöpft. Der zeitliche Abstand hat offenbar noch einen anderen Sinn als den der Abtötung des eigenen Interesses am Gegenstand. Er läßt den wahren Sinn, der in einer Sache liegt, erst voll herauskommen. Die Ausschöpfung des wahren Sinnes aber, der in einem Text oder in einer künstlerischen Schöpfung gelegen ist, kommt nicht irgendwo zum Abschluß, sondern ist in Wahrheit ein unendlicher Prozeß. Es werden nicht nur immer neue Fehlerquellen ausgeschaltet, so daß der wahre Sinn aus allerlei Trübungen herausgefiltert wird, sondern es entspringen stets neue Quellen des Verständnisses, die ungeahnte Sinnbezüge offenbaren. Der Zeitenabstand, der die Filterung leistet, hat nicht eine abgeschlossene Größe, sondern ist in einer ständigen Bewegung und Ausweitung begriffen. Mit der negativen Seite des Filters, die der Zeitenabstand vollbringt, ist aber zugleich die positive Seite gegeben, die er für das Verstehen besitzt. Er läßt nicht nur die Vorurteile, die partikularer Natur sind, absterben, sondern auch diejenigen, die ein wahrhaftes Verstehen leiten, als solche hervortreten.

Nichts anderes als dieser Zeitenabstand vermag die eigentlich kritische Frage der Hermeneutik lösbar zu machen, nämlich die *wahren* Vorurteile, unter denen wir *verstehen*, von den *falschen*, unter denen wir *mißverstehen*, zu scheiden. Das hermeneutisch geschulte Bewußtsein wird daher historisches Bewußtsein einschließen. Es wird die das Verstehen leitenden eigenen Vorurteile bewußt machen, damit die Überlieferung, als Anders-

---

[1] Eth. Nic. A 7.

meinung, sich ihrerseits abhebt und zur Geltung bringt. Ein Vorurteil als solches zur Abhebung bringen, verlangt offenbar, es in seiner Geltung zu suspendieren. Denn solange ein Vorurteil uns bestimmt, wissen und bedenken wir es nicht als Urteil. Wie soll es als solches zur Abhebung kommen? Ein Vorurteil gleichsam vor sich zu bringen, kann nicht gelingen, solange dies Vorurteil beständig und unbemerkt im Spiele ist, sondern nur dann, wenn es sozusagen gereizt wird. Was so zu reizen vermag, ist eben die Begegnung mit der Überlieferung. Denn was zum Verstehen verlockt, muß sich selber schon zuvor in seinem Anderssein zur Geltung gebracht haben. Das erste, womit das Verstehen beginnt, ist, wie schon oben gesagt[1], daß etwas uns anspricht. Das ist die oberste aller hermeneutischen Bedingungen. Wir wissen jetzt, was damit gefordert ist: eine grundsätzliche Suspension der eigenen Vorurteile. Alle Suspension von Urteilen aber, mithin und erst recht die von Vorurteilen, hat, logisch gesehen, die Struktur der *Frage*.

Das Wesen der *Frage* ist das Offenlegen und Offenhalten von Möglichkeiten. Wird ein Vorurteil fraglich – angesichts dessen, was uns ein anderer oder ein Text sagt –, so heißt dies mithin nicht, daß es einfach beiseite gesetzt wird und der andere oder das Andere sich an seiner Stelle unmittelbar zur Geltung bringt. Das ist vielmehr die Naivität des historischen Objektivismus, ein solches Absehen von sich selbst anzunehmen. In Wahrheit wird das eigene Vorurteil dadurch recht eigentlich ins Spiel gebracht, daß es selber auf dem Spiele steht. Nur indem es sich ausspielt, vermag es den Wahrheitsanspruch des anderen überhaupt zu erfahren und ermöglicht ihm, daß er sich auch ausspielen kann.

Die Naivität des sogenannten Historismus besteht darin, daß er sich einer solchen Reflexion entzieht und im Vertrauen auf die Methodik seines Verfahrens seine eigene Geschichtlichkeit vergißt. Hier muß von einem schlecht verstandenen historischen Denken an ein besser zu verstehendes appelliert werden. Ein wirklich historisches Denken muß die eigene Geschichtlichkeit mitdenken. Nur dann wird es nicht dem Phantom eines historischen Objektes nachjagen, das Gegenstand fortschreitender Forschung ist, sondern wird in dem Objekt das Andere des Eigenen und damit das Eine wie das Andere erkennen lernen. Der wahre historische Gegenstand ist kein Gegenstand, sondern die Einheit dieses Einen und Anderen, ein Verhältnis, in dem die Wirklichkeit der Geschichte ebenso wie die Wirklichkeit des geschichtlichen Verstehens besteht. Eine sachangemessene Hermeneutik hätte im Verstehen selbst die Wirklichkeit der Geschichte aufzuweisen. Ich nenne das damit Geforderte ,*Wirkungsgeschichte*'. Verstehen ist seinem Wesen nach ein wirkungsgeschichtlicher Vorgang.

---

[1] S. 274; 279.

d) Das Prinzip der Wirkungsgeschichte

Daß das historische Interesse sich nicht allein auf die geschichtliche Erscheinung oder das überlieferte Werk richtet, sondern in einer sekundären Thematik auch auf deren Wirken in der Geschichte (die schließlich auch die Geschichte der Forschung einschließt), gilt im allgemeinen als eine bloße Ergänzung der historischen Fragestellung, die von Hermann Grimms Raffael an bis zu Gundolf und über ihn hinaus eine Fülle wertvoller historischer Einsichten erbracht hat. Insofern ist Wirkungsgeschichte nichts Neues. Daß es aber einer solchen wirkungsgeschichtlichen Fragestellung immer bedarf, wenn ein Werk oder eine Überlieferung aus dem Zwielicht zwischen Tradition und Historie ins Klare und Offene seiner eigentlichen Bedeutung gestellt werden soll, das ist in der Tat eine neue Forderung – nicht an die Forschung, aber an das methodische Bewußtsein derselben – die sich aus der Durchreflexion des historischen Bewußtseins zwingend ergibt.

Es ist freilich keine hermeneutische Forderung im Sinne des traditionellen Begriffes der Hermeneutik. Denn die Meinung ist nicht die, als solle die Forschung eine solche wirkungsgeschichtliche Fragestellung entwickeln, die neben die auf das Verständnis des Werkes unmittelbar gerichtete trete. Die Forderung ist vielmehr theoretischer Art. Das historische Bewußtsein soll sich bewußt werden, daß in der vermeintlichen Unmittelbarkeit, mit der es sich auf das Werk oder die Überlieferung richtet, diese andere Fragestellung stets, wenn auch unerkannt und entsprechend unkontrolliert, mitspielt. Wenn wir aus der für unsere hermeneutische Situation im ganzen bestimmenden historischen Distanz eine historische Erscheinung zu verstehen suchen, unterliegen wir immer bereits den Wirkungen der Wirkungsgeschichte. Sie bestimmt im voraus, was sich uns als fragwürdig und als Gegenstand der Erforschung zeigt, und wir vergessen gleichsam die Hälfte dessen, was wirklich ist, ja mehr noch: wir vergessen die ganze Wahrheit dieser Erscheinung, wenn wir die unmittelbare Erscheinung selber als die ganze Wahrheit nehmen.

In der vermeintlichen Naivität unseres Verstehens, in der wir dem Maßstab der Verständlichkeit folgen, zeigt sich das Andere so sehr vom Eigenen her, daß es gar nicht mehr als Eigenes und Anderes zur Aussage kommt. Der historische Objektivismus, indem er sich auf seine kritische Methodik beruft, verdeckt die wirkungsgeschichtliche Verflechtung, in der das historische Bewußtsein selber steht. Er entzieht zwar der Willkür und Beliebigkeit aktualisierender Anbiederungen mit der Vergangenheit durch die Methode seiner Kritik den Boden, aber er schafft sich selbst damit das gute Gewissen, die unwillkürlichen und nicht beliebigen, sondern alles tragenden Voraussetzungen, die sein eigenes Verstehen leiten, zu verleugnen und damit die Wahrheit zu verfehlen, die bei aller Endlichkeit unseres Verstehens erreichbar wäre. Der historische Objektivismus gleicht darin der Statistik, die eben deshalb ein so hervorragendes Propagandamittel ist, weil sie die Sprache der Tatsachen sprechen läßt und damit eine Objektivität vortäuscht, die in Wahrheit von der Legitimität ihrer Fragestellungen abhängt.

Es wird also nicht gefordert, daß man die Wirkungsgeschichte als eine neue selbständige Hilfsdisziplin der Geisteswissenschaften entwickeln solle, sondern daß man sich selber richtiger verstehen lerne und anerkenne, daß in allem Verstehen, ob man sich dessen ausdrücklich bewußt ist oder nicht, die Wirkung dieser Wirkungsgeschichte am Werke ist. Wo sie in der Naivität des Methodenglaubens verleugnet wird, kann übrigens auch eine tatsächliche Deformation der Erkenntnis die Folge sein. Wir kennen sie aus der Wissenschaftsgeschichte als die unwiderlegliche Beweisführung für etwas evident Falsches. Aber aufs Ganze gesehen, hängt die Macht der Wirkungsgeschichte nicht von ihrer Anerkennung ab. Das gerade ist die Macht der Geschichte über das endliche menschliche Bewußtsein, daß sie sich auch dort durchsetzt, wo man im Glauben an die Methode die eigene Geschichtlichkeit verleugnet. Die Forderung, sich dieser Wirkungsgeschichte bewußt zu werden, hat gerade darin ihre Dringlichkeit – sie ist eine notwendige Forderung für das wissenschaftliche Bewußtsein. Das bedeutet aber keineswegs, daß sie in einem schlechthinnigen Sinne erfüllbar wäre. Daß Wirkungsgeschichte je vollendet gewußt werde, ist eine ebenso hybride Behauptung wie Hegels Anspruch auf absolutes Wissen, in dem die Geschichte zur vollendeten Selbstdurchsichtigkeit gekommen und daher auf den Standpunkt des Begriffs erhoben sei. Vielmehr ist das wirkungsgeschichtliche Bewußtsein ein Moment des Vollzugs des Verstehens selbst, und wir werden sehen, wie es schon im *Gewinnen der rechten Frage* wirksam ist.

Wirkungsgeschichtliches Bewußtsein ist zunächst Bewußtsein der hermeneutischen *Situation*. Die Gewinnung des Bewußtseins einer Situation ist aber in jedem Falle eine Aufgabe von eigener Schwierigkeit. Der Begriff der Situation ist ja dadurch charakterisiert, daß man sich nicht ihr gegenüber befindet und daher kein gegenständliches Wissen von ihr haben kann[1]. Man steht in ihr, findet sich immer schon in einer Situation vor, deren Erhellung die nie ganz zu vollendende Aufgabe ist. Das gilt auch für die hermeneutische Situation, d.h. die Situation, in der wir uns gegenüber der Überlieferung befinden, die wir zu verstehen haben. Auch die Erhellung dieser Situation, d.h. die wirkungsgeschichtliche Reflexion ist nicht vollendbar, aber diese Unvollendbarkeit ist nicht ein Mangel an Reflexion, sondern liegt im Wesen des geschichtlichen Seins, das wir sind. *Geschichtlichsein heißt, nie im Sichwissen aufgehen.* Alles Sichwissen erhebt sich

[1] Der Begriff der Situation ist vor allem von K. Jaspers (Die geistige Situation der Zeit) und Erich Rothacker in seiner Struktur aufgehellt worden.

aus geschichtlicher Vorgegebenheit, die wir mit Hegel Substanz nennen, weil sie alles subjektive Meinen und Verhalten trägt und damit auch alle Möglichkeit, eine Überlieferung in ihrer geschichtlichen Andersheit zu verstehen, vorzeichnet und begrenzt. Die Aufgabe der philosophischen Hermeneutik läßt sich von hier aus geradezu so charakterisieren: sie habe den Weg der Hegelschen Phänomenologie des Geistes insoweit zurückzugehen, als man in aller Subjektivität die sie bestimmende Substanzialität aufweist.

Alle endliche Gegenwart hat ihre Schranken. Wir bestimmen den Begriff der Situation eben dadurch, daß sie einen Standort darstellt, der die Möglichkeiten des Sehens beschränkt. Zum Begriff der Situation gehört daher wesenhaft der Begriff des *Horizontes*. Horizont ist der Gesichtskreis, der all das umfaßt und umschließt, was von einem Punkte aus sichtbar ist. In der Anwendung auf das denkende Bewußtsein reden wir dann von Enge des Horizontes, von möglicher Erweiterung des Horizontes, von Erschließung neuer Horizonte usw. Insbesondere hat der philosophische Sprachgebrauch seit Nietzsche und Husserl[1] das Wort verwendet, um die Gebundenheit des Denkens an seine endliche Bestimmtheit und das Schrittgesetz der Erweiterung des Gesichtskreises dadurch zu charakterisieren. Wer keinen Horizont hat, ist ein Mensch, der nicht weit genug sieht und deshalb das ihm Naheliegende überschätzt. Umgekehrt heißt Horizont haben: Nicht-auf-das-Nächste Eingeschränktsein, sondern über es Hinaussehenkönnen. Wer Horizont hat, weiß die Bedeutung aller Dinge innerhalb dieses Horizontes richtig einzuschätzen nach Nähe und Ferne, Größe und Kleinheit. Entsprechend bedeutet die Ausarbeitung der hermeneutischen Situation die Gewinnung des rechten Fragehorizontes für die Fragen, die sich uns angesichts der Überlieferung stellen.

Freilich reden wir im Bereich des historischen Verstehens auch gern von Horizonten, insbesondere, wenn wir den Anspruch des historischen Bewußtseins meinen, jede Vergangenheit in ihrem eigenen Sein zu sehen, nicht von unseren zeitgenössischen Maßstäben und Vorurteilen aus, sondern in ihrem eigenen geschichtlichen Horizont. Die Aufgabe des historischen Verstehens schließt die Forderung ein, jeweils den historischen Horizont zu gewinnen, damit sich das, was man verstehen will, in seinen wahren Maßen darstellt. Wer es unterläßt, derart sich in den historischen Horizont zu versetzen aus dem die Überlieferung spricht, wird die Bedeutung der Überlieferungsinhalte mißverstehen. Insofern scheint es eine berechtigte hermeneutische Forderung, daß man sich in den andern versetzen muß, um ihn zu verstehen. Indessen fragt es sich, ob eine solche Parole nicht gerade das Verständnis schuldig bleibt, das von einem verlangt wird. Es ist genauso wie im Gespräch, das wir mit jemandem nur zu dem Zwecke führen, um ihn kennenzulernen, d.h. um seinen Standort und seinen

---

[1] Vgl. oben S. 231 ff.

Horizont zu ermessen. Das ist kein wahres Gespräch, d.h. es wird darin nicht die Verständigung über eine Sache gesucht, sondern alle sachlichen Inhalte des Gespräches sind nur ein Mittel, um den Horizont des anderen kennenzulernen. Man denke etwa an das Prüfungsgespräch oder bestimmte Formen der ärztlichen Gesprächsführung. Das historische Bewußtsein tut offenbar Ähnliches, wenn es sich in die Situation der Vergangenheit versetzt und dadurch den richtigen historischen Horizont zu haben beansprucht. So wie im Gespräch der andere, nachdem man seinen Standort und Horizont ermittelt hat, in seinen Meinungen verständlich wird, ohne daß man sich deshalb mit ihm zu verstehen braucht, so wird für den, der historisch denkt, die Überlieferung in ihrem Sinn verständlich, ohne daß man sich doch mit ihr und in ihr versteht.

In beiden Fällen hat sich der Verstehende gleichsam aus der Situation der Verständigung zurückgezogen. Er selber ist nicht antreffbar. Indem man den Standpunkt des anderen von vornherein in das miteinrechnet, was er einem zu sagen beansprucht, setzt man seinen eigenen Standpunkt in eine sichere Unerreichbarkeit. Wir haben bei der Entstehung des historischen Denkens gesehen, daß es in der Tat diesen zweideutigen Übergang vom Mittel zum Zweck nimmt, d.h. das, was nur Mittel ist, zum Zweck macht. Der Text, der historisch verstanden wird, wird aus dem Anspruch, Wahres zu sagen, förmlich herausgedrängt. Indem man die Überlieferung vom historischen Standpunkt aus sieht, d.h. sich in die historische Situation versetzt und den historischen Horizont zu rekonstruieren sucht, meint man zu verstehen. In Wahrheit hat man den Anspruch grundsätzlich aufgegeben, in der Überlieferung für einen selber gültige und verständliche Wahrheit zu finden. Solche Anerkennung der Andersheit des anderen, die dieselbe zum Gegenstande objektiver Erkenntnis macht, ist insofern eine grundsätzliche Suspension seines Anspruchs.

Es ist aber nun die Frage, ob diese Beschreibung das hermeneutische Phänomen wirklich trifft. Gibt es denn hier zwei voneinander verschiedene Horizonte, den Horizont, in dem der Verstehende lebt, und den jeweiligen historischen Horizont, in den er sich versetzt? Ist die Kunst des historischen Verstehens dadurch richtig und zureichend beschrieben, daß man lerne, sich in fremde Horizonte zu versetzen? Gibt es überhaupt in diesem Sinne geschlossene Horizonte? Man erinnere sich an Nietzsches Vorwurf gegen den Historismus, er löse den von Mythen umschlossenen Horizont auf, in dem allein eine Kultur leben könne[1]. Ist der Horizont der eigenen Gegenwart jemals ein derart geschlossener, und läßt sich eine historische Situation denken, die einen solchen geschlossenen Horizont hätte?

Oder ist das eine romantische Rückspiegelung, eine Art Robinsonade der historischen Aufklärung, die Fiktion einer unerreichbaren Insel, die ebenso

---

[1] Nietzsche, Unzeitgemäße Betrachtungen II am Anfang.

künstlich ist wie Robinson selbst als das angebliche Urphänomen des solus ipse? Wie der Einzelne nie ein Einzelner ist, weil er sich immer schon mit anderen versteht, so ist auch der geschlossene Horizont, der eine Kultur einschließen soll, eine Abstraktion. Es macht die geschichtliche Bewegtheit des menschlichen Daseins aus, daß es keine schlechthinnige Standortgebundenheit besitzt und daher auch niemals einen wahrhaft geschlossenen Horizont. Der Horizont ist vielmehr etwas, in das wir hineinwandern und das mit uns mitwandert. Dem Beweglichen verschieben sich die Horizonte. So ist auch der Vergangenheitshorizont, aus dem alles menschliche Leben lebt und der in der Weise der Überlieferung da ist, immer schon in Bewegung. Es ist nicht erst das historische Bewußtsein, das den umschließenden Horizont in Bewegung bringt. In ihm ist sich diese Bewegung nur ihrer selbst bewußt geworden.

Wenn sich unser historisches Bewußtsein in historische Horizonte versetzt, so bedeutet das nicht eine Entrückung in fremde Welten, die nichts mit unserer eigenen verbindet, sondern sie insgesamt bilden den einen großen, von innen her beweglichen Horizont, der über die Grenzen des Gegenwärtigen hinaus die Geschichtstiefe unseres Selbstbewußtseins umfaßt. In Wahrheit ist es also ein einziger Horizont, der all das umschließt, was das geschichtliche Bewußtsein in sich enthält. Die eigene und fremde Vergangenheit, der unser historisches Bewußtsein zugewendet ist, bildet mit an diesem beweglichen Horizont, aus dem menschliches Leben immer lebt und der es als Herkunft und Überlieferung bestimmt.

Eine Überlieferung verstehen verlangt also gewiß historischen Horizont. Aber es kann sich nicht darum handeln, daß man diesen Horizont gewinnt, indem man sich in eine historische Situation versetzt. Man muß vielmehr immer schon Horizont haben, um sich dergestalt in eine Situation versetzen zu können. Denn was heißt Sichversetzen? Gewiß nicht einfach: Von-sich-absehen. Natürlich bedarf es dessen insoweit, als man die andere Situation sich wirklich vor Augen stellen muß. Aber in diese andere Situation muß man sich selber gerade mitbringen. Das erst erfüllt den Sinn des Sichversetzens. Versetzt man sich z.B. in die Lage eines anderen Menschen, dann wird man ihn verstehen, d.h. sich der Andersheit, ja der unauflöslichen Individualität des Anderen gerade dadurch bewußt werden, daß man *sich* in seine Lage versetzt.

Solches Sichversetzen ist weder Einfühlung einer Individualität in eine andere, noch auch Unterwerfung des anderen unter die eigenen Maßstäbe, sondern bedeutet immer die Erhebung zu einer höheren Allgemeinheit, die nicht nur die eigene Partikularität, sondern auch die des anderen überwindet. Der Begriff Horizont bietet sich hier an, weil er der überlegenen Weitsicht Ausdruck gibt, die der Verstehende haben muß. Horizont gewinnen meint immer, daß man über das Nahe und Allzunahe hinaussehen lernt, nicht um von ihm wegzusehen, sondern um es in einem größeren Ganzen und in richtigeren Maßen besser zu sehen. Es ist keine richtige Beschreibung des historischen Bewußtseins, wenn man mit Nietzsche von den vielen wechselnden Horizonten spricht, in die es sich zu versetzen lehrt. Wer derart von sich selber wegsieht, hat gerade keinen historischen Horizont, und Nietzsches Aufweis des Nachteils der Historie für das Leben trifft in Wahrheit nicht das historische Bewußtsein als solches, sondern die Selbstentfremdung, die ihm widerfährt, wenn es die Methodik der modernen historischen Wissenschaft für sein eigentliches Wesen hält. Wir betonten es schon: Ein wahrhaft historisches Bewußtsein sieht die eigene Gegenwart immer mit, und zwar so, daß es sich selbst wie das geschichtliche Andere in den richtigen Verhältnissen sieht. Es bedarf gewiß einer eigenen Anstrengung, sich historischen Horizont zu erwerben. Wir sind immer von dem uns Nächsten hoffend und fürchtend eingenommen und treten in solcher Voreingenommenheit dem Zeugnis der Vergangenheit entgegen. Daher ist es eine beständige Aufgabe, die voreilige Angleichung der Vergangenheit an die eigenen Sinnerwartungen zu hemmen. Nur dann wird man die Überlieferung so hören, wie sie sich in ihrem eigenen anderen Sinne hörbar zu machen vermag.

Wir haben oben gezeigt, daß das als ein Vorgang der Abhebung sich vollzieht. Beachten wir, was im Begriff der Abhebung liegt. Abhebung ist immer eine Wechselbeziehung. Was zur Abhebung kommen soll, muß sich von etwas abheben, das umgekehrt sich selber von ihm abheben muß. Alle Abhebung läßt daher das, wovon etwas sich abhebt, mit sichtbar sein. Wir haben das oben als das Ins-Spiel-bringen der Vorurteile beschrieben. Wir waren davon ausgegangen, daß eine hermeneutische Situation durch die Vorurteile bestimmt wird, die wir mitbringen. Insofern bilden sie den Horizont einer Gegenwart, denn sie stellen das dar, über das hinaus man nicht zu sehen vermag. Nun gilt es aber, den Irrtum fernzuhalten, als wäre es ein fester Bestand von Meinungen und Wertungen, die den Horizont der Gegenwart bestimmen und begrenzen, und als höbe sich die Andersheit der Vergangenheit dagegen wie gegen einen festen Grund ab.

In Wahrheit ist der Horizont der Gegenwart in steter Bildung begriffen, sofern wir alle unsere Vorurteile ständig erproben müssen. Zu solcher Erprobung gehört nicht zuletzt die Begegnung mit der Vergangenheit und das Verstehen der Überlieferung, aus der wir kommen. Der Horizont der Gegenwart bildet sich also gar nicht ohne die Vergangenheit. Es gibt so wenig einen Gegenwartshorizont für sich, wie es historische Horizonte gibt, die man zu gewinnen hätte. *Vielmehr ist Verstehen immer der Vorgang der Verschmelzung solcher vermeintlich für sich seiender Horizonte.* Wir kennen die Kraft solcher Verschmelzung vor allem aus älteren Zeiten und ihrem naiven Verhalten zu sich selbst und zu ihrer Herkunft. Im Walten der Tradition findet ständig solche Verschmelzung statt. Denn dort wächst Altes und Neues immer wieder zu lebendiger Geltung zusammen, ohne daß sich überhaupt das eine oder andere ausdrücklich voneinander abheben.

Wenn es nun diese voneinander abgehobenen Horizonte gar nicht gibt, warum reden wir dann überhaupt von Horizontverschmelzung und nicht einfach von der Bildung des einen Horizonts, der seine Grenze in die Tiefe der Überlieferung zurückschiebt? Die Frage stellen heißt, sich die Besonderheit der Situation eingestehen, in der Verstehen zur wissenschaftlichen Aufgabe wird, und daß es gilt, diese Situation als hermeneutische Situation erst einmal auszuarbeiten. Jede Begegnung mit der Überlieferung, die mit historischem Bewußtsein vollzogen wird, erfährt an sich das Spannungsverhältnis zwischen Text und Gegenwart. Die hermeneutische Aufgabe besteht darin, diese Spannung nicht in naiver Angleichung zuzudecken, sondern bewußt zu entfalten. Aus diesem Grunde gehört notwendig zum hermeneutischen Verhalten der Entwurf eines historischen Horizontes, der sich von dem Gegenwartshorizont unterscheidet. Das historische Bewußtsein ist sich seiner eigenen Andersheit bewußt und hebt daher den Horizont der Überlieferung von dem eigenen Horizont ab. Andererseits aber ist es selbst nur, wie wir zu zeigen versuchen, wie eine Überlagerung über einer fortwirkenden Tradition, und daher nimmt es das voneinander Abgehobene sogleich wieder zusammen, um in der Einheit des geschichtlichen Horizontes, den es sich so erwirbt, sich mit sich selbst zu vermitteln.

Der Entwurf des historischen Horizontes ist also nur ein Phasenmoment im Vollzug des Verstehens und verfestigt sich nicht zu der Selbstentfremdung eines vergangenen Bewußtseins, sondern wird von dem eigenen Verstehenshorizont der Gegenwart eingeholt. Im Vollzug des Verstehens geschieht eine wirkliche Horizontverschmelzung, die mit dem Entwurf des historischen Horizontes zugleich dessen Aufhebung vollbringt. Wir bezeichneten den kontrollierten Vollzug solcher Verschmelzung als die Aufgabe des wirkungsgeschichtlichen Bewußtseins. Während von dem ästhetisch-historischen Positivismus im Gefolge der romantischen Hermeneutik diese Aufgabe verdeckt worden war, liegt hier in Wahrheit das zentrale Problem der Hermeneutik überhaupt. Es ist das Problem der *Anwendung,* die in allem Verstehen gelegen ist.

2. *Wiedergewinnung des hermeneutischen Grundproblems*

a) *Das hermeneutische Problem der Anwendung*

In der älteren Tradition der Hermeneutik, die dem geschichtlichen Selbstbewußtsein der nachromantischen Wissenschaftslehre ganz entschwunden war, hatte dieses Problem noch seinen systematischen Ort. Das hermeneutische Problem gliederte sich dort folgendermaßen: Man unterschied eine subtilitas intelligendi, das Verstehen, von einer subtilitas explicandi, dem Auslegen, und im Pietismus fügte man dem als drittes Glied die subtilitas applicandi, das Anwenden, hinzu (z. B. bei J.J. Rambach[1]). Diese drei Momente sollen die Vollzugsweise des Verstehens ausmachen. Alle drei heißen bezeichnenderweise ‚subtilitas‘, d.h. sie sind nicht so sehr als Methoden verstanden, über die man verfügt, wie als ein Können, das besondere Feinheit des Geistes verlangt[2].

Nun hat das hermeneutische Problem, wie wir sahen, seine systematische Bedeutung dadurch erhalten, daß durch die Romantik die innere Einheit von intelligere und explicare erkannt wurde. Auslegung ist nicht ein zum Verstehen nachträglich und gelegentlich hinzukommender Akt, sondern Verstehen ist immer Auslegung, und Auslegung ist daher die explizite Form des Verstehens. Mit dieser Einsicht hängt zusammen, daß die auslegende Sprache und Begrifflichkeit ebenfalls als ein inneres Strukturmoment des Verstehens erkannt wird und damit überhaupt das Problem der Sprache aus seiner okkasionellen Randposition ins Zentrum der Philosophie rückt. Darauf wird noch zurückzukommen sein.

Die innere Verschmelzung von Verstehen und Auslegen führte aber dazu, daß das dritte Moment am hermeneutischen Problem, die *Applikation*, ganz aus dem Zusammenhang der Hermeneutik herausgedrängt wurde. Die erbauliche Anwendung, die etwa der Heiligen Schrift in der christlichen Verkündigung und Predigt zuteil wird, schien etwas ganz anderes als das historische und theologische Verständnis derselben. Nun haben uns unsere Überlegungen zu der Einsicht geführt, daß im Verstehen immer so etwas wie eine Anwendung des zu verstehenden Textes auf die gegenwärtige Situation des Interpreten stattfindet. Wir werden also gleichsam einen Schritt über die romantische Hermeneutik hinaus genötigt, indem wir nicht nur Verstehen und Auslegen, sondern dazu auch Anwenden als in einem einheitlichen Vorgang begriffen denken. Wir kehren damit nicht etwa zu der traditionellen Unterscheidung der drei gesonderten Subtilitäten zurück, von denen der Pietismus sprach. Denn wir meinen im Gegenteil, daß Anwendung ein ebenso integrierender Bestandteil des hermeneutischen Vorgangs ist wie Verstehen und Auslegen.

Der bisherige Stand der hermeneutischen Diskusion gibt uns Anlaß, diesen Gesichtspunkt in seiner prinzipiellen Bedeutung hervorzukehren. Wir können uns dabei zunächst auf die vergessene Geschichte der Hermeneutik berufen. Ehedem galt es als ganz selbstverständlich, daß die Her-

---

[1] Rambachs Institutiones hermeneuticae sacrae (1723) stehen stark unter Oetingers Einfluß. Vgl. die Heidelberger Dissertation von P. Herbers (1952).

[2] Solemus autem intelligendi explicandique subtilitatem (soliditatem vulgo vocant) tribuere ei, qui cum causis et accurate (genau und gründlich) intelligit atque explicat (Morus 8): hier wird die humanistische subtilitas vom Methodenideal der Aufklärung her mißverstanden.

meneutik die Aufgabe hat, den Sinn eines Textes der konkreten Situation anzupassen, in die hinein er spricht. Der Dolmetsch des göttlichen Willens, der die Sprache des Orakels auszulegen weiß, ist dafür das ursprüngliche Modell. Aber noch jeder Dolmetsch hat bis zum heutigen Tage nicht die Aufgabe einer bloßen Wiedergabe dessen, was der Verhandlungspartner, den er verdolmetscht, wirklich gesagt hat, sondern er muß dessen Meinung so zur Geltung bringen, wie es ihm aus der echten Gesprächssituation nötig scheint, in der er sich als der Kenner beider Verhandlungssprachen allein befindet.

Ebenso lehrt uns die Geschichte der Hermeneutik, daß es neben der philologischen eine theologische und eine juristische Hermeneutik gab, die gemeinsam mit der philologischen Hermeneutik erst den vollen Begriff der Hermeneutik ausfüllten. Es ist erst eine Folge der Entfaltung des historischen Bewußtseins im 18. und 19. Jahrhundert, daß sich die philologische Hermeneutik und Historik aus dem Verbande der übrigen hermeneutischen Disziplinen löste und als Methodenlehre der geisteswissenschaftlichen Forschung ganz für sich stellte.

Die enge Zusammengehörigkeit, die ursprünglich die *philologische* Hermeneutik mit der *juristischen* und *theologischen* verband, beruhte aber auf der Anerkennung der Applikation als eines integrierenden Momentes alles Verstehens. Sowohl für die juristische Hermeneutik wie für die theologische Hermeneutik ist ja die Spannung konstitutiv, die zwischen dem gesetzten Text – des Gesetzes oder der Verkündigung – auf der einen Seite und auf der anderen Seite dem Sinn besteht, den seine Anwendung im konkreten Augenblick der Auslegung erlangt, sei es im Urteil, sei es in der Predigt. Ein Gesetz will nicht historisch verstanden werden, sondern soll sich in seiner Rechtsgeltung durch die Auslegung konkretisieren. Ebenso will ein religiöser Verkündigungstext nicht als ein bloßes historisches Dokument aufgefaßt werden, sondern er soll so verstanden werden, daß er seine Heilswirkung ausübt. Das schließt in beiden Fällen ein, daß der Text, ob Gesetz oder Heilsbotschaft, wenn er angemessen verstanden werden soll, d.h. dem Anspruch, den der Text erhebt, entsprechend, in jedem Augenblick, d.h. in jeder konkreten Situation, neu und anders verstanden werden muß. Verstehen ist hier immer schon Anwenden.

Nun gingen wir von der Erkenntnis aus, daß auch das in den Geisteswissenschaften geübte Verstehen ein wesenhaft geschichtliches ist, d.h. daß auch dort ein Text nur verstanden wird, wenn er jeweils anders verstanden wird. Das kennzeichnete gerade die Aufgabe einer historischen Hermeneutik, daß sie das Spannungsverhältnis durchreflektiert, das zwischen der Selbigkeit der gemeinsamen Sache und der wechselnden Situation besteht, in der dieselbe verstanden werden soll. Wir waren davon ausgegangen, daß die von der romantischen Hermeneutik an den Rand geschobene geschichtliche Bewegtheit des Verstehens das wahre Zentrum der hermeneu-

tischen Fragestellung darstellt, die dem geschichtlichen Bewußtsein angemessen ist. Unsere Betrachtungen über die Bedeutung der Tradition im
geschichtlichen Bewußtsein knüpften an die von Heidegger gegebene
Analyse der Hermeneutik der Faktizität an und suchten sie für eine geisteswissenschaftliche Hermeneutik fruchtbar zu machen. Wir hatten gezeigt,
daß das Verstehen nicht so sehr eine Methode ist, durch die sich das erkennende Bewußtsein einem von ihm gewählten Gegenstande zuwendet
und ihn zu objektiver Erkenntnis bringt, als vielmehr das Darinstehen in
einem Überlieferungsgeschehen zur Voraussetzung hat. *Verstehen erwies
sich selber als ein Geschehen,* und die Aufgabe der Hermeneutik besteht,
philosophisch gesehen, darin zu fragen, was das für ein Verstehen was für
einer Wissenschaft ist, das in sich selbst vom geschichtlichen Wandel fort-
bewegt wird.

Es ist uns ständig bewußt, daß damit dem Selbstverständnis der modernen Wissenschaft etwas Ungewohntes zugemutet wird. Unsere Überlegungen waren im ganzen bestrebt, diese Zumutung dadurch zu erleichtern,
daß sie sich als das Ergebnis der Konvergenz einer großen Zahl von Problemen erwies. In der Tat fällt die bisherige Theorie der Hermeneutik in
Unterscheidungen auseinander, die sie selber nicht aufrechterhalten kann.
Das wird gerade dort sichtbar, wo eine allgemeine Theorie der Interpretation angestrebt wird. Wenn man etwa kognitive, normative und reproduktive Auslegung unterscheidet, wie das E. Betti in seiner auf bewun-
dernswerter Kenntnis und Überschau aufgebauten ,Allgemeinen Theorie
der Interpretation' getan hat[1], so gerät man bei der Zuordnung der Phänomene zu dieser Einteilung in Schwierigkeiten. Das gilt zunächst für die
in den Wissenschaften geübte Auslegung. Wenn man die theologische Auslegung mit der juristischen zusammenstellt und entsprechend der normativen Funktion zuordnet, so ist demgegenüber an Schleiermacher zu erinnern, der umgekehrt die theologische Auslegung aufs engste an die allgemeine, d.h. für ihn die philologisch-historische Auslegung, anschließt.
In der Tat geht der Riß zwischen kognitiver und normativer Funktion
mitten durch die theologische Hermeneutik und läßt sich schwerlich dadurch schließen, daß man die wissenschaftliche Erkenntnis von nachfolgen-
der erbaulicher Anwendung unterscheidet. Der gleiche Riß geht offenkundig auch mitten durch die rechtliche Auslegung, sofern Erkenntnis des
Sinnes eines Rechtstextes und Anwendung desselben auf den konkreten
Rechtsfall nicht zwei getrennte Akte sind, sondern ein einheitlicher Vorgang.

Aber selbst diejenige Auslegung, die von den bisher behandelten Arten
der Auslegung am weitesten entfernt scheint, ich meine die reproduktive
Auslegung, in der Dichtung und Musik zur Aufführung kommen – und

---

[1] Vgl. die oben S. 246 zitierte Abhandlung Bettis und sein monumentales Haupt-
werk: Teoria generale dell' interpretazione, 2 Bände 1956.

erst im Gespieltwerden haben sie ihre eigentliche Existenz[1] –, ist schwerlich eine selbständige Weise der Auslegung. Auch durch sie geht der Riß zwischen kognitiver und normativer Funktion. Niemand wird ein Drama inszenieren, eine Dichtung vorlesen oder eine Komposition zur Aufführung bringen können, ohne den ursprünglichen Sinn des Textes zu verstehen und in seiner Reproduktion und Auslegung zu meinen. Aber ebenso wird niemand diese reproduktive Auslegung leisten können, ohne in der Umsetzung des Textes in die sinnliche Erscheinung jenes andere normative Moment zu beachten, das die Forderung einer stilgerechten Wiedergabe durch den Stilwillen der eigenen Gegenwart begrenzt. Wenn wir vollends daran denken, wie die Übersetzung fremdsprachlicher Texte oder gar ihre dichterische Nachbildung, aber auch das richtige Vorlesen von Texten mitunter die gleiche Erklärungsleistung von sich aus übernehmen wie die philologische Auslegung, so daß beides ineinander übergeht, dann läßt sich dem Schluß nicht ausweichen, daß die sich aufdrängende Unterscheidung kognitiver, normativer und reproduktiver Auslegung keine grundsätzliche Geltung hat, sondern ein einheitliches Phänomen umschreibt.

Wenn das richtig ist, so stellt sich die Aufgabe, *die geisteswissenschaftliche Hermeneutik von der juristischen und theologischen her neu zu bestimmen.* Dazu bedarf es freilich der durch unsere Untersuchung erworbenen Erkenntnis, daß die romantische Hermeneutik und ihre Krönung in der psychologischen Auslegung, d.h. dem Enträtseln und Ergründen der anderen Individualität, das Problem des Verstehens viel zu einseitig faßt. Unsere Überlegungen verwehren uns, die hermeneutische Problemstellung auf die Subjektivität des Interpreten und die Objektivität des zu verstehenden Sinnes aufzuteilen. Ein solches Verfahren ginge von einem falschen Gegenüber aus, das auch nicht durch die Anerkennung der Dialektik des Subjektiven und Objektiven überbrückt werden kann. Die Unterscheidung einer normativen Funktion von einer kognitiven Funktion reißt vollends auseinander, was offenkundig zusammengehört. Der Sinn des Gesetzes, der sich in seiner normativen Anwendung beweist, ist nichts prinzipiell anderes als der Sinn der Sache, die sich im Verstehen eines Textes zur Geltung bringt. Es ist ganz abwegig, die Möglichkeit des Verstehens von Texten auf die Voraussetzung der ‚Kongenialität‘ zu gründen, die Schöpfer und Interpret eines Werkes vereinigen soll. Wäre das wirklich so, dann stünde es schlecht um die Geisteswissenschaften. Das Wunder des Verstehens besteht vielmehr darin, daß es keiner Kongenialität bedarf, um das wahrhaft Bedeutsame und das ursprünglich Sinnhafte in der Überlieferung zu erkennen. Wir vermögen uns vielmehr dem überlegenen Anspruch des Textes zu öffnen und der Bedeutung verstehend zu entsprechen, in der er zu uns

---

[1] Vgl. im ersten Teil unserer Untersuchung die Analyse der Ontologie des Kunstwerks (S. 97 ff.).

spricht. Die Hermeneutik im Bereich der Philologie und der historischen Geisteswissenschaften ist überhaupt nicht ‚Herrschaftswissen'[1], d.h. Aneignung als Besitzergreifung, sondern ordnet sich selbst dem beherrschenden Anspruch des Textes unter. Dafür aber ist die juristische und die theologische Hermeneutik das wahre Vorbild. Auslegung des gesetzlichen Willens, Auslegung der göttlichen Verheißung zu sein, das sind offenkundig nicht Herrschafts-, sondern Dienstformen. Im Dienste dessen, was gelten soll, sind sie Auslegungen, die Applikation einschließen. Die These ist nun, daß auch die historische Hermeneutik eine Leistung der Applikation zu vollbringen hat, weil auch sie der Geltung von Sinn dient, indem sie ausdrücklich und bewußt den Zeitenabstand überbrückt, der den Interpreten vom Texte trennt und die Sinnentfremdung überwindet, die dem Texte widerfahren ist.

b) Die hermeneutische Aktualität des Aristoteles

An dieser Stelle unserer Untersuchung drängt sich ein Problemzusammenhang auf, den wir schon mehrfach gestreift haben. Wenn das hermeneutische Problem seine eigentliche Spitze darin hat, daß die Überlieferung als dieselbe dennoch je anders verstanden werden muß, so handelt es sich darin – logisch gesehen – um das Verhältnis des Allgemeinen und des Besonderen. Verstehen ist dann ein Sonderfall der Anwendung von etwas Allgemeinem auf eine konkrete und besondere Situation. Damit gewinnt die *aristotelische Ethik* für uns eine besondere Bedeutung, die wir schon in unseren einleitenden Betrachtungen zur Theorie der Geisteswissenschaften berührt haben[2]. Gewiß geht es bei Aristoteles nicht um das hermeneutische Problem oder gar um dessen geschichtliche Dimension, sondern um die richtige Bemessung der Rolle, die die Vernunft im sittlichen Handeln zu spielen hat. Aber eben dies ist es, was uns hier interessiert, daß es sich da um Vernunft und um Wissen handelt, die nicht von einem gewordenen Sein abgelöst sind, sondern von diesem her bestimmt und für dieses bestimmend sind. Durch seine Einschränkung des sokratisch-platonischen Intellektualismus in der Frage nach dem Guten wird Aristoteles bekanntlich zum Begründer der Ethik als einer gegenüber der Metaphysik selbständigen Disziplin. Indem er die platonische Idee des Guten als eine leere Allgemeinheit kritisiert, setzt er ihr die Frage nach dem menschlich Guten, dem für das menschliche Handeln Guten, entgegen[3]. In der Richtung dieser Kritik erweist sich die Gleichsetzung von Tugend und Wissen, von Arete und Logos, wie sie der sokratisch-platonischen Tugendlehre zugrunde liegt, als eine Übertreibung. Aristoteles bringt sie auf das richtige Maß zurück,

---

[1] Vgl. die Unterscheidungen bei Max Scheler, Wissen und Bildung (1927), S. 26.
[2] Vgl. S. 19 ff., 37.
[3] Eth. Nic. A 4.

indem er als das tragende Element des sittlichen Wissens des Menschen die Orexis, das ,Streben‘, und dessen Ausformung zu einer festen Haltung (Hexis) aufweist. Der Begriff der Ethik trägt schon im Namen den Bezug auf diese aristotelische Grundlegung der Arete in Übung und ,Ethos‘.

Die menschliche Gesittung ist von der Natur dadurch wesentlich unterschieden, daß sich in ihr nicht einfach Fähigkeiten oder Kräfte auswirken, sondern daß der Mensch erst durch das, was er tut und wie er sich verhält, zu einem solchen wird, der so geworden, d.h. aber: so seiend sich in bestimmter Weise verhält. In diesem Sinne stellt Aristoteles Ethos der Physis gegenüber als einen Bereich, in dem zwar nicht Regellosigkeit herrscht, der aber nicht die Gesetzmäßigkeit der Natur kennt, sondern die Wandelbarkeit und begrenzte Regelhaftigkeit menschlicher Satzung und menschlicher Verhaltungsweisen.

Die Frage ist nun, wie es von dem sittlichen Sein des Menschen ein philosophisches Wissen geben könne und welche Rolle das Wissen überhaupt für das sittliche Sein des Menschen spielt. Wenn das Gute für den Menschen jeweils in der Konkretion der praktischen Situation begegnet, in der er sich befindet, so muß das sittliche Wissen eben dies leisten, der konkreten Situation gleichsam anzusehen, was sie von ihm verlangt, oder anders ausgedrückt, der Handelnde muß die konkrete Situation im Lichte dessen sehen, was von ihm im allgemeinen verlangt wird. Das heißt aber negativ, daß ein Wissen im allgemeinen, das sich nicht der konkreten Situation zu applizieren weiß, sinnlos bleibt, ja die konkreten Forderungen, die von der Situation ausgehen, zu verdunkeln droht. Dieser Sachverhalt, der das Wesen der sittlichen Besinnung ausspricht, macht eine philosophische Ethik nicht nur zu einem methodisch schwierigen Problem, sondern *gibt dem Problem der Methode zugleich eine moralische Relevanz.* Aristoteles betont gegenüber der durch die platonische Ideenlehre bestimmten Lehre vom Guten, daß es sich beim ethischen Problem nicht um die Genauigkeit höchsten Ranges handeln kann, wie sie der Mathematiker leistet. Eine solche Genauigkeitsforderung wäre vielmehr fehl am Platze. Es gilt lediglich, die Dinge im Umriß sichtbar zu machen und durch diese Zeichnung des Umrisses dem sittlichen Bewußtsein eine gewisse Hilfe zu leisten[1]. Aber wie solche Hilfe möglich sein soll, ist bereits ein moralisches Problem. Denn offenbar gehört es zu den Wesensmerkmalen des sittlichen Phänomens, daß der Handelnde selber wissen und entscheiden muß und sich durch nichts dies abnehmen lassen kann. Für den richtigen Ansatz einer philosophischen Ethik ist also entscheidend, daß sie sich nicht an die Stelle des sittlichen Bewußtseins drängt und doch auch nicht eine rein theoretische, ,historische‘ Kunde sucht, sondern durch die umrißhafte Klärung der Phänomene dem sittlichen Bewußtsein zur Klarheit über sich selbst verhilft.

---

[1] Vgl. Eth. Nic. A 7 und B 2.

Das setzt bei dem, der diese Hilfe empfangen soll – dem Hörer der aristotelischen Vorlesung – schon allerhand voraus. Er muß soviel Reife der Existenz besitzen, daß er von der Unterweisung, die ihm wird, nichts anderes verlangt, als was sie geben kann und darf. Positiv ausgedrückt: er muß selbst schon durch Ausübung und Erziehung eine Haltung in sich ausgebildet haben, die in den konkreten Situationen seines Lebens festzuhalten und durch das rechte Verhalten zu bewähren sein ständiges Anliegen bleibt[1].

Wie man sieht, ist das Problem der Methode ganz von dem Gegenstand bestimmt – ein allgemeiner aristotelischer Grundsatz –, und es kommt für unsere Interessen darauf an, das eigentümliche Verhältnis von sittlichem Sein und sittlichem Bewußtsein genauer ins Auge zu fassen, das Aristoteles in seiner Ethik entfaltet. Aristoteles bleibt soweit Sokratiker, daß er das Wissen als ein Wesensmoment des sittlichen Seins festhält, und eben der Ausgleich zwischen dem sokratisch-platonischen Erbe und dem von ihm geltend gemachten Moment des Ethos ist es, der uns interessiert. *Denn auch das hermeneutische Problem setzt sich von einem reinen, von einem Sein abgelösten Wissen offenkundig ab.* Wir sprachen von der Zugehörigkeit des Interpreten zu der Überlieferung, mit der er es zu tun hat, und sahen in dem Verstehen selbst ein Moment des Geschehens. Die Überfremdung mit den objektivierenden Methoden der modernen Wissenschaft, die die Hermeneutik und Historik des 19. Jahrhunderts charakterisiert, erschien uns als die Folge einer falschen Vergegenständlichung. Diese zu durchschauen und zu vermeiden, ist das Beispiel der aristotelischen Ethik berufen. Denn das sittliche Wissen, wie es Aristoteles beschreibt, ist offenkundig kein gegenständliches Wissen, d. h. der Wissende steht nicht einem Sachverhalt gegenüber, den er nur feststellt, sondern er ist von dem, was er erkennt, unmittelbar betroffen. Es ist etwas, was er zu tun hat[2].

Daß das nicht das Wissen der Wissenschaft ist, ist klar. Insofern ist die Abgrenzung, die Aristoteles zwischen dem sittlichen Wissen der Phronesis und dem theoretischen Wissen der Episteme vornimmt, einfach, insbesondere wenn man bedenkt, daß für die Griechen Wissenschaft durch das Vorbild der Mathematik repräsentiert ist, ein Wissen vom Unveränderlichen, ein Wissen, das auf Beweis beruht und das daher jeder lernen kann. Aus der Abgrenzung des sittlichen Wissens gegen solches Wissen von der Art der Mathematik könnte eine geisteswissenschaftliche Hermeneutik gewiß nichts lernen. Solcher ‚theoretischen‘ Wissenschaft gegenüber gehören die Geisteswissenschaften vielmehr mit dem sittlichen Wissen eng zusammen. Sie sind ‚moralische Wissenschaften‘. Ihr Gegenstand ist der

---

[1] Das Schlußkapitel der Nikomachischen Ethik gibt dieser Forderung breitesten Ausdruck und begründet damit den Übergang in die Fragestellung der ‚Politik‘.

[2] Wo nicht Näheres vermerkt wird, folgen wir künftig dem 6. Buch der Nikomachischen Ethik.

Mensch und was er von sich weiß. Er weiß sich aber als ein Handelnder, und das Wissen, das er dergestalt von sich hat, will nicht feststellen was ist. Der Handelnde hat es vielmehr mit solchem zu tun, das nicht immer so ist wie es ist, sondern das auch anders sein kann. In ihm entdeckt er, wo er handelnd einzugreifen hat. Sein Wissen soll sein Tun leiten.

Hier liegt das eigentliche Problem des sittlichen Wissens, das Aristoteles in seiner Ethik beschäftigt. Denn Leitung des Tuns durch ein Wissen liegt vor allem und in exemplarischer Weise dort vor, wo die Griechen von ‚Techne' sprechen. Das ist die Kunstfertigkeit, das Wissen des Handwerkers, der Bestimmtes herzustellen weiß. Die Frage ist, ob auch das sittliche Wissen ein Wissen solcher Art ist. Das würde bedeuten, es wäre ein Wissen darüber, wie man sich selbst herzustellen hat. Soll der Mensch sich selbst zu dem machen lernen, was er sein soll, so wie der Handwerker das machen lernt, was nach seinem Plan und Willen sein soll? Entwirft sich der Mensch so auf das Eidos seiner selbst, wie der Handwerker ein Eidos dessen, was er machen will, in sich trägt und im Material darzustellen weiß? Bekanntlich haben Sokrates und Plato den Begriff der Techne in der Tat auf den Begriff des menschlichen Seins angewendet, und man kann nicht leugnen, daß sie dabei etwas Wahres aufgedeckt haben. Das Modell der Techne hat zumindest im politischen Bereich eine eminent kritische Funktion, indem es die Haltlosigkeit dessen aufdeckt, was man als die Kunst der Politik bezeichnet und worin sich jeder, der Politik treibt, also jeder Bürger, schon bewandert meint. Es ist sehr bezeichnend, daß das Wissen des Handwerkers das einzige ist, von dem Sokrates in seiner berühmten Schilderung der Erfahrung, die er mit seinen Landsleuten macht, anerkennt, daß es in seinem Bereiche wirkliches Wissen ist[1]. Auch die Handwerker enttäuschen ihn freilich. Ihr Wissen ist nicht das wahre Wissen, das den Menschen und Bürger als solchen ausmacht. Doch ist es wirkliches Wissen. Es ist eine wirkliche Kunst und Fertigkeit und nicht einfach ein Höchstmaß von Erfahrung. Darin kommt es offenbar mit dem wahren sittlichen Wissen, das Sokrates sucht, überein. Beide sind vorgängiges Wissen und wollen ein Handeln bestimmen und leiten. Sie müssen mithin die Anwendung des Wissens auf die jeweilige konkrete Aufgabe selbst in sich enthalten.

Das ist der Punkt, an dem die Analyse des sittlichen Wissens durch Aristoteles mit dem hermeneutischen Problem der modernen Geisteswissenschaften in Beziehung gesetzt werden kann. Gewiß handelt es sich bei dem hermeneutischen Bewußtsein weder um ein technisches noch um ein sittliches Wissen, aber diese beiden Weisen des Wissens enthalten doch die *gleiche Aufgabe der Anwendung* in sich, die wir als die zentrale Problemdimension der Hermeneutik erkannt haben. Freilich ist deutlich, daß Anwendung hier wie dort nicht das gleiche bedeutet. Zwischen der lehrbaren

---

[1] Plato, Apol. 22 cd.

Techne und dem, was man durch Erfahrung erwirbt, besteht eine höchst eigentümliche Spannung. Das vorgängige Wissen, das einer besitzt, wenn er ein Handwerk gelernt hat, ist in der Praxis nicht notwendig demjenigen überlegen, das ein Ungelernter, aber Vielerfahrner besitzt. Obwohl das so ist, wird man das vorgängige Wissen der Techne nicht ‚theoretisch‘ nennen, zumal der Erwerb der Erfahrung im Gebrauch dieses Wissens von selbst hinzutritt. Denn es meint als Wissen immer schon die Praxis, und wenn auch der spröde Stoff dem, der sein Handwerk gelernt hat, nicht immer gehorcht, so kann Aristoteles doch mit Recht das Dichterwort zitieren: Techne liebt Tyche und Tyche liebt Techne. Das will sagen: Glückliches Gelingen ist am meisten bei dem, der seine Sache gelernt hat. Es ist eine echte Überlegenheit über die Sache, die in der Techne vorgängig erworben wird, und eben das ist es, was für das sittliche Wissen ein Vorbild darstellt. Denn auch für das sittliche Wissen ist klar, daß zur rechten sittlichen Entscheidung Erfahrung niemals genügen kann. Auch hier wird eine vorgängige Leitung des Handelns vom sittlichen Bewußtsein selber gefordert, ja, hier wird man nicht einmal mit der unsicheren Beziehung zufrieden sein können, die im Falle der Techne zwischen dem vorgängigen Wissen und dem jeweiligen Gelingen besteht. Zwischen der Perfektion des sittlichen Bewußtseins und der Perfektion des Herstellenkönnens, der Techne, gibt es wohl eine echte Entsprechung, aber es ist klar, daß sie nicht dasselbe sind.

Vielmehr drängen sich die Unterschiede geradezu auf. Es liegt auf der Hand, daß der Mensch nicht dergestalt über sich verfügt, wie der Handwerker über den Stoff verfügt, mit dem er arbeitet. Er kann sich offenbar selber nicht so herstellen, wie er etwas anderes herstellen kann. So wird es auch ein anderes Wissen sein müssen, das er von sich selbst in seinem sittlichen Sein hat, ein Wissen, das sich abheben läßt gegen solches Wissen, mit dem man ein Herstellen leitet. Aristoteles formuliert diesen Unterschied in einer kühnen, ja einer einzigartigen Weise, indem er dieses Wissen ein Sich-Wissen, d.h. ein Für-sich-Wissen nennt[1]. Damit wird das Sich-Wissen des sittlichen Bewußtseins gegen das theoretische Wissen auf eine Weise abgehoben, die für uns sofort etwas Einleuchtendes hat. Aber auch die Abgrenzung gegen das technische Wissen liegt darin, und eben um die Abgrenzung nach beiden Seiten zu formulieren, wagt Aristoteles den eigenartigen Ausdruck des Sich-Wissens.

Die Abgrenzung gegen das technische Wissen ist die schwierigere Aufgabe, wenn man wie Aristoteles den ‚Gegenstand‘ dieses Wissens ontologisch nicht als etwas Allgemeines, das immer ist, wie es ist, sondern als etwas Einzelnes, das auch anders sein kann, bestimmt. Denn zunächst scheint es sich um eine ganz analoge Aufgabe zu handeln. Wer etwas herzustellen weiß, weiß damit etwas Gutes, und er weiß es in der Weise

---

[1] Eth. Nic. Z 8, 1141 b33, 1142 a30; Eth. Eud Θ 2, 1246 b36.

‚für sich', daß er es, wo die Möglichkeiten gegeben sind, auch wirklich herstellen kann. Er greift nach dem rechten Material und wählt die rechten Mittel zur Ausführung. Er muß mithin das allgemein Gelernte in der konkreten Situation anzuwenden wissen. Gilt nicht das gleiche für das sittliche Bewußtsein? Wer sittliche Entscheidungen zu treffen hat, hat auch immer schon etwas gelernt. Er ist durch Erziehung und Herkommen derart bestimmt, daß er im allgemeinen weiß, was recht ist. Die Aufgabe der sittlichen Entscheidung ist eben die, in der konkreten Situation nun das Rechte zu treffen, d.h. das, was recht ist, konkret in die Situation hineinzusehen und in ihr zu ergreifen. Auch er muß also zugreifen und die rechten Mittel wählen, und sein Handeln muß genau so überlegt geleitet werden wie das des Handwerkers. Wieso ist es gleichwohl ein Wissen von ganz anderer Art?

Man kann aus der aristotelischen Analyse der Phronesis eine ganze Fülle von Momenten gewinnen, die diese Frage beantworten. Denn gerade die Allseitigkeit, mit der Aristoteles die Phänomene zu beschreiben versteht, macht sein eigentliches Genie aus. »Das Empirische, in seiner Synthesis aufgefaßt, ist der spekulative Begriff« (Hegel)[1]. Wir begnügen uns hier mit einigen Punkten, die für unseren Zusammenhang bedeutsam sind.

1. Man lernt eine Techne – und kann sie auch verlernen. Man lernt aber nicht das sittliche Wissen und kann es auch nicht verlernen. Man steht ihm nicht in der Weise gegenüber, daß man es sich aneignen kann oder auch nicht, so wie man ein sachliches Können, eine Techne wählen kann oder nicht. Man ist vielmehr immer schon in der Situation dessen, der handeln soll (wenn ich von der Phase der Unmündigkeit absehe, in der der Gehorsam gegenüber dem Erzieher die eigene Entscheidung ersetzt), muß also immer schon das sittliche Wissen besitzen und anwenden. Eben deshalb ist der Begriff der Anwendung in hohem Grade problematisch. Denn anwenden kann man nur etwas, was man schon vordem für sich besitzt. Das sittliche Wissen aber besitzt man nicht so für sich, daß man es schon hat und dann auf die konkreten Situationen anwendet. Das Bild, das der Mensch von dem hat, was er sein soll, also etwa seine Begriffe von Recht und Unrecht, von Anstand, von Mut, von Würde, von Solidarität usw. (alles Begriffe, die im aristotelischen Tugendkatalog ihre Entsprechung haben), sind zwar in gewissem Sinne Leitbilder, auf die er hinblickt. Aber es ist doch ein grundsätzlicher Unterschied zu dem Leitbild erkennbar, das etwa der Plan eines herzustellenden Gegenstandes für den Handwerker darstellt. Was recht ist z.B., ist nicht unabhängig von der Situation, die das Rechte von mir verlangt, voll bestimmbar, während sehr wohl das Eidos dessen, was ein Handwerker herstellen will, voll bestimmt ist, und zwar durch den Gebrauch, für den es bestimmt ist.

---

[1] Werke 1832, Bd. XIV, S. 341.

Freilich, was Recht ist, scheint ebenfalls in einem schlechthinnigen Sinne bestimmt. Denn was Recht ist, ist ja in den Gesetzen formuliert, und ebenso in allgemeinen Verhaltungsregeln der Sitte enthalten, die zwar unkodifiziert, aber doch sehr genau bestimmt und allgemeinverbindlich sind. So ist ja auch die Rechtspflege eine eigene Aufgabe, die Wissen und Können verlangt. Ist sie also nicht Techne? Besteht sie nicht auch in einer Anwendung der Gesetze und Regeln auf den konkreten Fall? Reden wir nicht von der ‚Kunst' des Richters? Wieso ist das, was Aristoteles als die richterliche Form der Phronesis ($\delta\iota\varkappa\alpha\sigma\tau\iota\varkappa\grave{\eta}$ $\varphi\varrho\acute{o}\nu\eta\sigma\iota\varsigma$) bezeichnet, keine Techne?[1]

Nun lehrt die Überlegung freilich, daß die Anwendung von Gesetzen eine eigentümliche juristische Fragwürdigkeit enthält. Die Lage des Handwerkers ist da eine ganz andere. Er, der den Plan der Sache und die Regeln der Ausführung hat und nun an die Ausführung herangeht, mag zwar auch genötigt sein, sich konkreten Umständen und Gegebenheiten anzupassen, d.h. darauf zu verzichten, seinen Plan genau so auszuführen, wie er ursprünglich gedacht war. Aber solcher Verzicht bedeutet keineswegs, daß sich dadurch sein Wissen um das, was er will, vervollkommnet. Er macht vielmehr lediglich Abstriche bei der Ausführung. Insofern handelt es sich hier wirklich um Anwendung seines Wissens und um schmerzliche Unvollkommenheit, die damit verbunden ist.

Dagegen ist die Lage bei dem, der das Recht ‚anwendet', eine ganz andere. Er wird zwar in der konkreten Lage von der Strenge des Gesetzes nachlassen müssen. Aber wenn er das tut, geschieht das nicht, weil es nicht besser geht, sondern weil es sonst nicht recht wäre. Indem er am Gesetze nachläßt, macht er also nicht etwa Abstriche am Recht, sondern er findet im Gegenteil das bessere Recht. Aristoteles gibt dem in seiner Analyse der Epieikeia[2], der ‚Billigkeit', den bestimmtesten Ausdruck: Epieikeia ist Berichtigung des Gesetzes[3]. Aristoteles zeigt, daß alles Gesetzte in einer notwendigen Spannung zur Konkretion des Handelns steht, sofern es allgemein ist und deshalb die praktische Wirklichkeit in ihrer vollen Konkretion nicht in sich enthalten kann. Wir haben diese Problematik schon eingangs bei der Analyse der Urteilskraft gestreift.[4] Es ist klar, daß hier das Problem der juristischen Hermeneutik seinen eigentlichen Ort hat[5]. Das Gesetz ist immer mangelhaft, nicht, weil es selber mangelhaft ist, sondern weil gegenüber der Ordnung, die die Gesetze meinen,

---

[1] Eth. Nic. Z 8.
[2] Eth. Nic. E 14.
[3] Lex superior preferenda est inferiori schreibt Melanchthon zur Erläuterung der ratio der Epieikeia. (Die älteste Fassung von Melanchthons Ethik, hrsg. von H. Heineck [Berlin 1893] S. 29.)
[4] Oben S. 35ff.
[5] Ideo adhibenda est ad omnes leges interpretatio quae flectat eas ad humaniorem ac leniorem sententiam (Melanchthon 29).

die menschliche Wirklichkeit notwendig mangelhaft bleibt und daher keine
einfache Anwendung derselben erlaubt.

Aus dieser Darstellung folgt bereits, daß des Aristoteles Stellung zum
Problem des Naturrechts von höchst subtiler Natur ist und jedenfalls nicht
mit der naturrechtlichen Tradition der späteren Zeit in eins gesetzt werden
darf. Wir begnügen uns mit einer Skizze, die die Beziehung des Natur-
rechtsgedankens zum hermeneutischen Problem in den Vordergrund stellt[1].
Daß Aristoteles die Frage des Naturrechts nicht einfach abweist, folgt aus
dem Gesagten. Er erkennt in einem gesetzten Recht nicht schon das wahre
Recht schlechthin, sondern sieht mindestens in der sogenannten Billigkeitserwägung eine rechtsergänzende Aufgabe. So wendet er sich gegen
den extremen Konventionalismus oder Gesetzespositivismus, indem er ausdrücklich zwischen einem von Natur Rechten und einem gesetzlich Rechten unterscheidet[2]. Der Unterschied, den er damit im Auge hat, ist aber
nun nicht einfach der zwischen der Unveränderlichkeit des Naturrechts
und der Veränderlichkeit des positiven Rechts. Es ist zwar richtig, daß man
Aristoteles im allgemeinen so verstanden hat. Aber an der wahren Tiefe
seiner Einsicht geht man damit vorüber. Wohl kennt er den Gedanken
eines schlechthin unveränderlichen Rechts, aber er beschränkt dies ausdrücklich auf die Götter und erklärt, daß unter Menschen nicht nur das
gesetzte Recht, sondern auch das natürliche Recht veränderlich sei. Solche
Veränderlichkeit ist nach Aristoteles durchaus damit vereinbar, daß es
‚natürliches‘ Recht ist. Der Sinn dieser Behauptung scheint mir folgender:
Es gibt zwar rechtlich Gesetztes, das ganz und gar Sache der bloßen Vereinbarung ist (z. B. eine Verkehrsregel wie das Rechtsfahren) – es gibt aber
auch und vor allem solches, das nicht jede beliebige menschliche Vereinbarung zuläßt, weil ‚die Natur der Sache‘ sich stets durchsetzt. Es ist also
völlig berechtigt, derart Gesetztes ‚natürliches Recht‘ zu nennen[3]. Sofern
die Natur der Sache noch einen Spielraum von Beweglichkeit für die
Festsetzung gewährt, ist solches natürliche Recht insofern doch veränderlich. Die Beispiele, die Aristoteles aus anderen Bereichen herbeizieht,
machen dies ganz klar. Von Natur ist die rechte Hand die stärkere, aber
nichts hindert, daß man die linke so trainiert, daß sie mit der rechten
gleich stark wird (Aristoteles gibt dieses Beispiel offenbar, weil es ein Lieb-
lingsgedanke Platos war). Noch erleuchtender ist ein zweites Beispiel, weil

---

[1] Vgl. zuletzt die vortreffliche Kritik, die H. Kuhn an L. Strauss, Naturrecht und
Geschichte 1953, geübt hat, in Zeitschrift f. Politik, Jg. 3, H. 4, 1956.

[2] Eth. Nic. E 10. Die Unterscheidung selbst ist bekanntlich sophistischen Ursprungs, aber durch die platonische ‚Bindung‘ des Logos verliert sie ihren destruk-
tiven Sinn, und erst durch Platos Politikos (294 ff.) und durch Aristoteles wird ihre
positive innerrechtliche Bedeutung klar.

[3] Der Gedankengang der Parallelstelle Magn. Mor. A 33 1194 b30–95 a7 ist nur
verständlich, wenn man dies tut: μὴ εἰ μεταβάλλει διὰ τὴν ἡμετέραν χρῆσιν, διὰ τοῦτ’
οὐκ ἔστι δίκαιον φύσει.

es immerhin schon in die Rechtssphäre gehört: Ein und dieselben Maße
fallen immer, wenn man mit ihnen Wein einkauft, kleiner aus, als wenn
man mit ihnen verkauft. Aristoteles will damit nicht sagen, daß man im
Weinhandel seine Partner ständig zu betrügen sucht, sondern vielmehr,
daß dieses Verhalten einem in den gesetzten Grenzen erlaubten Spielraum
dessen, was recht ist, entspricht. Und mit aller Klarheit stellt er gegenüber,
daß der beste Staat »überall ein und derselbe ist« und doch nicht in der
Weise, »in der das Feuer überall auf dieselbe Weise brennt, hier in Grie-
chenland wie dort in Persien«.

Die spätere Naturrechtstheorie hat sich trotz dem klaren Wortlaut des
Aristoteles auf diese Stelle berufen, als ob er damit die Unveränderlichkeit
des Rechts mit der Unveränderlichkeit der Naturgesetze verglichen hätte[1].
Das Gegenteil ist der Fall. In Wahrheit hat, wie gerade diese Gegenüberstellung zeigt, der Gedanke des Naturrechts nach Aristoteles nur eine
kritische Funktion. Man darf von ihm keinen dogmatischen Gebrauch
machen, d. h. man darf nicht bestimmte Rechtsinhalte als solche mit der
Würde und Unverletzlichkeit des Naturrechts auszeichnen. Der Gedanke
des Naturrechts ist angesichts der notwendigen Mangelhaftigkeit aller geltenden Gesetze auch nach Aristoteles völlig unentbehrlich, und er wird
insbesondere dort aktuell, wo es sich um die Billigkeitserwägung handelt,
die erst wirklich das Recht findet. Aber seine Funktion ist insofern eine
kritische, als nur dort, wo zwischen Recht und Recht eine Diskrepanz
auftritt, die Berufung auf das Naturrecht legitim ist.

Die Sonderfrage des Naturrechts, die Aristoteles in extenso erörtert,
interessiert uns hier nicht als solche, sondern wegen ihrer grundsätzlichen
Bedeutung. Denn was Aristoteles hier zeigt, gilt für alle Begriffe, die der
Mensch von dem hat, was er sein soll, und nicht nur für das Problem des
Rechts. Alle diese Begriffe sind nicht nur ein beliebiges konventionsbe-
dingtes Ideal, sondern bei aller Varietät, die die sittlichen Begriffe bei den
verschiedensten Zeiten und Völkern zeigen, gibt es doch auch dort so etwas
wie eine Natur der Sache. Das soll nicht heißen, daß diese Natur der Sache,
z. B. das Ideal der Tapferkeit, ein fester Maßstab wäre, den man für sich
erkennen und anwenden könne. Aristoteles erkennt vielmehr für den
Lehrer der Ethik genau so an, was nach seiner Meinung für die Menschen
überhaupt gilt, daß auch er immer schon in einer sittlich-politischen Bindung steht und von da aus sein Bild der Sache gewinnt. Er sieht selber in
den Leitbildern, die er beschreibt, kein lehrbares Wissen. Sie haben nur
den Geltungsanspruch von Schemata. Sie konkretisieren sich immer erst
in der konkreten Situation des Handelnden. Sie sind also nicht Normen,
die in den Sternen stehen oder in einer sittlichen Naturwelt ihren unveränderlichen Ort haben, so daß es sie nur zu gewahren gilt. Sie sind aber auf

---

[1] Vgl. Melanchthon a.a.O., S. 28.

der anderen Seite keine bloßen Konventionen, sondern sie geben wirklich
die Natur der Sache wieder, nur daß diese sich durch die Anwendung,
die das sittliche Bewußtsein von ihnen macht, jeweils erst selber bestimmt.

2. Darin zeigt sich eine grundsätzliche Modifikation des begrifflichen
Verhältnisses von Mittel und Zweck, durch die sich das sittliche Wissen
vom technischen Wissen unterscheidet. Es ist nicht nur so, daß das sittliche
Wissen keinen bloß partikularen Zweck hat, sondern das Richtigleben im
ganzen betrifft – wogegen natürlich alles technische Wissen ein partiku-
lares ist und partikularen Zwecken dient. Es ist auch nicht nur so, daß das
sittliche Wissen überall dort eintreten muß, wo technisches Wissen er-
wünscht wäre, aber nicht vorhanden ist. Gewiß würde das technische
Wissen, wo es vorhanden wäre, es immer überflüssig machen, daß man
über das, wovon es als Wissen gilt, noch mit sich selber zu Rate ginge. Wo
es eine Techne gibt, muß man sie lernen und dann weiß man damit auch
die rechten Mittel zu finden. Umgekehrt sehen wir aber, daß das sittliche
Wissen stets – und auf unaufhebbare Weise – solches Mitsichzurategehen
verlangt. Selbst wenn man sich dieses Wissen in idealer Vollendung denkt,
ist es die Vollendung solcher Beratschlagung mit sich selber (*εὐβουλία*) und
nicht ein Wissen in der Art der Techne.

Es handelt sich also hier um ein grundsätzliches Verhältnis. Es ist nicht
so, daß durch Ausdehnung des technischen Wissens die Angewiesenheit
auf das sittliche Wissen, das Mitsichzurategehen, einmal ganz aufgehoben
wäre. Das sittliche Wissen kann grundsätzlich nicht die Vorgängigkeit
eines lehrbaren Wissens besitzen. Das Verhältnis von Mittel und Zweck ist
hier nicht von der Art, daß die Kenntnis der rechten Mittel im voraus verfügbar gemacht werden könnte, und das deshalb, weil die Kenntnis des
rechten Zwecks ebensowenig bloßer Gegenstand eines Wissens ist. Es gibt
keine vorgängige Bestimmtheit dessen, worauf das rechte Leben im ganzen
gerichtet ist. Die aristotelischen Bestimmungen der Phronesis zeigen aus
diesem Grunde ein bezeichnendes Schwanken, sofern dies Wissen bald
mehr dem Zwecke, bald mehr dem Mittel zum Zwecke zugeordnet wird[1].
In Wahrheit bedeutet dies, daß der Zweck, auf den hin wir im ganzen
leben, und seine Ausfaltung in die sittlichen Leitbilder des Handelns, wie

---

[1] Aristoteles betont im allgemeinen, daß die *φρόνησις* es mit den Mitteln (*τὰ πρὸς
τὸ τέλος*) zu tun habe und nicht mit dem *τέλος* selbst. Es dürfte der Gegensatz zur
platonischen Lehre von der Idee des Guten sein, der ihn das so hervorheben läßt.
Aber daß die *φρόνησις* kein bloßes Vermögen der rechten Mittelwahl ist, sondern
selbst eine sittliche Hexis, die das Telos mit sieht, auf das der Handelnde durch sein
sittliches Sein gerichtet ist, geht aus ihrem systematischen Ort innerhalb der aristotelischen Ethik eindeutig hervor. Vgl. im besonderen Eth. Nic. Z 10, 1142 b33;
1140 b13; 1141 b15. Ich sehe mit Befriedigung, daß H. Kuhn in seinem Beitrag in
Die Gegenwart der Griechen (Gadamerfestschrift 1960), obwohl er eine letzte
Grenze der ‚Vorzugswahl‘ aufweisen will, die Aristoteles hinter Plato zurückbleiben
lasse, diesem Sachverhalt nun völlig gerecht wird (S. 154 ff.).

sie Aristoteles in seiner Ethik beschreibt, nicht Gegenstand eines schlechthin lehrbaren Wissens zu sein vermögen. Es gibt so wenig einen dogmatischen Gebrauch der Ethik wie einen dogmatischen Gebrauch des Naturrechts. Vielmehr beschreibt die aristotelische Tugendlehre typische Gestalten der rechten Mitte, die es im menschlichen Sein und Verhalten zu treffen gilt, aber das sittliche Wissen, das auf diese Leitbilder gerichtet ist, ist das gleiche Wissen, das die fordernde Situation des Augenblickes zu beantworten hat.

Es gibt daher auch umgekehrt keine bloßen Zweckmäßigkeitserwägungen, die der Erreichung sittlicher Zwecke dienen, sondern die Erwägung der Mittel ist selbst eine sittliche Erwägung und konkretisiert erst ihrerseits die sittliche Richtigkeit des maßgebenden Zweckes. Das Sich-wissen, von dem Aristoteles spricht, ist eben dadurch bestimmt, daß es die vollendete Applikation enthält und in der Unmittelbarkeit der gegebenen Situation sein Wissen betätigt. Es ist also ein Wissen vom Jeweiligen, das erst das sittliche Wissen vollendet, ein Wissen, das gleichwohl kein sinnliches Sehen ist. Denn wenn man auch einer Situation ansehen muß, was sie von einem verlangt, so bedeutet dieses Sehen doch nicht, daß man das in dieser Situation Sichtbare als solches wahrnimmt, sondern daß man sie als die Situation des Handelns sehen lernt und damit im Lichte dessen, was recht ist. So wie wir in der geometrischen Analyse von Flächen ,sehen‘, daß das Dreieck die einfachste Flächenfigur ist, so daß wir in der Teilung nicht weiter zurückkommen, sondern bei diesem als Letztem stehenbleiben müssen, so ist auch in der sittlichen Überlegung das ,Sehen‘ des unmittelbar Tunlichen kein bloßes Sehen, sondern ,Nous‘. Das bestätigt sich auch von dem her, was den Gegensatz zu solchem Sehen bildet[1]. Der Gegensatz zu dem Sehen dessen, was recht ist, ist nicht der Irrtum oder die Täuschung, sondern die Verblendung. Wer von seinen Leidenschaften überwältigt wird, der sieht plötzlich in der gegebenen Situation nicht mehr das, was recht ist. Er hat gleichsam die Führung über sich selbst verloren und damit die Richtigkeit, d. h. das rechte Gerichtetsein in sich selbst eingebüßt, so daß ihm, den die Dialektik der Leidenschaft umtreibt, das als recht erscheint, was ihm die Leidenschaft aufredet. Das sittliche Wissen ist wirklich ein Wissen eigener Art. Es umgreift in einer eigentümlichen Weise Mittel und Zweck und unterscheidet sich damit vom technischen Wissen. Eben deshalb hat es auch keinen Sinn, hier zwischen dem Wissen und der Erfahrung zu unterscheiden, wie das sehr wohl bei der Techne angängig ist. Denn das sittliche Wissen enthält selbst eine Art der Erfahrung in sich, ja, wir werden noch sehen, daß dies vielleicht die grundlegende Form der Erfahrung ist, der gegenüber alle andere Erfahrung schon eine Denaturierung, um nicht zu sagen Naturalisierung, darstellt[2].

---

[1] Eth. Nic. Z 9 1142 a 25 ff.   [2] Vgl. unten S. 339 ff.

3. Das Sich-wissen der sittlichen Überlegung besitzt in der Tat einen einzigartigen Bezug auf sich selbst. Das lehren die Modifikationen, die Aristoteles im Zusammenhang seiner Analyse der Phronesis aufführt. Neben der Phronesis nämlich, der Tugend der besonnenen Überlegung, steht das Verständnis [1]. Verständnis ist eine Modifikation der Tugend des sittlichen Wissens. Sie ist dadurch gegeben, daß es sich hier nicht um mich selbst, sondern um den anderen handelt. Sie ist also eine Weise des sittlichen Beurteilens. Man redet offenbar dann von Verständnis, wenn man sich derart urteilend in die volle Konkretion der Lage versetzt, in der der andere zu handeln hat. Auch hier also handelt es sich nicht um ein Wissen im allgemeinen, sondern um die Konkretion im Augenblick. Auch dieses Wissen ist nicht in irgendeinem Sinne ein technisches Wissen oder die Anwendung eines solchen. Der Welterfahrene hat nicht als solcher, der alle Schliche und Praktiken kennt und der in allem erfahren ist, was es gibt, das rechte Verständnis für den, der handelt, sondern nur, wenn er einer Voraussetzung genügt: nämlich daß auch er das Rechte will, daß er also mit dem anderen in dieser Gemeinsamkeit verbunden ist. Das findet seine Konkretion im Phänomen des Rates in ‚Gewissensfragen‘. Wer um Rat fragt so gut wie der, der Rat erteilt, macht die Voraussetzung, daß der andere mit ihm freundschaftlich verbunden ist. Nur Freunde können einander raten, bzw. nur ein Rat, der freundschaftlich gemeint ist, hat für den Beratenen einen Sinn. Auch hier zeigt sich also, daß der, der Verständnis hat, nicht in einem unbetroffenen Gegenüber stehend weiß und urteilt, sondern aus einer spezifischen Zugehörigkeit, die ihn mit dem anderen verbindet, gleichsam mitbetroffen, mitdenkt.

Das wird vollends deutlich an weiteren Spielarten sittlicher Überlegung, die Aristoteles aufführt, nämlich Einsicht und Nachsicht [2]. Einsicht ist hier als Eigenschaft gemeint. Einsichtig nennen wir den, der in billiger Weise richtig urteilt. Wer einsichtig ist, ist also bereit, die besondere Situation des anderen recht gelten zu lassen, und daher ist er auch am meisten zur Nachsicht oder zur Verzeihung geneigt. Auch hier ist klar, daß es sich nicht um ein technisches Wissen handelt.

Aristoteles macht die Eigenart des sittlichen Wissens und der Tugend, die in seinem Besitze besteht, schließlich noch besonders deutlich, indem er eine natürliche Abart und Ausartung dieses sittlichen Wissens beschreibt [3]. Er redet von dem Deinos als einem Mann, dem gleichsam alle natürlichen Bedingungen und Gaben dieses sittlichen Wissens zu Gebote stehen, der mit einer unheimlichen Geschicklichkeit jeder Situation ihre Chancen abzugewinnen, überall seinen Vorteil wahrzunehmen weiß und in jeder Lage einen Ausweg findet [4]. Dieses natürliche Gegenbild der

---

[1] σύνεσις (Eth. Nic. Z 11).   [2] γνώμη, συγγνώμη.
[3] Eth. Nic. Z 13, 1144 a 23 ff.
[4] Er ist ein πανοῦργος, d. h. er ist zu allem fähig.

Phronesis ist aber dadurch gekennzeichnet, daß der Deinos seine Fähigkeit ohne Führung durch ein sittliches Sein und damit sein Können ohne Hemmung und ohne die Richtung auf sittliche Zwecke ausübt. Und es ist wohl doch mehr als ein Zufall, daß der in dieser Weise Geschickte mit einem Worte bezeichnet wird, das ebenso sehr ,schrecklich' heißt. Nichts ist so schrecklich, so unheimlich, ja so furchtbar wie die Ausübung genialer Fähigkeiten zum Üblen.

Wenn wir nun zusammenfassend die Beschreibung des ethischen Phänomens und insbesondere der Tugend des sittlichen Wissens, die Aristoteles gibt, auf unsere Fragestellung beziehen, so zeigt sich in der Tat die aristotelische Analyse als eine Art *Modell der in der hermeneutischen Aufgabe gelegenen Probleme.* Auch wir hatten uns davon überzeugt, daß die Anwendung nicht ein nachträglicher und gelegentlicher Teil des Verstehensphänomens ist, sondern es von vornherein und im ganzen mitbestimmt. Auch hier war Anwendung nicht die Beziehung von etwas Allgemeinem, das vorgegeben wäre, auf die besondere Situation. Der Interpret, der es mit einer Überlieferung zu tun hat, sucht sich dieselbe zu applizieren. Aber auch hier heißt das nicht, daß der überlieferte Text für ihn als ein Allgemeines gegeben und verstanden und danach erst für besondere Anwendungen in Gebrauch genommen würde. Der Interpret will vielmehr gar nichts anderes, als dies Allgemeine – den Text – verstehen, d. h. verstehen, was die Überlieferung sagt, was Sinn und Bedeutung des Textes ausmacht. Um das zu verstehen, darf er aber nicht von sich selbst und der konkreten hermeneutischen Situation, in der er sich befindet, absehen wollen. Er muß den Text auf diese Situation beziehen, wenn er überhaupt verstehen will.

c) Die exemplarische Bedeutung der juristischen Hermeneutik

Wenn das so ist, dann ist der Abstand der geisteswissenschaftlichen Hermeneutik von der *juristischen Hermeneutik* nicht so groß, wie man im allgemeinen annimmt. Die herrschende Auffassung geht freilich dahin, daß erst das historische Bewußtsein das Verstehen zu einer Methode der objektiven Wissenschaft erhoben habe und daß die Hermeneutik ihre wahre Bestimmung erst erlangte, als sie derart zur allgemeinen Lehre vom Verstehen und Auslegen der Texte überhaupt ausgebaut wurde. In diesen Zusammenhang gehöre die juristische Hermeneutik überhaupt nicht, denn sie wolle nicht gegebene Texte verstehen, sondern sie sei eine rechtspraktische Hilfsmaßnahme, die einer Art Mangel und Ausfallserscheinung im System der rechtlichen Dogmatik begegnen solle. Mit der Aufgabe der geisteswissenschaftlichen Hermeneutik, dem Verstehen von Überlieferung, habe sie im Grunde nichts mehr zu tun.

Aber auch die *theologische Hermeneutik* kann dann keine selbständige systematische Bedeutung mehr beanspruchen. Schleiermacher hatte sie mit Bewußtsein ganz in die *allgemeine Hermeneutik* aufgehen lassen und lediglich eine spezielle Anwendung derselben in ihr gesehen. Seitdem scheint die Wettbewerbsfähigkeit der wissenschaftlichen Theologie mit den modernen historischen Wissenschaften geradezu darauf zu beruhen, daß für das Auslegen der Heiligen Schrift keine anderen Gesetze und Regeln gelten sollen als für das Verständnis jeder anderen Überlieferung. Eine spezifisch theologische Hermeneutik könne es also gar nicht geben.

Es heißt eine paradoxe These vertreten, wenn man gleichwohl auf dem Niveau der modernen Wissenschaft die alte Wahrheit und die alte Einheit der hermeneutischen Disziplinen erneuern will. Beruht doch der Schritt zur modernen geisteswissenschaftlichen Methodik, wie es scheint, gerade auf der Ablösung von jeder dogmatischen Bindung. Die juristische Hermeneutik schied aus dem Ganzen einer Theorie des Verstehens aus, weil sie einen dogmatischen Zweck hat, wie umgekehrt die theologische Hermeneutik dadurch, daß sie ihre dogmatische Bindung aufgab, in der Einheit der philologisch-historischen Methode aufging.

Bei dieser Lage der Dinge werden wir uns besonders für die Divergenz der juristischen und der historischen Hermeneutik interessieren dürfen und die Fälle untersuchen müssen, in denen sich juristische und historische Hermeneutik am selben Gegenstand betätigen, die Fälle also, in denen Rechtstexte juristisch ausgelegt, bzw. historisch verstanden werden. Wir untersuchen also das Verhalten des *Rechtshistorikers* und das des *Juristen,* das sie zu dem gleichen gegebenen und geltenden Gesetzestext einnehmen. Dabei können wir uns auf die vortrefflichen Arbeiten von E. Betti[1] beziehen und unsere Überlegungen daran anschließen. Unsere Frage ist dabei, *ob der Unterschied zwischen dogmatischem und historischem Interesse ein eindeutiger ist.*

Daß ein Unterschied besteht, ist klar. Der Jurist faßt den Sinn des Gesetzes von dem gegebenen Fall her und um dieses gegebenen Falles willen. Dagegen hat der Rechtshistoriker keinen gegebenen Fall, von dem er ausgeht, sondern er will den Sinn des Gesetzes dadurch bestimmen, daß er sich den gesamten Anwendungsbereich des Gesetzes konstruktiv vor Augen stellt. Der Sinn des Gesetzes wird ja in all diesen Anwendungen erst konkret. Der Rechtshistoriker kann sich also nicht damit begnügen, die ursprüngliche Anwendung des Gesetzes zur Bestimmung seines ursprünglichen Sinnes aufzubieten. Als Historiker wird er vielmehr auch dem historischen Wandel gerecht werden müssen, den das Gesetz durchgemacht hat. Er wird die ursprüngliche Anwendung mit der gegenwärtigen Anwendung des Gesetzes verstehend vermitteln müssen.

Es schiene mir nicht genug, wenn man die Aufgabe des Historikers des Rechtes nur so beschriebe, daß er das seine tue, wenn er »den ursprüng-

---

[1] Außer den oben S. 246 und S. 293 zitierten Schriften zahlreiche kleinere Artikel.

lichen Sinngehalt der Gesetzesformel nachkonstruiert«, und wenn man
von dem Juristen dagegen sagt, er müsse »jenen Gehalt mit der gegenwärtigen Lebensaktualität auch noch in Einklang bringen«. Eine solche
Abgrenzung würde nämlich bedeuten, daß die Bestimmung des Juristen
die weitere ist und die Aufgabe des Rechtshistorikers mit in sich einschließt.
Wer die richtige Sinnanpassung eines Gesetzes vornehmen will, muß doch
erst einmal den ursprünglichen Sinngehalt desselben kennen. Er muß also
selber rechtshistorisch denken. Nur daß ihm das historische Verstehen hier
lediglich als ein Mittel zum Zweck dient. Umgekehrt dagegen geht den
Historiker als solchen die rechtsdogmatische Aufgabe nichts an. Als Historiker bewegt er sich der historischen Gegenständlichkeit entgegen, um sie
in ihrem historischen Stellenwert zu erfassen, während der Jurist darüber
hinaus das so Erfaßte auf die rechtliche Gegenwart anpassend zubewegt.
So etwa beschreibt Betti.

Es ist aber nun die Frage, ob das Verhalten des Historikers so umfassend
genug gesehen und beschrieben ist. Wie kommt es denn in unserem Beispiel zur Wendung ins Historische? Einem geltenden Gesetze gegenüber
lebt man doch in der natürlichen Vormeinung, daß sein rechtlicher Sinn
eindeutig ist und daß die Rechtspraxis der Gegenwart dem ursprünglichen
Sinn einfach folge. Wäre das immer so, dann wäre die Frage nach dem
Sinn eines Gesetzes sowohl juristisch als auch historisch ein und dieselbe
Frage. Auch für den Juristen bestünde die hermeneutische Aufgabe dann
in nichts anderem, als den ursprünglichen Sinn des Gesetzes festzustellen
und als den richtigen anzuwenden. So hat noch Savigny im Jahre 1840 im
‚System des römischen Rechts‘ die Aufgabe der juristischen Hermeneutik
rein als eine historische betrachtet. Wie Schleiermacher kein Problem darin
sah, daß der Interpret sich mit dem ursprünglichen Leser gleichsetzen muß,
so ignoriert auch Savigny die Spannung zwischen dem ursprünglichen und
dem gegenwärtigen juristischen Sinn[1].

Daß das eine juristisch unhaltbare Fiktion ist, ist im Laufe der Zeit
deutlich genug zutage getreten. Ernst Forsthoff hat in einer wertvollen
Untersuchung gezeigt, wie aus rein juristischen Gründen eine eigene Reflexion über den geschichtlichen Wandel der Dinge entstehen mußte, durch
den der ursprüngliche Sinngehalt eines Gesetzes und der in der juristischen
Praxis angewandte zur Abhebung voneinander gelangen[2]. Gewiß meint
der Jurist stets das Gesetz selbst. Aber sein normativer Gehalt ist auf den
gegebenen Fall hin zu bestimmen, auf den es angewandt werden soll. Um

---

[1] Ist es Zufall, daß Schleiermachers Hermeneutik-Vorlesung gerade zwei Jahre
vor Savignys Buch in der Nachlaßausgabe erstmals erschienen war? Man müßte
einmal die Entwicklung der hermeneutischen Theorie bei Savigny eigens prüfen,
die Forsthoff in seiner Untersuchung ausgeklammert hat. (Vgl. zu Savigny zuletzt
Franz Wieackers Bemerkung in ‚Gründer und Bewahrer‘, S. 110.)

[2] Recht und Sprache, Abh. der Königsberger Gelehrten Gesellschaft 1940.

diesen genau zu ermitteln, bedarf es historischer Erkenntnis des ursprünglichen Sinnes, und nur um dessentwillen bezieht der juristische Ausleger den historischen Stellenwert mit ein, der dem Gesetz durch den Akt der Gesetzgebung zukommt. Nun kann er sich aber nicht an das binden, was ihn etwa die parlamentarischen Protokolle über die Intentionen derer lehren, die das Gesetz ausgearbeitet haben. Er hat sich vielmehr den eingetretenen Wandel der Verhältnisse einzugestehen und hat daher die normative Funktion des Gesetzes neu zu bestimmen.

Ganz anders der Rechtshistoriker. Er meint anscheinend nichts weiter als den ursprünglichen Sinn des Gesetzes, wie es gemeint war und galt, als es erlassen wurde. Aber wie kann er denselben erkennen? Kann er ihn erfassen, ohne sich den Wandel der Verhältnisse bewußt zu machen, der seine Gegenwart von damals trennt? Muß er insofern nicht genau dasselbe tun, was der Richter tut, nämlich den ursprünglichen Sinngehalt des Gesetzestextes von demjenigen Rechtsgehalt unterscheiden, in dessen Vorverständnis er als Gegenwärtiger lebt? Darin scheint mir die hermeneutische Situation für den Historiker wie für den Juristen die gleiche, daß wir jedem Text gegenüber in einer unmittelbaren Sinnerwartung leben. Ein unmittelbares Zugehen auf den historischen Gegenstand, das seinen Stellenwert objektiv ermittelte, kann es nicht geben. Der Historiker muß die gleiche Reflexion leisten, die auch den Juristen leitet.

Insofern ist der tatsächliche Gehalt dessen, was auf die eine und was auf die andere Weise verstanden wird, der gleiche. Die Beschreibung, die oben vom Verhalten des Historikers gegeben wurde, reicht also nicht hin. Historische Erkenntnis kann nur so vor sich gehen, daß in jedem Fall die Vergangenheit in ihrer Kontinuität mit der Gegenwart gesehen wird – was der Jurist für seine praktisch-normative Aufgabe genau so tut, wenn sein Anliegen ist, »das Fortleben des Rechts als Kontinuum zu vollziehen und die Tradition des Rechtsgedankens zu bewahren« [1].

Nun wird man sich freilich fragen müssen, ob der analysierte Modellfall wirklich das allgemeine Problem des historischen Verstehens charakterisiert. Das Modell, von dem wir ausgingen, war das Verstehen eines noch in Kraft befindlichen Gesetzes. Hier waren der Historiker und der Dogmatiker dem gleichen Gegenstand zugewendet. Aber ist das nicht ein Sonderfall? Ein Rechtshistoriker, der sich vergangenen Rechtskulturen zuwendet, und erst recht jeder andere Historiker, der Vergangenes zu erkennen sucht, dessen Kontinuität mit der Gegenwart keine unmittelbare mehr ist, wird sich in dem behandelten Fall der Fortgeltung eines Gesetzes nicht wieder erkennen können. Er wird sagen: Die juristische Hermeneutik hat eine dogmatische Sonderaufgabe, die dem Zusammenhang der historischen Hermeneutik ganz fremd ist.

---

[1] Betti a.a.O.; Anm. 62 a.

In Wahrheit scheint mir die Sache aber umgekehrt zu sein. Die juristische Hermeneutik vermag das wirkliche Verfahren der Geisteswissenschaften an sich selbst zu erinnern. Hier haben wir das Modell für das Verhältnis von Vergangenheit und Gegenwart, das wir suchen. Der Richter, welcher das überlieferte Gesetz den Bedürfnissen der Gegenwart anpaßt, will gewiß eine praktische Aufgabe lösen. Aber seine Auslegung des Gesetzes ist deshalb noch lange nicht eine willkürliche Umdeutung. Auch in seinem Falle heißt Verstehen und Auslegen: einen geltenden Sinn erkennen und anerkennen. Er sucht dem ‚Rechtsgedanken‘ des Gesetzes zu entsprechen, indem er es mit der Gegenwart vermittelt. Gewiß ist das eine juristische Vermittlung. Die rechtliche Bedeutung des Gesetzes – und nicht etwa die historische Bedeutung des Erlasses des Gesetzes oder irgendwelcher Fälle seiner Anwendung – ist es, was er zu erkennen sucht. Er verhält sich also nicht als Historiker – wohl aber verhält er sich zu seiner eigenen Geschichte, die seine Gegenwart ist. Er kann sich daher stets auch als Historiker den Fragen zuwenden, die er als Richter implizite mit umfaßt hat.

Umgekehrt kann der Historiker, der seinerseits keine juristische Aufgabe vor sich hat, sondern die geschichtliche Bedeutung dieses Gesetzes – wie jeden anderen Inhalt geschichtlicher Überlieferung – ermitteln will, nicht davon absehen, daß es sich hier um eine Rechtsschöpfung handelt, die juristisch verstanden werden will. Er muß nicht nur historisch, sondern auch juristisch denken können. Gewiß ist es ein Sonderfall, wenn ein Historiker einen Gesetzestext betrachtet, der noch heute Geltung hat. Aber dieser Sonderfall macht uns deutlich, was unser Verhältnis zu jeglicher Überlieferung bestimmt. Der Historiker, der das Gesetz aus seiner historischen Ursprungssituation heraus verstehen will, kann von seiner rechtlichen Fortwirkung gar nicht absehen: sie gibt ihm die Fragen, die er an die historische Überlieferung stellt, an die Hand. Gilt das nicht in Wahrheit von jedem Text, daß er in dem, was er sagt, verstanden werden muß? Heißt das nicht, daß es stets einer Umsetzung bedarf? Und erfolgt diese Umsetzung nicht immer als eine Vermittlung mit der Gegenwart? Sofern der eigentliche Gegenstand des historischen Verstehens nicht Ereignisse sind, sondern ihre ‚Bedeutung‘, ist solches Verstehen offenbar nicht richtig beschrieben, wenn man von einem an sich seienden Gegenstand und dem Zugehen des Subjekts auf diesen spricht. In Wahrheit liegt im historischen Verstehen immer schon darin, daß die auf uns kommende Überlieferung in die Gegenwart hineinspricht und in dieser Vermittlung – mehr noch: als diese Vermittlung – verstanden werden muß. *Der Fall der juristischen Hermeneutik ist also in Wahrheit kein Sonderfall, sondern er ist geeignet, der historischen Hermeneutik ihre volle Problemweite wiederzugeben und damit die alte Einheit des hermeneutischen Problems wiederherzustellen, in der sich der Jurist und der Theologe mit dem Philologen begegnet.*

Wir haben oben[1] als eine Bedingung geisteswissenschaftlichen Verstehens die Zugehörigkeit zur Überlieferung bezeichnet. Machen wir jetzt die Probe, indem wir prüfen, wie sich dieses Strukturmoment des Verstehens im Falle der juristischen und der theologischen Hermeneutik darstellt. Offenbar handelt es sich nicht um eine das Verstehen einschränkende Bedingung, sondern um eine Bedingung, die es ermöglicht. Die Zugehörigkeit des Auslegers zu seinem Text ist wie die Zugehörigkeit des Augenpunktes zu der in einem Bilde gegebenen Perspektive. Es handelt sich nicht darum, daß man diesen Augenpunkt wie einen Standort suchen und einnehmen sollte, sondern daß der, der versteht, nicht beliebig seinen Blickpunkt wählt, sondern seinen Platz vorgegeben findet. So ist es für die Möglichkeit einer juristischen Hermeneutik wesentlich, daß das Gesetz alle Glieder der Rechtsgemeinschaft in gleicher Weise bindet. Wo das nicht der Fall ist, wo etwa, wie im Absolutismus, der Wille des absoluten Herrschers über dem Gesetz steht, kann es keine Hermeneutik geben, »da ein Oberherr seine Worte auch wider die Regeln gemeiner Auslegung erklären kann«[2]. Denn dort ist die Aufgabe ja gar nicht gestellt, das Gesetz so auszulegen, daß im Rechtsinne des Gesetzes der konkrete Fall gerecht entschieden wird. Der Wille des durch das Gesetz nicht gebundenen Monarchen kann vielmehr das, was ihm gerecht erscheint, ohne Rücksicht auf das Gesetz, und das heißt ohne die Anstrengung der Auslegung, herbeiführen. Die Aufgabe des Verstehens und Auslegens besteht eben nur dort, wo etwas so gesetzt ist, daß es als das Gesetzte unaufhebbar und verbindlich ist.

Die Aufgabe des Auslegens ist die der *Konkretisierung des Gesetzes*[3] im jeweiligen Fall, also die Aufgabe der *Applikation*. Die Leistung produktiver Rechtsergänzung, die damit geschieht, ist gewiß dem Richter vorbehalten, der aber genau so unter dem Gesetz steht wie jedes andere Glied der Rechtsgemeinschaft. In der Idee einer rechtlichen Ordnung liegt, daß das Urteil des Richters nicht einer unvorhersehbaren Willkür entspringt, sondern der gerechten Erwägung des Ganzen. Zu solcher gerechter Erwägung ist jeder imstande, der sich in die volle Konkretion der Sachlage vertieft hat. Eben deshalb ist in einem Rechtsstaat Rechtssicherheit vorhanden, d.h. man kann der Idee nach wissen, woran man ist. Jeder Anwalt und Berater hat die prinzipielle Möglichkeit, richtig zu beraten, d.h. die richterliche Entscheidung aufgrund der bestehenden Gesetze richtig vorauszusagen. Die Aufgabe der Konkretisierung besteht freilich nicht in einer

---

[1] S. 247 u. ö.

[2] Walch 158.

[3] Die Bedeutung der Konkretisierung ist ein derart zentrales Thema der Jurisprudenz, daß ihm ein unübersehbares Schrifttum gilt. Vgl. etwa die Untersuchung von Karl Engisch: Die Idee der Konkretisierung (Abh. der Heidelberger Akademie 1953).

bloßen Paragraphenkenntnis. Man muß selbstverständlich auch die Judikatur kennen, wenn man den gegebenen Fall juristisch beurteilen will, und alle Momente, die dieselbe bestimmen. Aber keine andere Zugehörigkeit zum Gesetz ist hier gefordert als eben die, daß die Rechtsordnung für jedermann als gültig anerkannt ist, daß es also keinen aus ihr Ausgenommenen gibt. Es ist daher grundsätzlich immer möglich, die bestehende Rechtsordnung als solche zu erfassen, und das bedeutet: jede geschehene Rechtsergänzung dogmatisch zu verarbeiten. Zwischen juristischer Hermeneutik und Rechtsdogmatik besteht mithin eine Wesensbeziehung, in der die Hermeneutik den Vorrang hat. Denn die Idee einer vollkommenen Rechtsdogmatik, durch die jedes Urteil ein bloßer Subsumtionsakt würde, ist unhaltbar[1].

Betrachten wir nun den Fall der *theologischen Hermeneutik*, wie sie von der protestantischen Theologie geschaffen worden ist, auf unsere Frage hin[2]. Hier gibt es insofern eine echte Entsprechung zur juristischen Hermeneutik, als auch hier die Dogmatik nicht den Primat für sich in Anspruch nehmen kann. Die eigentliche Konkretisierung der Verkündigung geschieht in der Predigt, so wie die der gesetzlichen Ordnung im Urteil geschieht. Aber dabei ist noch ein großer Unterschied. Die Predigt ist nicht wie das richterliche Urteil eine produktive Ergänzung des Textes, den sie auslegt. Aus der Verkündigung der Predigt wächst daher der Heilsbotschaft nichts inhaltlich zu, das sich mit der rechtsergänzenden Kraft des Richterspruches vergleichen ließe. Es ist ja überhaupt nicht so, daß die Heilsbotschaft aus dem Gedanken des Predigers heraus erst ihre nähere Bestimmung erführe. Er spricht als der Prediger vor der Gemeinde nicht mit dogmatischer Autorität, wie das der Richter tut. Zwar geht es auch in der Predigt um die Auslegung einer gültigen Wahrheit. Aber diese Wahrheit ist Verkündigung, und ob diese gelingt, entscheidet sich nicht durch die Gedanken des Predigers, sondern durch die Kraft des Wortes selbst, das z. B. auch durch eine schlechte Predigt zur Umkehr rufen kann. Die Verkündigung läßt sich nicht von ihrem Vollzug ablösen. Alle dogmatische Fixierung der reinen Lehre ist sekundär. Die Heilige Schrift ist Gottes Wort, und das bedeutet, daß die Schrift vor der Lehre derer, die sie auslegen, einen schlechthinnigen Vorrang behält.

Das darf die Auslegung nie aus dem Auge verlieren. Auch als wissenschaftliche Auslegung des Theologen muß sie stets festhalten, daß die

---

[1] Vgl. etwa F. Wieacker, der kürzlich das Problem der außergesetzlichen Rechtsordnung von der richterlichen Urteilskunst und den sie bestimmenden Momenten aus dargestellt hat (Gesetz und Richterkunst, 1957).

[2] Über den hier erörterten Gesichtspunkt hinaus hat die Überwindung der Hermeneutik des Historismus, die meine Untersuchungen im ganzen anstreben, positive theologische Konsequenzen, die mir den Thesen der Theologen Ernst Fuchs und Gerhard Ebeling nahezukommen scheinen (Ernst Fuchs, Hermeneutik[2], 1960; G. Ebeling Art. Herm. RGG[3]).

Heilige Schrift die göttliche Heilsverkündigung ist. Ihr Verständnis kann daher nicht allein die wissenschaftliche Erforschung ihres Sinnes sein. Bultmann schreibt einmal: »Die Interpretation der biblischen Schriften unterliegt nicht anderen Bedingungen des Verstehens als jede andere Literatur.«[1] Aber der Sinn dieses Satzes ist zweideutig. Denn es geht eben darum, ob nicht jede Literatur noch anderen Bedingungen des Verstehens unterliegt als denen, die in formaler Allgemeinheit jedem Text gegenüber erfüllt sein müssen. Bultmann selbst betont, daß für jedes Verstehen das Lebensverhältnis des Interpreten zum Text, sein vorgängiger Bezug zu der Sache, die durch den Text vermittelt wird, vorausgesetzt wird. Er nennt diese hermeneutische Voraussetzung das *Vorverständnis*, weil dasselbe offenbar nicht erst durch das Verfahren des Verstehens erzielt wird, sondern schon vorausgesetzt ist. So schreibt Hofmann, den Bultmann beifällig zitiert, daß eine biblische Hermeneutik ein Verhältnis zum Inhalt der Bibel schon voraussetze.

Nun fragt es sich aber, was hier Voraussetzung heißt. Ist sie mit der menschlichen Existenz als solcher gegeben? Besteht ein vorgängiger Sachbezug auf die Wahrheit der göttlichen Offenbarung in jedem Menschen, weil der Mensch als solcher von der Gottesfrage bewegt ist? Oder muß man sagen, daß erst von Gott aus, das heißt vom Glauben her die menschliche Existenz sich in diesem Bewegtsein von der Gottesfrage erfährt? Dann aber wird der Sinn von Voraussetzung fraglich, den der Begriff des Vorverständnisses enthält. Diese Voraussetzung gilt offenbar nicht allgemein, sondern nur vom Standpunkt des rechten Glaubens aus.

In bezug auf das Alte Testament ist das ein altes hermeneutisches Problem. Ist die christliche Auslegung desselben vom Neuen Testament aus oder ist seine jüdische Auslegung die rechte? Oder sind beide berechtigte Auslegungen, das heißt, gibt es ein Gemeinsames zwischen ihnen, und ist es dies, was die Auslegung eigentlich in Wahrheit versteht? Der Jude, der den biblischen Text des Alten Testamentes anders versteht als der Christ, teilt mit ihm die Voraussetzung, daß auch er von der Gottesfrage bewegt ist. Gleichwohl wird er den Aussagen des christlichen Theologen gegenüber der Meinung sein, daß dieser nicht richtig verstehe, wenn er die Wahrheiten seines Heiligen Buches vom Neuen Testament her begrenzt. So enthält die Voraussetzung, von der Gottesfrage bewegt zu sein, in Wahrheit schon den Anspruch des Wissens um den wahren Gott und seine Offenbarung. Selbst was Unglaube heißt, bestimmt sich von dem geforderten Glauben her. Das existenziale Vorverständnis, von dem Bultmann ausgeht, kann nur selbst ein christliches sein.

Nun könnte man vielleicht dieser Konsequenz zu entgehen suchen, indem man sagt: es genügt zu *wissen*, daß religiöse Texte nur zu verstehen

---

[1] Glauben und Verstehen II, S. 231.

sind als Texte, die auf die Gottesfrage Antwort geben. Der Interpret brauche nicht selber in seiner religiösen Bewegtheit in Anspruch genommen zu werden. Aber was würde ein Marxist dazu sagen, der alle religiösen Aussagen nur zu verstehen meint, wenn er sie als Interessenspiegelungen gesellschaftlicher Herrschaftsverhältnisse durchschaut? Er wird doch gewiß die Voraussetzung nicht akzeptieren, daß das menschliche Dasein als solches von der Gottesfrage bewegt ist. Eine solche Voraussetzung gilt offenbar nur für den, der darin die Alternative von Glauben oder Unglauben gegenüber dem wahren Gott schon anerkennt. So scheint mir der hermeneutische Sinn des theologischen Vorverständnisses selber ein theologischer zu sein. Zeigt doch auch die Geschichte der Hermeneutik, wie die Befragung der Texte von einem höchst konkreten Vorverständnis bestimmt ist. Die moderne Hermeneutik als protestantische Diziplin ist offenkundig als Kunst der Schriftauslegung auf die dogmatische Tradition der katholischen Kirche und ihre Lehre von der Werkgerechtigkeit polemisch bezogen. Sie hat selber einen dogmatisch-konfessionellen Sinn. Das bedeutet nicht, daß eine solche theologische Hermeneutik dogmatisch voreingenommen ist, so daß sie herausliest, was sie hineingelegt hat. Sie setzt sich vielmehr wirklich aufs Spiel. Aber sie setzt voraus, daß das Wort der Schrift trifft und daß nur der Betroffene – glaubend oder zweifelnd – versteht. Insofern ist die Applikation das erste.

Wir können somit als das wahrhaft Gemeinsame aller Formen der Hermeneutik herausheben, daß sich in der Auslegung der zu verstehende Sinn erst konkretisiert und vollendet, daß aber gleichwohl dieses auslegende Tun sich vollständig an den Sinn des Textes gebunden hält. Weder der Jurist noch der Theologe sieht in der Aufgabe der Applikation eine Freiheit gegenüber dem Text.

Trotzdem scheint die Aufgabe, ein Allgemeines zu konkretisieren und sich zu applizieren, innerhalb der historischen Geisteswissenschaften eine ganz andere Funktion zu haben. Fragt man, was Applikation hier heißt und wie sie in dem Verstehen vorkommt, das die Geisteswissenschaften üben, so mag man allenfalls zugeben, daß es eine gewisse Klasse von Überlieferung gibt, der gegenüber wir uns in der Weise der Applikation verhalten, wie der Jurist gegenüber dem Gesetz und der Theologe gegenüber der Verkündigung. Wie dort der Richter das Recht zu finden sucht, und der Prediger das Heil zu verkünden, und wie dort in beidem, der Verkündung und der Verkündigung, der Sinn der Kunde erst zu seiner Vollendung kommt, so wird man auch einem philosophischen Text oder einer Dichtung gegenüber anerkennen können, daß solche Texte von dem Leser und Verstehenden ein eigenes Tun verlangen und daß man ihnen gegenüber nicht die Freiheit hat, sich in historischer Distanz zu verhalten. Man wird zugeben, daß Verstehen hier immer die Applikation des verstandenen Sinnes einschließt.

Aber gehört die Applikation wesentlich und notwendig zum Verstehen? Vom Standpunkt der modernen Wissenschaft aus wird man diese Frage verneinen und sagen: Solche Applikation, die den Interpreten sozusagen an die Stelle des ursprünglichen Adressaten eines Textes treten läßt, gehört überhaupt nicht in die Wissenschaft. Sie ist in den historischen Geisteswissenschaften grundsätzlich ausgeschlossen. Besteht doch die Wissenschaftlichkeit der modernen Wissenschaft gerade darin, daß sie die Überlieferung objektiviert und jeden Einfluß der Gegenwart des Interpreten auf das Verstehen methodisch eliminiert. Es mag oft schwierig sein, dieses Ziel zu erreichen, und gerade Texte mit unbestimmter Adresse, die selber mit dem Anspruch auftreten, für jeden zu gelten, den die Überlieferung erreicht, werden eine solche Scheidung historischen und dogmatischen Interesses nicht leicht durchhalten lassen. Die Problematik der wissenschaftlichen Theologie und ihres Verhältnisses zur biblischen Überlieferung ist dafür ein gutes Beispiel. Es kann dann scheinen, als müsse hier der Ausgleich zwischen dem historisch-wissenschaftlichen und dem dogmatischen Anliegen in der Privatsphäre der Person gefunden werden. Ähnlich mag es beim Philosophen sein, und ähnlich mag es unserem künstlerischen Bewußtsein gehen, wenn es sich durch ein Werk angesprochen fühlt. Aber die Wissenschaft erhebe doch den Anspruch, sich durch ihre Methodik von allen subjektiven Applikationen unabhängig zu halten.

So etwa wird man vom Standpunkt der modernen Wissenschaftstheorie aus argumentieren müssen. Man wird sich auf den exemplarischen Wert der Fälle berufen, in denen es eine unmittelbare Substitution des Interpreten an die Stelle des Adressaten gar nicht geben kann. Z.B. dort, wo ein Text einen ganz bestimmten Adressaten hat, etwa den Partner des Vertrages, den Empfänger der Rechnung oder des Befehls. Hier kann man sich wohl, um den Sinn des Textes ganz zu verstehen, sozusagen an die Stelle des Adressaten versetzen, und sofern diese Versetzung bewirken soll, daß der Text seine volle Konkretion gewinnt, kann man auch dies als eine Leistung der Interpretation anerkennen. Aber solche Versetzung in den ursprünglichen Leser (Schleiermacher) ist etwas ganz anderes als Applikation. Sie überspringt gerade die Aufgabe der Vermittlung von Damals und Heute, von Du und Ich, die wir mit Applikation meinen und die etwa auch die juristische Hermeneutik als ihre Aufgabe erkennt.

Nehmen wir das Beispiel des Verstehens eines Befehls. Einen Befehl gibt es nur dort, wo einer da ist, der ihn befolgen soll. Das Verstehen gehört hier also in ein Verhältnis von Personen, von denen die eine zu befehlen hat. Den Befehl verstehen heißt, ihn der konkreten Situation zu applizieren, in die er trifft. Zwar läßt man einen Befehl wiederholen, zur Kontrolle dessen, daß er richtig verstanden ist, aber das ändert nichts daran, daß sein wahrer Sinn sich erst aus der Konkretion seiner ‚sinngemäßen' Ausführung bestimmt. Aus diesem Grunde gibt es auch eine ausdrückliche

Gehorsamsverweigerung, die nicht einfach Ungehorsam ist, sondern sich aus dem Sinn des Befehls und seiner Konkretisierung, die einem aufgetragen ist, legitimiert. Wer einem Befehl den Gehorsam verweigert, hat ihn verstanden, und weil er ihn der konkreten Situation appliziert und weiß, was in ihr Gehorchen bedeuten würde, weigert er sich. Offenkundig bemißt sich das Verstehen an einem Maß, das weder im Wortlaut des Befehls noch in der wirklichen Meinung des Befehlenden vorliegt, sondern allein in dem Situationsverständnis und der Verantwortlichkeit dessen, der gehorcht. Auch wenn man einen Befehl schriftlich gibt, oder ihn sich schriftlich geben läßt, um die Richtigkeit des Verständnisses und der Ausführung desselben kontrollierbar zu machen, meint man nicht, es stünde in ihm alles darin. Es ist ein Schelmenmotiv, Befehle so auszuführen, daß man ihren Wortlaut, aber nicht ihren Sinn befolgt. Es ist also kein Zweifel, daß der Empfänger eines Befehls eine bestimmte produktive Leistung des Sinnverständnisses vollbringen muß.

Denkt man sich nun einen *Historiker*, der in der Überlieferung einen solchen Befehl findet und verstehen will, so ist er zwar in einer ganz anderen Lage als der ursprüngliche Adressat. Er ist nicht der Gemeinte und kann daher den Befehl gar nicht auf sich beziehen wollen. Gleichwohl muß er, wenn er den Befehl wirklich verstehen will, idealiter *die gleiche Leistung* vollbringen, die der gemeinte Empfänger des Befehls vollbringt. Auch dieser letztere, der den Befehl auf sich bezieht, vermag ja sehr wohl zwischen dem Verständnis des Befehls und seiner Befolgung zu unterscheiden. Er hat die Möglichkeit, ihn nicht zu befolgen, auch wenn und gerade wenn er ihn verstanden hat. Es mag für den Historiker eine Schwierigkeit darstellen, seinerseits die Situation zu rekonstruieren, in die hinein der Befehl, um den es sich handelt, erging. Aber auch er wird erst dann ganz verstehen, wenn er diese Konkretisierungsaufgabe geleistet hat. Das ist die klare hermeneutische Forderung, die Aussage eines Textes aus der konkreten Situation heraus zu verstehen, in der sie gemacht wird.

Dem Selbstverständnis der Wissenschaft zufolge darf es also für den Historiker keinen Unterschied machen, ob ein Text eine bestimmte Adresse hatte oder als ein ‚Besitz für immer‘ gemeint war. Die Allgemeinheit der hermeneutischen Aufgabe beruht vielmehr darauf, daß man jeden Text unter dem Scopus verstehen muß, der für ihn zutrifft. Das aber besagt, daß die historische Wissenschaft jeden Text zunächst in sich zu verstehen sucht und die inhaltliche Meinung desselben nicht selber vollzieht, sondern in ihrer Wahrheit dahingestellt sein läßt. Verstehen ist gewiß eine Konkretisierungsleistung, aber eine solche, die sich mit der Einhaltung einer solchen hermeneutischen Distanz verbindet. Nur der versteht, der sich selber aus dem Spiele zu lassen versteht. Das ist die Forderung der Wissenschaft.

Solcher Selbstinterpretation der geisteswissenschaftlichen Methodik zufolge läßt sich allgemein sagen, daß der Interpret zu jedem Text einen

Adressaten hinzudenkt, ob derselbe durch den Text ausdrücklich angesprochen worden ist oder nicht. Dieser Adressat ist in jedem Falle der
ursprüngliche Leser, von dem sich der Interpret selber unterschieden weiß.
Das ist vom Negativen her klar. Wer als Philologe oder Historiker einen
Text zu verstehen sucht, bezieht dessen Rede jedenfalls nicht auf sich
selber. Er sucht nur die Meinung des Autors zu verstehen. Er interessiert
sich, solange er nur verstehen will, nicht für die sachliche Wahrheit des
Gemeinten als solche, auch dann nicht, wenn der Text selbst Wahrheit zu
lehren beansprucht. Darin stimmen der Philologe und der Historiker überein.

Indessen, Hermeneutik und Historik sind offenbar nicht ganz das gleiche.
Indem wir uns in die methodischen Unterschiede zwischen beiden vertiefen, werden wir ihre vermeintliche Gemeinsamkeit durchschauen und
ihre *wahre Gemeinsamkeit* erkennen. Der Historiker verhält sich zu überlieferten Texten insofern anders, als er durch dieselben hindurch ein Stück
Vergangenheit zu erkennen strebt. Er sucht daher den Text durch andere
Überlieferung zu ergänzen und zu kontrollieren. Er empfindet es geradezu
als die Schwäche des Philologen, daß dieser seinen Text wie ein Kunstwerk
ansieht. Ein Kunstwerk ist eine ganze Welt, die sich in sich selbst genügt.
Aber das historische Interesse kennt solche Selbstgenügsamkeit nicht. So
empfand schon Dilthey gegen Schleiermacher: »in sich selbst abgerundetes
Dasein möchte die Philologie überall sehen«[1]. Wenn eine überlieferte
Dichtung auf den Historiker Eindruck macht, wird das für ihn gleichwohl
keine hermeneutische Bedeutung haben. Er kann sich grundsätzlich nicht
als den Adressaten des Textes verstehen und dem Anspruch eines Textes
unterstellen. Er befragt seinen Text vielmehr auf etwas hin, was der Text
von sich aus nicht hergeben will. Das gilt selbst noch solcher Überlieferung
gegenüber, die selber schon historische Darstellung sein will. Auch der
Geschichtsschreiber wird noch der historischen Kritik unterworfen.

Insofern stellt der Historiker eine Überbietung des hermeneutischen
Geschäftes dar. Dem entspricht, daß hier der Begriff der Interpretation
einen neuen und zugespitzten Sinn erhält. Er meint nicht nur den ausdrücklichen Vollzug des Verstehens eines gegebenen Textes, wie ihn der Philologe zu leisten hat. Der Begriff der historischen Interpretation hat vielmehr
seine Entsprechung in dem Begriff des *Ausdrucks*, der von der historischen Hermeneutik nicht in seinem klassischen und herkömmlichen Sinne
verstanden wird, d. h. als ein rhetorischer Terminus, der das Verhältnis
der Sprache zum Gedanken betrifft. Was der Ausdruck ausdrückt, ist eben
nicht nur das, was in ihm zum Ausdruck gebracht werden soll, das mit ihm
Gemeinte, sondern vorzüglich das, was in solchem Meinen und Sagen mit
zum Ausdruck kommt, ohne daß es zum Ausdruck gebracht werden soll,
also das, was der Ausdruck sozusagen ‚verrät‘. In diesem weiten Sinne um-

---

[1] Der junge Dilthey, 94.

faßt der Begriff ‚Ausdruck‘ weit mehr als den sprachlichen Ausdruck. Er umfaßt vielmehr alles, hinter das zurückgegangen werden muß, wenn man dahinter kommen will, und was zugleich so ist, daß es ermöglicht, hinter es zurückzugehen. Interpretation meint hier also nicht den gemeinten, sondern den verborgenen und zu enthüllenden Sinn. In diesem Sinne ist ein jeder Text nicht nur ein verständlicher Sinn, sondern in mehrfacher Hinsicht deutungsbedürftig. Zunächst ist er selbst ein Ausdrucksphänomen. Es ist begreiflich, daß sich der Historiker für diese Seite an ihm interessiert. Denn der Zeugniswert, den etwa ein Bericht hat, hängt tatsächlich mit davon ab, was der Text als Ausdrucksphänomen darstellt. Daran kann man erraten, was der Schreiber wollte, ohne es zu sagen, welcher Partei er angehörte, welche Überzeugungen er an die Dinge heranbringt, oder gar, welcher Grad von Gewissenlosigkeit und Unwahrhaftigkeit ihm zuzutrauen ist. Diese subjektiven Momente der Glaubhaftigkeit des Zeugen müssen offenkundig mitbeachtet werden. Vor allem aber wird der Inhalt der Überlieferung, auch wenn die subjektive Zuverlässigkeit derselben ausgemacht ist, selber noch interpretiert werden, d.h. der Text wird als ein Dokument verstanden, dessen eigentlicher Sinn über seinen wörtlichen Sinn hinaus erst zu ermitteln ist, z.B. durch Vergleich mit anderen Daten, die den historischen Wert einer Überlieferung einzuschätzen erlauben.

So gilt für den Historiker grundsätzlich, daß die Überlieferung in einem anderen Sinne zu interpretieren ist, als die Texte von sich aus verlangen. Er wird immer hinter sie und die Sinnmeinung, der sie Ausdruck geben, nach der Wirklichkeit zurückfragen, von der sie ungewollter Ausdruck sind. Die Texte treten neben alles sonstige historische Material, d.h. neben die sogenannten Überreste. Auch sie müssen erst gedeutet werden, d.h. nicht nur in dem verstanden werden, was sie sagen, sondern in dem, was sich in ihnen bezeugt.

Der Begriff der Interpretation kommt hier gleichsam in seine Vollendung. Interpretieren muß man da, wo sich der Sinn eines Textes nicht unmittelbar verstehen läßt. Interpretieren muß man überall, wo man dem, was eine Erscheinung unmittelbar darstellt, nicht trauen will. So interpretiert der Psychologe, indem er Lebensäußerungen nicht in ihrem gemeinten Sinn gelten läßt, sondern nach dem zurückfragt, was im Unbewußten vor sich ging. Ebenso interpretiert der Historiker die Gegebenheiten der Überlieferung, um hinter den wahren Sinn zu kommen, der sich in ihnen ausdrückt und zugleich verbirgt.

Es besteht insofern eine natürliche Spannung zwischen dem Historiker und dem Philologen, der einen Text um seiner Schönheit und Wahrheit willen verstehen will. Der Historiker interpretiert auf etwas hin, was nicht im Text selbst ausgesagt wird und durchaus nicht in der gemeinten Sinnrichtung des Textes zu liegen braucht. Das historische und das philologische Bewußtsein geraten hier im Grunde in Konflikt. Indessen ist diese Spannung kaum mehr vorhanden, seit das historische Bewußtsein auch die Haltung des Philologen verändert hat. Er hat seitdem den Anspruch aufgegeben, als besäßen seine Texte für ihn eine normative Geltung. Er sieht dieselben nicht mehr als Vorbilder des Sagens und in der Vorbildlichkeit des Gesagten, sondern auch er sieht sie auf etwas hin an, was sie selber gar nicht meinen, d. h. er sieht sie als Historiker an. Damit ist die Philologie eine Hilfsdisziplin der Historie geworden. Das zeigte sich etwa an der klassischen Philologie, als sie sich selber Altertumswissenschaft zu nennen begann, so bei Wilamowitz. Sie ist eine Sparte der historischen Forschung, welche vor allem Sprache und Literatur zu ihrem Gegenstand macht. Der Philologe ist Historiker, sofern er seinen literarischen Quellen eine eigene historische Dimension abgewinnt. Verstehen heißt ihm dann, einen gegebenen Text in den Zusammenhang der Geschichte der Sprache, der literarischen Form, des Stils usw., und in solcher Vermittlung schließlich in das Ganze des geschichtlichen Lebenszusammenhangs einordnen. Nur manchmal schlägt seine eigene ältere Natur gleichsam durch. So wird er etwa in der Beurteilung antiker Geschichtsschreiber dazu neigen, diesen großen Schriftstellern mehr zu glauben, als der Historiker richtig findet. In solcher ideologischen Gutgläubigkeit, mit der der Philologe den Zeugniswert seiner Texte alsdann überschätzt, liegt der letzte Rest des alten Anspruchs des Philologen, der Freund der ‚schönen Reden‘ und der Vermittler der klassischen Literatur zu sein.

Wir stellen nun die Frage, ob eine solche Beschreibung des geisteswissenschaftlichen Verfahrens, in der sich der Historiker und Philologe von heute einig sind, zutrifft, und ob der universelle Anspruch, den das historische Bewußtsein hier erhebt, zu Recht besteht. Das will zunächst im Blick auf die *Philologie* fraglich scheinen [1]. Am Ende verkennt sich der Philologe, der Freund der schönen Reden, selber, wenn er sich unter den Maßstab historischer Forschung beugt. Zunächst mag es mehr auf die Form gehen, wenn ihm seine Texte eine Vorbildlichkeit besitzen. Es war das alte Pathos des Humanismus, daß in der klassischen Literatur alles auf vorbildliche Weise gesagt sei. Aber was in so vorbildlicher Weise gesagt wird, ist in Wahrheit mehr als nur ein formales Vorbild. Schöne Reden heißen nicht nur so, weil das in ihnen Gesagte schön gesagt ist, sondern auch deshalb, weil es etwas Schönes ist, was in ihnen gesagt wird. Sie wollen doch nicht nur als bloße Schönrednerei gelten. Vollends trifft es für die dichterische Überlieferung der Völker zu, daß wir an ihr nicht nur die dichterische Kraft, die Phantasie und die Kunst des Ausdrucks bewundern, sondern vor allem auch die überlegene Wahrheit, die aus ihr spricht.

Wenn also im Tun des Philologen etwas von Vorbildnahme lebendig geblieben ist, bezieht er seine Texte in Wahrheit nicht bloß auf einen

---

[1] Vgl. etwa den Aufsatz von H. Patzer ‚Der Humanismus als Methodenproblem d. klass. Philol.‘ (Studium Generale 1948).

rekonstruierten Adressaten, sondern auch auf sich selbst (freilich, ohne daß er das wahrhaben will). Er läßt Vorbildliches als Vorbild gelten. In jeder Vorbildnahme liegt aber immer schon ein Verstehen, das nicht mehr dahingestellt läßt, sondern das schon gewählt hat und sich verpflichtet weiß. Daher hat solche Beziehung seiner selbst auf ein Vorbild stets den Charakter der Nachfolge. Wie Nachfolge mehr als bloße Nachahmung ist, so ist auch sein Verstehen eine ständig neue Form der Begegnung und hat selber den Charakter des Geschehens, gerade weil es kein bloßes Dahingestelltseinlassen ist, sondern Applikation einschließt. Der Philologe webt gleichsam weiter an dem großen, uns alle tragenden Geflecht aus Herkommen und Überlieferung.

Erkennt man das an, so müßte wohl die Philologie zu ihrer wahren Würde und zu einem angemessenen Verständnis ihrer selbst am ehesten dadurch gelangen, daß man sie von der Historie befreit. Indessen scheint mir das erst die Hälfte der Wahrheit. Man muß sich vielmehr fragen, ob nicht ebenso das Bild des historischen Verhaltens, das hier leitend war, ein Zerrbild ist. Vielleicht ist nicht nur das Verhalten des Philologen, sondern *auch das des Historikers* nicht so sehr an dem Methodenideal der Naturwissenschaften als an dem Modell zu orientieren, das uns die juristische und theologische Hermeneutik bietet. Es mag zutreffen, daß sich der historische Umgang mit Texten von der ursprünglichen Bindung des Philologen an seine Texte spezifisch unterscheidet. Es mag zutreffen, daß der Historiker hinter die Texte zurückzugehen sucht, um ihnen einen Aufschluß abzuzwingen, den sie nicht geben wollen und aus sich selbst heraus nicht geben können. Wenn man mit dem Maßstab mißt, den ein einzelner Text darstellt, sieht es in der Tat so aus. Der Historiker verhält sich zu seinen Texten wie der Untersuchungsrichter beim Verhör von Zeugen. Indessen macht die bloße Feststellung von Tatsachen, die er etwa der Voreingenommenheit der Zeugen ablistet, noch nicht wirklich den Historiker, sondern erst das Verständnis der Bedeutung, die er in seinen Feststellungen findet. Es ist mit den geschichtlichen Zeugnissen insofern wie mit den gerichtlichen Zeugenaussagen. Nicht zufällig wird das gleiche Wort gebraucht. Das Zeugnis ist in beiden Fällen ein Hilfsmittel zur Feststellung der Tatsachen. Aber diese sind selbst nicht der eigentliche Gegenstand, sondern stellen ein bloßes Material für die eigentliche Aufgabe dar: die des Richters, das Recht zu finden, die des Historikers, die historische Bedeutung eines Vorgangs im Ganzen seines geschichtlichen Selbstbewußtseins zu bestimmen.

So ist der ganze Unterschied vielleicht nur eine Frage des Maßstabes. Man darf ihn nicht zu eng wählen, wenn man das Eigentliche erfassen will. Hatten wir gegenüber der traditionellen Hermeneutik schon gezeigt, daß sie die Dimensionen des Phänomens künstlich verkürzt hatte, so gilt das vielleicht auch für das historische Verhalten. Ist es nicht auch hier so,

daß aller Anwendung historischer Methoden die eigentlich entscheidenden
Dinge schon vorausliegen? Eine historische Hermeneutik, die nicht *das
Wesen der historischen Frage* ins Zentrum rückt und nicht nach den Motiven fragt, aus denen sich ein Historiker der Überlieferung zuwendet, hat
sich um ihr eigentliches Kernstück verkürzt.

Beherzigt man das, so stellt sich das Verhältnis zwischen der Philologie
und der Historie auf einmal recht anders dar. Wenn wir von einer Überfremdung der Philologie durch die Historie sprechen konnten, so ist das
nicht der endgültige Aspekt der Sache. Vielmehr scheint mir *das Problem
der Applikation,* das wir dem Philologen in Erinnerung bringen mußten,
auch für die kompliziertere Sachlage des historischen Verstehens bestimmend.
Das hat gewiß insofern allen Augenschein gegen sich, als sich das historische Verstehen dem Applikationsanspruch, der von der Überlieferung
erhoben wird, grundsätzlich zu versagen scheint. Wir hatten gesehen, wie
es seinen Text in einer eigentümlichen Intentionsverschiebung gar nicht
in seiner eigenen Intention gelten läßt, sondern als historische Quelle ansieht, d.h. aus ihm ein Verständnis für etwas gewinnt, das in dem Text
gar nicht gemeint war, sondern für uns darin nur zum Ausdruck kommt.

Sieht man aber näher zu, so fragt es sich doch, ob das Verstehen des
Historikers von dem des Philologen wirklich strukturell verschieden ist.
Gewiß sieht er die Texte in anderer Hinsicht an, aber diese Veränderung
der Intention gilt nur dem einzelnen Text als solchem. Für den Historiker
tritt jedoch der einzelne Text mit anderen Quellen und Zeugnissen zur
Einheit des Überlieferungsganzen zusammen. Die Einheit dieses Ganzen
der Überlieferung ist sein wahrer hermeneutischer Gegenstand. Sie nun
muß er im selben Sinne verstehen, wie der Philologe seinen Text in der
Einheit seiner Meinung versteht. So muß auch er eine Applikationsaufgabe
vollbringen. Das ist der entscheidende Punkt. Das historische Verstehen
erweist sich als eine Art Philologie im großen.

Das heißt aber nun nicht etwa, daß wir die hermeneutische Haltung
der historischen Schule, deren Problematik wir oben dargestellt haben,
unsererseits teilten. Dort hatten wir von der Vorherrschaft des philologischen Schemas in der historischen Selbstauffassung gesprochen und hatten
insbesondere an Diltheys Grundlegung der Geisteswissenschaften gezeigt,
wie sich die eigentliche Absicht der historischen Schule, Geschichte als
Realität und nicht als bloße Entfaltung von Ideenzusammenhängen zu
erkennen, nicht wirklich durchzusetzen vermochte. Wir unsererseits behaupten keineswegs im Sinne Diltheys, daß alles Geschehen eine so vollkommene Sinngestalt sei wie ein lesbarer Text. Wenn wir die Historie
eine Philologie im großen nannten, so sollte damit nicht die Historie als
Geistesgeschichte verstanden werden.

Unsere Überlegungen gehen vielmehr in die umgekehrte Richtung. Wir
hatten, wie wir meinen, richtiger verstanden, was das Lesen eines Textes

ist. Wahrlich gibt es niemals den Leser, vor dessen Auge das große Buch der Weltgeschichte einfach aufgeschlagen liegt. Aber es gibt auch sonst niemals den Leser, der, wenn er seinen Text vor Augen hat, einfach liest, was dasteht. In allem Lesen geschieht vielmehr eine Applikation, so daß, wer einen Text liest, selber noch in dem vernommenen Sinn darin ist. Er gehört mit zu dem Text, den er versteht. Immer wird es so sein, daß die Sinnlinie, die sich ihm beim Lesen eines Textes zeigt, notwendig in einer offenen Unbestimmtheit abbricht. Er kann sich, ja er muß sich eingestehen, daß kommende Geschlechter das, was er in dem Texte gelesen hat, anders verstehen werden. Was so für jeden Leser gilt, das gilt auch für den Historiker. Nur daß es sich für ihn um das Ganze der geschichtlichen Überlieferung handelt, das er mit der Gegenwart seines eigenen Lebens vermitteln muß, wenn er es verstehen will, und das er damit in die Zukunft hinein offen hält.

So erkennen auch wir eine innere Einheit von Philologie und Historie an, aber wir sehen sie nicht in der Universalität der historischen Methode, nicht in der objektivierenden Ersetzung des Interpreten durch den ursprünglichen Leser, noch in der historischen Kritik der Überlieferung als solcher, sondern umgekehrt darin, daß beide eine Applikationsleistung vollbringen, die nur maßstabmäßig verschieden ist. Wenn der Philologe den gegebenen Text, und das heißt, sich in dem angegebenen Sinne in seinem Text versteht, so versteht der Historiker auch noch den großen, von ihm erratenen Text der Weltgeschichte selbst, in dem jeder überlieferte Text nur ein Sinnbruchstück, ein Buchstabe ist, und auch er versteht sich selbst in diesem großen Text. Beide, der Philologe wie der Historiker, kehren damit aus der Selbstvergessenheit heim, in die sie ein Denken verbannt hielt, für das das Methodenbewußtsein der modernen Wissenschaft der alleinige Maßstab war. Es ist *das wirkungsgeschichtliche Bewußtsein,* worin sich beide als in ihrer wahren Grundlage zusammenfinden.

Damit hat sich das Modell der juristischen Hermeneutik in der Tat als fruchtbar erwiesen. Wenn der Jurist in richterlicher Funktion sich gegenüber dem ursprünglichen Sinn eines Gesetzestextes zur Rechtsergänzung legitimiert weiß, so tut er genau das, was in allem Verstehen auch sonst geschieht. *Die alte Einheit der hermeneutischen Disziplinen tritt neu in ihr Recht, wenn man das wirkungsgeschichtliche Bewußtsein in allem hermeneutischen Tun des Philologen wie des Historikers erkennt.*

Der Sinn von Applikation, der in allen Formen des Verstehens vorliegt, hat sich jetzt geklärt. Applikation ist keine nachträgliche Anwendung von etwas gegebenem Allgemeinen, das zunächst in sich verstanden würde, auf einen konkreten Fall, sondern ist erst das wirkliche Verständnis des Allgemeinen selbst, das der gegebene Text für uns ist. Das Verstehen erweist sich als eine Weise von Wirkung und weiß sich als eine solche Wirkung.

3. Analyse des wirkungsgeschichtlichen Bewußtseins

a) Die Grenze der Reflexionsphilosophie

Wir müssen nun fragen: Wie gehören hier Wissen und Wirkung zusammen? Daß das wirkungsgeschichtliche Bewußtsein etwas anderes ist als die Erforschung der Wirkungsgeschichte, die ein Werk hat, gleichsam der Spur, die ein Werk hinter sich her zieht – daß es vielmehr ein Bewußtsein des Werkes selbst ist und insofern selber Wirkung tut, hatten wir oben schon betont[1]. Unsere ganze Darlegung über Horizontbildung und Horizontverschmelzung sollte eben die Vollzugsweise des wirkungsgeschichtlichen Bewußtseins beschreiben. Aber was ist das für ein Bewußtsein? Hier liegt das entscheidende Problem. Man mag noch so sehr betonen, daß das wirkungsgeschichtliche Bewußtsein gleichsam in die Wirkung selbst eingelegt ist. Als Bewußtsein scheint es wesensmäßig in der Möglichkeit, sich über das zu erheben, wovon es Bewußtsein ist. Die Struktur der Reflexivität ist grundsätzlich mit allem Bewußtsein gegeben. Sie muß also auch für das Bewußtsein der Wirkungsgeschichte gelten.

Wir können es auch so ausdrücken: finden wir uns nicht, wenn wir von wirkungsgeschichtlichem Bewußtsein reden, in die immanente Gesetzlichkeit der Reflexion gebannt, die alle unmittelbare Betroffenheit, wie wir sie mit Wirkung meinen, auflöst? Werden wir damit nicht gezwungen, *Hegel* recht zu geben, und muß uns nicht doch *die absolute Vermittlung von Geschichte und Wahrheit,* wie sie Hegel denkt, als das Fundament der Hermeneutik erscheinen?

Wir können diese Frage gar nicht ernst genug nehmen, wenn wir an die historische Weltansicht und ihre Entfaltung von Schleiermacher bis Dilthey denken. Überall zeigte sich das gleiche. Überall erscheint die Forderung der Hermeneutik erst in der Unendlichkeit des Wissens, der denkenden Vermittlung der ganzen Überlieferung mit der Gegenwart, erfüllt. Sie stellt sich auf das Ideal einer vollendeten Aufklärung gegründet dar, auf die vollständige Entgrenzung unseres historischen Horizonts, auf die Aufhebung der eigenen Endlichkeit in der Unendlichkeit des Wissens, kurz auf die Allgegenwärtigkeit des historisch wissenden Geistes. Daß der Historismus des 19. Jahrhunderts sich zu dieser Konsequenz nie ausdrücklich bekannt hat, hat offenbar keine grundsätzliche Bedeutung. In letzter Konsequenz ist es doch die Position Hegels, in der er seine Legitimation findet, auch wenn die Historiker, die das Pathos der Erfahrung beseelte, sich statt dessen lieber auf Schleiermacher und auf Wilhelm von Humboldt beriefen. Weder Schleiermacher noch Humboldt haben aber ihre Position

---

[1] Vgl. oben S. 284.

wirklich zu Ende gedacht. Sie mögen die Individualität, die Schranke der Fremdheit, die unser Verstehen zu überwinden hat, noch so sehr betonen, am Ende findet doch lediglich in einem unendlichen Bewußtsein das Verstehen seine Vollendung und der Gedanke der Individualität seine Begründung. Es ist die pantheistische Eingeschlossenheit aller Individualität ins Absolute, die das Wunder des Verstehens ermöglicht. So durchdringen sich auch hier Sein und Wissen im Absoluten. Weder Schleiermachers noch Humboldts Kantianismus ist somit gegenüber der spekulativen Vollendung des Idealismus in Hegels absoluter Dialektik eine selbständige systematische Affirmation. Die Kritik an der Reflexionsphilosophie, die Hegel trifft, trifft sie mit.

Wir werden uns zu fragen haben, ob unser eigener Versuch einer historischen Hermeneutik von der gleichen Kritik getroffen wird, oder ob es uns gelingt, uns von dem metaphysischen Anspruch der Reflexionsphilosophie freizuhalten und die Legitimität der hermeneutischen Erfahrung zu rechtfertigen, indem wir die geschichtsmächtige Kritik der Junghegelianer an Hegel beherzigen.

Dafür ist es nötig, sich zunächst einmal die zwingende Kraft der Reflexionsphilosophie bewußt zu machen und sich einzugestehen, daß die Kritiker Hegels den Zauberkreis dieser Reflexion nicht wirklich zu brechen vermocht haben. Es wird nur dann gelingen können, das Problem einer historischen Hermeneutik von den hybriden Konsequenzen des spekulativen Idealismus freizuhalten, wenn man sich nicht mit einer irrationalistischen Aufweichung desselben begnügt, sondern die Wahrheit des Hegelschen Denkens festzuhalten weiß. Es geht für uns darum, wirkungsgeschichtliches Bewußtsein so zu denken, daß sich im Bewußtsein der Wirkung die Unmittelbarkeit und Überlegenheit des Werkes nicht wieder zu einer bloßen Reflexionswirklichkeit auflöst, mithin eine Wirklichkeit zu denken, an der sich die Allmacht der Reflexion begrenzt. Genau das war der Punkt, gegen den sich die Kritik an Hegel richtete und an dem sich in Wahrheit das Prinzip der Reflexionsphilosophie gegenüber allen seinen Kritikern als überlegen erwies.

Hegels bekannte Polemik gegen Kants ‚Ding an sich‘ vermag das zu verdeutlichen[1]. Kants kritische Grenzsetzung der Vernunft hatte die Anwendung der Kategorien auf die Gegenstände möglicher Erfahrung beschränkt und das Ding an sich, das den Erscheinungen zugrunde liegt, für prinzipiell unerkennbar erklärt. Hegels dialektische Argumentation wendet dagegen ein, daß die Vernunft, indem sie diese Grenze ziehe und die Erscheinung von dem Ding an sich unterscheide, diesen Unterschied in Wahrheit als ihren eigenen erweise. Sie gelange damit keineswegs an eine Grenze ihrer selbst, sondern sei vielmehr ganz bei sich selbst, indem sie diese

---

[1] Vgl. etwa Enz. § 60.

Grenze setze. Denn das heiße, daß sie sie auch schon überschritten habe.
Was eine Grenze zur Grenze macht, schließt ja immer zugleich das ein,
wogegen das durch die Grenze Eingegrenzte grenzt. Es ist die Dialektik
der Grenze, nur zu sein, indem sie sich aufhebt. So ist auch das Ansichsein,
das das Ding an sich im Unterschied zu seiner Erscheinung charakterisiert,
nur für uns an sich. Was sich an der Dialektik der Grenze in logischer
Allgemeinheit zeigen läßt, spezifiziert sich für das Bewußtsein in der Erfahrung, daß das von ihm unterschiedene Ansichsein das Andere seiner
selbst ist und daß es in seiner Wahrheit erst gewußt werde, wenn es als
Selbst gewußt werde, d.h. im vollendeten absoluten Selbstbewußtsein sich
selber wisse. Wir werden das Recht und die Grenze dieser Argumentation
noch später behandeln.

Die Kritik, die gegen diese Philosophie der absoluten Vernunft von den
mannigfachsten Positionen aus durch die Kritiker Hegels geübt worden
ist, kann sich vor der Konsequenz der totalen dialektischen Selbstvermittlung, wie sie Hegel insbesondere in seiner Phänomenologie, der Wissenschaft vom erscheinenden Wissen, beschrieben hat, nicht behaupten. Daß
der andere nicht als das vom reinen Selbstbewußtsein umfaßte Andere
meiner selbst, sondern als der andere, als Du, erfahren werden müsse,
– dieser Prototyp aller Einwände gegen die Unendlichkeit der Hegelschen
Dialektik – trifft ihn nicht im Ernst. Ist doch der dialektische Gang der
‚Phänomenologie des Geistes' vielleicht durch nichts so entscheidend bestimmt wie durch das Problem der Anerkennung des Du. Um nur einige
Stationen dieser Geschichte zu nennen: Das eigene Selbstbewußtsein gelangt nach Hegel nur dadurch zur Wahrheit seines Selbstbewußtseins, daß
es sich im anderen seine Anerkennung erkämpft. Das unmittelbare Verhältnis von Mann und Frau ist das natürliche Erkennen des gegenseitigen
Anerkanntseins (325). Darüber hinaus stellt das Gewissen das geistige Element des Anerkanntwerdens dar, und erst über das Bekenntnis und die
Verzeihung kann das gegenseitige Sichanerkennen, worin der Geist absolut
ist, erreicht werden. Es läßt sich nicht bestreiten, daß die Einwürfe von
Feuerbach und von Kierkegaard sich in diesen von Hegel beschriebenen
Gestalten des Geistes bereits vorgedacht finden.

Die Polemik gegen den absoluten Denker ist selber ohne Position. Der
archimedische Punkt, die Hegelsche Philosophie aus den Angeln zu heben,
kann in der Reflexion nie gefunden werden. Das gerade macht die formale
Qualität der Reflexionsphilosophie aus, daß es keine Position geben kann,
die nicht in die Reflexionsbewegung des zu sich selbst kommenden Bewußtseins einbezogen ist. Das Pochen auf die Unmittelbarkeit – sei es die der
leiblichen Natur, sei es die des Ansprüche stellenden Du, sei es die der
undurchdringlichen Tatsächlichkeit des geschichtlichen Zufalls oder die
der Realität der Produktionsverhältnisse – hat sich immer schon selbst
widerlegt, sofern es selber kein unmittelbares Verhalten, sondern ein re-

flektierendes Tun ist. Die linkshegelianische Kritik an einer bloßen Versöhnung im Gedanken, welche die reale Veränderung der Welt schuldig bleibe, die ganze Lehre vom Umschlag der Philosophie in Politik muß auf dem Boden der Philosophie einer Selbstaufhebung gleichkommen[1].

So stellt sich die Frage, wie weit die dialektische Überlegenheit der Reflexionsphilosophie einer sachlichen Wahrheit entspricht und wie weit sie lediglich einen formalen Schein erzeugt. Denn daß die Kritik am spekulativen Denken, die vom Standpunkt des endlichen menschlichen Bewußtseins geübt wird, etwas Wahres enthält, kann durch die Argumentation der Reflexionsphilosophie am Ende doch nicht verdunkelt werden. Das wird insbesondere an den epigonenhaften Gestalten des Idealismus sichtbar, etwa an der neukantianischen Kritik der Philosophie des Lebens und der Existenzphilosophie. Heinrich Rickert, der 1920 die ‚Philosophie des Lebens' in Grund und Boden argumentierte, vermochte die Wirkung Nietzsches und Diltheys, die damals in die Breite zu gehen begann, überhaupt nicht zu erreichen. Man kann die innere Widersprüchlichkeit eines jeden Relativismus noch so klar aufweisen – es ist schon so, wie Heidegger es ausgesprochen hat: alle diese siegreichen Argumentationen haben etwas vom Überrumpelungsversuch an sich[2]. So überzeugend sie scheinen, so sehr verfehlen sie doch die eigentliche Sache. Man behält recht, wenn man sich ihrer bedient, und doch sprechen sie keine überlegene Einsicht aus, die fruchtbar wäre. Daß die These der Skepsis oder des Relativismus selber wahr sein will und sich insofern selber aufhebt, ist ein unwiderlegliches Argument. Aber wird damit irgend etwas geleistet? Das Reflexionsargument, das sich derart als siegreich erweist, schlägt vielmehr auf den Argumentierenden zurück, indem es den Wahrheitswert der Reflexion suspekt macht. Nicht die Realität der Skepsis oder des alle Wahrheit auflösenden Relativismus wird dadurch getroffen, sondern der Wahrheitsanspruch des formalen Argumentierens überhaupt.

Insofern ist der Formalismus solcher Reflexionsargumente nur scheinbar von philosophischer Legitimität. In Wahrheit wird in ihnen nichts erkannt. Wir kennen die Scheinlegitimität solchen Argumentierens vor allem aus der antiken Sophistik, deren innere Hohlheit Plato aufgewiesen hat. Plato ist es auch gewesen, der klar gesehen hat, daß es kein argumentativ zureichendes Kriterium gibt, durch das sich wahrhaft philosophischer Gebrauch der Rede von sophistischem unterscheiden ließe. Insbesondere zeigt er im 7. Brief, daß die formale Widerlegbarkeit einer These nicht unbedingt ihre Wahrheit ausschließt[3].

---

[1] Das ist in der marxistischen Literatur bis heute deutlich. Vgl. die energische Herausarbeitung dieses Punktes bei J. Habermas, Zur philosophischen Diskussion um Marx und den Marxismus (Phil. Rundschau V, 3/4, 1957, S. 183 ff.).

[2] Heidegger, Sein und Zeit, S. 229.

[3] Das ist der Sinn der schwierigen Darlegung von 343 c d, für die die Leug-

Das Urbild aller leeren Argumentation ist die sophistische Frage, wie man überhaupt nach etwas fragen könne, was man nicht wisse. Dieser sophistische Einwand, den Plato im Menon [1] formuliert, wird dort bezeichnenderweise nicht durch eine überlegene argumentative Auflösung überwunden, sondern durch die Berufung auf den Mythos der Präexistenz der Seele. Das ist freilich eine sehr ironische Berufung, sofern der Mythos der Präexistenz und der Wiedererinnerung, der das Rätsel des Fragens und Suchens auflösen soll, in Wahrheit nicht eine religiöse Gewißheit ausspielt, sondern auf der Gewißheit der Erkenntnis suchenden Seele beruht, die sich gegen die Leerheit formaler Argumentationen durchsetzt. Gleichwohl ist es kennzeichnend für die Schwäche, die Plato im Logos erkennt, daß er die Kritik an der sophistischen Argumentation nicht logisch, sondern mythisch begründet. Wie die wahre Meinung eine göttliche Gunst und Gabe ist, so ist auch das Suchen und die Erkenntnis des wahren Logos kein freier Selbstbesitz des Geistes. Wir werden noch später erkennen, daß die mythische Legitimierung, die Plato der sokratischen Dialektik hier gibt, von grundsätzlicher Bedeutung ist. Bliebe das Sophisma unwiderlegt – und argumentativ läßt es sich nicht widerlegen –, würde dieses Argument zur Resignation führen. Es ist das Argument der ‚faulen Vernunft‘ und besitzt insofern wahrhaft symbolische Tragweite, als alle leere Reflexion ihrem siegreichen Scheine zum Trotz zur Diskreditierung der Reflexion überhaupt führt.

Nun ist Platos mythische Widerlegung des dialektischen Sophisma, so einleuchtend sie scheint, für das moderne Denken nicht befriedigend. Hegel kennt keine mythische Begründung der Philosophie. Vielmehr gehört ihm der Mythos zur Pädagogie. Am Ende ist es die Vernunft, die sich selber begründet. Indem Hegel die Dialektik der Reflexion dergestalt als die totale Selbstvermittlung der Vernunft durcharbeitet, ist auch er dem argumentativen Formalismus, den wir mit Plato sophistisch nannten, grundsätzlich überlegen. Seine Dialektik ist daher auch gegen die leere Argumentation des Verstandes, die er die ‚äußere Reflexion‘ nennt, nicht minder polemisch wie der platonische Sokrates. Aus diesem Grunde ist aber die Auseinandersetzung mit Hegel für das hermeneutische Problem von zentraler Bedeutung. Denn Hegels Philosophie des Geistes beansprucht, eine totale Vermittlung von Geschichte und Gegenwart zu leisten. In ihr handelt es sich nicht um einen Formalismus der Reflexion, sondern um dieselbe Sache, an die auch wir uns zu halten haben. Hegel hat die geschichtliche Dimension, in der das Problem der Hermeneutik seine Wurzeln hat, durchreflektiert.

Wir werden daher *die Struktur des wirkungsgeschichtlichen Bewußtseins* im Blick auf Hegel und in Abhebung von Hegel zu bestimmen haben.

---

ner der Echtheit des 7. Briefes einen zweiten, namenlosen Plato annehmen müssen.

[1] Menon 80 d ff.

Hegels spiritualistische Ausdeutung des Christentums, durch die er das Wesen des Geistes bestimmt, wird von dem Einwand nicht getroffen, daß in ihr für die Erfahrung des anderen und der Andersheit der Geschichte kein Raum sei. Das Leben des Geistes besteht vielmehr darin, im Anderssein sich selbst zu erkennen. Der auf seine Selbsterkenntnis gerichtete Geist sieht sich mit dem ,Positiven' als dem Fremden entzweit und muß lernen, sich mit ihm zu versöhnen, indem er es als das Eigene und Heimatliche erkennt. Indem er die Härte der Positivität auflöst, wird er mit sich selbst versöhnt. Sofern solche Versöhnung die geschichtliche Arbeit des Geistes ist, ist das geschichtliche Verhalten des Geistes weder Selbstbespiegelung noch auch bloße formaldialektische Aufhebung der Selbstentfremdung, die ihm widerfahren ist, sondern eine *Erfahrung*, die Wirklichkeit erfährt und selber wirklich ist.

b) Der Begriff der Erfahrung
und das Wesen der hermeneutischen Erfahrung

Genau das ist es, was wir für die Analyse des wirkungsgeschichtlichen Bewußtseins festhalten müssen: es hat die Struktur der *Erfahrung*. Der Begriff der Erfahrung scheint mir – so paradox es klingt – zu den unaufgeklärtesten Begriffen zu gehören, die wir besitzen. Weil er in der Logik der Induktion für die Naturwissenschaften eine führende Rolle spielt, ist er einer erkenntnistheoretischen Schematisierung unterworfen worden, die mir seinen ursprünglichen Gehalt zu verkürzen scheint. Ich erinnere daran, daß schon Dilthey dem englischen Empirismus Mangel an geschichtlicher Bildung vorgeworfen hat. Das erscheint uns, die wir ihm ein ungeklärtes Schwanken zwischen dem ,lebensphilosophischen' und dem wissenschaftstheoretischen Motiv nachgesagt haben, als eine sehr halbe Kritik. In der Tat ist es der Mangel der bisherigen Theorie der Erfahrung, der gerade auch Dilthey einschließt, daß sie ganz auf die Wissenschaft hin orientiert ist und deshalb die innere Geschichtlichkeit der Erfahrung nicht beachtet. Es ist das Ziel der Wissenschaft, Erfahrung so zu objektivieren, daß ihr keinerlei geschichtliches Moment mehr anhaftet. Das leistet das naturwissenschaftliche Experiment durch die Weise seiner methodischen Veranstaltung. Ähnliches vollbringt aber auch die historisch-kritische Methode in den Geisteswissenschaften. Auf beide Weise soll dadurch Objektivität verbürgt werden, daß man die zugrunde liegenden Erfahrungen für jedermann wiederholbar macht. Wie in der Naturwissenschaft Experimente nachprüfbar sein müssen, so soll auch in den Geisteswissenschaften das gesamte Verfahren kontrollierbar werden. Insofern kann der Geschichtlichkeit der Erfahrung in der Wissenschaft kein Platz gelassen werden.

Die moderne Wissenschaft führt dadurch auf ihre methodische Weise nur weiter, was in aller Erfahrung schon angestrebt war. Alle Erfahrung ist ja nur in Geltung, solange sie sich bestätigt; insofern beruht ihre Dignität auf ihrer prinzipiellen Wiederholbarkeit. Das bedeutet aber, daß Erfahrung ihrem eigenen Wesen nach ihre Geschichte in sich aufhebt und dadurch auslöscht. Schon für die Erfahrung des täglichen Lebens gilt das, und erst recht für jede wissenschaftliche Veranstaltung derselben. Insofern ist es keine zufällige Einseitigkeit der modernen Wissenschaftstheorie, sondern sachlich begründet, daß die Theorie der Erfahrung ganz teleologisch auf den Wahrheitserwerb bezogen ist, der in ihr erreicht wird.

In neuerer Zeit hat insbesondere *Edmund Husserl* dieser Frage seine Aufmerksamkeit gewidmet. Er hat die Einseitigkeit der in den Wissenschaften vorliegenden Idealisierung der Erfahrung in immer neu ansetzenden Untersuchungen aufzuklären unternommen [1]. Husserl gibt in dieser Absicht eine Genealogie der Erfahrung, die als Erfahrung der Lebenswelt der Idealisierung durch die Wissenschaften noch vorausliegt. Jedoch scheint er mir selbst noch von der Einseitigkeit beherrscht, die er kritisiert. Denn er projiziert die idealisierte Welt der exakten wissenschaftlichen Erfahrung insofern in die ursprüngliche Welterfahrung noch immer hinein, als er die Wahrnehmung als äußere, auf die bloße Körperlichkeit gerichtete für alle weitere Erfahrung das Fundament sein läßt. Ich zitiere wörtlich: »Wenn es auch sogleich aufgrund dieser sinnlichen Anwesenheit unser praktisches oder Gemütsinteresse auf sich zieht, sogleich als dieses Dienliche, Anziehende oder Abstoßende sich für uns gibt – aber all dies fundiert eben darin, daß es ein Substrat ist mit schlicht sinnlich erfaßbaren Beschaffenheiten, zu denen jederzeit ein Weg möglicher Auslegung führt« [2]. Husserls Versuch, auf den Ursprung der Erfahrung sinngenetisch zurückzugehen und die Idealisierung durch die Wissenschaft zu überwinden, hat offenbar im besonderen Maße mit der Schwierigkeit zu kämpfen, daß die reine transzendentale Subjektivität des Ego nicht als solche wirklich gegeben ist, sondern immer in der Idealisierung der Sprache, die allem Erfahrungserwerb schon einwohnt und in der sich die Zugehörigkeit des einzelnen Ich zu einer Sprachgemeinschaft auswirkt.

In der Tat, wenn wir auf die Anfänge der modernen Wissenschaftstheorie und Logik zurückgehen, ist es dieses Problem, wieweit es einen reinen Gebrauch unserer Vernunft, nach methodischen Prinzipien vorzugehen und allen Vorurteilen und Voreingenommenheiten – vor allem den ,verbalistischen' – überlegen zu sein, überhaupt geben kann. Es ist die besondere Leistung von *Bacon* auf diesem Gebiet, daß er sich nicht mit der immanenten logischen Aufgabe begnügte, die Theorie der Erfahrung als die Theorie einer wahren Induktion zu entwickeln, sondern daß er die

---

[1] Vgl. etwa die Darstellung in ,Erfahrung und Urteil', S. 42, und in der großen Arbeit über die ,Krisis der europäischen Wissenschaften und die transzendentale Phänomenologie', S. 48 ff.; 130 ff.

[2] Husserliana VI, a. a. O.

ganze moralische Schwierigkeit und anthropologische Fragwürdigkeit einer solchen Erfahrungsleistung erörtert hat. Seine Methode der Induktion will sich über die regellose und zufällige Art erheben, in der die tägliche Erfahrung zustande kommt und erst recht über deren dialektischen Gebrauch. Er hat in diesem Zusammenhang in einer das neue Zeitalter der methodischen Forschung ankündigenden Weise die in der humanistischen Scholastik noch vertretene Theorie der Induktion aufgrund der enumeratio simplex aus den Angeln gehoben. Der Begriff der Induktion macht davon Gebrauch, daß das Verallgemeinern aufgrund zufälliger Beobachtung erfolgt und, solange keine Gegeninstanz begegnet, Geltung beansprucht. Bacon stellt bekanntlich der anticipatio, dieser voreiligen Verallgemeinerung der täglichen Erfahrung, die interpretatio naturae, die kundige Auslegung des wahren Seins der Natur entgegen[1]. Sie soll durch methodisch veranstaltete Experimente den schrittweisen Aufstieg zu den wahren, haltbaren Allgemeinheiten, den einfachen Formen der Natur erlauben. Diese wahre Methode ist dadurch charakterisiert, daß der Geist dort nicht sich selbst überlassen ist[2]. Er darf nicht so, wie er möchte, fliegen. Vielmehr ist die Forderung die, gradatim (schrittweise) von dem Besonderen zu dem Allgemeinen aufzusteigen, um eine geordnete, alle Voreiligkeiten vermeidende Erfahrung zu erwerben[3].

Die Methode, die Bacon fordert, nennt er selbst eine experimentelle[4]. Dabei ist aber zu bedenken, daß das Experiment bei Bacon nicht immer nur die technische Veranstaltung des Naturforschers meint, der unter isolierenden Bedingungen Abläufe künstlich herbeiführt und meßbar macht. Experiment ist vielmehr auch und vor allem die kunstvolle Leitung unseres Geistes, der verhindert wird, sich voreiligen Verallgemeinerungen zu überlassen, und der bewußt die Beobachtungen, die er an der Natur anstellt, zu variieren, bewußt die entlegensten, scheinbar am meisten voneinander abstehenden Fälle zu konfrontieren, und so schrittweise und kontinuierlich auf dem Wege eines Ausschließungsverfahrens zu den Axiomata zu gelangen lernt[5].

Im ganzen wird man der üblichen Baconkritik folgen und zugeben müssen, daß Bacons methodische Vorschläge enttäuschen. Sie sind allzu unbestimmt und generell und haben insbesondere bei der Anwendung auf die Naturforschung, wie uns heute deutlich ist, wenig erbracht. Es ist wahr, daß dieser Gegner leerer dialektischer Spitzfindigkeiten selber tief in die metaphysische Tradition und ihre dialektischen Argumentationsformen gebunden geblieben ist, die er bekämpft. Sein Ziel, die Natur durch Gehorchen zu besiegen, die neue Haltung des Angriffs und der Bezwingung

---

[1] F. Bacon, Nov. Org. I, 26 ff.   [2] a.a.O. I, 20 f; 104.
[3] a.a.O. I, 19 ff.
[4] a.a.O. vgl. insbesondere die ‚distributio operis'.
[5] a.a.O. I, 22, 28.

der Natur, all das, was ihn zum Vorkämpfer der modernen Wissenschaft
hat werden lassen, ist aber nur die eine programmatische Seite seines
Werks, zu der er kaum Bleibendes beigetragen hat. Seine eigentliche Leistung liegt vielmehr darin, daß er die Vorurteile, die den menschlichen
Geist besetzt halten und von der wahren Erkenntnis der Dinge abführen,
umfassend untersucht und damit eine methodische Selbstreinigung des
Geistes vollbringt, die mehr eine ‚disciplina' als eine Methodik darstellt.
Bacons berühmte Lehre von den ‚Vorurteilen' hat den Sinn, einen methodischen Gebrauch der Vernunft allererst möglich zu machen [1]. Gerade
hierin ist er für uns interessant, denn hier kommen, wenn auch kritisch
und in ausschließender Absicht, Momente im Erfahrungsleben zur Sprache,
die nicht auf das Ziel der Wissenschaft teleologisch bezogen sind. So etwa,
wenn Bacon unter den Idola tribus von der Tendenz des menschlichen
Geistes spricht, immer nur das Positive im Gedächtnis zu behalten und die
instantiae negativae zu vergessen. Der Orakelglaube z. B. nähre sich von
dieser menschlichen Vergeßlichkeit, die die zutreffenden Weissagungen behält und die unzutreffenden nicht beachtet. Ebenso ist das Verhältnis des
menschlichen Geistes zu den Konventionen der Sprache in den Augen
Bacons eine Form der Beirrung der Erkenntnis durch leere konventionelle
Formen. Sie gehört unter die Idola fori.

Nun, schon diese beiden Beispiele können zeigen, daß der teleologische
Aspekt, der die Frage bei Bacon beherrscht, nicht der einzig mögliche ist.
Ob in jedem Betracht der Vorrang des Positiven in der Erinnerung gültig
ist, ob die Tendenz des Lebens, Negatives zu vergessen, in jedem Betracht
kritisch zu behandeln ist, wäre noch zu fragen. Das Wesen der Hoffnung
ist seit Aischylos' Prometheus eine so klare Auszeichnung der menschlichen
Erfahrung, daß man angesichts ihrer anthropologischen Bedeutung das
Prinzip, den teleologischen Maßstab der Erkenntnisleistung allein gelten
zu lassen, als einseitig ansehen muß. Ähnliches wird sich uns in bezug auf
die Bedeutung der Sprache nahelegen, die alle Erfahrung vorgängig leitet,
und so gewiß verbalistische Scheinprobleme aus der Herrschaft von Sprach-
konventionen herrühren können, so gewiß ist die Sprache doch zugleich
eine positive Bedingung und Leitung der Erfahrung selbst. Auch Husserl
hat übrigens, wie Bacon, mehr das Negative, als das Positive der sprachlichen Ausdruckssphäre beachtet.

Wir werden uns also bei der Analyse des Begriffs der Erfahrung nicht
von diesen Vorbildern leiten lassen, da wir uns auf den teleologischen
Aspekt, unter dem das Problem bisher vorwiegend gesehen worden ist,
nicht beschränken können. Damit soll nicht gesagt sein, daß dieser Aspekt
nicht ein wahres Moment an der Struktur der Erfahrung richtig erfaßt hat.
Daß Erfahrung gültig ist, solange sie nicht durch neue Erfahrung wider-

---

[1] a.a.O. I, 38 ff.

II, 3 *Analyse des wirkungsgeschichtlichen Bewußtseins*

legt wird (ubi non reperitur instantia contradictoria), charakterisiert offenbar das allgemeine Wesen von Erfahrung, ganz gleich, ob es sich um ihre wissenschaftliche Veranstaltung im modernen Sinne handelt oder um die Erfahrung des täglichen Lebens, wie sie von jeher gemacht wurde.

So entspricht diese Charakterisierung denn auch ganz der Analyse des Begriffs der Induktion, die *Aristoteles* im Anhang seiner zweiten Analytiken gegeben hat[1]. Aristoteles beschreibt dort (und ganz ähnlich im 1. Kapitel der Metaphysik), wie sich aus vielen einzelnen Wahrnehmungen durch das Behalten des vielen Einzelnen schließlich Erfahrung, die eine Einheit der Erfahrung, ergibt. Was ist das für eine Einheit? Offenbar ist es die Einheit eines Allgemeinen. Aber die Allgemeinheit der Erfahrung ist noch nicht die Allgemeinheit der Wissenschaft. Sie nimmt vielmehr eine bei Aristoteles auffallend unbestimmte Mittelstellung zwischen den vielen Einzelwahrnehmungen und der wahrhaften Allgemeinheit des Begriffs ein. Von der Allgemeinheit des Begriffs nehmen Wissenschaft und Technik ihren Ausgang. Aber was ist die Allgemeinheit der Erfahrung, und wie geht sie in die neue Allgemeinheit des Logos über? Wenn uns die Erfahrung zeigt, daß ein bestimmtes Heilmittel eine bestimmte Wirkung hat, so heißt das, daß aus einer Fülle von Beobachtungen etwas Gemeinsames herausgesehen worden ist, und es ist klar, daß erst von einer so gesicherten Beobachtung aus die eigentlich medizinische Frage, die Frage der Wissenschaft, möglich wird: die Frage nämlich nach dem Logos. Die Wissenschaft weiß, warum, aus welchem Grunde dieses Mittel heilende Wirkung hat. Die Erfahrung ist nicht die Wissenschaft selbst, sie ist aber eine notwendige Voraussetzung für dieselbe. Sie muß bereits gesichert sein, d. h. die einzelnen Beobachtungen müssen regelmäßig das gleiche zeigen. Dann erst, wenn diejenige Allgemeinheit bereits erreicht ist, um die es sich in der Erfahrung handelt, kann die Frage nach dem Grunde und damit die Fragestellung, die zur Wissenschaft führt, einsetzen. Wir fragen erneut: Was ist das für eine Allgemeinheit? Sie betrifft offenbar das ununterschiedene Gemeinsame vieler einzelner Beobachtungen. Auf dem Behalten derselben beruht die Möglichkeit einer gewissen Vorausschau.

Das Verhältnis von Erfahren, Behalten und der sich daraus ergebenden Einheit der Erfahrung bleibt dabei in auffallender Weise unklar. Offenbar stützt sich hier Aristoteles auf eine Gedankenfolge, die zu seiner Zeit schon eine gewisse klassische Prägung besaß. Wir können sie in ihrer ältesten Bezeugung für Anaxagoras nachweisen, von dem uns Plutarch überliefert hat, daß die Auszeichnung des Menschen gegenüber den Tieren durch Empeiria, Mneme, Sophia und Techne bestimmt sei[2]. Einen ähnlichen Zusammenhang finden wir bei der Hervorhebung der Mneme im Prometheus

---

[1] An. Post. B. 19 (99 b ff.).
[2] Plut. de fort. 3 p. 98 F = Diels, Vors. Anaxag. B 21 b.

des Aischylos [1], und wenn wir auch im platonischen Protagoras-Mythos die entsprechende Hervorhebung der Mneme vermissen, so zeigt doch Plato [2] ebenso wie Aristoteles, daß es sich hier bereits um eine feste Theorie handelt. Das Bleiben wichtiger Wahrnehmungen ($\mu o\nu\acute{\eta}$) ist offenbar das verbindende Motiv, durch das sich aus der Erfahrung des Einzelnen das Wissen des Allgemeinen zu erheben vermag. Alle Tiere, die in diesem Sinne Mneme besitzen, also Sinn für Vergangenes, für Zeit, haben, stehen darin dem Menschen nahe. Es bedürfte einer eigenen Untersuchung, wie weit in dieser frühen Theorie der Erfahrung, deren Spuren wir aufwiesen, auch der Zusammenhang zwischen Behalten (Mneme) und Sprache wirksam war. Daß das Erlernen der Namen und des Sprechens diesen Erwerb von allgemeinen Begriffen begleitet, liegt ja auf der Hand, und Themistius erläutert die aristotelische Analyse der Induktion ohne weiteres durch das Beispiel des Sprechenlernens und der Wortbildung. Jedenfalls ist festzuhalten, daß die Allgemeinheit der Erfahrung, von der Aristoteles spricht, nicht die Allgemeinheit des Begriffs und der Wissenschaft ist. (Der Problemkreis, in den wir mit dieser Theorie versetzt werden, dürfte der des sophistischen Bildungsgedankens sein, denn der Zusammenhang zwischen der Auszeichnung des Menschen, um die es hier geht, und der allgemeinen Einrichtung der Natur ist in allen unseren Zeugnissen zu spüren. Gerade dieses Motiv aber, Menschen und Tiere einander gegenüberzustellen, ist der natürliche Ausgangspunkt des sophistischen Bildungsideals gewesen.) Erfahrung ist immer nur in der einzelnen Beobachtung aktuell da. Sie wird nicht in vorgängiger Allgemeinheit gewußt. Darin liegt die grundsätzliche Offenheit der Erfahrung für neue Erfahrung – nicht nur in dem allgemeinen Sinne, daß Irrtümer zur Berichtigung kommen, sondern sie ist ihrem Wesen nach auf ständige Bestätigung angewiesen und wird daher notwendigerweise selbst eine andere, wenn die Bestätigung ausbleibt (ubi reperitur instantia contradictoria).

Aristoteles hat für die Logik dieses Verfahrens ein sehr schönes Bild. Er vergleicht die vielen Beobachtungen, die einer macht, mit einem fliehenden Heer. Auch sie sind flüchtig, das heißt, sie bleiben nicht stehen. Aber wenn in dieser allgemeinen Flucht doch einmal eine Beobachtung sich in wiederholter Erfahrung bestätigt, dann bleibt sie stehen. Damit setzt an diesem Punkt gleichsam ein erster Stillstand in der allgemeinen Flucht ein. Wenn sich ihm nun andere anreihen, so kommt am Ende das ganze Heer der Fliehenden zum Stehen und gehorcht wieder der Einheit des Kommandos. Die einheitliche Beherrschung des Ganzen versinnbildlicht hier, was Wissenschaft ist. Das Bild soll zeigen, wie es überhaupt zur Wissenschaft, d. h. zur allgemeinen Wahrheit, kommen kann, die doch von der Zufälligkeit der Beobachtungen nicht abhängen darf, sondern in wirk-

---

[1] Aisch. Prom. 461.   [2] Phaid. 96.

licher Allgemeinheit gelten soll. Wie soll sich das aus der Zufälligkeit von Beobachtungen ergeben können?

Das Bild ist uns wichtig, weil es das entscheidende Moment am Wesen der Erfahrung illustriert. Wie alle Bilder hinkt es, aber das Hinken eines Bildes ist nicht ein Mangel, sondern die Kehrseite der abstraktiven Leistung, die es vollbringt. Das aristotelische Bild von dem fliehenden Heer hinkt, sofern es eine schiefe Voraussetzung macht. Es geht ja davon aus, daß es vor dieser Flucht einen Stand gegeben hätte. Das gilt natürlich für das, was hier verbildlicht werden soll, das Zustandekommen des Wissens, nicht. Eben durch diesen Mangel wird aber deutlich, was allein durch dieses Bild illustriert werden soll: das Zustandekommen der Erfahrung als ein Geschehen, dessen niemand Herr ist, wofür auch nicht das Eigengewicht der einen oder anderen Beobachtung als solches bestimmend ist, sondern wo sich alles auf eine undurchschaubare Weise zusammenordnet. Das Bild hält die eigentümliche Offenheit fest, in der Erfahrung erworben wird, an diesem oder jenem, plötzlich, unvorhersehbar und doch nicht unvorbereitet, und von da an bis zu neuer Erfahrung gültig, d.h. nicht nur für dieses oder jenes, sondern für alles Derartige bestimmend. Es ist diese Allgemeinheit der Erfahrung, durch die nach Aristoteles die wahre Allgemeinheit des Begriffs und die Möglichkeit der Wissenschaft zustande kommt. Das Bild illustriert also, wie die prinzipienlose Allgemeinheit der Erfahrung (die Reihung derselben) doch zur Einheit der ἀρχή hinführt (ἀρχή = ,Kommando' und ,Prinzip').

Wenn man aber nun, wie Aristoteles, das Wesen der Erfahrung nur im Blick auf die Wissenschaft denkt, dann simplifiziert man den Vorgang, in dem sie zustande kommt. Das Bild beschreibt zwar gerade diesen Vorgang, aber es beschreibt ihn unter vereinfachenden Voraussetzungen, die so nicht gelten. Als ob sich die Typik der Erfahrung widerspruchslos von selbst ergäbe! Aristoteles setzt hier das Gemeinsame, das in der Flucht der Beobachtungen zum Bleiben kommt und sich als Allgemeines herausbildet, immer schon voraus; die Allgemeinheit des Begriffs ist für ihn ein ontologisches Prius. Was Aristoteles an der Erfahrung interessiert, ist lediglich ihr Beitrag zur Begriffsbildung.

Wird so Erfahrung auf ihr Resultat hin betrachtet, so wird damit der eigentliche Prozeß der Erfahrung übersprungen. Dieser Prozeß nämlich ist ein wesentlich negativer. Er ist nicht einfach als die bruchlose Herausbildung typischer Allgemeinheiten zu beschreiben. Diese Herausbildung geschieht vielmehr dadurch, daß ständig falsche Verallgemeinerungen durch die Erfahrung widerlegt, für typisch Gehaltenes gleichsam enttypisiert wird. Das prägt sich schon sprachlich darin aus, daß wir in einem doppelten Sinne von Erfahrung sprechen, einmal von den Erfahrungen, die sich unserer Erwartung einordnen und sie bestätigen, sodann aber von der Erfahrung, die man ,macht'. Diese, die eigentliche Erfahrung, ist

immer eine negative. Wenn wir an einem Gegenstand eine Erfahrung
machen, so heißt das, daß wir die Dinge bisher nicht richtig gesehen haben
und nun besser wissen, wie es damit steht. Die Negativität der Erfahrung
hat also einen eigentümlich produktiven Sinn. Sie ist nicht einfach eine
Täuschung, die durchschaut wird und insofern eine Berichtigung, sondern
ein weitgreifendes Wissen, das erworben wird. Es kann also nicht ein
beliebig aufgelesener Gegenstand sein, an dem man eine Erfahrung macht,
sondern er muß so sein, daß man an ihm ein besseres Wissen nicht nur
über ihn, sondern über das, was man vorher zu wissen meinte, also über
ein Allgemeines gewinnt. Die Negation, kraft deren sie das leistet, ist eine
bestimmte Negation. Wir nennen diese Art der Erfahrung *dialektisch.*

Für das dialektische Moment an der Erfahrung ist uns nun nicht mehr
Aristoteles, sondern *Hegel* ein wichtiger Zeuge. In ihm gewinnt das Moment der Geschichtlichkeit sein Recht. Er denkt die Erfahrung als den sich
vollbringenden Skeptizismus. Wir sahen ja, daß die Erfahrung, die einer
macht, sein ganzes Wissen verändert. Strenggenommen kann man dieselbe
Erfahrung nicht zweimal ‚machen‘. Zwar gehört zur Erfahrung, daß sie
sich immer wieder bestätigt. Erst durch die Wiederholung wird sie gleichsam erworben. Aber als die wiederholte und bestätigte Erfahrung wird sie
nicht mehr neu ‚gemacht‘. Wenn man eine Erfahrung gemacht hat, so
heißt das, man besitzt sie. Man sieht von nun an das ehedem Unerwartete
voraus. Das gleiche kann einem nicht noch einmal zu neuer Erfahrung
werden. Nur ein anderes Unerwartetes kann dem, der Erfahrung besitzt,
eine neue Erfahrung vermitteln. So hat sich das erfahrende Bewußtsein
umgekehrt – nämlich auf sich selbst zugekehrt. Der Erfahrende ist sich
seiner Erfahrung bewußt geworden – er ist ein Erfahrener: d.h. er hat
einen neuen Horizont gewonnen, innerhalb dessen ihm etwas zur Erfahrung werden kann.

Das ist der Punkt, an dem uns Hegel zu einem wichtigen Zeugen wird.
Er hat in seiner ‚Phänomenologie des Geistes‘ gezeigt, wie das Bewußtsein,
das seiner selbst gewiß werden will, seine Erfahrungen macht. Dem Bewußtsein ist sein Gegenstand das An-sich, aber was An-sich ist, kann immer
nur so gewußt werden, wie es sich für das erfahrende Bewußtsein darstellt.
So macht das erfahrende Bewußtsein eben diese Erfahrung: Das Ansich
des Gegenstandes ist ‚für uns‘ an-sich[1].

Hegel analysiert hier den Begriff der Erfahrung – eine Analyse, die die
besondere Aufmerksamkeit Heideggers auf sich gezogen hat, der dabei An-
ziehung und Abstoßung zugleich empfand[2]. Hegel sagt: »Die dialektische
Bewegung, welche das Bewußtsein an ihm selbst, sowohl an seinem Wissen
als an seinem Gegenstand ausübt, *insofern ihm der neue wahre Gegenstand*
daraus *entspringt,* ist eigentlich dasjenige, was *Erfahrung* genannt wird.«

---

[1] Hegel, Phänomenologie, Einleitung (ed. Hoffmeister S. 73).
[2] Heidegger, Hegels Begriff der Erfahrung (Holzwege S. 105–192).

Wir erinnern uns an das oben Festgestellte und fragen uns, was Hegel, der hier offenbar über das allgemeine Wesen der Erfahrung etwas aussagen will, meint. Heidegger hat mit Recht, wie mir scheint, darauf hingewiesen, daß Hegel hier nicht die Erfahrung dialektisch interpretiert, sondern umgekehrt, was dialektisch ist, aus dem Wesen der Erfahrung denkt[1]. Die Erfahrung hat nach Hegel die Struktur einer Umkehrung des Bewußtseins und deshalb ist sie eine dialektische Bewegung. Hegel tut zwar so, als wäre das, was sonst unter der Erfahrung verstanden zu werden pflegt, etwas anderes, sofern wir im allgemeinen »die Erfahrung von der Unwahrheit dieses ersten Begriffes an einem anderen Gegenstande machen« (und nicht so, daß sich der Gegenstand selbst ändert). Aber es ist nur scheinbar ein anderes. In Wahrheit durchschaut das philosophische Bewußtsein, was das erfahrende Bewußtsein eigentlich tut, wenn es vom einen zum anderen fortgeht: es kehrt sich um. Hegel behauptet also, das wahre Wesen der Erfahrung selber sei, sich so umzukehren.

In der Tat ist, wie wir sahen, Erfahrung zunächst immer Erfahrung der Nichtigkeit: es ist nicht so, wie wir annahmen. Angesichts der Erfahrung, die man an einem anderen Gegenstande macht, ändert sich beides, unser Wissen und sein Gegenstand. Man weiß es nun anders und besser, und d. h.: der Gegenstand selbst »hält nicht aus«. Der neue Gegenstand enthält die Wahrheit über den alten.

Was Hegel in dieser Weise als Erfahrung beschreibt, ist die Erfahrung, die das Bewußtsein mit sich selber macht. »Das Prinzip der Erfahrung enthält die unendlich wichtige Bestimmung, daß für das Annehmen und Für-Wahrhalten eines Inhalts der Mensch selbst *dabei* sein müsse, bestimmter, daß er solchen Inhalt mit der *Gewißheit seiner selbst* in Einigkeit und vereinigt finde«, schreibt Hegel in der Enzyklopädie[2]. Der Begriff der Erfahrung meint eben dies, daß sich solche Einigkeit mit sich selbst erst herstellt. Das ist die Umkehrung, die dem Bewußtsein geschieht, im Fremden, Anderen sich selbst zu erkennen. Ob der Weg der Erfahrung sich als ein Sichausbreiten in die Mannigfaltigkeit der Inhalte vollzieht oder als das Hervorgehen immer neuer Gestalten des Geistes, deren Notwendigkeit die philosophische Wissenschaft begreift, in jedem Falle handelt es sich um Umkehrung des Bewußtseins. Hegels dialektische Beschreibung der Erfahrung trifft etwas an der Sache.

Nach Hegel ist es freilich notwendig, daß der Weg der Erfahrung des Bewußtseins zu einem Sichwissen führt, das überhaupt kein Anderes, Fremdes mehr außer sich hat. Für ihn ist die Vollendung der Erfahrung die ,Wissenschaft', die Gewißheit seiner selbst im Wissen. Der Maßstab, unter dem er Erfahrung denkt, ist also der des Sichwissens. Daher muß die Dialektik der Erfahrung mit der Überwindung aller Erfahrung enden,

---

[1] Holzwege, S. 169.
[2] Enz. § 7.

die im absoluten Wissen, d. h. in der vollständigen Identität von Bewußtsein und Gegenstand erreicht ist. Wir werden von da aus begreifen können,
warum die Anwendung, die Hegel auf die Geschichte macht, indem er sie
im absoluten Selbstbewußtsein der Philosophie begriffen sieht, dem hermeneutischen Bewußtsein nicht gerecht wird. Das Wesen der Erfahrung
wird hier von vornherein von dem her gedacht, worin Erfahrung überschritten ist. Denn Erfahrung selber kann nie Wissenschaft sein. Sie steht
in einem unaufhebbaren Gegensatz zum Wissen und zu derjenigen Belehrung, die aus theoretischem oder technischem Allgemeinwissen fließt.
Die Wahrheit der Erfahrung enthält stets den Bezug auf neue Erfahrung.
Daher ist derjenige, den man erfahren nennt, nicht nur *durch* Erfahrungen
zu einem solchen geworden, sondern auch *für* Erfahrungen offen. Die Vollendung seiner Erfahrung, das vollendete Sein dessen, den wir erfahren
nennen, besteht nicht darin, daß einer schon alles kennt und alles schon
besser weiß. Vielmehr zeigt sich der Erfahrene im Gegenteil als der radikal
Undogmatische, der, weil er so viele Erfahrungen gemacht und aus Erfahrungen gelernt hat, gerade besonders befähigt ist, aufs neue Erfahrungen zu machen und aus Erfahrungen zu lernen. Die Dialektik der Erfahrung hat ihre eigene Vollendung nicht in einem abschließenden Wissen,
sondern in jener Offenheit für Erfahrung, die durch die Erfahrung selbst
freigespielt wird.

Damit aber enthält der Begriff der Erfahrung, um den es jetzt geht, ein
qualitativ neues Moment. Er meint nicht nur Erfahrung im Sinne der Belehrung, die sie über dieses oder jenes gewährt. Er meint Erfahrung im
ganzen. Das ist jene Erfahrung, die stets selber erworben sein muß und
niemandem erspart werden kann. Erfahrung ist hier etwas, was zum geschichtlichen Wesen des Menschen gehört. So sehr es ein begrenztes Ziel
erzieherischer Fürsorge sein mag, wie sie etwa die Eltern für ihre Kinder
haben, jemandem bestimmte Erfahrungen zu ersparen – was Erfahrung
im ganzen ist, ist nichts, was jemandem erspart werden kann. Erfahrung
in diesem Sinne setzt vielmehr notwendig mannigfache Enttäuschung von
Erwartungen voraus und nur dadurch wird Erfahrung erworben. Daß
Erfahrung vorzüglich die schmerzliche und unangenehme Erfahrung ist,
bedeutet nicht etwa eine besondere Schwarzfärberei, sondern läßt sich aus
ihrem Wesen unmittelbar einsehen. Nur durch negative Instanzen gelangt
man, wie schon Bacon gewußt hat, zu neuer Erfahrung. Jede Erfahrung,
die diesen Namen verdient, durchkreuzt eine Erwartung. So enthält das
geschichtliche Sein des Menschen als ein Wesensmoment eine grundsätzliche Negativität, die in dem wesenhaften Bezug von Erfahrung und Einsicht zutage tritt.

Einsicht ist mehr als die Erkenntnis dieser oder jener Sachlage. Sie enthält stets ein Zurückkommen von etwas, worin man verblendeterweise
befangen war. Insofern enthält Einsicht immer ein Moment der Selbst-

erkenntnis und stellt eine notwendige Seite dessen dar, was wir Erfahrung im eigentlichen Sinne nannten. Auch Einsicht ist etwas, wozu man kommt. Auch das ist am Ende eine Bestimmung des menschlichen Seins selbst, einsichtig und einsichtsvoll zu sein.

Wenn man für dieses dritte Moment am Wesen der Erfahrung, das wir herausheben, ebenfalls einen Zeugen zitieren will, so wird es am besten *Aischylos* sein. Er hat die Formel gefunden, oder besser in ihrer metaphysischen Bedeutung erkannt, die die innere Geschichtlichkeit der Erfahrung aussagt: Durch Leiden lernen (πάθει μάθος). Diese Formel meint nicht nur, daß wir durch Schaden klug werden und die richtigere Erkenntnis der Dinge erst durch Täuschung und Enttäuschung erwerben müssen. So verstanden dürfte die Formel so alt sein wie die menschliche Erfahrung selbst. Aber Aischylos meint mehr[1]. Er meint den Grund dafür, warum es so ist. Was der Mensch durch Leiden lernen soll, ist nicht dieses oder jenes, sondern ist die Einsicht in die Grenzen des Menschseins, die Einsicht in die Unaufhebbarkeit der Grenze zum Göttlichen hin. Es ist am Ende eine religiöse Erkenntnis – diejenige Erkenntnis, aus der die Geburt der griechischen Tragödie erfolgt ist.

Erfahrung ist also Erfahrung der menschlichen Endlichkeit. Erfahren im eigentlichen Sinne ist, wer ihrer inne ist, wer weiß, daß er der Zeit und der Zukunft nicht Herr ist. Der Erfahrene nämlich kennt die Grenze alles Voraussehens und die Unsicherheit aller Pläne. In ihm vollendet sich der Wahrheitswert der Erfahrung. Wenn schon in jeder Phase des Prozesses der Erfahrung charakteristisch war, daß der Erfahrende eine neue Offenheit für neue Erfahrungen erwarb, so gilt das erst recht für die Idee einer vollendeten Erfahrung. In ihr ist nicht die Erfahrung zu Ende und eine höhere Gestalt des Wissens erreicht (Hegel), sondern in ihr ist Erfahrung erst ganz und eigentlich da. In ihr ist aller Dogmatismus, wie er aus der überfliegenden Wunschbesessenheit des menschlichen Gemütes entspringt, an eine schlechthinnige Grenze gelangt. Die Erfahrung lehrt, Wirkliches anzuerkennen. Erkennen, was ist, ist so das eigentliche Ergebnis aller Erfahrung, wie alles Wissenwollens überhaupt. Aber was ist, ist hier

---

[1] H. Dörrie hat in einer kenntnisreichen Studie ‚Leid und Erfahrung‘ (Akademie der Wissenschaften und der Literatur in Mainz, 1956, Nr. 5) die Herkunft der Reimverbindung παθος μαθος aus dem Sprichwörtlichen untersucht. Er vermutet, daß der ursprüngliche Sinn des Sprichwortes sei, nur der Dumme habe den Schaden nötig, um klug zu werden, der Kluge sehe sich selber vor. Die aischyleische Wendung des Wortes ins Religiöse stelle einen späteren Aspekt dar. Das scheint wenig überzeugend, wenn man bedenkt, daß schon der Mythos, den Aischylos aufgreift, von der Kurzsichtigkeit des menschlichen Geschlechtes – und nicht von der einzelner Dummköpfe redet. Überdies ist die Begrenztheit unserer menschlichen Vorausschau eine so frühe und menschliche Erfahrung und ist so eng mit der allgemein menschlichen Leiderfahrung verknüpft, daß man schwer glauben kann, diese Einsicht habe in einem harmlosen Sprichwort unerkannt verborgen gelegen, bis Aischylos sie entdeckte.

nicht dieses oder jenes, sondern das, »was nicht mehr umzustoßen ist« (Ranke).

Die eigentliche Erfahrung ist diejenige, in der sich der Mensch seiner Endlichkeit bewußt wird. An ihr findet das Machenkönnen und das Selbstbewußtsein seiner planenden Vernunft seine Grenze. Es erweist sich als bloßer Schein, daß sich alles rückgängig machen läßt, daß immer für alles Zeit ist und alles irgendwie wiederkehrt. Der in der Geschichte Stehende und Handelnde macht vielmehr ständig die Erfahrung, daß nichts wiederkehrt. Anerkennen dessen, was ist, meint hier nicht: erkennen dessen, was einmal da ist, sondern Einsicht in die Grenzen, innerhalb deren Zukunft für Erwartung und Planung noch offen ist – oder noch grundsätzlicher: daß alle Erwartung und Planung endlicher Wesen eine endliche und begrenzte ist. Eigentliche Erfahrung ist somit Erfahrung der eigenen Geschichtlichkeit. Damit ist die Erörterung des Begriffs der Erfahrung zu einem Ergebnis gelangt, das für unsere Frage nach der Wesensart des wirkungsgeschichtlichen Bewußtseins aufschlußreich ist. Es muß als eine echte Erfahrungsform die allgemeine Struktur der Erfahrung spiegeln. So werden wir an der *hermeneutischen Erfahrung* die Momente aufzusuchen haben, die wir bei der obigen Analyse der Erfahrung unterschieden haben.

Die hermeneutische Erfahrung hat es mit der *Überlieferung* zu tun. Sie ist es, die zur Erfahrung kommen soll. Überlieferung ist aber nicht einfach ein Geschehen, das man durch Erfahrung erkennt und beherrschen lernt, sondern sie ist *Sprache*, d. h. sie spricht von sich aus so wie ein Du. Ein Du ist nicht Gegenstand, sondern verhält sich zu einem. Das ist nicht so mißzuverstehen, als würde in der Überlieferung das, was da zur Erfahrung kommt, als die Meinung eines anderen, der ein Du ist, verstanden. Wir halten vielmehr fest, daß Verstehen von Überlieferung den überlieferten Text nicht als die Lebensäußerung eines Du versteht, sondern als einen Sinngehalt, der von aller Bindung an die Meinenden, an Ich und Du, abgelöst ist. Gleichwohl muß das Verhalten zum Du und der Sinn von Erfahrung, der dort statthat, der Analyse der hermeneutischen Erfahrung dienen können. Denn ein echter Kommunikationspartner, mit dem wir ebenso zusammengehören wie das Ich mit dem Du, ist auch die Überlieferung.

Daß *die Erfahrung des Du* eine spezifische sein muß, sofern das Du kein Gegenstand ist, sondern sich selber zu einem verhält, ist klar. Insofern werden die von uns hervorgehobenen Strukturmomente von Erfahrung hier eine Abwandlung finden. Da hier der Gegenstand der Erfahrung selbst den Charakter der Person hat, ist solche Erfahrung ein moralisches Phänomen und das durch die Erfahrung erworbene Wissen, das Verstehen des anderen, ebenfalls. Wir verfolgen daher die Abwandlung, die die Struktur der Erfahrung annimmt, wenn sie Du-Erfahrung und wenn sie hermeneutische Erfahrung ist.

Nun gibt es eine Erfahrung des Du, die aus dem Verhalten des Mitmenschen Typisches heraussieht und auf Grund der Erfahrung Voraussicht des anderen gewinnt. Wir nennen das Menschenkenntnis. Wir verstehen den anderen, wie wir einen typischen Vorgang in unserem Erfahrungsfeld sonst verstehen, d. h. wir können mit ihm rechnen. Sein Verhalten dient uns genauso als Mittel zu unseren Zwecken wie alle Mittel sonst. Moralisch gesehen bedeutet solches Verhalten zum Du die reine Selbstbezüglichkeit und widerstreitet der moralischen Bestimmung des Menschen. Bekanntlich hat Kant den kategorischen Imperativ u. a. so ausgelegt, daß man den anderen nie nur als Mittel gebrauchen dürfe, sondern stets als Zweck an sich anerkennen solle.

Wenden wir die Form des Verhaltens zum Du und des Verstehens des Du, die die Menschenkenntnis darstellt, auf das hermeneutische Problem an, so entspricht dem dort der naive Glaube an die Methode und die durch sie erreichbare Objektivität. Wer die Überlieferung in dieser Weise versteht, der macht sie zum Gegenstand, d. h. aber, er tritt der Überlieferung frei und unbetroffen gegenüber, und indem er alle subjektiven Momente im Bezug zur Überlieferung methodisch ausschaltet, wird er dessen gewiß, was sie enthält. Wir sahen, daß er sich damit von dem Fortwirken der Tradition löst, in der er selber seine geschichtliche Wirklichkeit hat. Es ist die Methode der Sozialwissenschaften, wie sie dem Methodengedanken des 18. Jahrhunderts und seiner programmatischen Formulierung durch Hume entspricht, in Wahrheit ein der naturwissenschaftlichen Methodik nachgearbeitetes Klischee[1]. Von dem tatsächlichen Verfahren der Geisteswissenschaften wird dabei nur ein Teilaspekt und dieser in schematischer Reduktion erfaßt, sofern nur das Typische, Gesetzmäßige im menschlichen Verhalten erkannt wird. Das Wesen der hermeneutischen Erfahrung wird damit genau so abgeflacht, wie wir das bei der teleologischen Interpretation des Induktionsbegriffs seit Aristoteles kennengelernt haben.

Eine zweite Weise der Erfahrung des Du und des Verstehens des Du besteht darin, daß das Du als Person anerkannt wird, daß aber der Einbeziehung der Person in die Erfahrung des Du zum Trotz das Verstehen des Du eine Weise der Ichbezogenheit ist. Solche Selbstbezüglichkeit entspringt dem dialektischen Schein, den die Dialektik des Ich-Du-Verhältnisses mit sich führt. Das Ich-Du-Verhältnis ist ja kein unmittelbares, sondern ein Reflexionsverhältnis. Allem Anspruch entspricht ein Gegenanspruch. Darin entspringt die Möglichkeit, daß jeder der Partner des Verhältnisses den anderen reflektierend überspielt. Er beansprucht den Anspruch des anderen von sich aus zu kennen, ja sogar ihn besser zu verstehen, als er sich selbst versteht. Damit verliert das Du die Unmittelbarkeit, mit der es seinen Anspruch an einen richtet. Es wird verstanden, d. h. aber vom Standpunkt

---

[1] Vgl. unsere Bemerkungen hierüber in der Einleitung (S. 1 ff).

des anderen aus antizipiert und reflektierend abgefangen. Sofern dies ein wechselseitiges Verhältnis ist, macht es die Wirklichkeit des Ich-Du-Verhältnisses selbst mit aus. Die innere Geschichtlichkeit aller Lebensverhältnisse zwischen Menschen besteht darin, daß die gegenseitige Anerkennung ständig umkämpft ist. Sie kann sehr verschiedene Grade der Spannung annehmen, bis zur völligen Beherrschung des einen Ichs durch das andere Ich. Aber selbst die extremsten Formen von Herrschaft und Knechtschaft sind ein echtes dialektisches Verhältnis von der Struktur, die Hegel herausgearbeitet hat[1].

Die Erfahrung des Du, die hier erworben wird, ist sachlich angemessener als die Menschenkenntnis, die den anderen nur zu berechnen sucht. Es ist eine Illusion, im anderen ein schlechthin übersehbares und beherrschbares Werkzeug zu sehen. Selbst im Knecht ist noch Wille zur Macht, der sich gegen den Herrn kehrt, wie Nietzsche richtig gesagt hat[2]. Diese Dialektik der Gegenseitigkeit, die alle Ich-Du-Verhältnisse beherrscht, ist aber dem Bewußtsein des einzelnen notwendig verdeckt. Der Diener, der seinen Herrn durch Dienen tyrannisiert, glaubt durchaus nicht, sich selbst darin zu wollen. Ja, das eigene Selbstbewußtsein besteht geradezu darin, sich der Dialektik dieser Gegenseitigkeit zu entziehen, sich selber aus der Beziehung zum anderen herauszureflektieren und dadurch von ihm unerreichbar zu werden. Indem man den anderen versteht, ihn zu kennen beansprucht, nimmt man ihm jede Legitimation seiner eigenen Ansprüche. Insbesondere die Dialektik der Fürsorge macht sich auf diese Weise geltend, indem sie alle mitmenschlichen Verhältnisse als eine reflektierte Form des Herrschaftsstrebens durchdringt. Der Anspruch, den anderen vorgreifend zu verstehen, erfüllt die Funktion, sich den Anspruch des anderen in Wahrheit vom Leibe zu halten. Dergleichen ist etwa aus dem Erziehungsverhältnis, einer autoritativen Form der Fürsorge, wohl bekannt. Die Dialektik des Ich-Du-Verhältnisses gewinnt in solchen reflektierten Formen noch an Schärfe.

Im hermeneutischen Bereich entspricht nun solcher Erfahrung des Du, was man im allgemeinen *das historische Bewußtsein* nennt. Das historische Bewußtsein weiß um die Andersheit des Anderen, um die Vergangenheit in ihrer Andersheit so gut, wie das Verstehen des Du dasselbe als Person weiß. Es sucht im Anderen der Vergangenheit nicht den Fall einer allgemeinen Gesetzmäßigkeit, sondern ein historisch Einmaliges. Indem es sich im Anerkennen desselben über alle eigene Bedingtheit ganz zu erheben beansprucht, ist es jedoch in einem dialektischen Schein befangen, da es in Wahrheit der Vergangenheit gleichsam Herr zu werden sucht. Das braucht

---

[1] Vgl. die ausgezeichnete Analyse dieser Reflexionsdialektik von Ich und Du bei Karl Löwith, Das Individuum in der Rolle des Mitmenschen (1928) und meine Rezension Logos XVIII (1929).

[2] Also sprach Zarathustra II (Von der Selbstüberwindung).

nicht mit dem spekulativen Anspruch einer Philosophie der Weltgeschichte zu geschehen – es kann auch als ein Ideal der vollendeten Aufklärung dem Erfahrungsgange der historischen Wissenschaften voranleuchten, wie wir das etwa an Dilthey erkannten. Wir haben den dialektischen Schein, den das historische Bewußtsein erzeugt und der dem dialektischen Schein der im Wissen vollendeten Erfahrung entspricht, in unserer Analyse des hermeneutischen Bewußtseins insoweit aufgedeckt, als das Ideal der historischen Aufklärung etwas Unvollziehbares ist. Wer seiner Vorurteilslosigkeit gewiß zu sein meint, indem er sich auf die Objektivität seines Verfahrens stützt und seine eigene geschichtliche Bedingtheit verleugnet, der erfährt die Gewalt der Vorurteile, die ihn unkontrolliert beherrschen, als eine vis a tergo. Wer die ihn beherrschenden Urteile nicht wahrhaben will, wird das verkennen, was sich in ihrem Lichte zeigt. Es ist wie im Verhältnis zwischen Ich und Du. Wer sich aus der Wechselseitigkeit einer solchen Beziehung herausreflektiert, der verändert diese Beziehung und zerstört ihre sittliche Verbindlichkeit. *Genau so zerstört, wer sich aus dem Lebensverhältnis zur Überlieferung herausreflektiert, den wahren Sinn dieser Überlieferung.* Das historische Bewußtsein, das Überlieferung verstehen will, darf sich nicht auf die methodisch-kritische Arbeitsweise, mit der es an die Quellen herantritt, verlassen, als ob diese es davor bewahrte, seine eigenen Urteile und Vorurteile einzumengen. Es muß in Wahrheit die eigene Geschichtlichkeit mitdenken. In Überlieferungen stehen, so hatten wir formuliert, schränkt nicht die Freiheit des Erkennens ein, sondern macht sie möglich.

Diese Erkenntnis und Anerkennung nun ist es, die eine dritte, die höchste Weise hermeneutischer Erfahrung ausmacht: Die Offenheit für die Überlieferung, die *das wirkungsgeschichtliche Bewußtsein* besitzt. Auch sie hat eine echte Entsprechung zu der Erfahrung des Du. Im mitmenschlichen Verhalten kommt es darauf an, wie wir sahen, das Du als Du wirklich zu erfahren, d.h. seinen Anspruch nicht zu überhören und sich etwas von ihm sagen zu lassen. Dazu gehört Offenheit. Aber diese Offenheit ist am Ende nicht nur für den einen da, von dem man sich etwas sagen lassen will, vielmehr: wer sich überhaupt etwas sagen läßt, ist auf eine grundsätzliche Weise offen. Ohne eine solche Offenheit füreinander gibt es keine echte menschliche Bindung. Zueinandergehören heißt immer zugleich Auf-einander-Hörenkönnen. Wenn zwei einander verstehen, so heißt das ja nicht, daß einer den anderen ‚versteht‘, d.h. überschaut. Ebenso heißt ‚auf jemanden hören‘ nicht einfach, daß man blindlings tut, was der andere will. Wer so ist, den nennen wir hörig. Offenheit für den anderen schließt also die Anerkennung ein, daß ich in mir etwas gegen mich gelten lassen muß, auch wenn es keinen anderen gäbe, der es gegen mich geltend machte.

Hier liegt die Entsprechung der hermeneutischen Erfahrung. Ich muß die Überlieferung in ihrem Anspruch gelten lassen, nicht im Sinne einer bloßen Anerkennung der Andersheit der Vergangenheit, sondern in der

Weise, daß sie mir etwas zu sagen hat. Auch das verlangt eine grundsätzliche Art der Offenheit. Wer in dieser Weise für die Überlieferung offen ist, durchschaut, daß das historische Bewußtsein gar nicht wirklich offen ist, sondern vielmehr, wenn es seine Texte ‚historisch‘ liest, die Überlieferung immer schon vorgängig und grundsätzlich nivelliert hat, so daß die Maßstäbe des eigenen Wissens durch die Überlieferung niemals in Frage gestellt werden können. Ich erinnere an die naive Art der Vergleichung, in der sich das historische Verhalten zumeist bewegt. Das 25. Lyceumsfragment Friedrich Schlegels lautet: »Die beiden Hauptgrundsätze der sogenannten historischen Kritik sind das Postulat der Gemeinheit und das Axiom der Gewöhnlichkeit. Postulat der Gemeinheit: Alles recht Große, Gute und Schöne ist unwahrscheinlich, denn es ist außerordentlich und zum mindesten verdächtig. Axiom der Gewöhnlichkeit: Wie es bei uns steht und um uns ist, so muß es überall gewesen sein, denn das ist ja alles so natürlich.« – Im Gegensatz dazu erhebt sich das wirkungsgeschichtliche Bewußtsein über solche Naivität des Angleichens und Vergleichens, indem es sich die Überlieferung zur Erfahrung werden läßt und sich für den Wahrheitsanspruch, der in ihr begegnet, offen hält. Das hermeneutische Bewußtsein hat seine Vollendung nicht in seiner methodischen Selbstgewißheit, sondern in der gleichen Erfahrungsbereitschaft, die den Erfahrenen gegenüber dem dogmatisch Befangenen auszeichnet. Das ist es, was das wirkungsgeschichtliche Bewußtsein auszeichnet, wie wir nun vom Begriff der Erfahrung aus näher sagen können.

c) Der hermeneutische Vorrang der Frage

α) Das Vorbild der platonischen Dialektik

Damit ist uns der Gang der weiteren Untersuchung vorgezeichnet. Wir fragen nämlich nach der *logischen Struktur der Offenheit,* die das hermeneutische Bewußtsein kennzeichnet, und erinnern uns, welche Bedeutung bei der Analyse der hermeneutischen Situation dem Begriff der *Frage* zukam. Daß in aller Erfahrung die Struktur der Frage vorausgesetzt ist, liegt auf der Hand. Man macht keine Erfahrungen ohne die Aktivität des Fragens. Die Erkenntnis, daß die Sache anders ist und nicht so, wie man zuerst glaubte, setzt offenbar den Durchgang durch die Frage voraus, ob es so oder so ist. Die Offenheit, die im Wesen der Erfahrung liegt, ist logisch gesehen eben diese Offenheit des So oder So. Sie hat die Struktur der Frage. Und wie die dialektische Negativität der Erfahrung in der Idee einer vollendeten Erfahrung ihre Perfektion fand, in der wir unserer Endlichkeit und Begrenztheit im ganzen inne sind, so findet auch die logische Form der Frage und die ihr einwohnende Negativität ihre Vollendung in einer radikalen Negativität: dem Wissen des Nichtwissens. Es ist die berühmte sokratische ‚docta ignorantia‘, die in der äußersten Negativität der Aporie die wahre Überlegenheit des Fragens eröffnet. Wir werden uns in das *Wesen der Frage* vertiefen müssen, wenn wir die besondere Vollzugsweise der hermeneutischen Erfahrung klären wollen.

Im Wesen der Frage liegt, daß sie einen Sinn hat. Sinn aber ist Richtungssinn. Der Sinn der Frage ist mithin die Richtung, in der die Antwort allein erfolgen kann, wenn sie sinnvolle, sinngemäße Antwort sein will. Mit der Frage wird das Befragte in eine bestimmte Hinsicht gerückt. Das Aufkommen einer Frage bricht gleichsam das Sein des Befragten auf. Der Logos, der dieses aufgebrochene Sein entfaltet, ist insofern immer schon Antwort. Er hat selbst nur Sinn im Sinne der Frage.

Es gehört zu den größten Einsichten, die uns die platonische Sokratesdarstellung vermittelt, daß das Fragen – ganz im Gegensatz zu der allgemeinen Meinung – schwerer ist als das Antworten. Wenn die Partner des sokratischen Gesprächs, um Antworten auf die lästigen Fragen des Sokrates verlegen, den Spieß umdrehen wollen und ihrerseits die vermeintlich vorteilhafte Rolle des Fragers beanspruchen, dann scheitern sie damit erst recht[1]. Hinter diesem Komödienmotiv der platonischen Dialoge steckt die kritische Unterscheidung zwischen eigenlicher und uneigentlicher Rede. Wer im Reden nur das Rechtbehalten sucht und nicht die Einsicht in eine Sache, wird freilich das Fragen für leichter halten als das Antworten. Dabei droht ja nicht die Gefahr, einer Frage die Antwort schuldig zu bleiben. In Wahrheit zeigt sich aber am neuerlichen Versagen des Partners, daß der überhaupt nicht fragen kann, der alles besser zu wissen meint. Um fragen zu können, muß man wissen wollen, d.h. aber: wissen, daß man nicht weiß. In der komödienhaften Vertauschung von Fragen und Antworten, Wissen und Nichtwissen, die Plato uns schildert, kommt mithin die *Vorgängigkeit der Frage* für alles sacherschließende Erkennen und Reden zur Anerkennung. Ein Reden, das eine Sache aufschließen soll, bedarf des Aufbrechens der Sache durch die Frage.

Aus diesem Grunde ist die Vollzugsweise der Dialektik das Fragen und Antworten, oder besser, der Durchgang alles Wissens durch die Frage. Fragen heißt ins Offene stellen. Die Offenheit des Gefragten besteht in dem Nichtfestgelegtsein der Antwort. Das Gefragte muß für den feststellenden und entscheidenden Spruch noch in der Schwebe sein. Das macht den Sinn des Fragens aus, das Gefragte so in seiner Fraglichkeit offenzulegen. Es muß in die Schwebe gebracht werden, so daß dem Pro das Contra das Gleichgewicht hält. Jede Frage vollendet erst ihren Sinn im Durchgang durch solche Schwebe, in der sie eine offene Frage wird. Jede echte Frage verlangt diese Offenheit. Fehlt ihr dieselbe, so ist sie im Grunde eine Scheinfrage, die keinen echten Fragesinn hat. Wir kennen derartiges etwa in der pädagogischen Frage, deren eigentümliche Schwierigkeit und

---

[1] Vgl. etwa den Kampf um die Redeform Prot. 335 ff.

Paradoxie darin besteht, daß sie eine Frage ohne einen eigentlich Fragenden ist. Oder in der rhetorischen Frage, die nicht nur ohne wirklich
Fragenden, sondern auch ohne wirklich Gefragten ist.

Nun ist die Offenheit der Frage keine uferlose. Sie schließt vielmehr die
bestimmte Umgrenzung durch den Fragehorizont ein. Eine Frage, die
desselben ermangelt, geht ins Leere. Sie wird erst zu einer Frage, wenn die
fließende Unbestimmtheit der Richtung, in die sie weist, ins Bestimmte
eines ‚So oder So‘ gestellt wird: mit anderen Worten, die Frage muß *gestellt*
werden. Fragestellung setzt Offenheit voraus, aber zugleich eine Begrenzung. Sie impliziert die ausdrückliche Fixierung der Voraussetzungen, die
feststehen und von denen aus sich das Fragliche, das, was noch offen ist,
zeigt. Auch eine Fragestellung kann daher richtig oder falsch sein, je nachdem, ob sie in den Bereich des wahrhaft Offenen hineinreicht oder nicht.
Falsch nennen wir eine Fragestellung, die das Offene nicht erreicht, sondern dasselbe durch Festhalten falscher Voraussetzungen verstellt. Als
Frage täuscht sie Offenheit und Entscheidbarkeit vor. Wo aber das Fragliche
nicht – oder nicht richtig – abgehoben ist gegen die Voraussetzungen, die
wirklich feststehen, dort ist es nicht wahrhaft ins Offene gebracht und dort
kann daher auch nichts entschieden werden.

Das wird vollends deutlich an derjenigen falschen Fragestellung, bei der
wir von einer schiefen Frage sprechen und die wir vor allem im praktischen
Leben kennen. Auch auf eine schiefe Frage kann es keine Antwort geben,
weil sie nur scheinbar und nicht wirklich durch die offene Schwebe führt,
in der Entscheidung fällt. Wir nennen sie nicht falsch, sondern schief, weil
immerhin eine Frage dahinter steckt, d.h. ein Offenes gemeint wird – das
aber nicht in der Richtung liegt, die die gestellte Frage eingeschlagen hat.
Schief heißt ja das aus der Richtung Gekommene. Das Schiefe einer Frage
besteht darin, daß die Frage keinen wirklichen Richtungssinn einhält
und daher keine Antwort ermöglicht. Ähnlich sagen wir von Behauptun-
gen, die nicht ganz falsch, aber auch nicht richtig sind, daß sie schief sind.
Auch das bestimmt sich von ihrem Sinn her, d.h. von dem Bezug zur
Frage: Man kann sie nicht falsch nennen, weil man etwas Wahres in ihnen
spürt, aber man kann sie auch nicht richtig nennen, weil sie keiner sinn-
vollen Frage entsprechen und daher keinen richtigen Sinn haben, wenn
sie nicht zurechtgerückt werden. Sinn ist eben stets Richtungssinn einer
möglichen Frage. Der Sinn dessen, was richtig ist, muß der von einer Frage
gebahnten Richtung entsprechen.

Sofern die Frage ins Offene stellt, umfaßt sie immer beides, sowohl das
im Ja wie das im Nein Geurteilte. Darauf beruht die Wesensbeziehung
zwischen Fragen und Wissen. Denn es macht das Wesen des Wissens aus,
etwas nicht nur richtig zu beurteilen, sondern ineins damit und aus dem
gleichen Grunde das Unrichtige auszuschließen. Die Entscheidung der
Frage ist der Weg zum Wissen. Wodurch eine Frage entschieden wird, ist das

Überwiegen der Gründe für die eine und gegen die andere Möglichkeit; aber die volle Erkenntnis ist das noch nicht. Erst durch die Auflösung der Gegeninstanzen, erst wenn die Gegenargumente in ihrer Unrichtigkeit durchschaut sind, ist die Sache selbst gewußt.

Wir kennen das insbesondere aus der mittelalterlichen Dialektik, die nicht nur das Pro und das Contra aufführt und dann ihre eigene Entscheidung, sondern das Ganze der Argumente am Ende an seinen Platz stellt. Diese Form der mittelalterlichen Dialektik ist nicht einfach eine Folge des Lehrsystems der Disputation, sondern dieses beruht umgekehrt auf dem inneren Zusammenhang von Wissenschaft und Dialektik, d.h. von Antwort und Frage. Es gibt eine berühmte Stelle der aristotelischen Metaphysik[1], die viel Anstoß erregt hat und sich von diesem Sachzusammenhang aus erklärt. Aristoteles sagt dort, die Dialektik sei das Vermögen, auch abgelöst vom Was das Gegensätzliche zu untersuchen und [zu untersuchen], ob auf Gegensätzliches ein und dieselbe Wissenschaft gehen könne. Hier scheint eine allgemeine Charakteristik der Dialektik (die ganz dem entspricht, was wir etwa in Platos ‚Parmenides‘ finden) mit einem höchst speziellen ‚logischen‘ Problema verknüpft, das wir aus der Topik kennen[2]. Ob auf Entgegengesetztes die gleiche Wissenschaft gehen könne, scheint wirklich eine sehr spezielle Frage. Man hat dieselbe daher als Glosse beseitigen wollen[3]. In Wahrheit wird der Zusammenhang der beiden Fragen sofort verständlich, wenn wir den Vorrang der Frage vor der Antwort festhalten, der dem Begriff des Wissens zugrunde liegt. Wissen heißt eben immer: auf das Entgegengesetzte zugleich gehen. Darin besteht seine Überlegenheit gegenüber der Eingenommenheit durch die Meinung, daß es Möglichkeiten als Möglichkeiten zu denken versteht. Wissen ist dialektisch von Grund aus. Wissen kann nur haben, wer Fragen hat, Fragen aber umfassen in sich das Gegensätzliche des Ja und Nein, des So und Anders. Nur weil Wissen in diesem umfassenden Sinne dialektisch ist, kann es eine ‚Dialektik‘ geben, die das Gegensätzliche des Ja und Nein ausdrücklich zu ihrem Gegenstande macht. Die scheinbar allzu spezielle Frage, ob von Entgegengesetztem die gleiche Wissenschaft möglich sei, enthält also der Sache nach den Grund der Möglichkeit der Dialektik überhaupt.

Auch die aristotelische Lehre vom Beweis und vom Schluß – der Sache nach die Degradierung der Dialektik zu einem untergeordneten Moment der Erkenntnis – läßt noch den gleichen Vorrang der Frage erkennen, wie insbesondere die glänzenden Feststellungen Ernst Kapps zur Entstehung der aristotelischen Syllogistik gezeigt haben[4]. In dem Vorrang, den die Frage für das Wesen des Wissens hat, zeigt sich wohl auf die ursprünglichste Weise jene Grenze des Methodengedankens für das Wissen, von der unsere

---

[1] M 4, 1078 b 25 ff. [2] 105 b 23.
[3] H. Maier, Syllogistik des Aristoteles II, 2, 168.
[4] Vgl. vor allem den Artikel ‚Syllogistik‘ in der RE.

Überlegungen im ganzen ausgegangen sind. Eine Methode, fragen zu lernen, das Fragwürdige sehen zu lernen, gibt es nicht. Vielmehr lehrt uns das Beispiel des Sokrates, daß es dafür auf das Wissen des Nichtwissens ankommt. Die sokratische Dialektik, die zu diesem Wissen durch ihre Verwirrungskunst führt, schafft damit die Voraussetzung für das Fragen. Alles Fragen und Wissenwollen setzt ein Wissen des Nichtwissens voraus – und dies so, daß es ein bestimmtes Nichtwissen ist, das zu einer bestimmten Frage führt.

Plato zeigt uns in seinen unvergeßlichen Darstellungen, worin die Schwierigkeit besteht zu wissen, was man nicht weiß. Es ist die Macht der Meinung, gegen die das Eingeständnis des Nichtwissens so schwer erreichbar ist. Meinung ist das, was das Fragen niederhält. Ihr wohnt eine eigentümliche Tendenz zur Verbreitung ein. Sie möchte stets die allgemeine Meinung sein, wie ja auch das Wort, das die Griechen für Meinung haben, Doxa, zugleich den Beschluß bedeutet, zu dem sich die Allgemeinheit in der Ratsversammlung erhebt. Wie kann es überhaupt zum Nichtwissen und zum Fragen kommen?

Zunächst halten wir fest, daß es dazu nur so kommen kann, wie einem ein Einfall kommt. Gewiß reden wir von Einfällen nicht so sehr im Hinblick auf Fragen als auf Antworten, etwa auf die Lösung von Rätseln, und wir wollen damit festhalten, daß kein methodischer Weg zu dem Gedanken führt, der die Lösung ist. Aber wir wissen zugleich, daß Einfälle doch nicht ganz unvorbereitet kommen. Sie setzen bereits eine Richtung auf einen Bereich des Offenen voraus, aus dem der Einfall kommen kann, d. h. aber, sie setzen Fragen voraus. Das eigentliche Wesen des Einfalls ist vielleicht weniger, daß einem wie auf ein Rätsel die Lösung einfällt, sondern daß einem die Frage einfällt, die ins Offene vorstößt und dadurch Antwort möglich macht. Jeder Einfall hat die Struktur der Frage. Der Einfall der Frage aber ist bereits der Einbruch in die geebnete Breite der verbreiteten Meinung. Auch von der Frage sagen wir daher, daß sie einem kommt, daß sie sich erhebt oder sich stellt – viel eher als daß wir sie erheben oder stellen.

Wir sahen schon, daß die Negativität der Erfahrung logisch gesehen die Frage impliziert. In der Tat ist es der Anstoß, den dasjenige darstellt, das sich der Vormeinung nicht einfügt, durch den wir Erfahrungen machen. Auch das Fragen ist daher mehr ein Erleiden als ein Tun. Die Frage drängt sich auf, es läßt sich ihr nicht länger ausweichen und bei der gewohnten Meinung verharren.

Diesen Feststellungen scheint freilich zu widersprechen, daß in der sokratisch-platonischen Dialektik die Kunst des Fragens zu bewußter Handhabung erhoben ist. Indessen ist es mit dieser Kunst eine eigene Sache. Wir sahen, daß sie dem vorbehalten ist, der wissen will, der also schon Fragen hat. Die Kunst des Fragens ist nicht die Kunst, sich des Zwangs der Meinungen zu erwehren – sie setzt diese Freiheit schon voraus. Sie ist überhaupt nicht in dem Sinne eine Kunst, in dem die Griechen von Techne reden, kein lehrbares Können, durch das man der Erkenntnis der Wahrheit mächtig wird. Der sog. erkenntnistheoretische Exkurs des 7. Briefes ist vielmehr genau darauf gerichtet, diese sonderbare Kunst der Dialektik in ihrer Einzigartigkeit gegen all das abzuheben, was lehrbar und lernbar ist. Die Kunst der Dialektik ist nicht die Kunst, siegreich gegen jeden zu argumentieren. Es ist im Gegenteil möglich, daß der, der die Kunst der Dialektik, d. h. die Kunst des Fragens und des Suchens der Wahrheit, ausübt, in den Augen der Zuhörer im Argumentieren den kürzeren zieht. Die Dialektik als die Kunst des Fragens bewährt sich nur darin, daß der, der zu fragen weiß, sein Fragen, und das heißt: die Richtung ins Offene, festzuhalten vermag. Die Kunst des Fragens ist die Kunst des Weiterfragens, d. h. aber sie ist die Kunst des Denkens. Sie heißt Dialektik, denn sie ist die Kunst, ein wirkliches Gespräch zu führen.

Ein Gespräch führen verlangt ja zunächst, daß die Partner des Gesprächs nicht aneinander vorbeireden. Es hat daher die notwendige Struktur von Frage und Antwort. Die erste Bedingung für die Kunst des Gesprächs ist, sich jeweils des Mitgehens des Partners zu versichern. Wir kennen das nur zu gut aus der beständigen Jasagerei der Gesprächspartner des platonischen Dialogs. Die positive Kehrseite dieser Monotonie ist die innere Folgerichtigkeit, mit der die Entwicklung der Sache im Gespräch vorwärts geht. Ein Gespräch führen heißt, sich unter die Führung der Sache stellen, auf die die Gesprächspartner gerichtet sind. Ein Gespräch führen verlangt, den anderen nicht niederzuargumentieren, sondern im Gegenteil das sachliche Gewicht der anderen Meinung wirklich zu erwägen. Sie ist daher eine Kunst des Erprobens[1]. Die Kunst des Erprobens ist aber die Kunst des Fragens. Denn wir sahen: Fragen heißt Offenlegen und ins Offene stellen. Gegen die Festigkeit der Meinungen bringt das Fragen die Sache mit ihren Möglichkeiten in die Schwebe. Wer die ‚Kunst' des Fragens besitzt, ist einer, der sich gegen das Niedergehaltenwerden des Fragens durch die herrschende Meinung zu wehren weiß. Wer diese Kunst besitzt, wird selber nach allem suchen, was für eine Meinung spricht. Dialektik besteht darin, daß man das Gesagte nicht in seiner Schwäche zu treffen versucht, sondern es erst selbst zu seiner wahren Stärke bringt. Nicht jene Kunst des Argumentierens und Redens ist also damit gemeint, die auch eine schwache Sache zur starken zu machen vermag, sondern die Kunst des Denkens, die Gesagtes von der Sache her stärker zu machen weiß.

Solcher Kunst des Stärkermachens verdankt der platonische Dialog seine einzigartige Aktualität. Denn in solchem Stärkermachen verwandelt sich

---

[1] Arist. 1004 b25: ἔστι δὲ ἡ διαλεκτικὴ πειραστική. Darin klingt die Wendung zum Geführtwerden, die erst im eigentlichen Sinne Dialektik heißt, schon an, sofern das Erproben und Versuchen einer Meinung ihr die Chance bietet, die Oberhand zu gewinnen und damit die eigene Vormeinung aufs Spiel setzt.

das Gesagte ständig in die äußersten Möglichkeiten seines Rechtes und seiner Wahrheit und übertrifft alle Gegenrede, die seine Sinngeltung eingrenzen möchte. Auch gibt es da offenbar kein bloßes Dahingestelltseinlassen. Denn wer erkennen will, darf es nicht bei bloßen Meinungen bewenden lassen, d.h. er darf sich nicht von den Meinungen distanzieren, die in Frage stehen[1]. Immer ist es der Redende selbst, der zur Rede gestellt wird, bis die Wahrheit dessen, wovon die Rede ist, schließlich heraustritt. Die maieutische Produktivität des sokratischen Dialogs, seine Hebammenkunst des Wortes, wendet sich wohl an die menschlichen Personen, die die Partner des Gespräches sind, aber sie hält sich lediglich an die Meinungen, die sie äußern und deren immanente sachliche Konsequenz im Gespräch entfaltet wird. Was in seiner Wahrheit heraustritt, ist der Logos, der weder meiner noch deiner ist und der daher das subjektive Meinen der Gesprächspartner so weit übertrifft, daß auch der Gesprächsführer stets der Nichtwissende bleibt. Dialektik als die Kunst, ein Gespräch zu führen, ist zugleich die Kunst, in der Einheit einer Hinsicht zusammenzuschauen ($\sigma\nu\nu o\varrho\tilde{\alpha}\nu$ $\varepsilon\dot{\iota}\varsigma$ $\dot{\varepsilon}\nu$ $\varepsilon\tilde{\iota}\delta o\varsigma$), d.h. sie ist die Kunst der Begriffsbildung als Herausarbeitung des gemeinsam Gemeinten. Das eben charakterisiert das Gespräch – gegenüber der erstarrten Form der zur schriftlichen Fixierung drängenden Aussage –, daß hier die Sprache in Frage und Antwort, im Geben und Nehmen, im Aneinandervorbeireden und Miteinanderübereinkommen jene Sinnkommunikation vollzieht, deren kunstvolle Erarbeitung gegenüber literarischer Überlieferung die Aufgabe der Hermeneutik ist. Es ist daher mehr als eine Metapher – es ist eine Erinnerung an das Ursprüngliche, wenn sich die hermeneutische Aufgabe als ein In-das-Gesprächkommen mit dem Text begreift. Daß die Auslegung, die das leistet, sich sprachlich vollzieht, bedeutet nicht eine Versetzung in ein fremdes Medium, sondern im Gegenteil die Wiederherstellung ursprünglicher Sinnkommunikation. Das in literarischer Form Überlieferte wird damit aus der Entfremdung, in der es sich befindet, in die lebendige Gegenwart des Gespräches zurückgeholt, dessen ursprünglicher Vollzug stets Frage und Antwort ist.

So können wir uns auf Plato berufen, wenn wir auch für das hermeneutische Phänomen den Bezug auf die Frage in den Vordergrund stellen. Wir können das um so mehr, als sich bei Plato selber das hermeneutische Phänomen in einer bestimmten Weise bereits zeigt. Seine Kritik der Schriftlichkeit sollte einmal auch unter dem Gesichtspunkt gewürdigt werden, daß sich darin ein Literaturwerden der dichterischen und philosophischen Überlieferung in Athen anzeigt. Wir sehen in Platos Dialogen, wie die im sophistischen Redegebrauch gepflogene ‚Interpretation' von Texten, insbesondere die von Dichtung zu lehrhaften Zwecken, Platos Abwehr heraus-

---

[1] Vgl. oben S. 278; 320 f.

forderte. Wir sehen des weiteren, wie Plato die Schwäche der Logoi, und insbesondere die der geschriebenen, durch seine eigene Dialogdichtung zu überwinden sucht. Die literarische Form des Dialogs stellt Sprache und Begriff in die ursprüngliche Bewegung des Gesprächs zurück. Das Wort wird dadurch gegen allen dogmatischen Mißbrauch geschützt.

Die Ursprünglichkeit des Gesprächs zeigt sich auch in abgeleiteten Formen, in denen die Entsprechung von Frage und Antwort verhüllt ist. So ist etwa die Korrespondenz ein interessantes Übergangsphänomen: eine Art schriftlichen Gesprächs, das die Bewegung des Aneinander-Vorbeiredens und Miteinander-Übereinkommens gleichsam zerdehnt. Die Kunst der Korrespondenz besteht darin, die schriftliche Aussage nicht zur Abhandlung werden zu lassen, sondern auf die Entgegennahme durch den Korrespondenten abzustellen. Sie besteht aber auch umgekehrt darin, das Maß von Endgültigkeit, das alles schriftlich Gesagte besitzt, richtig einzuhalten und zu erfüllen. Der zeitliche Abstand, der die Absendung eines Briefes vom Empfang der Antwort trennt, ist eben kein äußerliches Faktum allein und prägt die Kommunikationsform der Korrespondenz in ihrem eigenen Wesen als eine besondere Form der Schriftlichkeit. So ist es bezeichnend, daß die Verkürzung der Postzeiten durchaus nicht zu einer Intensivierung dieser Kommunikationsform geführt hat, sondern im Gegenteil zum Verfall der Kunst des Briefschreibens.

Die Ursprünglichkeit des Gesprächs als des Bezugs von Frage und Antwort zeigt sich aber selbst noch in einem so extremen Fall, wie ihn die Hegelsche Dialektik als philosophische Methode darstellt. Die Totalität der Gedankenbestimmung zu entfalten, wie es das Anliegen von Hegels Logik war, ist gleichsam der Versuch, im großen Monolog der neuzeitlichen ,Methode' das Sinnkontinuum zu umgreifen, dessen je partikulare Realisierung das Gespräch der Sprechenden leistet. Wenn Hegel sich die Aufgabe stellt, die abstrakten Gedankenbestimmungen zu verflüssigen und zu begeisten, so heißt das, die Logik in die Vollzugsform der Sprache, den Begriff in die Sinnkraft des Wortes, das fragt und antwortet, zurückzuschmelzen — eine noch im Mißlingen großartige Erinnerung an das, was Dialektik eigentlich war und ist. Hegels Dialektik ist ein Monolog des Denkens, der vorgängig leisten möchte, was in jedem echten Gespräch nach und nach reift.

β) Die Logik von Frage und Antwort

Wir kehren also zu der Feststellung zurück, daß auch das hermeneutische Phänomen die Ursprünglichkeit des Gesprächs und die Struktur von Frage und Antwort in sich schließt. Daß ein überlieferter Text Gegenstand der Auslegung wird, heißt bereits, daß er eine Frage an den Interpreten stellt. Auslegung enthält insofern stets den Wesensbezug auf die Frage, die einem gestellt ist. Einen Text verstehen, heißt diese Frage verstehen. Das aber geschieht, wie wir zeigten, dadurch, daß man den hermeneutischen Horizont gewinnt. Diesen erkennen wir jetzt als den *Fragehorizont,* innerhalb dessen sich die Sinnrichtung des Textes bestimmt.

Wer verstehen will, muß also fragend hinter das Gesagte zurückgehen. Er muß es als Antwort von einer Frage her verstehen, auf die es Antwort ist. So hinter das Gesagte *zurück*gegangen, hat man aber notwendig über das Gesagte *hinaus*gefragt. Man versteht den Text ja nur in seinem Sinn, indem man den Fragehorizont gewinnt, der als solcher notwendigerweise auch andere mögliche Antworten umfaßt. Insofern ist der Sinn eines Satzes relativ auf die Frage, für die er eine Antwort ist, d.h. aber, er geht notwendig über das in ihm selbst Gesagte hinaus. Die Logik der Geisteswissenschaften ist, wie sich aus dieser Überlegung zeigt, eine Logik der Frage.

Trotz Plato sind wir für eine solche sehr wenig vorbereitet. Fast der einzige, an den ich hier anknüpfen kann, ist R.G.Collingwood. Er hat in einer geistreichen und treffenden Kritik der ‚realistischen‘ Oxfordschule den Gedanken einer ‚Logic of question and answer‘ entwickelt, ist aber zu einer systematischen Ausführung leider nicht gekommen [1]. Er hat mit Scharfsinn erkannt, was der naiven Hermeneutik fehlt, die der üblichen philosophischen Kritik zugrunde liegt. Insbesondere das Verfahren, das Collingwood im englischen Universitätssystem vorfand, die Diskussion von ‚statements‘, vielleicht eine gute Übung des Scharfsinnes, verkennt offenbar die in allem Verstehen gelegene Geschichtlichkeit. Collingwood argumentiert so: In Wahrheit kann man einen Text nur verstehen, wenn man die Frage verstanden hat, auf die er eine Antwort ist. Da man diese Frage aber nur aus dem Text gewinnen kann, mithin die Angemessenheit der Antwort die methodische Voraussetzung für die Rekonstruktion der Frage darstellt, ist die Kritik an dieser Antwort, die man von irgendwo her führt, die reine Spiegelfechterei. Es ist wie bei dem Verstehen von Kunstwerken. Auch ein Kunstwerk wird nur verstanden, indem man seine Adäquation voraussetzt. Auch hier muß die Frage erst gewonnen werden, auf die es antwortet, wenn man es – als Antwort – verstehen will. In der Tat handelt es sich dabei um ein Axiom aller Hermeneutik, das wir oben als den ‚Vorgriff der Vollkommenheit‘ behandelt haben [2].

Nun liegt für Collingwood hier der Nerv aller historischen Erkenntnis. Die historische Methode verlangt, daß man die Logik von Frage und Antwort auf die geschichtliche Überlieferung anwendet. Man wird die ge-

---

[1] Vgl. Collingwoods Autobiographie, die auf meine Anregung hin unter dem Titel ‚Denken‘ in deutscher Übersetzung erschienen ist, S. 30ff., und die ungedruckte Heidelberger Dissertation von Joachim Finkeldei, Grund und Wesen des Fragens, 1954. Eine ähnliche Stellung nimmt schon Croce (der Collingwood beeinflußt hat) ein, der in seiner ‚Logik‘ (deutsche Ausgabe S. 135ff.) jede Definition als Antwort auf eine Frage und daher ‚historisch‘ versteht.

[2] Oben S. 277f. und meine Guardinikritik, Phil. Rundschau 2, S. 82–92, wo es heißt: »Alle Kritik an Dichtung ist immer Selbstkritik der Interpretation«.

schichtlichen Ereignisse nur verstehen, wenn man die Frage rekonstruiert, auf die das geschichtliche Handeln der Personen jeweils die Antwort war. Collingwood gibt das Beispiel der Schlacht von Trafalgar und des ihr zugrunde liegenden Nelsonschen Planes. Das Beispiel will zeigen, daß der Verlauf der Schlacht eben deshalb den wirklichen Plan Nelsons verständlich mache, weil dieser zur erfolgreichen Ausführung gekommen sei. Der Plan seines Gegners dagegen sei aus dem umgekehrten Grunde, weil er nämlich gescheitert sei, aus den Ereignissen nicht mehr rekonstruierbar. Das Verstehen des Verlaufs der Schlacht und das Verstehen des Plans, den Nelson damit zur Ausführung brachte, sind danach ein und derselbe Vorgang[1].

In Wahrheit kann man sich nicht verbergen, daß die Logik von Frage und Antwort in solchem Falle zwei verschiedene Fragen zu rekonstruieren hat, die auch zwei verschiedene Antworten finden: Die Frage nach dem Sinn im Verlauf eines großen Ereignisses und die Frage nach der Planmäßigkeit dieses Verlaufs. Offenbar fallen die beiden Fragen nur dann zusammen, wenn ein menschliches Planen dem Verlauf der Ereignisse wirklich gewachsen war. Das ist aber eine Voraussetzung, die wir als Menschen, die in der Geschichte stehen, und gegenüber einer geschichtlichen Überlieferung, in der von eben solchen Menschen die Rede ist, nicht als methodischen Grundsatz behaupten können. Tolstois berühmte Schilderung des Kriegsrates vor der Schlacht, in dem mit Scharfsinn und Gründlichkeit alle strategischen Möglichkeiten berechnet und alle Pläne beraten werden, während der Feldherr selber dabeisitzt und schläft, dafür aber in der Nacht vor dem Schlachtbeginn bei den Posten draußen die Runde macht, trifft die Sache, die wir Geschichte nennen, offenbar besser. Kutusow kommt der eigentlichen Wirklichkeit und den sie bestimmenden Kräften näher als die Strategen des Kriegsrats. Man muß aus diesem Beispiel den prinzipiellen Schluß ziehen, daß der Deuter der Geschichte immer in der Gefahr ist, den Zusammenhang, in dem er einen Sinn erkennt, als den von wirklich handelnden und planenden Menschen gemeinten zu hypostasieren[2].

Das ist lediglich unter den Voraussetzungen Hegels legitim, sofern die Philosophie der Geschichte in die Pläne des Weltgeistes eingeweiht ist und von diesem eingeweihten Wissen aus gewisse einzelne als weltgeschichtliche Individuen auszeichnen kann, bei denen eine wirkliche Übereinstimmung zwischen ihren partikularen Gedanken und dem weltgeschichtlichen Sinn der Ereignisse bestünde. Einen hermeneutischen Grundsatz für die Erkenntnis der Geschichte kann man aus diesen durch Übereinstimmung des Subjektiven und Objektiven in der Geschichte ausgezeichneten Fällen aber nicht ableiten. Gegenüber der geschichtlichen Überlie-

---

[1] Collingwood, Denken, S. 70.

[2] Treffende Bemerkungen darüber bei Erich Seeberg: Zum Problem der pneumatischen Exegese, Sellin-Festschrift 127 ff.

ferung hat Hegels Lehre offenbar nur eine partikulare Wahrheit. Das
unendliche Geflecht von Motivationen, das die Geschichte ausmacht, gewinnt nur gelegentlich und auf kurze Strecke die Helligkeit des Plan-
mäßigen in einem einzelnen Individuum. Was Hegel als einen ausgezeichneten Fall beschreibt, ruht also auf dem allgemeinen Grunde des Mißver-
hältnisses, das zwischen den subjektiven Gedanken eines einzelnen und
dem Sinn des Verlaufsganzen der Geschichte besteht. Im allgemeinen erfahren wir den Lauf der Dinge als etwas, das unsere Pläne und Erwartungen ständig verändern läßt. Wer starr an seinen Plänen festzuhalten sucht,
dem wird gerade die Ohnmacht seiner Vernunft fühlbar gemacht. Es sind
seltene Augenblicke, wo alles ‚von selber‘ geht, sofern die Ereignisse unseren Plänen und Wünschen von sich aus entgegenkommen. Dann können
wir wohl sagen, daß alles planmäßig verläuft. Aber diese Erfahrung auf
das Ganze der Geschichte anwenden, heißt, eine gewaltige Extrapolation
vornehmen, der unsere Erfahrung der Geschichte strikte widerspricht.

Der Gebrauch, den Collingwood von der Logik von Frage und Antwort
für die hermeneutische Theorie macht, wird nun durch diese Extrapolation
zweideutig. Unser Verständnis schriftlicher Überlieferung als solches ist
nicht von der Art, daß wir die Übereinstimmung zwischen dem Sinn, den
wir in ihr erkennen, und dem Sinn, den ihr Urheber dabei im Auge hatte,
einfach voraussetzen können. Wie das Geschehen der Geschichte im allgemeinen keine Übereinstimmung mit den subjektiven Vorstellungen dessen
zeigt, der in der Geschichte steht und handelt, so reichen auch im allgemeinen die Sinntendenzen eines Textes weit über das hinaus, was der
Urheber desselben im Sinne hatte[1]. Die Aufgabe des Verstehens aber geht
in erster Linie auf den Sinn des Textes selbst.

Das ist es offenbar, was Collingwood im Auge hat, wenn er überhaupt
bestreitet, daß es einen Unterschied zwischen der historischen Frage und
der philosophischen Frage gibt, auf die der Text eine Antwort sein soll.
Wir müssen demgegenüber daran festhalten, daß die Frage, um deren
Rekonstruktion es geht, zunächst nicht die gedanklichen Erlebnisse des
Verfassers, sondern durchaus nur den Sinn des Textes selbst betrifft. Es
muß also möglich sein, wenn man den Sinn eines Satzes verstanden,
d. h. die Frage rekonstruiert hat, auf die er wirklich antwortet, nun auch
zurückzufragen nach dem Fragenden und dessen Meinung, auf die der
Text vielleicht nur eine vermeintliche Antwort ist. Collingwood hat nicht
recht, wenn er es aus methodischen Gründen widersinnig findet, die Frage,
auf die der Text eine Antwort sein sollte, und die Frage, auf die er wirklich
eine Antwort ist, zu unterscheiden. Er hat nur insofern recht, als das Verstehen eines Textes eine solche Unterscheidung im allgemeinen nicht enthält,
sofern man die Sache meint, von der der Text spricht. Die Rekonstruktion
der Gedanken eines Autors ist demgegenüber eine ganz andere Aufgabe.

---

[1] Vgl. oben S. 172, 280 u. ö.

Man wird sich fragen müssen, unter welchen Bedingungen sich diese andere Aufgabe stellt. Denn das ist gewiß richtig, daß gegenüber der wirklichen hermeneutischen Erfahrung, die den Sinn des Textes versteht, die Rekonstruktion dessen, was der Verfasser tatsächlich im Sinne hatte, eine reduzierte Aufgabe ist. Es ist die Verführung des Historismus, in solcher Reduktion die Tugend der Wissenschaftlichkeit zu sehen und im Verstehen eine Art von Rekonstruktion zu erblicken, die die Entstehung des Textes gleichsam wiederholt. Er folgt damit dem uns aus der Naturerkenntnis bekannten Erkenntnisideal, wonach wir einen Vorgang erst dann verstehen, wenn wir ihn künstlich herbeiführen können.

Wir haben oben[1] gezeigt, wie fragwürdig der Satz von Vico ist, demzufolge dieses Ideal seine reinste Erfüllung in der Geschichte findet, weil dort der Mensch seiner eigenen menschlich-geschichtlichen Wirklichkeit begegne. Wir haben dagegen betont, daß ein jeder Historiker und Philologe mit der grundsätzlichen Unabschließbarkeit des Sinnhorizontes rechnen muß, in dem er sich verstehend bewegt. Geschichtliche Überlieferung kann nur so verstanden werden, daß die grundsätzliche Fortbestimmung durch den Fortgang der Dinge mitgedacht wird, und ebenso weiß der Philologe, der es mit dichterischen oder philosophischen Texten zu tun hat, um deren Unausschöpfbarkeit. In beiden Fällen ist es der Fortgang des Geschehens, durch den das Überlieferte in neuen Bedeutungsaspekten herauskommt. Die Texte werden durch die neue Aktualisierung im Verstehen genau so in ein echtes Geschehen einbezogen, wie die Ereignisse durch ihren Fortgang selbst. Das war es, was wir als das wirkungsgeschichtliche Moment innerhalb der hermeneutischen Erfahrung bezeichnet hatten. Jede Aktualisierung im Verstehen vermag sich selber als eine geschichtliche Möglichkeit des Verstandenen zu wissen. Es liegt in der geschichtlichen Endlichkeit unseres Daseins, daß wir uns dessen bewußt sind, daß nach uns andere immer anders verstehen werden. Gleichwohl ist es für unsere hermeneutische Erfahrung ebenso unzweifelhaft, daß es dasselbe Werk bleibt, dessen Sinnfülle sich im Wandel des Verstehens beweist, wie es dieselbe Geschichte ist, deren Bedeutung sich fortgesetzt weiterbestimmt. Die hermeneutische Reduktion auf die Meinung des Urhebers ist ebenso unangemessen wie bei geschichtlichen Ereignissen die Reduktion auf die Absicht der Handelnden.

Die Rekonstruktion der Frage, auf die ein gegebener Text eine Antwort ist, kann nun freilich nicht als reine Leistung historischer Methodik genommen werden. Am Anfang steht vielmehr die Frage, die uns der Text stellt, das Betroffensein von dem Wort der Überlieferung, so daß das Verstehen derselben immer schon die Aufgabe der historischen Selbstvermittlung der Gegenwart mit der Überlieferung einschließt. Das Verhältnis von Frage und Antwort hat sich also in Wahrheit umgekehrt. Das Überlieferte,

---

[1] S. 209 f.; 260 f.

23*

das uns anspricht – der Text, das Werk, die Spur – stellt selbst eine Frage
und stellt damit unser Meinen ins Offene. Um diese uns gestellte Frage
zu beantworten, müssen wir, die Gefragten, selber zu fragen beginnen.
Wir suchen die Frage zu rekonstruieren, auf die das Überlieferte die Antwort wäre. Wir werden das aber gar nicht können, ohne den historischen
Horizont, der damit bezeichnet ist, fragend zu überschreiten. Die Rekonstruktion der Frage, auf die der Text die Antwort sein soll, steht selbst
innerhalb eines Fragens, durch das wir die Antwort auf die uns von der
Überlieferung gestellte Frage suchen. Eine rekonstruierte Frage kann eben
niemals in ihrem ursprünglichen Horizonte stehen. Denn der in der Rekonstruktion beschriebene historische Horizont ist nicht wahrhaft um-
schließender Horizont. Er ist vielmehr selbst noch von dem Horizont umfaßt, der uns als die Fragenden und von dem Wort der Überlieferung
Getroffenen umschließt.

Insofern ist es eine hermeneutische Notwendigkeit, stets über die
bloße Rekonstruktion hinaus zu sein. Man kann gar nicht vermeiden, das
für einen Verfasser Fraglose und insofern von ihm nicht Gedachte zu denken und in die Offenheit der Frage hineinzubewegen. Damit wird nicht
etwa interpretatorischer Willkür Tür und Tor geöffnet, sondern nur aufgedeckt, was stets geschieht. Ein Wort der Überlieferung, das einen trifft,
verstehen, verlangt immer, daß die rekonstruierte Frage in das Offene
ihrer Fraglichkeit gestellt wird, d.h. in die Frage übergeht, die die Überlieferung für uns ist. Wenn die ‚historische‘ Frage für sich hervortritt, so
heißt das immer schon, daß sie sich als Frage nicht mehr ‚erhebt‘. Sie ist
das Restprodukt eines Nichtmehrverstehens, ein Umweg, auf dem man
steckenbleibt[1]. Zum wirklichen Verstehen gehört dagegen, die Begriffe
einer historischen Vergangenheit so wiederzugewinnen, daß sie zugleich
unser eigenes Begreifen mit enthalten. Wir nannten das oben[2] die Horizontverschmelzung. Wir können mit Collingwood sagen, daß wir nur
verstehen, wenn wir die Frage verstehen, auf die etwas die Antwort ist,
und es ist wahr, daß das so Verstandene nicht in der Abgehobenheit seiner
Sinnmeinung von unserem eigenen Meinen stehenbleibt. Vielmehr geht
die Rekonstruktion der Frage, aus der sich der Sinn eines Textes als Antwort versteht, in unser eigenes Fragen über. Denn der Text muß als Antwort auf ein wirkliches Fragen verstanden werden.

Das enge Verhältnis, das sich zwischen Fragen und Verstehen zeigt, gibt
der hermeneutischen Erfahrung erst ihre wahre Dimension. Wer verstehen
will, mag noch so sehr die Wahrheit des Gemeinten dahingestellt sein
lassen. Er mag noch so sehr von dem unmittelbaren Meinen der Sache
auf die Sinnmeinung als solche zurückgebeugt sein und dieselbe nicht als

---

[1] Vgl. die Aufdeckung dieses Umwegs des Historischen in unserer obigen Analyse
des theologischen-politischen Traktates von Spinoza: S. 169 ff.

[2] S. 289 f.

wahr, sondern lediglich als sinnvoll meinen, so daß die Wahrheitsmöglichkeit in der Schwebe bleibt – solches In-die-Schwebe-bringen ist das eigene
und ursprüngliche Wesen des Fragens. Fragen läßt immer in der Schwebe
befindliche Möglichkeiten sehen. Daher kann es nicht ebenso, wie es ein
vom Meinen zurückgebeugtes Verstehen einer Meinung gibt, ein vom wirklichen Fragen zurückgebeugtes Verstehen der Fraglichkeit geben. *Verstehen
der Fraglichkeit von etwas ist immer vielmehr schon Fragen.* Zum Fragen
kann es kein bloß probierendes, potenzielles Verhalten geben, weil Fragen
nicht Setzen, sondern selbst ein Erproben von Möglichkeiten ist. Hier wird
vom Wesen des Fragens aus klar, was der platonische Dialog in seinem
tatsächlichen Vollzug demonstriert[1]. Wer denken will, muß sich fragen.
Auch wenn einer sagt: hier könnte man fragen, ist das schon ein wirkliches
Fragen, das sich nur vorsichtig oder höflich verhüllt.

Das ist der Grund, warum alles Verstehen immer mehr ist als ein bloßes
Nachvollziehen einer fremden Meinung. Indem es fragt, legt es Sinnmög-
lichkeiten offen, und damit geht, was sinnvoll ist, in das eigene Meinen
über. Nur im uneigentlichen Sinne kann man auch Fragen verstehen, die
man nicht selber fragt, z.B. solche, die man als überlebt oder als gegenstandslos ansieht. Das bedeutet dann, daß man versteht, wie unter gewissen
geschichtlichen Voraussetzungen bestimmte Fragen gestellt worden sind.
Verstehen von Fragen heißt dann Verstehen der jeweiligen Voraussetzungen,
deren Hinfälligkeit die Frage selbst hinfällig macht. Man denke etwa an das
Perpetuum mobile. Der Sinnhorizont solcher Fragen ist nur scheinbar
noch ein offener. Sie sind nicht mehr als Fragen verstanden. Denn was
man da versteht, ist gerade: daß da keine Frage ist.

Eine Frage verstehen heißt, sie fragen. Eine Meinung verstehen heißt,
sie als Antwort auf eine Frage verstehen.

Die Logik von Frage und Antwort, die Collingwood entwickelt, macht
der Rede von dem permanenten *Problem* ein Ende, das dem Verhältnis der
‚Oxforder Realisten‘ zu den Klassikern der Philosophie zugrunde lag, und
ebenso dem Begriff der *Problemgeschichte*, den der Neukantianismus entwickelt hat. Problemgeschichte wäre nur wahrhaft Geschichte, wenn sie
die Identität des Problems als eine leere Abstraktion erkennen und sich den
Wandel in den Fragestellungen eingestehen würde. Einen Standort außerhalb der Geschichte, von dem aus sich die Identität eines Problems im
Wandel seiner geschichtlichen Lösungsversuche denken ließe, gibt es in
Wahrheit nicht. Zwar ist es richtig, daß alles Verstehen von Texten der Philosophie Wiedererkenntnis des in ihnen Erkannten verlangt. Ohne dieselbe
würden wir überhaupt nichts verstehen. Aber wir treten keineswegs damit
aus der geschichtlichen Bedingtheit heraus, in der wir stehen und aus der
wir verstehen. Das Problem, das wir wiedererkennen, ist in Wahrheit nicht

---

[1] S. 344 ff.

einfach dasselbe, wenn es in einem echten fragenden Vollzug verstanden sein soll. Nur aufgrund unserer historischen Kurzsichtigkeit können wir es für dasselbe halten. Der überstandpunktliche Standpunkt, von dem aus seine wahre Identität gedacht würde, ist eine reine Illusion.

Wir können den Grund dafür jetzt einsehen. Der Begriff des Problems formuliert offenbar eine Abstraktion, nämlich die Ablösung des Frageinhalts von der ihn allererst aufschließenden Frage. Er meint das abstrakte Schema, auf das sich wirkliche und wirklich motivierte Fragen reduzieren und worunter sie sich subsumieren lassen. Ein solches ‚Problem‘ ist aus dem motivierten Fragezusammenhang herausgefallen, aus dem es die Eindeutigkeit seines Sinnes empfängt. Es ist daher so unlösbar, wie jede Frage, die keinen eindeutigen Sinn hat, weil sie nicht wirklich motiviert und gestellt ist.

Das bestätigt auch die Herkunft des Problembegriffs. Er gehört nicht in den Bereich jener ‚wohlmeinenden Widerlegungen‘ [1], in denen die Wahrheit der Sache gefördert wird, sondern in den Bereich der Dialektik als eines Kampfmittels zur Verblüffung oder Blamierung des Gegners. Bei Aristoteles bezeichnet ‚Problema‘ solche Fragen, die sich deshalb als offene Alternativen darstellen, weil für beide Seiten allerlei spricht und wir nicht glauben, sie mit Gründen entscheiden zu können, da es zu große Fragen sind [2]. Probleme sind also keine wirklichen Fragen, die sich stellen und damit die Vorzeichnung ihrer Beantwortung aus ihrer Sinngenese empfangen, sondern sind Alternativen des Meinens, die man nur stehenlassen kann und die daher nur eine dialektische Behandlung finden können. Dieser dialektische Sinn von ‚Problem‘ hat nicht eigentlich in der Philosophie, sondern in der Rhetorik seinen Ort. Es gehört zu seinem Begriff, daß es eine eindeutige Entscheidung aus Gründen nicht gestattet. Aus diesem Grund beschränkt sich für Kant der Gebrauch des Problembegriffs auf die Dialektik der reinen Vernunft. Probleme sind »Aufgaben, die ganz aus ihrem Schoß entspringen«, also gleichsam Produkte der Vernunft selber, auf deren vollendete Auflösung sie schlechterdings nicht hoffen kann [3]. Es ist bezeichnend, daß im 19. Jahrhundert, mit dem Zusammenbruch der unmittelbaren Tradition des philosophischen Fragens und dem Aufkommen des Historismus, der Problembegriff zu universaler Geltung aufsteigt –, ein Zeichen dafür, daß das unmittelbare Verhältnis zu den Sachfragen der Philosophie nicht mehr besteht. So kennzeichnet es die Verlegenheit des philosophischen Bewußtseins gegenüber dem Historismus, daß es sich in die Abstraktion des Problembegriffs flüchtete und kein Problem darin sah, in welcher Weise Probleme eigentlich ‚sind‘. Die Problemgeschichte des Neukantianismus ist ein Bastard des Historismus. Die Kritik am Problembegriff, die mit den Mitteln einer Logik der Frage und Antwort ge-

---

[1] Plato, Ep. VII, 344 b.   [2] Arist. Top. A 11.
[3] Kr. d. r. V, A 321 ff.

führt wird, muß die Illusion zerstören, als gäbe es die Probleme wie die Sterne am Himmel[1]. Die Besinnung auf die hermeneutische Erfahrung verwandelt die Probleme zurück in Fragen, die sich erheben und ihren Sinn aus ihrer Motivation haben.

Die Dialektik von Frage und Antwort, die wir in der Struktur der hermeneutischen Erfahrung aufdeckten, erlaubt nun, näher zu bestimmen, was für eine Art von Bewußtsein das wirkungsgeschichtliche Bewußtsein ist. Denn die Dialektik von Frage und Antwort, die wir aufwiesen, läßt das Verhältnis des Verstehens als ein Wechselverhältnis von der Art eines Gespräches erscheinen. Zwar redet ein Text nicht so zu uns wie ein Du. Wir, die Verstehenden, müssen ihn von uns aus erst zum Reden bringen. Aber es hatte sich gezeigt, daß solches verstehendes Zum-Reden-Bringen kein beliebiger Einsatz aus eigenem Ursprung ist, sondern selber wieder als Frage auf die im Text gewärtigte Antwort bezogen ist. Die Gewärtigung einer Antwort setzt selber schon voraus, daß der Fragende von der Überlieferung erreicht und aufgerufen ist. Das ist die Wahrheit des wirkungsgeschichtlichen Bewußtseins. Es ist das geschichtlich erfahrene Bewußtsein, das, indem es dem Phantom einer völligen Aufklärung entsagt, eben damit für die Erfahrung der Geschichte offen ist. Seine Vollzugsweise beschrieben wir als die Verschmelzung der Horizonte des Verstehens, die zwischen Text und Interpreten vermittelt.

Der leitende Gedanke der folgenden Erörterung ist nun, *daß die im Verstehen geschehende Verschmelzung der Horizonte die eigentliche Leistung der Sprache ist.* Freilich, was Sprache ist, gehört zum Allerdunkelsten, was es für das menschliche Nachdenken gibt. Unserem Denken ist die Sprachlichkeit so unheimlich nahe und sie wird im Vollzuge so wenig gegenständlich, daß sie ihr eigentliches Sein von sich aus verbirgt. Wir sind in unserer Analyse des geisteswissenschaftlichen Denkens jedoch auf solche Art in die Nähe dieses allgemeinen und allem voraufliegenden Dunkels geraten, daß wir uns der gewonnenen Führung durch die Sache, der wir

---

[1] Daß es darauf ankommt wiederzuerkennen, was die großen Denker erkannt haben, hat Nicolai Hartmann (Der philosophische Gedanke und seine Geschichte, Abh. d. preuß. Akad. d. Wiss., 1936, Nr 5) mit Recht betont. Wenn er aber, um gegen den Historismus etwas Festes zu verteidigen, von dem Wechselnden der Problemstellungen und Problemlagen die Konstanz der ‚eigentlichen Problemgehalte‘ unterscheidet, verkennt er, daß weder ‚Wechsel‘ noch ‚Konstanz‘, auch nicht der Gegensatz von ‚Problem‘ und ‚System‘, auch nicht der Maßstab der ‚Errungenschaften‘ dem Erkenntnischarakter der Philosophie entspricht. Wer schreibt: »Erst wo das Erkennen des einzelnen sich die ungeheure denkerische Erfahrung der Jahrhunderte zunutze macht, wo es auf Erkanntem und Wohlbewährtem fußt..., kann es des eigenen Fortschreitens sicher sein« (S. 18), deutet die »systematische Fühlung mit den Problemen« nach dem Muster einer Erkenntnis und eines Erkenntnisfortschritts, das hinter dem komplizierten Ineinander von Tradition und Historie weit zurückbleibt, als das wir das hermeneutische Bewußtsein erkannt hatten.

nachgehen, anvertraut wissen können. Wir suchen von dem Gespräch aus, das wir sind, dem Dunkel der Sprache nahezukommen.

Wenn wir das hermeneutische Phänomen nach dem Modell des Gespräches, das zwischen zwei Personen statthat, zu betrachten suchen, so besteht die leitende Gemeinsamkeit zwischen diesen beiden scheinbar so sehr verschiedenen Situationen, dem Textverständnis und der Verständigung im Gespräch, vor allem darin, daß jedes Verstehen und jede Verständigung eine Sache im Auge hat, die vor einen gestellt ist. Wie einer sich mit seinem Gesprächspartner über eine Sache verständigt, so versteht auch der Interpret die ihm vom Text gesagte Sache. Dieses Verständnis der Sache geschieht notwendig in sprachlicher Gestalt, und zwar nicht so, daß ein Verständnis nachträglich auch in Worte gefaßt wird, vielmehr ist die Vollzugsweise des Verstehens, ob es sich dabei um Texte handelt oder um Gesprächspartner, die einem die Sache vorstellen, das Zur-sprache-kommen der Sache selbst. So folgen wir zunächst der Struktur des eigentlichen Gesprächs, um die Besonderheit jenes anderen Gesprächs, das das Verstehen von Texten darstellt, dadurch zur Abhebung zu bringen. Während wir oben die konstitutive Bedeutung der *Frage* für das hermeneutische Phänomen am Wesen des Gesprächs heraushoben, gilt es nun, die *Sprachlichkeit* des Gesprächs, die ihrerseits dem Fragen zugrunde liegt, als ein hermeneutisches Moment nachzuweisen.

Zunächst halten wir fest, daß die Sprache, in der etwas zur Sprache kommt, kein verfügbarer Besitz des einen oder des anderen der Gesprächspartner ist. Jedes Gespräch setzt eine gemeinsame Sprache voraus, oder besser: es bildet eine gemeinsame Sprache heraus. Es ist da etwas in die Mitte niedergelegt, wie die Griechen sagen, an dem die Gesprächspartner teilhaben und worüber sie sich miteinander austauschen. Die Verständigung über die Sache, die im Gespräch zustande kommen soll, bedeutet daher notwendigerweise, daß im Gespräch eine gemeinsame Sprache erst erarbeitet wird. Das ist nicht ein äußerer Vorgang der Adjustierung von Werkzeugen, ja es ist nicht einmal richtig zu sagen, daß sich die Partner aneinander anpassen, vielmehr geraten sie beide im gelingenden Gespräch unter die Wahrheit der Sache, die sie zu einer neuen Gemeinsamkeit verbindet. Verständigung im Gespräch ist nicht ein bloßes Sichausspielen und Durchsetzen des eigenen Standpunktes, sondern eine Verwandlung ins Gemeinsame hin, in der man nicht bleibt, was man war[1].

---

[1] Vgl. vom Verfasser: Was ist Wahrheit? (Zeitwende 28, 1957, S. 226–237).

———

»Alles Vorauszusetzende in der Hermeneutik ist nur Sprache«

F. Schleiermacher

1. Sprache als Medium der hermeneutischen Erfahrung

Wir sagen zwar, daß wir ein Gespräch ‚führen‘, aber je eigentlicher ein Gespräch ist, desto weniger liegt die Führung desselben in dem Willen des einen oder anderen Partners. So ist das eigentliche Gespräch niemals das, das wir führen wollten. Vielmehr ist es im allgemeinen richtiger zu sagen, daß wir in ein Gespräch geraten, wenn nicht gar, daß wir uns in ein Gespräch verwickeln. Wie da ein Wort das andere gibt, wie das Gespräch seine Wendungen nimmt, seinen Fortgang und seinen Ausgang findet, das mag sehr wohl eine Art Führung haben, aber in dieser Führung sind die Partner des Gesprächs weit weniger die Führenden als die Geführten. Was bei einem Gespräch ‚herauskommt‘, weiß keiner vorher. Die Verständigung oder ihr Mißlingen ist wie ein Geschehen, das sich an uns vollzogen hat. So können wir dann sagen, daß etwas ein gutes Gespräch war, oder auch, daß es unter keinem günstigen Stern stand. All das bekundet, daß das Gespräch seinen eigenen Geist hat, und daß die Sprache, die in ihm geführt wird, ihre eigene Wahrheit in sich trägt, d. h. etwas ‚entbirgt‘ und heraustreten läßt, was fortan ist.

Wir sahen schon bei der Analyse der romantischen Hermeneutik, daß das Verstehen sich nicht auf ein Sichversetzen in den anderen, auf eine unmittelbare Teilhabe des einen am anderen gründet. Verstehen, was einer sagt, ist, wie wir sahen, sich in der Sache Verständigen und nicht: sich in einen anderen Versetzen und seine Erlebnisse Nachvollziehen. Wir hoben hervor, daß die Erfahrung von Sinn, die derart im Verstehen geschieht, stets Applikation einschließt. Jetzt beachten wir, *daß dieser ganze Vorgang ein sprachlicher ist*. Nicht umsonst ist die eigentliche Problematik des Verstehens und der Versuch seiner kunstmäßigen Beherrschung – das Thema der Hermeneutik – traditionellerweise dem Bereich der Grammatik und Rhetorik zugehörig. Die Sprache ist die Mitte, in der sich die Verständigung der Partner und das Einverständnis über die Sache vollzieht.

Es sind die gestörten und erschwerten Situationen der Verständigung, in denen die Bedingungen am ehesten bewußt werden, unter denen eine jede Verständigung steht. So wird der sprachliche Vorgang besonders aufschlußreich, in dem ein Gespräch in zwei einander fremden Sprachen durch Übersetzung und Übertragung ermöglicht wird. Der Übersetzer muß hier den zu verstehenden Sinn in den Zusammenhang hinübertragen, in dem der Partner des Gespräches lebt. Das heißt bekanntlich nicht, daß er den Sinn verfälschen darf, den der andere meinte. Der Sinn soll vielmehr erhalten bleiben, aber da er in einer neuen Sprachwelt verstanden werden soll, muß er in ihr auf neue Weise zur Geltung kommen. Jede Übersetzung ist daher schon Auslegung, ja man kann sagen, sie ist immer die Vollendung der Auslegung, die der Übersetzer dem ihm vorgegebenen Wort hat ange-deihen lassen.

Der Fall der Übersetzung macht also die Sprachlichkeit als das Medium der Verständigung dadurch bewußt, daß dieses erst durch eine ausdrück-liche Vermittlung kunstvoll erzeugt werden muß. Solche kunstvolle Ver-anstaltung ist gewiß nicht der Normalfall für ein Gespräch. Übersetzung ist auch nicht der Normalfall unseres Verhaltens zu einer fremden Sprache. Vielmehr ist das auf Übersetzung Angewiesensein wie eine Selbstent-mündigung der Partner. Wo es der Übersetzung bedarf, muß der Abstand zwischen dem Geist des ursprünglichen Wortlauts des Gesagten und dem der Wiedergabe in Kauf genommen werden, dessen Überwindung nie ganz gelingt. Verständigung geschieht daher in solchen Fällen nicht eigentlich zwischen den Partnern des Gesprächs, sondern zwischen den Dolmetschern, die in einer gemeinsamen Verständigungswelt sich wirklich zu begegnen vermögen. (Bekanntlich ist nichts schwieriger als ein Dialog in zwei fremden Sprachen, von denen der eine die eine, der andere die andere Sprache gebraucht, weil jeder der beiden die andere Sprache zwar versteht, aber nicht zu sprechen weiß. Wie durch eine höhere Gewalt sucht sich alsdann die eine der Sprachen vor der anderen als das Medium der Ver-ständigung durchzusetzen).

Wo Verständigung ist, da wird nicht übersetzt, sondern gesprochen. Eine fremde Sprache verstehen bedeutet ja, sie nicht in die eigene Sprache übersetzen müssen. Wo einer eine Sprache wirklich beherrscht, bedarf es keiner Übersetzung mehr, ja erscheint jede Übersetzung unmöglich. Eine Sprache Verstehen ist selbst noch gar kein wirkliches Verstehen und schließt keinen Interpretationsvorgang ein, sondern ist ein Lebensvollzug. Denn eine Sprache versteht man, indem man in ihr lebt – ein Satz, der bekannt-lich nicht nur für lebende, sondern sogar für tote Sprachen gilt. Das her-meneutische Problem ist also kein Problem der richtigen Sprachbeherr-schung, sondern der rechten Verständigung über die Sache, die im Medium der Sprache geschieht. Jede Sprache ist so erlernbar, daß ihr vollendeter Gebrauch einschließt, daß man nicht mehr aus seiner Muttersprache oder in seine Muttersprache übersetzt, sondern in der fremden Sprache denkt. Für die Verständigung im Gespräch ist solche Beherrschung der Sprache geradezu eine Vorbedingung. Jedes Gespräch macht die selbstverständliche

Voraussetzung, daß die Redner die gleiche Sprache sprechen. Erst wo es möglich ist, sich durch das Miteinanderreden sprachlich zu verständigen, vermag das Verstehen und die Verständigung überhaupt zum Problem zu werden. Das Angewiesensein auf die Übersetzung des Dolmetschers ist ein Extremfall, der den hermeneutischen Vorgang, das Gespräch, verdoppelt: es ist das des Dolmetschers mit der Gegenseite und das eigene mit dem Dolmetscher.

Das Gespräch ist ein Vorgang der Verständigung. So gehört zu jedem echten Gespräch, daß man auf den anderen eingeht, seine Gesichtspunkte wirklich gelten läßt und sich insofern in ihn versetzt, als man ihn zwar nicht als diese Individualität verstehen will, wohl aber das, was er sagt. Was es zu erfassen gilt, ist das sachliche Recht seiner Meinung, damit wir in der Sache miteinander einig werden können. Wir beziehen also seine Meinung nicht auf ihn, sondern auf das eigene Meinen und Vermeinen zurück. Wo wir wirklich den anderen als Individualität im Auge haben, z. B. im therapeutischen Gespräch oder im Verhör des Angeklagten, ist die Situation der Verständigung gar nicht wahrhaft gegeben [1].

Das alles, was die Situation der Verständigung im Gespräch charakterisiert, nimmt nun seine eigentliche Wendung ins Hermeneutische, wo es sich um das *Verstehen von Texten* handelt. Wieder setzen wir bei dem extremen Fall der Übersetzung aus einer fremden Sprache ein. Hier kann niemand zweifeln, daß die Übersetzung eines Textes, mag der Übersetzer sich noch so sehr in seinen Autor eingelebt und eingefühlt haben, keine bloße Wiedererweckung des urspünglichen seelischen Vorgangs des Schreibens ist, sondern eine Nachbildung des Textes, die durch das Verständnis des in ihm Gesagten geführt wird. Hier kann niemand zweifeln, daß es sich um Auslegung handelt und nicht um bloßen Mitvollzug. Es ist ein anderes neues Licht, das von der anderen Sprache her und für den Leser derselben auf den Text fällt. Die Forderung der Treue, die an die Übersetzung gestellt wird, kann die grundlegende Differenz der Sprachen nicht aufheben. Auch wenn wir noch so getreu sein wollen, werden wir vor mißliche Entscheidungen gestellt. Wenn wir in unserer Übersetzung einen uns wichtigen Zug am Original herausheben wollen, so können wir das nur, indem wir andere Züge in demselben zurücktreten lassen oder ganz unterdrücken. Das ist aber genau das Verhalten, das wir als Auslegen kennen. Übersetzung ist wie jede Auslegung eine Überhellung. Wer übersetzt, muß solche Überhellung auf sich nehmen. Er darf offenbar nichts offenlassen, was ihm selber unklar ist. Er muß Farbe bekennen. Zwar gibt es Grenzfälle, in denen im Original (und für den ,ursprünglichen Leser‘) etwas wirklich unklar ist. Aber gerade an solchen hermeneutischen Grenzfällen wird die Zwangslage deutlich, in der sich der Übersetzer immer

---

[1] Dem Sich-Versetzen, das den anderen und nicht sein sachliches Recht meint, entspricht die oben (S. 345 f.) charakterisierte Unechtheit der in solchem Gespräch gestellten Fragen.

befindet. Hier muß er resignieren. Er muß klar sagen, wie er versteht. Sofern er aber immer in der Lage ist, nicht allen Dimensionen seines Textes wirklich Ausdruck geben zu können, bedeutet das für ihn ständigen Verzicht. Jede Übersetzung, die ihre Aufgabe ernst nimmt, ist klarer und flacher als das Original. Auch wenn sie eine meisterhafte Nachbildung ist, muß ihr etwas von den Obertönen fehlen, die im Original mitschwingen. (In seltenen Fällen meisterhafter Nachschöpfung kann solcher Verlust ersetzt werden oder gar zu einem neuen Gewinn führen – ich denke etwa daran, wie Baudelaires ,Blumen des Bösen' in der Georgeschen Nachdichtung eine eigentümliche neue Gesundheit zu atmen scheinen.)

Der Übersetzer ist sich des notwendigen Abstandes vom Original oft schmerzlich bewußt. Sein Umgang mit dem Text hat selbst etwas von der Bemühung einer Verständigung im Gespräch. Nur daß die Situation hier die einer besonders mühsamen Verständigung ist, bei der man den Abstand der Gegenmeinung von seiner eigenen Meinung als letzten Endes unaufhebbar erkennt. Und wie im Gespräch, wo solche unaufhebbaren Differenzen bestehen, im Hin und Her einer Aussprache vielleicht ein Kompromiß gelingt, so wird auch der Übersetzer im Hin und Her des Wägens und Erwägens die beste Lösung suchen, die immer nur ein Kompromiß sein kann. Wie im Gespräch man sich zu diesem Zwecke in den anderen versetzt, um seinen Standpunkt zu verstehen, so sucht auch der Übersetzer sich ganz in seinen Autor zu versetzen. Aber weder ist im Gespräch dadurch Verständigung gegeben, noch ist für den Übersetzer solche Versetzung schon das Gelingen der Nachbildung. Die Strukturen sind offenbar ganz analoge. Verständigung im Gespräch schließt ein, daß die Partner für dieselbe bereit sind und versuchen, das Fremde und Gegnerische bei sich selber gelten zu lassen. Wenn das gegenseitig geschieht und jeder der Partner, indem er gleichzeitig seine eigenen Gründe festhält, die Gegengründe miterwägt, kann man schließlich in einer unmerklichen und unwillkürlichen Wechselübertragung der Gesichtspunkte (wir nennen das Austausch der Meinungen) zu einer gemeinsamen Sprache und einem gemeinsamen Spruch gelangen. Genauso muß der Übersetzer das Recht seiner eigenen Muttersprache, in die er übersetzt, selber festhalten und doch das Fremde, ja selbst Gegnerische des Textes und seiner Ausdruckgebung bei sich gelten lassen. Diese Beschreibung des Tuns des Übersetzers ist aber vielleicht schon zu sehr verkürzt. Selbst in solchen extremen Situationen, in denen von einer Sprache in eine andere übertragen werden soll, läßt sich die Sache von der Sprache kaum trennen. Nur ein solcher Übersetzer wird wahrhaft nachbilden, der die ihm durch den Text gezeigte Sache zur Sprache bringt, d.h. aber: eine Sprache findet, die nicht nur die seine, sondern auch die dem Original angemessene Sprache ist[1]. Die Lage des

---

[1] Es entsteht hier das Problem der 'Verfremdung', worüber Schadewaldt im

Übersetzers und die Lage des Interpreten ist also im Grunde die gleiche.

Das Beispiel des Übersetzers, der die Kluft der Sprachen zu überwinden hat, läßt die Wechselbeziehung besonders deutlich werden, die zwischen dem Interpreten und dem Text spielt und die der Wechselseitigkeit der Verständigung im Gespräch entspricht. Denn jeder Übersetzer ist Interpret. Die Fremdsprachlichkeit bedeutet nur einen gesteigerten Fall von hermeneutischer Schwierigkeit, d. h. von Fremdheit und Überwindung derselben. Fremd sind in dem gleichen, eindeutig bestimmten Sinne in Wahrheit alle ‚Gegenstände‘, mit denen es die traditionelle Hermeneutik zu tun hat. Die Nachbildungsaufgabe des Übersetzers ist nicht qualitativ, sondern nur graduell von der allgemeinen hermeneutischen Aufgabe verschieden, die jeder Text stellt.

Gewiß heißt das nicht, daß die hermeneutische Situation gegenüber Texten der zwischen zwei Gesprächspersonen völlig gleicht. Handelt es sich doch bei Texten um ‚dauernd fixierte Lebensäußerungen‘[1], die verstanden werden sollen, und das bedeutet, daß nur durch den einen der beiden Partner, den Interpreten, der andere Partner des hermeneutischen Gesprächs, der Text, überhaupt zu Worte kommt. Nur durch ihn verwandeln sich die schriftlichen Zeichen zurück in Sinn. Gleichwohl kommt durch diese Rückverwandlung in Verstehen die Sache selbst, von der der Text redet, ihrerseits zur Sprache. Es ist wie beim wirklichen Gespräch, daß die gemeinsame Sache es ist, die die Partner, hier den Text und den Interpreten, miteinander verbindet. So wie der Übersetzer als Dolmetsch die Verständigung im Gespräch nur dadurch ermöglicht, daß er an der verhandelten Sache teilnimmt, so ist auch gegenüber dem Text die unentbehrliche Voraussetzung für den Interpreten, daß er an seinem Sinn teilnimmt.

Es ist also ganz berechtigt, von einem *hermeneutischen Gespräch* zu reden. Dann folgt daraus aber, daß das hermeneutische Gespräch sich wie das wirkliche Gespräch eine gemeinsame Sprache erarbeiten muß und daß diese Erarbeitung einer gemeinsamen Sprache ebensowenig wie beim Gespräch die Bereitung eines Werkzeuges für die Zwecke der Verständigung ist, sondern mit dem Vollzug des Verstehens und der Verständigung selbst zusammenfällt. Auch zwischen den Partnern dieses ‚Gesprächs‘ findet wie zwischen zwei Personen eine Kommunikation statt, die mehr ist als bloße Anpassung. Der Text bringt eine Sache zur Sprache, aber daß er das tut, ist am Ende die Leistung des Interpreten. Beide sind daran beteiligt.

Was ein Text meint, ist daher nicht einem unverrückbar und eigensinnig

---

Nachwort zu seiner Odysseeübersetzung (RoRoRo-Klassiker 1958, S. 324) Wichtiges bemerkt.

[1] Droysen, Historik ed. Hübner 1937, S. 63.

festgehaltenen Standpunkt zu vergleichen, der dem, der verstehen will, nur
die eine Frage nahelegt, wie der andere zu einer so absurden Meinung
kommen kann. In diesem Sinne handelt es sich im Verstehen ganz gewiß
nicht um ein ‚historisches Verständnis‘, das die Entstehung des Textes rekonstruierte. Vielmehr meint man *den Text selbst zu verstehen.* Das bedeutet aber, daß die eigenen Gedanken des Interpreten in die Wiedererweckung des Textsinnes immer schon mit eingegangen sind. Insofern
ist der eigene Horizont des Interpreten bestimmend, aber auch er nicht
wie ein eigener Standpunkt, den man festhält oder durchsetzt, sondern
mehr wie eine Meinung und Möglichkeit, die man ins Spiel bringt und aufs
Spiel setzt und die mit dazu hilft, sich wahrhaft anzueignen, was in dem
Texte gesagt ist. Wir haben das oben als Horizontverschmelzung beschrieben. Wir erkennen darin jetzt *die Vollzugsform des Gesprächs*, in welchem
eine Sache zum Ausdruck kommt, die nicht nur meine oder die meines
Autors, sondern eine gemeinsame Sache ist.

Die Voraussetzung für die systematische Bedeutung, die die Sprachlichkeit des Gesprächs für alles Verstehen besitzt, verdanken wir der deutschen
Romantik. Sie hat uns gelehrt, daß Verstehen und Auslegen letzten Endes
ein und dasselbe sind. Durch diese Erkenntnis erst rückt der Begriff der
Interpretation, wie wir sahen, aus der pädagogisch-okkasionellen Bedeutung, die er im 18. Jahrhundert gehabt hatte, an einen systematischen Ort
vor, der durch die Schlüsselstellung bezeichnet ist, die das Problem der
Sprache für die philosophische Fragestellung überhaupt errungen hat.

Seit der Romantik kann man sich die Sache nicht mehr so denken, als ob
die auslegenden Begriffe zum Verstehen hinzutreten, indem sie aus einem
sprachlichen Vorratsraum, in dem sie schon bereitliegen, je nach Bedarf
herbeigezogen werden, wenn die Unmittelbarkeit des Verstehens sonst ausbleibt. *Vielmehr ist die Sprache das universale Medium, in dem sich das
Verstehen selber vollzieht. Die Vollzugsweise des Verstehens ist die Auslegung.*
Diese Feststellung bedeutet nicht, daß es kein besonderes Problem des
Ausdrucks gebe. Der Unterschied der Sprache eines Textes zur Sprache
des Auslegers, oder die Kluft, die den Übersetzer vom Original trennt, ist
keineswegs eine sekundäre Frage. Im Gegenteil gilt, daß die Probleme des
sprachlichen Ausdrucks in Wahrheit schon Probleme des Verstehens selber
sind. Alles Verstehen ist Auslegen, und alles Auslegen entfaltet sich im
Medium einer Sprache, die den Gegenstand zu Worte kommen lassen will
und doch zugleich die eigene Sprache des Auslegers ist.

Damit erweist sich das hermeneutische Phänomen als Sonderfall des
allgemeinen Verhältnisses von Denken und Sprechen, dessen rätselhafte
Innigkeit eben die Verbergung der Sprache im Denken bewirkt. Die Auslegung ist wie das Gespräch ein in die Dialektik von Frage und Antwort
geschlossener Kreis. Es ist ein echtes geschichtliches Lebensverhältnis, das
sich im Medium der Sprache vollzieht und das wir daher auch im Falle der

Auslegung von Texten ein Gespräch nennen können. Die Sprachlichkeit des Verstehens ist *die Konkretion des wirkungsgeschichtlichen Bewußtseins.*

Der Wesensbezug zwischen Sprachlichkeit und Verstehen zeigt sich zunächst in der Weise, daß es das Wesen der Überlieferung ist, im Medium der Sprache zu existieren, so daß der bevorzugte *Gegenstand* der Auslegung sprachlicher Natur ist.

a) Sprachlichkeit als Bestimmung des hermeneutischen Gegenstandes

Daß das Wesen der Überlieferung durch Sprachlichkeit charakterisiert ist, hat seine hermeneutischen Konsequenzen. Das Verständnis sprachlicher Überlieferung behält gegenüber aller anderen Überlieferung einen eigentümlichen Vorrang. Sprachliche Überlieferung mag noch so sehr an anschaulicher Unmittelbarkeit etwa hinter Monumenten der bildenden Kunst zurücktreten. Aber ihr Mangel an Unmittelbarkeit ist nicht ein Defekt, sondern in diesem scheinbaren Mangel, in der abstrakten Fremdheit aller ‚Texte‘, drückt sich die vorgängige Zugehörigkeit alles Sprachlichen zum Verstehen auf eigentümliche Weise aus. Sprachliche Überlieferung ist im eigentlichen Sinne des Wortes Überlieferung, d. h. hier ist nicht einfach etwas übriggeblieben, dessen Erforschung und Deutung als ein Überbleibsel der Vergangenheit zur Aufgabe wurde. Was auf dem Wege sprachlicher Überlieferung auf uns gekommen ist, ist nicht übriggeblieben, sondern es wird übergeben, d. h. es wird uns gesagt – sei es in der Form des unmittelbaren Weitersagens, in dem Mythos, Sage, Brauch und Sitte ihr Leben haben, sei es in der Form schriftlicher Überlieferung, deren Zeichen gleichsam für jeden Leser, der sie zu lesen versteht, unmittelbar bestimmt sind.

Daß das Wesen der Überlieferung durch Sprachlichkeit charakterisiert ist, kommt offenbar zu seiner vollen hermeneutischen Bedeutung dort, wo die Überlieferung eine *schriftliche* wird. In der Schriftlichkeit entspringt die Abgelöstheit der Sprache von ihrem Vollzug. In der Form der Schrift ist alles Überlieferte für jede Gegenwart gleichzeitig. In ihr besteht mithin eine einzigartige Koexistenz von Vergangenheit und Gegenwart, sofern das gegenwärtige Bewußtsein zu allem schriftlich Überlieferten die Möglichkeit eines freien Zugangs hat. Nicht mehr angewiesen auf das Weitersagen, das die Kunde des Vergangenen mit dem Gegenwärtigen vermittelt, sondern in unmittelbarer Zuwendung zu literarischer Überlieferung gewinnt das verstehende Bewußtsein eine echte Möglichkeit, seinen Horizont zu verschieben und zu erweitern und damit seine Welt um eine ganze Tiefendimension zu bereichern. Die Aneignung der literarischen Überlieferung übertrifft sogar noch die Erfahrung, die mit dem Abenteuer des Reisens und des Eintauchens in fremde Sprachwelten verknüpft ist. Der Leser, der sich in eine fremde Sprache und Literatur vertieft, hält in jedem Augenblick die freie Bewegung zu sich selbst zurück fest und ist so gleichzeitig hier und dort.

Schriftliche Überlieferung ist nicht ein Teilstück einer vergangenen Welt, sondern hat sich immer schon über dieselbe erhoben in die Sphäre des Sinnes, den sie aussagt. Es ist die Idealität des Wortes, die alles Sprachliche über die endliche und vergängliche Bestimmung, wie sie Resten gewesenen Daseins sonst zukommt, hinaushebt. Der Träger der Überlieferung ist ja nicht diese Handschrift als ein Stück von damals, sondern die Kontinuität des Gedächtnisses. Durch sie wird die Überlieferung ein Teil der eigenen Welt, und so vermag das, was sie mitteilt, unmittelbar zur Sprache zu kommen. Wo uns schriftliche Überlieferung erreicht, da wird uns nicht nur etwas Einzelnes bekannt, sondern da ist uns ein vergangenes Menschentum selbst in seinem allgemeinen Weltverhältnis gegenwärtig. Daher bleibt unser Verständnis eigentümlich unsicher und fragmentarisch, wenn wir von einer Kultur überhaupt keine sprachliche Überlieferung besitzen, sondern nur stumme Monumente, und wir nennen solche Kunde vom Vergangenen noch nicht Historie. Texte dagegen lassen immer ein Ganzes zur Aussage kommen. Sinnlose Striche, die bis zur Unverständlichkeit fremd erscheinen, erweisen sich, wo sie als Schrift deutbar werden, plötzlich als aus sich selber aufs genaueste verständlich, so sehr, daß selbst die Zufälligkeit fehlerhafter Überlieferung korrigierbar wird, wenn der Zusammenhang als ganzer verstanden ist.

So ist schriftlichen Texten gegenüber die eigentliche hermeneutische Aufgabe gestellt. Schriftlichkeit ist Selbstentfremdung. Ihre Überwindung, das Lesen des Textes, ist also die höchste Aufgabe des Verstehens. Selbst den reinen Zeichenbestand einer Inschrift etwa vermag man nur richtig zu sehen und zu artikulieren, wenn man den Text in Sprache zurückzuverwandeln vermag. Solche Rückverwandlung in Sprache – wir erinnern daran – stellt aber immer zugleich ein Verhältnis zum Gemeinten, zu der Sache her, von der da die Rede ist. Hier bewegt sich der Vorgang des Verstehens ganz in der Sinnsphäre, die durch die sprachliche Überlieferung vermittelt wird. Bei einer Inschrift setzt daher die hermeneutische Aufgabe erst ein, wenn die (als richtig vorausgesetzte) Entzifferung vorliegt. Nur in einem erweiterten Sinne stellen auch nichtschriftliche Monumente eine hermeneutische Aufgabe. Denn sie sind nicht aus sich selbst verständlich. Was sie bedeuten, ist eine Frage ihrer Deutung, nicht der Entzifferung und des Verständnisses ihres Wortlauts.

In der Schriftlichkeit gewinnt die Sprache ihre wahre Geistigkeit, denn der schriftlichen Überlieferung gegenüber ist das verstehende Bewußtsein in seine volle Souveränität gelangt. Es hängt in seinem Sein von nichts ab. So ist das lesende Bewußtsein im potentiellen Besitz seiner Geschichte. Nicht umsonst ist der Begriff der Philologie, der Liebe zu den Reden, mit dem Aufkommen literarischer Kultur ganz auf die alles umfassende Kunst des Lesens übergegangen und hat seinen ursprünglichen Bezug auf die Pflege des Redens und Argumentierens verloren. Lesendes Bewußtsein ist notwendig geschichtliches und mit der geschichtlichen Überlieferung in Freiheit kommunizierendes Bewußtsein. Es hat daher seine Berechtigung, wenn man wie Hegel den Anfang der Geschichte mit der Entstehung eines Willens zur Überlieferung, zur ‚Dauer des Andenkens‘, gleichsetzt[1]. Schriftlichkeit ist eben kein bloßer Zufall oder keine bloße Hinzufügung, die an dem Fortgang mündlicher Überlieferung qualitativ nichts änderte. Wille zum Fortbestand, Wille zur Dauer kann gewiß auch ohne Schrift sein. Aber schriftliche Überlieferung allein kann sich von der bloßen Fortdauer von Überresten gewesenen Lebens, aus denen Dasein auf Dasein ergänzend zurückzuschließen gestattet, ablösen.

Die Überlieferung von Inschriften hat an der freien Überlieferungsform, die wir Literatur nennen, nicht von Anbeginn teil, sofern sie auf das Dasein des Überrestes, sei es Stein oder welch anderer Stoff immer, angewiesen ist. Wohl aber gilt für alles, was durch Abschrift auf uns gekommen ist, daß hier ein Wille zur Dauer sich die eigene Form des Fortbestandes geschaffen hat, die wir Literatur nennen. In ihr ist nicht nur ein Bestand von Denkmälern und Zeichen gegeben. Was Literatur ist, hat vielmehr eine eigene Gleichzeitigkeit mit jeder Gegenwart erworben. Sie verstehen, heißt nicht primär, auf vergangenes Leben zurückschließen, sondern bedeutet gegenwärtige Teilhabe an Gesagtem. Es handelt sich dabei nicht eigentlich um ein Verhältnis zwischen Personen, etwa zwischen dem Leser und dem Autor (der vielleicht ganz unbekannt ist), sondern um Teilhabe an der Mitteilung, die der Text uns macht. Dieser Sinn des Gesagten ist, wo wir verstehen, da, ganz unabhängig davon, ob wir uns aus der Überlieferung ein Bild von dem Autor machen können und ob die historische Ausdeutung der Überlieferung als einer Quelle überhaupt unser Anliegen ist.

Wir erinnern uns hier der Tatsache, daß die Hermeneutik ursprünglich und vor allem das Verstehen von Texten zur Aufgabe hatte. Erst Schleiermacher minderte die Wesentlichkeit der schriftlichen Fixierung für das hermeneutische Problem, indem er auch der mündlichen Rede gegenüber, ja dort in seiner eigentlichen Vollendung das Problem des Verstehens gegeben sah. Wir haben oben[2] dargestellt, wie die psychologische Wendung, die er damit in die Hermeneutik brachte, die eigentlich geschichtliche Dimension des hermeneutischen Phänomens verschlossen hat. In Wahrheit ist die Schriftlichkeit für das hermeneutische Phänomen insofern zentral, als sich in der Schrift die Ablösung von dem Schreiber oder Verfasser ebenso wie die von der bestimmten Adresse eines Empfängers oder Lesers zu einem eigenen Dasein gebracht hat. Was schriftlich fixiert ist, hat sich sozusagen

---

[1] Hegel, Die Vernunft in der Geschichte, S. 145.
[2] S. 174 ff., 281 ff.

vor aller Augen in eine Sphäre des Sinnes erhoben, an der ein jeder gleichen Anteil hat, der zu lesen versteht.

Gewiß scheint Schriftlichkeit gegenüber der Sprachlichkeit ein sekundäres Phänomen. Die Zeichensprache der Schrift bezieht sich ja auf die eigentliche Sprache der Rede zurück. Daß aber Sprache schriftfähig ist, das ist für das Wesen der Sprache durchaus nicht sekundär. Vielmehr beruht diese Schriftfähigkeit darauf, daß das Sprechen selber an der reinen Idealität des Sinnes Anteil hat, der sich in ihm mitteilt. In der Schriftlichkeit ist dieser Sinn des Gesprochenen rein für sich da, völlig abgelöst von allen emotionalen Momenten des Ausdrucks und der Kundgabe. Ein Text will nicht als Lebensausdruck verstanden werden, sondern in dem, was er sagt. Schriftlichkeit ist die abstrakte Idealität der Sprache. Der Sinn einer schriftlichen Aufzeichnung ist daher grundsätzlich identifizierbar und wiederholbar. Das in der Wiederholung Identische allein ist es, das in der schriftlichen Aufzeichnung wirklich niedergelegt war. Damit ist zugleich klar, daß Wiederholen hier nicht im strengen Sinne gemeint sein kann. Es meint nicht die Zurückbeziehung auf ein ursprünglich Erstes, in dem etwas gesagt oder geschrieben ist, als solches. Lesendes Verstehen ist nicht ein Wiederholen von etwas Vergangenem, sondern Teilhabe an einem gegenwärtigen Sinn.

Es ist der methodische Vorzug, den die Schriftlichkeit besitzt, daß an ihr das hermeneutische Problem in seiner Ablösung von allem Psychologischen rein hervortritt. Was in unseren Augen und für unsere Absicht einen methodischen Vorzug darstellt, ist freilich zugleich der Ausdruck einer spezifischen Schwäche, die für alles Schriftliche noch mehr als für die Sprache charakteristisch ist. Die Aufgabe des Verstehens stellt sich mit besonderer Klarheit, wenn man die Schwäche alles Schriftlichen erkennt. Wir brauchen dazu nur wiederum an das Vorbild Platos zu erinnern, der die eigentümliche Schwäche des Schriftlichen darin sah, daß der schriftlichen Rede niemand zu Hilfe zu kommen vermag, wenn sie dem gewollten oder dem unfreiwilligen Mißverstehen anheimfällt[1].

Plato sah in der Hilflosigkeit der Schrift bekanntlich eine noch größere Schwäche, als sie die Reden haben (τὸ ἀσϑενὲς τῶν λόγων), und wenn er für die Reden dialektische Hilfe fordert, um dieser Schwäche aufzuhelfen, dagegen den Fall der Schrift für hoffnungslos erklärt, so ist das offenbar eine ironische Übertreibung, durch die er sein eigenes literarisches Werk und seine eigene Kunst verhüllt. In Wahrheit ist es mit dem Schreiben, wie es mit dem Reden ist. Wie dort eine Kunst des Scheinens und des wahren Denkens, Sophistik und Dialektik, einander entsprechen, so gibt es offenbar auch eine entsprechend gedoppelte Kunst des Schreibens, so daß die eine dem einen und die andere dem anderen Denken dient. Es gibt wirklich

---

[1] Plato, 7. Brief 341 c, 344 c und Phaidr. 275.

auch eine Kunst des Schreibens, die dem Denken zu Hilfe zu kommen vermag, und sie ist es, der die Kunst des Verstehens, die dem Geschriebenen die gleiche Hilfe leistet, zuzuordnen ist.

Alles Schriftliche ist, wie wir sagten, eine Art entfremdete Rede und bedarf der Rückverwandlung der Zeichen in Rede und in Sinn. Weil durch die Schriftlichkeit dem Sinn eine Art von Selbstentfremdung widerfahren ist, stellt sich diese Rückverwandlung als die eigentliche hermeneutische Aufgabe. Der Sinn des Gesagten soll neu zur Aussage kommen, rein aufgrund des durch die Schriftzeichen überlieferten Wortlauts. Die Auslegung von Schriftlichem hat im Gegensatz zum gesprochenen Wort keine andere Hilfe. So kommt es hier in einem besonderen Sinne auf die ,Kunst' des Schreibens an[1]. Gesprochenes Wort legt sich in erstaunlichem Grade von selber aus, durch die Sprechweise, den Ton, das Tempo usw., aber auch durch die Umstände, in denen es gesagt wird[2].

Aber es gibt auch Geschriebenes, das sich sozusagen von selber liest. Eine denkwürdige Debatte über Geist und Buchstabe in der Philosophie, die zwischen zwei großen deutschen philosophischen Schriftstellern, Schiller und Fichte, geführt worden ist[3], geht von dieser Tatsache aus. Es scheint mir freilich bezeichnend, daß sich die Schlichtung des dort geführten Streites mit den von beiden Partnern gebrauchten ästhetischen Kriterien nicht ergeben will. Es handelt sich eben im Grunde nicht um eine Frage der Ästhetik des guten Stiles, sondern um eine hermeneutische Frage. Die ,Kunst', so zu schreiben, daß die Gedanken des Lesers angeregt und in produktiver Bewegung erhalten werden, hat mit den üblichen rhetorischen oder ästhetischen Kunstmitteln wenig zu tun. Sie besteht vielmehr ganz und gar darin, daß man zum Mitdenken des Gedachten geführt wird. Die ,Kunst' des Schreibens will hier gar nicht als solche verstanden und beachtet werden. Die Kunst des Schreibens wie die Kunst der Rede sind nicht Selbstzweck und deshalb auch nicht ursprünglicher Gegenstand der hermeneutischen Bemühung. Das Verstehen ist ganz von der Sache in ihren Bann gezogen. Für die Aufgabe des Verstehens sind daher das unklar Gedachte und das ,schlecht' Geschriebene nicht etwa eine Art Paradefälle, an denen sich die hermeneutische Kunst in ihrem vollen Glanze zu zeigen vermöchte, sondern im Gegenteil Grenzfälle, bei denen die tragende Voraussetzung des hermeneutischen Gelingens, die Eindeutigkeit des gemeinten Sinnes, ins Wanken kommt.

---

[1] Auf diesem Sachverhalt beruht der riesige Unterschied, der zwischen einer ,Rede' und einer ,Schreibe' besteht, zwischen dem Vortragsstil und der weit höheren Stilforderung, der literarisch Fixiertes zu genügen hat.

[2] Kippenberg erzählt einmal, wie Rilke eine seiner Duineser Elegien eines Tages so vorlas, daß die Zuhörer der Schwierigkeit dieser Dichtung überhaupt nicht innewurden.

[3] Vgl. den Briefwechsel, der sich an Fichtes Schrift »Über Geist und Buchstabe in der Philosophie« anschließt (Fichtes Briefwechsel 2. Band, V. Kapitel).

An sich erhebt alles Schriftliche den Anspruch, von sich aus ins Sprachliche erweckbar zu sein, und dieser Anspruch auf Sinnautonomie geht so weit, daß selbst ein authentischer Vortrag, z. B. die Lesung eines Gedichtes durch den Dichter, dann etwas Fragwürdiges erhält, wenn sich die Intention des Zuhörens von dem wegverschiebt, worauf wir als Verstehende eigentlich gerichtet sind. Weil es auf die Mitteilung des wahren Sinnes eines Textes ankommt, ist seine Auslegung bereits unter eine sachliche Norm gestellt. Es ist diese Forderung, die die platonische Dialektik stellt, wenn sie den Logos als solchen zur Geltung zu bringen sucht und den tatsächlichen Partner des Gesprächs dabei oft hinter sich läßt. Ja, die besondere Schwäche der Schrift, ihre gegenüber der lebendigen Rede gesteigerte Hilfsbedürftigkeit, hat die Kehrseite, daß sie die dialektische Aufgabe des Verstehens mit verdoppelter Klarheit hervortreten läßt. Wie im Gespräch muß hier das Verstehen den Sinn des Gesagten stärker zu machen suchen. Was im Text gesagt ist, muß von aller Kontingenz, die ihm anhaftet, abgelöst und in seiner vollen Idealität erfaßt werden, in der es allein Geltung hat. So läßt die schriftliche Fixierung, gerade weil sie den Aussagesinn von dem Aussagenden ganz ablöst, in dem verstehenden Leser den Anwalt seines Wahrheitsanspruches erstehen. Der Lesende hat, was ihn anspricht und was er versteht, eben damit in seiner Geltung erfahren. Was er verstand, ist immer schon mehr als eine fremde Meinung – es ist immer schon mögliche Wahrheit. Das ist es, was durch die Ablösung des Gesprochenen von dem Sprecher und durch den Bestand von Dauer, den die Schrift verleiht, zutage kommt. Es hat also seinen tieferen hermeneutischen Grund, wenn, wie oben schon dargestellt[1], leseungeübten Menschen der Verdacht, daß Geschriebenes falsch sein könnte, gar nicht recht in den Sinn kommt, da ihnen alles Schriftliche wie ein Dokument ist, das sich selbst beglaubigt.

Alles Schriftliche ist in der Tat in bevorzugter Weise Gegenstand der Hermeneutik. Was an dem extremen Fall der Fremdsprachlichkeit und den Problemen des Übersetzens klar wurde, bestätigt sich hier an der Autonomie des Lesens: Das Verstehen ist keine psychische Transposition. Der Sinnhorizont des Verstehens kann sich weder durch das, was der Verfasser ursprünglich im Sinne hatte, schlechthin begrenzen lassen, noch durch den Horizont des Adressaten, für den der Text ursprünglich geschrieben war.

Zunächst klingt es wie ein vernünftiger hermeneutischer Kanon, der als solcher auch allgemein anerkannt ist, daß man nichts in einen Text hineinlegen soll, was Verfasser und Leser nicht im Sinne haben konnten. Allein nur in extremen Fällen ist dieser Kanon wirklich anwendbar. Denn Texte wollen nicht als Lebensausdruck der Subjektivität des Verfassers verstanden werden. Der Sinn eines Textes kann also nicht von da aus seine Umgrenzung finden. Jedoch ist nicht nur die Begrenzung des Sinns eines Textes

---

[1] Vgl. oben S. 256 f.

auf die ‚wirklichen' Gedanken des Verfassers fragwürdig. Auch wenn man den Sinn eines Textes objektiv zu bestimmen sucht, indem man ihn als zeitgenössische Anrede versteht und auf seinen ursprünglichen Leser bezieht, wie das Schleiermachers Grundannahme war, kommt man nicht über eine Zufallsbegrenzung hinaus. Der Begriff der zeitgenössischen Adresse kann selber nur eine beschränkte kritische Geltung beanspruchen. Denn was ist Zeitgenossenschaft? Zuhörer von vorgestern wie von übermorgen gehören immer mit zu denen, zu denen man als Zeitgenosse spricht. Wo soll die Grenze für jenes Übermorgen gezogen sein, das einen Leser als Angeredeten ausschließt? Was sind Zeitgenossen, und was ist der Wahrheitsanspruch eines Textes angesichts dieser vielfältigen Mischung aus Gestern und Übermorgen? Der Begriff des ursprünglichen Lesers steckt voller undurchschauter Idealisierung.

Unsere Einsicht in das Wesen der literarischen Überlieferung enthält darüber hinaus eine grundsätzliche Einrede gegen die hermeneutische Legitimation des Begriffs des ursprünglichen Lesers. Wir hatten gesehen, wie Literatur durch den Willen zur Weitergabe definiert ist. Wer abschreibt und wer weitergibt, meint aber aufs neue seine eigenen Zeitgenossen. So scheint die Bezugnahme auf den ursprünglichen Leser ebenso wie die auf den Sinn des Verfassers nur einen sehr rohen historisch-hermeneutischen Kanon darzustellen, der den Sinnhorizont von Texten nicht wirklich begrenzen darf. Was schriftlich fixiert ist, hat sich von der Kontingenz seines Ursprungs und seines Urhebers abgelöst und für neuen Bezug positiv freigegeben. Normbegriffe wie die Meinung des Verfassers oder das Verständnis das ursprünglichen Lesers repräsentieren in Wahrheit nur eine leere Stelle, die sich von Gelegenheit zu Gelegenheit des Verstehens ausfüllt.

b) Sprachlichkeit als Bestimmung des hermeneutischen Vollzugs

Wir kommen damit zu dem zweiten Aspekt, unter dem sich die Beziehung von Sprachlichkeit und Verstehen darstellt. Nicht nur ist der bevorzugte Gegenstand des Verstehens, die Überlieferung, sprachlicher Natur – das Verstehen selbst hat eine grundsätzliche Beziehung auf Sprachlichkeit. Wir waren von dem Satz ausgegangen, daß Verstehen schon Auslegen ist, weil es den hermeneutischen Horizont bildet, in dem sich die Meinung eines Textes zur Geltung bringt. Um aber die Meinung eines Textes in seinem sachlichen Gehalt zum Ausdruck bringen zu können, müssen wir sie in unsere Sprache übersetzen, d.h. aber, wir setzen sie in Beziehung zu dem Ganzen möglicher Meinungen, in dem wir uns sprechend und ausprachebereit bewegen. Wir haben das an der ausgezeichneten Stellung, die der *Frage* als einem hermeneutischen Phänomen zukommt, schon in seiner logischen Struktur untersucht. Wenn wir jetzt auf die Sprachlichkeit alles Verstehens gerichtet sind, bringen wir das in der Dialektik von Frage und Antwort Gezeigte von anderer Seite erneut zur Sprache.

Wir dringen damit in eine Dimension vor, die von der herrschenden Selbstauffassung der historischen Wissenschaften im allgemeinen verfehlt wird. Denn der Historiker wählt in der Regel die Begriffe, mit denen er die historische Eigenart seiner Gegenstände beschreibt, ohne ausdrückliche Reflexion auf ihre Herkunft und ihre Berechtigung. Er folgt allein seinem Sachinteresse dabei und gibt sich keine Rechenschaft davon, daß die deskriptive Eignung, die er in den von ihm gewählten Begriffen findet, für seine eigene Absicht höchst verhängnisvoll sein kann, sofern sie das historisch Fremde dem Vertrauten angleicht und so selbst bei unbefangenster Auffassung das Anderssein des Gegenstandes schon den eigenen Vorbegriffen unterworfen hat. Er verhält sich damit trotz aller wissenschaftlicher Methodik genauso wie jeder andere, der als Kind seiner Zeit von den Vorbegriffen und Vorurteilen der eigenen Zeit fraglos beherrscht wird[1].

Sofern der Historiker sich diese seine Naivität nicht eingesteht, verfehlt er unzweifelhaft das von der Sache geforderte Reflexionsniveau. Seine Naivität wird aber wahrhaft abgründig, wenn er sich der Problematik derselben bewußt zu werden beginnt und etwa die Forderung stellt, man habe im historischen Verstehen die eigenen Begriffe beiseite zu lassen und nur in Begriffen der zu verstehenden Epoche zu denken[2]. Diese Forderung, die wie eine konsequente Durchführung des historischen Bewußtseins klingt, enthüllt sich jedem denkenden Leser als eine naive Illusion. Die Naivität dieses Anspruchs besteht nicht etwa darin, daß eine solche Forderung und ein solcher Vorsatz des historischen Bewußtseins unerfüllt bleiben, weil der Interpret das Ideal, sich selbst beiseite zu lassen, nicht genügend erreicht. Das würde immer noch heißen, daß es ein legitimes Ideal sei, dem man sich nach Möglichkeit annähern müsse. Was die legitime Forderung des historischen Bewußtseins, eine Zeit aus ihren eigenen Begriffen zu verstehen, wirklich meint, ist aber etwas ganz anderes. Die Forderung, die Begriffe der Gegenwart beiseite zu lassen, meint nicht eine naive Versetzung in die Vergangenheit. Sie ist vielmehr eine wesensmäßig relative Forderung, die nur in bezug auf die eigenen Begriffe überhaupt einen Sinn hat. Das historische Bewußtsein verkennt sich selbst, wenn es, um zu verstehen, das ausschließen möchte, was allein Verstehen möglich macht. *Historisch denken* heißt in Wahrheit, *die Umsetzung vollziehen, die den Begriffen der Vergangenheit geschieht*, wenn wir in ihnen zu denken suchen. Historisch denken enthält eben immer schon eine Vermittlung zwischen jenen Begriffen und dem eigenen Denken. Die eigenen Begriffe bei der Auslegung vermeiden zu wollen, ist nicht nur unmöglich, sondern offenbarer Wider-

---

[1] Vgl. oben S. 344 und im besonderen das Friedrich-Schlegel-Zitat.

[2] Vgl. meine Anzeige von H. Rose, Klassik als Denkform des Abendlandes, im Gnomon 1940, S. 433 f. Nachträglich sehe ich, daß schon die methodische Einführung zu ‚Platos dialektische Ethik‘, 1931, implizit die gleiche Kritik übt.

sinn. Auslegen heißt gerade: die eigenen Vorbegriffe mit ins Spiel bringen, damit die Meinung des Textes für uns wirklich zum Sprechen gebracht wird.

Wir hatten in der Analyse des hermeneutischen Prozesses die Gewinnung des Auslegungshorizontes als eine Horizontverschmelzung erkannt. Das wird jetzt auch von der Seite der Sprachlichkeit der Auslegung aus bestätigt. Der Text soll durch die Auslegung zum Sprechen kommen. Kein Text und kein Buch spricht aber, wenn es nicht die Sprache spricht, die den anderen erreicht. So muß die Auslegung die rechte Sprache finden, wenn sie wirklich den Text zur Sprache bringen will. Es kann daher keine richtige Auslegung ‚an sich‘ geben, gerade weil es in jeder um den Text selbst geht. In der Angewiesenheit auf immer neue Aneignung und Auslegung besteht das geschichtliche Leben der Überlieferung. Eine richtige Auslegung an sich wäre ein gedankenloses Ideal, das das Wesen der Überlieferung verkennte. Jede Auslegung hat sich in die hermeneutische Situation zu fügen, der sie zugehört.

Situationsgebundenheit bedeutet keineswegs, daß sich der Anspruch auf Richtigkeit, den jede Interpretation erheben muß, ins Subjektive oder Okkasionelle auflöste. Wir fallen nicht hinter die romantischen Erkenntnisse zurück, durch die das Problem der Hermeneutik von allen okkasionellen Motiven gereinigt wurde. Auslegen ist auch für uns nicht ein pädagogisches Verhalten, sondern der Vollzug des Verstehens selbst, das sich nicht nur für die anderen, für die man etwa auslegt, sondern ebenso für den Interpreten selbst in der Ausdrücklichkeit sprachlicher Auslegung erst vollendet. Dank der Sprachlichkeit aller Auslegung ist gewiß in aller Auslegung der mögliche Bezug auf andere mit enthalten. Es kann kein Sprechen geben, das nicht den Sprechenden mit dem Angesprochenen zusammenschließt. Das gilt auch für den hermeneutischen Vorgang. Aber dieser Bezug bestimmt nicht in der Weise einer bewußten Anpassung an eine pädagogische Situation den auslegenden Vollzug des Verstehens, sondern dieser Vollzug ist nichts als *die Konkretion des Sinnes selbst.* Ich erinnere daran, wie wir das Moment der Applikation, das aus der Hermeneutik ganz verdrängt worden war, erneut zur Geltung gebracht haben. Wir haben gesehen: Einen Text verstehen, heißt immer schon: ihn auf uns selbst anwenden und wissen, daß ein Text, auch wenn er immer anders verstanden werden muß, doch derselbe Text ist, der sich uns jeweils anders darstellt. Daß damit der Wahrheitsanspruch einer jeden Auslegung nicht im geringsten relativiert wird, wird daran deutlich, daß aller Auslegung wesensmäßig Sprachlichkeit zukommt. Die sprachliche Ausdrücklichkeit, die ein Verstehen durch Auslegung gewinnt, erzeugt nicht einen zweiten Sinn neben dem verstandenen und ausgelegten. Die auslegenden Begriffe sind im Verstehen überhaupt nicht als solche thematisch. Sie haben vielmehr die Bestimmung, ihrerseits hinter dem zu verschwinden, was sie auslegend zum Sprechen bringen. Paradoxerweise ist eine Auslegung dann richtig, wenn sie derart zum Verschwinden fähig ist. Und doch gilt gleichzeitig, daß sie als zum Verschwinden bestimmte zur Darstellung kommen muß. Die Möglichkeit des Verstehens ist angewiesen auf die Möglichkeit solcher vermittelnder Auslegung.

Das gilt der Sache nach auch dort, wo sich das Verständnis unmittelbar einstellt und gar keine ausdrückliche Auslegung vorgenommen wird. Denn auch in solchen Fällen von Verstehen gilt, daß die Auslegung möglich sein muß. Das bedeutet aber, die Auslegung ist potentiell im Verstehen enthalten. Sie bringt das Verstehen nur zur ausdrücklichen Ausweisung. Die Auslegung ist also nicht ein Mittel, durch das das Verstehen herbeigeführt wird, sondern ist in den Gehalt dessen, was da verstanden wird, eingegangen. Wir erinnern daran, daß das nicht nur heißt, daß die Sinnmeinung des Textes einheitlich vollziehbar wird, sondern daß damit auch die Sache, von der der Text spricht, sich zu Worte bringt. Die Auslegung legt die Sache gleichsam auf die Waage der Worte. – Die Allgemeinheit dieser Feststellung erfährt nun einige charakteristische Abwandlungen, die sie indirekt bestätigen. Wo wir es mit dem Verstehen und Auslegen sprachlicher Texte zu tun haben, macht die Auslegung im Medium der Sprache selber deutlich, was Verstehen immer ist: eine solche Aneignung des Gesagten, daß es einem selbst zu eigen wird. Sprachliche Auslegung ist die Form der Auslegung überhaupt. Sie liegt daher auch dort vor, wo das Auszulegende gar nicht sprachlicher Natur, also gar kein Text ist, sondern etwa ein Bildwerk oder ein Tonwerk. Man darf sich nur nicht durch solche Formen der Auslegung beirren lassen, die zwar nicht sprachlich sind, aber in Wahrheit die Sprachlichkeit doch voraussetzen. Man kann etwa durch das Mittel des Kontrasts etwas demonstrieren, z. B. indem man zwei Bilder nebeneinanderstellt oder zwei Gedichte nacheinander liest, so daß das eine durch das andere ausgelegt wird. In solchen Fällen kommt gleichsam das zeigende Demonstrieren der sprachlichen Auslegung zuvor. In Wahrheit heißt das aber, daß solche Demonstration eine Modifikation sprachlicher Auslegung ist. Im Gezeigten liegt alsdann der Widerschein der Auslegung, die sich des Zeigens als einer anschaulichen Abbreviatur bedient. Das Zeigen ist im selben Sinne Auslegung, wie etwa eine Übersetzung, die das Resultat einer Auslegung zusammenfaßt, oder wie das richtige Vorlesen eines Textes, das die Interpretationsfragen schon entschieden haben muß, weil man nur vorlesen kann, was man verstanden hat. Verstehen und Auslegen sind auf eine unlösliche Weise ineinander verschlungen.

Offenbar hängt es mit der Eingelegtheit aller Auslegung in das Verstehen zusammen, daß der Begriff der *Interpretation* nicht nur auf wissenschaftliche Auslegung angewandt wird, sondern auch auf künstlerische *Reproduktion*, etwa auf musikalische oder szenische Aufführung. Wir haben oben gezeigt, wie solche Reproduktion keine zweite Schöpfung hinter der ersten ist, sondern das Kunstwerk erst zu seiner eigentlichen Erscheinung bringt.

Die Zeichenschrift, in der ein musikalischer Text oder ein Drama vorliegt, wird darin nur eingelöst. Auch das Vorlesen ist ein Vorgang solcher Art, nämlich die Erweckung und Umsetzung eines Textes in neue Unmittelbarkeit.

Daraus folgt aber, daß das gleiche auch von allem Verstehen im stillen Lesen gelten muß. Grundsätzlich gesehen enthält auch das Lesen immer schon eine Auslegung. Damit soll nicht gesagt sein, daß das lesende Verstehen eine Art von innerer Aufführung ist, in der das Kunstwerk eine ebenso selbständige – wenn auch in der Intimität der seelischen Innerlichkeit verbleibende – Existenz fände wie in der vor aller Augen sichtbaren Aufführung. Es soll vielmehr umgekehrt damit gesagt sein, daß auch eine in das Äußere von Raum und Zeit gestellte Aufführung in Wahrheit gegenüber dem Werke selbst gar keine selbständige Existenz hat und nur in einer sekundären ästhetischen Unterscheidung zu einer solchen zu werden vermag. Die Interpretation, die Musik oder Dichtung finden, indem sie aufgeführt werden, ist nicht grundsätzlich verschieden von dem Verstehen eines Textes beim Lesen: Verstehen enthält immer Auslegung. Was der Philologe betreibt, besteht ebenso darin, Texte lesbar und verständlich zu machen, bzw. das rechte Verständnis eines Textes gegen Mißverständnisse zu sichern. Dann besteht also kein prinzipieller Unterschied zwischen der Auslegung, die ein Werk durch seine Reproduktion erfährt, und derjenigen, die der Philologe leistet. Ein reproduzierender Künstler mag die Rechtfertigung seiner Auslegung in Wort und Rede noch so sehr als sekundär empfinden und als unkünstlerisch ablehnen – daß die reproduktive Interpretation einer solchen Rechenschaft grundsätzlich fähig ist, kann er nicht leugnen wollen. Auch er muß wollen, daß die Auffassung, die er hat, richtig und überzeugend ist, und es wird ihm nicht einfallen, etwa die Bindung an den Text, der ihm vorliegt, abzustreiten. Dieser Text ist aber der gleiche, der dem wissenschaftlichen Ausleger seine Aufgabe stellt. So wird er also grundsätzlich nichts dagegen sagen können, daß sein eigenes, in reproduktiver Auslegung zur Darstellung kommendes Verständnis eines Werkes selber wieder verstanden, und d. h. auslegend gerechtfertigt werden kann, und solche Auslegung wird sich in sprachlicher Form vollziehen. Auch sie ist dann nicht eine neue Schöpfung von Sinn. Es entspricht ja auch ihr, daß sie als Auslegung wieder verschwindet und in der Unmittelbarkeit des Verstehens ihre Wahrheit bewährt.

Die Einsicht in die innere Verschlungenheit von Auslegung und Verstehen ist auch geeignet, die falsche Romantisierung der Unmittelbarkeit zu zerstören, die Künstler und Kenner im Zeichen der Genieästhetik betrieben haben und betreiben. Auslegung will sich nicht an die Stelle des ausgelegten Werkes setzen. Sie will nicht z. B. durch dichterische Kraft ihrer eigenen Aussage auf sich ziehen. Sie behält vielmehr eine *grundsätzliche* Akzidentialität. Das aber gilt nicht nur vom auslegenden Wort, sondern ebenso von der reproduzierenden Interpretation. Das auslegende Wort hat insofern stets etwas Akzidentelles, als es durch die hermeneutische Frage motiviert wird, nicht nur im Sinne der pädagogischen Veranlassung, auf die man im Zeitalter der Aufklärung die Auslegung beschränkt hatte, sondern weil Verstehen immer ein echtes Geschehen ist[1]. Ebenso ist die Interpretation, die Reproduktion ist, in einem grundsätzlichen Sinne akzidentell, d. h. nicht nur dann, wenn man etwa in didaktischer Absicht übertreibend etwas vorspielt, vormacht, vorübersetzt oder vorliest. Daß in solchen Fällen die Reproduktion im besonderen, deiktischen Sinne Auslegung ist, nämlich eine demonstrative Übertreibung und Überhellung in sich schließt, macht in Wahrheit keinen grundsätzlichen, sondern nur graduellen Unterschied von jeder anderen reproduzierenden Auslegung. So sehr es die Dichtung oder die Komposition selbst ist, die durch die Aufführung ihre mimische Präsenz gewinnt, muß doch jede Aufführung ihre Akzente setzen. Insofern ist der Unterschied zu der demonstrierenden Akzentuierung in didaktischer Absicht gar nicht so groß. Jede Aufführung ist Auslegung. In jeder Auslegung ist Überhellung.

Nur weil sie kein bleibendes Sein hat und in dem Werk, das sie reproduziert, verschwindet, tritt das nicht so deutlich heraus. Aber wenn wir etwa das Vergleichbare aus der bildenden Kunst heranziehen, z. B. die Zeichnungen nach alten Meistern, die ein großer Künstler vornimmt, finden wir die gleiche überhellende Auslegung darin. Ähnlich dürfte die eigentümliche Wirkung zu beurteilen sein, die alte Filme bei der Wiederaufnahme zeigen oder auch die Wirkung, die ein Film bei unmittelbarer Wiederholung, wenn er einem noch in frischester Erinnerung ist, ausübt: es kommt einem dann alles übermäßig deutlich gespielt vor. – Es ist also wohlbegründet, daß wir bei jeder Reproduktion von einer Auffassung sprechen, die ihr zugrunde liegt, und diese muß einer grundsätzlichen Rechtfertigung fähig sein. Die Auffassung im ganzen setzt sich ja aus tausend kleinen Entscheidungen zusammen, die alle richtig sein wollen. Argumentative Rechtfertigung und Auslegung braucht nicht des Künstlers eigene Sache zu sein; überdies wird die Ausdrücklichkeit der sprachlichen Auslegung grundsätzlich nur approximative Richtigkeit besitzen und wesensmäßig hinter der runden Konkretion zurückbleiben, die eine ‚künstlerische‘ Reproduktion als solche erreicht – der innere Bezug alles Verstehens auf Auslegung und die prinzipielle Möglichkeit der Auslegung im Wort bleibt davon jedoch unberührt.

Der grundsätzliche Vorrang der Sprachlichkeit, den wir behaupten, muß recht verstanden werden. Gewiß erscheint die Sprache oft wenig fähig, das auszudrücken, was wir fühlen. Angesichts der überwältigenden Präsenz von Kunstwerken erscheint die Aufgabe, in Worte zu fassen, was sie

---

[1] Vgl. S. 291 ff.

uns sagen, wie ein unendliches Unternehmen aus einer hoffnungslosen Ferne. So vermag es geradezu eine Kritik der Sprache zu motivieren, daß unser Verstehenwollen und Verstehenkönnen über jede erreichte Aussage immer wieder hinausdrängt. Allein das ändert nichts an dem grundsätzlichen Vorrang der Sprachlichkeit. Unsere Erkenntnismöglichkeiten scheinen zwar viel individueller als die Ausdrucksmöglichkeiten, die uns die Sprache bereitstellt. Angesichts der sozial motivierten Einebnungstendenz, mit der die Sprache das Verstehen in bestimmte Schematismen zwängt, die uns beengen, sucht sich unser Erkenntniswille diesen Schematisierungen und Vorgreiflichkeiten kritisch zu entziehen. Die kritische Überlegenheit, die wir der Sprache gegenüber in Anspruch nehmen, betrifft aber gar nicht die Konventionen des sprachlichen Ausdruckes, sondern die Konventionen des Meinens, die sich im Sprachlichen niedergeschlagen haben. Sie sagt also nichts gegen den Wesenszusammenhang von Verstehen und Sprachlichkeit. Sie ist in Wahrheit geeignet, diesen Wesenszusammenhang selbst zu bestätigen. Denn jede solche Kritik, die sich, um zu verstehen, über den Schematismus unserer Aussagen erhebt, findet ihren Ausdruck abermals in sprachlicher Gestalt. Insofern überholt die Sprache alle Einreden gegen ihre Zuständigkeit. Ihre Universalität hält mit der Universalität der Vernunft Schritt. Das hermeneutische Bewußtsein hat hier nur an etwas teil, was das allgemeine Verhältnis von Sprache und Vernunft ausmacht. Wenn alles Verstehen in einem notwendigen Äquivalenzverhältnis zu seiner möglichen Auslegung steht und wenn dem Verstehen grundsätzlich keine Grenze gesetzt ist, so muß auch die sprachliche Erfassung, die dies Verstehen in der Auslegung erfährt, eine alle Schranken überwindende Unendlichkeit in sich tragen. Die Sprache ist die Sprache der Vernunft selbst.

Dergleichen läßt sich nun freilich nicht behaupten, ohne daß man stockt. Denn damit gewinnt die Sprache eine solche Nähe zu der Vernunft, d.h. aber zu den Sachen, die sie benennt, daß es rätselhaft wird, wie es überhaupt verschiedene Sprachen geben soll, wo doch für alle die gleiche Nähe zur Vernunft und zu den Sachen zu gelten scheint. Wer in einer Sprache lebt, ist von der unübertrefflichen Angemessenheit der Worte, die er gebraucht, zu den Sachen, die er meint, erfüllt. Es scheint wie ausgeschlossen, daß andere Worte fremder Sprachen dieselben Sachen ebenso angemessen nennen können. Das treffende Wort scheint immer nur das eigene und immer nur ein einziges sein zu können, so gewiß die gemeinte Sache jeweils eine ist. Schon die Qual des Übersetzens beruht zuletzt darauf, daß die Originalworte von den gemeinten Inhalten unablösbar scheinen, so daß man, um einen Text verständlich zu machen, ihn oft weitläufig auslegend umschreiben muß, statt ihn zu übersetzen. Je empfindlicher unser historisches Bewußtsein reagiert, desto mehr scheint es die Unübersetzbarkeit des Fremden zu empfinden. Damit wird aber die innige Einheit von Wort und Sache zu einem hermeneutischen Skandalon. Wie soll es möglich sein, eine fremde Überlieferung überhaupt zu verstehen, wenn wir derart in die Sprache, die wir sprechen, gleichsam gebannt sind?

Es gilt, diesen Gedankengang als scheinhaft zu durchschauen. In Wahrheit bekundet die Empfindlichkeit unseres historischen Bewußtseins das Gegenteil. Immer bleibt das verstehende und auslegende Bemühen sinnvoll. Darin demonstriert sich die überlegene Allgemeinheit, mit der sich die Vernunft über die Schranken jeder gegebenen Sprachverfassung erhebt. Die hermeneutische Erfahrung ist das Korrektiv, durch das sich die denkende Vernunft dem Bann des Sprachlichen entzieht, und sie ist selber sprachlich verfaßt.

Unter diesem Aspekt stellt sich uns das Problem der Sprache von vornherein nicht in demselben Sinne, in welchem die *Sprachphilosophie* danach fragt. Gewiß stellt die Vielheit der Sprachen, für deren Mannigfaltigkeit sich die Sprachwissenschaft interessiert, auch uns eine Frage. Aber diese Frage ist lediglich die eine Frage, wie eine jede Sprache trotz aller Verschiedenheit von den anderen Sprachen in der Lage sein soll, alles zu sagen, was sie will. Daß eine jede Sprache das auf ihre eigene Weise tut, lehrt uns die Sprachwissenschaft. Wir stellen unsererseits die Frage, wie sich in der Vielfalt dieser Sagweisen dennoch überall dieselbe Einheit von Denken und Sprechen betätigt, und so, daß grundsätzlich jede schriftliche Überlieferung verstanden werden kann. Wir interessieren uns also für das Umgekehrte dessen, was die Sprachwissenschaft zu erforschen sucht.

Die innige Einheit von Sprache und Denken ist die Voraussetzung, von der auch die Sprachwissenschaft ausgeht. Nur dadurch ist sie zur Wissenschaft geworden. Denn nur weil diese Einheit besteht, ist für den Forscher die Abstraktion lohnend, durch die er die Sprache als solche jeweils zum Gegenstand macht. Erst dadurch, daß sie mit den konventionalistischen Vorurteilen der Theologie und des Rationalismus brachen, haben Herder und Humboldt die Sprachen als Weltansichten sehen gelernt. Indem sie die Einheit von Denken und Sprechen anerkannten, gelangten sie zu der Aufgabe, die verschiedenen Gestaltungsformen dieser Einheit als solche zu vergleichen. Wir nun gehen von der gleichen Einsicht aus, aber wir gehen gleichsam den umgekehrten Weg. Wir suchen aller Verschiedenheit der Sagweisen zum Trotz die unauflösliche Einheit von Denken und Sprache festzuhalten, wie sie uns als die Einheit von Verstehen und Auslegung im hermeneutischen Phänomen begegnet.

Die Frage, die uns leitet, ist also die nach der *Begrifflichkeit alles Verstehens*. Sie ist nur scheinbar eine sekundäre Fragestellung. Wir haben ja gesehen, daß begriffliche Auslegung die Vollzugsweise der hermeneutischen Erfahrung selbst ist. Eben deshalb ist das hier liegende Problem so schwierig. Der Ausleger weiß nicht darum, daß er sich selbst und seine eigenen Begriffe in die Auslegung mit einbringt. Die sprachliche Formulierung wohnt dem Meinen des Interpreten so völlig ein, daß sie ihm in keiner

Weise gegenständlich wird. So ist es verständlich, daß diese Seite des hermeneutischen Vollzugs ganz unbeachtet bleibt. Dazu kommt aber noch im besonderen, daß der Sachverhalt durch unangemessene *Sprachtheorien* verstellt wurde. Es liegt auf der Hand, daß eine instrumentalistische Zeichentheorie, die Wort und Begriff als bereitliegende oder bereitzumachende Werkzeuge auffaßt, das hermeneutische Phänomen verfehlt. Wenn wir uns an das halten, was in Wort und Rede und vor allem auch in jedem Gespräch mit der Überlieferung, das die Geisteswissenschaften führen, geschieht, müssen wir anerkennen, daß darin beständig Begriffsbildung vor sich geht. Das soll nicht etwa heißen, daß der Interpret neue oder ungewöhnliche Worte gebraucht. Aber der Gebrauch der gewohnten Worte entspringt nicht dem Akte der logischen Subsumtion, durch den ein Einzelnes unter das Allgemeine des Begriffs gebracht würde. Wir erinnern uns vielmehr, daß Verstehen stets ein Moment der Applikation einschließt und insofern eine beständige Fortentwicklung der Begriffsbildung vollbringt. Das müssen wir auch jetzt bedenken, wenn wir die dem Verstehen eigene Sprachlichkeit von den Voreingenommenheiten der sogenannten Sprachphilosophie befreien wollen. Der Ausleger bedient sich nicht der Worte und Begriffe wie der Handwerker, der die Werkzeuge in die Hand nimmt und fortlegt. Wir müssen vielmehr die innere Durchwebtheit alles Verstehens durch Begriffliches erkennen und jede Theorie zurückweisen, die die innige Einheit von Wort und Sache nicht wahrhaben will.

Ja, die Lage ist noch schwieriger. Es fragt sich nämlich, ob der *Begriff von Sprache,* von dem die moderne Sprachwissenschaft und die Sprachphilosophie ausgehen, der Sachlage überhaupt gerecht wird. In jüngster Zeit ist von sprachwissenschaftlicher Seite mit Recht geltend gemacht worden, daß der moderne Sprachbegriff eine Sprachbewußtheit voraussetze, die selber ein geschichtliches Resultat sei und für den Anfang des geschichtlichen Prozesses, insbesondere für das, was bei den Griechen Sprache war, nicht zutreffe [1]. Von der völligen Sprachunbewußtheit, die im klassischen Griechentum vorliege, gehe der Weg bis zur instrumentalistischen Sprachentwertung der Neuzeit, und dieser Prozeß der Bewußtwerdung, der zugleich eine Veränderung des Sprachverhaltens in sich schließe, mache überhaupt erst möglich, daß ,die Sprache' als solche, d. h. ihrer Form nach, in Ablösung von allem Inhalt, zu selbständiger Beachtung gelangte.

Man kann bezweifeln, ob die Beziehung zwischen Sprachverhalten und Sprachtheorie so richtig charakterisiert ist – unbezweifelbar aber ist, daß Sprachwissenschaft und Sprachphilosophie unter der Voraussetzung arbeiten, daß die *Form* der Sprache ihr alleiniges Thema ist. Ob der Begriff der Form hier aber überhaupt am Platze ist? Ist die Sprache überhaupt eine symbolische Form, wie Cassirer es genannt hat? Wird man damit ihrer

---

[1] J. Lohmann in Lexis III, u. ö.

Einzigartigkeit gerecht, die darin liegt, daß die Sprachlichkeit alles, was Cassirer sonst symbolische Form nennt, Mythos, Kunst, Recht usw., ihrerseits umfaßt?[1]

Wir sind auf die universale Funktion der Sprachlichkeit auf dem Wege unserer Analyse des hermeneutischen Phänomens gestoßen. Indem sich das hermeneutische Phänomen in seiner Sprachlichkeit enthüllt, besitzt es selber eine schlechthin universale Bedeutung. Verstehen und Interpretieren sind in spezifischer Weise der sprachlichen Überlieferung zugeordnet. Aber sie überschreiten zugleich diese Zuordnung nicht nur, sofern alle, auch die nichtsprachlichen Kulturschöpfungen der Menschheit so verstanden werden wollen, sondern noch weit grundsätzlicher, da alles Verständliche überhaupt dem Verstehen und der Interpretation zugänglich sein muß. Vom Verstehen gilt eben dasselbe wie für die Sprache. Sie sind beide nicht nur als ein Faktum zu fassen, das man empirisch erforschen kann. Sie sind beide nie bloß Gegenstand, sondern umgreifen alles, was je Gegenstand werden kann[2].

Erkennt man diesen grundsätzlichen Zusammenhang zwischen Sprachlichkeit und Verstehen, so wird man freilich in dem Weg von der Sprachunbewußtheit über die Sprachbewußtheit zur Sprachentwertung[3] keinen eindeutigen geschichtlichen Prozeß erkennen können. Nicht einmal für die Geschichte der Sprachtheorien scheint mir dieses Schema zureichend, wie sich zeigen wird, geschweige denn für das Leben der Sprache selbst in ihrem lebendigen Vollzug. Die im Sprechen lebendige Sprache, die alles Verstehen, auch das des Interpreten von Texten, umgreift, ist so sehr in den Vollzug des Denkens bzw. Auslegens eingelegt, daß wir zu wenig in der Hand behalten, wenn wir von dem, was die Sprachen uns inhaltlich überliefern, absehen und nur die Sprache als Form denken wollten. Die Sprachunbewußtheit hat nicht aufgehört, die eigentliche Seinsweise des Sprechens zu sein. Wir wenden uns daher lieber den *Griechen* zu, die für das, was wir Sprache nennen, kein Wort hatten, als ihnen die allbeherrschende Einheit von Wort und Sache problematisch und damit denkwürdig wurde, und wir wenden uns an *das christliche Denken des Mittelalters*, das aus dogmatisch theologischem Interesse das Mysterium dieser Einheit neu durchdachte.

---

[1] Vgl. Ernst Cassirer, Wesen und Wirkung des Symbolbegriffs, 1956 (enthält vor allem die in der Bibliothek Warburg publizierten Abhandlungen). R. Hönigswald, Philosophie und Sprache, 1937, setzt hier mit seiner Kritik an.

[2] Hönigswald drückt das so aus: Die Sprache ist nicht nur Faktum, sondern zugleich Prinzip (a.a.O., S. 448).

[3] So beschreibt J. Lohmann a.a.O. die Entwicklung.

2. *Prägung des Begriffs „Sprache' durch die Denkgeschichte des Abendlandes*

a) Sprache und Logos

Die innige Einheit von Wort und Sache ist aller Frühzeit so selbstverständlich, daß der wahre Name wie ein Teil des Trägers dieses Namens, wenn nicht gar in seiner Stellvertretung als er selbst erfahren wird. Dafür ist bezeichnend, daß im Griechischen der Ausdruck für Wort, Onoma, zugleich ,Name' und im besonderen Eigenname, d. h. Rufname, meint. Das Wort wird zunächst vom Namen her verstanden. Der Name aber ist, was er ist, dadurch daß einer so heißt und auf ihn hört. Er gehört seinem Träger. Die Richtigkeit des Namens findet ihre Bestätigung darin, daß einer auf ihn hört. Er scheint also dem Sein selbst angehörig.

Nun hat die griechische Philosophie geradezu mit der Erkenntnis eingesetzt, daß das Wort *nur* Name ist, d. h. daß es nicht das wahre Sein vertritt. Das ist eben der Einbruch des philosophischen Fragens in die zunächst unbestrittene Voreingenommenheit durch den Namen. Wort-Glaube und Wort-Zweifel bezeichnen die Problemsituation, in der das Denken der griechischen Aufklärung das Verhältnis von Wort und Sache sah. Durch sie wird das Vorbild des Namens zum Gegenbild. Der Name, den man gibt, den man verändern kann, motiviert den Zweifel an der Wahrheit des Wortes. Kann man von der Richtigkeit von Namen reden? Aber muß man nicht doch von der Richtigkeit der Worte reden, d. h. die Einheit von Wort und Sache fordern? Und hat nicht der tiefsinnigste aller frühen Denker, Heraklit, den Tiefsinn des Wortspiels entdeckt? Das ist der Hintergrund, auf dem sich Platos ,Kratylos' erhebt, die Grundschrift des griechischen Denkens über Sprache, die die ganze Spannweite der Probleme enthält, so daß die spätere griechische Diskussion, die wir nur unvollkommen kennen, kaum Wesentliches hinzubringt[1].

Zwei in Platos ,Kratylos' diskutierte Theorien versuchen, auf verschiedenen Wegen das Verhältnis von Wort und Sache zu bestimmen: die konventionalistische Theorie sieht in der Eindeutigkeit des Sprachgebrauches, wie sie durch Übereinkunft und Übung erreicht wird, die einzige Quelle der Wortbedeutungen. Die ihr entgegenstehende Theorie vertritt eine natürliche Übereinstimmung von Wort und Sache, die eben mit dem Begriff der Richtigkeit ($\dot{o}\varrho\vartheta\acute{o}\tau\eta\varsigma$) bezeichnet ist. Es ist einleuchtend, daß diese beiden Positionen Extreme sind und deshalb sich in der Sache keineswegs auszuschließen brauchen. Der Einzelne, der spricht, kennt die Frage nach der ,Richtigkeit' des Wortes, die diese Position voraussetzt, jedenfalls nicht.

---

[1] Wertvoll ist noch immer deren Darstellung bei Hermann Steinthal, Die Geschichte der Sprachwissenschaft bei den Griechen und Römern mit besonderer Rücksicht auf die Logik, 1864.

Die Seinsweise der Sprache, die wir den ‚allgemeinen Sprachgebrauch‘ nennen, begrenzt beide Theorien: Die Grenze des *Konventionalismus* ist: man kann nicht willkürlich umändern, was die Worte bedeuten, wenn *Sprache* sein soll. Das Problem der ‚Sondersprachen‘ zeigt die Bedingungen, unter denen solche Umtaufungen stehen. Hermogenes im ‚Kratylos‘ gibt selbst ein Beispiel: die Umtaufung eines Bediensteten[1]. Die innere Unselbständigkeit der Lebenswelt des Dieners, der Zusammenfall seiner Person mit seiner Funktion macht das möglich, was sonst an dem Anspruch der Person auf ihr Fürsichsein, an der Wahrung ihrer Ehre, scheitert. Ebenso haben Kinder und Liebende ‚ihre‘ Sprache, durch die sie sich in der nur ihnen eigenen Welt verständigen: aber selbst dies nicht so sehr durch willkürliche Festsetzung als durch Herausbildung einer Sprachgewohnheit. Immer ist die Gemeinsamkeit einer Welt – auch wenn es nur eine gespielte ist – die Voraussetzung für ‚Sprache‘.

Die Grenze der *Ähnlichkeitstheorie* aber ist ebenfalls deutlich: Man kann nicht im Blick auf die gemeinten Sachen in dem Sinne an der Sprache Kritik üben, daß die Worte die Sachen nicht richtig wiedergeben. Die Sprache ist überhaupt nicht da wie ein bloßes Werkzeug, zu dem wir greifen, das wir uns herrichten, um mit ihm mitzuteilen und zu unterscheiden[2]. Beide Interpretationen der Worte gehen von ihrem Dasein und Zuhandensein aus und lassen die Sachen als vorhergewußte für sich sein. Sie setzen eben deshalb von vornherein zu spät an. So muß man sich fragen, ob Plato, der die innere Unhaltbarkeit der beiden extremen Positionen aufweist, damit eine ihnen gemeinsame Voraussetzung in Frage stellen will. Nun scheint mir Platos Absicht ganz klar – und das kann angesichts der nie aufhörenden Usurpation des ‚Kratylos‘ für die systematischen Probleme der Sprachphilosophie gar nicht genug betont werden: Plato will mit dieser Diskussion der zeitgenössischen Sprachtheorien zeigen, daß in der Sprache, in dem Anspruch auf Sprachrichtigkeit ($\mathit{\dot{o}\varrho\vartheta\acute{o}\tau\eta\varsigma\ \tau\tilde{\omega}\nu\ \dot{o}\nu o\mu\acute{a}\tau\omega\nu}$) keine sachliche Wahrheit ($\mathit{\dot{a}\lambda\acute{\eta}\vartheta\varepsilon\iota a\ \tau\tilde{\omega}\nu\ \ddot{o}\nu\tau\omega\nu}$) erreichbar ist und daß man ohne die Worte ($\mathit{\ddot{a}\nu\varepsilon\upsilon\ \tau\tilde{\omega}\nu\ \dot{o}\nu o\mu\acute{a}\tau\omega\nu}$) das Seiende erkennen müsse rein aus sich selbst ($\mathit{a\dot{\upsilon}\tau\grave{a}\ \dot{\varepsilon}\xi\ \dot{\varepsilon}a\upsilon\tau\tilde{\omega}\nu}$)[3]. Das ist eine radikale Verschiebung des Problems auf eine neue Ebene. Die Dialektik, auf die dies zielt, beansprucht offenbar, das Denken so auf sich selbst zu stellen und seinen wahren Gegenständen, den ‚Ideen‘ zu öffnen, daß damit die Macht der Worte ($\mathit{\delta\acute{\upsilon}\nu a\mu\iota\varsigma\ \tau\tilde{\omega}\nu\ \dot{o}\nu o\mu\acute{a}\tau\omega\nu}$) und ihre dämonische Technisierung in der sophistischen Argumentierkunst überwunden wird. Die Übersteigung des Bereichs der Worte ($\mathit{\dot{o}\nu\acute{o}\mu a\tau a}$) durch die Dialektik soll natürlich nicht heißen, daß es wirklich ein wortfreies Erkennen gäbe, sondern nur, daß nicht das *Wort* den Zugang zur Wahrheit öffnet, sondern umgekehrt: daß die ‚Angemessenheit‘ des Wortes erst von der Erkenntnis der Sachen aus zu beurteilen wäre.

---

[1] Krat. 384 d.   [2] Krat. 388 c.   [3] Krat. 438 d–439 b.

Man wird dies anerkennen und gleichwohl etwas vermissen: vor dem wirklichen Verhältnis von Wort und Sache weicht Plato doch offenkundig zurück. Hier erklärt er die Frage, wie man das Seiende erkennen kann, überhaupt als ein zu Großes, und dort, wo er davon spricht, wo er also die Dialektik in ihrem wahren Wesen beschreibt, wie in dem Exkurs des 7. Briefes[1], ist die Sprachlichkeit nur als ein äußeres Moment von bedenklicher Uneindeutigkeit anvisiert. Sie zählt zu den Vorwandhaftigkeiten (προτεινόμενα), die sich vordrängen und die der wahre Dialektiker hinter sich lassen muß, wie den sinnlichen Augenschein der Dinge. Das reine Denken der Ideen, die Dianoia, ist als ein Dialog der Seele mit sich selbst stumm (ἄνευ φωνῆς). Der Logos[2] ist der von solchem Denken ausgehende durch den Mund tönende Strom (ῥεῦμα διὰ τοῦ στόματος μετὰ φθόγγου): daß lautliche Versinnlichung keine eigene Wahrheitsbedeutung beansprucht, liegt auf der Hand. Es ist ganz unzweifelhaft, daß Plato *nicht* darüber reflektiert, daß der Denkvollzug, wenn er als ein Dialog der Seele gefaßt ist, selbst eine Sprachgebundenheit einschließt, und wenn wir im 7. Brief darüber doch etwas lesen, so ist es im Zusammenhang der Dialektik der Erkenntnis, d.h. des Hingeordnetseins der ganzen Bewegung des Erkennens auf das Eine (αὐτό). Wenn auch die Sprachgebundenheit dort grundsätzlich anerkannt wird, tritt sie doch nicht in ihrer Bedeutung wirklich heraus: sie ist nur eines der Momente des Erkennens, die allesamt von der Sache selbst her, auf die das Erkennen geht, in ihrer dialektischen Vorläufigkeit offenbar werden. Man muß also als Ergebnis formulieren, daß die Entdeckung der Ideen durch Plato das eigene Wesen der Sprache noch gründlicher verdeckt, als es die sophistischen Theoretiker taten, die im Gebrauch und Mißbrauch der Sprache ihre eigene Kunst (τέχνη) entwickelten.

Jedenfalls lesen wir auch dort, wo Plato auf seine Dialektik vordeutend die Diskussionsebene des ,Kratylos' überschreitet, kein anderes Verhältnis zur Sprache, als in dieser Ebene schon diskutiert war: Werkzeug, Abbild und Verfertigung und Beurteilung desselben vom Urbild, den Sachen selbst her. Er hält also, auch wenn er dem Bereich der Worte (ὀνόματα) keine selbständige Erkenntnisfunktion zuerkennt, und gerade, indem er die Überschreitung dieses Bereiches fordert, den Fragehorizont ein, in dem sich die Frage nach der ,Richtigkeit' des Namens stellt. Selbst wenn er (etwa im Zusammenhang des 7. Briefes) von einer naturhaften Richtigkeit der Namen nichts wissen will, hält er doch auch dort ein Gleichheits-Verhältnis (ὅμοιον) als Maßstab fest: Abbild und Urbild ist eben für ihn das metaphysische Modell, in dem er überhaupt allen Bezug auf das Noetische denkt. Die Kunst des Handwerkers so gut wie die des göttlichen Demiurgen, die des Redners so gut wie die des philosophischen Dialektikers bildet in ihrem

---

[1] VII. Brief 342 ff.   [2] Soph. 263 e, 264 a.

Medium das wahre Sein der Ideen ab. Immer ist Abstand (ἀπέχει) – auch wenn der wahre Dialektiker für sich diesen Abstand überwindet. Das Element der wahren Reden bleibt das Wort (ὄνομα und ῥῆμα) – das gleiche Wort, in dem sich Wahrheit bis zur Unkenntlichkeit und vollkommenen Nichtigkeit verbirgt.

Sieht man auf diesem Hintergrunde den Streit um die ‚Richtigkeit der Namen‘, wie ihn der ‚Kratylos‘ schlichtet, so gewinnen die dort zur Diskussion stehenden Theorien plötzlich ein über Plato und dessen eigene Absicht hinausgehendes Interesse. Denn beide Theorien, die der platonische Sokrates zum Scheitern bringt, werden nicht in ihrem vollen Wahrheitsgewicht gewogen. Die konventionalistische Theorie führt die ‚Richtigkeit‘ der Worte auf ein Namengeben zurück, gleichsam auf ein Taufen der Dinge auf einen Namen. Für diese Theorie liegt im Namen offenbar keinerlei Anspruch auf sachliche Erkenntnis – und nun überführt Sokrates den Verfechter dieser nüchternen Ansicht dadurch, daß er sich vom Unterschied des wahren und des falschen Logos aus auch die Bestandteile des Logos, die Worte (ὀνόματα) als wahr oder falsch zugeben läßt und ebenso das Nennen als einen Teil des Sprechens auf die im Sprechen geschehende Aufdeckung des Seins (οὐσία) bezieht[1]. Das ist eine mit der konventionalistischen These so unvereinbare Behauptung, daß es leicht ist, von da aus umgekehrt eine für den wahren Namen und die richtige Namengebung maßgebende ‚Natur‘ zu deduzieren. Daß das so erzielte Verständnis von ‚Richtigkeit‘ der Namen zu einem etymologischen Rausch und zu den absurdesten Konsequenzen führt, wird von Sokrates selbst eingestanden. – Aber auch mit der Behandlung der Gegenthese, wonach die Worte von Natur (φύσει) seien, geht es seltsam. Wenn man erwarten würde, die Gegen-Theorie werde ihrerseits durch die Aufdeckung der Fehlerhaftigkeit des Schlusses von der Wahrheit der Rede auf die des Wortes (die faktische Richtigstellung hierzu lesen wir im ‚Sophistes‘), aus der sie hergeleitet wurde, widerlegt, sieht man sich getäuscht. Vielmehr hält sich die Erörterung ganz innerhalb der prinzipiellen Voraussetzungen der ‚Natur‘-Theorie, nämlich an das Ähnlichkeitsprinzip und löst dasselbe nur durch schrittweise Einschränkung auf: wenn nämlich die ‚Richtigkeit‘ der Namen wirklich auf der richtigen, d. h. den Sachen angemessenen Namenfindung beruhen sollte, so gibt es selbst dann noch, wie bei jeder solchen Anmessung, Grade und Abstufungen der Richtigkeit. Nun mag, wenn nur das ein *wenig* Richtige noch den Umriß (τύπος) der Sache in sich abbildet, es schon gut genug sein, um brauchbar zu sein[2]. Aber man muß noch weitherziger sein: es kann ein Wort auch dann verstanden werden, offenbar aus Gewöhnung und Vereinbarung, wenn es Laute enthält, die gar nichts Ähnliches mit der Sache haben – so daß das ganze Prinzip der Ähnlichkeit

---

[1] Krat. 385b, 387c.   [2] Krat. 432aff.

ins Wanken kommt und an Beispielen wie den Wörtern für Zahlen widerlegt wird. Dort kann schon deshalb gar keine Ähnlichkeit statthaben, weil
Zahlen nicht der sichtbaren und bewegten Welt angehörig sind, so daß für
sie das Prinzip der Übereinkunft offenkundig allein gilt.

Die Preisgabe der *Physei-Theorie* tritt auffallend versöhnlich auf, nämlich so, daß das Konventionsprinzip dort ergänzend hinzutreten müsse,
wo das Ähnlichkeitsprinzip versage. Plato scheint zu meinen, daß das
Ähnlichkeitsprinzip ein vernünftiges, wenn auch in seiner Anwendung nur
sehr liberal zu handhabendes Prinzip sei. Die Konvention, die sich im
praktischen Sprachgebrauch darstellt und die Richtigkeit der Worte allein
ausmacht, mag sich nach Möglichkeit des Ähnlichkeitsprinzips bedienen,
aber sie ist nicht an es gebunden[1]. Das ist ein sehr gemäßigter Standpunkt,
der aber die grundsätzliche Voraussetzung einschließt, daß die Worte keine
wirkliche Erkenntnisbedeutung besitzen – ein Ergebnis, das über die ganze
Sphäre der Worte und die Frage ihrer Richtigkeit hinausweist auf die Erkenntnis der Sache. Das ist es offenbar, worauf es Plato allein ankommt.

Und doch hält die sokratische Argumentation gegen Kratylos, indem sie
an dem Schema der Namenfindung und -setzung festhält, eine Reihe von
Einsichten nieder, die sich nicht durchzusetzen vermögen. Daß das Wort ein
Werkzeug, das man sich für den lehrenden und unterscheidenden Umgang
der Sache herrichtet, also ein Seiendes ist, das seinem Sein mehr oder
weniger angemessen und entsprechend sein kann, legt bereits die Frage
nach dem Wesen des Wortes in einer nicht fraglosen Weise fest. Der Umgang mit der Sache, um den es hier geht, ist das Offenbarmachen der
gemeinten Sache. Das Wort ist dann richtig, wenn es die Sache zur Dar-
stellung bringt, also wenn es eine Darstellung ($\mu i \mu \eta \sigma \iota \varsigma$) ist. Nun handelt
es sich gewiß nicht um nachahmende Darstellung im Sinne einer unmittel-
baren Abbildung, so daß die lautliche oder sichtbare Erscheinung abge-
bildet würde, sondern es ist das Sein ($o \dot{v} \sigma i a$), das, was der Bezeichnung, zu
sein ($\varepsilon \tilde{l} v a \iota$), gewürdigt wird, das durch das Wort offenbar gemacht werden
soll. Es fragt sich aber, ob dafür die in dem Gespräch gebrauchten Begriffe,
die Begriffe des $\mu i \mu \eta \mu a$ bzw. des als $\mu i \mu \eta \mu a$ verstandenen $\delta \dot{\eta} \lambda \omega \mu a$ richtig
sind.

Daß das Wort, das einen Gegenstand nennt, ihn als den, der er ist, nennt,
weil es selbst eben die Bedeutung hat, mittels deren das Gemeinte genannt
wird, schließt durchaus nicht notwendig ein Abbildungsverhältnis ein. Im
Wesen des $\mu i \mu \eta \mu a$ liegt gewiß, daß in ihm auch noch etwas anderes,
als es selbst darstellt, zur Darstellung kommt. Bloße Nachahmung, ,Sein
wie', enthält also immer schon die Ansatzmöglichkeit für die Reflexion auf
den Seinsabstand zwischen Nachahmung und Vorbild. Das Wort nennt aber
auf eine viel innigere oder geistigere Weise die Sache, als daß Ähnlichkeits-

---

[1] Krat. 434e.

abstand, ein Mehr oder Minder des richtigen Abbildens hier statthätte. Kratylos hat ganz recht, wenn er sich dagegen erklärt. Er hat auch ganz recht, wenn er sagt, soweit ein Wort Wort sei, müsse es ‚richtiges‘, richtig ‚liegendes‘ sein. Ist es das nicht, d. h. hat es keine Bedeutung, dann sei es ein bloßes tönendes Erz[1]. Es hat wirklich keinen Sinn, in solchem Falle von falsch zu sprechen.

Gewiß kann es auch das geben, daß man jemanden nicht mit seinem richtigen Namen anredet, weil man ihn verwechselt, und ebenso, daß man für eine Sache nicht ‚das richtige Wort‘ gebraucht, weil man sie verkennt. Aber nicht das Wort ist dann unrichtig, sondern sein Gebrauch. Auf der Sache, für die es gebraucht wird, liegt es dann nur scheinbar. In Wahrheit ist es das Wort für etwas anderes und als solches richtig. Auch wer eine fremde Sprache lernt und sich dafür die Vokabeln einprägt, d. h. die Bedeutung der Wörter, die ihm unbekannt sind, setzt dabei voraus, daß sie ihre wahre Bedeutung haben, die das Lexikon aus dem Sprachgebrauch ermittelt hat und vermittelt. Man kann diese Bedeutungen verwechseln, aber das heißt immer: die ‚richtigen‘ Worte falsch gebrauchen. So hat es Sinn, von einer *absoluten Perfektion des Wortes* zu sprechen, sofern zwischen seiner sinnenfälligen Erscheinung und seiner Bedeutung überhaupt kein sinnliches Verhältnis, mithin kein Abstand besteht. Kratylos hätte daher auch keine Ursache, sich unter das Joch des Abbildschemas zurückbeugen zu lassen. Für das Abbild zwar gilt, daß es, ohne eine bloße Verdoppelung des Urbildes zu sein, dem Urbild gleicht, also als etwas, das ein anderes ist und auf das andere, das es darstellt, durch seine unvollkommene Ähnlichkeit verweist. Aber das gilt für das Verhältnis des Wortes zu seiner Bedeutung offenkundig nicht. Insofern ist es wie das Aufblitzen einer ganz verdunkelten Wahrheit, wenn Sokrates den Wörtern – im Unterschied zu den Gemälden (ζῷα) – nicht nur richtig, sondern auch wahr zu sein (ἀληθῆ) zuerkennt[2]. Die ‚Wahrheit‘ des Wortes liegt freilich nicht in seiner Richtigkeit, seiner richtigen Anmessung an die Sache. Sie liegt vielmehr in seiner vollendeten Geistigkeit, d. h. dem Offenliegen des Wortsinnes im Laut. In diesem Sinne sind alle Wörter ‚wahr‘, d. h. ihr Sein geht in ihrer Bedeutung auf, während Abbildungen nur mehr oder minder ähnlich und insofern – am Aussehen der Sache gemessen – mehr oder minder richtig sind.

Wie immer bei Plato hat es aber einen sachlichen Grund, daß Sokrates so blind ist gegen das, was er widerlegt. Kratylos ist sich selbst nicht darüber klar, daß die Bedeutung der Worte nicht einfach mit den genannten Sachen identisch ist, und noch viel weniger ist er sich darüber klar, und das begründet des platonischen Sokrates verschwiegene Überlegenheit, daß der Logos, das Reden und Sprechen und die in ihm vollzogene Offenlegung

---

[1] Krat. 429 b c, 430 a.
[2] Krat. 430 d⁵.

der Dinge, etwas anderes ist als das Meinen der in den Wörtern liegenden
Bedeutungen – und daß hier erst die eigentliche Möglichkeit der Sprache,
Richtiges, Wahres mitzuteilen, ihren Ort hat. Im Verkennen dieser eigent-
lichen Wahrheitsmöglichkeit der Rede (der wesensmäßig Falschheit, $\psi\varepsilon\tilde{v}\delta o\varsigma$,
als Gegenmöglichkeit zugehört) entspringt eben ihr sophistischer Miß-
brauch. Wenn der Logos als Darstellung einer Sache ($\delta\acute{\eta}\lambda\omega\mu a$) verstanden
wird, als ihre Offenlegung, ohne daß diese Wahrheitsfunktion der Rede
von dem Bedeutungscharakter der Wörter grundsätzlich unterschieden wird,
wird eine der Sprache eigene Verwirrungsmöglichkeit eröffnet. Man kann
dann meinen, im Wort die Sache zu haben. Sich ans Wort zu halten, erscheint nun als der legitime Weg der Erkenntnis. Aber auch die Umkehrung
gilt dann: wo man Erkenntnis hat, muß sich die Wahrheit der Rede aus
der Wahrheit der Wörter wie aus ihren Elementen aufbauen, und so wie
man die ‚Richtigkeit‘ dieser Wörter voraussetzt, d. h. ihre natürliche Angemessenheit an die von ihnen benannten Sachen, wird man auch noch
die Elemente dieser Wörter, die Buchstaben, auf ihre abbildliche Funktion
für die Sachen hin deuten dürfen. Das ist die Konsequenz, zu der Sokrates
seinen Partner nötigt.

In all dem ist aber verkannt, daß die Wahrheit der Sachen in der Rede,
d. h. aber zuletzt, im Meinen einer einheitlichen Meinung über die Sachen
und nicht in den einzelnen Worten – auch nicht im ganzen Wortbestand
einer Sprache – gelegen ist. Diese Verkennung ist es, die es Sokrates ermöglicht, die für die Wahrheit des Wortes, d. h. ihre Bedeutungshaftigkeit,
so treffenden Einwände des Kratylos zu widerlegen. Er spielt den Gebrauch
der Worte, d. h. aber die Rede, den Logos mit seinem Wahr- und Falsch-
seinkönnen, gegen ihn aus. Der Name, das Wort, scheint insofern wahr
oder falsch zu sein, als es wahr oder falsch gebraucht wird, d. h. dem Seienden richtig oder unrichtig zugeordnet wird. Solche Zuordnung ist aber
gar nicht mehr die des Wortes, sondern ist bereits Logos und kann in einem solchen Logos ihren angemessenen Ausdruck finden. Z. B. jemanden
‚Sokrates‘ nennen, will sagen, daß dieser Mensch Sokrates heißt.

Die Zuordnung, die Logos ist, ist also schon viel mehr als bloße Entsprechung von Wörtern und Sachen – wie sie letzten Endes der eleatischen
Seinslehre entsprechen würde und in der Abbildungstheorie vorausgesetzt
ist. Gerade weil die im Logos gelegene Wahrheit nicht die des bloßen Ver-
nehmens, (des $vo\varepsilon\tilde{\iota}v$), ist, kein bloßes Erscheinenlassen von Sein, sondern
immer Sein in eine Hinsicht stellt, ihm *etwas* zuerkennt und zuspricht, ist
nicht das Wort ($\check{o}vo\mu a$), sondern der Logos der Träger der Wahrheit (und
freilich auch der Unwahrheit). Daraus folgt dann mit Notwendigkeit, daß
diesem Beziehungsgefüge, in das der Logos die Sache aufgliedert und eben
damit auslegt, die Ausgesagtheit und damit die Sprachgebundenheit ganz
sekundär ist. – Man begreift, daß *nicht das Wort, sondern die Zahl* das
eigentliche Paradigma des Noetischen ist, die Zahl, deren Benennung er-

sichtlich reine Konvention ist und deren ‚Genauigkeit' eben darin besteht, daß jede Zahl durch ihre Stellung in der Reihe definiert ist, also ein reines Gebilde der Intelligibilität, ein ens rationis ist, nicht im abschwächenden Sinne seiner Seinsgeltung, sondern im Sinne seiner perfekten Vernünftigkeit. Dies ist das eigentliche Resultat, auf das der ‚Kratylos' bezogen ist, und dieses Resultat hat eine höchst folgenreiche Konsequenz, die in Wahrheit alles weitere Denken über Sprache beeinflußt.

Stellt der Bereich des Logos den Bereich des Noetischen in der Vielheit seiner Zuordnungen dar, so wird nämlich das *Wort* ganz wie die Zahl zum bloßen *Zeichen* eines wohldefinierten und damit vorgewußten Seins. Damit ist im Prinzip die Fragestellung umgekehrt. Jetzt wird nicht mehr von der Sache aus nach dem Sein und Mittelsein des Wortes gefragt, sondern vom Mittel des Wortes aus auf das hin gefragt, was und wie es etwas vermittelt, nämlich dem, der es gebraucht. Im Wesen des *Zeichens* liegt, daß es in seiner Verwendungsfunktion sein Sein hat, und das so, daß seine Eignung allein darin liegt, verweisend zu sein. Es muß sich daher in dieser seiner Funktion von der Umgebung, in der es angetroffen und als Zeichen genommen werden soll, abheben, um eben damit sein eigenes Dingsein aufzuheben und in seiner Bedeutung aufzugehen (zu verschwinden): es ist die Abstraktion des Verweisens selbst.

Das Zeichen ist daher nichts, das einen eigenen Gehalt geltend machte. Es braucht auch nicht den einer Ähnlichkeit mit dem, worauf es zeigt, zu haben, und wenn es sie hat, darf es nur eine schematische sein. Das aber heißt, daß abermals aller sichtbare Eigengehalt reduziert ist auf ein Minimum, das seiner Verweisungsfunktion zu Hilfe zu kommen vermag. Je eindeutiger die Bezeichnung durch ein Zeichending ist, desto mehr ist auch das Zeichen reines Zeichen, d.h. es erschöpft sich in der Zuordnung als solcher. So sind z.B. die Schriftzeichen bestimmten Lautidentitäten zugeordnet, die Zahlzeichen bestimmten Anzahlen, und sie sind deshalb die geistigsten aller Zeichen, weil ihre Zuordnung eine totale, sie völlig ausschöpfende ist. Merkzeichen, Abzeichen, Vorzeichen, Anzeichen usw. haben insoweit Geistigkeit, als sie als Zeichen genommen, d.h. auf ihr Verweisendsein abstrahiert werden. Das Zeichendasein besteht hier nur an etwas anderem, das als Zeichending zugleich etwas für sich ist und seine eigene Bedeutung hat, eine andere, als was es als Zeichen bedeutet. In solchem Falle gilt: die Zeichenbedeutung kommt den Zeichen nur in der Beziehung auf ein zeichennehmendes Subjekt zu – »es hat nicht seine absolute Bedeutung in ihm selbst, d.h. die Natur ist in ihm nur aufgehoben«[1]: es ist immer noch unmittelbar Seiendes (es hat sein Bestehen immer noch in seinem Zusammenhange mit anderem Seienden – selbst die Schriftzeichen sind z.B. in einem dekorativen Zusammenhang von

---

[1] Hegel, Jenenser Realphilosophie I, 210.

ornamentalem Wert –), und aufgrund seines unmittelbaren Seins erst ist es zugleich Verweisendes, Ideelles. Die Differenz zwischen seinem Sein und seiner Bedeutung ist eine absolute.

Anders liegt die Sache bei dem entgegengesetzten Extrem, das in die Bestimmung des Wortes hineinspielt: dem *Abbild*. Das Abbild enthält gewiß den gleichen Widerspruch seines Seins und seiner Bedeutung, aber so, daß es diesen Widerspruch in sich selbst aufhebt, gerade kraft der Ähnlichkeit, die in ihm selbst liegt. Es gewinnt seine Verweisungs- oder Darstellungsfunktion nicht von dem zeichennehmenden Subjekt her, sondern aus seinem eigenen Sachgehalt. Es ist nicht ein bloßes Zeichen. Denn in ihm ist das Abgebildete selber dargestellt, zum Bleiben gebracht und gegenwärtig. Eben deshalb ist es auf seine Ähnlichkeit hin bewertbar, d. h. darauf, *wie weit* es in ihm selbst das Nichtgegenwärtige gegenwärtig sein läßt.

Die berechtigte Frage, ob das Wort nichts anderes als ein ‚reines Zeichen‘ ist oder doch etwas vom ‚Bild‘ an sich hat, wird durch den ‚Kratylos‘ grundsätzlich diskreditiert. Sofern dort ad absurdum geführt wird, daß das Wort ein Abbild sei, scheint nur übrigzubleiben, es sei ein Zeichen. Das tritt – wenn auch nicht mit betonter Unterscheidung – aus der negativen Diskussion des ‚Kratylos‘ als Resultat heraus und wird durch die Hinausweisung der Erkenntnis in die intelligible Sphäre besiegelt, so daß seitdem in der gesamten Reflexion über die Sprache der Begriff des Bildes (εἰχών) durch den des Zeichens (σημεῖον bzw. σημαῖνον) ersetzt wird. Das ist nicht nur eine terminologische Wandlung, sondern in dieser drückt sich eine Entscheidung über das Denken dessen, was Sprache ist, aus, die Epoche gemacht hat[1]. Daß das wahre Sein der Dinge ‚ohne die Namen‘ erforscht werden soll, will eben heißen, daß nicht in dem Eigensein der Wörter als solchem ein Zugang zur Wahrheit liegt – auch wenn jedes Suchen, Fragen, Antworten, Lehren und Unterscheiden natürlich nicht ohne sprachliche Mittel vor sich geht. Es soll damit gesagt sein: das Denken enthebt sich so sehr des Eigenseins der Wörter, nimmt sie als bloße Zeichen, durch die das Bezeichnete, der Gedanke, die Sache in den Blick gerückt wird, daß das Wort in ein völlig sekundäres Verhältnis zur Sache gerät. Es ist bloßes Werkzeug der Mitteilung, als das Heraustragen (ἐκφέρειν) und Vortragen (λόγος προφορικός) des Gemeinten im Medium der Stimme. Es liegt in der Konsequenz dessen, daß ein ideales Zeichensystem, dessen einziger Sinn die eindeutige Zuordnung aller Zeichen ist, die Macht der Worte (δύναμις τῶν ὀνομάτων), die in den konkret gewachsenen historischen Sprachen gelegene Variationsbreite des Kontingenten, als eine bloße Trübung ihrer Brauchbarkeit erscheinen läßt. Es ist das Ideal einer characteristica universalis, das hier entspringt.

---

[1] Welche Bedeutung die stoische Grammatik und die Ausbildung einer lateinischen Begriffssprache zwecks Abbildung der griechischen besitzt, betont J. Lohmann, Lexis II u.ö.

Die Ausschaltung dessen, was eine Sprache über ihr zweckmäßiges Fungieren als ein Zeichen-Zeug hinaus ,ist', also die Selbstüberwindung der Sprache durch ein System künstlicher, eindeutig definierter Symbole, dieses Ideal der Aufklärung des achtzehnten und zwanzigsten Jahrhunderts stellte also zugleich die ideale Sprache dar, weil ihm das All des Wißbaren, das Sein als die absolut verfügbare Gegenständlichkeit, entspräche. Es kann auch nicht einmal als ein grundsätzlicher Einwand gelten, daß keine solche mathematische Zeichensprache ohne eine ihre Konventionen einführende Sprache gedacht werden kann. Dies Problem einer ,Metasprache' mag unauflösbar sein, weil es einen iterativen Prozeß einschließt. Aber die Unvollendbarkeit dieses Prozesses sagt nichts gegen die grundsätzliche Anerkennung des Ideals, dem er sich nähert.

Man muß auch zugeben, daß jede Ausbildung einer wissenschaftlichen Terminologie, so teilhaft immer der Gebrauch derselben bleibt, eine Phase dieses Prozesses darstellt. Denn was ist ein *Terminus*? Ein Wort, dessen Bedeutung eindeutig eingegrenzt ist, sofern es einen definierten Begriff meint. Ein Terminus ist immer etwas Künstliches, sofern entweder das Wort selbst künstlich gebildet oder – der häufigere Fall – ein bereits im Gebrauch befindliches Wort aus der Fülle und Breite seiner Bedeutungsbezüge herausgeschnitten und auf einen bestimmten Begriffssinn festgelegt wird. Gegenüber dem Bedeutungsleben der Worte der gesprochenen Sprache, von dem Wilhelm von Humboldt mit Recht gezeigt hat[1], daß ihm eine gewisse Schwankungsbreite wesentlich ist, ist der Terminus ein erstarrtes Wort und der terminologische Gebrauch eines Wortes eine Gewalttat, die an der Sprache verübt wird. Im Unterschied zur reinen Zeichensprache des Logikkalküls bleibt jedoch der Gebrauch einer Terminologie (wenn auch oft in dem Modus des Fremdwortes) in das Sprechen einer Sprache eingeschmolzen. Es gibt kein rein terminologisches Sprechen, und noch der künstlich und sprachwidrig geschaffene Kunstausdruck (das zeigen selbst die Kunstausdrücke der modernen Reklame-Welt) kehrt in das Leben der Sprache zurück. Dafür ist eine indirekte Bestätigung, daß manchmal eine terminologische Unterscheidung sich nicht durchsetzt und vom Sprachgebrauch ständig desavouiert wird. Offenbar heißt das, daß sie sich den Forderungen der Sprache beugen muß. Man denke etwa an die ohnmächtige Schulmeisterei, mit der der Gebrauch von ,transzendental' für ,transzendent' seitens des Neukantianismus diffamiert wurde, oder an den Gebrauch von ,Ideologie' im positiv-dogmatischen Sinne, der sich seiner ursprünglichen polemisch-instrumentalistischen Prägung zum Trotz allgemein durchgesetzt hat. Man wird daher auch als Interpret wissenschaftlicher Texte stets mit dem Nebeneinander des terminologischen und des freieren Gebrauchs eines Wortes rechnen müssen[2]. Moderne Interpreten antiker

---

[1] W. v. Humboldt, Über die Verschiedenheit des menschlichen Sprachbaus, § 9.

[2] Man denke etwa an den aristotelischen Sprachgebrauch von φϱόνησις, dessen

Texte neigen leicht dazu, diese Forderung zu unterschätzen, weil der Begriff im modernen wissenschaftlichen Gebrauch künstlicher und insofern fixierter ist als in der Antike, die noch keine Fremd- und wenig Kunstworte kennt.

Die grundsätzliche Erhebung über die Kontingenz der historischen Sprachen und die Unbestimmtheit ihrer Begriffe wäre nur durch die mathematische Symbolik möglich: in der Kombinatorik eines solchen durchgeführten Zeichensystems ließen sich – das war Leibniz' Idee – neue Wahrheiten gewinnen, die von mathematischer Gewißheit wären, weil der durch ein solches Zeichensystem abgebildete ordo in allen Sprachen eine Entsprechung hätte[1]. Es ist wohl klar, daß ein solcher Anspruch der characteristica universalis, eine ars inveniendi zu sein, wie ihn Leibniz erhebt, gerade auf der Künstlichkeit dieser Symbolik beruht: sie ermöglicht ein Rechnen, d. h. ein Auffinden von Relationen aus den formalen Gesetzlichkeiten der Kombinatorik – unabhängig davon, ob uns Erfahrung vor entsprechende Zusammenhänge in den Sachen führt. So in das Reich der Möglichkeiten vorausdenkend ist die denkende Vernunft selbst auf ihre absolute Perfektion gebracht. Es gibt für die menschliche Vernunft keine höhere Adäquatheit des Erkennens als die notitia numerorum[2], und nach dem Muster derselben verfährt alles Rechnen. Doch gilt allgemein, daß die Unvollkommenheit des Menschen eine adäquate Erkenntnis a priori nicht gestattet und die Erfahrung unentbehrlich ist. Klar und distinkt ist Erkenntnis durch solche Symbole nicht, denn das Symbol bedeutet kein anschauliches Gegebensein, sondern solche Erkenntnis ist ‚blind‘, sofern das Symbol an die Stelle einer wirklichen Erkenntnis tritt, deren Beschaffbarkeit allein anzeigend.

Das Ideal von Sprache, dem Leibniz nachgeht, ist also eine ‚Sprache‘ der Vernunft, eine analysis notionum, die im Ausgang von den ‚ersten‘ Begriffen das ganze System der wahren Begriffe entwickeln und die Abbildung des All des Seienden leisten würde, wie es der göttlichen Vernunft entspräche[3]. Die Schöpfung der Welt als die Rechnung Gottes, der unter den Möglichkeiten des Seins die beste ausrechnet, würde auf diese Weise vom menschlichen Geiste nachgerechnet.

An diesem Ideal wird in Wahrheit deutlich, daß Sprache etwas anderes ist als ein bloßes Zeichensystem zur Bezeichnung des gegenständlichen

---

unterminologisches Vorkommen die Sicherheit entwicklungsgeschichtlicher Schlüsse gefährdet, wie ich ehedem gegen W. Jaeger zu zeigen suchte (vgl. Der aristotelische Protreptikos, Hermes 1928, S. 146 ff.).

[1] Vgl. Leibniz, Erdm. S. 77.

[2] Leibn. De cognitione, veritate et ideis (1684) Erdm., p. 79 ff.

[3] Bekanntlich entwickelte schon Descartes im Brief an Mersenne vom 20. 11. 1629, den Leibniz kannte, am Vorbild der Bildung der Zahlzeichen die Idee einer solchen Zeichensprache der Vernunft, die die ganze Philosophie enthielte. Eine Vorform dessen, freilich in platonisierender Einschränkung dieser Idee, findet sich schon bei Nicolaus Cusanus, Idiota de mente III, cap. VI.

Ganzen. Das Wort ist nicht nur Zeichen. In irgendeinem schwer zu er-
fassenden Sinne ist es doch auch fast so etwas wie ein Abbild. Man braucht
nur die extreme Gegenmöglichkeit einer reinen Kunstsprache zu erwägen,
um in einer solchen archaischen Sprachtheorie doch ein relatives Recht zu
erkennen. Dem Wort kommt auf eine rätselhafte Weise Gebundenheit an das
‚Abgebildete‘, Zugehörigkeit zum Sein des Abgebildeten zu. Das ist grundsätzlich gemeint, nicht nur so, daß an der Sprachbildung das mimetische Verhältnis einen gewissen Anteil habe. Denn dies ist unbestritten. In solchem
vermittelnden Sinn hat offenbar schon Plato gedacht, und so denkt die Sprachforschung noch heute, wenn sie dem lautmalenden Ausdruck in der Wortgeschichte eine gewisse Funktion beläßt. Grundsätzlich denkt man dabei
aber die Sprache in voller Ablösung von dem gedachten Sein, als ein Instrumentarium der Subjektivität. Das heißt, man folgt einer Abstraktionsrichtung, an deren Ende die rationale Konstruktion einer Kunstsprache steht.

In Wahrheit bewegt man sich damit, wie mir scheint, in einer vom Wesen
der Sprache abführenden Richtung. Die Sprachlichkeit liegt dem Denken
der Sachen so völlig ein, daß es eine Abstraktion ist, wenn man das System
der Wahrheiten als ein vorgegebenes System von Seinsmöglichkeiten denkt,
dem Zeichen zuzuordnen wären, die ein nach diesen Zeichen greifendes
Subjekt verwendet. Das sprachliche Wort ist kein Zeichen, zu dem man
greift, es ist aber auch kein Zeichen, das man macht oder einem anderen
gibt, kein seiendes Ding, das man aufnimmt und mit der Idealität des
Bedeutens belädt, um dadurch anderes Seiendes sichtbar zu machen. Das
ist nach beiden Seiten falsch. Vielmehr liegt die Idealität der Bedeutung
im Worte selbst. Es ist immer schon Bedeutung. Aber das bedeutet auf der
anderen Seite nicht, daß das Wort aller Erfahrung des Seienden vorausliegt
und zu einer schon gemachten Erfahrung äußerlich hinzutritt, indem es
sie sich unterwirft. Die Erfahrung ist nicht zunächst wortlos und wird
dann durch die Benennung zum Reflexionsgegenstand gemacht, etwa in
der Weise der Subsumtion unter die Allgemeinheit des Wortes. Vielmehr
gehört es zur Erfahrung selbst, daß sie die Worte sucht und findet, die sie
ausdrücken. Man sucht das rechte Wort, d. h. das Wort, das wirklich zur
Sache gehört, so daß sie selbst darin zu Worte kommt. Auch wenn wir daran
festhalten, daß damit kein einfaches Abbildungsverhältnis impliziert ist –
soweit gehört das Wort doch zur Sache selbst, daß es nicht als Zeichen der
Sache nachträglich zugeordnet wird. Die oben von uns behandelte aristotelische Analyse der Begriffsbildung durch Induktion bietet dafür ein in-
direktes Zeugnis. Zwar bringt Aristoteles selbst die Begriffsbildung mit
dem Problem der Wortbildung und der Erlernung der Sprache nicht ausdrücklich in Verbindung, aber Themistius kann sie ohne weiteres in seiner
Paraphrase mit dem Sprechenlernen der Kinder exemplifizieren[1]. So sehr
liegt im Logos die Sprache darin.

---

[1] Zu Analyt. Post. II, 19.

Wenn die griechische Philosophie dieses Verhältnis von Wort und Sache, Sprechen und Denken nicht wahrhaben will, so hat das wohl den Grund, daß sich das Denken gegen das enge Verhältnis von Wort und Sache, in dem der sprechende Mensch lebt, zu wehren hatte. Die Herrschaft dieser ‚sprechbarsten aller Sprachen‘ (Nietzsche) über das Denken war so groß, daß die eigenste Anstrengung der Philosophie der Aufgabe galt, sich aus ihr zu befreien. So haben die griechischen Philosophen von früh an im ‚Onoma‘ die Verführung und Beirrung des Denkens bekämpft und sich gegen sie an die in der Sprache ständig vollzogene Idealität gehalten. Das gilt schon für Parmenides, der die Wahrheit der Sache aus dem Logos dachte, und vollends seit der platonischen Wendung zu den ‚Reden‘, der auch die aristotelische Orientierung der Formen des Seins an den Formen der Aussage ($\sigma\chi\dot{\eta}\mu\alpha\tau\alpha\ \tau\tilde{\eta}\varsigma\ \varkappa\alpha\tau\eta\gamma\varrho\varrho\dot{\iota}\alpha\varsigma$) folgt. Weil hier die Richtung auf das Eidos als das Bestimmende des Logos gedacht wurde, konnte das eigene Sein der Sprache nur als Beirrung gedacht werden, deren Bannung und Beherrschung die Anstrengung des Denkens galt. Die Kritik der Richtigkeit der Namen, die im ‚Kratylos‘ vollzogen wird, stellt daher bereits den ersten Schritt in eine Richtung dar, an deren Ende die neuzeitliche Instrumentaltheorie der Sprache und das Ideal eines Zeichensystems der Vernunft liegt. Zwischen Bild und Zeichen eingezwängt konnte das Sein der Sprache nur ins reine Zeichensein nivelliert werden.

b) Sprache und verbum

Es gibt aber einen Gedanken, der kein griechischer Gedanke ist und der dem Sein der Sprache besser gerecht wird, so daß die Sprachvergessenheit des abendländischen Denkens keine vollständige werden konnte. Es ist der christliche Gedanke der *Inkarnation*. Inkarnation ist offenbar nicht Einkörperung. Weder die Seelenvorstellung noch die Gottesvorstellung, die mit solcher Einkörperung verknüpft sind, entsprechen dem christlichen Begriff der Inkarnation.

Das Verhältnis von Seele und Leib, wie es in diesen Theorien, so in der platonisch-pythagoreischen Philosophie, gedacht wird und der religiösen Vorstellung der Seelenwanderung entspricht, setzt vielmehr die vollständige Andersheit der Seele gegenüber dem Leib. Sie behält in allen Einkörperungen ihr Fürsichsein, und die Lösung vom Leibe gilt ihr als Reinigung, d. h. als Wiederherstellung ihres wahren und eigentlichen Seins. Auch die Erscheinung des Göttlichen in menschlicher Gestalt, die die griechische Religion so menschlich macht, hat nichts mit Inkarnation zu tun. Gott wird da nicht Mensch, sondern zeigt sich den Menschen in menschlicher Gestalt, indem er zugleich seine übermenschliche Gottheit ganz und gar behält. Demgegenüber schließt die Menschwerdung Gottes, wie sie die christliche Religion lehrt, das Opfer, das der Gekreuzigte als der Menschensohn auf sich nimmt, d.h. aber ein geheimnisvoll anderes Verhältnis ein, dessen theologische Ausdeutung in der Lehre von der Trinität geschieht.

An dieses Hauptstück des christlichen Denkens dürfen wir uns um so mehr halten, als die Inkarnation auch für das christliche Denken mit dem Problem des Wortes aufs engste zusammenhängt. Die Ausdeutung des *Geheimnisses der Trinität*, wohl die wichtigste Aufgabe, die dem Denken des christlichen Mittelalters gestellt war, lehnt sich schon bei den Vätern und schließlich in systematischer Durchbildung des Augustinismus in der Hochscholastik an das menschliche Verhältnis von Sprechen und Denken an. Die Dogmatik folgt damit vor allem dem Prolog des Johannes-Evangeliums, und so sehr es griechische Denkmittel sind, mit denen sie ihre eigene theologische Aufgabe zu lösen sucht, so gewinnt doch das philosophische Denken durch sie eine dem griechischen Denken verschlossene Dimension. Wenn das Wort Fleisch wird und erst in dieser Inkarnation die Wirklichkeit des Geistes sich vollendet, so wird damit der Logos aus seiner Spiritualität, die zugleich seine kosmische Potentialität bedeutet, befreit. Die Einmaligkeit des Erlösungsgeschehens führt den Einzug des geschichtlichen Wesens in das abendländische Denken herauf und läßt auch das Phänomen der Sprache aus seiner Versenkung in die Idealität des Sinnes heraustreten und sich dem philosophischen Nachdenken darbieten. Denn im Unterschied zum griechischen Logos gilt: das Wort ist reines Geschehen (verbum proprie dicitur personaliter tantum) [1].

Gewiß ist dabei die menschliche Sprache nur indirekt zum Gegenstand der Besinnung erhoben. Es soll ja nur am Gegenbild des menschlichen Wortes das theologische Problem des Wortes, des verbum dei, nämlich die Einheit von Gottvater und Gottsohn heraustreten. Aber gerade das ist für uns das entscheidend Wichtige, daß das Mysterium dieser Einheit am Phänomen der Sprache seine Spiegelung hat.

Schon die Weise, wie in der Patristik die theologische Spekulation über das Mysterium der Inkarnation an das hellenistische Denken anschließt, ist für die neue Dimension, auf die sie zielt, bezeichnend. So versuchte man anfangs, von dem stoischen Begriffsgegensatz des inneren und des äußeren Logos ($\lambda \acute{o} \gamma o \varsigma \ \acute{\varepsilon} \nu \delta \iota \acute{a} \vartheta \varepsilon \tau o \varsigma - \pi \rho o \varphi o \rho \iota \varkappa \acute{o} \varsigma$) Gebrauch zu machen [2]. Diese Unterscheidung sollte ursprünglich das stoische Weltprinzip des Logos von der Äußerlichkeit des bloßen Nachsprechens abheben [3]. Für den christlichen Offenbarungsglauben wird nun sogleich die umgekehrte Richtung von positiver Bedeutung. Die Analogie von innerem und äußerem Wort, das Lautwerden des Wortes in der vox, gewinnt jetzt einen exemplarischen Wert.

---

[1] Thomas I. qu 34 u.ö.

[2] Ich beziehe mich im folgenden auf den unterrichtenden Artikel ‚Verbe‘ im Dictionnaire de Théologie catholique, sowie auf Lebreton, histoire du dogme de la Trinité.

[3] Die Papageien: Sext. adv. math. VIII, 275.

Einmal geschieht ja die Schöpfung durch das Wort Gottes. So haben schon die frühen Väter, um den ungriechischen Gedanken der Schöpfung denkbar zu machen, von dem Wunder der Sprache Gebrauch gemacht. Vor allem aber wird die eigentliche Heilstat, die Entsendung des Sohnes, das Mysterium der Inkarnation, im Johannes-Prolog selber vom Wort her beschrieben. Die Exegese interpretiert das Lautwerden des Wortes ebenso als Wunder wie das Fleischwerden Gottes. Das Werden, um das es sich in Beidem handelt, ist kein Werden, in dem aus etwas etwas anderes wird. Weder handelt es sich um eine Abscheidung des einen vom anderen (κατ' ἀποκοπήν), noch um eine Minderung des inneren Wortes durch sein Hervorgehen in die Äußerlichkeit, noch überhaupt um ein Anderswerden, so daß das innere Wort verbraucht würde[1]. Schon in den frühesten Anlehnungen an das griechische Denken ist vielmehr die neue Richtung auf die geheimnisvolle Einheit von Vater und Sohn, von Geist und Wort, zu erkennen. Und wenn die direkte Bezugnahme auf die Äußerung, das Lautwerden des Wortes, am Ende in der christlichen Dogmatik – in der Verwerfung des Subordinationismus – mitverworfen wird, so wird es doch gerade auf Grund dieser Entscheidung nötig, das Mysterium der Sprache und ihren Zusammenhang mit dem Denken philosophisch neu zu durchleuchten. Das größere Wunder der Sprache liegt nicht darin, daß das Wort Fleisch wird und im äußeren Sein heraustritt, sondern daß das, was so heraustritt und sich in der Äußerung äußert, immer schon Wort ist. Daß das Wort bei Gott ist, und zwar von Ewigkeit her, das ist die in der Abwehr des Subordinationismus siegreiche Lehre der Kirche, die auch das Problem der Sprache ganz in das Innere des Denkens einkehren läßt.

Das äußere Wort, und damit das ganze Problem der Vielheit der Sprachen, wird schon von Augustin – der es immerhin noch erörtert – ausdrücklich entwertet[2]. Das äußere Wort ebenso wie das nur innerlich reproduzierte äußere Wort ist an eine bestimmte Zunge gebunden (lingua). Die Tatsache, daß das verbum in jeder Sprache anders gesagt wird, bedeutet jedoch nur, daß es sich menschlicher Zunge nicht in seinem wahren Sein zu zeigen vermag. Augustinus sagt in ganz platonischer Abwertung der sinnlichen Erscheinung: non dicitur, sicuti est, sed sicut potest videri audirive per corpus. Das ,wahre' Wort, das verbum cordis, ist von solcher Erscheinung ganz unabhängig. Es ist weder prolativum noch cogitativum in similitudine soni. So ist dieses innere Wort der Spiegel und das Bild des göttlichen Wortes. Wenn Augustinus und die Scholastik das Problem des verbum behandeln, um für das Geheimnis der Trinität die begrifflichen Mittel zu gewinnen, so ist es ausschließlich dies innere Wort, das Wort des Herzens und dessen Verhältnis zur intelligentia, das sie zum Thema machen.

---

[1] Assumendo non consumendo, Aug. de Trin. 15, 11.
[2] Zum folgenden vor allem Augustin, De trinitate XV, 10–15.

Es ist also eine ganz bestimmte Seite am Wesen der Sprache, die damit ans Licht tritt. Das Geheimnis der Trinität findet im Wunder der Sprache insofern seinen Spiegel, als das Wort, das wahr ist, weil es sagt, wie die Sache ist, nichts für sich ist und nichts für sich sein will: nihil de suo habens, sed totum de illa scientia de qua nascitur. Es hat sein Sein in seinem Offenbarmachen. Genau das gilt vom Mysterium der Trinität. Auch hier kommt es nicht auf die irdische Erscheinung des Erlösers als solche an, sondern vielmehr auf seine vollständige Göttlichkeit, seine Wesensgleichheit mit Gott. In dieser Wesensgleichheit dennoch die selbständige personale Existenz Christi zu denken, ist die theologische Aufgabe. Hierzu wird das menschliche Verhältnis aufgeboten, das am Wort des Geistes, dem verbum intellectus, sichtbar wird. Es handelt sich um mehr als um ein bloßes Bild, denn das menschliche Verhältnis von Denken und Sprechen entspricht in aller Unvollkommenheit doch dem göttlichen Verhältnis der Trinität. Das innere Wort des Geistes ist mit dem Denken genauso wesensgleich, wie Gottsohn mit Gottvater.

Nun wird man sich fragen, ob hier nicht Unverständliches durch Unverständliches erklärt wird. Was soll das für ein Wort sein, das inneres Gespräch des Denkens bleibt und keine Lautgestalt gewinnt? Gibt es das überhaupt? Zieht nicht all unser Denken immer schon in den Bahnen einer bestimmten Sprache, und wissen wir nicht zu gut, daß man in einer Sprache denken muß, wenn man sie wirklich sprechen will? Auch wenn wir uns der Freiheit erinnern, die sich unsere Vernunft angesichts der Sprachgebundenheit unseres Denkens bewahrt, sei es dadurch, daß sie künstliche Zeichensprachen erfindet und gebraucht, sei es daß sie aus der einen Sprache in die andere zu übersetzen weiß, ein Beginnen, das ja ebenso ein Sicherheben über die Sprachgebundenheit zu dem gemeinten Sinn hin voraussetzt, so ist doch jede solche Erhebung selbst wieder, wie wir sahen, eine sprachliche. Die ,Sprache der Vernunft' ist keine Sprache für sich. Was soll es also für einen Sinn haben, angesichts der Unaufhebbarkeit unserer Sprachgebundenheit von einem ,inneren Wort' zu sprechen, das gleichsam in der reinen Vernunftsprache gesprochen wird? Worin erweist sich das Wort der Vernunft (wenn wir mit Vernunft hier intellectus wiedergeben) als ein wirkliches ,Wort', wenn es doch kein wirklich ertönendes Wort sein soll, auch nicht das Phantasma eines solchen, sondern das von diesem mit einem Zeichen Bezeichnete, d. h. aber das Gemeinte und Gedachte selbst?

Weil die Lehre vom inneren Wort die theologische Ausdeutung der Trinität durch ihre Analogie tragen soll, kann uns die theologische Frage als solche hier nicht weiterhelfen. Wir müssen vielmehr die Sache befragen, was dieses ,innere Wort' sein soll. Es kann nicht einfach der griechische Logos, das Gespräch, das die Seele mit sich selbst führt, sein. Vielmehr ist die bloße Tatsache, daß ,logos' sowohl durch ,ratio' als durch ,verbum' wiedergegeben wird, ein Hinweis darauf, daß sich das Phänomen der Sprache in der scholastischen Verarbeitung der griechischen Metaphysik stärker zur Geltung bringen wird, als bei den Griechen selbst der Fall war.

Die besondere Schwierigkeit, das scholastische Denken für unsere Fragestellung fruchtbar zu machen, besteht darin, daß das christliche Wortverständnis, wie wir es bei den Vätern teils in Anlehnung, teils in Umbildung spätantiker Gedanken finden, mit der Rezeption der aristotelischen Philosophie durch die Hochscholastik dem Logos-Begriff der klassischen griechischen Philosophie wieder angenähert worden ist. So hat Thomas die aus dem Prolog des Johannes-Evangeliums entwickelte christliche Lehre mit Aristoteles systematisch vermittelt[1]. Bei ihm ist bezeichnenderweise von der Vielheit der Sprachen kaum noch die Rede, die Augustin immerhin noch erörtert, wenngleich zugunsten des ‚inneren Worts‘ ausschaltet. Die Lehre vom ‚inneren Wort‘ ist für ihn die selbstverständliche Voraussetzung, unter der er den Zusammenhang von forma und verbum untersucht.

Gleichwohl besteht auch bei Thomas keine vollständige Deckung von Logos und Verbum. Zwar ist das Wort nicht das Geschehen des Aussprechens, diese unwiderrufbare Überantwortung des eigenen Denkens an einen anderen, aber der Seinscharakter des Wortes ist gleichwohl ein Geschehen. Das innere Wort bleibt auf seine mögliche Äußerung bezogen. Der Sachgehalt, wie er vom Intellekt aufgefaßt wird, ist zugleich auf die Verlautbarung hin geordnet (similitudo rei concepta in intellectu et ordinata ad manifestationem vel ad se vel ad alterum). Das innere Wort ist also gewiß nicht auf eine bestimmte Sprache bezogen, und es hat überhaupt nicht den Charakter eines Vorschwebens von Worten, die aus dem Gedächtnis hervorkommen, sondern es ist der bis zu Ende gedachte Sachverhalt (forma excogitata). Insofern es sich um ein Zuendedenken handelt, ist auch in ihm ein prozessuales Moment anzuerkennen. Es verhält sich per modum egredientis. Es ist zwar nicht Äußerung, sondern Denken, aber es ist die Perfektion des Denkens, die in diesem Sich-Sagen erreicht wird. Das innere Wort, indem es das Denken ausdrückt, bildet also gleichsam die Endlichkeit unseres diskursiven Verstandes ab. Weil unser Verstand das, was er weiß, nicht in Einem denkenden Blick umfaßt, muß er jeweils das, was er denkt, erst aus sich herausführen und wie in einer inneren Selbstaussprache vor sich selber hinstellen. In diesem Sinne ist alles Denken ein Sichsagen.

Nun hat das gewiß auch die griechische Logos-Philosophie gewußt. Plato beschreibt das Denken als ein inneres Gespräch der Seele mit sich selber[2], und die Unendlichkeit der dialektischen Bemühung, die er von dem Philosophen fordert, ist der Ausdruck der Diskursivität unseres endlichen Ver-

---

[1] Vgl. Comm. in Joh. cap. 1 = ‚de differentia verbi divini et humani‘ und das aus echten Thomastexten kompilierte schwierige und gehaltvolle Opusculum ‚De natura verbi intellectus‘, auf die wir uns im folgenden vor allem stützen.

[2] Plato, Sophist. 263 e.

standes. Auch hat Plato im Grunde, so sehr er das ‚reine Denken‘ forderte, stets anerkannt, daß das Medium von Onoma und Logos für das Denken der Sache unentbehrlich bleibt. Wenn aber mit der Lehre vom inneren Wort nichts weiter gemeint ist als die Diskursivität des menschlichen Denkens und Sprechens, wie soll das ‚Wort‘ dann zu dem Prozeß der göttlichen Personen, von dem die Trinitätslehre spricht, eine Analogie bilden? Ist nicht gerade der Gegensatz von Intuition und Diskursivität dann im Wege? Wo ist das Gemeinsame zwischen diesem und jenem ‚Prozeß‘?

Es ist wahr, daß dem Verhältnis der göttlichen Personen zueinander keine Zeitlichkeit zukommen soll. Indessen ist das Nacheinander, das für die Diskursivität des menschlichen Denkens bezeichnend ist, im Grunde auch kein zeitliches Verhältnis. Wenn das menschliche Denken vom einen zum anderen übergeht, d. h. dies und dann jenes denkt, so wird es gleichwohl nicht vom einen zum anderen mitgenommen. Es denkt nicht in der bloßen Abfolge des Nacheinander erst eines und dann das andere, – was ja hieße, daß es sich selber damit ständig veränderte. Wenn es das eine und das andere denkt, so heißt das vielmehr, daß es weiß, was es damit tut, und das bedeutet, daß es das eine mit dem anderen zu verbinden weiß. Insofern liegt hier also kein zeitliches Verhältnis vor, sondern es handelt sich um einen geistigen Vorgang, eine emanatio intellectualis.

Mit diesem neuplatonischen Begriff sucht Thomas den Prozeßcharakter des inneren Wortes so gut wie den Prozeß der Trinität zu beschreiben. Dadurch kommt etwas zur Geltung, was in der Logos-Philosophie Platos tatsächlich nicht enthalten war. Der Begriff der Emanation enthält im Neuplatonismus immer schon mehr, als was das physische Phänomen des Ausfließens als Bewegungsvorgang ist. Es ist das Bild der Quelle, das sich vor allem einstellt[1]. Im Prozeß der Emanation wird das, aus dem etwas ausfließt, das Eine, dadurch nicht beraubt oder weniger. Das gilt nun ebenso für die Geburt des Sohnes aus dem Vater, der damit nicht etwas von sich verbraucht, sondern etwas zu sich hinzunimmt. Es gilt aber auch von dem geistigen Hervorgehen, das sich im Vorgang des Denkens, des Sichsagens, vollzieht. Solches Hervorgehen ist zugleich ein gänzliches Insichbleiben. Wenn das göttliche Verhältnis von Wort und Intellekt so beschrieben werden kann, daß das Wort nicht teilhaft, sondern ganz und gar (totaliter) vom Intellekt seinen Ursprung hat, so gilt auch bei uns, daß da ein Wort aus dem anderen totaliter entsteht, d. h. aber: seinen Ursprung im Geiste hat, wie das Folgen des Schlusses aus den Prämissen (ut conclusio ex principiis). Der Vorgang und Hervorgang des Denkens ist insofern kein Veränderungsvorgang (motus), also kein Übergang von Potenz in Akt, sondern ein Hervor-

---

[1] Vgl. die ungedruckte Heidelberger Dissertation von Christoph Wagner: Die vielen Metaphern und das eine Modell der plotinischen Metaphysik, die Plotins ontologisch bedeutsamen Metaphern nachgegangen ist (1957). Zum Begriff der ‚Quelle‘ vgl. Exkurs V, S. 474.

gehen ut actus ex actu: das Wort wird nicht erst gebildet, nachdem die Erkenntnis vollendet ist, scholastisch gesprochen, nachdem die Information des Intellektes durch die species abgeschlossen ist, sondern es ist der Vollzug der Erkenntnis selbst. Insofern ist das Wort mit dieser Bildung (formatio) des Intellektes zugleich.

So läßt es sich verstehen, daß die Erzeugung des Wortes als ein echtes Abbild der Trinität verstanden wurde. Es handelt sich um wirkliche generatio, um wirkliche Geburt, wenngleich es hier natürlich keinen empfangenden Teil neben einem zeugenden gibt. Gerade dieser intellektuale Charakter der Erzeugung des Wortes ist jedoch für seine theologische Modellfunktion entscheidend. Es gibt wirklich etwas Gemeinsames zwischen dem Prozeß der göttlichen Personen und dem Prozeß des Denkens.

Indessen muß es uns noch mehr als auf diese Übereinstimmung auf die Unterschiede ankommen, die zwischen dem göttlichen und dem menschlichen Wort bestehen. Das ist theologisch auch ganz in Ordnung. Das Mysterium der Trinität, das durch die Analogie mit dem inneren Wort aufgehellt werden soll, muß vom menschlichen Denken her am Ende doch unverständlich bleiben. Wenn im göttlichen Wort das Ganze des göttlichen Geistes ausgesprochen ist, dann bedeutet das prozessuale Moment an diesem Wort etwas, wofür uns im Grunde jede Analogie im Stich läßt. Sofern der göttliche Geist, indem er sich selbst erkennt, zugleich alles Seiende erkennt, ist das Wort Gottes das Wort des alles in einem Anschauen (intuitus) schauenden und schaffenden Geistes. Der Hervorgang verschwindet in der Aktualität der göttlichen Allweisheit. Auch die Schöpfung sei kein wirklicher Prozeß, sondern lege nur das Ordnungsgefüge des Weltganzen im zeitlichen Schema aus [1]. Wenn wir das prozessuale Moment am Wort genauer erfassen wollen, das uns für unsere Frage nach dem Zusammenhang von Sprachlichkeit und Verstehen das wichtige ist, werden wir bei der Übereinstimmung mit dem theologischen Problem nicht stehenbleiben dürfen, sondern werden bei der Unvollkommenheit des menschlichen Geistes und dem Unterschiede zum Göttlichen zu verweilen haben. Auch dabei dürfen wir Thomas folgen, der drei Unterschiede hervorhebt.

1. Zunächst gilt, daß das menschliche Wort potentiell ist, bevor es aktualisiert wird. Es ist formierbar, aber nicht formiert. Der Vorgang des Denkens setzt ja damit ein, daß uns etwas aus unserem Gedächtnis in den Sinn kommt. Auch dies ist schon eine Emanation, sofern ja das Gedächtnis nicht etwa geplündert wird und etwas einbüßt. Aber was uns so in den Sinn kommt, ist noch nicht das Vollendete und Zu-Ende-Gedachte. Vielmehr setzt jetzt erst die eigentliche denkende Bewegung ein, in der der Geist von einem zum anderen eilt, sich hin- und herwälzt, dieses und jenes

---

[1] Es ist unverkennbar, daß die patristische und scholastische Genesisauslegung in gewissem Umfang die Diskussion um die rechte Auffassung des Timaios wiederholt, die zwischen Platos Schülern geführt worden ist.

erwägt und so in der Weise der Untersuchung (inquisitio) und Überlegung (cogitatio) den vollendeten Ausdruck seiner Gedanken erst sucht. Das vollendete Wort wird also erst im Denken gebildet, insofern wie ein Werkzeug, aber wenn es als die volle Perfektion des Gedankens da ist, wird mit ihm nichts mehr hergestellt. Vielmehr ist in ihm alsdann die Sache präsent. Es ist also kein eigentliches Werkzeug. Thomas hat dafür ein glänzendes Bild gefunden. Das Wort ist wie ein Spiegel, in dem die Sache gesehen wird. Das Besondere dieses Spiegels aber ist, daß er nirgends über das Bild der Sache hinausgeht. In ihm spiegelt sich nichts als nur diese eine Sache, so daß er als Ganzes, das er ist, nur ihr Bild (similitudo) wiedergibt. Das Großartige dieses Bildes ist, daß das Wort hier ganz als die perfekte Spiegelung der Sache, also als der Ausdruck der Sache erfaßt ist und den Weg des Denkens hinter sich gelassen hat, dem es doch allein seine Existenz verdankt. Dergleichen gibt es im göttlichen Geist nicht.

2. Im Unterschied zum göttlichen Wort ist das menschliche Wort wesensmäßig unvollkommen. Kein menschliches Wort kann in vollkommener Weise unseren Geist ausdrücken. Aber wie das Bild des Spiegels schon sagte, ist das nicht eigentlich die Unvollkommenheit des Wortes als solche. Das Wort gibt ja vollständig wieder, was der Geist meint. Vielmehr ist es die Unvollkommenheit des menschlichen Geistes, daß er nie die vollständige Selbstgegenwart besitzt, sondern ins Meinen von Diesem oder Jenem zerstreut ist. Aus dieser seiner wesensmäßigen Unvollkommenheit folgt, daß das menschliche Wort nicht wie das göttliche Wort ein einziges ist, sondern notwendigerweise viele Worte sein muß. Die Vielheit der Worte bedeutet also keineswegs, daß an dem einzelnen Wort ein Mangel wäre, den man beheben könnte, sofern es nicht vollkommen ausspräche, was der Geist meint, sondern weil unser Intellekt unvollkommen ist, d. h. sich nicht vollkommen in dem, was er weiß, gegenwärtig ist, bedarf es der Vielheit der Worte. Er weiß gar nicht wirklich, was er weiß.

3. Damit aber hängt der dritte Unterschied zusammen. Während Gott im Wort seine Natur und Substanz in reiner Aktualität vollkommen ausspricht, ist jeder Gedanke, den wir denken, und damit auch jedes Wort, in dem dieses Denken sich vollendet, ein bloßes Akzidens des Geistes. Das Wort des menschlichen Denkens zielt zwar auf die Sache, aber kann sie nicht als ein Ganzes in sich enthalten. So geht das Denken den Weg zu immer neuen Konzeptionen fort und ist im Grunde in keiner ganz vollendbar. Seine Unvollendbarkeit hat als Kehrseite, daß sie positiv die wahre Unendlichkeit des Geistes ausmacht, der in immer neuem geistigem Prozeß über sich hinausgeht und eben darin auch die Freiheit zu immer neuen Entwürfen findet. –

Fassen wir zusammen, was aus der Theologie des Verbum für uns zu gewinnen ist, so ist als *erstes* ein Gesichtspunkt festzuhalten, der in der vorangegangenen Analyse kaum ausdrücklich wurde und im scholastischen

Denken auch selbst kaum ausdrücklich wird und der doch insbesondere für das hermeneutische Phänomen, auf das es uns ankommt, von entscheidender Wichtigkeit ist. Die innere Einheit von Denken und Sichsagen, die dem trinitarischen Mysterium der Inkarnation entspricht, schließt in sich, daß das innere Wort des Geistes *nicht durch einen reflexiven Akt gebildet wird.* Wer etwas denkt, d. h. sich sagt, meint damit das, was er denkt, die Sache. Er ist also nicht auf sein eigenes Denken zurückgerichtet, wenn er das Wort bildet. Das Wort ist wohl das Produkt der Arbeit seines Geistes. Er bildet es in sich, sofern er den Gedanken aus und zu Ende denkt. Im Unterschied zu sonstigen Produkten verbleibt es aber ganz im Geistigen. So entsteht der Anschein, als handelte es sich um ein Verhalten zu sich selbst und als wäre das Sich-Sagen eine Reflexion. In Wahrheit ist es das nicht, wohl aber liegt in dieser Struktur des Denkens begründet, warum sich das Denken auf sich selber reflexiv zu richten und sich so gegenständlich zu werden vermag. Die Innerlichkeit des Wortes, die die innige Einheit von Denken und Sprechen ausmacht, ist die Ursache dafür, daß der direkte, unreflektierte Charakter des ‚Wortes‘ leicht verkannt wird. Wer denkt, schreitet nicht vom Einen zum Anderen, vom Denken zum Sichsagen fort. Das Wort entsteht nicht in einem vom Denken noch freien Bereich des Geistes (in aliquo sui nudo). Daher rührt der Anschein, daß das Bilden des Wortes einem Sich-auf-sich-selbst-Richten des Geistes entstammt. In Wahrheit ist bei der Bildung des Wortes keine Reflexion tätig. Denn das Wort drückt gar nicht den Geist, sondern die gemeinte Sache aus. Ausgangspunkt der Bildung des Wortes ist der Sachgehalt selbst (die species), der den Geist erfüllt. Das Denken, das seinen Ausdruck sucht, ist nicht auf den Geist, sondern auf die Sache bezogen. So ist das Wort nicht Ausdruck des Geistes, sondern geht auf die similitudo rei. Der gedachte Sachverhalt (die species) und das Wort sind es, die auf das engste zusammengehören. Ihre Einheit ist so eng, daß das Wort nicht neben der species als ein zweites im Geiste Platz greift, sondern das ist, worin die Erkenntnis sich vollendet, d. h. worin die species ganz gedacht wird. Thomas verweist darauf, daß das Wort darin wie das Licht ist, in dem die Farbe erst sichtbar ist.

Es ist aber noch ein *zweites*, was uns dieses scholastische Denken zu lehren hat. Der Unterschied zwischen der Einheit des göttlichen Wortes und der Vielheit der menschlichen Worte schöpft die Sachlage nicht aus. Vielmehr haben Einheit und Vielheit ein von Grund auf dialektisches Verhältnis. Die Dialektik dieses Verhältnisses beherrscht das ganze Wesen des Wortes. Auch vom göttlichen Wort ist der Begriff der Vielheit nicht ganz fernzuhalten. Das göttliche Wort ist zwar wirklich nur ein einziges Wort, das in der Gestalt des Erlösers in die Welt gekommen ist, aber sofern es doch Geschehen bleibt – und das ist trotz aller Ablehnung der Subordination, wie wir sahen, der Fall –, so besteht damit eine wesenhafte Beziehung zwischen der Einheit des göttlichen Wortes und seiner

Erscheinung in der Kirche. Die Verkündigung des Heils, der Inhalt der
christlichen Botschaft, ist selbst ein eigenes Geschehen in Sakrament und
Predigt und bringt doch nur das zur Aussage, was in der Erlösungstat
Christi geschehen ist. Insofern ist es ein einziges Wort, von dem doch immer
wieder in der Predigt gekündet wird. Offenbar liegt in seinem Charakter
als Botschaft bereits der Verweis auf die Vielfalt seiner Verkündigung. Der
Sinn des Wortes ist vom Geschehen der Verkündigung nicht ablösbar. *Der
Geschehenscharakter gehört vielmehr zum Sinne selbst.* Es ist so wie bei
einem Fluch, der offenbar auch nicht davon ablösbar ist, daß er von jemandem und über jemanden gesprochen wird. Was an ihm verstanden werden
kann, ist nicht ein abstrahierbarer logischer Sinn der Aussage, sondern die
Verfluchung, die in ihm geschieht[1]. Das gleiche gilt für die Einheit und
Vielheit des Wortes, das durch die Kirche verkündet wird. Christi Kreuzes-
tod und Auferstehung ist der Inhalt der Heilsverkündigung, der in jeder
Predigt gepredigt wird. Der auferstandene und der gepredigte Christus
sind ein und derselbe. Insbesondere die moderne protestantische Theologie
hat den eschatologischen Charakter des Glaubens herausgearbeitet, der auf
diesem dialektischen Verhältnis beruht.

Umgekehrt zeigt sich im menschlichen Wort der dialektische Bezug der
Vielheit der Worte auf die Einheit des Wortes in einem neuen Licht. Daß
das menschliche Wort den Charakter der Rede hat, d. h. durch die Zusammenordnung einer Vielheit von Wörtern die Einheit einer Meinung
zum Ausdruck bringt, hatte Plato erkannt und diese Struktur des Logos
auf dialektische Weise entfaltet. Aristoteles zeigte dann die logischen Strukturen auf, die den Satz bzw. das Urteil oder den Satzzusammenhang bzw.
den Schluß ausmachen. Aber die Sachlage ist damit noch nicht erschöpft.
Die Einheit des Wortes, die sich in der Vielheit der Wörter auslegt, läßt
darüber hinaus etwas sichtbar werden, was im Wesensgefüge der Logik nicht
aufgeht und den *Geschehenscharakter der Sprache* zur Geltung bringt: den
Prozeß der Begriffsbildung. Indem das scholastische Denken die Verbum-
lehre ausbildet, bleibt es nicht dabei stehen, die Begriffsbildung als Abbildung der Wesensordnung zu denken.

c) Sprache und Begriffsbildung

Daß die *natürliche Begriffsbildung,* die mit der Sprache mitgeht, durchaus nicht immer der Wesensordnung folgt, sondern ihre Wortbildung sehr
oft aufgrund von Akzidenzien und Relationen vollzieht, findet sich durch
jeden Blick in platonische Begriffsdiairesen oder aristotelische Definitionen
bestätigt. Aber der Vorrang der logischen Wesensordnung, die durch die
Begriffe Substanz und Akzidens bestimmt ist, läßt die natürliche Begriffs-

---

[1] Vortreffliches findet sich dazu bei Hans Lipps ‚Untersuchungen zu einer hermeneutischen Logik‘, 1938.

bildung der Sprache nur als eine Unvollkommenheit unseres endlichen Geistes erscheinen. Nur weil wir die Akzidenzien allein kennen, folgen wir ihnen in der Begriffsbildung. Selbst, wenn das richtig ist, folgt jedoch aus dieser Unvollkommenheit ein eigentümlicher Vorzug – und das scheint Thomas richtig erkannt zu haben –, nämlich die Freiheit zur unendlichen Begriffsbildung und fortschreitenden Durchdringung des Gemeinten[1]. Indem der Prozeß des Denkens als der Prozeß der Explikation im Wort gedacht wird, wird eine logische Leistung der Sprache sichtbar, die sich vom Verhältnis einer Sachordnung her, wie sie einem unendlichen Geiste vor Augen läge, nicht voll begreifen läßt. Die Unterordnung der natürlichen Begriffsbildung durch die Sprache unter das Wesensgefüge der Logik, die Aristoteles und ihm folgend auch Thomas lehrt, hat also nur eine relative Wahrheit. *In der Mitte der Durchdringung der christlichen Theologie durch den griechischen Gedanken der Logik keimt vielmehr etwas Neues auf: Die Mitte der Sprache, in der sich das Mittlertum des Inkarnationsgeschehens erst zu seiner vollen Wahrheit bringt.* Die Christologie wird zum Wegbereiter einer neuen Anthropologie, die den Geist des Menschen in seiner Endlichkeit mit der göttlichen Unendlichkeit auf eine neue Weise vermittelt. Hier wird das, was wir die hermeneutische Erfahrung genannt haben, seinen eigentlichen Grund finden.

So werden wir der natürlichen Begriffsbildung, die in der Sprache geschieht, unsere Aufmerksamkeit zuwenden müssen. Daß Sprechen, auch wenn es eine Unterordnung des jeweils Gemeinten unter die Allgemeinheit einer vorgegebenen Wortbedeutung enthält, nicht als die Kombination solcher subsumierenden Akte zu denken ist, durch die jeweils ein Besonderes einem allgemeinen Begriff untergeordnet wurde, liegt auf der Hand. Wer spricht – und das heißt: allgemeine Wortbedeutungen gebraucht – ist derart auf das Besondere einer sachlichen Anschauung gerichtet, daß alles, was er sagt, an dem Besonderen der Umstände, die er im Auge hat, teilgewinnt[2].

Das bedeutet aber umgekehrt, daß sich der allgemeine Begriff, der durch die Wortbedeutung gemeint wird, selber durch die jeweilige Sachanschauung bereichert, so daß am Ende mitunter eine neue, spezifischere Wortbildung entsteht, die dem Besonderen der Sachanschauung besser gerecht wird. So gewiß also Sprechen das Gebrauchen von vorgegebenen Worten, die ihre allgemeine Bedeutung haben, voraussetzt, ist es doch zugleich ein ständiger Prozeß der Begriffsbildung, durch den sich das Bedeutungsleben der Sprache selber fortentwickelt.

Dafür ist nun das logische Schema der Induktion und Abstraktion insofern sehr irreführend, als im sprachlichen Bewußtsein keine ausdrückliche

---

[1] Die Thomas-Interpretation von G. Rabeau, Species Verbum, 1938 scheint mir das mit Recht zu betonen.

[2] Das betont mit Recht Theodor Litt, Das Allgemeine im Aufbau der geisteswissenschaftlichen Erkenntnis (Ber. d. sächs. Akademie d. Wiss. 93, 1, 1941).

Reflexion auf das zwischen Verschiedenem Gemeinsame statthat und der Gebrauch von Worten in ihrer allgemeinen Bedeutung das durch sie Benannte und Bezeichnete nicht als unter das Allgemeine subsumierten Fall versteht. Die Allgemeinheit der Gattung und die klassifikatorische Begriffsbildung liegen dem sprachlichen Bewußtsein durchaus fern. Selbst wenn wir von allen Formallgemeinheiten absehen, die nichts mit dem Gattungsbegriff zu tun haben: Wenn jemand die Übertragung eines Ausdrucks vom Einen auf das Andere vollzieht, blickt er zwar auf etwas Gemeinsames hin, aber das muß keineswegs eine Gattungsallgemeinheit sein. Er folgt vielmehr seiner sich ausbreitenden Erfahrung, die Ähnlichkeiten – sei es solche der Sacherscheinung, sei es solche ihrer Bedeutsamkeit für uns – gewahrt. Darin besteht die Genialität des sprachlichen Bewußtseins, daß es solchen Ähnlichkeiten Ausdruck zu geben weiß. Wir nennen das seine grundsätzliche Metaphorik, und es kommt darauf an zu erkennen, daß es das Vorurteil einer sprachfremden logischen Theorie ist, wenn der übertragene Gebrauch eines Wortes zum uneigentlichen Gebrauch herabgedrückt wird[1].

Es ist selbstverständlich, daß die Besonderheit einer Erfahrung in solcher Übertragung ihren Ausdruck findet und keineswegs die Frucht einer Begriffsbildung durch Abstraktion ist. Es ist aber ebenso selbstverständlich, daß auf diese Weise Erkenntnis des Gemeinsamen gleichsam eingebracht wird. So kann sich das Denken diesem Vorrat, den ihm die Sprache angelegt hat, zu seiner eigenen Belehrung zuwenden[2]. Ausdrücklich hat das Plato mit seiner ‚Flucht in die Logoi‘ getan[3]. Aber auch die klassifikatorische Logik knüpft an die logische Vorausleistung an, die die Sprache für sie vollbracht hat.

Ein Blick auf ihre *Vorgeschichte,* insbesondere auf die Theorie der Begriffsbildung in der platonischen Akademie, vermag das zu bestätigen. Wir hatten zwar gesehen, daß Platos Forderung, sich über die Namen zu erheben, die Unabhängigkeit des Kosmos der Ideen von der Sprache prinzipiell voraussetzt. Sofern aber die Erhebung über die Namen im Blick auf die Idee erfolgt und sich als Dialektik bestimmt, d.h. als das Zusammensehen in die Einheit des Anblicks, als das Heraussehen des Gemeinsamen aus variierenden Erscheinungen, folgt sie damit der natürlichen Richtung, in der sich die Sprache selber bildet. Die Erhebung über die Namen bedeutet lediglich, daß nicht im Namen selbst die Wahrheit der Sache gelegen ist. Sie bedeutet nicht, daß der Gebrauch von Name und Logos für das Denken entbehrlich wäre. Plato hat vielmehr stets anerkannt, daß es dieser

---

[1] Das hat L. Klages vor allem gesehen. Vgl. dazu K. Löwith, Das Individuum in der Rolle des Mitmenschen, 1928, S. 33 ff.

[2] Dieses Bild stellt sich unwillkürlich ein und bestätigt insofern Heideggers Aufweisung der Bedeutungsnähe zwischen λέγειν = sagen und λέγειν = zusammenlesen (zuerst in ‚Heraklits Lehre vom Logos‘, Festschrift für H. Jantzen).

[3] Plato, Phaid. 99 e.

Vermittlungen des Denkens bedarf, wenn sie auch als stets überholbare angesehen werden müssen. Die Idee, das wahre Sein der Sache, ist nicht anders erkennbar als im Durchgang durch diese Vermittlungen. Aber gibt es eine Erkenntnis der Idee selbst als dieses Bestimmten und Einzelnen? Ist nicht das Wesen der Dinge in derselben Weise ein Ganzes, wie auch die Sprache ein Ganzes ist? Wie in der Einheit der Rede die einzelnen Wörter ihre Bedeutung und relative Eindeutigkeit erst gewinnen, so kann auch die wahre Erkenntnis des Wesens nur in dem Ganzen des relationalen Gefüges der Ideen erreicht werden. Das ist die These des platonischen ,Parmenides'. Daraus ergibt sich aber die Frage: Muß man nicht, um auch nur eine einzige Idee zu definieren, d.h. in dem, was sie ist, von allem anderen, was ist, abheben zu können, das Ganze wissen?

Man kann dieser Konsequenz schwerlich entgehen, wenn man, wie Plato, den Kosmos der Ideen als das wahre Gefüge des Seins denkt. Tatsächlich wird von dem Platoniker Speusipp, dem Nachfolger Platos in der Leitung der Akademie, berichtet, daß er diese Konsequenz gezogen hat[1]. Von ihm wissen wir, daß er insbesondere die Aufsuchung des Gemeinsamen (ὅμοια) pflegte und dabei weit über das hinausging, was im Sinne der Gattungs- logik Verallgemeinerung war, indem er die Analogie, d.h. die proportionale Entsprechung, als Forschungsmethode handhabte. Das dialektische Ver- mögen, Gemeinsamkeiten zu entdecken und vieles auf eines hin zusammen- zusehen, ist hier der freien Universalität der Sprache und den Prinzipien ihrer Wortbildung noch ganz nahe. Das Gemeinsame der Analogie, das Speusipp überall suchte – Entsprechungen von der Art: Was für den Vogel die Flügel sind, das sind für den Fisch die Flossen –, dienen deshalb der Defini- tion von Begriffen, weil solche Entsprechungen zugleich eines der wichtig- sten Bildungsprinzipien der sprachlichen Wortbildung darstellen. Über- tragung von einem Bereich in einen anderen hat nicht nur eine logische Funktion, sondern ihr entspricht die grundsätzliche Metaphorik der Sprache selbst. Die bekannte Stilfigur der Metapher ist nur die rhetorische Wendung dieses allgemeinen, zugleich sprachlichen und logischen Bildungsprinzips. So kann Aristoteles geradezu sagen: »Gut übertragen heißt, das Gemein- same erkennen.«[2] Überhaupt bietet die aristotelische Topik für die Unlös- barkeit des Zusammenhangs von Begriff und Sprache eine reiche Fülle von Bestätigungen. Das definitorische Setzen der gemeinsamen Gattung wird dort ausdrücklich aus der Beachtung des Gemeinsamen abgeleitet[3]. Am Anfang der Gattungslogik steht somit die Vorausleistung der Sprache.

Es stimmt zu diesem Befunde, daß Aristoteles der Art, wie im Sprechen von den Dingen die Sachordnung sichtbar wird, selber überall die größte Bedeutung zuerkennt. (Die ,Kategorien' – und nicht nur das, was bei

---

[1] Vgl. J. Stenzels wichtigen RE-Artikel über Speusipp.
[2] Poetik 22, 1459 a 8.
[3] Top. A 18, 108 7–31 behandelt die τοῦ ὁμοίου θεωρία ausführlich.

Aristoteles ausdrücklich so heißt – sind Formen der Aussage.) Die von der
Sprache geleistete Begriffsbildung wird vom philosophischen Denken nicht
nur genutzt, sondern in bestimmten Richtungen weitergeführt. Wir haben
uns schon oben darauf berufen, daß die aristotelische Theorie der Begriffsbildung, die Theorie der Epagoge, durch die Erlernung des Sprechens seitens der Kinder illustriert werden konnte[1]. In der Tat bleibt selbst Aristoteles, so sehr auch für ihn die platonische Entzauberung des Geredes grundlegend war und seine eigene Ausbildung der ‚Logik' entscheidend motivierte, so sehr er auch durch die bewußte Handhabung der Definitions-
logik, insbesondere in der klassifikatorischen Beschreibung der Natur, die
Ordnung der Wesen abzubilden und von allen sprachlichen Zufälligkeiten
zu lösen bestrebt war, völlig in die Einheit von Sprechen und Denken gebunden.

Die wenigen Stellen, an denen er von der Sprache als solcher überhaupt
spricht, sind daher weit entfernt davon, die sprachliche Bedeutungssphäre
von der Sachwelt, die durch sie genannt wird, zu isolieren. Wenn Aristoteles
von den Lauten bzw. Schriftzeichen sagt, daß sie dann ‚bezeichnen', wenn
sie zum ‚symbolon' werden, so heißt das zwar, daß sie nicht von Natur sind,
sondern nach einer Übereinkunft (κατὰ συνθήκην). Aber darin liegt keineswegs eine instrumentale Zeichentheorie. Vielmehr ist die Übereinkunft,
der gemäß die Sprachlaute oder Schriftzeichen etwas bedeuten, nicht eine
Verabredung über ein Verständigungsmittel – eine solche würde immer
schon Sprache voraussetzen –, sondern sie ist das Übereingekommensein,
auf das sich die Gemeinschaft unter Menschen, ihre Übereinstimmung in
dem, was gut und recht ist, begründet[2]. Das Übereingekommensein in der
sprachlichen Verwendung von Lauten und Zeichen ist nur ein Ausdruck
jener grundlegenden Übereinkunft in dem, was als gut und recht gilt. Nun
haben zwar die Griechen das, was als gut und recht gilt, also das, was sie
die Nomoi nannten, gern als die Satzung und Leistung göttlicher Männer
verstanden. Aber für Aristoteles charakterisiert auch dieser Ursprung des
Nomos mehr seine Geltung als seine eigentliche Entstehung. Das soll nicht
heißen, daß Aristoteles die religiöse Überlieferung nicht mehr anerkennt,
sondern, daß diese wie jede Frage nach der Entstehung für ihn ein Weg
zur Erkenntnis des Seins und Geltens ist. Die Übereinkunft, von der Aristoteles im Hinblick auf die Sprache spricht, charakterisiert also die Seinsweise der Sprache und sagt nichts über ihre Entstehung.

Das läßt sich auch durch die Erinnerung an die Epagoge-Analyse bele-
gen[3]. Dort hatte Aristoteles, wie wir sahen, auf die geistreichste Weise offengelassen, wie es eigentlich zur Bildung von Allgemeinbegriffen kommt. Wir

---

[1] Oben S. 394.

[2] Man muß die terminologischen Aussagen von περὶ ἑρμηνείας also im Lichte der
‚Politik' sehen (Polit. A 2).

[3] An. Post B 19, vgl. oben S. 333 ff.

erkennen jetzt, daß er damit dem Umstand Rechnung trägt, daß die natürliche Begriffsbildung der Sprache immer schon im Gang ist. Insofern besitzt auch nach Aristoteles die sprachliche Begriffsbildung eine ganz undogmatische Freiheit, indem das, was in der Erfahrung aus dem Begegnenden als gemeinsam herausgesehen wird und so zum Allgemeinen führt, den Charakter einer bloßen Vorleistung hat, die zwar am Anfang der Wissenschaft steht, aber noch nicht Wissenschaft ist. Das ist es, was Aristoteles hervorkehrt. Sofern die Wissenschaft das Zwingende des Beweises als Ideal aufstellt, muß sie über solche Verfahrensweisen hinauskommen. So hat Aristoteles die Lehre Speusipps von dem Gemeinsamen ebenso wie die diairetische Dialektik Platos von seinem Beweisideal her kritisiert.

Die Folge dieser Messung an dem logischen Beweisideal ist aber, daß die aristotelische Kritik die logische Leistung der Sprache um ihre wissenschaftliche Legitimation gebracht hat. Sie findet nur noch unter dem Gesichtspunkt der Rhetorik ihre Anerkennung und wird dort als das Kunstmittel der Metapher verstanden. Es ist das logische Ideal der Überordnung und Unterordnung der Begriffe, das jetzt über die lebendige Metaphorik der Sprache, auf der doch alle natürliche Begriffsbildung beruht, Herr wird. Denn nur eine auf die Logik gerichtete Grammatik wird die *eigentliche* Bedeutung des Wortes von seiner *übertragenen* Bedeutung unterscheiden. Was ursprünglich den Grund des Sprachlebens bildet und seine logische Produktivität ausmacht, das genial-erfinderische Herausfinden von Gemeinsamkeiten, durch die sich die Dinge ordnen, das wird nun als die Metapher an den Rand gedrängt und zu einer rhetorischen Figur instrumentalisiert. Der Kampf der Philosophie und der Rhetorik um die griechische Jugendbildung, der mit dem Sieg der attischen Philosophie entschieden wurde, hat auch diese Seite, daß das Denken über Sprache zur Sache einer Grammatik und Rhetorik wird, die das Ideal der wissenschaftlichen Begriffsbildung immer schon anerkannt haben. Damit beginnt sich die Sphäre der sprachlichen Bedeutungen von den in der sprachlichen Gestaltung begegnenden Sachen zu lösen. Die stoische Logik spricht zuerst von jenen unkörperlichen Bedeutungen, mittels derer das Reden von den Dingen sich vollzieht ($\tau\grave{o}$ $\lambda\varepsilon\varkappa\tau\acute{o}\nu$). Höchst bezeichnend, daß diese Bedeutungen mit dem $\tau\acute{o}\pi o\varsigma$, d.h. dem Raum, auf eine Stufe gestellt werden[1]. Wie der leere Raum jetzt erst, im Wegdenken der sich in ihm zueinander ordnenden Dinge, zur Gegebenheit für das Denken kommt[2], so werden auch die ‚Bedeutungen' als solche jetzt erst für sich gedacht und ein Begriff für sie geprägt, indem man die mittels der Bedeutung der Worte genannten Dinge wegdenkt. Auch die Bedeutungen sind wie ein Raum, worin sich die Dinge zueinander ordnen.

[1] Stoic. vet. fragm. Arnim II, S. 87.
[2] Vgl. die von Aristoteles noch verworfene Theorie des $\delta\iota\acute{a}\sigma\tau\eta\mu a$ (Phys. A 4, 211 b 14 ff.)

Solche Gedanken werden offenbar erst möglich, wenn das natürliche Verhältnis, d. h. die innige Einheit von Sprechen und Denken, gestört ist. Man darf hier, wie Lohmann[1] gezeigt hat, die Entsprechung des stoischen Denkens und der grammatisch-syntaktischen Durchbildung der lateinischen Sprache erwähnen. Daß die beginnende Zweisprachigkeit der hellenistischen Oikumene für das Denken über Sprache eine fördernde Rolle gespielt hat, ist wohl unbestreitbar. Vielleicht aber liegen die Ursprünge dieser Entwicklung weit früher, und es ist die Entstehung der Wissenschaft überhaupt, die diesen Prozeß auslöst. Dann werden die Anfänge desselben in die Frühzeit der griechischen Wissenschaft zurückreichen. Daß das so ist, dafür spricht die wissenschaftliche Begriffsbildung im Bereich von Musik, Mathematik und Physik, weil dort ein Feld rationaler Gegenständlichkeiten vermessen wird, deren konstruktive Erzeugung entsprechende Bezeichnungen ins Leben ruft, die man nicht mehr eigentlich Worte nennen kann. Grundsätzlich läßt sich sagen: Überall, wo das Wort eine bloße Zeichenfunktion übernimmt, wird der ursprüngliche Zusammenhang von Sprechen und Denken, auf den unser Interesse gerichtet ist, in ein instrumentales Verhältnis umgewandelt. Dieses verwandelte Verhältnis von Wort und Zeichen liegt der Begriffsbildung der Wissenschaft insgesamt zugrunde und ist für uns so selbstverständlich geworden, daß es einer eigenen kunstvollen Erinnerung bedarf, daß neben dem wissenschaftlichen Ideal eindeutiger Bezeichnung das Leben der Sprache selber unverändert weitertreibt.

An solcher Erinnerung fehlt es freilich nicht, wenn man die Geschichte der Philosophie beachtet. So hatten wir gezeigt, wie die theologische Relevanz des Sprachproblems im mittelalterlichen Denken auf das Problem der Einheit von Denken und Sprechen immer wieder zurückweist und zugleich dabei ein Moment zur Geltung bringt, das in der klassischen griechischen Philosophie so noch nicht gedacht worden war. Daß das Wort ein Prozeß ist, in dem sich die Einheit des Gemeinten zum vollendeten Ausdruck bringt – wie das in der Verbumspekulation gedacht wird –, bedeutet gegenüber der platonischen Dialektik des Einen und Vielen etwas Neues. Denn für Plato bewegt sich der Logos selbst innerhalb dieser Dialektik und ist nichts als das Erleiden der Dialektik der Ideen. Ein eigentliches Problem der Auslegung gibt es hier insofern nicht, als die Mittel derselben, das Wort und die Rede, vom denkenden Geiste ständig überholt werden. Im Unterschied dazu fanden wir in der trinitarischen Spekulation, daß der Prozeß der göttlichen Personen die neuplatonische Fragestellung nach der

---

[1] J. Lohmann hat neuerdings interessante Beobachtungen mitgeteilt, denen zufolge die Entdeckung der ,idealen' Welt der Töne, Figuren und Zahlen eine eigene Art der Wortbildung und damit ein erstes Anheben von Sprachbewußtheit herbeigeführt hat. Vgl. J. Lohmanns Arbeiten: Arch. f. Musikwiss. XIV, 1957, S. 147–155, XVI, 1959, S. 148–173, 261–291, Lexis IV, 2 und zuletzt: Über den paradigmatischen Charakter der griechischen Kultur (Festschrift für Gadamer 1960).

Entfaltung, d.h. dem Hervorgang aus dem Einen, in sich schließt und daher auch dem Prozeßcharakter des Wortes erstmals gerecht wird. Zum vollen Aufbruch konnte das Problem der Sprache aber erst kommen, als sich die scholastische Vermittlung des christlichen Denkens mit der aristotelischen Philosophie durch ein neues Moment ergänzte, das die Unterscheidung von göttlichem und menschlichem Geist ins Positive wendete und die größte Bedeutung für die Neuzeit gewinnen sollte. Es ist das Gemeinsame des *Schöpferischen.* Darin scheint mir die Stellung des *Nikolaus von Cues,* die neuerdings soviel erörtert worden ist[1], ihre eigentliche Auszeichnung zu haben.

Die Analogie zwischen den beiden Weisen des Schöpferseins hat natürlich ihre Grenzen, die den oben akzentuierten Unterschieden zwischen göttlichem und menschlichem Wort entsprechen. Das göttliche Wort schafft zwar die Welt, aber nicht in einer zeitlichen Abfolge von Schöpfungsgedanken und Schöpfungstagen. Der menschliche Geist dagegen besitzt das Ganze seiner Gedanken nur im zeitlichen Nacheinander. – Gewiß ist das kein rein zeitliches Verhältnis, wie wir schon bei Thomas sahen. Cusanus hebt das entsprechend hervor. Es ist wie mit der Zahlenreihe. Auch deren Erzeugung ist nicht eigentlich ein zeitliches Geschehen, sondern eine Bewegung der Vernunft. Die gleiche Bewegung der Vernunft sieht Cusanus dort am Werke, wo die Gattungen und Arten so, wie sie unter das Wort fallen, aus dem Sinnlichen herausgebildet und in die einzelnen Begriffe und Worte entfaltet werden. Auch sie sind entia rationis. So platonisch-neuplatonisch diese Rede von Entfaltung klingen mag, in Wahrheit hat der Cusaner das emanatistische Schema der neuplatonischen Explikationslehre im entscheidenden Punkte überwunden. Er spielt nämlich gegen sie die christliche Lehre vom Verbum aus[2]. Das Wort ist ihm kein anderes Sein als der Geist, keine geminderte oder abgeschwächte Erscheinung desselben. Das zu wissen, macht für den christlichen Philosophen seine Überlegenheit über die Platoniker aus. Entsprechend ist auch die Vielheit, in die sich der menschliche Geist entfaltet, kein bloßer Abfall von der wahren Einheit und kein Verlust seiner Heimat. Vielmehr mußte die Endlichkeit des menschlichen Geistes, so sehr dieselbe immer auf die unendliche Einheit des absoluten Seins bezogen blieb, ihre positive Legitimierung finden. Das ist im Begriff der *complicatio* angelegt, und von diesem Punkte aus gewinnt auch das Phänomen der Sprache einen neuen Aspekt. Es ist der menschliche Geist, der zugleich zusammenfaßt und entfaltet. Die Entfaltung in die diskursive

---

[1] Vgl. zuletzt K. H. Volkmann-Schluck, der vor allem vom Gedanken des ‚Bildes‘ aus den denkgeschichtlichen Ort des Nicolaus zu bestimmen sucht: Nicolaus Cusanus, 1957; insbesondere S. 146 ff.

[2] Philosophi quidem de Verbo divino et maximo absoluto sufficienter instructi non erant... Non sunt igitur formae actu nisi in Verbo ipsum Verbum... De Doct. ign. II, cap. IX.

Mannigfaltigkeit ist nicht nur eine solche der Begriffe, sondern erstreckt sich bis ins Sprachliche hinein. Es ist die Vielheit möglicher Benennungen – je nach der Verschiedenheit der Sprachen –, die die begriffliche Differenzierung noch potenziert.

So tritt mit der nominalistischen Auflösung der klassischen Wesenslogik auch das Problem der Sprache in ein neues Stadium. Nun ist auf einmal von positiver Bedeutung, daß man die Dinge in verschiedener Weise (wenn auch nicht in beliebiger) auf ihre Übereinstimmung und ihren Unterschied hin artikulieren kann. Wenn das Verhältnis von Gattung und Art nicht nur aus der Natur der Dinge – am Vorbild der ‚echten‘ Arten im Selbstaufbau der lebendigen Natur – legitimiert werden kann, sondern auch in anderer Weise in bezug auf den Menschen und seine namengebende Hoheit, dann lassen die historisch gewachsenen Sprachen, ihre Bedeutungsgeschichte wie ihre Grammatik und Syntax, sich als Variationsformen einer Logik der Erfahrung, einer natürlichen, d.h. geschichtlichen Erfahrung (die selbst noch die übernatürliche einschließt) zur Geltung bringen. Die Sache selbst ist von jeher klar[1]. Die Aufgliederung der Wörter und Sachen, die eine jede Sprache auf ihre eigene Weise vornimmt, stellt überall eine erste natürliche Begriffsbildung dar, die sehr weit von dem System der wissenschaftlichen Begriffsbildung entfernt ist. Sie folgt ganz und gar dem menschlichen Aspekt der Dinge, dem System seiner Bedürfnisse und seiner Interessen. Was für eine Sprachgemeinschaft wesentlich an einer Sache ist, das kann sie mit anderen, im übrigen vielleicht ganz andersartigen, Sachen einer einheitlichen Benennung zuordnen, wenn sie nur alle die gleiche, ihr wesentliche Seite besitzen. Die Namengebung (impositio nominis) entspricht keineswegs den Wesensbegriffen der Wissenschaft und ihrem klassifikatorischen System von Gattung und Art. Vielmehr sind es, an diesem gemessen, sehr oft Akzidenzien, von denen die Allgemeinbedeutung eines Wortes sich ableitet.

Dabei mag man einen gewissen Einfluß der Wissenschaft auf die Sprache durchaus in Rechnung stellen. Man redet heute z.B. nicht mehr vom Walfisch, sondern vom Wal, weil jeder weiß, daß die Wale Säugetiere sind. Auf der anderen Seite wird die Fülle der volkstümlichen Benennungen für bestimmte Dinge teils durch das moderne Verkehrsleben, teils durch die wissenschaftlich-technische Standardisierung mehr und mehr nivelliert, wie überhaupt der sprachliche Wortschatz sich nicht etwa vermehrt, sondern verringert. Es soll eine afrikanische Sprache geben, die zweihundert verschiedene Ausdrücke für das Kamel besitzt, je nach den Lebensbezügen, in denen für die Wüstenbewohner das Kamel steht. Auf Grund der herrschenden Bedeutung, die es in ihnen allen behält, erscheint es wie ein anderes Seiendes[2]. Man kann sagen, daß in solchen Fällen die Spannung

---

[1] Vgl. oben S. 404.

[2] Vgl. Cassirer, Philosophie der symbolischen Formen I, 1923, S. 258.

zwischen dem Gattungsbegriff und der sprachlichen Benennung besonders kraß ist. Man wird aber sagen dürfen, daß der Ausgleich zwischen der Tendenz auf begriffliche Allgemeinheit und der anderen auf pragmatische Bedeutung in keiner lebendigen Sprache je zu einem vollständigen Ziele gelangt. Daher behält es etwas Künstliches und dem Wesen der Sprache Widriges, wenn man die Kontingenz der natürlichen Begriffsbildung an der wahren Wesensordnung mißt und als bloß akzidentell versteht. Solche Kontingenz kommt in Wahrheit durch die notwendige und legitime Variationsbreite zustande, in der der menschliche Geist die Wesensordnung der Dinge zu artikulieren vermag.

Daß das lateinische Mittelalter trotz der biblischen Bedeutung der menschlichen Sprachverwirrung dieser Seite am Problem der Sprache nicht wirklich nachgegangen ist, mag sich vor allem aus der selbstverständlichen Herrschaft des Gelehrtenlateins erklären, sowie aus dem Fortwirken der griechischen Logos-Lehre. Erst in der Renaissance, dort wo der Laie bedeutsam wird und die Nationalsprachen in die gelehrte Bildung eindringen, wurde über das Verhältnis derselben zu dem inneren Wort bzw. zu der ‚natürlichen‘ Vokabel fruchtbar nachgedacht. Man muß sich jedoch hüten, dabei sogleich die Fragestellung der modernen Sprachphilosophie und ihres instrumentalen Sprachbegriffs vorauszusetzen. Die Bedeutung des ersten Auftretens des Sprachproblems in der Renaissance liegt vielmehr darin, daß das griechisch-christliche Erbe damals noch auf selbstverständliche Weise gültig war. Das ist beim Cusaner ganz deutlich. Als Entfaltung der Einheit des Geistes behalten die in Worte fallenden Begriffe gleichwohl den Bezug zu einem natürlichen Wort (vocabulum naturale), dessen Rückschein in ihnen allen ist (relucet), so sehr auch die einzelne Benennung beliebig sein mag[1] (impositio nominis fit ad beneplacitum). Man mag sich fragen, was das für ein Bezug ist und was das für ein natürliches Wort sein soll. Aber daß die einzelnen Wörter der einen Sprache mit denen jeder anderen insofern eine letzte Übereinstimmung besitzen, als alle Sprachen Entfaltungen der einen Einheit des Geistes sind, hat einen methodisch richtigen Sinn.

Auch der Cusaner meint mit dem *natürlichen Wort* nicht das Wort einer Ursprache, die der menschlichen Sprachverwirrung noch vorauslag. Eine solche Adamssprache im Sinne einer Lehre vom Urstand liegt ihm ganz fern. Vielmehr geht der Cusaner von der grundsätzlichen Ungenauigkeit alles menschlichen Wissens aus. Das ist bekanntlich seine Erkenntnislehre, in der platonische und nominalistische Motive sich kreuzen: alle menschliche Erkenntnis ist bloße Vermutung und Meinung (coniectura, opinio)[2]. Es ist

---

[1] Das wichtigste Zeugnis, auf das wir im folgenden bezogen sind, ist Nic. Cus., Idiota De Mente III, 2: »Quomodo est vocabulum naturale et aliud impositum secundum illud citra praecisionem…«

[2] Vgl. zuletzt die belehrende Darstellung von J. Koch, Die ars coniecturalis des

diese Lehre, die er nun auf die Sprache anwendet. So kann er die Verschiedenheit der nationalen Sprachen und die scheinbare Beliebigkeit ihres Wortschatzes anerkennen, ohne deshalb schon einer rein konventionalistischen Sprachtheorie und einem instrumentalistischen Begriff von Sprache zu verfallen. Wie die menschliche Erkenntnis wesenhaft ‚ungenau‘ ist, d. h. ein Mehr oder Minder zuläßt, so ist es auch die menschliche Sprache. Was in der einen Sprache seinen eigentlichen Ausdruck hat (propria vocabula), das hat in einer anderen einen mehr barbarischen und entlegeneren Ausdruck (magis barbara et remotiora vocabula). Es gibt also mehr oder minder eigentliche Ausdrücke (propria vocabula). Alle faktischen Benennungen sind im gewissen Sinne beliebig, und doch haben sie eine notwendige Beziehung auf den natürlichen Ausdruck (nomen naturale), der der Sache selber (forma) entspricht. Jeder Ausdruck ist zutreffend (congruum), aber nicht jeder ist genau (precisum).

Eine solche Sprachtheorie setzt voraus, daß auch die Sachen (forma), denen die Worte beigelegt werden, keiner vorgegebenen Ordnung von Urbildern angehören, an die sich die menschliche Erkenntnis mehr und mehr annähert, sondern daß diese Ordnung aus den Gegebenheiten der Dinge durch Unterscheidung und Zusammenfassung erst gebildet wird. Insofern ist die nominalistische Wendung in das Denken des Cusaners eingegangen. Sind die Gattungen und Arten (genera et species) dergestalt selber intelligibles Sein (entia rationis), dann läßt sich begreifen, daß die Worte mit der sachlichen Anschauung, der sie Ausdruck geben, in Übereinstimmung sein können, auch wenn in verschiedenen Sprachen verschiedene Worte gebraucht werden. Denn dann handelt es sich eben nicht nur um Variationen des Ausdrucks, sondern um Variationen der Sachanschauung und der ihr folgenden Begriffsbildung, mithin um eine wesenhafte Ungenauigkeit, die nicht ausschließt, daß in allen gleichwohl ein Rückschein der Sache selbst (der forma) gelegen ist. Solche wesenhafte Ungenauigkeit kann offenbar nur überwunden werden, wenn sich der Geist zum Unendlichen erhebt. Im Unendlichen gibt es dann nur eine einzige Sache (forma) und ein einziges Wort (vocabulum), eben das unaussagbare Wort Gottes (verbum Dei), das in allem widerscheint (relucet).

Denkt man so den menschlichen Geist abbildhaft auf das göttliche Urbild bezogen, dann kann man die Variationsbreite der menschlichen Sprachen gelten lassen. Wie am Anfang in der Diskussion der Analogieforschung in der platonischen Akademie, so ist auch am Ende der Universaliendiskussion des Mittelalters eine wirkliche Nähe zwischen Wort und Begriff gedacht. Dabei liegen die relativistischen Konsequenzen, die das moderne Denken aus der Variation der Sprachen für die Weltanschauungen gezogen hat, hier noch ganz fern. In aller Differenz bleibt doch die Übereinstim-

Nicolaus Cusanus (Arbeitsgemeinschaft für Forschung des Landes Nordrhein-Westfalen, Heft 16).

mung gewahrt und auf sie kommt es dem christlichen Platoniker an: Der
Sachbezug in aller menschlichen Sprache, und nicht so sehr die Sprachgebundenheit der menschlichen Sacherkenntnis, ist ihm das Wesentliche.
Diese stellt nur eine prismatische Brechung dar, in der die eine Wahrheit
scheint.

3. Sprache als Horizont einer hermeneutischen Ontologie

a) Sprache als Welterfahrung

Wenn wir uns so in einige Phasen der Geschichte des Sprachproblems
besonders vertieft haben, so geschah das in der Wahrnehmung von Gesichtspunkten, die der modernen Sprachphilosophie und Sprachwissenschaft fernliegen. Das moderne Denken über die Sprache ist seit Herder
und Humboldt von einem ganz anderen Interesse beherrscht. Es möchte
studieren, wie sich die Natürlichkeit der menschlichen Sprache – eine
mühsam dem Rationalismus und der Orthodoxie abgetrotzte Einsicht – in
der Erfahrungsbreite der Verschiedenheit des menschlichen Sprachbaus
entfaltet. Indem es in jeder Sprache einen Organismus erkennt, sucht es in
vergleichender Betrachtung die Fülle der Mittel zu studieren, deren sich
der menschliche Geist bedient hat, um seine Sprachfähigkeit auszuüben.
Von solcher empirisch vergleichenden Fragestellung war der Cusaner noch
weit entfernt. Darin blieb er Platoniker, daß die Unterschiede des Ungenauen keine eigene Wahrheit enthalten und daher nur, soweit sie mit
dem ,Wahren' in Übereinstimmung sind, Interesse verdienen. Für ihn
gibt es kein Interesse an den nationellen Eigentümlichkeiten der werdenden
Nationalsprachen, wie es etwa Humboldt bewegt.

Indessen muß man selbst bei W. von Humboldt, dem Schöpfer der modernen Sprachphilosophie, wenn man ihm gerecht werden will, sich der
Überresonanz erwehren, die die von ihm eröffnete vergleichende Sprachforschung und Völkerpsychologie erzeugt hat. In ihm selbst ist das Problem
der ,Wahrheit des Wortes' noch nicht ganz verstellt. Humboldt befragt die
empirische Mannigfaltigkeit des menschlichen Sprachbaus nicht nur, um
an diesem greifbaren menschlichen Ausdrucksfelde in die individuelle
Eigentümlichkeit der Völker einzudringen[1]. Sein Interesse an der Individualität ist wie das seines Zeitalters durchaus nicht als eine Abkehr von
der Allgemeinheit des Begriffs zu verstehen. Vielmehr besteht für ihn ein
unlösbarer Zusammenhang zwischen Individualität und allgemeiner Natur.
Mit dem Gefühle der Individualität ist ihm immer das Ahnen einer Totalität gegeben[2], und so ist die Vertiefung in die Individualität der sprach-

---

[1] Vgl. im folgenden: »Über die Verschiedenheit des menschlichen Sprachbaus...«
(zuerst gedruckt 1836).

[2] a.a.O. § 6.

lichen Erscheinungen selber als ein Weg zur Einsicht in das Ganze der menschlichen Sprachverfassung gemeint.

Sein Ausgangspunkt ist, daß die Sprachen Erzeugnisse der menschlichen ‚Geisteskraft' sind. Überall, wo Sprache ist, ist die ursprüngliche Sprachkraft des menschlichen Geistes am Werk, und eine jede Sprache weiß den allgemeinen Zweck, der mit dieser natürlichen Kraft des Menschen intendiert ist, zu erreichen. Das schließt nicht aus, ja, es wird geradezu dadurch legitimiert, daß die Vergleichung der Sprachen nach einem Maßstab der Vollkommenheit fragt, nach dem sie sich differenzieren. Denn das »Streben, der Idee der Sprachvollendung Dasein in der Wirklichkeit zu gewinnen«, ist allen Sprachen gemein, und das Geschäft des Sprachforschers ist eben darauf gerichtet zu untersuchen, in welchem Grade und mit welchen Mitteln die verschiedenen Sprachen sich dieser Idee annähern. Es gibt also durchaus für Humboldt Unterschiede in der Vollkommenheit der Sprachen. Aber es ist kein vorgefaßter Maßstab, unter den er die Mannigfaltigkeit der Erscheinungen zwängt, sondern er gewinnt diesen Maßstab aus dem inneren Wesen der Sprache selbst und der Fülle ihrer Erscheinungen.

Das normative Interesse, unter dem er den Sprachbau der menschlichen Sprachen vergleicht, hebt also die Anerkennung der Individualität, und das heißt der relativen Vollkommenheit einer jeden, nicht auf. Bekanntlich hat Humboldt jede Sprache als eine eigene Weltansicht verstehen gelehrt, indem er die *innere Form*, in der sich das menschliche Urgeschehen der Sprachbildung jeweils differenziert, untersuchte. Hinter dieser These steht nicht nur die idealistische Philosophie, die den Anteil des Subjekts an der Erfassung der Welt hervorhebt, sondern die von Leibniz zuerst entwickelte *Metaphysik der Individualität*. Das drückt sich sowohl in dem Begriff der Geisteskraft aus, dem das Phänomen der Sprache zugeordnet wird, als auch im besonderen darin, daß Humboldt neben der Differenzierung durch den Laut diese Geisteskraft als inneren Sprachsinn für die Differenzierung der Sprachen in Anspruch nimmt. Er spricht von der »Individualität des inneren Sinnes in der Erscheinung« und meint damit »die Energie der Kraft«, mit welcher der innere Sinn auf den Laut einwirkt[1]. Es ist ihm selbstverständlich, daß diese Energie nicht überall gleich sein kann. Er teilt also, wie man sieht, das metaphysische Prinzip der Aufklärung, das Prinzip der Individuation in der Annäherung an das Wahre und Vollkommene zu sehen. Es ist das monadologische Universum Leibnizens, in das sich die Verschiedenheit des menschlichen Sprachbaus einzeichnet.

Der Weg der Untersuchung, den Humboldt einschlägt, ist nun durch die *Abstraktion auf die Form* bestimmt. So sehr damit die Bedeutung der menschlichen Sprachen als Spiegel der Geisteseigentümlichkeit der Natio-

---

[1] a.a.O. § 22.

nen durch Humboldt aufgeschlossen worden ist, ist damit doch die Universalität des Zusammenhangs von Sprache und Denken auf den Formalismus eines Könnens eingeschränkt worden.

Humboldt sieht das Problem in seiner prinzipiellen Bedeutung, wenn er von der Sprache sagt: »Sie steht ganz eigentlich einem unendlichen und wahrhaft grenzenlosen Gebiete, dem Inbegriff alles Denkbaren, gegenüber. Sie muß daher von endlichen Mitteln einen unendlichen Gebrauch machen, und vermag dies durch die Identität der Gedanken und Sprache erzeugenden Kraft.«[1] Von endlichen Mitteln einen unendlichen Gebrauch machen zu können, ist das eigentliche Wesen der Kraft, die ihrer selbst inne ist. Sie umgreift alles, woran sie sich zu betätigen vermag. So ist auch die sprachliche Kraft allen inhaltlichen Anwendungen überlegen. Als ein Formalismus des Könnens ist sie daher von aller inhaltlichen Bestimmtheit des Gesprochenen ablösbar. Humboldt verdankt dem geniale Einsichten, zumal er nicht verkennt, daß, so gering auch die Kraft des einzelnen angesichts der Macht der Sprache ist, zwischen dem einzelnen und der Sprache ein Wechselverhältnis besteht, das dem Menschen gegenüber der Sprache eine gewisse Freiheit beläßt. Daß diese Freiheit eine begrenzte ist, verkennt er ebensowenig, sofern sich eine jede Sprache gegenüber dem jeweils Gesprochenen ein eigentümliches Dasein bildet, so daß man an ihr besonders deutlich und lebendig fühlt, »wie auch die ferne Vergangenheit sich noch an das Gefühl der Gegenwart knüpft, da die Sprache durch die Empfindungen der früheren Geschlechter durchgegangen ist und ihren Anhauch bewahrt hat«[2]. Humboldt weiß noch in der als Form gefaßten Sprache das geschichtliche Leben des Geistes zu gewahren. Die Begründung des Phänomens der Sprache auf den Begriff der sprachlichen Kraft gibt dem Begriff der inneren Form eine eigene Legitimation, die der geschichtlichen Bewegtheit des Sprachlebens gerecht wird.

Gleichwohl stellt ein solcher Begriff von Sprache eine Abstraktion dar, die wir für unsere Zwecke rückgängig machen müssen. *Sprachliche Form und überlieferter Inhalt lassen sich in der hermeneutischen Erfahrung nicht trennen.* Wenn eine jede Sprache eine Weltansicht ist, so ist sie das in erster Linie nicht als ein bestimmter Typus von Sprache, (wie der Sprachwissenschaftler Sprache sieht), sondern durch das, was in dieser Sprache gesprochen wird bzw. überliefert ist.

Wie sich mit der Anerkennung der Einheit von Sprache und Überlieferung die Problemlage verschiebt oder besser zurechtrückt, sei an einem Beispiel verdeutlicht. Wilhelm von Humboldt sagt einmal, daß die Erlernung einer fremden Sprache die Gewinnung eines neuen Standpunktes in der bisherigen Weltansicht sein muß, und fährt fort: »Nur weil man in eine fremde Sprache immer, mehr oder weniger, seine eigene Welt-, ja,

---

[1] a.a.O. § 15.   [2] a.a.O. § 9.

seine eigene Sprachansicht hinüberträgt, so wird dieser Erfolg nicht rein und vollständig empfunden.«[1] Was hier als eine Einschränkung und ein Mangel geltend gemacht wird (und vom Standpunkt des Sprachforschers aus, der seinen eigenen Erkenntnisweg im Auge hat, mit Recht), stellt in Wahrheit die Vollzugsweise der hermeneutischen Erfahrung dar. Nicht die Erlernung einer fremden Sprache als solche, sondern ihr Gebrauch, sei es im lebendigen Umgang mit dem fremden Menschen, sei es im Studium der fremden Literatur, ist es, was einen neuen Standpunkt »in der bisherigen Weltansicht« vermittelt. Auch wenn man sich noch so sehr in eine fremde Geistesart versetzt, vergißt man nicht darüber seine eigene Welt-, ja seine eigene Sprachansicht. Vielmehr ist die andere Welt, die uns da entgegentritt, nicht nur eine fremde, sondern eine beziehungsvoll andere. Sie hat nicht nur ihre eigene Wahrheit *in sich*, sondern auch eine eigene Wahrheit *für uns*.

Die andere Welt, die da erfahren wird, ist eben nicht einfach Gegenstand der Erforschung, des Sichauskennens und Bescheidwissens. Wer die literarische Überlieferung einer fremden Sprache auf sich zukommen läßt, so daß sie für ihn zum Sprechen kommt, hat kein gegenständliches Verhältnis zu der Sprache als solcher, so wenig wie der Reisende, der sie gebraucht. Er verhält sich ganz anders als der Philologe, dem die sprachliche Überlieferung Material der Sprachgeschichte oder Sprachvergleichung ist. Wir kennen das nur zu gut aus dem Erlernen fremder Sprachen und der eigentümlichen Abtötung der Literaturwerke, an denen die Schule uns in die fremden Sprachen einführt. Man kann offenbar eine Überlieferung nicht verstehen, wenn man dabei auf die Sprache als solche thematisch gerichtet ist. Man kann aber auch – und das ist die andere Seite, die es nicht minder zu beachten gilt – was sie sagt und zu sagen hat, nicht verstehen, wenn sie nicht in ein Bekanntes und Vertrautes hineinspricht, das sich mit der Aussage des Textes zu vermitteln hat. Erlernung einer Sprache ist insofern die Erweiterung dessen, was man lernen kann. Nur in der Reflexionsebene des Sprachforschers kann dieser Zusammenhang die Form annehmen, daß der Erfolg der Erlernung einer fremden Sprache »nicht rein und vollständig empfunden werde«. Die hermeneutische Erfahrung selbst ist genau die umgekehrte: eine fremde Sprache erlernt haben und verstehen – dieser Formalismus des Könnens –, heißt nichts anderes als: in der Lage sein, das in ihr Gesagte sich gesagt sein zu lassen. Die Ausübung dieses Verstehens ist immer schon Inanspruchnahme durch das Gesagte, und eine solche kann es nicht geben, ohne daß man »seine eigene Welt-, ja seine eigene Sprachansicht« mit einsetzt. Wieweit innerhalb der Abstraktionsrichtung auf die Sprache als solche Humboldt selber seine tatsächliche Vertrautheit mit der literarischen Überlieferung der Völker hat mitsprechen lassen, wäre einmal eine eigene Untersuchung wert.

---

[1] a.a.O. § 9.

Seine eigentliche Bedeutung für das Problem der Hermeneutik liegt woanders: in der Erweisung der *Sprachansicht als Weltansicht.* Er hat den lebendigen Vollzug des Sprechens, die sprachliche Energeia als das Wesen der Sprache erkannt und dadurch den Dogmatismus der Grammatiker gebrochen. Von dem Begriff der Kraft aus, der sein ganzes Denken über die Sprache leitet, hat er insbesondere auch die Frage nach dem Ursprung der Sprache zurechtgestellt, die durch theologische Rücksichten besonders belastet war. Er hat gezeigt, wie schief diese Frage ist, sofern sie die Konstruktion einer sprachlosen Menschenwelt einschließt, deren Erhebung zur Sprachlichkeit irgendwann und irgendwie vor sich gegangen sei. Einer solchen Konstruktion gegenüber betont Humboldt mit Recht, daß die Sprache von ihrem Anbeginn an menschlich ist[1]. Diese Feststellung verändert nicht nur den Sinn der Frage nach dem Ursprung der Sprache – sie ist die Basis einer weitreichenden anthropologischen Einsicht.

Die Sprache ist nicht nur eine der Ausstattungen, die dem Menschen, der in der Welt ist, zukommt, sondern auf ihr beruht, und in ihr stellt sich dar, daß die Menschen überhaupt *Welt* haben. Für den Menschen ist die Welt als Welt da, wie sie für kein Lebendiges sonst Dasein hat, das auf der Welt ist. Dies Dasein der Welt aber ist sprachlich verfaßt. Das ist der eigentliche Kern des Satzes, den Humboldt in ganz anderer Absicht äußert, daß die Sprachen Weltansichten sind[2]. Humboldt will damit sagen, daß die Sprache gegenüber dem Einzelnen, der einer Sprachgemeinschaft angehört, eine Art selbständigen Daseins behauptet und ihn, wenn er in sie hineinwächst, zugleich in ein bestimmtes Weltverhältnis und Weltverhalten einführt. Wichtiger aber ist, was dieser Aussage zugrunde liegt: daß die Sprache ihrerseits gegenüber der Welt, die in ihr zur Sprache kommt, kein selbständiges Dasein behauptet. Nicht nur ist die Welt nur Welt, sofern sie zur Sprache kommt – die Sprache hat ihr eigentliches Dasein nur darin, daß sich in ihr die Welt darstellt. Die ursprüngliche Menschlichkeit der Sprache bedeutet also zugleich die ursprüngliche Sprachlichkeit des menschlichen In-der-Welt-Seins. Wir werden dem Bezug von *Sprache und Welt* nachgehen müssen, um für die *Sprachlichkeit der hermeneutischen Erfahrung* den angemessenen Horizont zu gewinnen.

Welt haben heißt: sich zur Welt verhalten. Sich zur Welt verhalten erfordert aber, sich von dem von der Welt her Begegnenden so weit freihalten, daß man es vor sich stellen kann, wie es ist. Dieses Können ist ineins Welt-haben und Sprache-haben. Der Begriff der *Welt* tritt damit in Gegensatz zu dem Begriff der *Umwelt,* wie sie allem auf der Welt seienden Lebendigen zukommt.

Gewiß wurde der Begriff der Umwelt zunächst für die menschliche Umwelt gebraucht und nur für sie. Die Umwelt ist das ‚Milieu‘, in dem

---

[1] a.a.O. § 9, S. 60.   [2] a.a.O. § 9, S. 59.

27*

einer lebt, und der Einfluß der Umwelt auf seinen Charakter und seine Lebensweise ist es, was die Bedeutung der Umwelt ausmacht. Der Mensch ist nicht unabhängig von dem besonderem Aspekt, den ihm die Welt zeigt. So ist der Begriff der Umwelt ursprünglich ein gesellschaftlicher Begriff, der die Abhängigkeit des einzelnen von der gesellschaftlichen Welt aussagen will, also nur auf den Menschen bezogen ist. In einem umfassenden Sinne läßt sich dieser Begriff von Umwelt jedoch auf alles Lebendige anwenden, um die Bedingungen zusammenzufassen, von denen sein Dasein abhängt. Eben damit wird aber klar, daß der Mensch zum Unterschied von allen anderen Lebewesen ‚Welt‘ hat, sofern diese nicht im gleichen Sinne ein Verhältnis zur Welt haben, sondern in ihre Umwelt gleichsam eingelassen sind. Die Ausweitung des Begriffes der Umwelt auf alles Lebendige hat damit in Wahrheit seinen Sinn verändert.

Es gilt nunmehr geradezu, daß im Gegensatz zu allem anderen Lebendigen das Weltverhältnis des Menschen durch *Umweltfreiheit* charakterisiert ist. Solche Umweltfreiheit schließt die sprachliche Verfaßtheit der Welt ein. Beides gehört zueinander. Sich über den Andrang des von der Welt her Begegnenden erheben, heißt: Sprache haben und Welt haben. In dieser Form hat die neuere philosophische Anthropologie in der Auseinandersetzung mit Nietzsche die Sonderstellung des Menschen herausgearbeitet und gezeigt, daß die sprachliche Verfaßtheit der Welt weit davon entfernt ist, die Gebanntheit des menschlichen Weltverhaltens in eine sprachlich schematisierte Umwelt zu bedeuten[1]. Im Gegenteil ist Erhebung oder Erhobenheit nicht nur über den Andrang der Welt überall gegeben, wo Sprache ist und wo Menschen sind – diese Umweltfreiheit ist auch Freiheit gegenüber den Namen, die wir den Dingen geben, wie der tiefsinnige Bericht der Genesis sagt, demzufolge Adam die namengebende Vollmacht von Gott empfing.

Macht man sich das in seiner Tragweite klar, so wird verständlich, warum dem allgemeinen sprachlichen Weltverhältnis des Menschen gleichwohl eine Mannigfaltigkeit verschiedener Sprachen gegenübersteht. Mit der Umweltfreiheit des Menschen ist seine freie Sprachfähigkeit überhaupt gegeben und damit der Grund für die geschichtliche Mannigfaltigkeit, mit der sich das menschliche Sprechen zu der einen Welt verhält. Wenn der Mythos von einer Ursprache und dem Eintritt einer Sprachverwirrung redet, so spiegelt eine solche mythische Vorstellung zwar auf sinnreiche Weise das echte Rätsel, das die Vielheit der Sprachen für die Vernunft darstellt, aber seinem wirklichen Verstande nach stellt dieser mythische Bericht die Dinge auf den Kopf, wenn er sich die ursprüngliche Einigkeit der Menschheit im Gebrauch einer ursprünglichen Sprache durch eine Sprachverwirrung auseinandergesprengt denkt. In Wahrheit ist es so, daß

---

[1] Max Scheler, Helmut Plessner, Arnold Gehlen.

der Mensch, weil er sich über seine jeweilige zufällige Umwelt immer schon zu erheben vermag und sein Sprechen die Welt zur Sprache bringt, für die Varietät der Ausübung seiner Sprachfähigkeit von vornherein freigegeben ist.

Erhebung über die Umwelt hat hier von vornherein einen menschlichen und das heißt einen sprachlichen Sinn. Tiere können ihre Umwelt verlassen und die ganze Erde durchwandern, ohne daß sie damit ihre Umweltgebundenheit sprengen. Erhebung über die Umwelt dagegen ist für den Menschen *Erhebung zur Welt* und bedeutet nicht ein Verlassen der Umwelt, sondern eine andere Stellung zu ihr, ein freies, distanziertes Verhalten, dessen Vollzug jeweils ein sprachlicher ist. Eine Sprache von Tieren gibt es nur per aequivocationem. Denn Sprache ist eine in ihrem Gebrauch freie und variable Möglichkeit des Menschen. Für ihn ist die Sprache nicht nur in dem Sinne variabel, daß es andere fremde Sprachen gibt, die man erlernen kann. Sie ist für ihn auch in sich selbst variabel, sofern sie für ihn verschiedene Aussagemöglichkeiten der gleichen Sache bereit hält. Selbst bei Ausfallserscheinungen, wie bei den Taubstummen, ist die Sprache keine eigentliche, ausdruckshafte Gebärdensprache, sondern die ersatzhafte Abbildung der artikulierten Stimm-Sprache durch ebenso artikulierten Gebärdengebrauch. Die Verständigungsmöglichkeiten zwischen den Tieren kennen eine solche Variabilität nicht. Das bedeutet ontologisch, daß sie sich zwar miteinander verständigen, aber nicht über Sachverhalte als solche verständigen, deren Inbegriff die Welt ist. Das hat schon Aristoteles mit voller Klarheit gesehen: während der Ruf der Tiere jeweils die Artgenossen in ein bestimmtes Verhalten einweist, legt die sprachliche Verständigung durch den Logos das Seiende selbst offen[1].

Aus dem Weltverhältnis der Sprache folgt ihre eigentümliche *Sachlichkeit*. Es sind Sachverhalte, die zur Sprache kommen. Eine Sache, die sich so und so verhält, – darin liegt die Anerkennung des selbständigen Andersseins, das eine eigene Distanz des Sprechenden zur Sache voraussetzt. Auf dieser Distanz beruht, daß sich etwas als ein eigener Sachverhalt abzuheben und zum Inhalt einer Aussage zu werden vermag, die auch andere verstehen. In der Struktur des Sachverhaltes, der sich abhebt, ist gelegen, daß in ihm stets Negatives mit da ist. Dies zu sein und nicht jenes, macht die Bestimmtheit alles Seienden aus. Es gibt also grundsätzlich auch negative Sachverhalte. Das ist die Seite am Wesen der Sprache, die das griechische Denken zuerst gedacht hat. Schon in der stummen Monotonie des eleatischen Grundsatzes der Zuordnung von Sein und Noein ist das griechische Denken der grundlegenden Sachlichkeit der Sprache gefolgt, und Plato hat dann, in der Überwindung des eleatischen Seinsbegriffes, das Nichtsein im Sein als die eigentliche Ermöglichung des Redens vom Seienden erkannt. In

---

[1] Arist. Politik A 2, 1253 a 10 ff.

der vielgliedrigen Stimmführung des Logos des Eidos kann freilich, wie wir sahen, die Frage nach dem eigenen Sein der Sprache gar nicht recht zur Entfaltung kommen, so sehr war das griechische Denken von der Sachlichkeit der Sprache erfüllt. Indem es der natürlichen Welterfahrung in ihrer sprachlichen Ausformung nachgeht, denkt es die Welt als das Sein. Was immer es als seiend denkt, hebt sich als Logos, als aussagbarer Sachverhalt, aus dem umschließenden Ganzen ab, das den Welthorizont der Sprache bildet. Was so als seiend gedacht ist, ist nicht eigentlich *Gegenstand* von Aussagen, sondern es ‚kommt in Aussagen zur Sprache‘. Damit gewinnt es seine Wahrheit, sein Offenbarsein im menschlichen Denken. So ist die griechische Ontologie auf die Sachlichkeit der Sprache gegründet, indem sie das Wesen der Sprache von der Aussage her denkt.

Demgegenüber ist freilich zu betonen, daß die Sprache erst im Gespräch, also in der Ausübung der *Verständigung* ihr eigentliches Sein hat. Das ist nicht so zu verstehen, als ob damit der Zweck der Sprache angegeben wäre. Verständigung ist kein bloßes Tun, kein zweckvolles Handeln, etwa eine Herstellung von Zeichen, durch die ich anderen meinen Willen übermittele. Verständigung als solche bedarf vielmehr überhaupt keiner Werkzeuge im eigentlichen Sinne des Wortes. Sie ist ein Lebensvorgang, in dem sich eine Lebensgemeinschaft darlebt. Insoweit ist die menschliche Verständigung im Gespräch von der Verständigung, die die Tiere miteinander pflegen, nicht unterschieden. Die menschliche Sprache muß aber insofern als ein besonderer und einzigartiger Lebensvorgang gedacht werden, als in der sprachlichen Verständigung ‚Welt‘ offenbar gemacht wird. Sprachliche Verständigung stellt das, worüber sie stattfindet, vor die sich Verständigenden hin, wie einen Streitgegenstand, der zwischen den Parteien in der Mitte niedergelegt wird. Die Welt ist derart der gemeinsame, von keinem betretene und von allen anerkannte Boden, der alle verbindet, die miteinander sprechen. Alle Formen menschlicher Lebensgemeinschaft sind Formen von Sprachgemeinschaft, ja mehr noch: sie bilden Sprache. Denn die Sprache ist ihrem Wesen nach die Sprache des Gesprächs. Sie bildet selber durch den Vollzug der Verständigung erst ihre Wirklichkeit. Deshalb ist sie kein bloßes Mittel zur Verständigung. .

Erfundene Systeme künstlicher Verständigung sind daher niemals Sprachen. Denn künstliche Sprachen, z. B. Geheimsprachen oder mathematische Symbolismen, haben keine Sprach- und Lebensgemeinschaft zu ihrem Grunde, sondern werden nur als Mittel und Werkzeuge der Verständigung eingeführt und angewandt. Darin liegt, daß sie die lebendig geübte Verständigung immer schon voraussetzen, die sprachlich ist. Bekanntlich gehört die Übereinkunft, durch die eine künstliche Sprache eingesetzt wird, notwendig einer anderen Sprache an. In einer wirklichen Sprachgemeinschaft dagegen kommen wir nicht erst überein, sondern sind immer schon übereingekommen, wie Aristoteles zeigte[1]. Es ist die Welt, die sich uns im gemeinsamen Leben darstellt, die alles umschließt, worüber Verständigung erzielt wird, und nicht etwa sind die sprachlichen Mittel für sich selbst Gegenstand derselben. Verständigung über eine Sprache ist nicht der eigentliche Fall einer Verständigung, sondern der Sonderfall einer Vereinbarung über ein Instrument, ein Zeichensystem, das nicht im Gespräch sein Sein hat, sondern als Mittel zu Informationszwecken dient. Die Sprachlichkeit der menschlichen Welterfahrung gibt unserer Analyse der hermeneutischen Erfahrung einen erweiterten Horizont. Was sich schon am Beispiel der Übersetzung und der Möglichkeit der Verständigung über die Grenzen der eigenen Sprache hinweg erwiesen hatte, bestätigt sich: Die eigene Sprachwelt, in der einer lebt, ist nicht eine Schranke, die die Erkenntnis des Ansichseins verhindert, sondern umfaßt grundsätzlich alles, wohinein sich unsere Einsicht zu erweitern und zu erheben vermag. Gewiß sehen die in einer bestimmten sprachlichen und kulturellen Tradition Erzogenen die Welt anders als anderen Traditionen Angehörige. Gewiß sind die geschichtlichen ,Welten', die einander im Laufe der Geschichte ablösen, voneinander und von der heutigen Welt verschieden. Gleichwohl ist es immer eine menschliche, d. h. eine sprachverfaßte Welt, die sich, in welcher Überlieferung auch immer, darstellt. Als sprachlich verfaßte ist eine jede solche Welt von sich aus für jede mögliche Einsicht und damit für jede Erweiterung ihres eigenen Weltbildes offen und entsprechend für andere zugänglich.

Das aber ist von grundsätzlicher Bedeutung. Denn damit wird der Gebrauch des Begriffs *,Welt an sich'* problematisch. Der Maßstab für die fortschreitende Erweiterung des eigenen Weltbildes wird nicht durch die außer aller Sprachlichkeit gelegene ,Welt an sich' gebildet. Vielmehr bedeutet die unendliche Perfektibilität der menschlichen Welterfahrung, daß man, in welcher Sprache immer man sich bewegt, nie zu etwas anderem gelangt als zu einem immer mehr erweiterten Aspekt, einer ,Ansicht' der Welt. Solche Weltansichten sind nicht in dem Sinne relativ, daß man ihnen die ,Welt an sich' entgegenstellen könnte, als ob die richtige Ansicht von einem möglichen Standorte außerhalb der menschlich-sprachlichen Welt aus sie in ihrem Ansichsein anzutreffen vermöchte. Daß die Welt auch ohne den Menschen sein kann und vielleicht sein wird, ist dabei ganz unbestritten. Das liegt in der Sinnmeinung selber, in der eine jede menschlich-sprachlich verfaßte Ansicht der Welt lebt. In jeder Weltansicht ist das Ansichsein der Welt gemeint. Sie ist das Ganze, auf das die sprachlich schematisierte Erfahrung bezogen ist. Die Mannigfaltigkeit solcher Weltansichten bedeutet keine Relativierung der ,Welt'. Vielmehr ist, was die Welt selbst ist, nichts von den Ansichten, in denen sie sich darbietet, Verschiedenes.

---

[1] Vgl. oben S. 408 f.

Das Verhältnis ist ähnlich wie bei der Dingwahrnehmung. Phänomenologisch gesehen besteht das ‚Ding an sich‘ in nichts anderem als in der
Kontinuität, mit der sich die perspektivischen Abschattungen der Dingwahrnehmung ineinander überführen, wie Husserl gezeigt hat[1]. Wer das
‚Ansichsein‘ diesen ‚Ansichten‘ entgegenstellt, muß entweder theologisch
denken – dann ist das Ansichsein nicht für ihn, sondern allein für Gott –;
oder er wird luziferisch denken, als einer, der sich seine eigene Göttlichkeit
dadurch beweisen möchte, daß ihm die ganze Welt zu gehorchen hat –
dann ist ihm das Ansichsein der Welt eine Einschränkung der Allmacht
seiner Einbildung[2]. In einem ähnlichen Sinne wie beim Wahrnehmen kann
man von der ‚sprachlichen Abschattung‘ reden, die die Welt in den verschiedenen Sprachwelten erfährt. Doch bleibt es ein charakteristischer
Unterschied, daß jede ‚Abschattung‘ des Wahrnehmungsdings von jeder
anderen ausschließend verschieden ist und das ‚Ding an sich‘ als das Kontinuum dieser Abschattungen mitkonstituiert, während bei der Abschattung
der sprachlichen Weltansichten eine jede von ihnen alle anderen potentiell
in sich enthält, d. h. eine jede vermag sich selber in jede andere zu erweitern.
Sie vermag die ‚Ansicht‘ der Welt, wie sie sich in einer anderen Sprache
bietet, von sich aus zu verstehen und zu erfassen.

Wir halten also fest, daß die Sprachgebundenheit unserer Welterfahrung
keine ausschließende Perspektivität bedeutet; wenn wir durch das Eintreten in fremde Sprachwelten die Vorurteile und Schranken unserer bisherigen Welterfahrung überwinden, heißt das keineswegs, daß wir unsere
eigene Welt verlassen und negieren. Als Reisende kehren wir mit neuen
Erfahrungen heim. Als Auswanderer, die nie heimkehren, können wir doch
nicht ganz vergessen. Selbst wenn wir uns, als historisch Belehrte, über die
geschichtliche Bedingtheit alles menschlichen Weltdenkens und so auch über
die eigene Bedingtheit grundsätzlich im klaren sind, haben wir uns damit
nicht auf einen unbedingten Standort begeben. Insbesondere ist es keine
Widerlegung der Annahme solcher grundsätzlicher Bedingtheit, daß diese
Annahme selber schlechthin und unbedingt wahr sein will, also nicht ohne
Widerspruch auf sich selbst angewandt werden könne. Das Bewußtsein
der Bedingtheit hebt die Bedingtheit selbst keineswegs auf. Es gehört zu
den Vorurteilen der Reflexionsphilosophie, daß sie als ein Verhältnis von
Sätzen versteht, was gar nicht auf der gleichen logischen Ebene liegt. So
ist das Reflexionsargument hier nicht am Platze. Denn es handelt sich gar
nicht um widerspruchsfrei zu haltende Verhältnisse von Urteilen, sondern

---

[1] Ideen I, § 41.

[2] Es ist daher ein bloßes Mißverständnis, wenn man sich gegen den Idealismus, –
sei es den transzendentalen oder die ‚idealistische‘ Sprachphilosophie – auf das Ansichsein der Welt beruft. Man verkennt dabei den methodischen Sinn des Idealismus,
dessen metaphysische Gestalt seit Kant als überwunden gelten darf (vgl. Kants
‚Widerlegung des Idealismus‘ in der Kritik der reinen Vernunft, B 274 ff).

um Lebensverhältnisse. Die sprachliche Verfaßtheit unserer Welterfahrung ist imstande, die mannigfachsten Lebensverhältnisse zu umfassen[1].

So hat die Sonne für uns nicht aufgehört unterzugehen, auch nachdem die kopernikanische Welterklärung in unser Wissen eingegangen ist. Offenbar ist es durchaus miteinander vereinbar, daß man den Augenschein festhält und zugleich um seine Verkehrtheit in der Welt des Verstandes weiß. Und ist es nicht wirklich die Sprache, die sich an diesen geschichteten Lebensverhältnissen stiftend und schlichtend betätigt? Unsere Redeweise vom Untergang der Sonne ist gewiß nicht willkürlich, sondern sagt einen wirklichen Schein aus. Es ist der Schein, der sich dem bietet, der sich selber nicht bewegt. Die Sonne ist es, deren Strahl uns erreicht oder wieder verläßt. Insofern ist der Untergang der Sonne für unser Anschaun eine Wirklichkeit. (Er ist ‚daseinsrelativ‘.) Nun können wir uns von solcher Anschauungsevidenz denkend durch Konstruktion eines anderen Modells freimachen, und weil wir das können, vermögen wir die Verstandesansicht der kopernikanischen Theorie ebenfalls auszusagen. Aber wir können nicht mit den ‚Augen‘ dieses wissenschaftlichen Verstandes den natürlichen Augenschein aufheben oder widerlegen wollen. Das ist nicht nur deshalb unsinnig, weil der Augenschein für uns eine echte Realität ist, sondern ebenso deshalb, weil die Wahrheit, die uns die Wissenschaft sagt, selber auf ein bestimmtes Weltverhalten relativ ist und gar nicht das Ganze zu sein beanspruchen kann. Wohl aber ist es die Sprache, die wirklich das Ganze unseres Weltverhaltens aufschließt, und in diesem Ganzen der Sprache bewahrt der Augenschein seine Legitimation ebenso, wie die Wissenschaft die ihre findet.

Gewiß soll das nicht heißen, daß die Sprache etwa die Ursache für solche geistige Beharrungskraft sei, sondern nur, daß die Unmittelbarkeit unseres Anschauens der Welt und unserer selbst, bei der wir beharren, in ihr verwahrt und verwaltet wird, weil wir endliche Wesen stets von weither kommen und weithin reichen. In ihr wird sichtbar, was über das Bewußtsein jedes einzelnen hinaus wirklich ist.

Im sprachlichen Geschehen findet daher nicht nur das Beharrende seine Stätte, sondern gerade auch der Wandel der Dinge. So können wir z. B. am Verfall von Worten den Wandel der Sitten und Werte ablesen. Das Wort ‚Tugend‘ etwa ist in unserer sprachlichen Welt fast nur noch in ironischer Signalisierung lebendig[2]. Wenn wir statt dessen andere Worte gebrauchen,

---

[1] K. O. Apel, Der philosophische Wahrheitsbegriff einer inhaltlich orientierten Sprachwissenschaft, Festschrift für Weisgerber, S. 25 f., zeigt richtig, daß das Reden des Menschen über sich selbst keinesfalls als gegenständlich fixierende Behauptung eines Soseins zu verstehen ist, so daß eine Widerlegung solcher Aussagen durch den Aufweis ihrer logischen Rückbezüglichkeit und Widersprüchlichkeit sinnlos ist.

[2] Vgl. Max Schelers Essay ‚Zur Rehabilitierung der Tugend‘ in: Vom Ursprung der Werte, 1919.

die in ihrer sie auszeichnenden Diskretion die Fortgeltung der sittlichen Normen in einer Weise formulieren, die sich von der Welt der festen Konventionen abgekehrt hat, so ist ein solcher Vorgang ein Spiegel dessen, was wirklich ist. Auch das dichterische Wort wird oft wie zu einer Probe für das, was wahr ist, indem das Gedicht in abgenutzt und verbraucht scheinenden Worten geheimes Leben weckt und uns über uns selbst belehrt. All das vermag die Sprache offenbar deshalb, weil sie keine Schöpfung des reflektierenden Denkens ist, sondern das Weltverhalten, in dem wir leben, selber mit vollzieht.

So bestätigt sich im ganzen, was wir oben feststellten: in der Sprache stellt sich die Welt selbst dar. Die sprachliche Welterfahrung ist ‚absolut‘. Sie übersteigt alle Relativitäten von Seinssetzung, weil sie alles Ansichsein umfaßt, in welchen Beziehungen (Relativitäten) immer es sich zeigt. Die Sprachlichkeit unserer Welterfahrung ist vorgängig gegenüber allem, das als seiend erkannt und angesprochen wird. *Der Grundbezug von Sprache und Welt bedeutet daher nicht, daß die Welt Gegenstand der Sprache werde.* Was Gegenstand der Erkenntnis und der Aussage ist, ist vielmehr immer schon von dem Welthorizont der Sprache umschlossen. Die Sprachlichkeit der menschlichen Welterfahrung schließt nicht die Vergegenständlichung der Welt in sich.

Dagegen gehört die Gegenständlichkeit, welche die Wissenschaft erkennt und durch die sie die ihr eigene Objektivität erhält, mit zu den Relativitäten, die von dem Weltbezug der Sprache umgriffen werden. In ihr gewinnt der Begriff ‚des Ansichseins‘ den Charakter einer *Willensbestimmung*. Was an sich ist, ist unabhängig von dem eigenen Wollen und Wähnen. Doch indem es in seinem Ansichsein gewußt ist, ist es eben dadurch in der Weise verfügbar gemacht, daß man mit ihm rechnen, d. h. aber es seinen eigenen Zwecken einordnen kann.

Dieser Begriff des Ansichseins ist, wie man sieht, nur scheinbar das Äquivalent des griechischen Begriffs des καϑ' αὐτό. Letzteres meint zunächst den ontologischen Unterschied dessen, was ein Seiendes seiner Substanz und seinem Wesen nach ist, von dem, was an ihm sein kann und wechselnd ist. Was zum bleibenden Wesen eines Seienden gehört, ist gewiß auch in einem ausgezeichneten Sinne wißbar, d. h. es ist dem menschlichen Geiste schon immer vorgängig zugeordnet. Was im Sinne der modernen Wissenschaft ‚an sich‘ ist, hat aber mit diesem ontologischen Unterschied von Wesentlichem und Unwesentlichem nichts zu tun, sondern bestimmt sich von dem eigenen Wesen des Selbstbewußtseins her und dem Machenkönnen und Verändernwollen, das dem menschlichen Geist und Willen einwohnt. Es ist der Gegenstand und Widerstand, mit dem es zu rechnen hat. Was an sich ist, ist also, wie Max Scheler im besonderen gezeigt hat, auf eine bestimmte Weise des Wissens und Wollens hin relativ[1].

---

[1] Das bleibt richtig, auch wenn Scheler den Sinn des transzendentalen Idealismus

Damit ist nicht gemeint, daß es eine bestimmte Wissenschaft ist, die in besonderer Weise auf die Beherrschung des Seienden gerichtet ist und von diesem Herrschaftswillen aus den entsprechenden Sinn des Ansichseins bestimmt. Scheler hat zwar mit Recht betont, daß das Weltmodell der Mechanik in besonderer Weise auf das Machenkönnen bezogen ist[1]. Aber ,Herrschaftswissen' ist das Wissen der modernen Naturwissenschaften insgesamt. Das läßt sich dort besonders deutlich zeigen, wo innerhalb der modernen Wissenschaft neue Forschungsziele entwickelt werden, die sich nicht nur methodisch gegen die Einheitsmethode der modernen Physik abzugrenzen suchen, sondern eine andere Forschungsgesinnung für sich in Anspruch nehmen. So hat etwa die Umweltforschung des Biologen von Üxküll der Welt der Physik ein Universum des Lebens entgegengesetzt, zu dem sich die mannigfachen Lebenswelten von Pflanze, Tier und Mensch ineinanderfügen.

Diese biologische Fragestellung beansprucht, die naive Anthropozentrik der früheren Tierbeobachtung methodisch zu überwinden, indem sie die jeweiligen Baupläne der Umwelten, in denen die Lebewesen leben, erforscht. Auch die menschliche Lebenswelt ist in ähnlicher Weise wie die tierischen Umwelten aus den menschlichen Sinnen zugänglichen Merkzeichen aufgebaut. Wenn ,Welten' in dieser Weise als biologische Plan-Entwürfe zu denken sind, so ist aber dabei nicht nur die durch die Physik zugänglich gemachte Welt des Ansichseins vorausgesetzt, indem man die selektiven Prinzipien erarbeitet, nach denen die verschiedensten Lebewesen aus dem Material des ,Ansichseienden' ihre Welt bauen. Es bleibt auch im gleichen Sinn Forschung, die sich einem neuen Gegenstandsgebiet entsprechend anpaßt. Das biologische Universum wird dergestalt aus dem physikalischen Universum gleichsam durch eine Umstilisierung gewonnen und setzt dasselbe indirekt voraus. Folgerichtig gilt das auch für die menschliche Lebenswelt. In der Tat hat sich die moderne Physik von dem Postulat der Anschaulichkeit, das unseren menschlichen Anschauungsformen entstammt, grundsätzlich gelöst. Indem ihre Gleichungssysteme auch noch den Zusammenhang zwischen den gemessenen Größen und dem messenden Beobachter in das physikalische System einbeziehen, leistet damit die Physik für die menschliche Lebenswelt das gleiche, was sie als Voraussetzung der biologischen Forschung für die tierischen Welten geleistet hat. Sie lehrt die menschliche Anschauungswelt mit ihrem ,absoluten' Raum und ihrer ,absoluten' Zeit gleichsam von oben einsehen, und zwar mit den gleichen Mitteln, mit denen sie etwa die Welt der Bienen einsieht, indem sie deren Orientierungsfähigkeit auf ihre Ultraviolettempfänglichkeit zu-

---

als Erzeugungsidealismus mißversteht und das ,Ding an sich' als Gegensatz zur subjektiven Erzeugung des Gegenstandes auffaßt.

[1] Vgl. vor allem Schelers Abhandlung ,Erkenntnis und Arbeit' in: Die Wissensformen und die Gesellschaft, 1926.

rückführt. Die Welt der Physik ihrerseits überschreitet also die tierischen Welten so gut wie die menschliche Welt. So entsteht der Anschein, als wäre die ‚Welt der Physik' die wahre, ansichseiende Welt, gleichsam der absolute Gegenstand, zu dem sich die Lebewesen allesamt verhalten, und zwar jedes auf seine Art.

Ist es aber wirklich so, daß diese Welt eine Welt des Ansichseins ist, die alle Daseinsrelativität hinter sich läßt und deren Erkenntnis eine absolute Wissenschaft heißen dürfte? Ist nicht schon der Begriff eines ‚absoluten Gegenstandes' ein hölzernes Eisen? Weder das biologische noch das physikalische Universum kann in Wahrheit die Daseinsrelativität, die ihm zukommt, verleugnen. Physik und Biologie haben insofern den gleichen ontologischen Horizont, den sie als Wissenschaften gar nicht überschreiten können. Sie erkennen, was ist, und wie Kant gezeigt hat, bedeutet das, wie es in Raum und Zeit gegeben und Gegenstand der Erfahrung ist. Das definiert geradezu den Erkenntnisfortschritt, der in der Wissenschaft erzielt wird. Auch die Welt der Physik kann gar nicht das Ganze des Seienden sein wollen. Denn selbst eine Weltgleichung, die alles Seiende zur Abbildung brächte, so daß auch noch der Beobachter des Systems in den Gleichungen des Systems aufträte, setzte noch immer den Physiker voraus, der als der Rechnende nicht der Berechnete ist. Eine Physik, die sich selber ausrechnete und ihr eigenes Ausrechnen wäre, bliebe ein Widerspruch in sich. Gleiches gilt von der Biologie, welche die Lebenswelten alles Lebendigen und damit auch die Lebenswelt des Menschen erforscht. Was da erkannt wird, umfaßt gewiß auch das Sein des Forschers. Denn auch er ist ein Lebewesen und ein Mensch. Daraus folgt aber keineswegs, daß die Biologie ein bloßer Lebensvorgang ist und nur als solche in Betracht kommt. Die Biologie erforscht vielmehr genau wie die Physik das, was ist, und ist nicht selber das, was sie erforscht. Das Ansichsein, auf das ihre Forschung gerichtet ist, sei dieselbe Physik oder Biologie, ist relativ auf die in ihrer Fragestellung gelegene Seinssetzung. Es besteht nicht der leiseste Grund, dem Anspruch der Forschung, daß sie das Ansichsein erkenne, darüber hinaus auch metaphysisch recht zu geben. Als Wissenschaft hat die eine wie die andere ihren Gegenstandsbereich vorentworfen, dessen Erkenntnis seine Beherrschung bedeutet.

Eine ganz andere Sachlage finden wir dagegen dort, wo das Weltverhältnis des Menschen im ganzen, wie es im sprachlichen Vollzug gelegen ist, gemeint ist. Die Welt, welche sprachlich erscheint und verfaßt ist, ist nicht in demselben Sinne an sich und nicht in demselben Sinne relativ, wie der Gegenstand der Wissenschaften. Sie ist nicht an sich, sofern sie überhaupt nicht den Charakter der Gegenständlichkeit hat und als das umfassende Ganze, das sie ist, niemals in der Erfahrung gegeben sein kann. Als die Welt, die sie ist, ist sie aber auch nicht auf eine bestimmte Sprache relativ. Denn in einer sprachlichen Welt leben, wie man das als Angehöriger einer Sprachgemeinschaft tut, heißt nicht, in eine Umwelt eingelassen sein, wie es die Tiere in ihren Lebenswelten sind. Man kann nicht die sprachliche Welt in entsprechender Weise von oben einsehen wollen. Denn es gibt keinen Standort außerhalb der sprachlichen Welterfahrung, von dem her sie selber zum Gegenstand zu werden vermöchte. Die Physik gewährt diesen Standort nicht, weil es überhaupt nicht die Welt, d. h. das Ganze des Seienden ist, was sie als ihren Gegenstand erforscht und berechnet. Ebensowenig kennt aber auch die vergleichende Sprachwissenschaft, die die Sprachen in ihrem Bau studiert, einen sprachfreien Standort, von dem aus das Ansich des Seienden erkennbar wäre und für den die verschiedenen Formen sprachlicher Welterfahrung als schematisierende Auswahl aus dem Ansichseienden rekonstruierbar würden – analog den Lebenswelten der Tiere, die man nach ihren Bauprinzipien erforscht. Vielmehr liegt in jeder Sprache ein unmittelbarer Bezug auf die Unendlichkeit des Seienden. Sprache haben bedeutet eben eine Seinsweise, die ganz anders ist als die Umweltgebundenheit der Tiere. Indem die Menschen fremde Sprachen erlernen, ändern sie nicht ihr Weltverhältnis, wie etwa ein Wassertier, das zum Landtier wird, sondern indem sie ihr eigenes Weltverhältnis festhalten, erweitern und bereichern sie es durch die fremde Sprachwelt. Wer Sprache hat, ‚hat‘ die Welt.

Halten wir das fest, so werden wir die Sachlichkeit der Sprache mit der *Objektivität der Wissenschaft* nicht länger verwechseln. Die Distanz, die in dem sprachlichen Weltverhältnis liegt, bewirkt nicht als solche schon jene Objektivität, die die Naturwissenschaften durch Eliminierung der subjektiven Elemente des Erkennens zustande bringen. Die Distanz und die Sachlichkeit der Sprache ist gewiß auch eine echte Leistung, die sich nicht von selber macht. Wir wissen, was für die Bewältigung einer Erfahrung ihre sprachliche Erfassung leistet. Es ist, als ob ihre drohende und erschlagende Unmittelbarkeit in die Ferne gerückt, in Proportionen gebracht, mitteilbar gemacht und damit gebannt würde. Solche Bewältigung der Erfahrung ist aber offenbar etwas anderes als die Bearbeitung derselben durch die Wissenschaft, die sie objektiviert und zu beliebigen Zwecken zur Verfügung stellt. Wenn der Naturforscher die Gesetzlichkeit eines Naturprozesses erkannt hat, so hat er ihn dadurch in die Hand bekommen. Davon ist in der natürlichen Welterfahrung, die sprachlich durchdrungen wird, keine Rede. Sprechen bedeutet keineswegs Verfügbar- und Berechenbarmachen. Nicht nur, daß die Aussage und das Urteil eine bloße Sonderform innerhalb der Mannigfaltigkeit sprachlichen Verhaltens ist – sie bleibt selber in das Lebensverhalten verwoben. Die objektivierende Wissenschaft erfährt infolgedessen die sprachliche Geformtheit der natürlichen Welterfahrung als eine Quelle von Vorurteilen. Mit ihrer mathematisch messenden Methodik mußte sich die neue Wissenschaft, wie das Beispiel Bacons lehrt, gerade auch gegen das Präjudiz der Sprache und gegen ihre naive Teleologie den Raum für ihr eigenes konstruktives Planen freilegen[1].

Auf der anderen Seite besteht ein positiver sachlicher Zusammenhang zwischen der Sachlichkeit der Sprache und der Fähigkeit des Menschen zur Wissenschaft. Das wird besonders deutlich an der antiken Wissenschaft, deren Herkunft aus der sprachlichen Welterfahrung ihre spezifische Auszeichnung und ihre spezifische Schwäche ist. Um ihre Schwäche, ihren naiven Anthropozentrismus zu überwinden, hat die moderne Wissenschaft auch auf ihre Auszeichnung, d.h. ihre Einfügung in das natürliche Weltverhalten des Menschen, Verzicht geleistet. Der Begriff der ‚*Theorie*' kann das sehr schön illustrieren. Was in der modernen Wissenschaft Theorie heißt, hat, wie es scheint, mit jener Haltung des Schauens und Wissens, in der der Grieche die Ordnung der Welt hinnahm, kaum noch etwas zu tun. Die moderne Theorie ist ein Konstruktionsmittel, durch das man Erfahrungen einheitlich zusammenfaßt und ihre Beherrschung ermöglicht. Wie die Sprache sagt, ‚bildet' man Theorien. Darin liegt bereits, daß eine Theorie die andere ablöst, und jede von vornherein nur bedingte Geltung verlangt, nämlich soweit nicht die fortschreitende Erfahrung eines Besseren belehrt. Die antike Theoria ist nicht im gleichen Sinne ein Mittel, sondern der Zweck selbst, die höchste Weise des Menschseins.

Trotzdem bestehen enge Zusammenhänge. Hier wie dort ist das praktisch-pragmatische Interesse überwunden, das alles, was immer begegnet, im Lichte der eigenen Absichten und Zwecke sieht. Aristoteles berichtet uns, daß die theoretische Lebenshaltung erst dort aufkommen konnte, wo alles Notwendige für die Bedürfnisse des Lebens bereits zur Verfügung stand[2]. Auch die theoretische Haltung der modernen Wissenschaft richtet ihre Fragen an die Natur nicht um bestimmter praktischer Zwecke willen. Es ist zwar wahr, daß schon die Art ihres Fragens und Forschens auf die Beherrschung des Seienden gerichtet ist und insofern in sich selber praktisch genannt werden muß. Aber für das Bewußtsein des einzelnen Forschers ist die Anwendung seiner Erkenntnisse in dem Sinne sekundär, daß sie zwar aus ihnen folgt, aber eben doch erst hinterher kommt, so daß niemand, der erkennt, zu wissen braucht, wozu das Erkannte zu verwenden ist. Gleichwohl ist bei aller Entsprechung der Unterschied schon in der Bedeutung des Wortes ‚Theorie' und ‚theoretisch' ausweisbar. Im modernen Sprachgebrauch ist der Begriff des Theoretischen fast ein privativer Begriff. Etwas ist nur theoretisch gemeint, wenn es die durchgängig bestimmende Verbindlichkeit von Handlungszielen nicht besitzt. Umgekehrt sind die Theorien selbst, die hier entworfen werden, von dem Gedanken der Konstruktion beherrscht, d.h. die theoretische Erkenntnis selbst wird von der willentlichen Beherrschung des Seienden her und nicht als Zweck, sondern als

---

[1] Vgl. oben S. 330 f.
[2] Met A 1.

Mittel gedacht. Theoria im antiken Sinne dagegen ist etwas ganz anderes. Da werden nicht nur bestehende Ordnungen als solche angeschaut, Theoria bedeutet vielmehr darüber hinaus Teilhabe an dem Ordnungsganzen selbst[1].

Dieser Unterschied zwischen der griechischen Theoria und der modernen Wissenschaft findet seine eigentliche Begründung, wie mir scheint, in dem unterschiedlichen Verhältnis zur *sprachlichen Welterfahrung*. Das griechische Wissen hatte, wie wir oben betonten, darin so sehr seinen Stand, war den Verführungen der Sprache derart ausgesetzt, daß sein Kampf gegen die δύναμις τῶν ὀνομάτων niemals dazu führte, das Ideal einer reinen Zeichensprache, die die Macht der Sprache gänzlich zu überwinden hätte, zu entwickeln, wie das für die moderne Wissenschaft und ihre Richtung auf die Beherrschung des Seienden gilt. Sowohl die Buchstabensymbolik, mit der Aristoteles in der Logik, als auch die proportionale und relative Beschreibungsweise von Bewegungsabläufen, mit der er in der Physik arbeitet, ist offenkundig etwas ganz anderes, als die Art, in der die Mathematik im 17. Jahrhundert zur Anwendung kommt.

Das ist bei aller Berufung auf den Ursprung der Wissenschaft bei den Griechen nicht außer acht zu lassen. Die Tage sollten endlich vorbei sein, da man die moderne wissenschaftliche Methode zum Maßstab nahm, Plato auf Kant, die Idee auf das Naturgesetz hin interpretierte (Neukantianismus) oder in Demokrit den hoffnungsvollen Ansatz der wahren ,mechanischen' Naturerkenntnis rühmte. Schon die Besinnung auf Hegels grundsätzliche Überwindung des Verstandesstandpunktes am Leitfaden der Idee des Lebens zeigt die Grenze einer solchen Betrachtung[2]. Heidegger hat dann in ,Sein und Zeit', wie mir scheint, den Gesichtspunkt gewonnen, unter dem sich sowohl der Unterschied wie auch das Verbindende zwischen griechischer und moderner Wissenschaft denken läßt. Als er den Begriff der Vorhandenheit als einen defizienten Modus von Sein aufwies und als den Hintergrund der klassischen Metaphysik und ihrer Fortwirkung im Subjektivitätsbegriff der Neuzeit erkannte, war er einem ontologisch richtigen Zusammenhang zwischen der griechischen Theoria und der modernen Wissenschaft gefolgt. Im Horizont seiner temporalen Interpretation des. Seins ist die klassische Metaphysik als Ganze eine Ontologie des Vorhandenen und die moderne Wissenschaft, ohne es zu ahnen, ihr Erbe. In der griechischen Theoria selbst lag aber gewiß etwas anderes noch. Theoria erfaßt nicht so sehr Vorhandenes, als vielmehr die Sache selbst, die

---

[1] Vgl. oben S. 118 f.

[2] Der Sache nach ist es also so, daß Hegels synchronistische Darstellung des Standpunktes des Verstandes, die Platos Idee als das ruhige Reich der Gesetze mit der Naturerkenntnis der modernen Mechanik zusammen sieht, dem neukantianischen Aspekt genau entspricht (vgl. meine Gedenkrede auf Paul Natorp in: Paul Natorp ,Philosophische Systematik' XVII, Anm.) – freilich mit dem Unterschied, daß dort zum letzten Methodenideal erhoben wird, was für Hegel nur eine zu überholende Wahrheit hatte.

noch die Würde des ‚Dinges‘ hat. Daß die Erfahrung des Dinges mit der bloßen Feststellbarkeit des puren Vorhandenseins so wenig zu tun hat wie mit der Erfahrung der sogenannten Erfahrungswissenschaften, hat gerade der spätere Heidegger selber betont[1]. So werden wir wie die Würde des Dings auch die Sachlichkeit der Sprache von dem Präjudiz gegen die Ontologie des Vorhandenen und in eins damit von dem Begriff der Objektivität freihalten müssen.

Wir gehen davon aus, daß in der sprachlichen Fassung der menschlichen Welterfahrung nicht Vorhandenes berechnet oder gemessen wird, sondern das Seiende, wie es sich dem Menschen als seiend und bedeutend zeigt, zu Worte kommt. Darin – und nicht in dem methodischen Ideal der rationalen Konstruktion, das die moderne mathematische Naturwissenschaft beherrscht – vermag sich das in den Geisteswissenschaften geübte Verstehen wiederzuerkennen. Wenn wir oben die Vollzugsart des wirkungsgeschichtlichen Bewußtseins durch Sprachlichkeit charakterisierten, so war es, weil Sprachlichkeit unsere menschliche Welterfahrung überhaupt charakterisiert. So wenig in ihr die ‚Welt‘ *vergegenständlicht* wird, genauso wenig ist die Wirkungsgeschichte *Gegenstand* des hermeneutischen Bewußtseins.

Wie die Dinge, diese durch Eignung und Bedeutung konstituierten Einheiten unserer Welterfahrung, zu Worte kommen, so wird auch die Überlieferung, die auf uns kommt, erneut zur Sprache gebracht, indem wir sie verstehen und auslegen. Die Sprachlichkeit dieses Zursprachekommens ist die gleiche wie die Sprachlichkeit der menschlichen Welterfahrung überhaupt. Das ist es, was unsere Analyse des hermeneutischen Phänomens am Ende zur Erörterung des Verhältnisses von Sprache und Welt geführt hat.

b) Die Mitte der Sprache und ihre spekulative Struktur

Die Sprachlichkeit der menschlichen Welterfahrung war bekanntlich schon der Leitfaden, an dem die griechische Metaphysik seit Platos ‚Flucht in die Logoi‘ das Denken des Seins entwickelt hat. So müssen wir uns fragen, wie weit die dort gegebene Antwort – die bis Hegel reicht – der uns leitenden Fragestellung gerecht wird.

Diese Antwort ist eine theologische Antwort. Die griechische Metaphysik, indem sie das Sein des Seienden denkt, hat dieses Sein als ein Seiendes verstanden, das sich selber im Denken vollendet. Dies Denken ist das Denken des Nous, der als das höchste und eigentlichste Seiende gedacht wird, das das Sein alles Seienden in sich versammelt. Die Arti-

---

[1] Vgl. über ‚das Ding‘, Vorträge und Aufsätze, S.164 f. Hier wird die summarische Zusammenschau der ‚Theoria‘ mit der ‚Wissenschaft vom Vorhandenen‘, die ‚Sein und Zeit‘ vorgenommen hatte, unter der Fragestellung des späteren Heidegger aufgelöst (vgl. auch ebenda S. 51 f.).

kulation des Logos bringt das Gefüge des Seienden zur Sprache, und dies
Zursprachekommen ist für das griechische Denken nichts anderes als die
Gegenwart des Seienden selbst, seine Aletheia. Es ist die Unendlichkeit
dieser Gegenwart, auf die sich das menschliche Denken als auf seine vollendete Möglichkeit, seine Göttlichkeit, hin versteht.

Wir folgen der großartigen Selbstvergessenheit dieses Denkens nicht
und werden uns auch noch zu fragen haben, wie weit wir der Erneuerung
derselben auf der Basis des neuzeitlichen Subjektivitätsbegriffs folgen können, die Hegels absoluter Idealismus darstellt. Denn uns leitet das hermeneutische Phänomen. Dessen alles bestimmender Grund aber ist die *Endlichkeit unserer geschichtlichen Erfahrung.* Um ihr gerecht zu werden, nah-
men wir die Spur der Sprache auf, in der sich das Seinsgefüge nicht einfach
abbildet, sondern in deren Bahnen sich die Ordnung und das Gefüge
unserer Erfahrung selbst erst und stets wechselnd formiert.

Die Sprache ist die Spur der Endlichkeit nicht deshalb, weil es die Ver-
schiedenartigkeit des menschlichen Sprachbaus gibt, sondern weil eine jede
Sprache sich ständig bildet und fortbildet, je mehr sie ihre Erfahrung der
Welt zur Sprache bringt. Sie ist nicht deshalb endlich, weil sie nicht zugleich alle anderen Sprachen ist, sondern weil sie Sprache ist. Wir haben
bedeutende Wendepunkte des abendländischen Denkens über die Sprache
befragt, und diese Befragung hat uns gelehrt, daß noch in einem viel
radikaleren Sinne, als das christliche Denken über das Wort zur Geltung
brachte, das Geschehen der Sprache der Endlichkeit des Menschen entspricht. Es ist die *Mitte der Sprache,* von der aus sich unsere gesamte
Welterfahrung und im besonderen die hermeneutische Erfahrung entfaltet.

Das Wort ist nicht einfach, wie das mittelalterliche Denken meinte, die
Perfektion der Species. Wenn sich im denkenden Geiste das Seiende darstellt, so ist dies nicht die Abbildung einer vorgegebenen Seinsordnung,
deren wahre Verhältnisse einem unendlichen Geiste (dem Schöpfergeiste)
vor Augen liegen. Das Wort ist aber auch nicht ein Instrument, das wie
die Sprache der Mathematik ein vergegenständlichtes, durch Rechnung
verfügbar gemachtes Universum des Seienden zu konstruieren vermag. So
wenig wie ein unendlicher Geist kann ein unendlicher Wille die Erfahrung
des Seins überbieten, die unserer Endlichkeit angemessen ist. Es ist die
Mitte der Sprache allein, die, auf das Ganze des Seienden bezogen, das
endlich-geschichtliche Wesen des Menschen mit sich selbst und mit der
Welt vermittelt.

Nun erst gewinnt das große dialektische Rätsel des Einen und Vielen,
das Plato als das Widerfahrnis des Logos in Atem hielt und das in der
mittelalterlichen Trinitätsspekulation eine geheimnisvolle Bewahrheitung
erfuhr, seinen wahren Grund und Boden. Es war nur ein erster Schritt,
den Plato vollzog, als er erkannte, daß das Wort der Sprache eines und
vieles zugleich ist. Es ist immer *ein* Wort, das wir einander sagen und das

uns gesagt wird (theologisch: ‚das' Wort Gottes) – aber die Einheit dieses
Wortes legt sich, wie wir sahen, je und je auseinander in artikulierte Rede.
Diese Struktur des Logos und des Verbum, wie sie die platonische und
augustinische Dialektik erkannt hat, ist die bloße Spiegelung seiner logischen Gehalte.

Es gibt aber noch eine andere Dialektik des Wortes, die einem jeden
Wort eine innere Dimension der Vervielfachung zuordnet: Ein jedes Wort
bricht wie aus einer Mitte hervor und hat Bezug auf ein Ganzes, durch
das es allein Wort ist. Ein jedes Wort läßt das Ganze der Sprache, der
es angehört, antönen und das Ganze der Weltansicht, die ihm zugrunde
liegt, erscheinen. Ein jedes Wort läßt daher auch, als das Geschehen seines Augenblicks, das Ungesagte mit da sein, auf das es sich antwortend
und winkend bezieht. Die Okkasionalität der menschlichen Rede ist nicht
eine gelegentliche Unvollkommenheit ihrer Aussagekraft – sie ist vielmehr
der logische Ausdruck der lebendigen Virtualität des Redens, das ein Ganzes von Sinn, ohne es ganz sagen zu können, ins Spiel bringt[1]. Alles menschliche Sprechen ist in der Weise endlich, daß eine Unendlichkeit des aus-
zufaltenden und auszulegenden Sinnes in ihm angelegt ist. Deshalb ist auch
das hermeneutische Phänomen nur von dieser endlichen Grundverfassung
des Seins aus aufzuhellen, die von Grund auf eine sprachlich verfaßte ist.

Wenn wir oben von der *Zugehörigkeit* des Interpreten zu seinem Text
sprachen und das innige Verhältnis von Tradition und Historie charakterisierten, das sich im Begriff des wirkungsgeschichtlichen Bewußtseins zu-
sammenfaßte, werden wir nun den Begriff der Zugehörigkeit vom Boden
der sprachlich verfaßten Welterfahrung aus näher bestimmen können.

Wir geraten damit, wie wir erwarten mußten, in den Bereich von Fragen, mit denen die Philosophie seit alters vertraut ist. In der Metaphysik
meint *Zugehörigkeit* das transzendentale Verhältnis zwischen Sein und
Wahrheit, das die Erkenntnis als ein Moment des Seins selber und nicht
primär als ein Verhalten des Subjektes denkt. Solche Einbezogenheit der
Erkenntnis in das Sein ist die Voraussetzung des antiken und mittelalterlichen Denkens. Was ist, ist seinem Wesen nach wahr, das heißt: in der
Gegenwart eines unendlichen Geistes anwesend, und nur deshalb ist es für
das endlich-menschliche Denken möglich, Seiendes zu erkennen. Hier wird
also nicht vom Begriff eines Subjektes aus gedacht, das für sich wäre und
alles andere zum Objekte machte. Im Gegenteil wird das Sein der ‚Seele'
bei Plato dadurch bestimmt, daß es am wahren Sein teilhat, d. h. der gleichen Sphäre des Wesens angehört wie die Idee, und Aristoteles sagt von
der Seele, sie sei in gewisser Weise alles Seiende[2]. Es ist in diesem Denken

---

[1] Es ist das Verdienst von Hans Lipps, in seiner ‚hermeneutischen Logik' die Enge
der traditionellen Urteilslogik gesprengt und die hermeneutische Dimension der
logischen Phänomene aufgedeckt zu haben.

[2] Plato, Phaid. 72; Aristot. De an. III, 8, 431 b 21.

keine Rede davon, daß ein weltloser Geist, der seiner selbst gewiß ist, den Weg zum welthaften Sein zu suchen hätte, sondern beides gehört ursprünglich zueinander. Das Verhältnis ist das primäre.

Das ältere Denken hat dem durch die universelle ontologische Funktion Rechnung getragen, die es dem Gedanken der Teleologie gab. Im Zweckverhältnis ist es ja so, daß die Vermittlungen, durch die etwas erwirkt wird, sich nicht zufällig als zur Erreichung des Zweckes geeignet erweisen, sondern sie werden von vornherein als zweckentsprechende Mittel gewählt und ergriffen. Die Zuordnung der Mittel zum Zweck ist also eine vorgängige. Wir nennen sie die Zweckmäßigkeit, und bekanntlich ist nicht nur das vernünftige menschliche Handeln in dieser Weise zweckmäßig, sondern auch wo von Setzen von Zwecken und Wählen von Mitteln keine Rede ist, wie in allen Lebensverhältnissen, gilt, daß sie nur unter der Idee der Zweckmäßigkeit gedacht werden können, als das wechselseitige Zusammenstimmen aller Teile miteinander[1]. Auch hier ist das Verhältnis des Ganzen ursprünglicher als die Teile. Selbst in der Entwicklungslehre darf man den Begriff der Anpassung nur mit Vorsicht verwenden, sofern derselbe die Unangepaßtheit als das natürliche Verhältnis voraussetzt – als ob die Lebewesen in eine Welt hineingesetzt wären, der sie sich erst nachträglich anzupassen hätten[2]. Wie hier die Angepaßtheit das Lebensverhältnis selbst ausmacht, so bestimmt sich auch der Begriff der Erkenntnis unter der Herrschaft des Zweckgedankens als die natürliche Zuordnung des menschlichen Geistes zu der Natur der Dinge.

In der modernen Wissenschaft ist nun eine solche metaphysische Vorstellung von der Zugehörigkeit des erkennenden Subjektes zum Objekt der Erkenntnis ohne Legitimation. Ihr Methodenideal sichert für jeden ihrer Schritte den Rückgang auf die Elemente, aus denen sie ihre Erkenntnis aufbaut – umgekehrt verlieren die teleologischen Bedeutungseinheiten von der Art des ,Dinges' oder des organischen Ganzen für die Methodik der Wissenschaft ihr Recht. Insbesondere hat die Kritik am Verbalismus der aristotelisch-scholastischen Wissenschaft, die wir oben berührten, die alte Zuordnung von Mensch und Welt, die der Logosphilosophie zugrunde lag, aufgelöst.

Allein, die moderne Wissenschaft hat ihre griechische Herkunft nie ganz verleugnet, so sehr sie seit dem 17. Jahrhundert ihrer selbst und der grenzenlosen Möglichkeiten, die sich ihr auftun, bewußt geworden ist. Descartes' wirklicher Traktat von der Methode, seine ,Regeln', das eigentliche Manifest der modernen Wissenschaft, ist bekanntlich erst lange nach seinem Tode erschienen. Dagegen hat sein nachdenkliches Meditieren über

---

[1] Auch Kants Kritik der teleologischen Urteilskraft läßt bekanntlich diese subjektive Notwendigkeit durchaus bestehen.

[2] Vgl. H. Lipps über Goethes Farbenlehre in: Die Wirklichkeit des Menschen, S. 108 ff.

die Vereinbarkeit der mathematischen Naturerkenntnis mit der Metaphysik
dem ganzen Zeitalter die Aufgabe gestellt. Vollends hat die deutsche Philosophie von Leibniz bis Hegel immer wieder versucht, die neue Wissenschaft der Physik durch eine philosophische und spekulative Wissenschaft
zu ergänzen, in der sich das Erbe des Aristoteles erneuerte und bewährte.
Ich erinnere nur an den Widerspruch Goethes gegen Newton, der von
Schelling, Hegel und Schopenhauer in gleicher Weise geteilt wurde.

Insofern kann es nicht überraschen, wenn wir nach abermals einem
Jahrhundert kritischer Erfahrungen, die uns die neuzeitliche Wissenschaft
und insbesondere die Selbstbesinnung der historischen Geisteswissenschaften vermittelt hat, nochmals an dieses Erbe anknüpfen. Die geisteswissenschaftliche Hermeneutik, die zunächst als eine sekundäre und abgeleitete Thematik erscheint, ein bescheidenes Kapitel aus der Erbmasse
des deutschen Idealismus, führt uns, wenn wir der Sache gerecht werden wollen, in die Problemdimension der klassischen Metaphysik zurück.

Darauf weist schon die Rolle hin, die der Begriff der *Dialektik* in der
Philosophie des 19. Jahrhunderts spielt. Sie bezeugt die Kontinuität des
Problemzusammenhangs von seinem griechischen Ursprung her. Die Griechen haben vor uns, die wir in die Aporien des Subjektivismus verstrickt
sind, etwas voraus, wenn es gilt, die übersubjektiven Mächte zu begreifen,
die die Geschichte beherrschen. Sie suchten nicht von der Subjektivität
aus und für dieselbe die Objektivität der Erkenntnis zu begründen. Ihr Denken sah sich vielmehr von vornherein als ein Moment am Sein selbst. Parmenides erblickte in ihm das wichtigste Wegzeichen auf dem Wege zur Wahrheit
des Seins. Die Dialektik, dieses Widerfahrnis des Logos, war, wie wir betonten, für die Griechen nicht eine vom Denken vollführte Bewegung, sondern die von ihm erfahrene Bewegung der Sache selbst. Daß eine solche
Wendung nach Hegel klingt, besagt keine falsche Modernisierung, sondern
bezeugt einen geschichtlichen Zusammenhang. Hegel hat in der von uns
gekennzeichneten Situation des neueren Denkens das Vorbild der griechischen Dialektik bewußt aufgegriffen[1]. Wer in die Schule der Griechen gehen
möchte, ist daher immer schon durch die Schule Hegels gegangen. Seine
Dialektik der Gedankenbestimmungen so gut wie seine Dialektik der Gestalten des Wissens wiederholen im ausdrücklichen Vollzuge die totale Vermittlung von Denken und Sein, die ehedem das natürliche Element des
griechischen Denkens war. Indem unsere hermeneutische Theorie das Ver-
webtsein von Geschehen und Verstehen zur Anerkennung bringen will,
wird sie nicht nur auf Hegel, sondern bis zu Parmenides zurückverwiesen.

Wenn wir dergestalt den Begriff der Zugehörigkeit, den wir aus den
Aporien des Historismus gewonnen hatten, auf den Hintergrund der allgemeinen Metaphysik beziehen, wollen wir nicht etwa die klassische Lehre

---

[1] Vgl. darüber inzwischen meinen Aufsatz in Hegel-Studien I: ‚Hegel und die
antike Dialektik‘.

von der Intelligibilität des Seins erneuern oder auf die geschichtliche Welt übertragen. Derartiges wäre eine bloße Wiederholung Hegels, wie sie nicht nur vor Kant und dem Erfahrungsstandpunkt der modernen Wissenschaft, sondern vor allem vor der durch kein Heilswissen mehr geleiteten Erfahrung der Geschichte selbst nicht bestehen könnte. Wir folgen lediglich einer Notwendigkeit der Sache, wenn wir den Begriff des Objekts und der Objektivität des Verstehens in der Richtung auf die Zusammengehörigkeit des Subjektiven und Objektiven hin überschreiten. Es war die Kritik des ästhetischen wie des historischen Bewußtseins, die uns zur Kritik am Begriff des Objektiven genötigt hatte und uns bestimmte, uns von der cartesianischen Grundlegung der modernen Wissenschaft zu lösen und Wahrheitsmomente des griechischen Denkens zu erneuern. Wir können aber weder den Griechen noch auch der Identitätsphilosophie des deutschen Idealismus einfach folgen: Wir denken von der Mitte der Sprache aus.

Von ihr her bestimmt sich der Begriff der Zugehörigkeit nicht mehr als die teleologische Bezogenheit des Geistes auf das Wesensgefüge des Seienden, wie sie in der Metaphysik gedacht ist. Daß die hermeneutische Erfahrung die Vollzugsweise der Sprache hat, daß zwischen der Überlieferung und ihrem Interpreten ein Gespräch statthat, stellt vielmehr eine ganz andere Grundlage dar. Entscheidend ist, daß hier etwas geschieht. Weder ist das Bewußtsein des Interpreten dessen Herr, was als Wort der Überlieferung ihn erreicht, noch kann man, was da geschieht, angemessen beschreiben als die fortschreitende Erkenntnis dessen, was ist, so daß ein unendlicher Intellekt all das enthielte, was je aus dem Ganzen der Überlieferung zu sprechen vermöchte. Vom Interpreten aus gesehen, bedeutet Geschehen, daß er nicht als Erkennender sich seinen Gegenstand sucht, mit methodischen Mitteln ‚herausbekommt‘, was eigentlich gemeint ist und wie es eigentlich war, wenn auch leicht behindert und getrübt durch die eigenen Vorurteile. Das ist nur ein Außenaspekt des eigentlichen hermeneutischen Geschehens. Er motiviert die unentbehrliche methodische Disziplin, mit der man sich gegen sich selbst verhält. Das eigentliche Geschehen ist dadurch aber nur ermöglicht, nämlich daß das Wort, das als Überlieferung auf uns gekommen ist und auf das wir zu hören haben, uns wirklich trifft und so trifft, als rede es uns an und meine uns selbst. Wir haben diese Seite der Sache oben als die hermeneutische Logik der Frage herausgearbeitet und gezeigt, wie der Fragende zum Gefragten wird und wie sich in der Dialektik der Frage das hermeneutische Geschehen vollzieht. Wir erinnern daran hier, um den Sinn von Zugehörigkeit, wie er unserer hermeneutischen Erfahrung entspricht, richtig zu bestimmen.

Denn auf der anderen Seite, von seiten des ‚Gegenstandes‘, bedeutet dieses Geschehen das Insspielkommen, das Sichausspielen des Überlieferungsgehaltes in seinen je neuen, durch den anderen Empfänger neu erweiterten Sinn- und Resonanzmöglichkeiten. Indem die Überlieferung

neu zur Sprache kommt, tritt etwas heraus und ist fortan, was vorher nicht
war. Wir können uns das an jedem beliebigen geschichtlichen Beispiel
illustrieren. Ob die Überlieferung selber ein dichterisches Kunstwerk ist
oder etwa die Kunde von einem großen Geschehen vermittelt, in jedem
Falle ist das, was sich da übermittelt, so wie es sich darstellt neu ins Dasein
getreten. Kein Ansichsein wird nur zunehmend weiter enthüllt, wenn
Homers Ilias oder Alexanders Indienzug in neuer Aneignung der Überlieferung zu uns sprechen, sondern es ist wie im echten Gespräch, wo auch
etwas herauskommt, was keiner der Partner von sich aus umfaßt.

Wenn wir den Begriff der Zugehörigkeit, auf den es hier ankommt, richtig bestimmen wollen, müssen wir also die eigentümliche Dialektik beachten, die im *Hören* gelegen ist. Nicht nur, daß, wer hört, sozusagen
angeredet wird. Vielmehr liegt darin auch dies, daß, wer angeredet wird,
hören muß, ob er will oder nicht. Er kann nicht in der gleichen Weise
weghören, wie man im Sehen dadurch von anderem wegsieht, daß man
in eine bestimmte Richtung blickt. Dieser Unterschied von Sehen und
Hören ist für uns deshalb wichtig, weil der Vorrang des Hörens dem hermeneutischen Phänomen zugrunde liegt, wie schon Aristoteles erkannt hat[1].
Es gibt nichts, was nicht für das Hören mittels der Sprache zugänglich
würde. Während alle anderen Sinne an der Universalität der sprachlichen
Welterfahrung keinen unmittelbaren Anteil haben, sondern nur ihre spezifischen Felder erschließen, ist das Hören ein Weg zum Ganzen, weil es
auf den Logos zu hören vermag. Im Lichte unserer hermeneutischen
Fragestellung gewinnt diese alte Erkenntnis über den Vorrang des Hörens
vor dem Sehen ein ganz neues Gewicht. Die Sprache, an der das Hören
teilhat, ist nicht nur in dem Sinne universal, daß alles in ihr zu Worte
kommen kann. Der Sinn der hermeneutischen Erfahrung ist vielmehr der,
daß die Sprache gegenüber aller sonstigen Welterfahrung eine völlig neue
Dimension aufschließt, die Tiefendimension, aus der die Überlieferung
die gegenwärtig Lebenden erreicht. Das ist von jeher schon, vor allem
Schriftgebrauch, das wahre Wesen des Hörens, daß der Hörende auf die
Sage, den Mythos, die Wahrheit der Alten zu hören vermag. Die literarische Übermittlung der Überlieferung, wie wir sie kennen, bedeutet demgegenüber nichts Neues, sondern verändert nur die Form und erschwert
die Aufgabe des wirklichen Hörens.

Eben dann bestimmt sich aber der Begriff der Zugehörigkeit in neuer
Weise. Zugehörig ist das, was von der Anrede der Überlieferung erreicht
wird. Wer so in Überlieferungen steht – und das gilt, wie wir wissen, selbst
noch von dem durch das historische Bewußtsein in eine neue Scheinfreiheit

---

[1] Arist. De sensu 475 a 5, und dazu Met. 980 b23–25. Der Vorrang des Hörens vor
dem Sehen ist ein durch die Universalität des Logos vermittelter, der dem spezifischen Vorrang des Sehens vor allen anderen Sinnen, den Aristoteles (Met. A 1 und
öfters) betont, nicht widerspricht.

Entlassenen – muß auf das hören, was ihn von da erreicht. Die Wahrheit der Überlieferung ist wie die Gegenwart, die den Sinnen unmittelbar offenliegt.

Die Seinsart der Überlieferung ist freilich keine sinnlich unmittelbare. Sie ist Sprache, und das Hören, das sie versteht, bezieht ihre Wahrheit in ein eigenes sprachliches Weltverhalten ein, indem es die Texte auslegt. Diese sprachliche Kommunikation zwischen Gegenwart und Überlieferung war, wie wir gezeigt haben, das Geschehen, das in allem Verstehen seine Bahn zieht. Die hermeneutische Erfahrung muß sich als echte Erfahrung alles, was ihr gegenwärtig wird, zumuten. Sie hat nicht die Freiheit, vorgängig auszuwählen und zu verwerfen. Sie kann aber auch nicht im Dahingestelltseinlassen, das für das Verstehen von Verstandenem spezifisch scheint, eine schlechthinnige Freiheit behaupten. Das Geschehen, das sie ist, kann sie nicht ungeschehen machen.

Diese Struktur der hermeneutischen Erfahrung, die dem Methodengedanken der Wissenschaft so gründlich widerspricht, beruht ihrerseits auf dem ausführlich dargestellten Geschehenscharakter der Sprache. Nicht nur, daß der Sprachgebrauch und die Fortbildung der sprachlichen Mittel ein solcher Vorgang ist, dem kein einzelnes Bewußtsein wissend und wählend gegenübersteht – insoweit ist es buchstäblich richtiger zu sagen, daß die Sprache uns spricht, als daß wir sie sprechen (so daß sich z. B. am Sprachgebrauch eines Textes seine Entstehungszeit genauer bestimmen läßt als sein Verfasser) –, wichtiger noch ist, worauf wir ständig hinweisen, daß die Sprache nicht als Sprache, weder als Grammatik noch als Lexikon, sondern im Zursprachekommen des in der Überlieferung Gesagten das eigentliche hermeneutische Geschehen ausmacht, das Aneignung und Auslegung zugleich ist. Hier ist es also erst recht wahr, zu sagen, daß dieses Geschehen nicht unser Tun an der Sache, sondern das Tun der Sache selbst ist.

Damit bestätigt sich die von uns schon angekündigte Nähe unserer Fragestellung zu Hegel und zur Antike. Das Ungenügen am modernen Methodenbegriff war es gewesen, von dem unsere Untersuchungen ausgingen. Seine bedeutendste philosophische Rechtfertigung hat dieses Ungenügen aber durch die ausdrückliche *Berufung auf den griechischen Methodenbegriff seitens Hegels* gefunden. Er hat den Begriff einer Methode, die sich als ein der Sache fremdes Tun an ihr vollzöge, unter dem Begriff der ‚äußeren Reflexion' kritisiert. Die wahre Methode sei das Tun der Sache selbst[1]. Diese Behauptung will natürlich nicht sagen, daß das philosophische Erkennen nicht auch ein Tun wäre, ja, eine Anstrengung, die ‚Anstrengung des Begriffs' verlangte. Aber dieses Tun und diese Anstrengung bestehen darin, nicht willkürlich, nicht mit eigenen Einfällen, nach dieser oder jener bereitliegenden Vorstellung greifend, in die immanente

---

[1] Hegel, Logik II, S. 330.

Notwendigkeit des Gedankens einzufallen. Die Sache geht ihren Gang und nimmt ihren Fortgang gewiß nicht, ohne daß wir denken, aber denken heißt eben: eine Sache in ihrer eigenen Konsequenz entfalten. Dazu gehört das Fernhalten der Vorstellungen, „die sich einzustellen pflegen", und das Beharren auf der Konsequenz des Gedankens. Seit den Griechen nennen wir das *Dialektik*.

Hegel hat sich für die Beschreibung der wahren Methode, die das Tun der Sache selbst ist, seinerseits auf Plato berufen, der seinen Sokrates im Gespräch mit Jünglingen zu zeigen liebt, weil diese ohne Rücksicht auf die herrschenden Meinungen den folgerichtigen Fragen des Sokrates zu folgen bereit sind. Er hat seine eigene Methode der dialektischen Entwicklung an jenen ,plastischen Jünglingen' illustriert, die sich des Einfallens in den Gang der Sache enthalten und nicht mit ihren Einfällen prunken. Hier ist die Dialektik nichts anderes als die Kunst, ein Gespräch zu führen und insbesondere die Unangemessenheit der Meinungen, die einen beherrschen, durch die Konsequenz des Fragens und Weiterfragens aufzudecken. Die Dialektik ist also hier *negativ*, sie verwirrt die Meinungen. Eine solche Verwirrung bedeutet aber zugleich eine Klärung, denn sie legt den angemessenen Blick auf die Sache frei. Wie der Sklave in der berühmten Szene des Menon aus seiner Verwirrung zur wahren Lösung der ihm gestellten mathematischen Aufgabe geführt wird, nachdem ihm alle unhaltbaren Vormeinungen zerfallen sind, so enthält alle dialektische Negativität eine sachliche Vorzeichnung dessen, was wahr ist.

Nicht nur in jedem erzieherischen Gespräch, in allem Denken ist es die Verfolgung der sachlichen Konsequenz, durch die allein herauskommen kann, was an einer Sache ist. Sie selbst ist es, die sich zur Geltung bringt, wenn einer sich ganz auf die Kraft des Denkens stellt und das Selbstverständliche von Anschauung und Meinung für nichts gelten läßt. So hat Plato die eleatische Dialektik, wie wir sie vor allem von Zenon kennen, mit der sokratischen Gesprächskunst in Zusammenhang gebracht und in seinem ,Parmenides' auf eine neue Reflexionsstufe gehoben. Daß sich die Dinge in der Konsequenz des Gedankens unter der Hand verkehren und in ihr Gegenteil umschlagen, daß das Denken die Kraft gewinnt, »auch ohne das Was zu kennen, aus entgegengesetzten Annahmen probeweise die Folgerungen zu ziehen«[1], das ist die Erfahrung des Denkens, auf die sich Hegels Begriff der Methode als der Selbstentfaltung des reinen Gedankens zum systematischen Ganzen der Wahrheit beruft.

Nun ist die hermeneutische Erfahrung, die wir von der Mitte der Sprache aus zu denken suchen, gewiß nicht im selben Sinne Erfahrung des Denkens, wie diese Dialektik des Begriffs, die sich von der Macht der Sprache ganz zu befreien beansprucht. Gleichwohl wird auch in der hermeneutischen Erfahrung so etwas wie eine Dialektik gefunden, ein Tun der Sache

---

[1] Arist. Met. M 4 1078 b 25. Vgl. oben S. 347.

selbst, ein Tun, das im Gegensatz zu der Methodik der modernen Wissenschaft ein Erleiden, ein Verstehen, das ein Geschehen ist.

Auch die hermeneutische Erfahrung nämlich hat ihre Konsequenz: die des unbeirrten Hörens. Auch ihr stellt sich die Sache nicht ohne ihre eigene Anstrengung dar, und auch diese Anstrengung besteht darin, »negativ gegen sich selbst zu sein«. Wer einen Text zu verstehen sucht, hat auch etwas fernzuhalten, nämlich alles, was sich von seinen eigenen Vorurteilen aus als Sinnerwartung geltend macht, sobald es von dem Sinn des Textes selbst verweigert wird. Ja selbst die Erfahrung des Umschlags, dieses nie alternde Widerfahrnis der Reden, das die eigentliche Erfahrung der Dialektik ist, hat in ihr seine Entsprechung. Die Entfaltung des Sinnganzen, auf die das Verstehen gerichtet ist, zwingt uns in die Notwendigkeit, auszulegen und wieder zurückzunehmen. Die Selbstaufhebung der Auslegung vollendet erst, daß sich die Sache selbst – der Sinn des Textes – Geltung verschafft. Die Bewegung der Auslegung ist nicht so sehr deshalb dialektisch, weil sich die Einseitigkeit einer jeden Aussage von einer anderen Seite her ergänzen läßt – das ist, wie wir sehen werden, eine sekundäre Erscheinung im Auslegen –, sondern vor allem deshalb, weil das Wort, das den Sinn des Textes auslegend trifft, das Ganze dieses Sinnes zur Sprache bringt, also eine Unendlichkeit des Sinnes in sich zur endlichen Darstellung kommen läßt.

Daß hier Dialektik, die aus der Mitte der Sprache gedacht ist, vorliegt und wie sich diese Dialektik von der metaphysischen Dialektik Platos und Hegels unterscheidet, bedarf einer genaueren Erörterung. Im Anschluß an einen bei Hegel nachweisbaren Sprachgebrauch nennen wir das Gemeinsame zwischen der metaphysischen und der hermeneutischen Dialektik das *Spekulative*. Spekulativ heißt hier das Verhältnis des Spiegelns[1]. Sich spiegeln ist eine beständige Vertauschung. Etwas spiegelt sich in einem anderen, etwa das Schloß im Teich, heißt ja, daß der Teich das Bild des Schlosses zurückwirft. Das Spiegelbild ist durch die Mitte des Betrachters mit dem Anblick selbst wesenhaft verbunden. Es hat kein Sein für sich, es ist wie eine ‚Erscheinung‘, die nicht es selbst ist und die doch den Anblick selbst spiegelbildlich erscheinen läßt. Es ist wie eine Verdoppelung, die doch nur die Existenz von einem ist. Das eigentliche Mysterium der Spiegelung ist eben die Ungreifbarkeit des Bildes, das Schwebende der reinen Wiedergabe.

Wenn wir nun das Wort ‚spekulativ‘ gebrauchen, so wie die Philosophie um 1800 es geprägt hat, z.B. jemanden einen spekulativen Kopf nennen oder einen Gedanken sehr spekulativ finden, so liegt diesem Wortgebrauch der Gedanke der Spiegelung zugrunde. Spekulativ bedeutet nämlich den

---

[1] Vgl. für diese Herleitung des Wortes von speculum etwa Thomas Aqu. S. th. II, 2, qu 180 art. 3 und die geistreiche Illustration des ‚spekulativen Gegensatzes‘ bei Schelling, Bruno (I, IV, 237): »Denke dir den Gegenstand und das vom Spiegel zurückgeworfene Bild des Gegenstandes...«

Gegensatz zum Dogmatismus der alltäglichen Erfahrung. Spekulativ ist jemand, der sich nicht unmittelbar der Handfestigkeit der Erscheinungen oder dem Gemeinten in seiner fixen Bestimmtheit überläßt, sondern zu reflektieren weiß – hegelisch gesprochen: wer das Ansich als ein Fürmich erkennt. Und ein Gedanke ist spekulativ, wenn sich das in ihm ausgesagte Verhältnis nicht als die eindeutige Zusprechung einer Bestimmung zu einem Subjekt, einer Eigenschaft zu seinem gegebenen Ding denken läßt, sondern als ein Spiegelverhältnis gedacht werden muß, in dem das Spiegelnde selber die reine Erscheinung des Gespiegelten ist, wie das Eine das Eine des Andern und das Andere das Andere des Einen ist.

Hegel hat das spekulative Verhältnis des Denkens in seiner meisterhaften Analyse der Logik des philosophischen Satzes beschrieben. Er zeigt, daß der philosophische Satz nur seiner äußeren Form nach ein Urteil ist, d.h. einem Subjektbegriff ein Prädikat beilegt. In Wahrheit geht der philosophische Satz nicht von dem Subjektbegriff zu einem anderen Begriff über, der zu ihm in Beziehung gesetzt wird, sondern er spricht in der Form des Prädikats die Wahrheit des Subjekts aus. ‚Gott ist Einer' meint nicht, daß es eine Eigenschaft Gottes ist, Einer zu sein, sondern daß es das Wesen Gottes ist, die Einheit zu sein. Die Bewegung des Bestimmens ist hier nicht an die feste Basis des Subjekts geknüpft, »an der sie hin und wider läuft«. Das Subjekt wird nicht bestimmt als dies und auch als das, in einer Hinsicht so und in anderer Hinsicht anders. Das wäre die Weise des vorstellenden Denkens, nicht die des Begriffes. Im begreifenden Denken wird vielmehr das natürliche Ausgreifen des Bestimmens über das Subjekt des Satzes hinaus gehemmt und »erleidet, es so vorzustellen, einen Gegenstoß. Vom Subjekte anfangend, als ob dieses zum Grunde liegen bliebe, findet es, indem das Prädikat vielmehr die Substanz ist, das Subjekt zum Prädikat übergegangen und hiermit aufgehoben. Und indem so das, was Prädikat zu sein scheint, zur ganzen und selbständigen Masse geworden, kann das Denken nicht frei herumirren, sondern ist durch diese Schwere aufgehalten«[1]. Die Form des Satzes zerstört sich also selbst, indem der spekulative Satz nicht etwas von etwas aussagt, sondern die Einheit des Begriffs zur Darstellung bringt. Die schwebende Zweigipfligkeit des philosophischen Satzes, die durch den Gegenstoß zustande kommt, beschreibt Hegel durch den geistreichen Vergleich mit dem Rhythmus, der sich ähnlich aus den beiden Momenten des Metrum und des Akzentes als ihre schwebende Harmonie ergebe.

Das ungewohnte Hemmen, das das Denken erfährt, wenn ein Satz es durch seinen Inhalt zwingt, das gewöhnliche Verhalten des Wissens aufzugeben, macht in der Tat das spekulative Wesen aller Philosophie aus. Hegels großartige Geschichte der Philosophie hat gezeigt, wie von Anfang an Philosophie in diesem Sinne Spekulation ist. Wenn sie sich in der Form

---

[1] Hegel, Vorrede zur Phänomenologie, S. 50 (Hoffmeister).

der Prädikation ausspricht, d. h. mit festen Vorstellungen von Gott, Seele und Welt arbeitet, dann verkennt sie ihr Wesen und betreibt eine einseitige ‚Verstandesansicht der Vernunftgegenstände'. Nach Hegel ist dies das Wesen der vorkantischen dogmatischen Metaphysik und charakterisiert überhaupt die »neueren Zeiten der Unphilosophie. Plato jedenfalls ist kein solcher Metaphysiker und Aristoteles noch weniger, obwohl man gelegentlich das Gegenteil glaubt« [1].

Es kommt aber nun nach Hegel darauf an, die innerliche Hemmung, die das Denken erfährt, wenn seine Gewohnheit, an Vorstellungen fortzulaufen, durch den Begriff unterbrochen wird, zur *ausdrücklichen Darstellung* zu bringen. Das kann das nichtspekulative Denken gleichsam verlangen. Es hat sein »Recht, das gültig, aber in der Weise des spekulativen Satzes nicht beachtet ist«. Was es verlangen kann, ist, daß die dialektische Selbstzerstörung des Satzes *ausgesprochen* wird. »Bei dem sonstigen Erkennen macht der Beweis diese Seite der ausgesprochenen Innerlichkeit aus. Nachdem aber die Dialektik vom Beweise getrennt worden, ist in der Tat der Begriff des philosophischen Beweisens verloren gegangen.« Was auch immer Hegel mit dieser Wendung meint [2], jedenfalls will er den Sinn des philosophischen Beweisens wiederherstellen. Das geschieht in der Darstellung der dialektischen Bewegung des Satzes. Sie ist das *wirkliche* Spekulative, und nur das Aussprechen derselben ist spekulative Darstellung. Das spekulative Verhältnis muß also in dialektische Darstellung übergehen. Das ist nach Hegel die Forderung der Philosophie. Was hier Ausdruck und Darstellung heißt, ist freilich nicht eigentlich ein beweisendes Tun, sondern die Sache selbst beweist sich, indem sie sich so ausdrückt und darstellt. So wird Dialektik auch wirklich erfahren, daß dem Denken der Umschlag in sein Gegenteil als eine unbegreifliche Umkehrung widerfährt. Gerade das Festhalten der Konsequenz des Gedankens führt zu der überraschenden Bewegung des Umschlags. So etwa erfährt der Rechtsuchende, wie das strikte Festhalten am Gedanken des Rechts ‚abstrakt' wird und sich als das höchste Unrecht erweist (summum ius summa iniuria).

Hegel macht hier einen gewissen Unterschied zwischen dem Spekulativen und dem Dialektischen. Die Dialektik ist der Ausdruck des Spekulativen, die Darstellung dessen, was im Spekulativen eigentlich darin liegt, und insofern das ‚wirklich' Spekulative. Sofern nun aber, wie wir sahen, die Darstellung kein hinzukommendes Tun, sondern das Herauskommen der Sache selbst ist, gehört der philosophische Beweis selbst mit zur Sache. Zwar entspringt er, wie wir sahen, einer Forderung des gewöhnlichen Vorstellens. Er ist also Darstellung für die äußere Reflexion

---

[1] Hegel, Enzykl. § 36.

[2] Vorrede zur Phänomenologie, S. 53 (Hoffmeister). Ist Aristoteles oder ist Jacobi und die Romantik gemeint? Vgl. meinen oben zitierten Aufsatz (Hegeljahrbuch I). Zum Begriff des Ausdrucks vgl. oben S. 318 f. und Exkurs VI (S. 474 ff.).

des Verstandes. Aber nichtsdestotrotz ist solche Darstellung in Wahrheit gar nicht äußerlich. Sie hält sich nur dafür, solange das Denken nicht weiß, daß es sich selbst am Ende als Reflexion der Sache in sich erweist. Dazu stimmt, daß Hegel den Unterschied von spekulativ und dialektisch nur in der Vorrede zur Phänomenologie betont. Weil sich der Sache nach dieser Unterschied selber aufhebt, wird er von Hegel später, auf dem Standpunkt des absoluten Wissens, nicht mehr festgehalten.

Das ist der Punkt, an dem die Nähe unserer eigenen Fragestellung zur spekulativen Dialektik Platos und Hegels eine grundsätzliche Schranke findet. Die Aufhebung des Unterschiedes von spekulativ und dialektisch, die wir in Hegels spekulativer Wissenschaft des Begriffs finden, zeigt, wie sehr er sich als den Vollender der griechischen Logosphilosophie weiß. Was er Dialektik nennt und was Plato Dialektik nannte, beruht der Sache nach auf der Unterwerfung der Sprache unter die ‚Aussage'. Der Begriff der Aussage, die dialektische Zuspitzung zum Widerspruch, steht nun aber in einem äußersten Gegensatz zu dem Wesen der hermeneutischen Erfahrung und der Sprachlichkeit der menschlichen Welterfahrung überhaupt. Zwar folgt auch die Dialektik Hegels in Wahrheit dem spekulativen Geiste der Sprache, aber Hegels Selbstverständnis nach will er der Sprache nur das Reflexionsspiel ihrer Gedankenbestimmungen abhören und auf dem Wege der dialektischen Vermittlung in der Totalität des gewußten Wissens zum Selbstbewußtsein des Begriffs erheben. Damit bleibt sie in der Dimension des Ausgesagten und erreicht nicht die Dimension der sprachlichen Welterfahrung. So sei mit einigen Strichen angedeutet, wie sich das dialektische Wesen der Sprache für die hermeneutischen Probleme darstellt.

In einem ganz anderen Sinne nämlich hat die Sprache selbst etwas Spekulatives – nicht nur in jenem von Hegel gemeinten Sinne der instinkthaften Vorbildung logischer Reflexionsverhältnisse, sondern als Vollzug von Sinn, als Geschehen der Rede, der Verständigung, des Verstehens. Spekulativ ist ein solcher Vollzug, sofern die endlichen Möglichkeiten des Wortes dem gemeinten Sinn wie einer Richtung ins Unendliche zugeordnet sind. Wer etwas zu sagen hat, sucht und findet die Worte, durch die er sich dem anderen verständlich macht. Das heißt nicht, daß er ‚Aussagen' macht. Was es heißt, Aussagen zu machen, und wie wenig das ein Sagen dessen ist, was man meint, weiß jeder, der einmal ein Verhör – und sei es auch nur als Zeuge – durchgemacht hat. In der Aussage wird der Sinnhorizont dessen, was eigentlich zu sagen ist, mit methodischer Exaktheit verdeckt. Was übrigbleibt, ist der ‚reine' Sinn des Ausgesagten. Er ist das, was zu Protokoll geht. Er ist aber als so auf das Ausgesagte reduzierter schon immer ein entstellter Sinn.

Sagen, was man meint, sich verständigen, hält im Gegenteil das Gesagte mit einer Unendlichkeit des Ungesagten in der Einheit eines Sinnes zusammen und läßt es so verstanden werden. Wer in dieser Weise spricht, mag nur die gewöhnlichsten und gewohntesten Worte gebrauchen und vermag doch eben dadurch zur Sprache zu bringen, was ungesagt ist und zu sagen ist. Insofern verhält sich, wer spricht, spekulativ, als seine Worte nicht Seiendes abbilden, sondern ein Verhältnis zum Ganzen des Seins aussprechen und zur Sprache kommen lassen. Damit hängt zusammen, daß, wer Gesagtes weitersagt, genau wie der, der Aussagen protokolliert, gar nicht bewußt zu entstellen braucht und doch den Sinn des Gesagten verändern wird. Schon im alltäglichsten Vollzug des Sprechens wird derart ein Wesenszug der spekulativen Spiegelung sichtbar: die Ungreifbarkeit dessen, was doch die reinste Wiedergabe des Sinnes ist.

In einem gesteigerten Sinne begegnet all dies im dichterischen Wort. Hier ist es freilich legitim, die eigentliche Wirklichkeit der dichterischen Rede in der dichterischen ,Aussage' zu erblicken. Denn hier ist es wirklich sinnvoll und gefordert, daß der Sinn des dichterischen Wortes sich im Gesagten als solchem, ohne jede Hinzunahme okkasionellen Wissens, aussagt. War die Aussage im zwischenmenschlichen Geschehen der Verständigung eine Denaturierung derselben, so kommt hier der Begriff der Aussage zu seiner Erfüllung. Die Ablösung des Gesagten von allem subjektiven Meinen und Erleben des Autors macht ja erst die Wirklichkeit des dichterischen Wortes. Was aber sagt diese Aussage aus?

Da ist zunächst klar, daß alles, was die alltägliche Rede ausmacht, im dichterischen Wort wiederzukehren vermag. Wenn die Dichtung Menschen im Gespräch zeigt, dann wird in der dichterischen Aussage nicht etwa die ,Aussage' wiederholt, die ein Protokoll festhält, sondern auf eine geheimnisvolle Weise ist das Ganze des Gespräches wie gegenwärtig da. Die Worte, die einer Figur der Dichtung in den Mund gelegt werden, sind in derselben Weise spekulativ wie das Sprechen des täglichen Lebens: der Sprechende bringt, wie wir oben sagten, im Sprechen ein Verhältnis zum Sein zur Sprache. Wenn wir von einer dichterischen Aussage sprechen, meinen wir überdies gar nicht die Aussage, die in einer Dichtung jemandem in den Mund gelegt wird, als solche, sondern die Aussage, welche die Dichtung selber, als dichterisches Wort, ist. Die dichterische Aussage als solche ist aber insofern spekulativ, als das sprachliche Geschehen des dichterischen Wortes seinerseits ein eigenes Verhältnis zum Sein ausspricht.

Wenn wir uns an der ,Verfahrensweise des poetischen Geistes' orientieren, wie sie etwa Hölderlin beschrieben hat, dann wird sofort deutlich, in welchem Sinne das sprachliche Geschehen der Dichtung spekulativ ist. Hölderlin hat gezeigt, daß das Finden der Sprache eines Gedichts die totale Auflösung aller gewohnten Worte und Redeweisen voraussetzt. »Indem sich nämlich der Dichter mit dem reinen Ton seiner ursprünglichen Empfindung in seinem ganzen inneren und äußeren Leben begriffen fühlt und sich umsieht in seiner Welt, ist ihm diese ebenso neu und unbekannt, die Summe aller seiner Erfahrungen, seines Wissens, seines Anschauens, seines

Gedenkens, Kunst und Natur, wie sie in ihm und außer ihm sich darstellt, alles ist wie zum erstenmale, eben deswegen unbegriffen, unbestimmt, in lauter Stoff und Leben aufgelöst, ihm gegenwärtig. Und es ist vorzüglich wichtig, daß er in diesem Augenblicke nichts als gegeben annehme, von nichts Positivem ausgehe, daß die Natur und Kunst, so wie er sie früher gelernt hat und sieht, nicht eher *spreche*, ehe für *ihn* eine Sprache da ist...« (Man beachte die Nachbarschaft zu Hegels Kritik der Positivität.) Das Gedicht, als gelungenes Werk und Schöpfung, ist nicht Ideal, sondern der aus dem unendlichen Leben wiederbelebte Geist. (Auch das erinnert an Hegel.) In ihm wird nicht ein Seiendes bezeichnet oder bedeutet, sondern eine Welt des Göttlichen und des Menschlichen eröffnet. Die dichterische Aussage ist spekulativ, sofern sie nicht eine schon seiende Wirklichkeit abbildet, nicht den Anblick der Species in der Ordnung der Wesen wiedergibt, sondern den neuen Anblick einer neuen Welt im imaginären Medium dichterischer Erfindung darstellt.

Wir haben die spekulative Struktur des sprachlichen Geschehens sowohl an der alltäglichen wie an der dichterischen Rede aufgewiesen. Die innere Entsprechung, die sich dabei zeigte und die das dichterische Wort als Steigerung des alltäglichen Redens mit ihm zusammenschloß, ist von der psychologisch-subjektiven Seite her schon in der idealistischen Sprachphilosophie und ihrer Erneuerung durch Croce und Voßler erkannt worden[1]. Wenn wir die andere Seite, das Zursprachekommen, als den eigentlichen Vorgang des Sprachgeschehens betonen, bereiten wir damit der hermeneutischen Erfahrung ihren Ort. Wie die Überlieferung verstanden wird und immer neu zur Sprache kommt, ist, wie wir sahen, ein ebenso echtes Geschehen wie das lebendige Gespräch. Das Besondere ist nur, daß dabei die Produktivität des sprachlichen Weltverhaltens auf einen schon sprachlich vermittelten Gehalt erneute Anwendung findet. Auch das hermeneutische Verhältnis ist ein spekulatives Verhältnis, das sich aber von der dialektischen Selbstentfaltung des Geistes, wie sie Hegels philosophische Wissenschaft beschreibt, grundsätzlich unterscheidet.

Sofern nun die hermeneutische Erfahrung ein sprachliches Geschehen enthält, das der dialektischen Darstellung bei Hegel entspricht, gewinnt auch sie an einer Dialektik teil, nämlich der oben[2] entwickelten Dialektik von Frage und Antwort. Das Verstehen eines überlieferten Textes nämlich hat, wie wir sahen, einen inneren Wesensbezug zu seiner Auslegung, und wenn dieselbe auch stets eine relative und unabgeschlossene Bewegung ist, so findet das Verstehen in ihr doch seine relative Vollendung. Entsprechend bedarf der spekulative Gehalt philosophischer Aussagen, wie Hegel lehrt, der dialektischen Darstellung der in ihm gelegenen Widersprüche, wenn er wirkliche Wissenschaft werden soll. Hier

---

[1] Vgl. etwa Karl Voßler, Grundzüge einer idealistischen Sprachphilosophie (1904).
[2] Vgl. S. 351 ff.

besteht eine wirkliche Entsprechung. Denn die Auslegung hat an der Diskursivität des menschlichen Geistes teil, der nur im Nacheinander des einen oder des anderen die Einheit der Sache zu denken vermag. Die Auslegung hat daher die dialektische Struktur alles endlich-geschichtlichen Seins, sofern jede Auslegung irgendwo beginnen muß und die Einseitigkeit aufzuheben trachtet, die sie durch ihren Einsatz herbeiführt. Etwas scheint dem Ausleger nötig, daß es gesagt und ausdrücklich gemacht werde. Jede Auslegung ist in diesem Sinne motiviert und gewinnt ihren Sinn aus ihrem Motivationszusammenhang. Durch ihre Einseitigkeit verschafft sie einer Seite der Sache ein Übergewicht, so daß zum Ausgleich desselben anderes, weiteres gesagt werden muß. Wie die philosophische Dialektik in der Selbstaufhebung aller einseitigen Setzungen, auf dem Wege der Zuspitzung und Aufhebung von Widersprüchen, das Ganze der Wahrheit zur Darstellung bringt, so hat auch die hermeneutische Bemühung die Aufgabe, ein Ganzes von Sinn in der Allseitigkeit seiner Bezüge aufzuschließen. Der Totalität aller Gedankenbestimmungen entspricht die Individualität des gemeinten Sinnes. Man denke etwa an Schleiermacher, der seine Dialektik auf die Metaphysik der Individualität gegründet hat und in seiner hermeneutischen Theorie aus antithetischen Denkrichtungen das Verfahren der Auslegung konstruierte.

Gleichwohl ist die Entsprechung zwischen hermeneutischer und philosophischer Dialektik, wie sie aus Schleiermachers dialektischer Konstruktion der Individualität und Hegels dialektischer Konstruktion der Totalität zu folgen scheint, keine wirkliche Entsprechung. Denn bei solcher Zusammenordnung wird das Wesen der hermeneutischen Erfahrung und die radikale Endlichkeit, die ihr zugrunde liegt, verkannt. Gewiß muß die Auslegung irgendwo einsetzen. Aber ihr Einsatz ist nicht beliebig. Er ist überhaupt kein wirklicher Anfang. Wir sahen ja, daß die hermeneutische Erfahrung immer einschließt, daß der zu verstehende Text in eine Situation hineinredet, die durch Vormeinungen bestimmt ist. Das ist keine bedauerliche Entstellung, die die Reinheit des Verstehens beeinträchtigt, sondern die Bedingung seiner Möglichkeit, die wir als die hermeneutische Situation charakterisiert hatten. Nur weil zwischen dem Verstehenden und seinem Text keine selbstverständliche Übereinstimmung besteht, kann uns am Text eine hermeneutische Erfahrung zuteil werden. Nur weil ein Text aus seiner Fremdheit ins Angeeignete versetzt werden muß, ist für den Verstehenwollenden überhaupt etwas zu sagen. Nur weil der Text es fordert, kommt es also zur Auslegung und nur so, wie er es fordert. Der scheinbar thetische Beginn der Auslegung ist in Wahrheit Antwort, und wie jede Antwort bestimmt sich auch der Sinn einer Auslegung durch die Frage, die gestellt ist. *Die Dialektik von Frage und Antwort ist mithin der Dialektik der Auslegung immer schon zuvorgekommen. Sie ist es, die das Verstehen als ein Geschehen bestimmt.*

Aus dieser Überlegung geht hervor, daß die Hermeneutik kein *Problem des Anfangs* kennen kann, wie etwa die Hegelsche Logik das Problem des Anfangs der Wissenschaft kennt[1]. Das Problem des Anfangs ist, wo immer es sich stellt, in Wahrheit das Problem des Endes. Denn vom Ende her bestimmt sich der Anfang als der Anfang des Endes. Das mag unter der Voraussetzung des unendlichen Wissens, der Voraussetzung der spekulativen Dialektik, zu dem prinzipiell unlösbaren Problem führen, womit nun anzufangen sei. Aller Anfang ist Ende und alles Ende ist Anfang. Jedenfalls stellt sich bei solcher runden Vollendung die spekulative Frage nach dem Anfang der philosophischen Wissenschaft grundsätzlich gesehen von ihrer Vollendung her.

Ganz anders steht es mit dem wirkungsgeschichtlichen Bewußtsein, in welchem sich die hermeneutische Erfahrung vollendet. Es weiß um die unabschließbare Offenheit des Ṣinngeschehens, an dem es teilhat. Gewiß gibt es auch hier für jedes Verstehen ein Maß, an dem es sich bemißt und insofern eine mögliche Vollendung — es ist der Gehalt der Überlieferung selbst, der allein maßgeblich ist und sich zur Sprache bringt. Aber es gibt kein mögliches Bewußtsein — wir haben das wiederholt betont, und darauf beruht die Geschichtlichkeit des Verstehens — es gibt kein mögliches Bewußtsein, und wäre es noch so sehr ein unendliches, in dem die ‚Sache‘, die überliefert wird, im Lichte der Ewigkeit erschiene. Jede Aneignung der Überlieferung ist eine geschichtlich andere — was nicht heißt, daß eine jede nur eine getrübte Erfassung derselben wäre: eine jede ist vielmehr die Erfahrung einer ‚Ansicht‘ der Sache selbst.

Eines und dasselbe und doch ein anderes zu sein, dieses Paradox, das von jedem Überlieferungsinhalt gilt, erweist alle Auslegung als in Wahrheit spekulativ. Die Hermeneutik hat daher den Dogmatismus eines ‚Sinnes an sich‘ ebenso zu durchschauen, wie die kritische Philosophie den Dogmatismus der Erfahrung durchschaut hat. Das soll gewiß nicht heißen, daß jeder Interpret für sein eigenes Bewußtsein spekulativ ist, d. h. daß er ein Bewußtsein des Dogmatismus besitzt, der in seiner eigenen Auslegungsintention liegt. Vielmehr ist gemeint, daß alle Auslegung über ihr methodisches Selbstbewußtsein hinaus in ihrem tatsächlichen Vollzuge spekulativ ist — und das ist es, was an der Sprachlichkeit der Auslegung heraustritt. Denn das auslegende Wort ist das Wort des Auslegers — es ist nicht die Sprache und das Lexikon des ausgelegten Textes. Darin drückt sich aus, daß die Aneignung kein bloßer Nachvollzug oder gar ein bloßes Nachreden des überlieferten Textes ist, sondern wie eine neue Schöpfung des Verstehens. Wenn man — mit Recht — die Ichbezogenheit alles Sinnes hervorgehoben hat[2], so bedeutet dieselbe für das hermeneutische Phänomen, daß

---

[1] Hegel, Logik I, S. 69 f.

[2] Vgl. Stenzels schöne, jetzt durch eine Neuausgabe zugänglich gewordene Studie ‚Über Sinn, Bedeutung, Begriff, Definition‘ (Wiss. Buchgesellschaft, Darmstadt 1958).

aller Sinn der Überlieferung in der Beziehung auf das verstehende Ich
diejenige Konkretion findet, in der er verstanden wird – nicht etwa in der
Rekonstruktion eines Ich der ursprünglichen Sinnmeinung.

Die innige Einheit von Verstehen und Auslegen bewährt sich also gerade
darin, daß die Auslegung, die die Sinnimplikationen eines Textes entfaltet
und in sprachlicher Weise ausdrücklich macht, gegenüber dem gegebenen
Text eine neue Schöpfung scheint, aber gleichwohl neben dem Verstehen
kein eigenes Dasein behauptet. Wir haben schon oben [1] darauf hingewiesen,
daß die auslegenden Begriffe in der Vollendung des Verstehens zur Aufhebung kommen, weil sie zum Verschwinden bestimmt sind. Das will
sagen, sie sind nicht beliebige Hilfsmittel, die man heranzieht und nach
Gebrauch beiseite legt, sondern sie gehören der inneren Gliederung der
Sache (die Sinn ist) an. Auch für das auslegende Wort gilt, wie für jedes
Wort, in dem sich Denken vollendet, daß es nicht als solches gegenständlich
ist. Als Vollzug des Verstehens ist es die Aktualität des wirkungsgeschichtlichen Bewußtseins, und als solche ist es wahrhaft spekulativ: ungreifbar
seinem eigenen Sein nach und doch das Bild zurückwerfend, das sich ihm
bietet.

Die Sprache des Auslegers ist gewiß ein sekundäres Phänomen von
Sprache, etwa verglichen mit der Unmittelbarkeit zwischen-menschlicher
Verständigung oder dem Wort des Dichters. Sie bezieht sich ja selbst wieder
auf Sprachliches. Und doch ist die Sprache des Auslegers zugleich die um-
fassende Manifestation der Sprachlichkeit überhaupt, die alle Formen von
Sprachgebrauch und Sprachgestalt in sich schließt. Von dieser umfassenden
Sprachlichkeit des Verstehens, ihrer Bezogenheit auf die Vernunft über-
haupt, waren wir ausgegangen, und wir sehen jetzt, wie sich unter diesem
Aspekt das Ganze unserer Untersuchungen zusammenfaßt. Die Entwicklung des Problems der Hermeneutik von Schleiermacher über Dilthey zu
Husserl und Heidegger, die wir dargestellt haben, stellt von der geschicht-
lichen Seite her eine Bestätigung dessen dar, was sich uns jetzt ergeben hat:
daß die methodische Selbstbesinnung der Philologie zu einer systematischen
Fragestellung der Philosophie hindrängt.

c) Der universale Aspekt der Hermeneutik

Daß die Sprache eine Mitte ist, in der sich Ich und Welt zusammen-
schließen oder besser: in ihrer ursprünglichen Zusammengehörigkeit darstellen, hatte unsere Überlegungen geleitet. Wir haben auch herausgearbeitet, wie sich diese spekulative Mitte der Sprache gegenüber der dialektischen Vermittlung des Begriffs als ein endliches Geschehen darstellt. In
allen analysierten Fällen, sowohl in der Sprache des Gesprächs wie in der

---

[1] S. 575 f.

der Dichtung als auch in der der Auslegung, zeigte sich die spekulative Struktur der Sprache, nicht Abbildung eines fix Gegebenen zu sein, sondern ein Zur-Sprache-kommen, in dem ein Ganzes von Sinn sich ansagt. Wir waren gerade dadurch in die Nähe der antiken Dialektik geraten, weil auch in ihr keine methodische Aktivität des Subjekts, sondern ein Tun der Sache selbst vorlag, das das Denken ,erleidet'. Dieses Tun der Sache selbst ist die eigentliche spekulative Bewegung, die den Sprechenden ergreift. Wir haben ihren subjektiven Reflex im Sprechen aufgesucht. Wir erkennen jetzt, daß diese Wendung vom Tun der Sache selbst, vom Zur-Sprache-kommen des Sinns, auf eine universal-ontologische Struktur hinweist, nämlich auf die Grundverfassung von allem, auf das sich überhaupt Verstehen richten kann. *Sein, das verstanden werden kann, ist Sprache.* Das hermeneutische Phänomen wirft hier gleichsam seine eigene Universalität auf die Seinsverfassung des Verstandenen zurück, indem es dieselbe in einem universellen Sinne als *Sprache* bestimmt und seinen eigenen Bezug auf das Seiende als Interpretation. So reden wir ja nicht nur von einer Sprache der Kunst, sondern auch von einer Sprache der Natur, ja überhaupt von einer Sprache, die die Dinge führen.

Wir haben schon oben die eigentümliche Verwicklung zwischen Naturerkenntnis und Philologie hervorgehoben, die die Anfänge der modernen Wissenschaft begleitet[1]. Hier kommen wir derselben gleichsam auf den Grund. Was verstanden werden kann, ist Sprache. Das will sagen: es ist so, daß es sich von sich aus dem Verstehen darstellt. Auch von dieser Seite bestätigt sich die spekulative Struktur der Sprache. Zur-Sprache-kommen heißt nicht, ein zweites Dasein bekommen. Als was sich etwas darstellt, gehört vielmehr zu seinem eigenen Sein. Es handelt sich also bei all solchem, das Sprache ist, um eine spekulative Einheit: eine Unterscheidung in sich: zu sein und sich darzustellen, eine Unterscheidung, die doch auch gerade keine Unterscheidung sein soll.

Die spekulative Seinsart der Sprache erweist damit ihre universelle ontologische Bedeutung. Was zur Sprache kommt, ist zwar ein anderes, als das gesprochene Wort selbst. Aber das Wort ist nur Wort durch das, was in ihm zur Sprache kommt. Es ist in seinem eigenen sinnlichen Sein nur da, um sich in das Gesagte aufzuheben. Umgekehrt ist auch das, was zur Sprache kommt, kein sprachlos Vorgegebenes, sondern empfängt im Wort die Bestimmtheit seiner selbst.

Wir erkennen jetzt, daß es diese spekulative Bewegung war, die wir sowohl in der Kritik des ästhetischen wie in der des historischen Bewußtseins, mit der wir unsere Analyse der hermeneutischen Erfahrung einleiteten, im Auge hatten. Das Sein des Kunstwerks war kein Ansichsein, von dem sich seine Wiedergabe oder die Kontingenz seiner Erscheinung unter-

---

[1] Vgl. oben S. 170, 226 f.

scheidet – nur in einer sekundären Thematisierung des einen wie des anderen kommt es zu einer solchen ‚ästhetischen Unterscheidung'. Ebenso war, was unserer geschichtlichen Erkenntnis aus der Überlieferung oder als Überlieferung – historisch oder philologisch – entgegentritt, die Bedeutung eines Ereignisses oder der Sinn eines Textes, kein fester an sich seiender Gegenstand, den es nur festzustellen gilt: auch das historische Bewußtsein schloß in Wahrheit die Vermittlung von Vergangenheit und Gegenwart ein. Indem wir nun als das universale Medium solcher Vermittlung die Sprachlichkeit erkannten, weitete sich unsere Fragestellung von ihren konkreten Ausgangspunkten, der Kritik am ästhetischen und historischen Bewußtsein und der an ihre Stelle zu setzenden Hermeneutik, zu einer universalen Fragerichtung aus. Denn sprachlich und damit verständlich ist das menschliche Weltverhältnis schlechthin und von Grund aus. Hermeneutik ist, wie wir sahen, insofern *ein universaler Aspekt der Philosophie* und nicht nur die methodische Basis der sogenannten Geisteswissenschaften.

Von der Mitte der Sprache aus erwies sich das vergegenständlichende Verfahren der Naturerkenntnis und der Begriff des Ansichseins, der der Intention aller Erkenntnis entspricht, als das Resultat einer Abstraktion. Aus dem ursprünglichen Weltverhältnis herausreflektiert, das in der Sprachverfassung unserer Welterfahrung gegeben ist, sucht sie sich des Seienden zu vergewissern, indem sie seine Erkenntnis methodisch einrichtet. Folgerichtig verketzert sie alles Wissen, das solche Vergewisserung nicht erlaubt und daher der wachsenden Beherrschung des Seins nicht zu dienen vermag. Wir haben demgegenüber die Seinsweise von Kunst und Geschichte und die Erfahrung, die ihnen entspricht, von dem ontologischen Vorurteil zu befreien gesucht, das in dem Objektivitätsideal der Wissenschaft liegt, und waren angesichts der Erfahrung von Kunst und Geschichte zu einer universalen Hermeneutik geführt worden, die das allgemeine Weltverhältnis des Menschen betraf. Wenn wir diese universale Hermeneutik vom Begriff der Sprache aus formulierten, so sollte damit nicht nur der falsche Methodologismus abgewehrt werden, der den Begriff der Objektivität in den Geisteswissenschaften überfremdet – es sollte ebenso auch der idealistische Spiritualismus einer Unendlichkeitsmetaphysik im Stile Hegels vermieden werden. Die hermeneutische Grunderfahrung artikulierte sich uns ja nicht bloß durch die Spannung zwischen Fremdheit und Vertrautheit, Mißverstand und Verständnis, wie sie Schleiermachers Entwurf beherrschte. Vielmehr schien uns am Ende, daß Schleiermacher durch die Lehre von der divinatorischen Perfektion des Verstehens in die Nachbarschaft Hegels gehört. Wenn wir von der Sprachlichkeit des Verstehens ausgehen, unterstreichen wir dagegen die Endlichkeit des sprachlichen Geschehens, in dem sich das Verstehen jeweils konkretisiert. Die Sprache, die die Dinge führen – welche Art Dinge es jeweils sein mögen –, ist nicht der λογος ουσίας und vollendet sich nicht in der

Selbstanschauung eines unendlichen Intellekts – sie ist die Sprache, die
unser endlich-geschichtliches Wesen vernimmt. Das gilt von der Sprache,
die die Texte der Überlieferung führen, und deshalb stellte sich die Aufgabe einer wahrhaft geschichtlichen Hermeneutik. Es gilt ebenso von der
Erfahrung der Kunst wie von der Erfahrung der Geschichte – ja, die
Begriffe von ‚Kunst' und ‚Geschichte' selber sind Auffassungsformen, die
sich aus der universalen Seinsweise des hermeneutischen Seins als Formen
der hermeneutischen Erfahrung erst ausgliedern.

Offenbar ist es ja nicht eine Sonderbestimmung des Kunstwerks, in
seiner Darstellung sein Sein zu haben, und ebensowenig eine Besonderheit des Seins der Geschichte, in ihrer Bedeutung verstanden zu werden.
Sich-darstellen, Verstandenwerden, das gehört nicht nur zusammen, so daß
das eine in das andere übergeht und das Kunstwerk mit seiner Wirkungsgeschichte, das geschichtlich Überlieferte mit der Gegenwart seines Ver-
standenwerdens eins ist – spekulativ, sich von sich selbst unterscheidend,
sich darstellend, Sprache, die Sinn aussagt, ist nicht nur Kunst und Geschichte, sondern alles Seiende, sofern es verstanden werden kann. Die
spekulative Seinsverfassung, die der Hermeneutik zugrunde liegt, ist von
dem gleichen universalen Umfang wie Vernunft und Sprache. –

Mit der ontologischen Wendung, die unsere hermeneutische Fragestellung genommen hat, kommen wir in die Nachbarschaft eines metaphysischen Begriffes, dessen Bedeutung wir nun im Rückgang auf seine Ursprünge fruchtbar machen müssen. *Der Begriff des Schönen*, der im 18. Jahrhundert mit dem des Erhabenen die zentrale Stellung innerhalb der ästhetischen Problematik zu teilen hatte und der im Laufe des 19. Jahrhunderts
durch die ästhetische Kritik am Klassizismus vollends eliminiert werden
sollte, war bekanntlich ehedem ein universaler metaphysischer Begriff und
hatte innerhalb der Metaphysik, d.h. der allgemeinen Lehre vom Sein,
eine Funktion, die keineswegs auf das Ästhetische im engeren Sinne beschränkt war. Es wird sich zeigen, daß dieser alte Begriff des Schönen auch
einer umfassenden Hermeneutik zu dienen vermag, wie sie uns aus der
Kritik an dem Methodologismus der Geisteswissenschaften erwachsen ist.

Schon die Bedeutungsanalyse des Wortes zeigt, daß der Begriff des Schönen mit der von uns entwickelten Fragestellung eine enge Verwandtschaft
besitzt. Das griechische Wort für das deutsche ‚schön' heißt καλόν. Zwar
gibt es dazu keine völligen Entsprechungen im Deutschen, auch nicht,
wenn wir das vermittelnde pulchrum heranzögen, aber das griechische
Denken hat doch eine gewisse Determination auf die Bedeutungsgeschichte des deutschen Wortes ausgeübt, so daß wesentliche Bedeutungs-
momente beiden Worten gemeinsam sind. So sagen wir etwa: die ‚schönen'
Künste. Mit dem Zusatz ‚schön' unterscheiden wir von dem, was wir Technik nennen, d.h. von ‚mechanischen' Künsten, die Nützliches herstellen.
Ähnlich ist es mit Wortverbindungen wie: schöne Sittlichkeit, schöne Lite-

ratur, schöngeistig usw. In all diesen Verwendungen steht das Wort in einem ähnlichen Gegensatz wie das griechische *καλόν* zum Begriff des *χρήσιμον.* Alles, was nicht zum Notwendigen des Lebens gehört, sondern das Wie des Lebens, das *εὖ ζῆν* betrifft, also all das, was die Griechen unter Paideia verstanden, heißt *καλόν.* Die schönen Dinge sind solche, deren Wert für sich selbst einleuchtet. Man kann nicht nach dem Zweck fragen, dem sie dienen. Sie sind um ihrer selbst willen vorzüglich (*δι'αὐτό αἱρετόν*) und nicht wie das Nützliche um etwas anderen willen. Schon der Sprachgebrauch läßt so den erhöhten Seinsrang dessen, was *καλόν* genannt wird, erkennen.

Aber auch der gewöhnliche Gegensatz, der den Begriff des Schönen bestimmt, der Gegensatz zum Häßlichen (*αἰσχρόν*), weist in dieselbe Richtung. *αἰσχρόν* (häßlich) ist das, was keinen Anblick verträgt. Schön ist das, was sich sehen lassen kann, das Ansehnliche im weitesten Sinne des Wortes. ,Ansehnlich' ist auch im deutschen Sprachgebrauch ein Ausdruck für Größe. Und in der Tat verlangt die Verwendung des Wortes ,schön' – im Griechischen wie im Deutschen – stets eine gewisse stattliche Größe. Indem die Bedeutungsrichtung auf das Ansehnliche in die ganze Sphäre des Geziemenden, der Sitte weist, nähert sich dieselbe zugleich der begrifflichen Artikulation, die durch den Gegensatz zum Nützlichen (*χρήσιμον*) gegeben war.

Der Begriff des Schönen tritt daher in engste Beziehung zu dem des Guten (*ἀγαθόν*), sofern es als ein um seiner selbst willen zu wählendes, als Zweck, sich alles andere als nützliches Mittel unterordnet. Denn was schön ist, wird nicht als Mittel zu etwas anderem angesehen.

So finden wir in der platonischen Philosophie eine enge Verknüpfung und nicht selten eine Vertauschung der Idee des Guten mit der Idee des Schönen. Beide sind über alles Bedingte und Viele hinaus: das Schöne an sich begegnet der liebenden Seele am Ende eines durch das vielfältige Schöne führenden Weges als das Eine, Eingestaltige, Überschwengliche (Symposion), genau wie die Idee des Guten, die über alles Bedingte und Viele, was nur in gewisser Hinsicht gut ist, hinausliegt (Politeia). Das Schöne an sich zeigt sich ebenso über alles Seiende hinaus zu sein, wie das Gute an sich (*ἐπέκεινα*). Die Ordnung des Seienden, die in der Hinordnung auf das eine Gute besteht, stimmt also mit der Ordnung des Schönen überein. Der Liebesweg, den Diotima lehrt, führt über die schönen Leiber zu den schönen Seelen und von da zu den schönen Einrichtungen, Sitten und Gesetzen, schließlich zu den Wissenschaften (z. B. zu den schönen Zahlverhältnissen, von denen die Zahlenlehre weiß), zu diesem »weiten Meer der schönen Reden« [1] – und führt über all das hinaus. Man kann sich fragen, ob die Überschreitung der Sphäre des sinnlich Sichtbaren ins ,In-

---

[1] Symp. 310 d: Reden = Verhältnisse.

telligible' wirklich eine Differenzierung und Steigerung der Schönheit des Schönen bedeutet und nicht lediglich eine solche des Seienden, das schön ist. Aber Plato meint offenbar, daß die teleologische Seinsordnung auch eine Schönheitsordnung ist, daß die Schönheit im intelligiblen Bereich reiner und klarer zur Erscheinung kommt als im Sichtbaren, das durch das Maßwidrige und Unvollkommene getrübt sei. In gleicher Weise hat die mittelalterliche Philosophie den Begriff des Schönen an den des Guten, des bonum, aufs engste angeschlossen, so eng, daß eine klassische Aristoteles-Stelle über das καλόν dem Mittelalter verschlossen war, weil die Übersetzung das Wort καλόν hier einfach mit bonum wiedergab[1].

Die Basis der engen Verknüpfung der Idee des Schönen mit der der teleologischen Seinsordnung ist der pythagoreisch-platonische Maßbegriff. Plato bestimmt das Schöne durch Maß, Angemessenheit und Proportioniertheit, Aristoteles nennt als die Momente (εἴδη) des Schönen Ordnung (τάξις), Wohlproportioniertheit (συμμετρία) und Bestimmtheit (ὡρισμένον) und findet dieselben in der Mathematik in exemplarischer Weise gegeben. Der enge Zusammenhang zwischen den mathematischen Wesensordnungen des Schönen und der Himmelsordnung bedeutet des weiteren, daß der Kosmos, das Vorbild aller sichtbaren Wohlordnung, zugleich das höchste Beispiel von Schönheit im Sichtbaren ist. Maßangemessenheit, Symmetrie ist die entscheidende Bedingung alles Schönseins.

Wie man sieht, ist eine solche Bestimmung des Schönen eine universale ontologische. Natur und Kunst bilden hier keinerlei Gegensatz. Das heißt natürlich, daß gerade auch im Hinblick auf Schönheit der Vorrang der Natur unbestritten ist. Die Kunst mag innerhalb des Gestaltganzen der Naturordnung ausgesparte Möglichkeiten künstlerischer Gestaltung wahrnehmen und auf diese Weise die schöne Natur der Seinsordnung perfektionieren. Aber das bedeutet keineswegs, daß vor allem und in erster Linie in der Kunst ‚Schönheit' anzutreffen ist. Solange die Ordnung des Seienden als selber göttlich oder als Gottes Schöpfung verstanden wird – und das letztere gilt bis ins 18. Jahrhundert hinein –, kann auch der Ausnahmefall der Kunst nur im Horizont dieser Seinsordnung verstanden werden. Wir haben oben geschildert, wie erst mit dem 19. Jahrhundert die ästhetische Problematik sich auf den Standpunkt der Kunst umlegt. Wir sehen jetzt, daß dem ein metaphysischer Vorgang zugrunde liegt. Eine solche Umlegung auf den Standpunkt der Kunst setzt ontologisch eine gestaltlos gedachte bzw. eine von mechanischen Gesetzen regierte Seinsmasse voraus. Der menschliche Kunstgeist, der aus mechanischer Konstruktion Nützliches

---

[1] Arist. Met. M 4, 1078a 3b. Vgl. Grabmanns Einleitung zu Ulrich von Straßburg, De pulchro, S. 31 (Jb. d. bayer. Akad. d. Wiss. 1926), sowie die wertvolle Einleitung G. Santinellos zu Nicolai de Cusa, Tota pulchra es, Atti e Mem. della Academia Patavina LXXI. Nicolaus geht auf Ps. Dionysios und Albert zurück, die das mittelalterliche Denken über das Schöne bestimmen.

bildet, wird auch alles Schöne schließlich von dem Werk seines eigenen Geistes her verstehen.

Es stimmt dazu, daß erst an den Grenzen der mechanischen Konstruierbarkeit des Seienden die moderne Wissenschaft an die selbständige Seinsvalenz der ‚Gestalt' erinnert worden ist und nun den Gedanken der Gestalt als ein supplementäres Erkenntnisprinzip in die Naturerklärung – vor allem in die Erklärung der lebendigen Natur (Biologie, Psychologie) hineinträgt. Sie gibt damit nicht etwa ihre grundsätzliche Haltung auf, sondern sucht ihr Ziel, die Beherrschung des Seienden, nur auf einem raffinierteren Wege besser zu erreichen. Das muß gegen die Selbstauffassung, wie sie etwa von Uexkuell hat, betont werden. Zugleich aber läßt die Wissenschaft an ihren eigenen Grenzen, den Grenzen der von ihr geleisteten Naturbeherrschung, die Schönheit der Natur und die Schönheit der Kunst gelten, die einem interesselosen Wohlgefallen dienen. Wir haben an der Umkehrung des Verhältnisses von Naturschönem und Kunstschönem den Umschichtungsprozeß beschrieben, durch den das Naturschöne schließlich seinen Vorrang so sehr verliert, daß es als ein Reflex des Geistes gedacht wird. Wir hätten hinzufügen können, daß der Begriff der ‚Natur' selber erst im Rückschein von dem Begriff der Kunst aus die Prägung erhielt, die ihm seit Rousseau anhaftet. Er wird zu einem polemischen Begriff, als das Andere des Geistes, als das Nicht-Ich, und als solchem kommt ihm von der universalen ontologischen Würde nichts mehr zu, die dem Kosmos als der Ordnung der schönen Dinge eigen war.

Gewiß wird niemand daran denken können, diese Entwicklung einfach rückgängig machen zu wollen und etwa den metaphysischen Rang des Schönen, wie wir ihn in der griechischen Philosophie finden, dadurch wiederherzustellen suchen, daß man die letzte Nachgestalt dieser Tradition, die Vollkommenheitsästhetik des 18. Jahrhunderts, erneuerte. So unbefriedigend uns die durch Kant angebahnte Entwicklung zum Subjektivismus in der neueren Ästhetik erschien, Kant hat die Unhaltbarkeit des ästhetischen Rationalismus überzeugend erwiesen. Nur ist es eben nicht richtig, die Metaphysik des Schönen allein auf die Maßontologie und die teleologische Seinsordnung zu gründen, auf die sich der klassizistische Schein der rationalistischen Regelästhetik letztlich beruft. Die Metaphysik des Schönen fällt in Wahrheit mit solcher Anwendung des ästhetischen Rationalismus nicht zusammen. Der Rückgang auf Plato läßt vielmehr noch eine ganz andere Seite am Phänomen des Schönen kenntlich werden, und diese ist es, die uns für unsere hermeneutische Fragestellung interessiert.

So eng Plato nämlich die Idee des Schönen mit der des Guten verknüpft hat, so hat er doch auch einen Unterschied zwischen beiden im Auge, und dieser Unterschied enthält einen eigentümlichen *Vorzug des Schönen*. Wir haben gesehen, daß die Ungreifbarkeit des Guten im Schönen, d. h. in der

Maßhaftigkeit des Seienden und der ihr zugehörigen Offenbarkeit (ἀλήθεια), insofern eine Entsprechung findet, als auch ihm eine letzte Überschwenglichkeit zukommt. Aber Plato kann daneben sagen, daß sich im Versuch, das Gute selbst zu ergreifen, dasselbe in das Schöne flüchtet[1]. Das Schöne unterscheidet sich also dadurch von dem schlechthin ungreifbaren Guten, daß es eher zu ergreifen ist. Es hat in seinem eigenen Wesen, Erscheinendes zu sein. In der Suche nach dem Guten zeigt sich das Schöne. Das ist zunächst eine Auszeichnung desselben für die menschliche Seele. Was sich in vollkommener Gestalt zeigt, das zieht das Liebesverlangen auf sich. Das Schöne nimmt unmittelbar für sich ein, während die Leitbilder menschlicher Tugend sonst im trüben Medium der Erscheinungen nur dunkel kenntlich sind, weil sie gleichsam kein eigenes Licht besitzen, so daß wir oft den unreinen Nachahmungen und Scheingestalten der Tugend verfallen. Das ist beim Schönen anders. Es hat seine eigene Helligkeit, so daß wir hier nicht von entstellten Abbildern verführt werden. Denn »der Schönheit allein ist dies zuteil geworden, daß sie das am meisten Hervorleuchtende (ἐκφανέστατον) und Liebenswerte ist«[2].

In dieser anagogischen Funktion des Schönen, die Plato unvergeßlich geschildert hat, wird nun ein ontologisches Strukturmoment des Schönen und damit eine universale Struktur des Seins selber sichtbar. Offenbar ist es die Auszeichnung des Schönen gegenüber dem Guten, daß es sich von sich selbst her darstellt, sich in seinem Sein unmittelbar einleuchtend macht. Damit hat es die wichtigste ontologische Funktion, die es geben kann, nämlich die der Vermittlung zwischen Idee und Erscheinung. Dort ist ja die metaphysische Crux des Platonismus. Sie verdichtet sich im Begriff der Teilhabe (μέθεξις) und betrifft sowohl das Verhältnis der Erscheinung zu der Idee als auch das Verhältnis der Ideen zueinander. Wie der ‚Phaidros‘ lehrt, ist es kein Zufall, wenn Plato dieses umstrittene Verhältnis der ‚Teilhabe‘ besonders gern an dem Beispiel des Schönen verdeutlicht. Die Idee des Schönen ist wahrhaft anwesend in dem, was schön ist, ungeteilt und ganz. Am Beispiel des Schönen läßt sich daher die Parusie des Eidos, die Plato meint, einleuchtend machen und gegenüber den logischen Schwierigkeiten der Teilhabe des ‚Werdens‘ an ‚Sein‘ die Evidenz der Sache aufbieten. ‚Anwesenheit‘ gehört auf überzeugende Weise zum Sein des Schönen selbst. Schönheit mag noch so sehr wie der Abglanz von etwas Überirdischem erfahren werden – sie ist doch im Sichtbaren da. Daß sie dabei wirklich ein Anderes, ein Wesen anderer Ordnung ist, zeigt sich in der Weise ihres Erscheinens. Plötzlich scheint sie auf, und ebenso jäh und ohne Übergänge, unvermittelt, ist sie vergangen. Wenn man mit

---

[1] Phileb. 64 e 5. In meinem Buch ‚Platos dialektische Ethik‘ habe ich diese Stelle genauer behandelt (§ 14). Vgl. auch G. Krüger, Einsicht und Leidenschaft, S. 235 f.

[2] Phaidr. 250 d 7.

Plato von einem Hiat ($\chi\omega\varrho\iota\sigma\mu\acute{o}\varsigma$) zwischen Sinnlichem und Ideellem sprechen muß: Hier ist er, und hier ist er zugleich auch geschlossen.

Das Schöne erscheint nicht nur an dem, was sinnlich sichtbar da ist, sondern so, daß dieses eben dadurch erst eigentlich da ist, d. h. sich als Eines aus allem heraushebt. Das Schöne ist wirklich von sich aus ‚am meisten hervorleuchtend' ($\tau\grave{o}$ $\grave{\varepsilon}\varkappa\varphi\alpha\nu\acute{\varepsilon}\sigma\tau\alpha\tau o\nu$). Die scharfe Grenze zwischen dem Schönen und dem, was am Schönen keinen Teil hat, ist übrigens auch ein phänomenologisch wohlgesicherter Befund. So sagt schon Aristoteles[1] von ‚wohlbestellten Werken', daß ihnen nichts hinzugefügt und nichts weggenommen werden darf: die empfindliche Mitte, die Genauigkeit der Maßverhältnisse, gehört zum ältesten Wesensbestand des Schönen. – Man denke nur an die Empfindlichkeit der Tonharmonien, aus denen sich die Musik aufbaut.

‚Hervorscheinen' ist also nicht nur eine der Eigenschaften dessen, was schön ist, sondern macht sein eigentliches Wesen aus. Die Auszeichnung des Schönen, daß es das Verlangen der menschlichen Seele unmittelbar auf sich zieht, ist in seiner Seinsweise begründet. Es ist die Maßhaftigkeit des Seienden, die es nicht allein sein läßt, was es ist, sondern es auch als ein in sich bemessenes, harmonisches Ganzes hervortreten läßt. Das ist die Offenbarkeit ($\grave{\alpha}\lambda\acute{\eta}\vartheta\varepsilon\iota\alpha$), von der Plato im Philebos spricht, die zum Wesen des Schönen gehört[2]. Schönheit ist nicht einfach Symmetrie, sondern der Vorschein selbst, der auf ihr beruht. Sie ist von der Art des Scheinens. Scheinen aber heißt: auf etwas scheinen und so an dem, worauf der Schein fällt, selber zum Erscheinen kommen. Schönheit hat die Seinsweise des *Lichtes*.

Das meint nicht nur, daß ohne Licht nichts Schönes erscheinen, nichts schön sein kann. Es meint auch, daß die Schönheit des Schönen *als* Licht, als Glanz an ihm erscheint. Sie bringt sich selbst zur Erscheinung. In der Tat ist es die allgemeine Seinsweise des Lichtes, dergestalt in sich reflektiert zu sein. Licht ist ja nicht nur die Helle dessen, was es bescheint, sondern, indem es anderes sichtbar sein läßt, ist es selbst sichtbar, und es ist auf keine andere Weise sichtbar, als indem es anderes sichtbar macht. Schon das antike Denken hat diese Reflexionsverfassung des Lichtes hervorgehoben[3], und es entspricht dem, daß der Begriff der Reflexion, der in der neuen Philosophie eine so bestimmende Rolle spielt, ursprünglich in den Bereich des Optischen gehört.

Offenbar beruht es auf der Reflexionsverfassung, die sein Sein ausmacht, daß das Licht Sehen und Sichtbares zusammenbindet, so daß ohne Licht so wenig ein Sehen wie ein Sichtbares ist. Diese triviale Feststellung wird folgenreich, wenn man den Bezug des Lichts auf das Schöne und die Be-

---

[1] Eth. Nic. B 5. 1106bg: $\ddot{o}\vartheta\varepsilon\nu$ $\varepsilon\grave{\iota}\acute{\omega}\vartheta\alpha\sigma\iota\nu$ $\grave{\varepsilon}\pi\iota\lambda\acute{\varepsilon}\gamma\varepsilon\iota\nu$ $\tauο\tilde{\iota}\varsigma$ $\varepsilon\grave{\delta}$ $\grave{\varepsilon}\chi o\upsilon\sigma\iota\nu$ $\grave{\varepsilon}\varrho\gamma o\iota\varsigma$, $\ddot{o}\tau\iota$ $o\ddot{\upsilon}\tau\varepsilon$ $\grave{\alpha}\varphi\varepsilon\lambda\varepsilon\tilde{\iota}\nu$ $\grave{\varepsilon}\sigma\tau\iota\nu$ $o\ddot{\upsilon}\tau\varepsilon$ $\pi\varrho o\sigma\vartheta\varepsilon\tilde{\iota}\nu\alpha\iota$.

[2] Plato, Phil. 51 d.   [3] Stoic. vet. fragm. II 24, 36, 36, 9.

deutungsweite des Begriffs des Schönen bedenkt. In der Tat ist es ja das Licht, das die sichtbaren Dinge erst zu Gestalten artikuliert, die ‚schön‘ und ‚gut‘ zugleich sind. Aber das Schöne begrenzt sich nicht auf den Bereich des Sichtbaren. Es ist, wie wir sahen, die Erscheinungsweise des Guten überhaupt, des Seienden, wie es sein soll. Das Licht, in dem sich nicht nur das Sichtbare, sondern auch der intelligible Bereich artikuliert, ist nicht das Licht der Sonne, sondern das Licht des Geistes, der Nous. Darauf hat schon Platos tiefsinnige Analogie angespielt[1], von der aus Aristoteles die Lehre vom Nous und das ihm folgende christliche Denken des Mittelalters die Lehre vom intellectus agens entwickelt hat. Der Geist, der aus sich selbst die Vielheit des Gedachten entfaltet, ist eben darin sich selber gegenwärtig.

Es ist nun die platonisch-neuplatonische Lichtmetaphysik, an die sich die christliche Lehre vom Wort, dem verbum creans anschließt, die wir oben ausführlich gewürdigt haben. Wenn wir die ontologische Struktur des Schönen als das Vorscheinen bezeichnet hatten, durch das die Dinge in ihrem Maß und in ihrem Umriß hervortreten, so gilt Entsprechendes für den intelligiblen Bereich. Das Licht, das alles so hervortreten läßt, daß es in sich selbst einleuchtend und in sich verständlich ist, ist das Licht des Wortes. Auf die Lichtmetaphysik ist also die enge Beziehung begründet, die zwischen dem Vorscheinen des Schönen und dem Einleuchten des Verständlichen besteht[2]. Eben diese Beziehung aber hatte uns in unserer hermeneutischen Fragestellung geleitet. Ich erinnere daran, wie die Analyse des Seins des Kunstwerks in die Fragestellung der Hermeneutik hinüberführte und wie diese sich zu einer universellen Fragestellung ausweitete. Das alles ergab sich ohne jeden Seitenblick auf die Lichtmetaphysik. Wenn wir jetzt die Verwandtschaft derselben mit unserer Fragestellung ins Auge fassen, so kommt uns zu Hilfe, daß die Struktur des Lichtes offenbar von der metaphysischen Vorstellung einer sinnlich-geistigen Lichtquelle im Stile des neuplatonisch-christlichen Denkens ablösbar ist. Das wird schon aus Augustins dogmatischer Interpretation des Schöpfungsberichtes deutlich. Augustin beachtet dort[3], daß das Licht geschaffen wird, bevor es die Unterscheidung der Dinge und die Schöpfung der lichtspendenden Himmelskörper gibt. Im besonderen aber legt er darauf Gewicht, daß die anfängliche Schöpfung von Himmel und Erde noch ohne das göttliche Wort geschieht. Erst bei der Erschaffung des Lichtes *spricht* Gott zum ersten Male. Dies Sprechen, durch das das Licht geheißen und geschaffen wird, deutet er als die geistige Lichtwerdung, durch die

[1] Rep. 508 d.
[2] Die neuplatonische Tradition, die über Ps. Dionys und Albertus magnus auf die Scholastik einwirkt, kennt diese Beziehung durchweg. Zur Vorgeschichte derselben vgl. Hans Blumenberg, Licht als Metapher der Wahrheit, Studium generale 10, Heft 7, 1957.
[3] In seinem Genesiskommentar.

der Unterschied der gestalteten Dinge ermöglicht wird. Erst durch das Licht wird die Unförmigkeit der erstgeschaffenen Masse von Himmel und Erde der Gestaltung zu mannigfachen Formen fähig.

Wir erkennen in Augustins geistreicher Ausdeutung der Genesis einen Vorklang jener spekulativen Deutung der Sprache, die wir in der Strukturanalyse der hermeneutischen Welterfahrung entwickelt haben, wonach aus der Einheit des Wortes die Vielheit des Gedachten erst hervorgeht. Wir erkennen damit zugleich, daß die Lichtmetaphysik eine Seite am antiken Begriff des Schönen zur Geltung bringt, die auch losgelöst aus dem Zusammenhang der Substanzmetaphysik und dem metaphysischen Bezug auf den göttlichen unendlichen Geist ihr Recht behauptet. Unsere Analyse der Stellung des Schönen in der klassischen griechischen Philosophie hat also das Ergebnis, daß diesem Aspekt der Metaphysik auch für uns noch eine produktive Bedeutung zukommt[1]. Daß Sein Sichdarstellen ist und daß alles Verstehen ein Geschehen ist, diese erste und diese letzte Einsicht überschreiten in gleicher Weise den Horizont der Substanzmetaphysik wie auch die Metamorphose, die der Begriff der Substanz in die Begriffe der Subjektivität und der wissenschaftlichen Objektivität hinein erfahren hat. So hat die Metaphysik des Schönen ihre Konsequenzen für unsere Fragestellung. Jetzt handelt es sich nicht mehr darum, wie das in der Diskussion des 19. Jahrhunderts als Aufgabe erschien, den Wahrheitsanspruch der Kunst und des Künstlerischen – oder auch den der Geschichte und den der Methodik der Geisteswissenschaften – wissenschaftstheoretisch zu rechtfertigen. Jetzt geht es vielmehr um die weit allgemeinere Aufgabe, den ontologischen Hintergrund der hermeneutischen Welterfahrung zur Geltung zu bringen.

Von der Metaphysik des Schönen aus werden sich vor allem zwei Punkte ins Licht setzen lassen, die sich aus der Beziehung zwischen dem Vorschein des Schönen und dem Einleuchten des Verständlichen ergeben. Einmal, daß die Erscheinung des Schönen sowohl als die Seinsweise des Verstehens *Ereignischarakter* besitzen – und sodann, daß die hermeneutische Erfahrung, als Erfahrung von überliefertem Sinn, an der *Unmittelbarkeit* teilgewinnt, durch die von jeher die Erfahrung des Schönen wie überhaupt die aller Evidenz *der Wahrheit* ausgezeichnet ist.

1. Zunächst läßt sich auf dem Hintergrund, den uns die Licht- und Schönheitsspekulation der Tradition bereitet hat, der Vorrang legitimieren, den wir dem Tun der Sache innerhalb der hermeneutischen Erfahrung zuerkannten. Es erweist sich nun, daß es sich hier weder um Mythologie noch um eine bloße dialektische Umkehrung im Stile Hegels handelt, sondern

---

[1] Es verdient in diesem Zusammenhang Beachtung, wie sich patristisches und scholastisches Denken von Heidegger aus haben produktiv interpretieren lassen, z. B. durch Max Müller: Sein und Geist, 1940 und: Existenzphilosophie im geistigen Leben der Gegenwart², S. 119 ff.; 130 ff.

um die Fortwirkung eines alten Wahrheitsmomentes, das sich gegenüber der modernen Wissenschaftsmethodik zu behaupten weiß. Schon die *Wortgeschichte* der von uns gebrauchten Begriffe weist darauf hin. Wir sprachen davon, daß das Schöne wie alles Sinnvolle ‚einleuchtend‘ ist.

Es ist rhetorische Tradition, der der Begriff des Einleuchtens angehört. Das εἰκός, das verisimile, das Wahr-Scheinliche, das Einleuchtende gehören in eine Reihe, die dem Wahren und Gewissen des Bewiesenen und Gewußten gegenüber ihre eigene Berechtigung verteidigt. Ich erinnere daran, daß wir dem sensus communis eine besondere Bedeutung zuerkannt haben[1]. Daneben mag ein mystisch-pietistischer Klang von illuminatio, Erleuchtung her auf das Einleuchten herüberwirken (ein Klang, der ja auch im sensus communis, z.B. bei Oetinger, zu hören war). Jedenfalls ist im einen wie im anderen Bereich die Lichtmetaphorik nicht von ungefähr. Die Rede von einem Geschehen oder von einem Tun der Sache ist von der Sache her geboten. Was einleuchtend ist, ist stets ein Gesagtes: ein Vorschlag, ein Plan, eine Vermutung, ein Argument, oder dergl. Es wird dabei immer mitgedacht, daß das Einleuchtende nicht bewiesen und nicht schlechthin gewiß ist, sondern sich innerhalb des Möglichen und Vermutlichen als ein Vorzügliches zur Geltung bringt. So können wir sogar zugeben, daß ein Argument etwas Einleuchtendes hat, wenn wir ein Gegenargument damit würdigen wollen. Wie es mit dem Ganzen dessen, was wir selber für richtig halten, vereinbar ist, wird dabei offengelassen und nur gesagt, daß es ‚in sich‘ einleuchtend ist, d.h. daß etwas dafür spricht. Der Zusammenhang mit dem Schönen ist bei solcher Wendung deutlich. Auch das Schöne nimmt für sich ein, ohne daß es dem Ganzen unserer Orientierungen und Wertungen sofort eingeordnet wäre. Ja, wie das Schöne eine Art Erfahrung ist, die wie eine Bezauberung und ein Abenteuer sich innerhalb des Ganzen unserer Erfahrung hervor- und aus ihm heraushebt und eine eigene Aufgabe der hermeneutischen Integration stellt, ebenso ist offenbar auch das Einleuchtende immer etwas Überraschendes, wie das Aufgehen eines neuen Lichtes, durch das sich der Bereich dessen erweitert, was in Betracht kommt.

Die hermeneutische Erfahrung gehört in diesen Bereich, weil auch sie das Geschehen einer echten Erfahrung ist. Daß an etwas Gesagtem etwas einleuchtet, ohne deshalb nach jeder Richtung gesichert, beurteilt und entschieden zu sein, trifft in der Tat überall zu, wo uns aus der Überlieferung etwas anspricht. Das Überlieferte bringt sich in seinem Recht zur Geltung, indem es verstanden wird, und verschiebt den Horizont, der uns bis dahin umschloß. Es ist in dem aufgezeigten Sinne eine wirkliche Erfahrung. Das Ereignis des Schönen wie das hermeneutische Geschehen setzen beide die Endlichkeit der menschlichen Existenz grundsätzlich voraus. Man kann

---

[1] Vgl. oben S. 16 ff.

sich geradezu fragen, ob für einen unendlichen Geist das Schöne so erfahren werden kann wie von uns. Kann er etwas anderes sehen als die Schönheit des Ganzen, das vor ihm liegt? Der ‚Vorschein‘ des Schönen scheint der menschlich-endlichen Erfahrung vorbehalten. Das mittelalterliche Denken kennt ein ähnliches Problem, nämlich wie Schönheit in Gott sein kann, wenn er das Eine und nicht Vieles ist. Erst die cusanische Lehre von der complicatio des Vielen in Gott zeigt eine befriedigende Lösung auf (vgl. den oben [S. 452] zitierten cusanischen ‚sermo de pulchritudine‘). Es erscheint von hier aus als folgerichtig, daß für Hegels Philosophie des unendlichen Wissens die Kunst eine Form der Vorstellung ist, die im Begriff und in der Philosophie ihre Aufhebung findet. Ebenso dürfte die Universalität der hermeneutischen Erfahrung einem unendlichen Geiste prinzipiell nicht zugänglich sein, der alles, was Sinn ist, alles *νοητόν*, aus sich selbst entfaltet und in der vollen Selbstanschauung seiner selbst alles Denkbare denkt. Der aristotelische Gott (auch der hegelsche Geist) hat die ‚Philosophie‘, diese Bewegung der endlichen Existenz, hinter sich gelassen. Keiner der Götter philosophiert, sagt Plato[1].

Daß wir uns wiederholt auf Plato berufen konnten, obwohl die griechische Logosphilosophie den Boden der hermeneutischen Erfahrung, die Mitte der Sprache, nur recht teilhaft sichtbar werden läßt, verdanken wir offenbar dieser anderen Seite der platonischen Schönheitslehre, die in der Geschichte der aristotelisch-scholastischen Metaphysik wie eine Unterströmung mitgeht und gelegentlich, wie in der neuplatonischen und christlichen Mystik und dem theologischen und philosophischen Spiritualismus, zutage tritt. In dieser Tradition des Platonismus wurde das begriffliche Vokabular ausgebildet, dessen das Denken der Endlichkeit der menschlichen Existenz bedarf[2]. Auch die Affinität, die sich zwischen der platonischen Schönheitslehre und der Idee einer universalen Hermeneutik ergab, bezeugt die Kontinuität dieser platonischen Tradition.

2. Gehen wir von der ontologischen Grundverfassung aus, wonach Sein *Sprache, d. h. Sichdarstellen* ist, die uns die hermeneutische Seinserfahrung aufgeschlossen hat, dann folgt daraus aber nicht nur der Ereignischarakter des Schönen und die Geschehensstruktur alles Verstehens. Wie sich die Seinsweise des Schönen als Vorzeichnung einer allgemeinen Seinsverfassung erwies, so wird sich ein Gleiches von dem zugehörigen *Wahrheitsbegriff* zeigen. Auch hier können wir von der metaphysischen Tradition ausgehen, aber auch hier werden wir zu fragen haben, was an ihr für die hermeneutische Erfahrung gültig bleibt. Nach der traditionellen Metaphysik gehört das Wahrsein des Seienden zu seinen transzendentalen Bestimmungen und ist mit dem Gutsein aufs engste verbunden (an dem wiederum das Schönsein miterscheint). So erinnern wir uns der Aussage des Thomas, wonach

---

[1] Symp. 204 a 1.

[2] Vgl. die Bedeutung der Schule von Chartres für Nicolaus Cusanus.

das Schöne in bezug auf das Erkennen, das Gute in bezug auf das Begehren
zu bestimmen ist[1]. Schön ist, in wessen Anblick das Verlangen zur Ruhe
kommt: cuius ipsa apprehensio placet. Das Schöne fügt über das Gutsein
hinaus eine Hinordnung auf die Erkenntniskraft hinzu: addit supra bonum
quemdam ordinem ad vim cognoscitivam. Der ‚Vorschein‘ des Schönen
erscheint hier wie ein Licht, das über dem Geformten leuchtet: lux splen-
dens supra formatum.

Wir suchen diese Aussage wiederum aus dem metaphysischen Zusammenhang der Forma-Lehre zu lösen, indem wir uns abermals auf Plato
stützen. Er zuerst hat im Schönen als sein Wesensmoment die $\dot{\alpha}\lambda\dot{\eta}\vartheta\varepsilon\iota\alpha$ aufgewiesen, und es ist deutlich, was er damit meint: das Schöne, die Weise,
in der das Gute erscheint, macht sich selbst in seinem Sein offenbar, stellt
sich dar. Was sich so darstellt, ist nicht von sich selbst unterschieden, indem
es sich darstellt. Es ist nicht etwas für sich und etwas anderes für andere.
Es ist auch nicht an etwas anderem. Es ist nicht der über eine Gestalt aus-
gegossene Glanz, der von außen auf sie fällt. Vielmehr ist es die Seinsverfassung der Gestalt selbst, so zu glänzen, sich so darzustellen. Daraus folgt
nun, daß in Hinsicht auf das Schönsein das Schöne immer ontologisch als
‚Bild‘ verstanden werden muß. Es macht keinen Unterschied, ob ‚es selbst‘
oder sein Abbild erscheint. Das war ja, wie wir gesehen hatten, die metaphysische Auszeichnung des Schönen, daß es den Hiat zwischen Idee und
Erscheinung schloß. Es ist ‚Idee‘, ganz gewiß, d. h. es gehört einer Ordnung
des Seins an, die sich als ein in sich Beständiges über das Dahinfluten der
Erscheinungen erhebt. Aber ebenso gewiß ist, daß es selber erscheint. Das
bedeutet, wie wir sahen, keineswegs eine Instanz gegen die Ideenlehre,
sondern die konzentrierte Exemplifizierung ihres Problems. Wo er die Evidenz des Schönen anruft, braucht Plato auf dem Gegensatz von ‚Es selbst‘
und Abbild nicht zu bestehen. Es ist das Schöne selbst, das diesen Gegensatz sowohl setzt als aufhebt.

Die Erinnerung an Plato wird nun für das Wahrheitsproblem wiederum bedeutsam. Wir hatten bei der Analyse des Kunstwerks zu erweisen gesucht, daß das Sichdarstellen als das wahre Sein des Kunstwerks
zu gelten hat. Wir hatten zu diesem Zweck den Spielbegriff herangezogen,
und dieser Begriff des Spiels wies uns bereits in allgemeinere Zusammenhänge hinein. Denn wir sahen dort, daß die Wahrheit dessen, was sich im
Spiel darstellt, nicht eigentlich über die Teilhabe am Spielgeschehen hinaus
‚geglaubt‘ oder ‚nicht geglaubt‘ wird[2].

Im ästhetischen Bereich ist uns das selbstverständlich. Auch wo der
Dichter wie ein Seher geehrt wird, meint man damit nicht in seinem
Gedicht eine wirkliche Prophetie zu erkennen, etwa in Hölderlins Singen
von der Heimkehr der Götter. Vielmehr ist der Dichter ein Seher, weil er

---

[1] Thomas Aq. S. Th. I q. 5, 4 u. ö.
[2] Vgl. oben S. 99 f.

selbst darstellt, was ist, war und sein wird, und damit das, wovon er kündet, selber bezeugt. Es ist wahr, daß die dichterische Aussage etwas Zweideutiges an sich hat, genau wie die des Orakels. Aber eben darin liegt ihre hermeneutische Wahrheit. Wer darin eine ästhetische Unverbindlichkeit sieht, der der existenzielle Ernst fehle, verkennt offenbar, wie fundamental für die hermeneutische Welterfahrung die Endlichkeit des Menschen ist. Es ist nicht die Schwäche, sondern die Stärke des Orakels, daß es zweideutig ist. Ebenso zielt der ins Leere, der Hölderlin oder Rilke darauf prüfen will, ob sie an ihre Götter oder Engel wirklich glauben[1].

Kants grundlegende Bestimmung des ästhetischen Wohlgefallens als eines interesselosen Wohlgefallens meint nicht nur das Negative, daß der Gegenstand des Geschmacks weder als nützlich gebraucht, noch als gut begehrt wird, sondern sie meint positiv, daß das ,Dasein' dem ästhetischen Gehalt des Wohlgefallens, dem ,reinen Anblick' nichts hinzufügen kann, weil eben das ästhetische Sein Sichdarstellen ist. Erst vom moralischen Standpunkt aus gibt es ein Interesse am Dasein des Schönen, z. B. an dem Gesang der Nachtigall, dessen täuschende Nachahmung nach Kant etwas moralisch Beleidigendes ist. Ob aus dieser Verfassung des ästhetischen Seins wirklich folgt, daß Wahrheit hier nicht gesucht werden dürfe, weil hier nichts erkannt werde, ist freilich die Frage. Wir haben in unseren ästhetischen Analysen die Enge des Erkenntnisbegriffs bezeichnet, der Kants Fragestellung hier beengt, und hatten von der Frage nach der Wahrheit der Kunst aus den Weg in die Hermeneutik gefunden, in der sich Kunst und Geschichte für uns zusammenschlossen.

Auch dem hermeneutischen Phänomen gegenüber erwies es sich als eine ungerechtfertigte Einengung, wenn man das Verstehen nur als die immanente Bemühung eines philologischen Bewußtseins verstand, das gegen die ,Wahrheit' seiner Texte gleichgültig wäre. Auf der anderen Seite war es freilich klar, daß das Verstehen von Texten die Wahrheitsfrage nicht vom Standorte eines überlegenen Sachwissens aus vorentschieden haben und im Verstehen nur das eigene überlegene Sachwissen genießen darf. Vielmehr schien uns die ganze Würde der hermeneutischen Erfahrung – auch die Bedeutung der Geschichte für die menschliche Erkenntnis überhaupt – darin zu bestehen, daß hier nicht einfach unter Bekanntes eingeordnet wird, sondern das, was in der Überlieferung begegnet, uns etwas sagt. Das Verstehen findet dann freilich nicht in einer technischen Virtuosität des ,Verstehens' von allem und jedem Geschriebenen Genüge. Es ist vielmehr echte Erfahrung, d. h. Begegnung mit etwas, das sich als Wahrheit geltend macht.

Daß solche Begegnung selber aus Gründen, die wir erörtert haben, sich im sprachlichen Vollzug der Auslegung vollendet und daß sich damit das

---

[1] Vgl. meine oben S. 352 zitierte Auseinandersetzung mit R. Guardinis Rilkebuch.

Phänomen der Sprache und des Verstehens als universelles Modell von
Sein und Erkenntnis überhaupt erweist, läßt nun den Sinn von Wahrheit,
der im Verstehen im Spiele ist, näher bestimmt werden. Wir hatten die
Worte, die eine Sache zur Sprache bringen, selber als ein spekulatives
Geschehen erkannt. Das mit ihnen Gesagte war es, worin ihre Wahrheit
liegt, und nicht irgendein in der Ohnmacht subjektiver Partikularität
verschlossenes Meinen. Wir erinnern daran, daß Verstehen, was einer sagt,
keine Einfühlungsleistung ist, die das Seelenleben des Redenden errät.
Gewiß gehört zu allem Verstehen, daß das Ausgesprochene durch okkasionelle Sinnergänzung seine Bestimmtheit gewinnt. Aber diese Bestimmtheit durch die Situation und den Zusammenhang, die eine Rede zur Totalität des Sinnes ergänzt und das Gesagte erst gesagt sein läßt, kommt nicht
dem Sprechenden, sondern dem Ausgesprochenen zu.

Entsprechend erwies sich dichterische Aussage als der Sonderfall eines
in die Aussage ganz eingegangenen, eingekörperten Sinnes. Im Gedicht
ist das Zur-Sprache-kommen wie ein Einrücken in Ordnungsbezüge, durch
die die ,Wahrheit' des Gesagten getragen und verbürgt wird. Alles Zur-
Sprache-kommen, nicht nur das der dichterischen Aussage, hat etwas von
solcher Bezeugung an sich. »Kein Ding sei, wo das Wort gebricht.« Sprechen ist, wie wir betonten, niemals nur die Subsumtion des Einzelnen unter
Allgemeinbegriffe. Im Gebrauch von Worten ist das anschaulich Gegebene
nicht als Einzelfall eines Allgemeinen verfügbar gemacht. sondern im Gesagten selber gegenwärtig geworden – so wie die Idee des Schönen in dem,
was schön ist, gegenwärtig ist.

Was dabei Wahrheit heißt, läßt sich auch hier wieder am besten vom
Begriff des *Spieles* her bestimmen: Wie sich das Gewicht der Dinge, die
uns im Verstehen begegnen, gleichsam ausspielt, das ist selber ein sprachlicher Vorgang, sozusagen ein Spiel mit Worten, die das Gemeinte umspie-
len. *Sprachliche Spiele* sind es auch, in denen wir uns als Lernende – und
wann hören wir auf, das zu sein? – zum Verständnis der Welt erheben. So
dürfen wir uns hier an unsere Feststellungen über das Wesen des Spiels
erinnern, wonach das Verhalten des Spielenden nicht als ein Verhalten der
Subjektivität verstanden werden dürfe, da vielmehr das Spiel es ist, das
spielt, indem es die Spieler in sich einbezieht und so selber das eigentliche
subjectum der Spielbewegung wird[1]. Entsprechend ist auch hier nicht von
einem Spielen mit der Sprache oder mit den uns ansprechenden Inhalten
der Welterfahrung oder Überlieferung die Rede, sondern von dem Spiel
der Sprache selbst, die uns anspricht, vorschlägt und zurückzieht, fragt und
in der Antwort sich selbst erfüllt.

Ein Spiel ist das Verstehen also nicht in der Weise, daß der Verstehende
sich spielerisch zurückbehielte und dem Anspruch, der an ihn ergeht, die

---

[1] Vgl. oben S. 97 ff.

verbindliche Stellungnahme vorenthielte. Die Freiheit des Selbstbesitzes, die dazu gehört, sich so vorenthalten zu können, ist hier gar nicht gegeben, und das sollte durch die Anwendung des Spielbegriffs auf das Verstehen gesagt werden. Wer versteht, ist schon immer einbezogen in ein Geschehen, durch das sich Sinnvolles geltend macht. So ist es wohl begründet, daß für das hermeneutische Phänomen derselbe Begriff des Spiels gebraucht wird, wie für die Erfahrung des Schönen. Wenn wir einen Text verstehen, so nimmt das Sinnvolle desselben genau so ein, wie das Schöne für sich einnimmt. Es bringt sich zur Geltung und hat immer schon von sich eingenommen, bevor einer sozusagen zu sich kommt und den Sinnanspruch, der an ihn ergeht, zu prüfen vermag. Was uns in der Erfahrung des Schönen und im Verstehen des Sinnes der Überlieferung begegnet, hat wirklich etwas von der Wahrheit des Spiels. Wir sind als Verstehende in ein Wahrheitsgeschehen einbezogen und kommen gleichsam zu spät, wenn wir wissen wollen, was wir glauben sollen.

So gibt es gewiß kein Verstehen, das von allen Vorurteilen frei wäre, so sehr auch immer der Wille unserer Erkenntnis darauf gerichtet sein muß, dem Bann unserer Vorurteile zu entgehen. Es hat sich im Ganzen unserer Untersuchung gezeigt, daß die Sicherheit, die der Gebrauch wissenschaftlicher Methoden gewährt, nicht genügt, Wahrheit zu garantieren. Das gilt im besonderen Maße von den Geisteswissenschaften, bedeutet aber nicht eine Minderung ihrer Wissenschaftlichkeit, sondern im Gegenteil die Legitimierung des Anspruchs auf besondere humane Bedeutung, den sie seit alters erheben. Daß in ihrer Erkenntnis das eigene Sein des Erkennenden mit ins Spiel kommt, bezeichnet zwar wirklich die Grenze der ‚Methode‘, aber nicht die der Wissenschaft. Was das Werkzeug der Methode nicht leistet, muß vielmehr und kann auch wirklich durch eine Disziplin des Fragens und des Forschens geleistet werden, die Wahrheit verbürgt.

Der Begriff des Stiles ist eine der undiskutierten Selbstverständlich-
keiten, von denen das historische Bewußtsein lebt. Ein Blick auf die noch
wenig erforschte Wortgeschichte mag verdeutlichen, warum das so ist.
Der Begriff fixiert sich, wie meistens, durch die Übertragung des Wortes
aus seinem ursprünglichen Anwendungsbereich. Dabei wird zunächst kein
historischer, sondern ein normativer Sinn geprägt. So tritt ‚Stil' in der
neueren Tradition der antiken Rhetorik an die Stelle dessen, was dort die
genera dicendi meinen, und ist also ein normativer Begriff. Es gibt verschiedene Arten des Sagens und Schreibens, die je nach dem Zweck und
Inhalt am Platze sind und ihre spezifischen Forderungen stellen. Das sind
die Stilarten. Es ist klar, daß mit einer solchen Lehre von den Stilarten
und ihrer rechten Anwendung auch die falsche Anwendung mitgegeben ist.

Für den, der die Kunst des Schreibens und Sichausdrückens besitzt, ist
also die Einhaltung des richtigen Stiles gefordert. So erscheint der Begriff
des Stiles, wie es scheint, zuerst in der französischen Jurisprudenz und
meint dort die manière de procéder, also ein bestimmten juristischen Forderungen genügendes Prozeßverfahren. Vom 16. Jahrhundert ab wird der
Begriff dann auch für die sprachliche Darstellungsweise überhaupt gebraucht[1]. Offenbar liegt dem Wortgebrauch die Anschauung zugrunde,
daß für eine kunstgerechte Darstellung bestimmte vorgängige Forderungen, insbesondere der Einheitlichkeit, bestehen, die von dem jeweiligen
Inhalt des Dargestellten unabhängig sind. Die bei Panofsky[2] und W. Hofmann[3] zusammengestellten Beispiele nennen neben dem Wort stile die
Worte maniera und gusto für diesen normativen Begriff, der eine Gattungs-
forderung als Stilideal geltend macht.

---

[1] Vgl. auch Nuevo Estilo y Formulario de Escribir als Titel einer Formularien-
sammlung für Briefschreiber. Auch in solchem Gebrauch ist die Einhaltung
des Stiles fast das gleiche wie die der genera dicendi. Doch liegt die Übertragung
auf alle Ausdruckshaltungen, natürlich im normativen Sinne, nahe.

[2] E. Panofsky, Idea, Anm. 244.

[3] W. Hofmann, Studium Generale, 8. Jahrg. 1955, Heft 1 p. 1.

Daneben gibt es aber von Anfang an auch den personalen Gebrauch des Wortes. Stil ist auch die individuelle Hand, die in den Werken des gleichen Künstlers überall kenntlich ist. Dieser übertragene Gebrauch wurzelt wohl schon in der antiken Übung, klassische Repräsentanten für bestimmte genera dicendi zu kanonisieren. Begrifflich gesehen ist die Verwendung des Begriffes Stil für den sogenannten Personalstil in der Tat eine konsequente Anwendung der gleichen Bedeutung. Denn auch dieser Sinn von Stil bezeichnet eine Einheitlichkeit in der Varietät der Werke, nämlich, wie sich die charakteristische Darstellungsweise eines Künstlers von der jedes anderen Künstlers unterscheidet.

Das tritt auch in Goethes Wortgebrauch heraus, der für die Folgezeit maßgeblich geworden ist. Goethes Begriff des Stiles wird aus der Abgrenzung gegen den Begriff der Manier gewonnen und vereinigt offenbar beide Seiten[1]. Ein Künstler bildet sich einen Stil, sofern er nicht mehr liebevoll nachahmt, sondern zugleich sich selbst damit eine Sprache macht. Obwohl er sich an die gegebene Erscheinung bindet, ist dieselbe keine Fessel für ihn – er bringt dennoch sich selbst dabei zum Ausdruck. So selten die Übereinstimmung von ‚treuer Nachahmung‘ und individueller Manier (Auffassungsweise) auch ist, gerade sie macht den Stil aus. Es ist also ein normatives Moment im Begriff des Stiles auch dort miteinbegriffen, wo es sich um den Stil einer Person handelt. Die ‚Natur‘, das ‚Wesen‘ der Dinge, bleibt die Grundfeste der Erkenntnis und Kunst, von der sich der große Künstler nicht entfernen darf, und durch diese Bindung an das Wesen der Dinge behält nach Goethe auch die personelle Verwendung von ‚Stil‘ in klarer Weise einen normativen Sinn.

Man erkennt leicht das klassizistische Ideal. Goethes Sprachgebrauch ist zugleich aber geeignet, den begrifflichen Inhalt zu verdeutlichen, den der Begriff Stil stets besitzt. In keinem Falle ist Stil schon ein bloßer individueller Ausdruck – immer ist ein Festes, Objektives damit gemeint, das die individuelle Ausdrucksgestaltung bindet. So erklärt sich auch die Anwendung, die dieser Begriff als historische Kategorie gefunden hat. Denn als ein solches Bindendes erweist sich dem historischen Rückblick gewiß auch der jeweilige Zeitgeschmack, und insofern ist die Anwendung des Stilbegriffs auf die Geschichte der Kunst eine natürliche Konsequenz des historischen Bewußtseins. Allerdings ist dabei der Sinn der ästhetischen Norm, die im Stilbegriff ursprünglich lag (vero stile), zugunsten seiner deskriptiven Funktion verlorengegangen.

Damit ist keineswegs entschieden, ob der Stilbegriff eine so ausschließliche Geltung verdient, wie er sie innerhalb der Kunstgeschichte im allgemeinen erlangt hat, – und ebensowenig, ob er über die Kunstgeschichte hinaus auf andere geschichtliche Erscheinungen, z.B. auf das politische Handeln, anwendbar ist.

---

[1] Vgl. Schelling III 494.

30*

Was zunächst die erste dieser Fragen betrifft, so scheint der historische Stilbegriff überall dort unzweifelhaft legitim, wo die Bindung an einen herrschenden Geschmack den einzigen ästhetischen Maßstab darstellt. Er gilt also in erster Linie für alle dekorativen Phänomene, deren eigenste Bestimmung es ist, nicht für sich, sondern an etwas zu sein und es in die Einheit eines Lebenszusammenhanges einzuformen. Das Dekorative gehört offenkundig als eine beiherspielende Qualität dem an, was eine andersartige Bestimmung, nämlich einen Gebrauch hat.

Ob es dagegen legitim ist, den stilgeschichtlichen Gesichtspunkt auf sog. freie Kunstwerke auszudehnen, kann man sich immerhin fragen. Nun hatten wir uns bewußt gemacht, daß auch ein sog. freies Kunstwerk seinen ursprünglichen Platz in einem Lebenszusammenhange hat. Wer es verstehen will, darf nicht beliebige Erlebniswerte ihm abgewinnen wollen, sondern muß die richtige Einstellung, d.h. aber vor allem auch die historisch richtige Einstellung, zu ihnen gewinnen.

Es gibt also in der Tat auch hier Stilforderungen, die nicht verletzt werden dürfen. Aber das heißt nicht, daß ein Kunstwerk keine andere als eine stilgeschichtliche Bedeutung besitzt. Darin hat Sedlmayr mit seiner Kritik der Stilgeschichte ganz recht (vgl. Kunst und Wahrheit. Zur Theorie und Methode der Kunstgeschichte, rde Bd. 71). Das klassifikatorische Interesse, das durch die Stilgeschichte befriedigt wird, trifft nicht eigentlich das Künstlerische. Gleichwohl behält der Stilbegriff auch für die eigentliche Kunstwissenschaft seine Bedeutung. Denn auch eine kunstwissenschaftliche Strukturanalyse, wie sie Sedlmayr fordert, muß selbstverständlich in dem, was sie die richtige Einstellung nennt, den stilgeschichtlichen Forderungen genügen.

Bei den Kunstarten, die einer Reproduktion bedürfen (Musik, Theater, Tanz usw.), ist das ganz augenscheinlich. Die Wiedergabe muß stilgerecht sein. Man muß wissen, was der Zeitstil und der persönliche Stil eines Meisters verlangen. Dieses Wissen ist freilich nicht alles. Eine ‚historisch getreue' Wiedergabe wäre keine echte künstlerische Reproduktionsleistung, d.h. in ihr stellte sich nicht das Werk als Kunstwerk dar, sondern wäre vielmehr, soweit derartiges überhaupt möglich ist, ein didaktisches Produkt oder bloßes Material der Geschichtsforschung, wie es etwa auch die von dem Meister selbst dirigierten Schallplattenaufnahmen einst sein werden. Gleichwohl wird auch die lebendigste Erneuerung eines Werkes durch die stilgeschichtliche Seite der Sache gewisse Einschränkungen erfahren, denen sie nicht entgegenhandeln darf. Der Stil gehört in der Tat zu den ‚Grundfesten' der Kunst, zu den Bedingungen, die in der Sache liegen, und was so an der Reproduktion heraustritt, das gilt offenbar für unser aufnehmendes Verhalten zu aller Art von Kunst (die Reproduktion ist ja nichts als eine solchem Aufnehmen dienende bestimmte Art der Vermittlung). Der Begriff des Stils ist (ähnlich dem des Geschmacks, mit dem er verwandt ist, vgl. das Wort Stilgefühl) zwar kein ausreichender Gesichtspunkt

für die Erfahrung von Kunst und für ihre wissenschaftliche Erkenntnis –
das ist er nur im Bereich des Dekorativen –, aber er ist notwendig mit
vorausgesetzt, wo Kunst verstanden werden soll.

Nun läßt sich dieser Begriff auch auf die politische Geschichte übertragen. Auch Handlungsweisen können Stil haben, und selbst in Schicksals-
verläufen kann sich ein Stil ausprägen. Das ist zunächst normativ gemeint.
Wenn wir von einer Handlung sagen, sie habe großen Stil oder wirklichen
Stil, so beurteilt man sie damit ästhetisch (vgl. Hegel, Nürnberger Schriften, 310). Auch wenn wir etwa im politischen Sprachgebrauch einen
bestimmten Stil des Handelns uns zum Ziele setzen, ist das im Grunde
ein ästhetischer Stilbegriff. Indem man einen solchen Stil des Handelns
zeigt, macht man sich selbst für andere sichtbar, so daß sie wissen, wessen
sie sich zu versehen haben. Auch hier bedeutet Stil eine Ausdruckseinheit.

Nun fragt es sich aber, ob man diesen Stilbegriff auch als historische
Kategorie gebrauchen darf. Die Übertragung des kunsthistorischen Stilbegriffs auf die allgemeine Geschichte setzt voraus, daß man die geschichtlichen Ereignisse nicht in ihrer eigenen Bedeutung meint, sondern in ihrer Zugehörigkeit zu einem Ganzen von Ausdrucksformen, die
ihre Zeit kennzeichnen. Die geschichtliche Bedeutung eines Ereignisses
braucht aber mit dem Erkenntniswert, den es als Ausdruckserscheinung
hat, nicht übereinzustimmen, und es ist irreführend, wenn man es dadurch
verstanden glaubt, daß man es derart als Ausdruckserscheinung versteht.
Wollte man den Stilbegriff wirklich auf die allgemeine Geschichte ausweiten, wie das vor allem von Erich Rothacker diskutiert worden ist, und
daraus geschichtliche Erkenntnis erwarten, so würde man zu der Voraussetzung gezwungen, daß die Geschichte selbst einem inneren Logos gehorcht. Das mag für einzelne Entwicklungslinien, die man verfolgt, gelten,
aber eine solche Bindestrich-Historie ist keine wirkliche Geschichte, sondern idealtypische Konstruktion, die, wie Max Webers Kritik an den Or-
ganologen gezeigt hat, nur deskriptive Berechtigung besitzt. Eine stilgeschichtliche Betrachtungsweise des Geschehens vermöchte sowenig wie
eine kunstwissenschaftliche Betrachtung, die nur stilgeschichtlich denkt,
der entscheidenden Bestimmung gerecht zu werden, daß in ihr etwas
geschieht und sich nicht nur verständliche Abläufe abwickeln. Es ist die
Grenze der Geistesgeschichte, an die wir hier stoßen.

EXKURS II

zu Seite 140

Okkasionalität muß als ein Sinnmoment im Sinnanspruch eines Werkes
erscheinen und nicht als die Spur des Gelegenheitlichen, das hinter dem
Werke gleichsam verborgen ist und durch Interpretation aufgedeckt wer-

den soll. Wäre das letzte der Fall, so hieße das, daß man nur durch die
Wiederherstellung der ursprünglichen Situation überhaupt in die Lage
käme, den Sinn des Ganzen zu verstehen. Ist aber Okkasionalität ein Sinnmoment im Anspruch des Werkes selbst, dann ist umgekehrt der Weg über
das Verständnis des Sinngehalts des Werks zugleich eine Möglichkeit für
den Historiker, etwas über die ursprüngliche Situation zu erfahren, in die
das Werk hineinspricht. Nun hatten unsere grundsätzlichen Erwägungen
über die Seinsart des ästhetischen Seins dem Begriff der Okkasionalität
eine neue über alle Sonderformen hinausgehende Legitimation verschafft.
So über Raum und Zeit erhaben ist das Spiel der Kunst nicht, wie das
ästhetische Bewußtsein es behauptet. Auch wenn man das grundsätzlich
anerkennt, wird man aber nicht von einem Einbruch der Zeit in das Spiel
reden dürfen, wie jüngst Carl Schmitt im Hinblick auf das Hamlet-Drama
getan hat (Carl Schmitt, Der Einbruch der Zeit in das Spiel).

Gewiß kann es das Interesse des Historikers sein, in der Gestaltung des
Spieles der Kunst den Bezügen nachzuforschen, die es mit seiner Zeit verweben. Aber Carl Schmitt scheint mir die Schwierigkeit dieser für den
Historiker legitimen Aufgabe zu unterschätzen. Er glaubt, den Bruch im
Spiel erkennen zu können, durch dessen Riß die zeitgenössische Wirklichkeit hindurchscheine und die die zeitgenössische Funktion des Werkes
erkennen lasse. Aber dieses Verfahren ist voller methodischer Haken, wie
uns etwa das Beispiel der Plato-Forschung gelehrt hat. Auch wenn es
grundsätzlich richtig ist, die Vorurteile einer reinen Erlebnisästhetik auszuschalten und das Spiel der Kunst in seinen zeitgeschichtlichen und politischen Zusammenhang hineinzustellen, so scheint es mir doch bei ‚Hamlet‘
dann fehlerhaft, wenn einem zugemutet wird, Hamlet wie einen Schlüssel-
roman zu lesen. Ein Einbruch der Zeit in das Spiel, der als Bruch im Spiel
erkennbar wäre, scheint mir hier gerade nicht vorzuliegen. Für das Spiel
selbst ist kein Gegensatz von Zeit und Spiel, wie ihn Carl Schmitt annimmt,
gegeben. Vielmehr bezieht das Spiel die Zeit in sein *Spiel* mit ein. Das ist
die große Möglichkeit der Dichtung, durch die sie ihrer Zeit angehört und
durch die die Zeit auf sie hört. In diesem allgemeinen Sinne steckt auch
das Hamlet-Drama gewiß voller politischer Aktualität. Wenn man aber
nun aus ihm die verhüllte Parteinahme des Dichters für Essex und Jakob
herausliest, so kann einem das die Dichtung schwerlich beweisen. Auch
wenn der Dichter wirklich zu dieser Partei zählte, – das von ihm gedichtete
Spiel sollte dann seine Parteinahme derart verhüllen, daß auch der Scharfsinn Carl Schmitts daran scheitern müßte. Der Dichter mußte ja, wenn
er sein Publikum erreichen wollte, ganz gewiß auch mit der Gegenpartei
im Publikum rechnen. So ist es in Wahrheit der Einbruch des Spiels in die
Zeit, der sich hier vor uns darstellt. Zweideutig wie das Spiel ist, kann es
seine unvoraussehbare Wirkung erst im Sichausspielen entfalten. Es ist
seinem Wesen nach nicht geeignet, ein Instrument maskierter Ziele zu

sein, die man nur durchschauen müßte, um es eindeutig zu verstehen, sondern es bleibt als Spiel in einer unauflösbaren Zweideutigkeit. Die Okkasionalität, die in ihm liegt, ist nicht ein vorgegebener Bezug, durch den alles erst seinen wahren Sinn bekommt, sondern umgekehrt ist es das Werk selbst, dessen Aussagekraft diese wie jede Gelegenheit auszufüllen vermag.

So verfällt Carl Schmitt m. E. einem falschen Historismus, wenn er etwa das Offenlassen der Frage nach der Schuld der Königin politisch interpretiert und darin ein Tabu sieht. In Wahrheit macht es die Wirklichkeit eines Spieles aus, daß es um das eigentlich Thematische herum stets einen Hof des Unbestimmten läßt. Ein Drama, in dem alles durch und durch motiviert ist, knarrt wie eine Maschine. Das wäre eine falsche Wirklichkeit, wo das Geschehen wie eine Rechnung aufgeht. Zum Spiel der Wirklichkeit wird es vielmehr, wenn es den Zuschauer nicht alles, sondern nur ein wenig mehr verstehen läßt, als er in dem Treiben und Getriebenwerden seiner Tage zu verstehen pflegt. Je mehr dabei offenbleibt, desto freier gelingt das Verstehen, d. h. das Umsetzen des im Spiel Gezeigten in die eigene Welt und gewiß auch in die eigene politische Erfahrungswelt.

Unabsehbar viel offenzulassen, scheint mit überhaupt das Wesen einer fruchtbaren Fabel und gehört z. B. allem Mythos zu. Gerade dank seiner offenen Unbestimmtheit vermag der Mythos aus sich immer neue Erfindung hervorgehen zu lassen, wobei der thematische Horizont sich immer wieder in andere Richtung verschiebt. (Man denke etwa an die mannigfaltigen Versuche, die Faust-Fabel zu gestalten, von Marlowe bis zu Paul Valéry.)

Sieht man nun im Offengelassenen politische Absicht, wie das Carl Schmitt tut, wenn er vom Tabu der Königin spricht, so verkennt man, was Spiel eigentlich heißt, nämlich das Sichausspielen durch Erproben von Möglichkeiten. Das Sichausspielen des Spiels ist eben nicht in einer geschlossenen Welt des ästhetischen Scheins beheimatet, sondern vollzieht sich als ein beständiges Eingreifen in die Zeit. Die produktive Vieldeutigkeit, die das Wesen des Kunstwerks ausmacht, ist nur ein anderer Ausdruck für die Wesensbestimmung des Spiels, stets neu zum Ereignis zu werden. In diesem grundsätzlichen Sinne rückt das Verstehen der Geisteswissenschaften mit der unmittelbaren Erfahrung des Kunstwerks aufs engste zusammen. Auch das Verstehen, das die Wissenschaft leistet, läßt die Sinndimension der Überlieferung sich ausspielen und besteht in der Erprobung derselben. Gerade deshalb ist es selber noch Geschehen, wie im Laufe der vorliegenden Untersuchung gezeigt wird.

Auch Löwiths Auseinandersetzung mit Heideggers Nietzsche-Interpre-
tation[1], die im einzelnen berechtigte Einwände erhebt, krankt im ganzen
daran, daß er, ohne es zu durchschauen, Nietzsches Ideal der Natürlichkeit
gegen das Prinzip der Idealbildung überhaupt ins Feld führt. Was Heidegger
meint, wenn er mit bewußter Zuspitzung Nietzsche mit Aristoteles in eine
Linie stellt – und d. h. für ihn gerade nicht, daß er ihn auf denselben
Punkt stellt –, wird dadurch unverständlich gemacht. Umgekehrt wird
aber Löwith selbst durch diesen Kurzschluß zu der Absurdität verleitet,
seinerseits Nietzsches Lehre von der ewigen Wiederkunft wie eine Art
Aristoteles redivivus zu behandeln. Für Aristoteles war in der Tat der
ewige Kreisgang der Natur der selbstverständliche Aspekt des Seins. Das
sittliche und geschichtliche Leben der Menschen bleibt bei ihm auf die
Ordnung bezogen, die der Kosmos vorbildlich darstellt. Davon ist bei
Nietzsche keine Rede. Er denkt vielmehr das kosmische Kreisen des Seins
ganz aus dem Gegensatz, den das menschliche Dasein zu ihm darstellt. Die
ewige Wiederkehr des Gleichen hat ihren Sinn als eine Lehre für die
Menschen, d. h. als eine ungeheuerliche Zumutung für den menschlichen
Willen, die alle seine Illusionen von Zukunft und Fortschritt vernichtet.
Nietzsche also denkt die Lehre von der ewigen Wiederkunft, um den
Menschen in seiner Willensspannung zu treffen. Die Natur ist hier vom
Menschen aus gedacht, als das, was von ihm nicht weiß. Man kann nun
nicht abermals, wie in einer neuerlichen Umkehrung, die Natur gegen die
Geschichte ausspielen wollen, wenn man die Einheit von Nietzsches Den-
ken verstehen will. Löwith selbst bleibt bei der Feststellung des ungelösten
Zwiespaltes in Nietzsche stehen. Muß man nicht angesichts dieser Feststellung die weitergehende Frage stellen, wie ein solches Sichverfangen in
einer Sackgasse möglich war, d. h. wieso es für Nietzsche selbst kein Sichverfangen und kein Scheitern war, sondern die große Entdeckung und
Befreiung sein sollte? Auf diese weitergehende Frage findet der Leser bei
Löwith keine Antwort. Das ist es aber doch, was man verstehen, d. h. durch
eigenes Denken vollziehbar machen möchte. Heidegger hat das unter-
nommen, d. h. er hat das Bezugssystem konstruiert, von dem aus sich
Nietzsches Aussagen zueinander ordnen. Daß dieses Bezugssystem bei
Nietzsche selber nicht zur unmittelbaren Aussage kommt, liegt in dem
methodischen Sinn solcher Rekonstruktion selbst. Umgekehrt sieht man
Löwith paradoxerweise das, was er selber bei Nietzsche nur als einen
Bruch ansehen kann, von sich aus noch einmal tun: er reflektiert auf die
Unreflektiertheit; er philosophiert gegen die Philosophie im Namen der

---

[1] Im 3. Kap. von Heidegger, Denker in dürftiger Zeit, Frankfurt 1953. Vgl. auch
inzwischen die Neuauflage von Löwith, Nietzsches Lehre von der ewigen Wiederkehr.

Natürlichkeit und beruft sich auf den gesunden Menschenverstand. Wäre der gesunde Menschenverstand aber wirklich ein philosophisches Argument, so wäre es längst mit aller Philosophie am Ende und damit auch mit der Berufung auf ihn. Es hilft nichts, Löwith wird aus dieser Verstrickung nur herauskommen, wenn er anerkennt, daß die Berufung auf die Natur und Natürlichkeit weder Natur noch natürlich ist.

EXKURS IV
zu Seite 251

Löwiths hartnäckiges Vorbeihören an dem transzendentalen Sinn der Heideggerschen Aussagen über das Verstehen[1] scheint mir auf doppelte Weise unrecht zu haben: er sieht nicht, daß Heidegger etwas aufgedeckt hat, was in allem Verständnis liegt und als Aufgabe gar nicht abgeleugnet werden kann. Ferner sieht er nicht, daß die Gewaltsamkeit, die bei vielen Heideggerschen Interpretationen auftritt, keineswegs aus dieser Theorie des Verstehens folgt. Sie ist vielmehr ein produktiver Mißbrauch der Texte, der eher einen Mangel an hermeneutischer Bewußtheit verrät. Offenbar ist es die Übergewalt des eigenen sachlichen Anliegens, was gewissen Seiten der Texte eine Überresonanz verleiht, die die Proportionen verzerrt. Heideggers ungeduldiges Verhalten zu überlieferten Texten ist so wenig die Folge seiner hermeneutischen Theorie, daß es vielmehr dem der großen Fortbildner geistiger Tradition ähnelt, die vor der Ausbildung des historischen Bewußtseins die Überlieferung sich ‚unkritisch‘ anverwandelten. Nur daß sich Heidegger dabei den Maßstäben der Wissenschaft anpaßt und seine produktive Anverwandlung der Überlieferung mitunter philologisch zu legitimieren sucht, fordert die philologische Kritik heraus. Das Recht seiner Analyse des Verstehens wird dadurch nicht beeinträchtigt, sondern im Grunde bestätigt. Zum Verstehen gehört immer, daß die zu verstehende Meinung sich gegen die Gewalt der Sinntendenzen behaupten muß, die den Interpreten beherrschen. Gerade weil wir von der Sache in Anspruch genommen werden, bedarf es der hermeneutischen Anstrengung. Ohne daß man von der Sache in Anspruch genommen ist, vermag man aber umgekehrt Überlieferung überhaupt nicht zu verstehen, es sei denn in der totalen Sachindifferenz der psychologischen oder historischen Interpretation, die dort eintritt, wo man eben nicht mehr versteht.

EXKURS V
zu Seite 400

Es ist seltsam, daß ein so hochverdienter Plotin-Forscher wie Richard Harder in dem letzten Vortrag, der ihm zu halten vergönnt war, den Begriff

---

[1] Vgl. Löwith, Heidegger, Denker in dürftiger Zeit, Frankfurt 1953, S. 80 f.

der Quelle wegen seiner ‚naturwissenschaftlichen Herkunft' kritisiert hat.
(Source de Plotin, Entretiens V, VII, Quelle oder Tradition?) So berechtigt
die Kritik an einer äußerlich betriebenen Quellenforschung ist – der Begriff der Quelle hat eine bessere Legitimation. Als *philosophische* Metapher
ist er platonisch-neuplatonischer Herkunft. Das Hervorquellen des reinen
und frischen Wassers aus einer unsichtbaren Tiefe ist dabei die Leitvor-
stellung. Das zeigt u. a. die häufige Zusammenstellung $\pi\eta\gamma\grave{\eta}$ $\varkappa\alpha\grave{\iota}$ $\mathring{\alpha}\varrho\chi\acute{\eta}$
(Phaidr. 245c sowie oft bei Philo und Plotin). – Als Terminus der *Philologie*
wird der Begriff des fons wohl erst im Zeitalter des Humanismus eingeführt, meint aber dort zunächst nicht den aus der Quellenforschung
bekannten Begriff, sondern versteht die Parole ad fontes, den Rückgang
zu den Quellen, als Hinwendung zu der ursprünglichen unentstellten
Wahrheit der klassischen Autoren. Auch darin bestätigt sich unsere Feststellung, daß die Philologie in ihren Texten die Wahrheit meint, die in
ihnen zu finden ist. – Der Übergang des Begriffs in den uns geläufigen
technischen Wortsinn dürfte von der ursprünglichen Bedeutung insofern
etwas festhalten, als die Quelle sich von der getrübten Wiedergabe oder
der verfälschenden Aneignung unterscheidet. Das erklärt im besonderen,
daß man nur bei literarischer Überlieferung den Begriff der Quelle kennt.
Nur das sprachlich Überlieferte gibt über das, was in ihm gelegen ist,
immerwährenden und vollen Aufschluß, ist nicht bloß zu deuten, wie
sonstige Dokumente und Überreste, sondern gestattet unmittelbar aus
der Quelle zu schöpfen, bzw. an der Quelle ihre späteren Derivationen zu
messen. All das sind nicht naturwissenschaftliche, sondern sprachlich-
geistige Bilder, die im Grunde bestätigen, was Harder meint, daß nämlich
Quellen durch ihre Benutzung durchaus nicht trüb werden müssen. In der
Quelle strömt immer frisches Wasser nach, und so ist es auch mit den
wahren geistigen Quellen in der Überlieferung. Ihr Studium ist gerade
deshalb so lohnend, weil sie immer noch etwas anderes hergeben, als was
man bisher aus ihnen entnommen hat.

EXKURS VI

zu Seite 318 und 443

Zum Begriff des Ausdrucks

Im Ganzen unserer Darlegungen liegt es begründet, daß der Begriff des
Ausdrucks von seiner modernen subjektivistischen Tönung gereinigt und
auf seinen ursprünglichen grammatisch-rhetorischen Sinn zurückbezogen
werden muß. Das Wort Ausdruck entspricht dem lateinischen expressio,
exprimere, das den geistigen Ursprung von Rede und Schrift bezeichnet
(verbis exprimere). Es hat aber im Deutschen eine erste frühe Geschichte
im Sprachgebrauch der Mystik und weist damit auf neuplatonische Begriffs-

bildung zurück, die als solche noch zu erforschen wäre. Außerhalb des mystischen Schrifttums kommt das Wort erst im 18. Jahrhundert recht in Aufnahme. Damals erweitert es seine Bedeutung und dringt gleichzeitig in die ästhetische Theorie ein, wo es den Begriff der Nachahmung verdrängt. Doch liegt die subjektivistische Wendung, daß der Ausdruck Ausdruck eines Inneren, etwa eines Erlebnisses ist, auch damals noch fern[1]. Beherrschend ist der Gesichtspunkt der Mitteilung und Mitteilbarkeit, d. h. es geht darum, den Ausdruck zu finden (z. B. Kant, Kritik der Urteilskraft, S. 198). Den Ausdruck finden, heißt aber, einen Ausdruck finden, der einen Eindruck erzielen will, also keineswegs den Ausdruck im Sinne des Erlebnisausdrucks. Das gilt insbesondere auch in der Terminologie der Musik, vgl. den instruktiven Aufsatz von H. H. Eggebrecht, Das Ausdrucksprinzip im musikalischen Sturm und Drang, D. V. J. 29 (1955). Die musikalische Affektenlehre des 18. Jahrhunderts meint nicht, daß man sich selbst in der Musik ausdrückt, sondern daß die Musik etwas ausdrückt, nämlich Affekte, die ihrerseits Eindruck machen sollen. Das gleiche finden wir in der Ästhetik bei Sulzer (1765): Ausdruck ist nicht primär als Ausdruck der eigenen Empfindungen zu verstehen, sondern als Ausdruck, der Empfindungen erregt. Immerhin ist die zweite Hälfte des 18. Jahrhunderts bereits weit auf dem Wege zur Subjektivierung des Ausdrucksbegriffs. Wenn Sulzer z. B. gegen den jüngeren Riccoboni polemisiert, welcher die Kunst des Schauspielers im Darstellen und nicht im Empfinden sieht, hält er die Echtheit des Empfindens bei der ästhetischen Darstellung bereits für erforderlich. So ergänzt er auch das espressivo der Musik durch eine psychologische Substruktion des Empfindens des Tonsetzers. Wir stehen also hier im Übergang von der rhetorischen Tradition zur Erlebnispsychologie. Indessen bleibt die Vertiefung in das Wesen des Ausdrucks, und des ästhetischen Ausdrucks im besonderen, am Ende doch immer wieder auf den metaphysischen Zusammenhang zurückbezogen, der neuplatonischer Prägung ist. Denn der Ausdruck ist niemals bloß ein Zeichen, durch das man auf ein Anderes, Inneres zurückgewiesen wird, sondern im Ausdruck ist das Ausgedrückte selbst da, z. B. in den Zornesfalten der Zorn. Das weiß die moderne Ausdrucksdiagnostik sehr wohl, so wie es schon Aristoteles gewußt hat. Offenbar ist es zur Seinsweise des Lebendigen gehörig, daß derart das eine im anderen ist. Das hat auch seine spezifische Anerkennung im Sprachgebrauch der Philosophie gefunden, wenn Spinoza

---

[1] Der dem Begriff der expressio im Denken der Scholastik entsprechende Gegenbegriff ist vielmehr die *impressio speciei*. Allerdings macht es das Wesen der im verbum geschehenden expressio aus, daß sich darin, wie Nicolaus Cusanus wohl als erster ausspricht, die mens manifestiert. So ist bei Nicolaus eine Wendung möglich, wie: das Wort sei expressio exprimentis et expressi (Comp. theol. VII). Aber das meint nicht einen Ausdruck von inneren Erlebnissen, sondern die *reflexive Struktur* des verbum: alles sichtbar zu machen und sich selbst im Aussprechen auch — so wie das Licht alles und sich selbst sichtbar macht.

in exprimere und expressio einen ontologischen Grundbegriff erkennt
und wenn im Anschluß an ihn Hegel in dem objektiven Sinn von Ausdruck als Darstellung, Äußerung, die eigentliche Wirklichkeit des Geistes
sieht. Er stützt dadurch seine Kritik am Subjektivismus der Reflexion.
Ähnlich denkt Hölderlin und dessen Freund Sinclair, bei dem der Begriff
des Ausdrucks geradezu eine zentrale Stellung gewinnt, vgl. die Ausgabe
von Hellingrath, Bd. 3, S. 571 ff. Die Sprache als Produkt der schöpferischen
Reflexion, die das Gedicht sein läßt, ist ‚Ausdruck eines lebendigen, aber
besonderen Ganzen‘. Die Bedeutung dieser Theorie des Ausdrucks ist offenbar durch die Subjektivierung und Psychologisierung des 19. Jahrhunderts
gänzlich verstellt worden. In Wahrheit ist bei Hölderlin wie bei Hegel die
rhetorische Tradition weit mehr bestimmend. Im 18. Jahrhundert tritt
Ausdruck überhaupt an die Stelle von Ausdrückung und meint jene bleibende Form, die beim Abdruck eines Siegels u. dergl. zurückbleibt. Der
Bildzusammenhang wird völlig deutlich aus einer Stelle bei Gellert (Schriften 7, 273), »daß unsere Sprache gewisser Schönheit nicht fähig und ein
sprödes Wachs ist, das oft ausspringt, wenn man die Bilder des Geistes
hineindrücken will«.

Das ist alte neuplatonische Tradition, vgl. etwa Dionysiaka I, 87. Die
Metapher hat darin ihre Pointe, daß die eingeprägte Form nicht teilhaft,
sondern ganz und gar in allen Abdrücken gegenwärtig ist. Darauf beruht
auch die Anwendung des Begriffs im ‚emanatistischen Denken‘, das nach
Rothacker[1] unserem historischen Weltbild überall zugrunde liegt. Es ist
wohl deutlich, daß die Kritik an der Psychologisierung des Begriffes ‚Ausdruck‘ das Ganze der vorliegenden Untersuchung durchzieht und sowohl
der Kritik an der ‚Erlebniskunst‘ wie der an der romantischen Hermeneutik zugrunde liegt[2].

Nachtrag zu S. 134[2]:

repraesentatio im Sinne von ‚Darstellung‘ auf der Bühne – was im Mittelalter
nur heißen kann: im religiösen Spiel – findet sich schon im 13. und 14. Jahrhundert,
wie E. Wolf, Die Terminologie des mittelalterlichen Dramas, Anglia, Band 77, nachweist. Doch heißt repraesentatio deshalb nicht etwa ‚Aufführung‘, sondern meint
bis ins 17. Jahrhundert hinein die dargestellte Gegenwart des Göttlichen selber,
die im liturgischen Spiel geschieht. Auch hier ist also, wie bei dem kanonisch-
rechtlichen Begriff, die Umprägung des klassisch lateinischen Wortes durch das
neue theologische Verständnis von Kult und Kirche getragen. Die Anwendung des
Wortes auf das Spiel selber – statt auf das in ihm Dargestellte – ist ein durchaus
sekundärer Vorgang, der die Lösung des Theaters von seiner liturgischen Funktion
voraussetzt.

---

[1] Rothacker, Logik und Systematik der Geisteswissenschaften (Handb. d. Philos. III), S. 166. Vgl. oben S. 25 den Lebensbegriff bei Oetinger und S. 229ff. bei
Husserl und Graf York.

[2] Andeutungen auch in älteren Arbeiten des Verfassers, z. B. Bach und Weimar
(1946), S. 9ff. und Über die Ursprünglichkeit der Philosophie (1947), S. 25.

HERMENEUTIK UND HISTORISMUS

Von Hermeneutik war in der philosophischen Besinnung auf die Grundlagen der Geisteswissenschaften früher kaum die Rede. Hermeneutik war
eine bloße Hilfsdisziplin, ein Kanon von Regeln, die den Umgang mit Texten zum Gegenstand hatten. Sie differenzierte sich allenfalls noch, indem
sie der Sonderart bestimmter Texte Rechnung trug, z. B. als biblische Hermeneutik. Und schließlich gab es eine etwas andersartige Hilfsdisziplin,
die sich Hermeneutik nannte, in Gestalt der juristischen Hermeneutik. Sie
enthielt die Regeln zur Ausfüllung von Lücken im kodifizierten Recht,
hatte also normativen Charakter. Die zentrale philosophische Problematik
dagegen, die in dem Faktum der Geisteswissenschaften beschlossen lag, sah
man – in Analogie zu den Naturwissenschaften und ihrer Begründung
durch die Kantische Philosophie – in der Erkenntnistheorie. Kants Kritik
der reinen Vernunft hatte die apriorischen Elemente der Erfahrungserkenntnis der Naturwissenschaften gerechtfertigt. So kam es darauf an,
der Erkenntnisweise der historischen Wissenschaften eine entsprechende
theoretische Rechtfertigung zu verschaffen. J. G. Droysen entwarf in seiner
»Historik« eine sehr einflußreiche Methodologie der historischen Wissenschaften, die ganz auf die Entsprechung zu der Kantischen Aufgabe abzielte,
und W. Dilthey, der die eigentliche Philosophie der historischen Schule
entwickeln sollte, verfolgte von früh an mit ausdrücklichem Bewußtsein
die Aufgabe einer Kritik der historischen Vernunft. Insofern war auch
seine Selbstauffassung eine erkenntnistheoretische. Bekanntlich sah er in
einer von der naturwissenschaftlichen Überfremdung gereinigten »beschreibenden und zergliedernden« Psychologie die erkenntnistheoretische
Grundlage der sogenannten Geisteswissenschaften. Indessen wurde Dilthey
bei der Durchführung dieser Aufgabe dazu geführt, seinen ursprünglichen
erkenntnistheoretischen Ansatz zu überwinden, und so ist er es gewesen,
der die philosophische Stunde der Hermeneutik heraufführte. Zwar hat er
die erkenntnistheoretische Grundlage, die er in der Psychologie gesucht
hatte, nie ganz aufgegeben. Daß Erlebnisse durch Innesein charakterisiert
sind, so daß es hier ein Problem der Erkenntnis des anderen, des Nicht-
Ich, wie es der Kantischen Fragestellung zugrunde lag, gar nicht gibt, blieb
die Basis, auf der er den Aufbau der geschichtlichen Welt in den Geisteswissenschaften zu errichten suchte. Aber die geschichtliche Welt ist kein

Erlebniszusammenhang von der Art, wie etwa in der Autobiographie
Geschichte für die Innerlichkeit der Subjektivität sich darstellt. Geschichtlicher Zusammenhang muß am Ende als ein Sinnzusammenhang verstanden werden, der den Erlebnishorizont des einzelnen grundsätzlich übersteigt. Er ist wie ein großer, fremder Text, den zu entziffern eine Hermeneutik helfen muß. So suchte Dilthey aus dem Zwang der Sache den Übergang von der Psychologie zur Hermeneutik.

Dilthey sah sich bei seiner Bemühung um eine solche hermeneutische
Grundlegung der Geisteswissenschaften in betontem Gegensatz zu derjenigen erkenntnistheoretischen Schule, die damals vom neukantianischen
Standpunkt aus eine Grundlegung der Geisteswissenschaften versuchte,
nämlich zu der von Windelband und Rickert entwickelten Wertphilosophie. Das erkenntnistheoretische Subjekt erschien ihm als eine blutleere
Abstraktion. So sehr ihn auch selber das Streben nach Objektivität in den
Geisteswissenschaften beseelte, er konnte nicht davon abstrahieren, daß
das erkennende Subjekt, der verstehende Historiker, seinem Gegenstand,
dem geschichtlichen Leben, nicht einfach gegenübersteht, sondern von der
gleichen Bewegung geschichtlichen Lebens getragen wird. Insbesondere in
seinen späteren Jahren hat Dilthey daher mehr und mehr der idealistischen Identitätsphilosophie Gerechtigkeit widerfahren lassen, weil im
idealistischen Begriff des Geistes die gleiche substantielle Gemeinsamkeit
zwischen Subjekt und Objekt, zwischen Ich und Du gedacht war, wie sie in
seinem eigenen Begriff des Lebens lag. Was Georg Misch als den Standpunkt der Lebensphilosophie gegen Husserl wie gegen Heidegger scharfsinnig verteidigt hat[1], teilte offenbar mit der Phänomenologie die Kritik
an einem naiven historischen Objektivismus sowohl wie an seiner erkenntnistheoretischen Rechtfertigung durch die südwestdeutsche Wertphilosophie. Die Konstitution der historischen Tatsache durch den Wertbezug
trug, so einleuchtend das war, der Verwobenheit der geschichtlichen Erkenntnis in das geschichtliche Geschehen keine Rechnung.

Hier ist daran zu erinnern, daß der monumentale Torso, den Max Weber
hinterlassen hat und der unter dem Titel »Wirtschaft und Gesellschaft« 1921
zuerst ediert worden ist, selber als ein »Grundriß der verstehenden Soziologie« von ihm geplant war[2]. Die weitgehend ausgeführten Teile dieser für
den Grundriß der Sozialökonomik vorbereiteten Soziologie betreffen Reli-
gions-, Rechts- und Musiksoziologie, während z.B. die Staatssoziologie nur
sehr bruchstückhaft ausgeführt ist. Hier interessiert vor allem der 1918-20
verfaßte einleitende Teil, der jetzt »Soziologische Kategorienlehre« betitelt

---

[1] G. Misch, Lebensphilosophie und Phänomenologie. Eine Auseinandersetzung
der Diltheyschen Richtung mit Heidegger und Husserl, Philos. Anzeiger 1929/30,
2. Aufl. Leipzig, Berlin 1931.
[2] Das Nachlaßwerk liegt jetzt in einer Neuordnung der riesigen Materialien, die
Johs. Winckelmann besorgt hat, als 4. Auflage vor. 1. u. 2. Halbband, Tübingen 1956.

ist. Ein imposanter Begriffskatalog auf extrem nominalistischer Basis, der übrigens – im Unterschied zu dem bekannten Logos-Aufsatz von 1913 – den Wertbegriff (und damit die letzte Anlehnung an den südwestdeutschen Neukantianismus) vermeidet. Max Weber nennt diese Soziologie »verstehend«, sofern sie den gemeinten Sinn des sozialen Handelns zum Gegenstand macht. Freilich kann der ‚subjektiv gemeinte‘ Sinn auf dem Gebiet des gesellschaftlich-geschichtlichen Lebens nicht nur der von den einzelnen Handelnden tatsächlich gemeinte sein. So tritt als hermeneutisch-methodischer Ersatzbegriff der begrifflich konstruierte reine Typus (die ‚idealtypische Konstruktion‘) ergänzend ein. Auf dieser Basis, die Max Weber ‚rationalistisch‘ nennt, ruht das ganze Gebäude – der Idee nach »wertfrei« und neutral –, eine monumentale Grenzbastion der ‚objektiven‘ Wissenschaft, die ihre methodische Eindeutigkeit durch klassifikatorische Systematik verteidigt und in den inhaltlich ausgeführten Partien zu großartiger systematischer Überschau über die geschichtliche Erfahrungswelt führt. Die eigentliche Verwicklung in die Problematik des Historismus wird hier durch methodische Askese vermieden.

Die weitere Entwicklung der hermeneutischen Besinnung ist aber gerade durch die Fragestellung des Historismus beherrscht und geht daher von Dilthey aus, dessen gesammelte Schriften in den zwanziger Jahren bald auch Ernst Troeltschs Wirkung überdeckten.

Diltheys Anknüpfung an die romantische Hermeneutik, die sich mit dem Wiederaufleben der spekulativen Philosophie Hegels in unserem Jahrhundert verknüpfte, führte eine vielfältige Kritik am historischen Objektivismus herauf (Graf Yorck, Heidegger, Rothacker, Betti usw.).

Sie hinterließ auch in der historisch-philologischen Forschung sichtbare Spuren, indem romantische Motive, die durch den wissenschaftlichen Positivismus des 19. Jahrhunderts verdeckt worden waren, sich innerhalb der Wissenschaft wieder zur Geltung brachten[1]. Man denke etwa an das Pro-

---

[1] Einen brauchbaren Überblick über die in der modernen Geschichtswissenschaft geübte Selbstreflexion – unter ausdrücklicher Einbeziehung der englisch-amerikanischen und der französischen Geschichtsforschung – gibt Fritz Wagner, Moderne Geschichtsschreibung, Ausblick auf eine Philosophie der Geschichtswissenschaft, Berlin 1960. Es zeigt sich, daß überall der naive Objektivismus nicht mehr genügt und damit ein theoretisches Bedürfnis anerkannt wird, das über bloßen erkenntnistheoretischen Methodologismus hinausdrängt.

Auch W. Hofers unter dem Titel: Geschichte zwischen Philosophie und Politik, Studie zur Problematik des modernen Geschichtsdenkens. Stuttgart 1956, zusammengefaßte Einzelstudien über Ranke, F. Meinecke, Litt, sowie die nationalsozialistische und bolschewistische Geschichtsinstrumentierung gehören in diesen Zusammenhang. H. sucht die Gefahren wie die produktiven Möglichkeiten solcher gesteigerten Reflektiertheit des historischen Denkens an dem Verhältnis zur Politik zu illustrieren.

Hier wäre vor allem noch auf Reinhard Wittram, Das Interesse an der Geschichte (Kleine Vandenhoekreihe 59/60/61, Göttingen 1958) hinzuweisen. Diese Vorlesungen stellen mit Entschiedenheit die Frage nach der über die bloße ‚Richtigkeit‘

blem der antiken Mythologie, das im Geiste Schellings von Walter F. Otto, Karl Kerényi u. a. erneuert wurde. Selbst ein so abstruser, der Monomanie seiner Intuitionen verfallener Forscher wie J. J. Bachofen, dessen Ideen modernen Ersatzreligionen Vorschub leisteten (über Alfred Schuler und Ludwig Klages haben sie z. B. auf Stefan George eingewirkt), fand nun erneute wissenschaftliche Beachtung. 1925 erschien unter dem Titel »Der Mythos von Orient und Occident, Eine Metaphysik der alten Welt« eine systematisch redigierte Sammlung von Bachofens Hauptschriften zu der Alfred Baeumler eine beredte und bedeutende Einleitung verfaßte [1].

Auch wenn man die wissenschaftsgeschichtliche Sammlung von de Vries' »Forschungsgeschichte der Mythologie« aufschlägt [2], erhält man den gleichen Eindruck, wie sich die ‚Krise des Historismus‘ in einer Neubelebung der Mythologie ausgewirkt hat. De Vries gibt eine durch weiten Horizont ausgezeichnete Übersicht – mit gut ausgewählten Leseproben, die insbesondere die Neuzeit, unter Ausklammerung der Religionsgeschichte und unter zuweilen etwas sklavischer, zuweilen etwas allzu freier Beachtung der Chronologie, gut überschaubar macht. Es ist bemerkenswert, wie entschieden Walter F. Otto und Karl Kerényi als Wegbereiter einer neuen, den Mythos ernstnehmenden Forschungsrichtung anerkannt werden.

Das Beispiel der Mythologie ist nur eines unter vielen. Man könnte in der konkreten Arbeit der Geisteswissenschaften an vielen Punkten die gleiche Abkehr von einem naiven Methodologismus aufweisen, dem in der philosophischen Besinnung ausdrückliche Kritik am historischen Objekti-

---

hinausgehende ‚Wahrheit in der Geschichte‘ und geben in den Anmerkungen breitgestreute Hinweise auf das neuere Schrifttum, insbesondere auch auf wichtige Zeitschriftenaufsätze.

[1] Im Jahre 1956, also nach drei Jahrzehnten, ist ein fotomechanischer Neudruck dieses Bachofen-Werkes herausgekommen (2. Aufl. München 1956). Wenn man das Werk heute wieder zur Hand nimmt, wird einem auf der einen Seite bewußt, daß die damalige Neuerscheinung einen wirklichen Erfolg hatte, sofern inzwischen die große kritische Bachofen-Ausgabe weitgehend verwirklicht wurde. Auf der anderen Seite liest man die riesige Einleitung Baeumlers mit einem seltsamen Gemisch von Bewunderung und Bestürzung. Baeumler hat darin das geistesgeschichtliche Verständnis für Bachofen entschieden gefördert, indem er die Geschichte der deutschen Romantik neu akzentuierte. Er legte einen scharfen Schnitt zwischen die Jenaer ästhetische Romantik, die er als die Ernte des 18. Jahrhunderts würdigte, und die religiöse Romantik Heidelbergs (vgl. H.-G. Gadamer, Hegel und die Heidelberger Romantik, Ruperto-Carola 13, Bd. 30, 1961, S. 97–103). Als deren Archegeten machte er Görres sichtbar, dessen Wendung zur deutschen Vorzeit einer der Faktoren wurde, die die nationale Erhebung von 1813 vorbereiteten. Daran ist viel Richtiges, und insofern verdient die Arbeit Baeumlers noch heute Beachtung. Wie Bachofen selbst bewegt sich freilich auch sein Interpret in einem Bereich seelischer Erfahrungen, die er auf einen falschen wissenschaftlichen Raum bezieht (wie Franz Wieacker in seiner Bachofen-Rezension im Gnomon, Bd. 28 (1956) S. 161–173 mit Recht von Bachofen sagt).

[2] Jan de Vries, Forschungsgeschichte der Mythologie, Freiburg-München, o. J.

vismus oder Positivismus entspricht. Von besonderer Bedeutung wurde
diese Wendung dort, wo sich mit der Wissenschaft ursprünglich normative
Gesichtspunkte verbinden. Das ist in der Theologie wie in der Jurisprudenz
der Fall. Die theologische Diskussion der letzten Jahrzehnte hat das Problem der Hermeneutik gerade dadurch in den Vordergrund gespielt, daß
sie das Erbe der historischen Theologie mit neu aufgebrochenen theolo-
gisch-dogmatischen Antrieben vermitteln mußte. Den ersten revolutionären Einbruch stellte Karl Barths Erklärung des Römerbriefes dar[1], eine
,Kritik' der liberalen Theologie, die nicht so sehr die kritische Historie
als solche meinte, als vielmehr die theologische Genügsamkeit, die deren
Ergebnisse für ein Verstehen der Heiligen Schrift hielt. Insofern ist Karl
Barths Römerbrief bei aller Abneigung gegen methodologische Reflexion
eine Art hermeneutischen Manifestes[2]. Wenn er sich mit Rudolf Bultmann
und seiner These der Entmythologisierung des Neuen Testaments wenig
befreunden kann, so trennt ihn nicht das sachliche Anliegen, sondern es ist,
wie mir scheint, die Verknüfung historisch-kritischer Forschung mit
theologischer Exegese und die Anlehnung der methodischen Selbstbesinnung an die Philosophie (Heidegger), was Barth verhindert, sich in Bultmanns Verfahrensweise wiederzuerkennen. Es ist indessen eine sachliche
Notwendigkeit, das Erbe der liberalen Theologie nicht einfach zu verleugnen, sondern zu bewältigen. Die gegenwärtige Diskussion des hermeneutischen Problems innerhalb der Theologie – und nicht nur die des hermeneutischen Problems – ist daher durch die Auseinandersetzung der unab-
dinglichen theologischen Intention mit der kritischen Histoire bestimmt.
Die einen finden die historische Fragestellung angesichts dieser Lage erneut verteidigungsbedürftig, andere, wie die Arbeiten von Ott, Ebeling
und Fuchs zeigen, stellen weniger den Forschungscharakter der Theologie
in den Vordergrund als ihre ,hermeneutische' Hilfsleistung für die Verkündigung.

Wer als Laie zu der Entwicklung innerhalb der juristischen Diskussion
des hermeneutischen Problems Stellung nehmen will, wird sich nicht in
die juristische Einzelarbeit vertiefen können. Er wird im ganzen beobachten, daß sich die Jurisprudenz von dem sogenannten Gesetzespositivismus
überall entfernt und als eine zentrale Frage ansieht, wie weit die Konkretisierung im Recht ein eigenständiges juristisches Problem darstellt. Eine
umfassende Übersicht über dieses Problem hat Kurt Engisch (1953) gegeben[3]. Daß dieses Problem im Gegenschlag gegen den rechtspositivisti-
schen Extremismus in den Vordergrund drängt, wird auch in historischer

---

[1] 1. Aufl. 1919.
[2] Vgl. G. Ebeling, Wort Gottes und Hermeneutik (Zschr. f. Th. u. K. 1959, 228 ff.).
[3] Die Idee der Konkretisierung in Recht und Rechtswissenschaft unserer Zeit,
**Heidelberg, 1953, 294 S. (Abh. d. Hd. Ak. d. W., phil.-hist. Kl. 1953/1. vgl. neuer-
dings: Einführung in das juristische Denken, Stuttgart 1956).**

Sicht verständlich, z.B. in Franz Wieackers »Privatrechtsgeschichte der Neuzeit« oder in der »Methodenlehre der Rechtswissenschaft« von Karl Larenz.
So zeigt es sich auf allen drei Gebieten, in denen von jeher Hermeneutik
eine Rolle spielte, in den historisch-philologischen Wissenschaften, in der
Theologie und in der Jurisprudenz, wie die Kritik am historischen Objektivismus bzw. am ‚Positivismus‘ dem hermeneutischen Aspekt eine neue
Bedeutung verliehen hat.

Es trifft sich bei dieser Sachlage gut, daß die ganze Spannweite des hermeneutischen Problems kürzlich durch die bedeutende Arbeit eines italie-
nischen Forschers durchmessen und systematisch geordnet worden ist. Der
Rechtshistoriker Emilio Betti hat in seiner großangelegten »Teoria Generale della Interpretazione«[1], deren Hauptideen auch in deutscher Sprache
in einem »hermeneutischen Manifest« unter dem Titel »Zur Grundlegung
einer allgemeinen Auslegungslehre«[2] entwickelt worden sind, eine Übersicht über den Stand des Problems gegeben, die ebensosehr durch die Weite
ihres Horizonts, die imponierende Kenntnis im einzelnen wie durch ihre
klare systematische Durchführung besticht. Als Rechtshistoriker, der zugleich selbst ein Rechtslehrer ist, und als Landsmann Croces und Gentiles,
der zugleich selbst in der großen deutschen Philosophie zu Hause ist, so daß
er ein schlechthin vollendetes Deutsch spricht und schreibt, war er gegen
die Gefahren eines naiven historischen Objektivismus ohnehin gefeit. Er
weiß die ganze große Ernte hermeneutischer Besinnung einzubringen, die
seit Wilhelm von Humboldt und Schleiermacher in unablässigen Bemühungen gereift ist.

In deutlicher Abkehr von der extremen Position, die Benedetto Croce eingenommen hatte, sucht Betti die Mitte zwischen dem objektiven und dem
subjektiven Element alles Verstehens. Er formuliert einen ganzen Kanon
hermeneutischer Prinzipien, an dessen Spitze die Sinnautonomie des Textes steht, derzufolge der Sinn, d.h. die Meinung des Autors aus dem Texte
selbst zu gewinnen ist. Er betont aber mit gleicher Entschiedenheit das
Prinzip der Aktualität des Verstehens bzw. der Anpassung desselben an das
Objekt, d.h. er sieht, daß die Standortgebundenheit des Interpreten ein
integrierendes Moment der hermeneutischen Wahrheit ist.

Als Jurist ist er auch davor bewahrt, die subjektive Meinung, z.B. die
historischen Zufälligkeiten, die zur Formulierung eines Rechtsgehaltes
geführt haben, zu überschätzen und mit dem Rechtssinn schlechthin gleich-
zusetzen. Auf der anderen Seite bleibt er freilich so sehr im Gefolge der
durch Schleiermacher begründeten »psychologischen Interpretation«, daß
seine hermeneutische Position immer wieder zu verschwimmen droht. So
sehr er bemüht ist, die psychologische Verengung zu überwinden, und die

---

[1] 2 Bde., Milano 1955.
[2] Festschrift f. E. Rabl, Bd. II, Tübingen 1954.

Aufgabe darin sieht, den geistigen Zusammenhang von Werten und Sinn-
gehalten nachzukonstruieren, vermag auch er diese eigentlich hermeneutische Aufgabenstellung doch nur durch eine Art *Analogie zur psychologischen Auslegung* zu begründen.

So schreibt er etwa, daß das Verstehen ein Wiedererkennen und Nach-
konstruieren des Sinnes sei, und erläutert diese Wendung: »mithin des
durch die Formen seiner Objektivation zum denkenden Geiste sprechenden
Geistes, der sich jenem im gemeinsamen Menschentum verwandt fühlt: es
ist ein Zurück- und Zusammenführen und Wiederverbinden jener Formen
mit dem inneren Ganzen, das sie erzeugt hat und von welchem sie sich
getrennt haben. Eine Verinnerlichung dieser Formen; wobei allerdings ihr
Inhalt in eine von der ursprünglichen verschiedene Subjektivität verlegt
wird. Man hat es demnach mit einer Umkehrung (Inversion) des schöpferischen Prozesses im Auslegungsprozeß zu tun, einer Umkehrung, derzufolge der Interpret auf seinem hermeneutischen Wege den schöpferischen
Weg in umgekehrter Richtung durchlaufen muß, dessen *Nachdenken* er in
seinem Innern durchzuführen hat.« (S. 93 f.) Betti folgt damit Schleiermacher, Boeckh, Croce und anderen[1]. Sonderbarerweise meint er, mit diesem strikten Psychologismus romantischer Prägung die »Objektivität« des
Verstehens zu sichern, die er von allen denen bedroht glaubt, die im Anschluß an Heidegger eine solche Rückbindung an die Subjektivität des
Meinens für verfehlt halten.

In seiner auch in Deutschland wiederholt vorgetragenen Auseinandersetzung mit mir[2] sieht er bei mir nichts als Äquivokationen und Begriffs-
verwechslungen. Dergleichen beweist in der Regel, daß der Kritiker den
Autor auf eine von ihm nicht gemeinte Fragestellung bezieht. So scheint
es mir auch hier. Daß seine Sorge um die Wissenschaftlichkeit der Interpretation, die mein Buch in ihm erregt hatte, unnötig sei, hatte ich ihm
in einem Privatbrief versichert, aus dem er in seiner Abhandlung höchst
loyalerweise folgendes abdruckt:

»Im Grunde schlage ich *keine Methode* vor, sondern ich beschreibe, *was
ist*. Daß es so ist, wie ich es beschreibe, das, meine ich, kann man nicht im
Ernst bestreiten... Auch Sie z.B. wissen sofort, wenn Sie eine klassische
Untersuchung Mommsens lesen, wann das allein geschrieben sein kann.
Selbst ein Meister der historischen Methode vermag sich nicht von den Vorurteilen seiner Zeit, seiner gesellschaftlichen Umwelt, seiner nationalen
Position usw. ganz freizuhalten. Soll das nun ein Mangel sein? Und selbst,
wenn es das wäre, halte ich es für eine philosophische Aufgabe, darüber
nachzudenken, warum dieser Mangel nirgends fehlt, wo etwas geleistet

---

[1] Vgl. Anm. 19 u. S. 147 des Manifests.
[2] E. Betti, L'Ermeneutica storica e la storicità dell intendere, Annali della Fa-
culta di Giurisprudenza XVI, Bari 1961 und Die Hermeneutik als allgemeine Methodik der Geisteswissenschaften, Tübingen 1962.

wird. Mit anderen Worten, ich halte es allein für wissenschaftlich, *anzu-erkennen, was ist*, statt von dem auszugehen, was eben sein sollte oder sein möchte. In diesem Sinne versuche ich, über den Methodenbegriff der modernen Wissenschaft (der sein begrenztes Recht behält) hinauszudenken und in prinzipieller Allgemeinheit zu denken, was *immer* geschieht.«

Aber was sagt Betti dazu? Daß ich das hermeneutische Problem also auf die quaestio facti einenge (»phänomenologisch«, »deskriptiv«) und die quaestio iuris gar nicht stelle. Als ob Kants Stellung der quaestio iuris der reinen Naturwissenschaft hätte vorschreiben wollen, wie sie eigentlich sein sollte, und nicht vielmehr die transzendentale Möglichkeit derselben, wie sie war, zu rechtfertigen suchte. Im Sinne dieser kantischen Unterscheidung stellt das Hinausdenken über den Methodenbegriff der Geisteswissenschaften, wie es mein Buch versucht, die Frage nach der »Möglichkeit« der Geisteswissenschaften (was durchaus nicht heißt: wie sie eigentlich sein sollten!). Es ist ein sonderbares Ressentiment gegen die Phänomenologie, das den verdienten Forscher hier beirrt. Er zeigt sich dadurch, daß er das Problem der Hermeneutik nur als ein Methodenproblem zu denken vermag, tief in den Subjektivismus befangen, um dessen Überwindung es geht.

Offenbar ist es mir nicht gelungen, Betti davon zu überzeugen, daß eine philosophische Theorie der Hermeneutik keine – richtige oder falsche (»gefährliche«) – Methodenlehre ist. Es mag mißverständlich sein, wenn Bollnow das Verstehen eine »wesensmäßig schöpferische Leistung« nennt – obwohl Betti selber die rechtsergänzende Tätigkeit der Gesetzesauslegung ohne Zaudern so qualifiziert. Ganz gewiß aber genügt die Anlehnung an die Genieästhetik, die B. selber vornimmt, nicht. Durch eine Theorie der Inversion läßt sich die psychologische Verengung nicht wirklich überwinden, die er (in der Nachfolge Droysens) an sich richtig als solche erkennt. So kommt er über die Zweideutigkeit nicht ganz hinaus, die Dilthey zwischen Psychologie und Hermeneutik festhielt. Wenn er etwa, um die Möglichkeit des geisteswissenschaftlichen Verstehens zu erklären, die Voraussetzung machen muß, daß nur ein Geist gleichen Niveaus einen anderen verstehen könne, wird das Unbefriedigende solcher psychologisch-hermeneutischer Ambiguität offenkundig [1].

Auch wenn man sich über den Unterschied psychischer Partikularität und geschichtlicher Bedeutung grundsätzlich im klaren ist, bleibt es offenbar schwierig, den Übergang von der Enge der Psychologie zu einer historischen Hermeneutik zu finden. Schon Droysen war sich über die Aufgabe durchaus im klaren (Historik § 41), aber nur in Hegels dialektischer Vermittlung des subjektiven und des objektiven Geistes im absoluten Geist scheint der Übergang bisher wirklich begründet.

---

[1] Vgl. auch Bettis Aufsatz im ‚Studium Generale‘ XII (1959), S. 87, dem neuerdings F. Wieacker, Notizen... (oben S. XIII [1]) unerschrocken beistimmt.

Selbst dort, wo einer Hegel sehr nahe bleibt, wie der von Croce stark
beeinflußte R. G. Collingwood, ist das zu spüren. Wir besitzen jetzt von
Collingwood zwei Arbeiten in deutscher Übersetzung: seine Autobiographie, die unter dem Titel *Denken* nun auch dem deutschen Leser vorliegt,
nachdem sie in der Originalsprache ehedem ein großer Erfolg gewesen ist[1],
und ferner sein Nachlaßwerk, The Idea of History' unter dem Titel »Philosophie der Geschichte«[2].

Über die Autobiographie habe ich in der Einleitung zur deutschen Ausgabe einiges bemerkt, was ich hier nicht wiederholen will. Das Nachlaßwerk enthält eine Geschichte der Geschichtsschreibung von der Antike bis
zur Gegenwart, bezeichnenderweise mit Croce endend, und als einen 5. Teil
eine eigene theoretische Erörterung. Ich beschränke mich auf diesen letzten Teil, da die geschichtlichen Partien ohnehin auch hier, wie so oft, von
nationalen Denktraditionen bis zur Unverständlichkeit beherrscht werden.
So ist etwa das Kapitel über Wilhelm Dilthey für einen deutschen Leser
recht enttäuschend:

»Dilthey hat sich der Frage gegenübergesehen, die Windelband und die
übrigen nicht erkannten, da sie nicht tief genug in das Problem eingedrun-
gen waren: der Frage, wie – neben und im Unterschied zu der unmittelbaren Erfahrung – eine Erkenntnis des Individuellen möglich sei. Er beantwortet diese Frage mit der Feststellung, daß eine solche Erkenntnis nicht
möglich sei, und fällt in die positivistische Überzeugung zurück, daß das
Allgemeine (das eigentliche Objekt der Erkenntnis) nur mit Hilfe der
Naturwissenschaft oder einer anderen auf naturalistischen Prinzipien
begründeten Wissenschaft erkannt werden könne. So gelingt es ihm
schließlich ebensowenig, wie seiner ganzen Generation, dem Einfluß des
positivistischen Denkens zu entgehen.« (184) Was an diesem Urteil wahr
ist, wird angesichts der von C. hier gegebenen Begründung desselben fast
unkenntlich.

Das Kernstück systematischer Theorie der historischen Erkenntnis ist
ohne Zweifel die Lehre vom Nachvollzug der Erfahrung der Vergangenheit (Re-enactment). Er steht damit in der Front derer, die gegen das an-
kämpfen, »was man die positivistische Deutung oder besser Mißdeutung
des Geschichtsbegriffs nennen kann« (239). Die eigentliche Aufgabe der
Historiker sei, »in das Denken der Geschichtsträger einzudringen, deren
Handlungen sie erforschen«. Es mag in deutscher Übersetzung besonders
schwierig sein, was Collingwood hier mit Denken meint, richtig zu bestimmen. Offenbar ist der Begriff des ‚Aktes' im Deutschen in recht andere Bezüge
gerückt, als der englische Autor meint. Der Nachvollzug des Denkens der
handelnden Personen (oder auch der Denker) meint bei Collingwood nicht

[1] Eingeleitet von H.-G. Gadamer, Stuttgart 1955.
[2] Stuttgart 1955.

eigentlich die realen psychischen Akte derselben, sondern ihre Gedanken, d.h. was als dasselbe im Nachdenken wieder gedacht werden kann. Auch soll der Begriff des Denkens durchaus das mitumfassen, was man den Gemeingeist (der Übersetzer sagt unglücklich »Gemeinschaftsgeist«) einer Körperschaft oder eines Zeitalters nennt (230). Aber wie seltsam eigenlebendig erscheint dieses ‚Denken‘, wenn Collingwood etwa die Biographie deshalb als antihistorisch bezeichnet, weil sie nicht auf das ‚Denken‘ gründe, sondern auf ein Naturgeschehen. »Dieses Fundament – das körperhafte Leben eines Menschen mit Kindheit, Reife und Alter, mit Krankheiten und all den anderen Wechselfällen des biologischen Daseins – wird umspült und umflutet, ungeregelt und ohne Rücksicht auf seine Struktur, vom (eigenen und fremden) Denken, wie ein gestrandetes Wrack vom Meerwasser.«

Wer trägt eigentlich dieses ‚Denken‘? Was sind die Geschichtsträger, in deren Denken es einzudringen gilt? Ist es die bestimmte Absicht, die ein Mann mit seinem Handeln verfolgt? Collingwood scheint das zu meinen [1]: »Ist diese Voraussetzung nicht gegeben, so ist die Geschichte seiner Taten nicht möglich« (324). Ist Rekonstruieren der Absichten aber wirklich Verstehen der Geschichte? Man sieht, wie sich Collingwood gegen seine Absicht in die psychologische Partikularität verstrickt. Ohne eine Theorie vom ‚Geschäftsträger des Weltgeistes‘, d.h. ohne Hegel, kann er nicht herausfinden.

Das zu hören würde ihn nicht freuen. Denn alle Geschichtsmetaphysik, auch die Hegels, erscheint ihm als ein bloßes Klassifizierungssystem (276) ohne echten historischen Wahrheitswert. Ferner ist mir nicht ganz klar geworden, wie sich seine These eines radikalen Historismus mit seiner Theorie des Re-enactment verträgt, wenn er auf der anderen Seite sieht, und ich glaube mit Recht, daß der Historiker selbst ein Teil des geschichtlichen Ablaufs ist, den er erforscht und den er nur von dem Standpunkt beobachten kann, den er selber im Augenblick in ihm einnimmt (260). Wie will sich das mit der Verteidigung des Nachvollzugs eines überlieferten »Gedankens« reimen, die Collingwood am Beispiel von Platos Sensualismuskritik im Theaetet erläutert? Ich fürchte, das Beispiel ist falsch und beweist das Gegenteil.

Wenn Plato im ‚Theaitetos‘ die These aufstellt, daß Erkenntnis ausschließlich Sinneswahrnehmung sei, so kenne ich nach Collingwood als heutiger Leser den Zusammenhang nicht, der ihn zu dieser These führt. Dafür ist in meinem Geist dieser Zusammenhang ein anderer: nämlich die aus dem modernen Sensualismus erwachsene Diskussion. Da es sich um einen ‚Gedanken‘ handelt, schade das aber nichts. Ein Gedanke könne in verschiedene Zusammenhänge gestellt werden, ohne seine Identität zu

---

[1] Vgl. oben S. 353 ff.

verlieren (315). Man möchte hier Collingwood an die Kritik an der State-
ment-Diskussion Oxfords in seiner eigenen »Logic of question and answer«
erinnern (*Denken* 30–43). Sollte nicht der Nachvollzug des platonischen
Gedankens in Wahrheit nur dann gelingen, wenn man den wahren platonischen Zusammenhang erfaßt (den einer mathematischen Evidenz-
theorie, wie ich glaube, die sich über die intelligible Seinsart des Mathematischen noch nicht ganz im klaren ist)? Und wird man diesen Zusammenhang erfassen können, wenn man nicht ausdrücklich die Vorbegriffe
des modernen Sensualismus suspendiert?[1]

Mit anderen Worten, Collingwoods Theorie des Re-enactment vermeidet
zwar die Partikularität der Psychologie, aber die Dimension der hermeneutischen Vermittlung, die in allem Verstehen durchschritten wird, entgeht
ihm dennoch.

In den Zusammenhang einer Kritik am historischen Objektivismus gehören vor allem auch die Arbeiten von Erich Rothacker. Insbesondere hat
er in einer seiner letzten Arbeiten »Die dogmatische Denkform in den Geisteswissenschaften und das Problem des Historismus«[2] seine früheren Gedanken fortgeführt, die das hermeneutische Anliegen Diltheys (ähnlich
wie Hans Freyer in der ‚Theorie des objektiven Geistes‘) gegen allen Psychologismus festhalten. Der Begriff der dogmatischen Denkform ist ganz
als ein hermeneutischer Begriff gemeint[3]. Die Dogmatik soll als eine produktive Methode geisteswissenschaftlicher Erkenntnis verteidigt werden,
sofern sie den immanenten Sachzusammenhang, der ein Sinngebiet einheitlich bestimmt, herausarbeitet. Rothacker kann sich darauf berufen,
daß der Begriff Dogmatik in der Theologie wie in der Jurisprudenz keineswegs nur kritisch-pejorativen Sinn hat. Aber im Unterschied zu diesen
systematischen Disziplinen soll der Begriff Dogmatik hier nicht einfach
ein Synonym für systematische Erkenntnis, also für Philosophie, sein,
sondern eine gegenüber der historischen Fragestellung, die Entwicklungen
zu erkennen sucht, zu rechtfertigende ‚andere Einstellung‘. Dann hat aber
der Begriff ‚Dogmatik‘ bei ihm im Grunde innerhalb der historischen Ge-
samthaltung seinen Ort und empfängt von da sein relatives Recht. Es ist
am Ende das, was Diltheys Begriff des Strukturzusammenhangs allgemein
formuliert hatte, in spezieller Anwendung auf die historische Methodenlehre.

---

[1] Ich erinnere an den großen Erkenntnisfortschritt, den Hermann Langerbecks
Studie *ΔΟΞΙΣ ΕΠΙΡΥΣΜΙΗ* (N. Ph. U. Heft 11, 1934) gebracht hat — was man
über der scharfen Teilkritik E. Kapps im Gnomon (1935) nicht übersehen sollte.

[2] Abh. d. geistes- u. sozialwiss. Kl. d. Ak. d. Wiss. u. Lit., 6, Mainz 1954.

[3] Daß R. sich über die Notwendigkeit, das hermeneutische Problem des Sinnes
von aller psychologischer Erforschung der ‚Absichten‘ — also auch der ‚subjektiven
Meinung‘ eines Textes — abzulösen, völlig im klaren ist, zeigt etwa auch sein Aufsatz:
Sinn und Geschehnis (in Sinn und Sein, ein philosophisches Symposion, 1960).

Eine solche Dogmatik hat also erst dort, wo historisch gedacht und erkannt wird, ihre korrigierende Funktion. Eine Dogmatik des römischen Rechtes gibt es doch wohl erst, seit es eine Rechtsgeschichte gibt. Walter F. Ottos »Götter Griechenlands« waren erst möglich, nachdem die historische Forschung aus der griechischen Mythologie eine Vielfalt kultgeschichtlicher und sagengeschichtlicher Teilerkenntnisse gemacht hatte, und wenn Wölfflins ,klassische Kunst' – im Unterschied zu den ,Kunstgeschichtlichen Grundbegriffen' – von Rothacker als Dogmatik bezeichnet wird, so scheint mir auch eine solche Charakteristik nur relativ. Der Gegensatz zur Barockästhetik, insbesondere zum Manierismus, ist von vornherein der geheime Konstruktionspunkt dieser ,Dogmatik', d.h. aber, sie ist von vornherein weniger geglaubt und bekannt worden, als historisch gemeint gewesen.

In diesem Sinne nun ist die Dogmatik in der Tat ein Element unseres geschichtlichen Erkennens. Es ist verdienstlich, daß Rothacker dieses Element als »die einzige Quelle unseres geistigen Wissens« (25) heraushebt. Einen umfassenden Sinnzusammenhang, wie ihn eine solche Dogmatik darstellt, muß man eben vollziehen, einleuchtend finden. Man muß es mindestens nicht unmöglich finden, daß er ,wahr' ist, wenn man ihn wirklich verstehen will. Damit ist freilich, wie R. darlegt, das Problem der Mehrheit solcher dogmatischen Systeme oder Stile gestellt, und das ist das Problem des Historismus.

Rothacker erweist sich als ein temperamentvoller Verteidiger desselben. Dilthey hatte die Gefahr des Historismus dadurch zu bannen gesucht, daß er die verschiedenen Weltanschauungen auf die Mehrseitigkeit des Lebens zurückführte. Rothacker folgt ihm darin, indem er von den Dogmatiken als Explikationen gelebter Weltbilder oder von Stilrichtungen spricht und dieselben auf die Anschauungsgebundenheit des handelnden Menschen und seine Perspektivität zurückführt. Dadurch gewinnen sie alle ihre perspektivistische Unwiderleglichkeit (35). In der Anwendung auf die Wissenschaft bedeutet das, daß der Relativismus nicht uferlos herrscht, sondern seine klaren Grenzen hat. Er gefährdet nicht die immanente ,Objektivität' der Forschung. Sein Ansatzpunkt liegt in der Variabilität und Freiheit der wissenschaftlichen Fragestellungen, zu denen sich die variablen Bedeutsamkeitsrichtungen der gelebten Weltbilder ausbilden. Selbst die moderne Naturwissenschaft wird von da als die Dogmatik einer quantifizierenden Sichtweise (53) bezeichnet, sobald wir nur den Gedanken zulassen, daß es eine andere Erkenntnisweise der Natur geben kann[1].

Daß die juristische Hermeneutik in den Problemzusammenhang einer allgemeinen Hermeneutik gehört, ist keineswegs selbstverständlich. Es

---

[1] Warum sich Rothacker für die Vorgängigkeit (das Apriori) solcher Bedeutsamkeitsrichtungen auf Heideggers ontologische Differenz beruft, statt auf den transzendentalen Apriorismus, den die Phänomenologie mit dem Neukantianismus teilt, ist mir nicht klargeworden.

handelt sich ja wirklich in ihr nicht eigentlich um eine Besinnung methodischer Art, wie das für die Philologie und für die biblische Hermeneutik
gilt, sondern um ein subsidiäres Rechtsprinzip selbst. Ihre Aufgabe ist
nicht, geltende Rechtssätze zu verstehen, sondern Recht zu finden, d.h. die
Gesetze so auszulegen, daß die Rechtsordnung die Wirklichkeit voll durchdringt. Weil Auslegung hier eine normative Funktion hat, wird sie z.B.
durch Betti ganz von der philologischen Auslegung abgetrennt, und selbst
von solchem historischen Verstehen, dessen Gegenstand rechtlicher Natur
ist (Verfassungen, Gesetze oder dgl.). Daß Gesetzesauslegung im juristischen Sinne ein rechtschöpferisches Tun ist, läßt sich eben einfach nicht
bestreiten. Die verschiedenen Prinzipien, die bei dem Tun anzuwenden
sind, z.B. das Analogieprinzip oder das Prinzip der Ausfüllung von Gesetzes-
lücken oder schließlich das in der Rechtsentscheidung selbst gelegene, also
am Rechtsfall hängende produktive Prinzip, stellen nicht bloße methodologische Probleme dar, sondern greifen tief in die Rechtsmaterie selbst ein[1].

Offenbar kann eine juristische Hermeneutik sich nicht im Ernst damit
begnügen, als Auslegungskanon das subjektive Prinzip der Meinung und
der ursprünglichen Absicht des Gesetzgebers zu gebrauchen. Sie kann vielfach nicht umhin, objektive Begriffe, z.B. den des Rechtsgedankens, der
in einem Gesetz zum Ausdruck kommt, anzuwenden. Es ist anscheinend
eine reine Laienvorstellung, wenn man sich die Anwendung eines Gesetzes
auf einen konkreten Fall als den logischen Vorgang der Subsumtion des
Einzelnen unter das Allgemeine denkt.

Der Gesetzespositivismus, der die rechtliche Wirklichkeit ganz auf das
gesetzte Recht und seine richtige Anwendung beschränken möchte, dürfte
heute keine Anhänger mehr finden. Der Abstand zwischen der Allgemeinheit des Gesetzes und der konkreten Rechtslage im Einzelfall ist offenbar
wesenhaft unaufhebbar. Es scheint nicht einmal zu genügen, daß man sich
in einer idealen Dogmatik die rechtsproduktive Kraft des Einzelfalles als
deduktiv vorbestimmt denkt, in dem Sinne, daß eine Dogmatik sich denken
ließe, die alle überhaupt möglichen Rechtswahrheiten in einem kohärenten System wenigstens potentiell enthielte. Selbst die ‚Idee‘ einer solchen
vollendeten Dogmatik scheint unsinnig, ganz abgesehen davon, daß fak-
tisch die rechtsschöpferische Kraft des Falls stets neue Kodifikationen vorbereitet. Das Bemerkenswerte an dieser Sache ist, daß die hermeneutische
Aufgabe, den Abstand zwischen Gesetz und Fall zu überbrücken, auch
dann gegeben ist, wenn gar kein Wandel der sozialen Verhältnisse oder

---

[1] Wenn man etwa das für Studenten bestimmte Lehrbuch der »Methodenlehre
der Rechtswissenschaft«, das Karl Larenz soeben vorgelegt hat (Berlin 1961), ansieht,
so macht die vortreffliche historische und systematische Übersicht die es gewährt,
deutlich, daß diese Methodenlehre überall zu schwebenden Rechtsfragen etwas zu
sagen hat, mithin eine Art Hilfsdisziplin der Rechtsdogmatik ist. Darin liegt ihre
Bedeutung für unseren Zusammenhang.

sonstige geschichtlichen Veränderungen der Wirklichkeit das geltende
Recht als veraltet oder unangemessen erscheinen lassen. Der Abstand zwischen Gesetz und Fall scheint schlechthin unauflösbar. Das hermeneutische
Problem ist insofern von der Berücksichtigung der historischen Dimension
ablösbar. Es ist auch nicht bloße unvermeidliche Unvollkommenheit in
der Durchführung rechtlicher Kodifikation, was den Spielraum für die
Konkretion offenläßt, so daß man der Idee nach diesen Spielraum auf jedes
beliebige Maß herabsetzen könnte. Es scheint vielmehr im Sinne der gesetzlichen Regelung selber, ja aller rechtlichen Ordnung überhaupt, zu liegen,
in der Weise ‚elastisch' zu sein, daß sie einen solchen Spielraum läßt.

Wenn ich nicht irre, hat schon Aristoteles diesen Punkt klar gesehen,
indem er dem Gedanken des Naturrechts keine positiv-dogmatische, sondern lediglich eine kritische Funktion zubilligte. Man hat es immer als
schockierend empfunden (wenn man es nicht geradezu durch Fehlinterpretation des aristotelischen Textes bestritt), daß Aristoteles zwar den
Unterschied von konventionell und von Natur Rechtem macht, aber auch
das von Natur Rechte für veränderlich erklärt (Eth. Nic. 1134b 27 ff.).

Das von Natur Rechte und das durch Satzung Gesetzte sind nicht »gleichermaßen veränderlich«. Vielmehr wird durch den Hinblick auf vergleichbare Phänomene erläutert, daß auch das von Natur Rechte veränderlich ist, ohne deshalb aufzuhören, von dem durch bloße Satzung Gesetzten
verschieden zu sein. Offenkundig sind ja z.B. Verkehrsregeln nicht in gleichem, sondern in viel höherem Maße veränderlich als solches, das von
Natur als Recht gilt. Aristoteles will das nicht abschwächen, sondern erklären,
wieso in der unstabilen Menschenwelt (im Unterschied zu der der Götter)
das von Natur Rechte überhaupt ausgezeichnet ist. So sagt er: Es ist gleichermaßen klar und für den Unterschied zwischen von Natur Rechtem und
aus Konvention Rechtem gilt – trotz ihrer beider Veränderlichkeit – dieselbe Bestimmung, wie etwa beim Unterschied von rechter Hand und
linker Hand. Auch da ist von Natur die rechte die stärkere, und doch läßt
sich dieser natürliche Vorrang nicht als unveränderlich bezeichnen, sofern
man ihn in gewissen Grenzen durch Training der anderen Hand aufheben
kann [1].

---

[1] Die Stelle ist von Leo Strauss unter Heranziehung der ihm wohl aus der jüdischen
Tradition bekannten Lehre von der extremen Situation behandelt worden (Naturrecht und Geschichte, mit einem Vorwort von G. Leibholz, Stuttgart 1956), und
H. Kuhn (Zschr. für Politik, 3 NF, Heft 4, 1956, S. 289 ff. Vgl. oben S. 302 ff.) hat in
einer kritischen Stellungnahme dagegen den aristotelischen Text im Anschluß an
H. H. Joachim so zu redigieren gesucht, daß Aristoteles gar nicht uneingeschränkt
die Veränderlichkeit des Naturrechts behauptet habe. In Wahrheit scheint mir der
Satz 1134b 32–33 sofort in Ordnung, wenn man das strittige »gleichermaßen« nicht
auf die Veränderlichkeit des natürlichen und des konventionellen Rechts bezieht,
sondern auf das folgende »offenkundig« ($\delta\tilde{\eta}\lambda o\nu$.)

Neuerdings nimmt auch W. Bröcker, Aristoteles [3] S. 301 ff. zu dieser Kontro-

In gewissen Grenzen, d.h. in einem gewissen Spielraum. Einen solchen Spielraum offenzulassen, hebt offenbar den Sinn rechtlicher Ordnung so wenig auf, daß es vielmehr wesentlich zur Natur der Sachverhalte gehört: »Das Gesetz ist allgemein und kann eben deswegen nicht jedem einzelnen Fall gerecht werden.« [1] Die Sache hängt auch nicht etwa an der Kodifikation der Gesetze, sondern umgekehrt ist Kodifikation von Gesetzen überhaupt nur möglich, weil Gesetze an sich und ihrem Wesen nach allgemein sind.

Vielleicht muß man sich hier die Frage vorlegen, ob der innere Zusammenhang von Hermeneutik und Schriftlichkeit nicht ebenso als ein sekundärer zu beurteilen ist. Nicht die Schriftlichkeit als solche ist es, die einen Gedanken auslegungsbedürftig werden läßt, sondern seine Sprachlichkeit, d.h. aber die Allgemeinheit des Sinnes, die ihrerseits schriftliche Aufzeichnung als Folge ermöglicht. Beides, das kodifizierte Recht wie der schriftlich überlieferte Text, weisen also auf einen tieferliegenden Zusammenhang, der das Verhältnis von Verstehen und Applizieren betrifft, wie ich gezeigt zu haben glaube. Daß hierfür Aristoteles der oberste Zeuge ist, kann nicht verwundern. Ist doch seine Kritik an der platonischen Idee des Guten, wie ich vermuten möchte, der Keimpunkt seiner ganzen eigenen Philosophie überhaupt. Sie enthält, ohne deshalb »Nominalismus« zu sein, eine radikale Revision des Verhältnisses von Allgemeinem und Besonderem, wie es in der platonischen Lehre von der Idee des Guten – mindestens nach der Darstellung in den platonischen Dialogen – impliziert ist [2].

Das schließt aber nicht aus, daß zu diesem wesenhaften Abstand des Allgemeinen und des Konkreten noch weiterhin der historische Abstand hinzutritt und eine eigene hermeneutische Produktivität entfaltet.

---

verse Stellung, verfällt aber m.E. einem Sophisma, wenn er »im Falle eines Konfliktes von Naturrecht und positivem Recht« die Gültigkeit des positiven Rechtes als die aristotelische Meinung verteidigt. Natürlich ist es ‚gültig‘, aber nicht ‚recht‘, wenn Kreon das Naturrecht »aufhebt«. Und das ist die Frage, ob es überhaupt einen Sinn hat, über das ›positiv‹ Rechtliche hinaus und angesichts seines souveränen Geltungsanspruchs eine Instanz des natürlichen Rechts anzuerkennen, vor der das ‚Gültige‘ unrecht hat. Ich habe zu zeigen gesucht, daß eine solche Instanz besteht, aber nur als kritische.
[1] Kuhn, a.a.O. S. 299.
[2] Vgl. auch die vortreffliche Studie über das »Naturrecht bei Aristoteles« von Joachim Ritter (res publica 6, 1961). Hier wird in extenso gezeigt, warum es bei Aristoteles kein dogmatisches Naturrecht geben kann – weil nämlich die Natur die gesamte menschliche Welt, also auch die rechtliche Verfassung durch und durch bestimmt. Ob Ritter meinen Textvorschlag, den ich schon Oktober 1960 in Hamburg vorgetragen hatte, akzeptiert, wird nicht ganz klar (S. 28), zumal nachdem er H.H.Joachims Behandlung des Kapitels ohne kritische Einschränkung zitiert (Anm. 14). Aber in der Sache stimmt er mit meiner Auffassung (oben 302 ff.) überein (anscheinend auch W.Bröcker, der die Stelle a.a.O. S. 302 übersetzt, jedoch ohne meinen Textvorschlag anzunehmen) und entfaltet höchst lehrreich den metaphysischen Hintergrund der »politischen« und »praktischen« Philosophie des Aristoteles.

Ich wage nicht zu entscheiden, ob das auch für die juristische Hermeneutik gilt, in dem Sinne, daß eine durch den Wandel der Dinge auslegungsbedürftig gewordene gesetzliche Ordnung (z.B. mit Hilfe des Analogieprinzips) geradezu zu einer gerechteren Rechtsanwendung überhaupt beitrüge – nämlich zur Verfeinerung des die Auslegung leitenden Rechtsgefühls. Auf anderen Gebieten jedenfalls ist die Sache klar. Es ist außer allem Zweifel, daß die ‚Bedeutung' historischer Ereignisse oder der Rang von Kunstwerken im Zeitenabstand an Sichtbarkeit gewinnen.

Die gegenwärtige Diskussion des hermeneutischen Problems ist wohl nirgends so lebhaft wie im Bereiche der protestantischen Theologie. Auch hier handelt es sich freilich in gewissem Sinne, wie bei der juristischen Hermeneutik, um über die Wissenschaft hinausgehende Interessen, in diesem Falle des Glaubens und seiner rechten Verkündigung. Die Folge ist, daß die hermeneutische Diskussion sich mit exegetischen und dogmatischen Fragen verflicht, zu denen der Laie keine Stellung nehmen kann. Aber wie bei der juristischen Hermeneutik ist auch hier der Vorzug dieser Lage deutlich: den ‚Sinn' der jeweils zu verstehenden Texte nicht auf die imaginäre Meinung ihrer Verfasser einschränken zu können. Das großartige Riesenwerk Karl Barths, seine Kirchliche Dogmatik[1], trägt zu dem hermeneutischen Problem nirgends ausdrücklich und indirekt überall bei. Etwas anders liegt die Sache bei Rudolf Bultmann, dem methodologische Erörterungen durchaus liegen und der in seinen Gesammelten Abhandlungen mehrfach ausdrücklich zum Problem der Hermeneutik Stellung genommen hat[2]. Doch ist auch in seinem Falle der Schwerpunkt der ganzen Frage ein immanent theologischer, nicht nur in dem Sinne, daß seine exegetische Arbeit den Erfahrungsboden und den Anwendungsbereich seiner hermeneutischen Grundsätze darstellt, sondern vor allem auch in dem Sinne, daß der große Streitgegenstand der heutigen theologischen Auseinandersetzung, die Frage der Entmythologisierung des Neuen Testamentes, weit mehr von dogmatischen Spannungen durchzogen ist, als der methodologischen Besinnung angemessen wäre. Nach meiner Überzeugung hat das Prinzip der Entmythologisierung einen rein hermeneutischen Aspekt. Es soll nach Bultmann mit diesem Programm nicht über dogmatische Fragen als solche vorentschieden werden, also etwa darüber, wieviel von den Inhalten der biblischen Schriften für die christliche Verkündigung und damit für den Glauben wesentlich ist und was etwa geopfert werden könnte, sondern es handelt sich um die Frage des Verstehens der christlichen

---

[1] Vgl. die Würdigung eines wichtigen Aspektes dieses Werkes durch H. Kuhn Phil. Rundsch. II, 144–152 und IV, 182–191.

[2] Vgl. Glauben und Verstehen II, 211ff. III, 107ff., 142ff., sowie Geschichte und Eschatologie, Kap. VIII; vgl. auch den Beitrag von H. Blumenberg, Phil. Rundsch. II, 121–140.

Verkündigung selbst, um den Sinn, in dem sie verstanden werden muß, wenn sie überhaupt ‚verstanden' werden soll. Vielleicht, ja sogar sicher ist es möglich, im Neuen Testament ‚mehr' zu verstehen, als Bultmann verstanden hat. Das kann sich aber nur herausstellen, indem man dies ‚mehr' ebenso *gut*, d.h. – *wirklich versteht*.

Die historische Bibelkritik und ihre wissenschaftliche Durchführung im 18. und 19. Jahrhundert haben eine Situation geschaffen, die einen beständig neuen Ausgleich zwischen den allgemeinen Grundsätzen wissenschaftlichen Textverständnisses und den besonderen Aufgaben des Selbstverständnisses des christlichen Glaubens fordert. Es ist gut, sich zu erinnern, wie die Geschichte dieser Ausgleichsbemühungen aussieht[1].

Am Anfang der Entwicklung des 19. Jahrhunderts steht Schleiermachers Hermeneutik, die die wesenhafte Gleichartigkeit im Auslegungsverfahren der Heiligen Schrift und aller sonstigen Texte, wie sie schon Semler im Auge hatte, systematisch begründet. Schleiermachers eigenster Beitrag war dabei die psychologische Interpretation, wonach jeder Gedanke eines Textes als ein Lebensaugenblick auf den persönlichen Lebenszusammenhang seines Verfassers zurückbezogen werden muß, wenn er ganz verstanden werden will. Wir haben inzwischen einen etwas genaueren Einblick in die Entstehungsgeschichte von Schleiermachers Gedanken zur Hermeneutik, nachdem die Berliner Manuskripte, aus denen Lücke seinerzeit die Ausgabe komponiert hatte, durch die Heidelberger Akademie der Wissenschaften in getreuem Abdruck vorgelegt worden sind[2]. Die Ausbeute dieses Rückgriffs auf die Originalmanuskripte ist nicht revolutionär, aber doch nicht bedeutungslos. H. Kimmerle zeigt in seiner Einleitung, wie die ersten Niederschriften die Identität von Denken und Sprechen in den Vordergrund stellen, während die spätere Ausarbeitung im Sprechen die individualisierende Äußerung sieht. Dazu kommt das langsame Hervorwach-

---

[1] Wie anders vor der Entstehung der historischen Bibelkritik das Verhältnis von Theologie und Philosophie war, sofern das Neue Testament unmittelbar als Dogmatik, d.h. als Inbegriff allgemeiner Glaubenswahrheiten, verstanden wurde und damit (freundlich oder feindlich) auf die systematische Beweisart und die Darstellungsform der rationalen Philosophie bezogen werden konnte, lehrt die Studie von Heinz Liebing, Zwischen Orthodoxie und Aufklärung, über den Wolffianer G.B. Bilfinger (Tübingen 1961). Bilfinger sucht die Wissenschaftlichkeit seiner Theologie auf dem Boden der modifizierten Wolffschen Metaphysik systematisch zu begründen. Daß er sich dabei der durch seine Zeitsituation und seine Einsicht gesetzten Grenzen bewußt war, ist das einzige hermeneutische Element seiner Wissenschaftslehre, das in die Zukunft hinüberweist: auf das Problem der Geschichte.

Vgl. auch meine Einleitung zu F. Chr. Oetingers Inquisitio in sensum communem. Neudruck des Frommann-Verlages 1964, S. V–XXVIII.

[2] Der Abdruck der Berliner Manuskripte, deren älteste sehr schwer lesbar sind, ist von Heinz Kimmerle besorgt worden. Leider fehlen fast alle Nachweise der Zitate. Ein so offensichtlicher Schreibfehler wie S. 42 Harrus statt Harris hätte mindestens im Apparat markiert werden müssen.

sen und schließliche Dominieren des psychologischen Gesichtspunktes über
die genuin sprachlichen Gesichtspunkte der ‚technischen' Interpretation
(‚Styl').

Daß auch innerhalb der Schleiermacherschen Dogmatik, die in einer
schönen großen Neuausgabe durch Martin Redeker (Der christliche Glaube)
neu zugänglich gemacht worden ist[1], die psychologisch-subjektive Orientierung Schleiermachers zu theologischer Kritik herausfordert, ist bekannt
genug. Das »Selbstbewußtsein des Glaubens« ist eine dogmatisch gefährliche Basis. Das Buch von Christoph Senft, das die Entwicklung von Schleiermacher bis zur liberalen Theologie Ritschls mit großer Klugheit diskutiert,
gibt davon eine gute Vorstellung[2]. Senft schreibt S. 42 über Schleiermacher:

»Trotz seines Bemühens um lebendige Begriffe zur Erfassung des Geschichtlichen bleibt bei ihm die Dialektik zwischen Spekulation und Empirie
eine unbewegte: die Wechselwirkung zwischen der Geschichte und dem
sie Erkennenden ist eine unproblematische und kritische, worin der nach
der Geschichte Fragende vor jeder grundsätzlichen Gegenfrage sicher
bleibt.«

Nach dieser Richtung hat auch F. Ch. Baur, wie Senft zeigt, so sehr er
den geschichtlichen Prozeß zum Gegenstand seiner Besinnung macht, das
hermeneutische Problem nicht weitergebracht, da er die Autonomie des
Selbstbewußtseins als uneingeschränkte Basis festhält. Wohl aber hat
Hofmann, und das kommt in Senfts Darstellung schön heraus, in seiner
Hermeneutik die Geschichtlichkeit der Offenbarung auch hermeneutisch
ernst genommen. Das Lehrganze, das er entwickelt, ist »die Explizierung
des christlichen Glaubens, der im ‚außer uns Gelegenen' seine Voraussetzung hat, aber nicht gesetzlich äußerlich, sondern so, daß es ihm als
seine eigene Geschichte ‚erfahrungsmäßig' erschlossen ist«. (Senft, S. 105.)
Damit aber ist zugleich gesichert: »Als Denkmal einer Geschichte, d. h.
eines bestimmten Zusammenhangs von Ereignissen – nicht als Lehrbuch
allgemeiner Lehren – ist die Bibel das Buch der Offenbarung.« Im ganzen
läßt sich sagen, daß die Kritik, die die historische Bibelwissenschaft am
Kanon geübt hat, indem sie die dogmatische Einheit der Bibel höchst problematisch macht, und die rationalistisch-dogmatische Voraussetzung einer
biblischen ‚Lehre' auflöst, die theologische Aufgabe gestellt hat, die biblische Geschichte *als Geschichte* anzuerkennen.

Mir scheint, daß die neuere hermeneutische Debatte von hier aus ihre
Richtung gewiesen bekommen hat. Der Glaube an diese Geschichte muß
selber als ein geschichtliches Ereignis, als Anruf des Wortes Gottes verstan-

---

[1] Berlin 1960.
[2] Chr. Senft, Wahrhaftigkeit und Wahrheit. Die Theologie des 19. Jh. zwischen
Orthodoxie und Aufklärung, Tübingen 1956.

den werden. Schon für das Verhältnis von Altem und Neuem Testament
gilt das. Es läßt sich (etwa nach Hofmann) als das Verhältnis von Weissagung und Erfüllung verstehen, so daß sich erst aus der Erfüllung die
geschichtlich scheiternde Weissagung selber in ihrem Sinn bestimmte. Das
geschichtliche Verständnis der alttestamentlichen Weissagungen ist aber
dem Verkündigungssinn keineswegs abträglich, den sie vom Neuen Testament her empfangen. Im Gegenteil wird das Heilsereignis, das das NT
verkündet, erst dann als ein wirkliches Ereignis verstanden, wenn die
Vorhersagung kein bloßer »Abdruck der zukünftigen Tatsache« (Hofmann
bei Senft 101) ist. Vor allem gilt es aber von dem Begriff des Selbstverständnisses des Glaubens, dem Grundbegriff der Bultmannschen Theologie, daß
er einen geschichtlichen (und nicht idealistischen) Sinn hat [1].

Selbstverständnis soll eine geschichtliche Entscheidung meinen und
nicht etwa verfügbaren Selbstbesitz. So hat Bultmann immer wieder betont. Es ist daher ganz abwegig, den Begriff des Vorverständnisses, den
Bultmann gebraucht, als Befangenheit in Vorurteilen zu verstehen, als
eine Art Vorwissen [2]. In Wahrheit handelt es sich um einen rein hermeneutischen Begriff, den Bultmann, durch Heideggers Analyse des hermeneutischen Zirkels und der allgemeinen Vor-Struktur des menschlichen Daseins angeregt, ausgebildet hat. Er meint die Öffnung des Fragehorizontes,
in dem Verstehen allein möglich ist, aber er meint nicht, daß das eigene
Vorverständnis nicht durch die Begegnung mit dem Worte Gottes (wie
übrigens mit jedem anderen Wort) korrigiert werden könne. Im Gegenteil,
es ist der Sinn dieses Begriffes, die Bewegung des Verstehens als solche
Korrektur sichtbar zu machen. Daß diese ‚Korrektur‘ im Falle des Anrufs
des Glaubens eine spezifische ist, die nur der Formalstruktur nach von
hermeneutischer Allgemeinheit ist, wird zu beachten sein [3].

Der theologische Begriff des Selbstverständnisses schließt sich hier an.
Auch dieser Begriff ist offenbar aus Heideggers transzendentaler Analytik
des Daseins heraus entwickelt worden. Das Seiende, dem es um sein Sein
geht, stellt sich durch sein Seinsverstehen als Zugangsweg zu der Frage

---

[1] Vgl. meine Beiträge in der FS G. Krüger 1962, S. 71–85 und in der FS R. Bultmann 1964, S. 479–490.

[2] Betti in seiner ‚Grundlegung‘ a. a. O. S. 115 (Anm. 47 a) scheint in dem Mißverständnis befangen, das ‚Vorverständnis‘ werde von Heidegger und Bultmann gefordert, weil es das Verstehen fördere. Richtig ist vielmehr, daß ein *Bewußtsein* des
immer im Spiele seienden Vorverständnisses zu verlangen ist, wenn man es mit der
‚Wissenschaftlichkeit‘ ernst meint.

[3] Lothar Steiger, Die Hermeneutik als dogmatisches Problem (Gütersloh 1961)
sucht in seiner tüchtigen Dissertation (aus der Schule H. Diems) die Besonderheit
der theologischen Hermeneutik herauszuarbeiten, indem er die Kontinuität des transzendentalen Ansatzes des theologischen Verstehens von Schleiermacher über Ritschl
und Harnack bis zu Bultmann und Gogarten verfolgt und mit der Existenzdialektik
der christlichen Verkündigung konfrontiert.

nach dem Sein dar. Die Bewegtheit des Seinsverstehens wird selbst als eine
geschichtliche, als die Grundverfassung der Geschichtlichkeit erwiesen.
Das ist für Bultmanns Begriff des Selbstverständnisses von entscheidender
Bedeutung.

Dadurch unterscheidet sich dieser Begriff von dem der Selbsterkenntnis,
nicht nur in dem »psychologistischen« Sinne, daß in der Selbsterkenntnis
etwas Vorfindliches erkannt wird, sondern auch in dem tieferen spekulativen Sinn, der den Geistbegriff des deutschen Idealismus bestimmt, wonach
das vollendete Selbstbewußtsein im Anderssein sich selbst erkennt. Gewiß ist
etwa die Entfaltung dieses Selbstbewußtseins in Hegels Phänomenologie
ebenfalls in entscheidender Weise durch die Anerkennung des anderen
ermöglicht. Das Werden des selbstbewußten Geistes ist ein Kampf um
Anerkennung. Was er ist, ist, was er geworden ist. Gleichwohl handelt es
sich in dem Begriff des Selbstverständnisses, wie er dem Theologen angemessen ist, um etwas anderes [1].

Das unverfügbar Andere, das extra nos, gehört zum unaufhebbaren
Wesen dieses Selbstverständnisses. Jenes Selbstverständnis, das wir in immer neuen Erfahrungen am anderen und an den anderen erwerben, bleibt,
christlich gesehen, in einem wesenhaften Sinne Unverständnis. Alles
menschliche Selbstverständnis hat am Tode seine absolute Grenze. Das
kann man wahrlich nicht im Ernst gegen Bultmann ins Feld führen
(Ott 163) und einen ‚abschließenden‘ Sinn in dem Bultmannschen Begriff
des Selbstverständnisses finden wollen. Als ob das Selbstverständnis des
Glaubens nicht eben die Erfahrung des Scheiterns des menschlichen Selbstverständnisses wäre. Solche Erfahrung des Scheiterns braucht nicht einmal
christlich verstanden zu werden. An jeder solchen Erfahrung vertieft sich
menschliches Selbstverständnis. In jedem Falle ist es ein ‚Geschehen‘ und
der Begriff des Selbstverständnisses ein geschichtlicher Begriff. Aber es soll
– nach christlicher Lehre – ein ‚letztes‘ solches Scheitern geben. Der christliche Sinn der Verkündigung, die Verheißung der Auferstehung, die vom
Tode erlöst, besteht geradezu darin, das immer sich wiederholende Mißlingen des Selbstverständnisses, sein Scheitern an Tod und Endlichkeit, im
Glauben an Christus zu beenden. Gewiß bedeutet das nicht ein Heraustreten aus der eigenen Geschichtlichkeit, wohl aber dies, daß der Glaube das
eschatologische Ereignis ist. Bultmann schreibt in ‚Geschichte und Escha-

---

[1] Wie sehr die in vielem fruchtbare Analyse von Ott (Geschichte und Heilsgeschehen in der Theologie R. Bultmanns, Tübingen 1955) den methodischen Gegensatz zwischen dem metaphysischen Begriff des Selbstbewußtseins und dem geschichtlichen Sinn von Selbstverständnis verfehlt, zeigt Otts Anmerkung S. 164 [2].
Ob Hegels Denken, wie Ott zu meinen scheint, weniger sachgemäß vom Selbstbewußtsein spricht als Bultmann vom Selbstverständnis, möchte ich dahingestellt sein
lassen. Aber daß es verschiedene ‚Sachen‘ sind – so verschieden wie Metaphysik und
christlicher Glaube – sollte kein ‚lebendiges Gespräch mit der Tradition‘ aus dem
Auge verlieren.

tologie'[1]: »Die Paradoxie, daß die christliche Existenz gleichzeitig eine eschatologische, unweltliche, und eine geschichtliche ist, ist gleichbedeutend mit dem lutherischen Satz: Simul iustus simul peccator.« Es ist in diesem Sinne, daß das Selbstverständnis ein geschichtlicher Begriff ist.

Die an Bultmann anknüpfende neuere hermeneutische Diskussion scheint nun in einer bestimmten Richtung über ihn hinauszudrängen. Wenn nach Bultmann der Anspruch der christlichen Verkündigung an den Menschen dahin geht, die Verfügung über sich selbst aufgeben zu müssen, so ist der Anruf dieses Anspruches gleichsam eine privative Erfahrung der menschlichen Selbstverfügung. In dieser Weise hat Bultmann Heideggers Begriff der Uneigentlichkeit des Daseins theologisch interpretiert. Bei Heidegger freilich ist der Eigentlichkeit die Uneigentlichkeit nicht nur in dem Sinne beigesellt, daß dem menschlichen Dasein das Verfallensein ebenso eigen ist wie die »Entschlossenheit«, die Sünde (der Unglaube) ebenso wie der Glaube. Die Gleichursprünglichkeit von Eigentlichkeit und Uneigentlichkeit bei Heidegger weist vielmehr schlechthin über den Ansatz im Selbstverständnis hinaus. Sie ist die erste Form, in der sich in Heideggers Denken das Sein selbst in seiner Gegenwendigkeit von Entbergung und Verbergung zur Sprache gebracht hat. Wie Bultmann sich an die existenziale Analytik des Daseins bei Heidegger anlehnte, um die eschatologische Existenz des Menschen zwischen Glaube und Unglaube zu explizieren, so läßt sich auch an diese vom späteren Heidegger genauer explizierte Dimension der Seinsfrage theologisch anknüpfen, indem man die zentrale Bedeutung, die die Sprache in diesem Seinsgeschehen hat, für die ‚Sprache des Glaubens‘ heranzieht. Schon in der spekulativ sehr gewandten hermeneutischen Diskussion, die Ott geführt hat, findet sich im Anschluß an den Humanismus-Brief Heideggers eine Kritik an Bultmann. Sie entspricht seiner eigenen positiven These S. 107: »Die Sprache, in welcher die Wirklichkeit ‚zur Sprache kommt‘, in und mit welcher somit die Reflexion über Existenz sich vollzieht, begleitet die Existenz in allen Epochen ihres Sich-Ereignens.« Die hermeneutischen Ideen der Theologen *Fuchs* und *Ebeling* scheinen mir in ähnlicher Weise vom späten Heidegger auszugehen, indem sie den Begriff der Sprache stärker in den Vordergrund stellen.

Ernst Fuchs hat eine *Hermeneutik* vorgelegt, die er selbst »Sprachlehre des Glaubens« nennt[2]. Er geht davon aus, daß die Sprache die Lichtung

---

[1] Diese Gifford-Lectures R. Bultmanns sind dadurch von besonderem Interesse, daß sie Bultmanns hermeneutische Position zu anderen Autoren, vor allem zu Collingwood und H. J. Marrou, De la connaissance historique, 1954 (vgl. Phil. Rundschau VIII, 123) in Beziehung setzen.

[2] Bad Cannstatt, 1954, Erg.-Heft zur 2. Aufl. 1958. Vgl. auch: **Zum hermeneutischen Problem in der Theologie. Die existenziale Interpretation**, Tübingen 1959.

des Seins ist. »Die Sprache birgt die Entscheidung darüber, was uns als
Dasein offen steht, als die Möglichkeit dessen, was aus uns werden kann,
wenn wir als Menschen ansprechbar bleiben sollen.« Er knüpft also an
Heidegger an, um »mit der modernen Befangenheit im Subjekt-Objekt-
Schema fertigzuwerden«. Während aber Heidegger »den vom Ursprüng-
lichen her ins Ursprüngliche zurückziehenden Zug der Sprache selbst«
denkt, sucht Fuchs den inneren Zug der Sprache im Hören auf das Neue
Testament als den Zug des Wortes Gottes zu erkennen.

Mit solchem Hören ist das Bewußtsein verknüpft, daß wir nicht sagen
können, wir wären die letzten, denen Gottes Wort gilt. Daraus folgt aber,
»wir dürfen und sollen uns in unsere geschichtlichen Grenzen weisen lassen, wie sie sich in unserem geschichtlichen Weltverständnis ausprägen.
Damit aber empfangen wir die gleiche Aufgabe, wie sie für die Selbstbesinnung des Glaubens von jeher bestand. Diese Aufgabe teilen wir auch
mit den Verfassern des Neuen Testaments«. So gewinnt Fuchs eine hermeneutische Basis, die sich aus der neutestamentlichen Wissenschaft selber
legitimieren kann. Die Verkündigung von Gottes Wort in der Predigt ist
ein Übersetzen der Aussagen des Neuen Testamentes, dessen Rechtfertigung die Theologie ist.

Theologie wird hier nahezu zur Hermeneutik, da sie – der Entwicklung
der modernen Bibelkritik folgend – nicht die Wahrheit der Offenbarung
selbst, wohl aber die Wahrheit der auf die Offenbarung Gottes bezogenen
Aussagen oder Mitteilungen zum Gegenstand hat (98). Die ausschlag-
gebende Kategorie ist daher die der *Mitteilung*.

Fuchs folgt darin Bultmann, daß das hermeneutische Prinzip im Verständnis des Neuen Testamentes gegenüber dem Glauben neutral sein
muß, denn seine einzige Voraussetzung ist die Frage nach uns selbst. Aber
sie enthüllt sich als die Frage Gottes an uns. Eine Sprachlehre des Glaubens muß davon handeln, wie das dem Anruf des Wortes Gottes begeg-
nende Hören eigentlich verfährt. »Wissen, was in dieser Begegnungs
geschieht, heißt noch nicht, daß man auch ohne weiteres sagen kann, was
man weiß.« (86) So ist am Ende die Aufgabe nicht nur, das Wort zu hören,
sondern ebenso: das Wort zu finden, das Antwort sagt. Es geht um die
Sprache des Glaubens.

In einem Aufsatz »Übersetzung und Verkündigung« wird deutlicher,
inwiefern diese hermeneutische Lehre über die existentiale Interpretation im Sinne Bultmanns hinauszukommen sucht[1]. Es ist das hermeneutische Prinzip der Übersetzung, das die Richtung angibt. Unbestreitbar:
»Die Übersetzung soll denselben Raum schaffen, den ein Text schaffen
wollte, als der Geist in ihm sprach.« (409) Das Wort aber hat gegenüber
dem Text – das ist die kühne und doch unvermeidliche Konsequenz – den

---

[1] Zur Frage nach dem historischen Jesus, Ges. Aufs. II, Tübingen 1960.

Primat, denn es ist Sprachereignis. Damit soll offenbar gesagt sein, daß das
Verhältnis von Wort und Gedanken nicht das eines nachträglichen Errei-
chens des Gedankens durch das ausdrückende Wort ist. Das Wort ist viel-
mehr wie ein Blitz, der trifft. Entsprechend hat Ebeling einmal formuliert:
»Das hermeneutische Problem erfährt im Vollzug der Predigt seine äußerste
Verdichtung.«[1]

Es kann hier nicht darüber berichtet werden, wie von dieser Basis aus
»die hermeneutischen Bewegungen im Neuen Testament« dargestellt werden. Dabei dürfte die eigentliche Pointe darin erblickt werden, daß die
Theologie nach Fuchs schon im Neuen Testament »ihrem Ansatz nach der
Streit zwischen einem von Anfang an drohenden Rechts- oder Ordnungs-
denken und der Sprache selbst ist«[2]. Die Aufgabe der Verkündigung ist die
Umsetzung ins Wort[3].

Aller heutigen Kritik am historischen Objektivismus oder Positivismus
ist eines gemeinsam: die Einsicht, daß das sogenannte Subjekt der Erkenntnis von der Seinsart des Objektes ist, so daß Objekt und Subjekt der gleichen
geschichtlichen Bewegtheit angehören. Der Subjekt-Objekt-Gegensatz hat
zwar dort seine Angemessenheit, wo das Objekt gegenüber der res cogitans
das schlechthin andere der res extensa ist. Die geschichtliche Erkenntnis
aber kann durch einen solchen Begriff von Objekt und Objektivität nicht
angemessen beschrieben werden. Es kommt darauf an, mit Graf Yorck zu
reden, den ‚generischen‘ Unterschied von ‚ontisch‘ und ‚historisch‘ zu
erfassen, d.h. das sog. Subjekt in der ihm zukommenden Seinsweise der
Geschichtlichkeit zu erkennen. Wir hatten gesehen, daß Dilthey zur vollen
Konsequenz dieser Einsicht nicht durchgedrungen ist, wenn auch in seiner
Nachfolge dieselbe gezogen wurde. Indessen fehlten für das Problem der
Überwindung des Historismus, wie es etwa von Ernst Troeltsch expliziert
worden ist, die begrifflichen Voraussetzungen.

Hier hat die Arbeit der phänomenologischen Schule ihre Fruchtbarkeit
bewiesen. Heute, nachdem die verschiedenen Entwicklungsphasen der

---

[1] Wort Gottes und Hermeneutik, Ztschr. f. Theol. u. Kirche, 1959.
[2] Vgl. meinen Beitrag zur FS Bultmann a.a.O.
[3] Vielleicht wird das, was in den Augen von Fuchs und Ebeling die »neue hermeneutische Position« heißt, an der Übertreibung am deutlichsten. Helmut Franz
hat in einem sympathischen und ernsthaften Büchlein die Frage nach *Kerygma
und Kunst* (Saarbrücken, 1959) gestellt. Er bewegt sich weitgehend im Sprachstoff
des späten Heidegger und sieht die Aufgabe darin, die Kunst wieder in echtes ke-
rygmatisches Sein zurückzuführen. Aus dem »Ge-stell« des Kunstbetriebes soll wieder das Er-eignis werden. Der Verfasser hat wohl im besonderen die Musik im Auge
und ihre wesenhafte Zugehörigkeit zu dem Raum, in dem sie erklingt, oder besser:
den sie klingen macht. Aber gewiß meint er nicht nur die Musik, nicht nur die
Kunst, er meint die Kirche selbst und auch ihre Theologie, wenn er das Kerygma
durch den ‚Betrieb‘ bedroht sieht. Ob aber durch die Verwandlung ins ‚Ereignis‘ Theologie und Kirche schlechthin charakterisierbar sind?

Husserlschen Phänomenologie überschaubar geworden sind[1], scheint mir
klar, daß Husserl als erster den radikalen Schritt in dieser Richtung tat,
indem er die Seinsweise der Subjektivität als absolute Historizität, d. h. als
Zeitlichkeit erwies. Heideggers epochemachendes Werk ‚Sein und Zeit‘,
auf das man sich dafür in der Regel bezieht, hatte eine ganz andere, weit
radikalere Intention, nämlich den unangemessenen ontologischen Vorgriff
aufzudecken, der das neuzeitliche Verständnis der Subjektivität bzw. des
‚Bewußtseins‘ beherrscht, und das auch noch in dessen extremer Zuspitzung zur Phänomenologie der Zeitlichkeit und Geschichtlichkeit. Diese
Kritik diente der positiven Aufgabe, die Frage nach dem ‚Sein‘ neu auf-
zurühren, auf die die Griechen als erste Antwort die der Metaphysik
gegeben hatten. ‚Sein und Zeit‘ wurde jedoch nicht in dieser seiner eigentlichen Intention verstanden, sondern in dem, was Heidegger mit Husserl
gemeinsam hatte, wenn man darin die radikale Verfechtung der absoluten
Geschichtlichkeit des ‚Daseins‘, wie sie schon aus Husserls Analyse der
Urphänomenalität der Zeitlichkeit (»Strömen«) folgte, sah. Man argumentierte etwa so: Die Seinsweise des Daseins wird nun ontologisch positiv
bestimmt. Es ist nicht Vorhandensein, sondern Zukünftigkeit. Es gibt keine
ewigen Wahrheiten. Wahrheit ist die mit der Geschichtlichkeit des Daseins
mitgegebene Erschlossenheit des Seins[2]. Hier war die Grundlage zu finden,
von der aus die Kritik am historischen Objektivismus, die in den Wissenschaften selber geschah, ihre ontologische Rechtfertigung empfangen
konnte. Es ist sozusagen ein Historismus zweiten Grades, der nicht nur die
geschichtliche Relativität aller Erkenntnis dem absoluten Wahrheitsanspruch entgegenstellt, sondern ihren Grund, die Geschichtlichkeit des
erkennenden Subjektes, denkt und deshalb geschichtliche Relativität nicht
mehr als Einschränkung der Wahrheit ansehen kann[3].

Auch wenn das richtig ist, folgt daraus keineswegs, daß nun im Sinne
der Diltheyschen Weltanschauungsphilosophie alle philosophische Erkennt-

---

[1] Husserliana *I–VIII*. Vgl. die Beiträge von H. Wagner (Phil. Rundsch. I, 1–23,
93–123), D. Henrich (Phil. Rundsch. VI, 1–25) und L. Landgrebe (Phil. Rundsch. IX,
133). H.-G. Gadamer (Phil. Rundsch. X, 1–49). Meine dort an den Auffassungsge-
sichtspunkten Herbert Spiegelbergs geübte Kritik hat leider in einigen Punkten
unrichtige Unterstellungen begangen. Sowohl betreffs der Parole ‚zu den Sachen
selbst‘ als auch zum Reduktionsbegriff Husserls nimmt Spiegelberg durchaus im
gleichen Sinne wie ich gegen geläufige Mißverständnisse Stellung, was ich hier
ausdrücklich berichtige.

[2] Das heißt aber nicht: ‚Es gibt nichts Ewiges. Alles, was ist, ist geschichtlich.‘
Vielmehr ist z. B. die Seinsart dessen, was ewig oder was zeitlos ist, Gott oder die
Zahlen, von der ‚Fundamentalontologie‘, welche am Dasein seinen Seinssinn erhebt,
auch erst richtig bestimmbar – vgl. etwa O. Beckers Arbeit über Mathematische
Existenz (Jahrbuch für Philosophie und phänomenologische Forschung VIII (1927).

[3] Vgl. etwa F. Meineckes Begriff des ‚dynamischen Historismus‘ (Entstehung des
Historismus 499 ff.).

nis nur noch den Sinn und Wert eines geschichtlichen Ausdrucks hat und insoweit mit der Kunst auf der gleichen Ebene steht, in der es um Echtheit und nicht um Wahrheit gehe. Heideggers eigene Frage ist weit davon entfernt, die Metaphysik zugunsten der Geschichte, die Frage nach der Wahrheit zugunsten der Echtheit des Ausdrucks aufheben zu wollen. Er will vielmehr noch hinter die Fragestellung der Metaphysik denkend zurückfragen. Daß damit die Geschichte der Philosophie in einem neuen Sinne als das Innere der Weltgeschichte, nämlich als Seinsgeschichte, d. h. Geschichte der Seinsvergessenheit erscheint, bedeutet aber auch nicht, daß es sich hier um eine Geschichtsmetaphysik in dem Sinne handelt, den Löwith als eine Säkularisationsform des heilsgeschichtlichen Verständnisses des Christentums erwiesen hat[1] und dessen konsequenteste Durchführung auf dem Boden der modernen Aufklärung die Hegelsche Geschichtsphilosophie ist. Ebensowenig ist Husserls historische Kritik des ‚Objektivismus‘ der neueren Philosophie, die seine ‚Krisis‘-Abhandlung vorträgt, Geschichtsmetaphysik. ‚Geschichtlichkeit‘ ist ein transzendentaler Begriff.

Gegen einen solchen ‚transzendentalen‘ Historismus, der im Stile der Husserlschen transzendentalen Reduktion in der absoluten Geschichtlichkeit der Subjektivität seinen Stand nimmt, um von ihr aus alles als seiend Geltende als eine Objektivationsleistung dieser Subjektivität zu verstehen, läßt sich sehr leicht argumentieren, wenn man den Standpunkt einer theologischen Metaphysik in Anspruch nimmt. Wenn es ein Ansichsein geben soll, das allein die universale geschichtliche Bewegtheit sich ablösender Weltentwürfe einzuschränken vermöchte, muß es offenbar das alle endlichen menschlichen Perspektiven Übertreffende sein, wie es sich einem unendlichen Geiste darstellt. Das aber ist die Schöpfungsordnung, die auf diese Weise allen menschlichen Weltentwürfen vorgeordnet bleibt. In diesem Sinne hat Gerhard Krüger schon vor Jahrzehnten den Doppelaspekt der Kantischen Philosophie, Idealismus der Erscheinung und Realismus des Dings an sich zu sein, interpretiert[2] und bis in seine neuesten Arbeiten hinein das Recht einer teleologischen Metaphysik gegen den modernen Subjektivismus von der Basis der mythischen oder religiösen Erfahrung aus zu verteidigen gesucht.

Sehr viel schwieriger wird die Sache aber, wenn man die im christlichen Schöpfungsbericht gipfelnden Konsequenzen nicht auf sich nehmen will und dennoch den alten teleologischen Kosmos, für den ja noch immer das sog. natürliche Weltbewußtsein plädiert, dem Wandel der menschlichen Geschichte entgegenstellen möchte[3]. Wohl ist es richtig und einleuchtend,

[1] Weltgeschichte und Heilsgeschehen, Stuttgart 1953.
[2] Philosophie und Moral in der Kantischen Kritik, Tübingen 1931.
[3] Vgl. Löwiths Krüger-Kritik, Phil. Rundschau. VII, 1959, S. 1–9.

daß das Wesen der Geschichtlichkeit erst mit der christlichen Religion und
ihrer Betonung des absoluten Augenblicks der Heilstat Gottes dem menschlichen Denken zum Bewußtsein gekommen ist und daß dennoch vordem
schon die gleichen Phänomene des geschichtlichen Lebens bekannt waren,
nur daß sie »ungeschichtlich« verstanden wurden, sei es in der Herleitung
der Gegenwart aus einer mythischen Vorzeit, sei es im Verständnis derselben
im Blick auf eine ideale, ewige Ordnung.

Es ist wahr, daß etwa die Geschichtsschreibung eines Herodot, ja selbst
diejenige eines Plutarch das Auf und Ab der menschlichen Geschichte sehr
wohl zu beschreiben weiß, als eine Fülle moralischer Exempla, ohne auf
die Geschichtlichkeit der eigenen Gegenwart und die Geschichtlichkeit des
menschlichen Daseins schlechthin zu reflektieren. Das Vorbild der kosmi-
schen Ordnungen, in denen alles Abweichende und Normwidrige flüchtig
vergeht und in den großen Ausgleich des Naturlaufs zurückgenommen
wird, vermag auch den Lauf der menschlichen Dinge zu beschreiben. Die
beste Ordnung der Dinge, der ideale Staat, ist in der Idee eine ebenso
dauerhafte Ordnung wie das Weltall, und wenn selbst eine ideale Verwirklichung desselben nicht dauert, sondern neuer Verwirrung und Unordnung
Platz macht (die wir Geschichte nennen), so ist das die Folge eines Rechen-
fehlers der das Rechte wissenden Vernunft. Die rechte Ordnung ist ohne
Geschichte. Geschichte ist Verfallsgeschichte und, allenfalls, Wiederherstellung der rechten Ordnung[1].

Im Blick auf die tatsächliche menschliche Geschichte ist also der historische Skeptizismus – übrigens doch wohl auch nach christlich-reformato-
rischem Verständnis – allein vertretbar. Das war die Absicht und Einsicht,
die hinter Löwiths Aufdeckung der theologischen, insbesondere eschatologischen Voraussetzungen der europäischen Geschichtsphilosophie in ‚Weltgeschichte und Heilsgeschehen‘ stand. Die Einheit der Weltgeschichte zu
denken, ist, von Löwith her gesehen, das falsche Bedürfnis des christlich-
modernistischen Geistes. Nicht der ewige Gott und nicht der Heilsplan,
den er mit den Menschen verfolgt, darf nach Löwith gedacht werden, wenn
man die Endlichkeit des Menschen wirklich ernst nimmt. Man müßte auf

---

[1] Anläßlich der Schrift von Günther Rohr, Platons'Stellung zur Geschichte, Berlin
1932, habe ich das schon vor Jahrzehnten (DLZ 1932, Sp. 1982 ff.) so formuliert:
»Wo die rechte Paideia in einem Staat wirksam würde, da wäre das überhaupt nicht,
was wir ‚Geschichte‘ nennen: das Wechselspiel von Entstehen und Vergehen,
Wachstum und Verderb. Über die aus den Tatsachen bestätigten Ablaufsgesetze des
Geschehens erhöbe sich der gewahrte Bestand. Und erst wenn man sieht, daß auch
diese *Dauer* ‚Geschichte‘ heißen darf, zeigt sich Platos ‚Stellung zur Geschichte‘: Im
dauernden Abbild dauernden Vorbildes, in einem politischen Kosmos inmitten des
Natürlichen vollendete sich das Sein der Geschichte als die Unsterblichkeit der wie-
derholenden Bewahrung. (Man denke an den Anfang des Timaios.)« Inzwischen hat
Konrad Gaiser, Platos Ungeschriebene Lehre, 1963, das Problem erneut behandelt.

den ewigen Lauf der Natur blicken, um an ihm den Gleichmut zu lernen, der der Winzigkeit des Menschendaseins im Weltganzen allein angemessen sei. Der »natürliche Weltbegriff«, den Löwith gegen den modernen Historismus ebensosehr wie gegen die moderne Naturwissenschaft ausspielt, ist also, wie man sieht, stoischer Prägung[1]. Kein anderer griechischer Text scheint Löwiths Absichten so gut zu illustrieren wie die pseudoaristotelische (hellenistisch-stoische) Schrift ,Von der Welt'. Kein Wunder. Offenbar ist der moderne Autor so gut wie sein hellenistischer Vorfahr am Naturlauf nur so weit interessiert, als er das Andere zu der verzweifelten Unordnung der menschlichen Dinge ist. Wer so die Natürlichkeit dieses natürlichen Weltbildes verteidigt, geht also keineswegs von der Ewigen Wiederkehr des Gleichen aus – so wenig wie Nietzsche –, sondern von der schlechthinnigen Endlichkeit des menschlichen Daseins. Seine Ablehnung der Geschichte ist eine Spiegelung des Fatalismus, d. h. der Verzweiflung an einem Sinn dieses Daseins. Sie ist keine Verneinung der Bedeutung der Geschichte, sondern ihrer Deutbarkeit überhaupt.

Radikaler scheint mir die Kritik an dem Geschichtsglauben der Moderne, die Leo Strauss in einer Reihe hervorragender Bücher zur politischen Philosophie geübt hat. Er ist Professor der politischen Philosophie in Chicago, und es gehört zu den ermutigenden Zügen unserer in ihrem Freiheitsspielraum sich immer mehr verengenden Welt, daß ein so radikaler Kritiker des politischen Denkens der Moderne dort wirkt. Man kennt jene querelle des anciens et des modernes, die das literarische Publikum des 17. und 18. Jahrhunderts in Frankreich in Atem hielt. Wenn es auch mehr ein literarischer Streit war, der die Verfechter der Unübertrefflichkeit der klassischen Dichter Griechenlands und Roms mit dem literarischen Selbstbewußtsein der zeitgenössischen Schriftsteller im Wettbewerb zeigte, die damals am Hofe des Sonnenkönigs eine neue klassische Periode der Literatur heraufführten, so hat die Spannung dieses Streites am Ende doch zu seiner schließlichen Auflösung im Sinne des geschichtlichen Bewußtseins gedrängt. Denn es galt, die schlechthinnige Vorbildlichkeit der Antike zu begrenzen. Jene querelle war gleichsam die letzte Form einer ungeschichtlichen Auseinandersetzung zwischen der Tradition und dem Zeitalter der Moderne.

Es wird kein Zufall sein, daß schon eine der ersten Arbeiten von Leo Strauss, die *Die Religionskritik Spinozas* (1930) behandelt, mit dieser querelle zu tun hatte. Sein ganzes imponierendes gelehrtes Lebenswerk ist der Aufgabe gewidmet, diese querelle in einem radikaleren Sinne neu zu entfachen, d. h. dem modernen geschichtlichen Selbstbewußtsein die einleuchtende Richtigkeit der klassischen Philosophie entgegenzustellen.

---

[1] Der Weltbegriff der neuzeitlichen Philosophie, Sb. d. Hd. Ak. d. W., phil.-hist. Kl., 1960.

Wenn Plato nach dem besten Staat fragt und selbst die ausgedehnte politische Empirie des Aristoteles den Vorrang dieser Frage festhält, so mag das mit dem Begriff der Politik wenig vereinbar sein, der seit Machiavelli das moderne Denken beherrscht. Und wenn Strauss in seinem auch in deutscher Übersetzung zugänglich gewordenen Buche *Naturrecht und Geschichte* dem Anschein nach auf die Gegenfigur der modernen historischen Weltanschauung, das Naturrecht, zurückgreift, so ist doch in Wahrheit der Sinn seines Buches, auch hier die griechischen Klassiker der Philosophie, Plato und Aristoteles, als die wahren Begründer des Naturrechts sichtbar zu machen und weder die stoische noch die mittelalterliche Form des Naturrechts, von der des Aufklärungszeitalters ganz zu schweigen, als philosophisch richtig gelten zu lassen.

Strauss ist dabei von seiner Einsicht in die Katastrophe der Moderne bewegt. Ein so elementares menschliches Anliegen wie die Unterscheidung von Recht und Unrecht erhebt in sich den Anspruch, daß der Mensch sich über seine geschichtliche Bedingtheit muß erheben können. Die klassische Philosophie, die mit der Frage nach der Gerechtigkeit die Unbedingtheit dieses Unterschieds in den Vordergrund stellt, hat offenbar recht, und der radikale Historismus, der alle unbedingte Geltung geschichtlich relativiert, kann nicht recht haben. Man muß also seine Argumente einmal im Lichte der klassischen Philosophie prüfen.

Nun kann freilich auch Strauss nicht meinen, daß er diese Aufgabe in derselben Weise in Angriff nehmen könnte, wie etwa Plato seine Kritik an der Sophistik. Er ist selber im modernen geschichtlichen Bewußtsein soweit heimisch, daß das Recht der klassischen Philosophie von ihm nicht »naiv« vertreten werden kann. So ist seine Argumentation gegen das, was er den Historismus nennt, zunächst einmal selbst auf historischem Grunde errichtet. Er beruft sich darauf (und auch Löwith wiederholt diese Berufung), daß das historische Denken selber seine historischen Bedingungen der Entstehung hat. Das gilt in der Tat sowohl für die Form des naiven Historismus, d.h. der Ausbildung des historischen Sinnes im Studium der Überlieferung, als auch von der verfeinerten Form desselben, die die Existenz des Erkennenden selbst in ihrer Geschichtlichkeit mitdenkt.

So unbestreitbar richtig das ist, so unbestreitbar ist auch die Folgerung, daß das historische Phänomen des Historismus, so wie es seine Stunde erhielt, eines Tages auch vorbei sein könnte. Das gilt ganz gewiß, nicht weil der Historismus sich sonst ‚widerspräche‘, sondern wenn er es mit sich selbst ernst meint. Man kann also nicht argumentieren: ein Historismus, der die geschichtliche Bedingtheit aller Erkenntnis schlechthin »in alle Ewigkeit« behauptet, widerspreche sich im Grunde selbst. Mit solchen Selbstwidersprüchen ist es eine eigene Sache [1]. Auch hier muß man sich

---

[1] Vgl. oben, S. 425 [1].

fragen, ob die beiden Sätze: ‚Alle Erkenntnis ist geschichtlich bedingt' und ‚diese Erkenntnis gilt unbedingt' auf der gleichen Ebene liegen, so daß sie einander widersprechen können. Denn die These ist ja nicht, daß man diesen Satz immer für wahr halten wird – so wenig, wie man ihn schon immer für wahr gehalten hat. Der Historismus, der sich ernst nimmt, wird vielmehr damit rechnen, daß man seine These eines Tages nicht mehr für wahr hält, d.h. ‚unhistorisch' denkt. Aber ganz gewiß nicht deshalb, weil die unbedingte Behauptung der Bedingtheit aller Erkenntnis nicht sinnvoll sei, sondern ‚logischen' Widerspruch enthalte.

Indessen meint Strauss es wohl nicht im Sinne dieser Frage. Der bloße Nachweis jedenfalls, daß die Klassiker anders, unhistorisch dachten, sagt noch nichts über die Möglichkeit, heute unhistorisch zu denken. Indessen gibt es Gründe genug, die Möglichkeit, unhistorisch zu denken, nicht als eine leere Möglichkeit anzusehen. Die treffenden ‚physiognomischen' Beobachtungen, die Ernst Jünger zu dieser Frage häuft, könnten dafür sprechen, daß die Menschheit ‚An der Zeitmauer' angelangt ist [1]. Was Strauss im Auge hat, ist jedoch innerhalb des historischen Denkens gedacht und hat den Sinn eines Korrektivs. Was er kritisiert, ist, daß das ‚geschichtliche' Verständnis überlieferter Gedanken beansprucht, diese Gedankenwelt der Vergangenheit besser zu verstehen, als sie selber in der Lage war [2]. Wer so denke, schließe von vornherein die Möglichkeit aus, daß die überlieferten Gedanken einfach wahr sein könnten. Das sei der geradezu universelle Dogmatismus dieser Denkweise.

Das Bild des Historizisten, das Strauß hier zeichnet und bekämpft, entspricht, wie mir scheint, jenem Ideal der vollendeten Aufklärung, das ich in meinen eigenen Untersuchungen zur philosophischen Hermeneutik als die Leitidee hinter dem historischen Irrationalismus Diltheys und des 19. Jahrhunderts bezeichnet habe. Ist es nicht ein utopisches Ideal von Gegenwart, in dessen Lichte sich alle Vergangenheit sozusagen ganz enthüllt? Die Anwendung der überlegenen Perspektive der Gegenwart auf alle Vergangenheit scheint mir gar nicht das wahre Wesen des historischen Denkens, sondern bezeichnet die hartnäckige Positivität eines ‚naiven' Historismus. Seine Würde und seinen Wahrheitswert hat das historische Denken in dem Eingeständnis, daß es ‚die Gegenwart' gar nicht gibt, sondern stets wechselnde Horizonte von Zukunft und Vergangenheit. Es ist ganz und gar nicht ausgemacht (und nie auszumachen), daß irgendeine Perspektive, in der sich überlieferte Gedanken zeigen, die richtige sei. Das ‚historische' Verständnis hat da keinerlei Privileg, weder das heutige noch

---

[1] Vgl. auch Arnold Gehlens Analyse der modernen Kunst, der geradezu von der post-histoire spricht, »in die wir hineingehen«. (vgl. meine Rezension der Zeitbilder Phil. Rundschau X, 1/2.)

[2] What is Political Philosophy?, Glencoe 1959, Zitat S. 68.

das morgige. Es wird selbst von den wechselnden Horizonten umfaßt und mit ihnen mitbewegt.

Dagegen stammt die Wendung der philologischen Hermeneutik, man müsse einen Autor besser verstehen, als er sich selber verstanden hat, wie ich nachgewiesen habe, aus der Genie-Ästhetik, ist aber ursprünglich eine simple Formulierung des Aufklärungsideals, konfuse Vorstellungen durch Begriffsanalyse aufzuklären [1]. Ihre Anwendung auf das historische Bewußtsein ist sekundär und leistet dem falschen Schein einer unübertreffbaren Überlegenheit des je gegenwärtigen Interpreten, den Strauss mit Recht kritisiert, Vorschub. Wenn aber Strauss argumentiert, selbst um besser zu verstehen, müsse man erst einmal einen Autor verstehen, wie er sich selber verstanden habe, unterschätzt er, wie ich glaube, die Schwierigkeiten alles Verstehens, weil er das, was man die Dialektik der Aussage nennen könnte, ignoriert.

Das zeigt er auch an anderer Stelle, wenn er das Ideal einer »objektiven Interpretation« eines Textes damit verteidigt, daß jedenfalls der Autor seine Lehre nur auf eine einzige Weise verstand, »vorausgesetzt, daß er nicht konfus war« (67). Es wird noch zu fragen sein, ob der damit implizierte Gegensatz von klar und konfus so eindeutig ist, wie Strauss als selbstverständlich annimmt. Teilt er damit nicht der Sache nach den Standpunkt der vollendeten historischen Aufklärung und überspringt das eigentliche hermeneutische Problem? Er scheint es für möglich zu halten, zu verstehen, was man nicht selber versteht, sondern was ein anderer versteht, und nur zu verstehen, wie er sich selber verstanden habe. Und er scheint zu meinen, wer etwas sagt, habe ‚sich‘ dabei notwendig und adäquat verstanden. Beides kann nicht zutreffen, meine ich. Man wird eben den inkriminierten hermeneutischen Grundsatz, einen Autor »besser« verstehen zu sollen, als er sich selbst verstand, von der Voraussetzung einer vollendeten Aufklärung ablösen müssen, um seinen gültigen Sinn zu ermitteln.

So fragen wir versuchsweise, wie das Plädoyer für die klassische Philosophie, das Strauss führt, sich hermeneutisch gesehen ausnimmt. Untersuchen wir es an einem Beispiel. Strauss zeigt sehr schön, daß die klassische politische Philosophie die in der modernen Diskussion sogenannte Ich--Du-Wir-Relation unter einem ganz anderen Namen kennt, als Freundschaft. Er sieht richtig, daß die moderne Denkweise, die vom ‚Du-Problem‘

---

[1] Vgl. oben S. 182 ff. Zu 183 [4] wäre jetzt zu vergleichen: Heinrich Nüsse, Die Sprachtheorie Friedrich Schlegels, S. 92 ff. Danach ist Schlegels Wendung noch ganz die des historisch ‚getreuen‘ Philologen: Er muß den Autor in seinem Sinne (»halb« Athenäumfr. 401) »charakterisieren«. Erst Schleiermacher sieht in einem romantisch umgedeuteten ‚Besserverstehen‘ die eigentliche hermeneutische Leistung.

spricht, aus der prinzipiellen Vorrangstellung des cartesischen ego cogito
herrührt. Strauss glaubt nun einzusehen, warum der antike Begriff der
Freundschaft richtig ist, und die moderne Begriffsbildung falsch. Wer zu
erkennen sucht, was Staat und Gesellschaft ausmacht, der muß legitimer-
weise über die Rolle der Freundschaft sprechen. Er kann aber nicht mit
gleicher Legitimität ,über das Du' sprechen. Das Du ist nichts, worüber
man spricht, sondern das, zu dem man spricht. Wenn man statt der Rolle
der Freundschaft die Funktion des Du zugrundelegt, verfehlt man geradezu
das objektive kommunikative Wesen von Staat und Gesellschaft.

Ich finde das Beispiel sehr glücklich. Die unbestimmte Stellung zwischen
Tugend- und Güterlehre, die der Begriff der Freundschaft in der aristotelischen Ethik einnimmt, ist mir aus ganz ähnlichen Gründen seit langem
ein Ansatzpunkt, Schranken der modernen Ethik gegenüber der klassischen Ethik zu erkennen[1]. Ich stimme also dem Beispiel von Strauß voll
zu, aber ich frage: Fällt einem eine solche Einsicht in den Schoß, indem
man die Klassiker mit durch die historische Wissenschaft geschultem Auge
»liest«, gleichsam ihr Meinen rekonstruiert und es dann auch noch für
möglich hält, sozusagen in vertrauensseliger Gesinnung, daß sie recht
haben? – Oder gewahren wir in ihnen Wahrheit, weil wir immer schon
selber denken, wenn wir sie zu verstehen suchen, d. h. aber, daß ihre Aussagen uns als wahr einleuchten im Blick auf die entsprechenden modernen
Theorien, die im Schwange sind? Verstehen wir sie überhaupt, ohne sie
zugleich als richtiger zu verstehen? Wenn das so ist, frage ich weiter: Hat
es nun nicht Sinn, von Aristoteles zu sagen: So konnte er sich selbst nicht
verstehen, wie wir ihn verstehen, wenn wir, was er sagt, richtiger finden,
als jene modernen Theorien (die er gar nicht kennen konnte)?

Ähnliches ließe sich etwa über den Unterschied zwischen dem Begriff
des Staates und dem der Polis zeigen, auf dem Strauss ebenfalls mit Recht
besteht. Daß die Anstalt des Staates etwas sehr anderes ist als die natürliche
Lebensgemeinschaft der Polis, ist nicht nur richtig – damit ist auch etwas
aufgedeckt – und wieder aus dieser Erfahrung des Unterschiedes –, das
nicht nur für die moderne Theorie unbegreifbar bleibt, sondern das auch
in unserem Verständnis der überlieferten klassischen Texte unbegriffen
bliebe, wenn wir es nicht aus dem Gegensatz zur Moderne verstünden.
Wenn man das ,revitalisation' nennen will, Wiederbelebung, so scheint
mir das eine ebenso ungenaue Redeweise wie die von Re-enactment bei
Collingwood. Das Leben des Geistes ist nicht wie das des Leibes. Es ist kein
falscher Historismus, sich das einzugestehen, sondern im schönsten Einklang mit Aristoteles: ἐπίδοσις εἰσ αὑτό. Der Sache nach glaube ich darin
mit Strauss nicht ernstlich zu differieren, sofern auch er die ,fusion of

---

[1] Vgl. meine oben Anm.[2] zu S. XIII unter 8 zitierte Abhandlung »Über die Möglichkeit einer philosophischen Ethik«.

history and philosophical questions' in unserem heutigen Denken für
unvermeidlich hält. Ich stimme ihm zu, daß es eine dogmatische Behauptung wäre, darin einen schlechthinnigen Vorzug der Moderne zu erblicken.
Ja, wieviel Vorgreifliches uns undurchschaut beherrscht, wenn wir in
unsern durch die Tradition mannigfach versetzten Begriffen denken, und
wieviel ein Rückgang auf die Väter des Denkens uns lehren kann, zeigen
die genannten Beispiele – die sich aus Strauss' Schriften beliebig vermeh-
ren ließen – auf eindeutige Weise.

Jedenfalls darf man sich nicht zu dem Irrtum verleiten lassen, das Problem der Hermeneutik stelle sich nur vom Standpunkte des modernen
Historismus. Zugegeben, daß für die Klassiker die Meinungen ihrer Vorgänger nicht eigentlich als geschichtlich andere, sondern gleichsam als
zeitgenössisch diskutiert wurden. Aber die Aufgabe der Hermeneutik,
d.h. die Aufgabe der Interpretation der überlieferten Texte, stellte sich
auch dann, und wenn solche Interpretation dort immer zugleich die Wahrheitsfrage einschließt, so ist auch das vielleicht nicht so weit von unseren
eigenen Erfahrungen im Umgang mit Texten, als die Methodenlehre der
historisch-philologischen Wissenschaft wahrhaben will. Das Wort Hermeneutik weist bekanntlich auf die Aufgabe des Dolmetschers zurück, etwas
Unverständliches, weil in fremder Sprache Gesprochenes – und sei es in
der Göttersprache der Winke und Zeichen – zu deuten und mitzuteilen.
Das solcher Aufgabe gewidmete Können ist wohl immer schon Gegenstand
möglicher Besinnung und bewußter Ausbildung gewesen. (Diese kann
natürlich die Form einer mündlichen Tradition gehabt haben, wie z.B.
bei der delphischen Priesterschaft.) Vollends aber ist die Aufgabe der Auslegung mit Entschiedenheit gestellt, wo Schriftlichkeit besteht. Alles in
der Schrift Fixierte hat etwas Fremdes und stellt insofern die gleiche Ver-
stehensaufgabe, wie das, was in fremder Sprache gesprochen ist. Der Ausleger von Schriftlichem wie der Dolmetsch göttlicher oder menschlicher
Rede hat Fremdheit aufzuheben und Aneignung zu ermöglichen. Mag
sein, daß diese Aufgabe sich kompliziert, wenn der historische Abstand
zwischen Text und Interpret bewußt wird. Denn das bedeutet ja zugleich,
daß die Tradition, die den überlieferten Text und seinen Interpreten
gemeinsam trägt, brüchig geworden ist. Aber ich glaube, daß man unter
der Wucht der falschen methodischen Analogien, die die Naturwissenschaften suggerieren, die ‚historische' Hermeneutik viel zu weit von jener
vorhistorischen Hermeneutik abrückt. Ich habe zu zeigen gesucht, daß
mindestens ein beherrschender Zug gemeinsam ist: die Struktur der
Applikation [1].

Es wäre reizvoll, den wesentlichen Zusammenhang zwischen Hermeneutik und Schriftlichkeit einmal in seinen griechischen Anfängen zu erforschen.

---
[1] Oben S. 290ff.

Nicht nur, daß die Dichter-Auslegung von Sokrates wie von seinen sophistischen Gegnern betrieben wurde, wenn wir Plato glauben dürfen. Wichtiger ist, daß das Ganze der platonischen Dialektik von Plato selber ausdrücklich auf die Problematik der Schriftlichkeit bezogen wird und daß sie auch innerhalb der Dialogwirklichkeit nicht selten ausdrücklich einen hermeneutischen Charakter annimmt, sei es, daß eine mythische Überlieferung durch Priester und Priesterinnen, eine Unterweisung durch Diotima oder auch nur die Feststellung das dialektische Gespräch einleitet, die Älteren hätten sich gar nicht um unser Verständnis bekümmert und uns deshalb wie gegenüber Märchen hilflos gelassen. Auch die Umkehrung wäre zu erwägen, wieweit nämlich bei Plato seine eigenen Mythen in den Gang der dialektischen Bemühung hineingehören und insofern selber den Charakter der Auslegung tragen. So könnte über die von Hermann Gundert gegebenen Ansätze hinaus[1] die Konstruktion einer platonischen Hermeneutik höchst lehrreich werden.

Wichtiger aber noch ist Plato als *Gegenstand* hermeneutischer Besinnung. Steht doch das Dialogkunstwerk der platonischen Schriften eigentümlich in der Mitte zwischen der Maskenvielheit der dramatischen Dichtung und der Authentizität der Lehrschrift. Die letzten Jahrzehnte haben uns in dieser Hinsicht zu einer hohen hermeneutischen Bewußtheit verholfen, und auch Strauss überrascht in seinen Arbeiten durch manche glänzende Probe der Dechiffrierung versteckter Bedeutungsbezüge im platonischen Dialoggeschehen. Die eigentliche hermeneutische Basis ist dabei, soviel uns auch Formanalyse und andere philologische Methoden geholfen haben, unser eigenes Verhältnis zu den sachlichen Problemen, um die es bei Plato geht. Auch die platonische Künstler-Ironie versteht nur (wie alle Ironie), wer sich in der Sache mit ihm versteht. Die Folge dieser Sachlage ist, daß solche dechiffrierende Auslegungen ‚unsicher‘ bleiben. Ihre ‚Wahrheit‘ ist nicht ‚objektiv‘ aufweisbar, es sei denn von jenem sachlichen Einverständnis her, das uns mit dem interpretierten Text verbindet.

Nun hat Strauss auf eine indirekte Weise einen weiteren wichtigen Beitrag zur hermeneutischen Theorie gegeben, indem er ein Sonderproblem untersucht hat, nämlich die Frage, wieweit bewußte Tarnung der wahren Meinung unter der Gewalt der Verfolgungsdrohungen der Obrigkeit oder der Kirche beim Verständnis von Texten zu berücksichtigen ist[2]. Studien zu Maimonides, Halevy und Spinoza waren es vor allem, die zu solcher Betrachtungsweise Anlaß gaben. Ich möchte die von Strauss gegebenen Deutungen nicht anzweifeln – sie leuchten mir weitgehend ein –, aber ich möchte eine Gegenerwägung anstellen, die vielleicht auch in diesen

---

[1] in FS O. Regenbogen, Heidelberg 1952 und Lexis II
[2] Persecution and the Art of Writing, Glencoe 1952.

Fällen, ganz sicher aber in anderen Fällen, z. B. im Falle Platos, ihr Recht hat. Ist die bewußte Verstellung, die Tarnung und das Versteck der eigenen Meinung nicht in Wahrheit der seltene Extremfall zu einer häufigen, ja zu einer allgemeinen Normalsituation? Genau wie Verfolgung (obrigkeitliche oder kirchliche, Inquisition u. dgl.) nur ein Extremfall ist, im Vergleich zu dem ungewollten oder gewollten Druck, den Gesellschaft und Öffentlichkeit auf das menschliche Denken ausüben. Nur wenn man sich des kontinuierlichen Übergangs vom einen zum anderen ganz bewußt ist, ermißt man die hermeneutische Schwierigkeit des Problems, das Strauss angepackt hat. Wie will man zu eindeutiger Feststellung von Verstellung kommen? So ist es m. E. keineswegs eindeutig, wenn man bei einem Schriftsteller widersprechende Aussagen findet, die versteckte und gelegentliche – wie Strauss meint – für die Aussage seiner wahren Meinung zu halten. Es gibt durchaus auch einen unbewußten Konformismus des menschlichen Geistes, das, was allgemein einleuchtet, auch wirklich für wahr zu halten. Und es gibt umgekehrt einen unbewußten Drang, extreme Möglichkeiten zu probieren, auch wenn sie sich nicht immer zu einem kohärenten Ganzen vereinigen lassen. Der experimentelle Extremismus Nietzsches ist dafür ein unwiderlegliches Zeugnis. Widersprüchlichkeiten sind zwar ein vorzügliches Wahrheitskriterium, aber leider kein eindeutiges Kriterium beim hermeneutischen Geschäft.

So ist es mir beispielsweise ganz sicher, daß der zunächst sehr einleuchtende Satz von Strauss, wenn ein Autor Widersprüche zeige, die ein heutiger Schulbube ohne weiteres durchschauen würde, dann seien dieselben beabsichtigt, ja sogar zum Durchschauen bestimmt, auf die sogenannten Argumentationsfehler des platonischen Sokrates nicht anwendbar ist. Nicht etwa deshalb, weil wir uns da in den Anfängen der Logik bewegen (wer das meint, verwechselt logisches Denken mit logischer Theorie), sondern weil es das Wesen einer auf die Sache gerichteten Gesprächsführung ist, Unlogik in Kauf zu nehmen [1].

Die Frage hat allgemeine hermeneutische Konsequenzen. Es geht um den Begriff der Meinung des Autors. Ich sehe davon ab, welche Hilfsstellung die Jurisprudenz mit ihrer Lehre von der Gesetzesauslegung hier zu bieten vermöchte. Ich will mich nur darauf berufen, daß jedenfalls der platonische Dialog ein Muster beziehungsvoller Vieldeutigkeit ist, der gerade Strauss oft Wichtiges abgewinnt. Sollte die mimetische Wahrheit, die die sokratische Gesprächsführung bei Plato hat, so zu unterschätzen sein, daß man diese Vieldeutigkeit nicht in ihr selbst, ja, in Sokrates selbst, erblickt? Weiß ein Autor wirklich so genau und in jedem Satze, was er

---

[1] Die Diskussion dieses Problems scheint mir noch immer nicht auf dem rechten Punkt, wie die an sich beachtenswerte Anzeige der Schrift von R. K. Sprague: Plato's use of fallacy durch Kl. Oehler, Gnomon 1964, S. 335 ff. m. E. zeigt.

meint? Das wunderliche Kapitel philosophischer Selbstinterpretation – ich denke etwa an Kant, an Fichte oder an Heidegger – scheint mir eine deutliche Sprache zu sprechen. Wenn die von Strauss gestellte Alternative richtig sein sollte, daß ein philosophischer Autor entweder eine eindeutige Meinung hat oder konfus ist, dann gibt es, fürchte ich, in vielen strittigen Auslegungsfragen nur eine hermeneutische Konsequenz: den Fall der Konfusion für gegeben zu erachten.

Ich habe mich für die Struktur des hermeneutischen Vorgangs ausdrücklich auf die aristotelische Analyse der φρόνησις berufen[1]. Im Grunde habe ich damit eine Linie weiterverfolgt, die Heidegger schon in seinen frühen Freiburger Jahren eingeschlagen hat, als es ihm gegen den Neukantianismus und die Wertphilosophie (und in letzter Konsequenz wohl auch schon gegen Husserl selbst) auf eine Hermeneutik der Faktizität ankam. Gewiß wird für Heidegger schon in seinen frühen Versuchen die ontologische Basis des Aristoteles suspekt gewesen sein, auf der die ganze moderne Philosophie, insbesondere der Begriff der Subjektivität und der des Bewußtseins sowie die Aporien des Historismus ihren Stand haben (was dann in *Sein und Zeit* »Ontologie des Vorhandenen« hieß). In einem Punkt war aber die aristotelische Philosophie damals für Heidegger viel mehr als ein bloßes Gegenbild, nämlich ein wirklicher Eideshelfer für seine eigenen philosophischen Intentionen: in der aristotelischen Kritik am »allgemeinen Eidos« Platos und positiv in dem Aufweis der analogischen Struktur des Guten und seiner Erkenntnis, wie sie in der Situation des Handelns die Aufgabe ist.

Was mich an Strauss' Verteidigung der klassischen Philosophie am meisten wundert, das ist, wie sehr er sie als eine Einheit verstehen möchte, so daß ihm der extreme Gegensatz, der zwischen Plato und Aristoteles durch die Art und den Sinn der Frage nach dem Guten besteht, keine Sorgen zu bereiten scheint. Mir sind die frühen Anregungen, die ich von Heidegger empfing, u. a. in der Weise fruchtbar geworden, daß mir die aristotelische Ethik ganz ungesucht die tiefere Durchdringung des hermeneutischen Problems erleichterte. Ich glaube zu sehen, daß das durchaus kein Mißbrauch aristotelischen Denkens ist, sondern eine uns allen von dort her mögliche Belehrung aufzeigt, eine Kritik des Abstrakt-Allgemeinen, wie sie, ohne im Stile Hegels dialektisch zugespitzt zu werden und damit auch ohne die unhaltbare Konsequenz, die der Begriff des absoluten Wissens darstellt, mit der Entstehung des historischen Bewußtseins für die hermeneutische Situation bestimmend geworden ist.

In dem 1956 erschienenen Bändchen »Die Wiedererweckung des geschichtlichen Bewußtseins« hat Theodor Litt unter dem Titel: ‚Der Historismus und seine Widersacher' eine temperamentvolle Auseinanderset-

---

[1] Oben S. 295 ff.

33*

zung mit Krüger und Löwith (leider nicht auch mit L. Strauss) veröffentlicht, die mir an diesem Punkte zu hängen scheint[1]. Ich glaube, daß Litt
recht hat, wenn er in der philosophischen Gegnerschaft gegen die Geschichte die Gefahr eines neuen Dogmatismus erblickt. Das Verlangen nach einem festen, sich gleichbleibenden Maßstab, »der dem zum Handeln Aufge-
rufenen die Richtung weist«, hat immer dann besondere Kraft, wenn Ver-
irrungen des sittlich-politischen Urteils zu schlimmen Folgen geführt haben.
Die Frage nach der Gerechtigkeit, die Frage nach dem wahren Staat, scheint
ein elementares Bedürfnis des menschlichen Daseins zu sein. Indessen
kommt alles darauf an, wie diese Frage gemeint und gestellt werden muß,
um Klärung zu bringen. Litt zeigt, daß damit keine allgemeine Norm gemeint sein kann, unter die der zu beurteilende Fall praktisch-politischen Handelns subsumiert werden könnte[2]. Ich vermisse freilich auch bei ihm, daß
er sich der Hilfe bedient, die hier Aristoteles leisten kann. Denn Aristoteles
hat das gleiche bereits gegen Plato eingewandt.

Ich bin durchaus überzeugt, daß wir von den Klassikern ganz schlicht zu
lernen haben, und ich weiß es sehr zu schätzen, daß Strauss diese Forderung nicht nur erhebt, sondern vielfach durch die Tat zu erfüllen vermag.
Ich rechne jedoch zu dem, was wir von ihnen zu lernen haben, auch den
unaufhebbaren Gegensatz, der zwischen einer πολιτική τέχνη und einer
πολιτική φρόνησις besteht. Ich finde, daß Strauss das nicht genügend
bedenkt.

Wozu uns Aristoteles helfen kann, ist in diesem Punkte jedenfalls, daß
wir uns nicht in eine Apotheose der Natur und der Natürlichkeit und des
natürlichen Rechtes verrennen, die nichts als eine ohnmächtig doktrinäre
Kritik an der Geschichte wäre, sondern daß wir vielmehr ein angemesse-
neres Sachverhältnis zur geschichtlichen Überlieferung gewinnen und ein
besseres Begreifen dessen, was ist. Ich halte übrigens das uns durch Aristoteles gestellte Problem keineswegs für erledigt. Es könnte immerhin sein,
daß die aristotelische Kritik – wie so manche Kritik – zwar recht hat in
dem, was sie sagt, aber nicht gegen den, gegen den sie es sagt. Doch das ist
ein weites Feld.

---

[1] Heidelberg 1956.

[2] »Es ist ein hoffnungsloses Bemühen, im Aufschau zur Idee des ‚wahren‘ Staates
nach Anweisung der Norm der Gerechtigkeit feststellen zu wollen, *welche* besondere
Ordnung der gemeinsamen Dinge es nun eigentlich ist, die hic et nunc der allge-
meinen Forderung zur Verwirklichung verhelfen würde.« (88) In seiner Schrift
»Über das Allgemeine im Aufbau der geisteswissenschaftlichen Erkenntnis« (vom
Jahre 1940) hat Litt das näher begründet.

Lebreton 396
Leibniz 25, 134, 192, 213, 393, 416
Lektüre, Leser 152 f., 179, 253, 317, 369 ff.
Leonardo da Vinci 3, 88
Lessing 44 f., 70 f.
Licht 475 ff.
Liebing H. 493
Lipps, H. 404, 434 ff.
Literatur 152 ff., 369
Litt, Th. 405, 511 f.
Logik (Syllogistik) 229, 347 f., 404 f., 510
Logikkalkül 392 f.
Logos 207, 295 ff., 333, 350 ff., 383, 388 ff., 396 ff., 406, 433 f.
Lohmann, J. 381 f., 391, 410
Looff, H. 72
Loos, E. 21
Löwith, K. 195, 197, 342, 406, 472 ff., 501 ff., **512**
Lücke 493
Lukács, G. 90, 259
Luther, M. 121, 162 ff., 183, 220

Mach, E. 62
Machiavelli 504
Mahnke, D. 135
Maieutik 350
Maimonides 509
Malebranche 135
Malraux, A. 83
Maniera 466
Manierismus 488
Marcuse, H. 215
Mark Aurel 21
Marlowe 471
Marrou, H. J. 497
Marx, K. 259
Marxismus 315, 327
Masur, G. 191
Meier, G. F. 257
Meinecke, Fr. 501
Meinung s. Doxa
  Vormeinung (Vorverständnis) 252 ff., 278 ff.
Melanchthon 165, 301, 303
Menschenkenntnis 341
Menzer, P. 28, 39
Mesnard, P. 70
Mesotes, 37, 295 ff.
Metaphorik 71, 406 ff.

Metaphysik 241 ff., 434 ff., 496, 500 f.
–, dogmatische 443
Metasprache 392
Methexis s. Teilhabe
Methode 3, 5 f., 21, 162 f., 167 f., 170 u. ö., 236, 266 f., 331, 341, 435 ff., 479 ff., 483 f.
Mill, J. St. 1, 4, 6
Mimesis (Nachahmung) 108 ff., 127 u. ö. 387 f.
Misch, G. 206, 222, 225, 478
Mißverständnis 173 ff., 253 u. ö.
Mitleid 122
Mittel – Zweck 304 f., 341, 435 f.
Mode 34 ff.
Modell 136 f.
Möller, J. XIII
Mollewitz, G. 88
Mommsen 268, 483
Monument 140 f.
Moral, provisorische 263
Moralphilosophie 22, 27, 29 f., 265, 295 ff.
Moral science 1, 297
Moritz, K. Ph. 71 ff. 91
Morus 27, 291
Motiv 87
Motivation 358 f., 447
Müller, C. 71
Müller, M. 459
Museum 82 f., 128
Musik, absolute 87
  Hausmusik 105
Mythologie 73, 83, 480, 488
Mythos 75 ff., 104, 127, 258 u. ö., 328 u. ö. 470, 480, 509

Nachahmung s. Mimesis
Nachfolge (s. Vorbild) 40, 320 f.
Nachsicht 306
Name, Onoma (s. Wort) 383 ff., 406 f., 413 f.
Natorp, P. 64, 207, 229 ff., 431
Natur 7 ff., 26, 76 ff., 331 f., 454 ff.
– schönheit 48 ff., 53 f.
– recht 4, 19, 21, 254, 302 f., 490 ff., 504, 512
– wissenschaften 15 f. u. ö. 38 u. ö. 119, 206 ff., 226, 245, 267 f., 427 ff., 435 ff., 477, 508
Naturwüchsige Gesellschaft 259
Negativität der Erfahrung 335 ff.